Katherine Pancol est née à Casablanca en 1954. Depuis l'enfance, elle s'immerge dans les livres et invente des histoires qu'elle raconte à qui veut l'entendre. Pour elle, la fiction est plus réelle et intéressante que la réalité. Elle était la plus fidèle adhérente de la bibliothèque municipale où elle lisait tous les livres par ordre alphabétique. Balzac et Colette sont ses deux maîtres absolus. Après des études de lettres, elle enseigne le français et le latin, mais attrape le virus de l'écriture et du journalisme : elle signe bientôt dans *Cosmopolitan* et *Paris-Match*. Un éditeur remarque sa plume enlevée et lui commande l'écriture d'un roman : *Moi d'abord* paraît en 1979 et connaît un succès immédiat et phénoménal. Elle s'envole pour New York où elle vivra une dizaine d'années, écrira trois romans et aura deux enfants. Elle rentre à Paris au début des années quatre-vingt-dix. Elle écrit toujours, et sa devise est : « La vie est belle ! »

www.katherine-pancol.com

Katherine Pancol

PREMIERS ROMANS

MOI D'ABORD
SCARLETT, SI POSSIBLE
VU DE L'EXTÉRIEUR

Préface inédite de l'auteur

Éditions du Seuil

TEXTE INTÉGRAL

Moi d'abord
© Éditions du Seuil et Katherine Pancol, 1979

Scarlett, si possible
© Éditions du Seuil, 1985

Vu de l'extérieur
© Katherine Pancol et Éditions du Seuil, 1993

ISBN 978-2-7578-2545-7

© Éditions Points, 2011, pour la présente édition

Préface

Le premier livre que j'ai lu, c'était *Sans famille*. Je me souviens de la dalle froide du large escalier en pierre sur laquelle je m'installais pour lire. Je grimpais à l'échelle des mots. J'avais 5 ans. Quand on me demandait « qu'est-ce que tu veux faire plus tard ? », je répondais « Hector Malot ».

Les livres, enfant, je les regardais d'en bas. Avec vénération. Je tendais le bras vers eux, je les dénichais sur les étagères de la bibliothèque municipale. Je les lisais par ordre alphabétique, ne sachant que choisir. À la maison, dans le meuble de l'entrée, il y avait trois romans : *Climats* d'André Maurois, *La Promesse de l'aube* de Romain Gary et *La Mousson* de Louis Bromfield. Je les avais lus et relus. À la bibliothèque, j'avais l'embarras du choix. Et une attirance spéciale pour les livres du Seuil. Le cadre rouge et le cadre vert. Rouge, les lettres françaises, vert, les étrangères. Ils clignotaient, nets, lumineux, deux lucarnes qui ouvraient sur le monde.

Des années plus tard, journaliste à *Cosmopolitan*, le téléphone sonne, je décroche. C'est Robert Laffont. Il lit mes articles dans *Cosmo*, il veut que je lui écrive un roman. Je lui réponds qu'il n'en est pas question, je n'ai rien à raconter, je suce encore mon pouce, il ne m'est rien arrivé d'épouvantable ni d'époustouflant. Il insiste, rappelle et rappelle. Pendant six mois, chaque semaine.

L'homme est exquis, opiniâtre. Un jour, de guerre lasse, je murmure « oui ». Il me dit « Racontez-moi votre vie », je raconte ma vie. Je commence par 15 feuillets… et je me prends au jeu. C'est bien plus enivrant d'écrire un roman qu'un article. On peut tout inventer, tordre les mots, tordre les nez, se tordre de rire ou de larmes. On se raconte des histoires à soi.

Ce sera *Moi d'abord*.

Le titre, ce n'est pas moi qui l'ai trouvé. C'est mon amoureux, Pierre Lescure. Je l'assiège, « Trouve-moi un titre, trouve-moi un titre ». Un livre sans titre, c'est un cheval sans jockey, il ne gagnera jamais le tiercé. Un jour, chez le dentiste dans la salle d'attente, il griffonne sur un papier *Moi d'abord*. Il connaît le roman par cœur. Chaque soir, je lui fais la lecture. Je corrige quand je n'aime pas ce que j'entends. J'écris à l'oreille, je cherche une musique, « ma » musique. C'est mon premier lecteur.

Le deuxième s'appelle Romain Gary. Il habite dans ma rue, on se connaît depuis cinq ans, on s'apprécie beaucoup. Je pose mon manuscrit sur ses genoux et lui demande de me dire si je le jette à la poubelle ou pas. Il l'emporte, le lit. Verdict : « C'est valable. Ça a des couilles. Si tu veux, je te fais un mot de recommandation pour Grasset. »

Laffont, Grasset… et pourquoi pas Le Seuil ?

Un jour du mois d'août, je mets mes manuscrits dans un cabas et pars les déposer d'abord chez Grasset puis au Seuil. Chez Grasset, je livre lettre de Romain Gary et manuscrit à la réceptionniste qui fait la moue. Je n'en ai cure. Si elle savait… je vise le cadre rouge.

Au Seuil, la réceptionniste me reçoit quand un grand monsieur nonchalant au long nez busqué descend de son bureau perché et m'aperçoit. Que faites-vous là, belle enfant ? demande son œil malicieux. J'explique, vêtue d'un k-way rose et d'un jean vert pomme qui me fait ressembler à une Spice Girl. François-Régis Bastide prend mon manuscrit, amusé, et me dit de ne pas attendre de réponse avant longtemps : il a une telle pile à lire ! Pas grave, je réponds, je sors de chez Grasset et Robert Laffont m'attend. Et demain, j'ajoute pour enfoncer mon clou, je pars en vacances avec mon amoureux. La vie est belle. Avec ou sans réponse. Et je tourne les talons. Il est six heures et demie, je dois faire ma valise.

Le soir même, minuit, le téléphone sonne. C'est François-Régis Bastide, mon troisième lecteur. Il a lu, il est tombé vert pomme, il veut me voir tout de suite. Impossible, je pars en vacances. Il faudra attendre mon retour. Je raccroche, le cœur menacé d'explosion. Fais deux fois le tour du pâté de maisons en courant comme une dératée, remonte me coucher, pince le Lescure pour m'assurer que je ne rêve pas.

Moi d'abord sera un énorme succès. Je suis devenue un « écrivain » même si je ne le sais pas.

Je pars vivre à New York. Fais la fête avec application pendant un an… et puis un jour, le directeur du Seuil m'appelle : il faut que j'écrive un autre roman. Hors de question. J'en ai fait un, je suis quitte, laissez-moi danser tous les soirs au Studio 54 avec Mick Jagger et David Bowie. Hé, hé, dit la voix au téléphone, vous avez juste oublié un truc… les impôts.

Les impôts !

On fait un deal : j'écris un deuxième roman et le Seuil avance l'argent pour les impôts. Ce sera *La Barbare* que je n'aime pas trop. Je suis intimidée par le succès du premier, je me demande comment j'ai fait, je ne suis pas sûre de pouvoir recommencer, je grelotte de peur derrière mon clavier.

Le troisième, *Scarlett si possible*, sera moins intimidant. J'ai moins peur même si je ronge ongles et phalanges et je découvre les passes magiques de l'écriture. Je deviens apprenti torero.

Le quatrième, *Les hommes cruels ne courent pas les rues*, je commence à y croire. Connais de vrais moments d'exaltation, des fulgurances réjouissantes et le sentiment d'appartenir à la famille des livres. Je suis peut-être faite pour ça après tout. Écrire. Écrire. Écrire.

Le cinquième, *Vu de l'extérieur*, ça y est. Je suis devenue « écrivain ». J'ai mes manies, mes nuits blanches, ma petite musique, mon univers, ma varlope et mon biseau.

Comme ceux vers qui je tendais la main, petite, à la bibliothèque municipale…

Katherine Pancol

MOI D'ABORD

Pour un monsieur
qui habite rue du Bac.

Première partie

Ma première fois. Désormais, je ne serai plus jamais la même. Je pose une pointe de pied dans le monde des adultes. Je quitte l'étreinte chaude et douce de l'enfance, de ma petite famille, toute petite car papa nous a quittés, il y a quelque temps, pour suivre une autre dame. Nous sommes restés tous les trois : maman, Philippe et moi. Coudes et cœurs soudés, Trinité indissoluble dans les rires et les larmes. Je les aime, ils m'aiment. Nous sommes nos propres fans, nous nous récitons des cantiques quand tout va bien, faisons des orgies et des lamentations quand le destin clignote de travers. On a notre vocabulaire, nos accents toniques et les mots à ne jamais prononcer sous peine de faire gicler les larmes.

J'articule donc, sans honte, ma nouvelle matinale, devant mon public favori accoudé sur la toile cirée à carreaux rouges et blancs, que la jeune sœur de maman nous avait envoyée de Clermont-Ferrand pour que nous partions d'un bon pied.

Maman allume une Gitane pour occuper son émotion montante, Philippe me regarde, pas gêné du tout.

Cette nuit, j'ai fait l'amour. Pour la première fois. Avec Patrick. Bon ? Difficile à dire. Intéressant sûrement. Pas vraiment enthousiaste mais consciente que le moment était venu. Dix-huit ans, c'est le bon âge, c'est correct.

Car autrement, je me satisfaisais bien toute seule ou avec un tiers, en échangeant masturbation contre masturbation. Septième ciel assuré, même quand ça se passait en solitaire dans ma baignoire avec Bob Dylan qui m'encourageait de l'harmonica. La conscience embarrassée parce qu'on n'est pas censée se faire plaisir dans la baignoire et sous les robinets pendant que maman, dans la pièce à côté, fait réciter à Philippe les ressources minières de l'Allemagne de l'Ouest. Oui, mais c'est si bon. Si délicieux à découvrir. Enchantée. Nice to meet you. Les deux jambes accrochées au cou de la tuyauterie familiale, et la tête qui se noie dans l'eau du bain et du plaisir.

Avec Patrick, c'est différent. Pas aussi bien qu'avec le robinet. Pendant nos longues séances de flirt, nous pratiquions, avec une stricte observance des lois, le tout-mais-pas-ça : bouche à bouche non stop, mains moites sous taffetas écossais, un bouton, une socquette, deux socquettes, un effleurement du sein droit puis du gauche, et un *niet* final si l'auriculaire descend plus bas. Même les pieds en croix et ivre de plaisir, la Morale impérialiste m'arrêtait en pleine ascension. Non, je suis désolée, revenez plus tard, quand je serai grande mais aujourd'hui, je ne peux pas. Ce n'est pas convenable.

Mon cobaye préféré, c'est Patrick. Beau, façon poster d'Alain Delon, les yeux bleu Caraïbes, les pommettes en devanture, la bouche comme il faut, ni trop molle ni trop pincée. Seul différence avec le poster, il est frisé. Frisé serré et blond. Grand et large, je peux rouler sur sa poitrine, rassurée par toute cette masse qui m'entoure et qui m'aime. Plus jamais seule ni incomprise avec ses soixante-quinze kilos et son mètre quatre-vingt-quatre. Le nez dans ses bras, je regarde le monde avec curiosité mais de loin.

Il possède, lui aussi, des parents divorcés et une mère qui a lutté pour l'élever. Il assiste Philippe dans ses équations à deux inconnues. Tout cela nous rapproche, aide à mieux nous comprendre et supprime pas mal de complexes socio-économiques. Avec lui, je n'ai pas honte de dîner sur la toile cirée de la cuisine ou d'entendre maman rappeler que papa n'a toujours pas payé la pension alimentaire. Sa mère, elle aussi, a des fins de mois difficiles et son père pousse de grosses colères comme le mien.

Je ne le vois que le week-end. Il habite Villeneuve-Saint-Georges et étudie. Pour devenir expert-comptable.

Depuis que je le connais, je sais que c'est avec lui que ça arrivera. Parce qu'il a un air propre, qu'il est beau et qu'à force de le regarder de très près, j'ai envie d'aller plus loin. Et, enfin, de tous mes copains de baisers essoufflés, il est celui qui me chérit le plus. Priorité au plus affectueux.

Aussi, lorsqu'un samedi soir, il m'invita à dîner et à coucher chez sa mère, à Villeneuve-Saint-Georges, j'y allai. Un peu réticente. Le dîner avalé, je me retrouvai dans sa chambre et le regardai se déshabiller en me demandant : « Qu'est-ce que je fais ici ?… »

Et pourtant, on se connaît par cœur. Depuis mes quinze ans et mes vacances en Normandie. Chaque été, nous passons, Philippe et moi, un mois chez papa. Près de Fécamp. Je l'ai rencontré à une surprise-partie, un soir où j'avais fait le mur avec Philippe. Très souvent, les baskets à la main et le mur derrière nous, nous ne savions quoi faire…

Cette nuit-là, il y avait fête dans une villa. Une vingtaine de couples s'embrassaient pendant que Johnny chantait « Retiens la nuit… ». Le premier que je rencontrai, à gauche en entrant, ce fut Patrick. Beau comme le chef de la bande, le regard pointu sur mon anatomie et l'autorité naturelle de celui qui a toujours la plus belle moto. Quatre ans de plus que moi. Un vieux, quoi. Quand il s'est approché et qu'il m'a embrassée, je n'ai même pas eu l'idée de résister : j'étais choisie par le chef de la bande.

Les muscles triomphants, il m'a emmenée au premier, l'étage où on flirtait sérieux. En une nuit, j'ai tout appris : du baiser au jean retroussé. C'est bon, encore s'il vous plaît. J'ai rattrapé toutes mes leçons de sciences naturelles. « Et les spermatozoïdes, mademoiselle, ça s'attrape comment ? » Question à laquelle on ne répondait que très vaguement chez les dames augustines, où je suivais mes classes. Je ne savais toujours pas et j'étais inquiète. Je me disais, ce soir-là, que je risquais d'en attraper à me laisser embrasser de la sorte. Je me promettais de demander à maman, mais il fallait attendre trois semaines avant de revoir maman.

Trois semaines enlacée à Patrick. Suspendue à ses décisions. Éclatante de fierté d'être la seule à monter sur sa moto. Étonnée de toutes les sensations nouvelles que je découvrais sous les seuls pins de la région, où il m'emmenait et me couchait.

En septembre, nous nous séparâmes. Moi, nouée de larmes ; lui, à peu près indifférent. Il avait d'autres amours à Villeneuve-Saint-Georges. Je ne le retrouvai que l'été suivant. Nous reprîmes nos stations sous les pins. Cette année-là, il me demanda mon numéro de téléphone à Paris. Je le lui donnai. Avec moins de ferveur que l'été précédent, mais toujours très fière d'être la préférée du chef.

Et je suis là. Intimidée devant ce jeune homme qui va s'allonger sur moi. Je ne sais pas ce qu'il convient de dire, de faire, de proposer. J'attends. J'exécute un rapide calcul mental pour savoir, avec mes bases d'éducation sexuelle, si je risque ou pas la fécondation. Je me laisse aller à la fatalité. De toute manière, il est trop tard pour reculer.

Il a beaucoup mangé, beaucoup bu. Il a sommeil. Si sa légende de chef ne l'y obligeait pas, il remettrait à une date ultérieure. Alors, il se couche, me fait signe de le rejoindre, m'embrasse vaguement, s'étend sur moi. Je le trouve lourd et encombrant. L'air trop absorbé pour être sexy. J'attends que quelque chose se passe. J'ai un dernier sursaut de non-je-ne-veux-pas… Puis, plus rien. Il se retire et roule sur le côté. Je me sens frustrée et furieuse. Il m'abandonne à mon événement et dort.

Et je me fais la promesse d'aller voir ailleurs comment les autres s'y prennent. Je garde les yeux ouverts toute la nuit, en attendant qu'un changement se produise. Que quelque chose se passe qui prouve que je suis une femme. Une vraie. Mais cette nuit m'a rendue importante. Il m'est arrivé quelque chose qui n'appartient qu'à moi, qui me fait exister et imaginer mille combinaisons. Même si mon extase ne relève pas des mille et une nuits, je sens que je suis auréolée d'un certain prestige : Philippe, de dix-huit mois mon cadet, n'a pas encore dormi avec une dame, et maman néglige toute vie sexuelle, depuis le départ de papa, pour mieux se consacrer à nous.

Le dimanche suivant, maman et Philippe ayant adopté mes nouvelles amours, Patrick fut consacré deuxième homme de la maison. Il fut entendu que l'on continuerait à se voir tous les week-ends, un samedi chez sa mère, un samedi chez la mienne afin que la licence ait lieu dans une atmosphère familiale, maman refusant de me voir échouer dans un hôtel troisième classe.

Donc, ce dimanche-là, le deuxième de mes libertinages, elle nous apporta notre petit déjeuner, suivie de Philippe, la paupière à l'affût. Ils venaient tous deux goûter aux miettes de luxure qui glissaient de dessous les draps. Maman était très nostalgique. La vision de sa fille, emmêlée à un homme dans le petit lit Samaritaine qu'elle avait acheté il y a dix ans, décollait des souvenirs encrassés par l'habitude. Elle se revoyait toute jeune, la peau dorée par le soleil du Midi, le cœur sans plis amers, tendue vers un avenir de confettis.

Maman. Une jeune bourgeoise à la tête bourrée de romans-feuilletons. Une famille bien assise du côté d'Avignon. Avec Renault familiale, bonnes en tablier blanc, propriété rurale et perroquet qu'on transporte dans sa cage lors des grandes transhumances. Sept frères et sœurs aux dates de naissance ponctuellement espacées tous les dix-huit mois, nourris au sein, habillés de dentelle et photographiés à un an, les fesses nues et la toge romaine chez M. Reblochon, photographe d'Avignon.

Grand-père : un paysan aventurier, né dans l'extrême campagne de l'Aveyron, qui préféra partir au Venezuela plutôt que de traire les vaches de son père. Revenu à quarante ans, les poches pleines de pépites, il demanda la main de ma grand-mère, noble héritière ruinée de son village, et l'obtint.

Ma grand-mère. Une belle Méditerranéenne aux longs doigts effilés. Féministe avant l'heure, elle avait refusé de se marier, trouvant la vie beaucoup plus belle sans homme qui dort à vos côtés et vous dicte sa loi. Ce n'est qu'à trente ans, devant l'importance du compte en banque de mon grand-père et la décrépitude du décor familial, qu'elle abandonna ses longs doigts blancs et sa vertu à l'aventurier. Il lui récita du Shakespeare tout au long de sa cour, lui fit écouter le premier poste à galène acheté à New York. Elle ne comprenait pas toujours ce qu'il disait mais, ayant été élevée chez les sœurs de la Visitation, se montrait aimable et instruite.

Elle mit au monde sept enfants. Tous porteurs de noms très simples pour qu'elle n'ait pas de mal à se les rappeler : Pierre, Paul, Jean, Marie, Camille, Blanche, Henri.

Camille, c'est maman. La préférée de mon grand-père.

L'été, toute la famille s'exilait au domaine de Cistours, petit village de l'Aveyron. On ramassait les foins et les fruits. Les enfants grandissaient. Grand-père bâtissait.

En septembre, ils remontaient dans la Renault, tenant bien haut le perroquet et saluant les voisins qui venaient leur souhaiter un bon hiver et d'appétissantes confitures.

Camille fut élevée au rythme de ces voyages.

Si Camille était la préférée de mon grand-père, c'est parce qu'elle était la plus charmeuse et la plus jolie. La plus inquiète et la plus absolue. À douze ans, elle se glissait sur ses genoux, à la fin du déjeuner, et lui murmurait très bas, en plissant les sourcils d'insistance : « Je voudrais un piano s'il te plaît. Je jouerai comme Marguerite Long, tu sais ? » Grand-père se levait et allait voir le piano que Camille avait découvert. À treize ans, elle devenait mystique et impénétrable, se privait de dessert pour ressembler à la petite Thérèse de Lisieux. À quinze ans, elle demandait une bicyclette Élégante à Noël et dévalait les rues d'Avignon, faisant voler ses jupes. Grand-père trouvait cela bien inconvenant mais respectait la passion que sa fille mettait à pédaler. Grand-père respectait toujours les passions.

Il disait « oui » à ses grands yeux châtains, à son nez tout droit, à ses longues jambes brunes au bout desquelles claquaient des petits talons pointus.

Et, quand elle se posait sur lui, passait autour de son cou ses bras ronds et doux, il ne pouvait rien lui refuser. Camille grandit sans éducation véritable. Ses seules certitudes lui furent assenées aux Jeannettes puis aux Guides où elle apprit, le soir au coin du feu, tout un code vertueux de morale catholique qui lui piquait les yeux de larmes. Elle croyait, de toutes ses forces, aux belles histoires racontées lors des veillées, et se construisait un monde charmant où les bons étaient toujours récompensés et les méchants punis. Plus tard, chaque fois qu'elle recevait une demande en mariage, elle l'inscrivait sur un petit carnet. Quand le carnet était rempli, elle en achetait un autre. À force d'allumer chez ses contemporains des flammes sans espoir, elle provoqua une série de drames qu'elle racontait avec une immense fierté. Preuve indiscutable qu'elle avait bien su exister. Une inscription au parti fasciste, un suicide raté (il avait voulu se noyer mais l'avait fait trop ostensiblement), un engagement dans la Légion, la traversée de la Manche à la nage. Camille conservait soigneusement tous les échos relatifs à ces événements parus dans la presse locale et, quand elle avait l'humeur basse, elle les relisait. Et c'était comme si elle se remaquillait l'âme…

Les bas toujours bien tirés, le cheveu lisse. Pas la moindre trace de péché, même lorsqu'elle sortait un peu vertigineuse de la chambre d'un étudiant.

Et puis, un jour, elle rencontra Jamie Forza…

Mes nuits suivantes avec Patrick ne se révélèrent pas aussi intéressantes que la première. Maintenant, je savais comment cela se passait et n'en tirais pas un plaisir exagéré. Notre couple s'était institutionnalisé, et nous passions de mon divan au sien, sans heurter les bonnes consciences ni choquer les pudeurs alentours.

Je m'étais inscrite en fac de lettres, préparais mes examens avec soin, mangeais des macarons fourrés et retrouvais Patrick tous les samedis soir. Nous allions au cinéma en couple, en surprise-partie en couple, au restaurant en couple et dormions à deux. Prise d'une soudaine crise de fidélité, j'avais supprimé tous les autres petits copains qui auraient pu porter atteinte au bon fonctionnement de notre vie conjugale. D'instinct, je me réglais sur le modèle papa-maman proposé dans toutes les brochures illustrées, sur la vie des humains. Mais, d'instinct aussi, je m'ennuyais. J'étais insatisfaite, mais je ne savais pas pourquoi. Alors, je faisais comme si. Comme si tout allait très bien. Comme si je n'avais pas d'avenir. Et puis, ça sert à quoi un avenir ? L'avenir c'est être à deux. Je suis déjà à deux.

Même si mon éducation avait été assez libre, par manque de papa-autorité-suprême, maman m'avait inculqué les bonnes manières qui supposent que, si l'on prend un amant, c'est pour le transformer en mari.

Et Patrick me manipulait déjà comme une petite épouse.

Toute la bonne vieille science des séances de flirt avait disparu. Je n'avais plus, au-dessus de moi, qu'un autrefois complice qui ahanait comme un métronome, prenait son plaisir tout seul et me laissait courbatue.

Je n'osais pas en parler à maman : je lisais, dans ses yeux, qu'avec un fac-similé du poster d'Alain Delon, ce ne pouvait être que ravissement au Ciel, poings qui martèlent les tempes et reins laboureurs.

En fait, je me mettais tout doucement à le haïr, à trouver sa superbe de mâle ridicule, à mépriser son petit plaisir, à redouter l'heure du coucher. Et moi, alors ? Qu'est-ce que je fais dans cette histoire ? De la figuration, sans plus. La huitième hallebardière, à gauche, c'est moi, et le jeune premier, qui reçoit toutes les azalées, c'est lui.

Il ne pouvait même pas me duper : depuis toute petite, je sais que le plaisir existe : à six ans, je me créais des frissons célestes en suçant des roudoudous et en écoutant la flèche brûlante, qui partait de ma langue pour aller se ficher dans mon talon. À huit ans, envoyée en colonie de vacances avec Philippe, pour laisser papa et maman résoudre en tête à tête leurs désarrois conjugaux, j'inventais des jeux pseudo-culturels où l'on s'écrivait dans le dos des lettres qu'il fallait deviner. Les yeux fermés sur mon plaisir, je faisais exprès de ne pas reconnaître le F malhabile que ma petite copine dessinait sur ma peau, afin qu'elle recommence encore et encore. À neuf ans, ayant enfin rencontré une complice, j'organisais des parties de caresses pendant que nos parents bridgeaient. Nous découvrions notre corps avec une joie et un étonnement illimités. Ramona (sa maman était argentine) laissait glisser son doigt mouillé entre mes jambes et je me recroquevillais sur son index, stupéfaite de ressentir une telle crampe de bonheur.

Tout était prétexte à plaisir. Je faisais des comptes rendus fidèles à Ramona qui, à son tour, me racontait et me donnait des idées. J'ai toujours pensé, depuis, qu'il suffit de se concentrer, très fort, sur une idée synonyme de plaisir pour que les frissons roulent en avalanche. À douze ans, mes parents me firent faire de la gymnastique corrective, sous l'égide d'un quinquagénaire très propre, qui déclencha chez moi une découverte fascinante : le plaisir d'être manipulée.

M. Hector venait tous les mercredis soir, à six heures trente précises. Anodin, avec son petit cartable, son pardessus à carreaux, ses lunettes qui lui pinçaient nez et respiration, et son survêtement. Et pourtant ! Son arme secrète était le fil à plomb. Au début de chaque séance, il me mesurait l'aplomb du dos pour savoir si j'étais en progrès ou non. Moi, le menton penché, concentrée sur ce qui allait venir, je voyageais entre ses mains, pendant qu'il prenait des marques au centimètre et mettait des notes à ma scoliose. Le fil à plomb se balançait et la pointe Bic, qui marquait des repères sur mon dos, ajoutait aux frissons qui montaient, montaient, avant de transpercer le point vital de mon organisme, dont j'ignorais encore toute l'importance. Ses mains froides corrigeaient une vertèbre, et je m'imaginais belle princesse, arrachée à l'affection des siens, vendue quelque part en Arabie Saoudite.

Sensualité parfaitement clandestine, prescrite et remboursée par la Sécurité sociale.

Ramona et moi, nous profitions de l'ignorance des adultes pour tailler au coupe-coupe un passage libidineux dans notre quotidien. Car, M. Hector s'appliquait, aussi, à rectifier la colonne de Ramona. Cette dernière s'échinait à découvrir de nouvelles sensations, inconnues sur mes registres. Neutre et appliqué, M. Hector jugeait et corrigeait, objet malgré lui d'un débordement de fantasmes. Il ne sut jamais quels délires il déclenchait chez ses petites élèves : nous reprenions nos airs impénétrables dès que les séances étaient terminées. Il dut interrompre notre rééducation, victime d'un infarctus.

Je n'allais pas, maintenant, à l'âge des expériences vécues en direct, laisser un jeune homme mal documenté bousiller ma sensibilité. Aussi, un soir, la tête farcie de rouleaux roses et bleus, qui séchaient pendant que mon piètre amant me lutinait, je décidai de faire une mise au point. Alors qu'il était parvenu au degré suprême de jouissance, avec désordres de l'âme et retour au règne animal, et qu'il me demandait dans une ultime formalité de politesse : « C'est bon, hein ? », j'éclatai du rire le plus sonore que je pus trouver et lui répondis, sans délicatesse aucune : « Mais je ne sens rien, je ne sens rien du tout, tu peux toujours continuer, je ne sens rien… »

Prise par la mélodie martelée de ma déclaration, je la répétai jusqu'à ce qu'il devienne tout mou, tout bête et que, rejeté sur le côté, il me demande des explications.

Je lui dis alors que, depuis nos premiers ébats, je passais mon temps à attendre qu'il en finisse, cramponnée à mon oreiller pour ne pas tomber.

Lui, qui s'était déjà octroyé les titres de Masters et Johnson particuliers, affectés à ma personne, laissa passer quelques moments solennels.

– Eh, ben, alors !

Il n'était plus Tarzan le roi du frisson, l'expert en orgasmes répétitifs, mais un zéro en dodo, un minable de l'extase. Toutes ses illusions s'écaillaient et il répétait : « Eh, ben, alors ! », les yeux dans le vide.

Il resta silencieux un long moment, puis décida de reprendre le dialogue sérieusement. Depuis quand ma frigidité s'était-elle déclarée ? (C'est moi qui devenais frigide !) Qu'est-ce qui n'allait pas exactement ? Où ? Combien de fois ? Et là ? Ça va ?

J'avais l'impression d'être découpée en tranches géologiques. Il se répandait en suppositions pour trouver le déclic rouillé de mon manque de chaleur. Après avoir mis côte à côte nos impressions, il décida de tout reprendre à zéro afin de surprendre l'épisode coupable dans le déroulement de nos ébats. J'étais tout à fait d'accord. Je voulais savoir ce qui pouvait se passer de si exaltant pour que cela nourrisse des tomes entiers de romans, provoque des accidents, des suicides, des divorces, des esclavages.

Ce soir-là, j'ôtai mes rouleaux, et commençai le chapitre « Baisers variés » sans autre attouchement que celui de ses lèvres sur les miennes. Puis, il y eut affleurements chastes, caresses des zones érogènes nobles, puis de celles inférieures, succions diverses, variantes répertoriées et, enfin, répétition générale. À chaque samedi soir son programme.

Six semaines plus tard, mes nuits étaient boréales et mon attente, exacerbée par les chapitres précédents, se muait en supplique pour me faire sauter.

L'amour allait, enfin, devenir une fête.

Le système d'éducation de maman n'avait jamais été bien défini et, bien qu'elle nourrisse dans sa tête de nombreux programmes pédagogiques, toutes ses résolutions disparaissaient devant le cas particulier qu'on lui exposait.

En théorie, elle était imbattable et aurait sûrement condamné toutes les libertés qu'elle m'accordait quotidiennement. Mais, dépassée par la vitesse de ma croissance et saisie d'une curiosité indécente, elle me laissait vagabonder, en disposant au hasard quelques pare-chocs, censés me canaliser. Un peu de catéchisme, avec crèche à Noël, aumônier familial et récompenses de bonnes actions. Un peu de morale. Beaucoup de quant-aux-autres…

Ainsi avait-elle deux ou trois familles modèles où les enfants étaient sages, studieux, immaculés. Elle nous emmenait les visiter régulièrement pour que nous prenions exemple. Je lui rétorquais qu'il n'était pas étonnant que ces enfants soient si aseptisés vu leur grande ingratitude physique. Elle soupirait : elle savait bien que j'avais raison.

L'éducation maternelle comportait aussi un chapitre intitulé : « Messe du dimanche matin ». Tous les dimanches, à onze heures, maman, Philippe et moi, en habits de lumières, nous nous rendions à la chapelle voisine pour démontrer que nous n'étions pas devenus mécréants, même si notre famille s'était dispersée. Les

29

vertueuses assidues du premier rang nous regardaient, en soupirant : « Si c'est pas une tristesse quand même... », et nous faisions la queue, les doigts pieusement croisés, pour recevoir le Dieu vivant.

Catéchisme, messe, deux ou trois leçons de sciences naturelles sur le thème « Comment ne pas attraper ou fabriquer des bébés non désirés », des lectures édifiantes, de Berthe Bernage à Victor Hugo (désespérément chaste dans la plupart des livres qu'on me donnait à lire), et, les jours de crise où elle sentait son autorité diminuer : la vie des saints.

Alors, j'apprenais comment une petite Italienne convaincue avait préféré la mort au viol (elle fut béatifiée par le Saint-Père et mise sur la liste d'attente des saints) ; comment une petite Indienne au nom impossible, Katarina Etkawita, grilla sur un bûcher pour avoir refusé d'embrasser les amulettes bidons de sa tribu ; sans oublier bien sûr le bon curé d'Ars, le très doux Dominique Savio et l'ennuyeuse Catherine Labouré. J'aimais bien lire ces vies de saints, car elles se finissaient toujours très mal. Je raffolais plus particulièrement des scènes de supplice où l'héroïne, livrée aux sauvages, me rappelait les délicieuses et troublantes séances de M. Hector. Je grillais de plaisir sur le bûcher indien, jouissais en silence sous les coups de l'horrible séducteur italien et achevais ces péripéties dans les plus grands désordres de l'âme.

Mais maman devait penser que toutes ces lectures édifiantes me remettraient, à l'occasion, dans le droit chemin quand je serais plus grande et confrontée au péché.

Le reste se débattait, dans sa chambre, entre deux tasses d'hysope fraîche envoyée par ma grand-mère d'Avignon. La règle implicite étant : « On se fait confiance, tu me dis tout. »

Pas de permission de minuit à respecter, chronomètre au poignet, mais des colloques ouverts qui devaient me tenir lieu de morale, de conseils pratiques et qui, surtout, permettaient à maman de se souvenir de sa jeunesse, des chambres d'étudiants jamais consommés et aujourd'hui regrettés.

C'est dans sa chambre qu'elle décida que ma vie sexuelle ne devait, en aucun cas, être perturbée par des problèmes de contraception mal vécue : il fallait que je prenne la pilule.

Toutes ces grandes déclarations de liberté et droits de l'homme étaient accompagnées, chez maman, d'un indissociable sens pratique et d'une condition inflexible : que je marche tout droit à la course aux lauriers, que je décroche diplômes et bonnes notes avec la même ferveur que je passais des nuits amours-délices et orgues. La voie du dévergondage devait emprunter celle des universités.

Dès l'âge de l'avant-bac, je pouvais rentrer à quatre heures du matin, les mocassins à la main, et tomber nez à nez avec une des insomnies maternelles, si je pouvais brandir parallèlement un 16 en composition ou une croix d'honneur, mon état tardif passait complètement inaperçu. Mais, que ma moyenne baisse d'un point, et l'indulgence maternelle fronçait le sourcil. Depuis le tracé des voyelles, je n'avais qu'un poteau en tête : une scolarisation digne du Shakespeare par cœur de mon grand-père. Après, on verrait ; mais, sans diplôme, il était entendu que je n'étais bonne à rien.

Pour que je sois dans les meilleures conditions scolaires, maman m'avait inscrite chez les dames augustines, pensionnat de jeunes filles bien douées et bien élevées, qui faisaient de leur mieux-mieux-mieux pour être dans les premières. En jupe plissée bleu marine et col blanc, nous nous promenions en rangs dans les couloirs et dans les rues. Interdiction de mâcher un chewing-gum ou d'avoir une chaussette qui gondole. Une révérence à l'entrée, une à la sortie, devant la demoiselle augustine qui ouvrait et fermait la porte d'entrée et notait les retards. Un cahier de textes bien tenu et des études à peine orientées. C'est ainsi qu'en dernière année de mes humanités, je savais tout sur Péguy, Barrès, Claudel (encore que la vitalité de ce dernier soit assez mal vue) et presque rien sur Sartre (que, dans ma totale ignorance, j'écrivis Sarthe durant toute une dissertation), Gide et Camus (qui auraient pu nous donner des envies hérétiques). Le chapitre de la reproduction humaine était vite bâclé, mais on s'attardait voluptueusement sur celle du coquelicot; le pédoncule végétal offrant plus de discrétion que les organes génitaux humains.

Heureusement, j'avais Ramona à mes côtés pour bousculer la vision asexuée de la vie que nous proposaient les dames augustines. Ramona, qui m'offrait son frère Yves en travaux pratiques, le lit de ses parents en champ d'essai, et toutes ses envies en prologue.

Ramona avait le même âge que moi, était née le même jour et arborait le même grain de beauté sous le sein gauche. Je l'avais rencontrée chez les dames augustines où, à l'âge de six ans, elle m'énervait prodigieusement à essayer de me piquer toutes les places de première. C'était la lutte dents serrées, les coups de rétroviseur par-dessus le tablier pour savoir où se situait l'autre pendant les compositions, et s'il n'y avait pas risque de copie. À force de se surveiller, on finit par se nouer d'amitié. De la rivalité de bûcheuses, on passa aux confidences de petites filles. Mes parents, qui communiquaient mal, l'intéressaient vivement et me rendaient importante à ses yeux. J'avais, à travers eux, m'expliquait-elle, un sujet passionnant à observer. Chez elle, de ce côté-là, ce n'était pas très palpitant.

Ramona avait la beauté pointue des petites filles en avance pour leur âge. Elle n'avait jamais trouvé le moindre intérêt aux poupées laquées et rimmelisées qu'on lui offrait les jours de fête. Elle préférait observer le monde des adultes. Elle se créa peu à peu un absolu qui n'appartenait qu'à elle, où elle évoluait parfaitement à l'aise.

Pas très grande, toute menue, la peau mate, elle posait sur les gens un regard lourd qui leur faisait tourner la tête ou interrompre leur conversation. Ramona voulait tout connaître, tout savoir avant de mourir et, prétendait-elle, « je mourrai jeune ». Ses pressentiments morbides m'effrayaient mais je n'osais rien dire de peur de manquer à son romantisme, qui voulait qu'à vingt ans on crache son dernier soupir dans un mouchoir en batiste. Ramona lisait beaucoup et n'importe quoi. Ses parents, trop absorbés par leurs affaires et leurs relations, la laissaient entièrement libre. Elle avait un frère, Yves, de deux ans son aîné, et son complice.

Un jour où nous rentrions de l'école, Ramona s'immobilisa brusquement sur une bouche d'égout et me montra, d'un doigt pénétré d'importance, le nom de son père gravé sur la plaque en métal. « C'est mon papa qui a mis au point ce système d'égout, me déclara-t-elle. C'est lui qui a breveté la clé à mollettes pour égouts parisiens. C'est pour ça que nous habitons un si bel appartement et que maman porte de longues robes du soir et des bijoux de toutes les couleurs. »

Le rapport entre les plaques d'égout et les tenues de la maman de Ramona ne m'était jamais venu à l'idée mais, depuis ce jour-là, je n'osais plus marcher sur une bouche d'égout sans avoir l'impression de pénétrer dans son intimité.

La maman de Ramona était belle, grande, avec de larges épaules et des cheveux blonds qu'elle ramenait en bandeaux sur les oreilles. Je trouvais cette coiffure très distinguée et essayais de persuader maman de l'adopter. Elle me parlait très gentiment, bien que j'aie toujours eu envie de me retourner pour voir s'il n'y avait pas quelqu'un derrière moi. Elle était suivie partout d'un petit renard argenté qui portait son sac et ses aiguilles à tricoter.

De temps en temps, elle venait s'asseoir dans la chambre de sa fille et nous regardait nous amuser d'un air satisfait et triste. Puis, elle se levait, prononçait quelques mots dans une langue que je ne comprenais pas, nous embrassait sur le front et repartait, suivie de son renard apprivoisé. Elle ne parlait presque jamais, disait à son mari : « Albert, voulez-vous me passer le pain, s'il vous plaît, Albert ? » et souriait comme si elle était dans la pièce d'à côté. Le père de Ramona ressemblait à un réfugié roumain qui porte des costumes de charité et un lourd pistolet dans sa poche. Il devait sa formidable réussite financière à son brevet de clés à mollettes pour égouts qu'il avait longuement mis au point dans un petit atelier de la banlieue parisienne. L'argent lui avait tout apporté d'un seul coup, et il semblait, parfois, complètement dépassé par les conséquences de sa découverte. Mais il lui arrivait aussi de nous prendre sur ses genoux et de nous chanter de vieilles berceuses avec les yeux tout humectés. Ses longs favoris nous chatouillaient les joues, mais nous n'osions rien dire par égard pour sa science. À ces moments-là, je comprenais que la belle maman de Ramona ait eu un signal au cœur pour lui.

Maman n'aimait pas beaucoup mes relations si serrées avec Ramona. Si Jamie et elle avaient joué au bridge avec les parents de Ramona, ils avaient vite arrêté à cause de leur divorce, et maman n'avait pas eu le temps de se laisser toucher la raison par le charme de ce couple étrange. Mais moi, je les aimais, et le soir, quand je m'endormais, je rêvais que j'étais au milieu d'eux et du renard argenté.

Un après-midi où j'étais invitée chez Ramona, je me retrouvai dans les jupes d'une dame blonde, couverte de bijoux qui lançaient des flammes. J'entendis dire qu'elle était de passage à Paris et qu'elle venait voir sa filleule, Ramona. J'entendis dire aussi que ses poumons allaient de mal en pis et que la situation était tout à fait critique. La belle dame avait un fort accent étranger, un sourire très fatigué et occupait toute l'entrée avec sa large jupe en taffetas noire. Elle avait les mains pleines de nœuds dorés et ne pouvait s'empêcher de distribuer des cadeaux autour d'elle. Toute la famille était assise en rond, un mouchoir dans la main et le nez rougi. Elle me fit signe d'approcher, me demanda mon nom, ma date de naissance et ce que je voulais faire plus tard, quand je serais grande. Puis, elle me serra très fort contre elle et me murmura : « Prie très fort pour Évita, mon petit. » Je retournai m'asseoir, très touchée et impressionnée, consciente qu'il venait de m'arriver quelque chose d'important. Quand tous les cadeaux et les baisers furent distribués, un chauffeur galonné s'approcha et annonça qu'il était temps de partir.

La belle dame blonde embrassa Ramona dans une étreinte-résumé de tout son amour, et lui demanda de bien penser à sa marraine d'Argentine même si son chemin ne devait plus jamais repasser par Paris. Ramona avait son regard brûlant et fanatique. Elle lui répondit que, d'ici quelques années, elles se rejoindraient dans l'éternité.

Je rentrai à la maison et priai très fort pour que les poumons de la dame blonde se rétablissent rapidement. Quelques semaines plus tard, Ramona reçut une enveloppe bordée de noir, d'Argentine, et pleura beaucoup. Je pleurai aussi, sentant que je participais à une douleur qui me dépassait et m'agrandissait.

Nous traversâmes alors, Ramona et moi, une période morbide où nous jouions dans les caves et traînions dans les cimetières. Elle se prit d'une passion irrésistible pour les bébés et les vieillards, m'expliquant qu'il n'y avait que les plissés et les ridés qui étaient près de Dieu. On alla chanter Noël dans un hospice de vieux, sous la direction de la chorale des dames augustines, et Ramona fut tout émue de voir tant de « près de Dieu » au mètre carré. Ce jour-là, elle eut l'impression de rejoindre sa marraine.

Nous grandîmes serrées l'une contre l'autre. Nous étions dans la même classe, nous partagions les mêmes jeux, la même curiosité, les mêmes désespoirs. Je me trouvais d'une banalité affligeante, avec ma poitrine plate, mes jambes trop longues et mes genoux en dedans. Mes cheveux étaient châtains, mes yeux aussi et mes dents se poussaient en avant...

Ramona, elle, se voyait toute noire et rêvait de la blondeur distinguée de sa mère. Plus petite et plus menue que moi, elle bourrait ses chaussures de papier buvard pour gagner quelques centimètres, et se bloquait des barres de coton dans les joues pour avoir l'ovale gracieux de sa mère.

Ce n'est que plus tard, remarquant le nombre d'exhibitionnistes collés à nos cartables, lorsque nous rentrions à la nuit des dames augustines, qu'il nous vint à l'esprit que, faute d'être des pages de magazine, nous avions sûrement autre chose qui attirait. Le plus dur fut de trouver quoi. Cela nous prit du temps et beaucoup d'argent de poche.

À seize ans, j'étais toujours châtain et longue. Mais mes dents rectifiées par un appareil s'étaient alignées, mes genoux décollés et mes seins un peu développés. Les angles avaient pris des rondeurs, je marchais sans heurter les portes de plein front. Ramona, aussi, était devenue plus moelleuse. Sa noirceur s'était transformée en peau mate et bronzée. Elle avait coupé ses cheveux très court, pour se donner un genre. Le principal, m'expliquait-elle, étant d'imposer son style, de garder la pupille brillante et la démarche décidée.

Ramona détestait les choses ordinaires. Elle s'acharna, durant toute notre adolescence, à faire jaillir l'insolite. Mon solide appétit de vivre faisait quelquefois bifurquer ses expériences, mais elle ne m'en voulait jamais. J'étais l'inconnue qui fait échouer les équations mais permet de repartir dans une autre direction.

Elle avait décidé, dès notre puberté, que nous perdrions notre virginité, tous les trois, Yves, elle et moi, dans le grand lit de ses parents, tout près de la photo d'Évita. Je pulvérisai son fantasme en faisant l'amour bêtement avec Patrick, un soir de laisser-aller. Cette banalité l'exaspéra puis l'intéressa. Cela lui permettait d'en savoir davantage sur cet amour vulgaire et facile qu'elle voulait ignorer, se réservant pour des frissons plus alambiqués.

Patrick et elle n'ayant aucun sujet de conversation, j'évitai de les mettre en présence et les rencontrai séparément. Surtout que…

Par le plus grand des hasards biologiques, mes rapports avec Patrick prirent un tour passionnel, et ceci tout à fait à notre insu.

Un soir où nous étions en pleines délices, Patrick se leva et, me portant tout autour de lui entortillée, me fit l'amour debout, me laissant glisser et remonter le long de son sexe... Ce soir-là, dans ma petite chambre bien rangée, je crus mourir d'orgasmes. Je n'étais plus qu'une crampe de plaisir, les orteils retroussés, les dents arrachées et un nœud papillon gigantesque au milieu du corps. Je hurlai tant qu'il dut me bâillonner de la main, sinon maman et Philippe seraient accourus pour savoir quelle était l'origine de cette explosion de bonheur par-delà leurs cloisons. La main appuyée sur ma bouche me rappela les séances de M. Hector et tripla mon plaisir. Lorsqu'il se mit à jouir, lui aussi, tout en silence, impressionné par mes réactions, et qu'il me reposa à terre, je me répandis en large flaque à ses pieds. Je restai sur le tapis, hébétée, pendant quelques minutes et m'y serais endormie s'il ne m'avait pas hissée sur le lit.

J'étais frappée d'amour le plus sordide : celui du ventre. Prête à lui lécher l'entre-doigts de pieds, à lui poser tout mastiqué son steak-pommes frites sur les lèvres, à dormir roulée à ses bottes. N'importe quoi pour qu'il recommence à me baiser de la sorte. Pour garder cette crampe en moi jusqu'au trépassement final. Domptée par un direct au Ciel…

Patrick se muait en drogue, en divinité. Ses yeux s'éclairaient de rouge et de bleu, ses cheveux poussaient, il était saisi de lévitation transcendantale.

Ce soir-là, je m'endormis, épuisée, confondue en remerciements. Lorsqu'il se réveilla, le lendemain matin, il me serra très fort contre lui. J'étais peut-être devenue esclave mais, lui, semblait interdit et pétrifié. Nous n'osions plus bouger de peur de rompre l'enchantement… Le jour perçait à travers les volets. Le décor n'avait pas changé, le lit était toujours aussi étroit et, bientôt, le petit déjeuner allait arriver sur nos mines recueillies.

Pendant quelques jours, je fus étrangement égarée, incapable d'expliquer mon état à maman. J'essayai, pourtant, de lui mimer mon extase avec des soupirs, des frissons, des tortillements et, pour finir, une sorte de crise d'épilepsie ; elle ne comprenait pas de quoi je souffrais.

Pour maman, l'orgasme relevait bien, en effet, d'une crampe, mais d'une crampe normale. Pas de quoi se mettre en transes.

Ramona ne fut pas plus explicite : toute cette histoire provenait d'une position gymnastique adoptée par Patrick et non d'une vertu magique de son anatomie. Elle trouvait mon ravissement très vulgaire, me suppliait de me reprendre, sinon je finirais par perdre tout esprit et toute identité.

Seule, ma vieille tante Gabrielle, la sœur de ma grand-mère d'Avignon, qui, disait-on dans la famille, avait « beaucoup vécu », comprit mon état de grâce.

Un après-midi où j'étais allée chez elle, elle m'interrogea sur mon visage absent et mes pupilles éparpillées. Je lui racontai mon aventure.

Elle me laissa terminer puis, après m'avoir filtrée à travers ses paupières et s'être laissée aller tout contre le dossier de son fauteuil en osier, elle me raconta son histoire.

– Tu sais, Sophie, j'avais vingt-quatre ans, deux petites filles et un mari, honorable banquier, lorsqu'un jour vint dîner à la maison un de ses clients. Lorsque je vis cet homme pénétrer dans la salle à manger, je me mis à rougir violemment. J'eus chaud dans tout le corps et passai le dîner à tressaillir dès qu'il me regardait. Il sentit mon trouble, et un après-midi où je sortais de chez ta grand-mère, je le rencontrai dans la rue. Il m'offrit son bras et proposa de me raccompagner. Je m'endormais tous les soirs en pensant à lui. Il s'enhardit à me fixer rendez-vous, je protestai violemment que ses avances m'importunaient, qu'il ne devait plus jamais me revoir. Mais j'y allai. Et quand nous nous retrouvâmes enlacés sur son lit, j'eus comme une boule de foudre dans le corps. Ce jour-là, je crus mourir et, après, je ne fus plus jamais la même. J'ai quitté mari et enfants pour suivre cet homme. J'étais heureuse dans ses bras, écrasée de remords dès que mes forces revenaient… Je ne m'appartenais plus. Un jour, il est parti, sans rien dire. J'ai mis beaucoup de temps à me reconstruire. Tu sais, mon enfant, ce plaisir-là est rare mais j'ai toujours ardemment souhaité que mes filles ne le connaissent jamais car, lorsque tu t'abandonnes ainsi, tu es perdue pour toi et les autres. Et il te faut bien du courage pour exister quand même…

Tante Gabrielle avait posé sa tasse, songeait, secouée de frissons-souvenirs. Un sourire flottait doucement sur ses lèvres, sa nuque se penchait et son corps se laissait aller dans le corset trop rigide.

Elle murmura :

– Frédéric.

Sa vieille pendule de cheminée sonna cinq heures. Elle se réveilla, secoua ses dentelles et me caressa la joue.

– Tu as beaucoup de chance, mais sois vigilante...

Quand j'avais la tête fragile, que je ne savais plus dans quel sens tournait la mappemonde, j'allais voir tante Gabrielle dans son trois-pièces biscornu de l'impasse Maupassant. Entre ses deux chats et ses plantations de pépins de pamplemousse et de graines de pommes de pin, elle passait un peu de verveine sur mon chagrin. Ses petits pains au lait et son café qu'il ne fallait pas boire debout, « ça va droit à la tête et ça rend fou », remontaient mes sangs et viraient mes humeurs malignes. Tante Gabrielle était cosmique. Reliée au monde par des racines, des branches et des mousses qu'elle agitait par-dessus les voilettes de ses chapeaux feutre, et qui garantissaient aux visiteurs paix et tranquillité d'esprit. À travers la révélation du péché-plaisir, elle avait connu toutes les voluptés de l'écorce terrestre, appris à parler aux baleines et aux alligators, à guetter les lunes rousses et les équinoxes, à transporter son pliant pour les grandes marées sur les quais de Barfleur. Elle savait comment détendre un visage en y passant les mains, chasser les mauvais rêves en massant les tempes.

La famille l'avait rejetée. Mais les enfants et petits-enfants de ses frères et sœurs avaient voulu connaître cette tante originale dont on ne prononçait jamais le nom à table et que, seuls, les oncles évoquaient, au fumoir, avec un brin de paillardise dans l'œil. Ils auraient bien aimé, eux, envoyer une tante Gabrielle au ciel, au moins une fois, dans leur vie au plaisir bien propre et organisé.

Mais tante Gabrielle n'avait plus droit aux repas d'anniversaire. On lui envoyait sèchement ses dividendes à la fin de chaque mois, sans se douter qu'elle connaissait toutes les histoires de la famille de la bouche même de ses neveux et nièces.

Pour nous, tante Gabrielle était magique. Ses yeux parcheminés et ses sourcils en parapluie devinaient tout. Elle commençait à parler des graines de pommes de pin ou des noyaux d'abricot, avant d'aborder le sujet de notre nostalgie. Elle évoquait alors un épisode de sa vie qui ressemblait à l'embarras du moment. Je la soupçonnais d'inventer. Pour nous faire plaisir. Pour nous dire en morse de l'âme : « Tu vois… tu n'es pas seule à souffrir… Moi aussi en 1923… »

Avec elle, je n'étais plus un problème à deux inconnues, une équation impossible à résoudre. J'étais posée sur des coussins, et elle m'écoutait. Toute l'infortune du monde disparaissait.

Elle me glissait des médicaments à elle. Sans chimie ni ordonnance :

– Quand tu sens que tout te regarde de travers, que tu perds le fil de la réalité, regarde le ciel au-dessus de toi. Regarde-le dans ses moindres détails. Dis-toi qu'il n'est pas seulement bleu ou gris mais qu'il est grand, que c'est le même de Paris à Hong Kong. Prends-le dans tes bras, applique-le sur ta poitrine et tu seras soulagée…

De la fenêtre de tante Gabrielle on apercevait toujours le ciel.

C'est ainsi qu'elle avait pu garder la tête à peu près bien rangée et les nerfs en ordre deux par deux.

– Parce qu'autrement, lorsque j'ai quitté mes deux petites filles et ma maison pour suivre un inconnu au col dur, j'aurais eu mille occasions de pleurer jour et nuit. Regarder le ciel, toucher les arbres, attendre que mes noyaux poussent m'a fortifié l'âme et m'a conduite dans un monde inconnu, plein de douceurs. La vie n'est pas toujours là où tu crois, petite fille. Observe autour de toi, tout est vie, tout est réconfort. Mais tu ne te donnes pas le temps de regarder, tu vas trop vite. L'impatience est la forme moderne du démon, la patience l'art suprême de vivre…

La découverte d'une crampe qualité supérieure rendit Camille perplexe. Si elle était restée si longtemps enlacée à Jamie Forza, c'était, en grande partie, parce qu'il avait l'art et la manière de la crampe.

Camille rencontra Jamie Forza à un bridge chez Mlle Loncoin, fille du notaire Loncoin. Elle était en train de tenter quatre carreaux périlleux lorsque, perdue dans ses supputations ludiques, elle leva la tête et aperçut Jamie Forza à la table d'en face. Jamie Forza, qui la fixait, sourire aux lèvres, et qui semblait se rire de son dilemme.

Beau à en baisser les yeux, bien qu'il n'ait rien de particulièrement remarquable dans le visage. Un nez plutôt long et osseux, des grandes dents toutes blanches, des yeux bleus et des cheveux châtains. Mais une manière de vous regarder, d'enfoncer les mains dans ses poches, de passer les doigts dans sa mèche, de fumer une cigarette ou de nouer son écharpe qui vous interdisait définitivement de l'oublier. Ce soir-là, quand Jamie déplia son mètre quatre-vingt-dix pour prendre congé de Nicole Loncoin, Camille se sentit abandonnée. Elle vécut dans l'attente de revoir Jamie Forza, barra tous les autres prénoms masculins de son petit carnet mais, superstitieuse, n'osa calligraphier celui de son bel Italien.

Elle le revit place de l'Horloge, lui dédia une fossette câline. Il lui répondit. Il prit l'habitude de la raccompagner après ses cours, la liberté de lui écrire quelques lignes d'amour puis celle de l'embrasser, appuyée contre la poignée en cuivre doré de la porte d'entrée.

Jamie savait séduire, envoyer des fleurs, piloter une voiture à cent à l'heure, réussir des grands schelems contrés et parler des gondoliers de Venise. Camille l'écoutait, fascinée. Mais, ligotée par la vertu de ses longues années de guide, elle n'osait s'abandonner tout entière aux bras de Jamie.

Il lui proposa de l'épouser. Elle soupira un oui de plaisir et courut prévenir grand-père.

Un après-midi de juin, Camille, tout en blanc, avec un chapeau aile de poulet sur la tête, et huit demoiselles d'honneur, fut conduite à l'autel par son père. Là, Jamie s'engagea solennellement à l'aimer, la protéger et l'entretenir toute sa vie.

La valse et le champagne terminés, ils se glissèrent dans la Morgan décapotable de Jamie à laquelle on avait accroché une pancarte : « Just married. Ne déranger sous aucun prétexte. » Camille n'était pas sûre que cela soit du meilleur goût.

Jamie avait choisi l'Italie pour leur voyage de noces : c'était le berceau de sa famille, le *sine qua non* de son for intérieur… Et puis, il avait envie de déclamer son amour en italien.

En quittant Avignon, Camille confia à Jamie toutes ses économies et l'argent que grand-père avait offert au jeune couple pour agrémenter l'ordinaire. Elle sacrait ainsi Jamie véritable chef de famille, et il sentit la responsabilité lui étreindre le cœur.

Il avait réservé une chambre dans un petit hôtel avec d'épaisses cloisons et un concierge discret, afin que Camille ne soit pas troublée par des détails anodins. L'escalier était étroit, les marches trop cirées, l'odeur d'encaustique rassurante.

Jamie posa les deux grandes malles sur un porte-bagages, ferma les rideaux, visita la salle de bains et les toilettes, puis toussa un peu, pour exprimer que le moment était venu où, loin des chaussures vernies qui serrent le pied et des vieilles tantes à embrasser, ils allaient enfin pouvoir être nus. Il prit Camille dans ses bras, la berça quelques instants, l'étendit doucement sur l'édredon fleuri et passa un doigt dans son petit tailleur demi-saison. Camille attendait. Elle savait qu'il est de bon ton pour une jeune fille élevée avec leçons de piano et bicyclette Élégante de rester sur sa réserve. Juste un petit sourire d'encouragement pour ne pas perturber le bon fonctionnement de Jamie.

Lorsqu'ils furent enfin l'un contre l'autre, et que Jamie se décida à commettre l'irréparable, il fut tout étonné de déflorer Camille guide de France comme Georgette, la petite arpenteuse de la rue Clemenceau. Il fut si troublé qu'il oublia totalement qu'il était en nuit de noces et fit l'amour à sa jeune épouse comme à Georgette experte.

Camille découvrit un plaisir raffiné et encourageant la nuit où toute vierge épelle ses premiers frissons.

Une fois remis de ses vertiges, Jamie, étonné, demanda à Camille la raison de cette absence totale de vertu. Camille lui sourit doucement et lui apprit que, si elle n'était plus intacte matériellement, ce n'était pas par pratique déraisonnée du vice, mais en raison d'une anomalie familiale qui privait toutes les femmes d'hymen. Son arrière-arrière-grand-mère, Antoinette, avait recueilli et soigné une gitane en mauvais état. En remerciement, cette dernière avait promis à Antoinette que, pendant quatre générations, les femmes de sa descendance ne souffriraient point de défloration sauvage et passeraient une nuit de noces sans taches de sang ni hurlements. Camille était la dernière à profiter de ce privilège plastique.

Jamie se reprocha vivement d'avoir établi si vite un rapport entre la constitution de Georgette et celle de

Camille. Il la serra dans ses bras en lui demandant pardon d'avoir douté d'elle. Camille, heureuse et alléchée, s'endormit contre la poitrine de Jamie rêvant à un avenir de lit à deux et d'édredons de caresses.

Le lendemain, ils continuèrent leur route vers l'Italie. Ils visitèrent tous les musées de Florence. En bâillant. La fatigue des nuits et des kilomètres les rendait un peu distraits. Ils dégustèrent des saltimbocca et des spaghetti verdis à Bologne dans un restaurant à signatures célèbres où chaque photographie représente un homme illustre, la panse pleine, congratulant un autre homme illustre, le ventre sortant des bretelles.

Ils firent scrupuleusement le tour de la tour de Pise, se perdirent dans les rues ocre et rouge de Ferrare, essayèrent d'escalader la grille d'une maison abandonnée, et arrivèrent enfin dans les gondoles et les lacis de Venise la belle.

Jamie parlait en faisant tourner doigts et poignets, et était pris d'accès d'italianismes effrayants où, les paupières révulsées et le langage ordurier, il poursuivait de ses imprécations toute personne qui manquait de respect à Camille.

Camille se sentait personnalité importante et tapis rouge. Elle remerciait Jamie de lui faire tant d'honneurs et se félicitait d'avoir épousé un homme qui possédait un tel impact social.

Ses nuits étaient toutes aussi somptueuses. Elle montait et descendait au ciel dès que Jamie posait son long doigt sur sa nuque à friselis châtains. Elle tremblait quand il dégrafait un à un les boutons de son corsage, et exhalait de petits cris quand il la caressait.

À Venise, ils rencontrèrent sur un pont un bel Italien à la moustache fine comme peinte, qui parlait tout fort de ses affaires et de ses bénéfices miraculeux. Il savait comment faire fortune dans cette période d'après-guerre. Camille et Jamie l'écoutèrent. Camille montra du doigt à

Jamie l'énorme bosse de billets verts qui déformait la poche du beau harangueur.

Quand l'homme vit qu'il était écouté, il s'approcha de Camille et Jamie et, les saluant très bas, se présenta :

– Mario Gondolfi…

– Enchantée, répondit Camille.

Jamie et Mario Gondolfi se mirent à parler. Mario raconta comment, en prêtant de l'argent à de vieux nobles ruinés, à un taux d'intérêt très élevé, il doublait sa mise en un mois.

Camille ne trouva pas cela très honnête mais ses yeux brillaient de convoitise. Jamie reprit alors la conversation en lui donnant un tour plus personnel, plus sérieux.

Il fit affaire avec Mario Gondolfi. Lui confia la moitié de son argent et ses espérances de devenir riche.

Mario Gondolfi lui laissa un reçu, une carte de visite avec ses nom, adresse, numéro de téléphone, et leur fixa rendez-vous pour la semaine suivante.

Le lendemain, lorsque Jamie, sur les conseils de Camille, appela Mario Gondolfi, on lui répondit qu'il n'y avait pas de Gondolfi au numéro demandé. Si c'était pour une histoire de gros lot, de loto ou de gains faramineux, il ferait mieux d'aller tout de suite prévenir la police, afin qu'on retrouve cet escroc qui dépouillait les étrangers et donnait une si mauvaise image de marque à la Ville des Villes…

Ce jour-là l'univers de Camille bascula : elle arrêta de danser sa valse, fit deux pas en arrière et regarda son Prince Charmant comme un fieffé imbécile.

Comment pouvait-on engager à la légère tant d'argent quand on est chef de famille, responsable, devant Dieu et les hommes, d'une femme et de nombreux enfants à venir ?

Ils durent changer d'hôtel, manger des spaghetti sans viande, renvoyer les joueurs de guitare qui, pour quelques lires, leur chantonnaient un bonheur qui n'existait plus dans leurs cœurs. Camille boudait, marchait les yeux à terre, tirant la langue à la cathédrale Saint-Marc, refusant de s'asseoir à la terrasse du café Florian.

Jamie se promettait d'être, à l'avenir, plus sage. Plus responsable. Pour avoir trop longtemps vécu en France, il avait oublié qu'il existait en Italie des Mario Gondolfi hâbleurs et filous. Jamie souriait. Il était toujours en voyage de noces. Il pensait à tous les touristes qui avaient écarquillé leurs yeux et leurs porte-monnaie devant la machine à rêves de Mario Gondolfi. Jamie était heureux. Et Camille lui en voulait.

Elle regrettait le poste à galène et les cours de la Bourse de son père. Lui, n'aurait jamais confié un sou à cet escroc. Et, le soir, lorsque Jamie posait ses lèvres sur la petite veine qui battait derrière son oreille, elle n'escaladait plus le paradis sur édredon de baisers.

Mes relations avec Patrick changèrent complètement à partir du jour où je connus ce plaisir historique. Tante Gabrielle, maman et Ramona étant incapables de m'expliquer le pourquoi de ce bonheur intense, je dus m'orienter vers des recherches plus scientifiques.

Je me rendis à la Bibliothèque nationale où j'étudiai toute la correspondance des grandes amoureuses, de Sigismonde la Terrible à nos jours.

C'est ainsi que j'appris pourquoi la prude reine d'Angleterre, Victoria, était si attachée à Albert, prince consort. Un jour qu'elle prenait le thé chez son amie, la duchesse de Redford-on-Avon, et se plaignait de forte stérilité (cela faisait deux ans qu'elle était unie à Albert et que son ventre restait désespérément plat et sec), la duchesse lui suggéra de placer un coussin sous ses reins pendant l'acte d'amour, afin de retenir les spermatozoïdes fugueurs. La reine Victoria reposa sa tasse de thé et courut à Buckingham retrouver son cher Albert à qui elle chuchota la recette de la duchesse. Ce soir-là, quand le grand chambellan annonça le coucher de la reine, le prince Albert s'avança, tenant dans ses bras un petit coussin rouge rubis frappé des initiales et de la couronne royales qu'il plaça délicatement sous le bassin de son épouse. Puis il escalada le lit, fort haut, ce qui était d'ailleurs mal commode et ne favorisait pas les ébats improvisés, et vint se placer au-dessus de la douce et tendre Victoria qui, malgré ses bandeaux châtains lissés et ses yeux bleu chardon, ne l'excitait, malgré tout, que très moyennement. Ce soir-là donc, après les deux ou trois caresses de routine qu'on se doit d'adresser à toute dame à qui l'on présente ses hommages intimes, le prince Albert s'enfonça dans le bassin royal et, avec un mouvement de va-et-vient régulier, accomplit son devoir.

Il pensait à la chasse du lendemain, au collier qu'il faudrait mettre à Durham, son lévrier préféré, au cheval qu'il serait bon de referrer et au sirop contre la toux qu'il ne devrait point oublier de prendre avant de sonner l'hallali, étant toujours secoué de quintes de toux redoutables à ce moment délicat ; il pensait donc à mille propos quotidiens lorsque la très discrète Victoria fit entendre une longue clameur et fut prise simultanément d'une sorte de crise d'épilepsie, raide, le bassin arcbouté et les yeux révulsés. Cela dura une minute environ puis elle se détendit, laissant couler le long de ses joues une lave tiède de reconnaissance éblouie. Albert se pencha et lui demanda, très chevaleresque, s'il lui avait fait mal ou si le coussin l'avait incommodée… Mais la reine ne savait que répéter : « Albert… Oh ! Albert… Si vous saviez… mon aimé. »

Le prince, fort désorienté, écrivit à son ami personnel le Dr Williams pour lui demander quelle pouvait être la cause de cette manifestation hystérique.

Je ne parvins jamais à trouver la réponse du Dr Williams mais lus plusieurs autres lettres du prince Albert où il décrit l'évolution de ce phénomène qui le déroute tant. Ce n'est que beaucoup plus tard, familiarisé avec le manque de retenue de son épouse, et prenant goût à cette débauche de sens et de caresses, que le cher Albert enverra une note au Dr Williams, le priant de considérer cette affaire comme close et discourtoise à évoquer.

J'étais arrivée à la crampe sans coussin royal ni Albert. J'éliminais par conséquent ces deux facteurs, et me penchais sur d'autres inconnues.

Patrick ne m'était d'aucun secours. Mais il continuait néanmoins à me procurer de grands frissons en me baisant à bout de bras, debout, mes jambes nouées autour de ses reins. Ce n'était qu'ainsi que je connaissais l'anéantissement suprême. Cette position verticale m'interdisait de prendre pour amant un être chétif, qui aurait été incapable de me propulser pendant de longues minutes le long de sa queue, sans perdre courage ni désir, sans rougeur ni signe inquiétant de hernie discale. Comme Victoria, condamnée à garder son coussin sous le bassin, j'étais condamnée à la station debout et à Patrick. Ce qui réduisait à néant toutes mes investigations sexuelles.

Nous nous mîmes alors à feuilleter, de concert, des catalogues de meubles, de maisons provençales et de barbecues automatiques. Patrick ferait des heures supplémentaires pour que je ne manque de rien. S'il avait choisi de persister dans la comptabilité, c'était parce qu'il connaissait mon goût modéré de l'économie.

Assis sur le canapé bleu lavande du salon, sous l'œil attendri de maman, nous nous tenions par la main et parlions à l'indicatif futur.

Je fus, bien entendu, présentée au papa et à la belle-maman de Patrick, que j'avais vaguement aperçus sur les galets de la plage, au temps de mes débuts libidineux.

Fils unique, adulé et partagé, Patrick m'introduisit, par une belle matinée d'avril, dans une salle à manger mi-Tudor mi-Barbès. Je jouai les petites filles bien élevées, évitai les gros mots, les coudes sur la table, et me modulai sur les désirs de la famille. Je sus rougir quand il le fallut, parler bébés avec attendrissement, évoquer les prénoms de nos futurs enfants. On me regardait avec bienveillance engloutir le bœuf aux carottes, et je ne soulevai dans leur esprit ni spasme ni appréhension.

Au café, j'étais devenue la fiancée de Patrick. Les voisins furent invités à me regarder de plus près et me rotèrent au nez en vidant leur calva. Blottie contre l'épaule de Patrick, je nageais dans un bien-être flou, où je n'existais plus par moi-même mais comme succédané.

Tous mes rêves de petite fille délurée s'étaient évanouis devant une crampe mystérieuse qui me conduisait tout droit au mariage. Je m'imaginais dans la petite chambre du deuxième étage, tendant de tissu fuchsia les murs de notre nid d'amour. Mon ventre s'arrondirait. Patrick ferait des additions supplémentaires. Le matin, avant de partir travailler, il m'apporterait mon café au lit et me planterait un baiser protecteur sur le front.

Cette petite vie bien dessinée me plongea dans un état si végétatif que je dus lutter pour ne pas m'endormir à table. Mon inquiétude perpétuelle avait quitté ma moelle épinière. Je me laissais aller sans craindre les remontrances de mon démon intérieur, un instant pris au piège et assoupi.

Seule Ramona haussait les épaules et soupirait bien haut que je courais à ma perte, que cette histoire était du niveau de cinquante millions de consommateurs…

Il faut reconnaître que les amours de Ramona étaient bien plus originales.

Ramona s'était, en effet, promis de rester intacte, exempte de tout attouchement vicié pour l'homme ou la femme qui secouerait ses cils de passion. Les petits camarades boutonneux, que nous retrouvions dans les salles obscures des cinémas ou durant les slows langoureux des surprises-parties, ne l'intéressaient pas du tout. Si elle assistait à ces manifestations culturelles, c'était uniquement dans l'espoir de voir surgir, sur l'écran ou derrière un canapé, l'Être de sa vie. Les yeux vrillés sur l'assistance, les mains croisées sur son kilt et la lippe mystique, elle attendait.

Elle venait juste de se remettre, après une passion malheureuse et tout imaginaire, qu'elle avait filée avec une jeune femme dans la salle d'études de l'université où elle suivait des cours d'égyptien. Fascinée par le profil au long nez de l'inconnue, elle en était tombée amoureuse et lui écrivait de brûlants poèmes en hiéroglyphes. Incommodée par les regards que Ramona concentrait sur elle, la jeune femme lui avait renvoyé une boulette de papier Glatigny avec ces simples mots : « Foutez-moi la paix, espèce d'égyptologue tarée. » Ce message d'amour commotionna fortement Ramona qui dut s'aliter pendant un mois. Toussant très fort dans un mouchoir en batiste, elle repoussait, cependant, l'idée de se commettre en des amours simples. Si le monde tournait n'importe comment, d'après elle, c'était justement parce que les gens banalisaient tout, y compris leurs sentiments.

Elle refusait les dames qui traînent landau et bébé le long des trottoirs en comparant les feuilles de paie de leurs époux et le nombre de boutons de leur télé couleur.

« Le bel amour ignore les basses tractations commerciales… Vivre sans passion, c'est mourir doucement. »

Je lui servais ses potions, remontais ses oreillers, trouvant sa démarche difficile, mais reconnaissant le bien-fondé de ses affirmations. De croire si fort à l'amour transformait Ramona. Ses yeux noirs brillaient, sa peau devenait rose et comestible, ses cheveux moussaient autour de sa tête.

Dès qu'elle fut rétablie et qu'elle eut oublié la boulette méchante, elle repartit à la recherche de son grand amour. Elle eut l'intuition qu'elle le trouverait dans l'Antiquité. Nous fîmes toutes les expositions et conférences consacrées aux pharaons, à leurs amours incestueuses, aux bandelettes antimicrobes. Je lui prêtais mes connaissances littéraires, elle me décryptait les caractères obscurs qui farcissaient le pied des pyramides.

Nous étions transportées plusieurs siècles en arrière. Ramsès et Néfertiti étaient plus actuels que Tintin et Milou.

Il nous arrivait encore de nous étendre sur son lit, les fins d'après-midi : mes doigts emmêlés dans ses cheveux, la poitrine barrée de son long bras, nous nous endormions, en rêvant à Napoléon et Chateaubriand, valeureux conquérants de ces espaces de sable et de pierres pointues qui nous fascinaient tant...

Partagée entre le mysticisme autoconsumateur de Ramona et la solide santé physique de Patrick, je restais perplexe et indécise. La vie ne devait pas être aussi simple que Patrick le prévoyait ni aussi frénétique que Ramona le pensait. Mais, sans opinion personnelle et dévorée d'envie de leur plaire à tous deux, je me soumettais à leurs fantasmes. Ménagère et génitrice pour l'un, éthérée et romantique pour l'autre. Ainsi reconnue comme l'une des leurs, j'étais sauvée. Même si, en réalité, ces deux maîtres à penser me bouffaient énergie et créativité.

Je n'avais pas encore appris à exister et me cherchais des évangiles à observer, obsédée par l'idée de plaire, la crainte de ne pas être aimée. Prête à toutes les compromissions pour me situer quelque part dans l'estime et l'affection des gens qui comptaient pour moi.

Désirable si l'on me pinçait les fesses, intelligente car inscrite en fac, normale parce que Patrick voulait m'épouser et pas tout à fait banale puisque Ramona me prenait dans ses bras.

Toutes ces références me rassuraient et me faisaient vivre un bonheur de somnambule.

Et Patrick continuait à planifier notre avenir.

On habiterait chez son père, on repeindrait la véranda en vert, on ferait un plafond duplex, on aménagerait une cuisine dans un placard, on installerait une table de ping-pong au sous-sol. Rien n'échappait à ses sourcils bien droits.

Et surtout pas moi.

Il aimait que j'aie les cheveux roulés en un bandeau intérieur, des petites robes imprimées et courtes pour semer l'envie chez tous ses copains. J'étais sa référence. Je vous présente ma future femme, voyez comme elle est mignonne, bien élevée, gentille, cultivée. Presque une licence de lettres. Pas prétentieuse pour autant. J'étais devenue sa chose.

Bien sûr, je pourrais continuer mes études, garder mon Solex, voir Ramona de temps en temps, embrasser maman tous les dimanches. Paternel, il dressait la liste de mes permissions.

Mon père, prévenu de mes projets matrimoniaux, hochait la tête. Non qu'il eût une passion pour Patrick mais c'est dans la nature des choses de marier sa fille de vingt ans. Et même si sa fibre paternelle s'était, avec le temps, un peu atrophiée, il ressentait une certaine émotion.

Tout le monde avait l'air content. Tout était en place : maman, papa, Sophie, Patrick, sa mère, son père, sa belle-mère…

Alors pourquoi n'aurais-je pas été moi, la première, heureuse de faire plaisir à tant de monde ?

Mais je n'étais pas heureuse.

Passés les moments de ronronnement béat dans les bras de Patrick où tout m'indifférait, je relevais ma visière et m'angoissais. Devant le barbecue commandé, le menu des conversations, le manque de perspective de mon amour, je manquais d'air.

Mais, impuissante à dissoudre mon angoisse, j'acceptais passivement tout ce qui m'arrivait. Je n'avais même pas à décider, on le faisait pour moi. Mes seules preuves d'existence, je les fourbissais en faisant des scènes. À Patrick.

Je me moquais de sa calculatrice, de son tricot de corps à trous, de ses certitudes ridicules... Je lui raccrochais au nez, le laissais rappeler sans répondre, déchirais ses lettres, le renvoyais pendant un mois puis le rappelais... C'était ma manière à moi d'exister. Pas vraiment efficace puisque les préparatifs du mariage continuaient, mais au moins je me défoulais.

J'en avais marre d'être programmée, figée à vingt ans. Il fallait qu'il se passe quelque chose et, puisqu'il ne se passait rien, j'improvisais...

Un soir, où il m'avait emmenée dans une boîte à Fécamp et que j'avais une envie démoniaque de lui percer le cœur, de lui sucer sa placidité, de lui insuffler mon angoisse, je le regardai droit dans les yeux et lui annonçai que j'allais me tuer. Il haussa les épaules, prit une profonde gorgée de whisky et tourna ses yeux bleu Caraïbes vers sa plus proche cavalière. Je sortis et me mis à courir, courir sur les galets en direction de la barre blanche des vagues.

Je courais et je savais que je ne m'arrêterais pas, que je ne voulais pas vivre pour ce petit bonheur façon ordinateur, que je préférais finir comme Ophélie, les cheveux châtains flottant dans l'eau salée.

Cette idée me plaisait, me donnait des pédales aux mollets. J'avais les chevilles qui se tordaient, les poumons qui s'essoufflaient mais je me sentais transportée. Dépassée.

J'entendis des pas derrière moi et une voix qui criait mon nom... Ça y est, il commence à souffrir ! Ah ! je sers à quelque chose si on prend la peine de faire un cent mètres derrière mon désespoir. Il courait, de plus en plus vite, criait, de plus en plus fort, et je hurlais qu'on me foute la paix, qu'on me laisse mourir tranquille, en en rajoutant pour qu'il comprenne bien que sa véranda repeinte en vert amande me donnait des renvois au cœur, me congestionnait le sentiment.

Mais il m'avait déjà rattrapée, entourée de ses bras et me berçait contre son pouls battant. Déjà plus rien n'existait que ces deux bras-là, sa voix qui demandait « mais pourquoi fais-tu ça ? », ses lèvres qui glissaient sur mes larmes et les léchaient, ses mains qui calmaient ma chamade, ses yeux où je pouvais lire tout son amour… Tant de passion évidente me faisait vibrer, me donnait l'impression d'être belle, fatale, essentielle. Devant le désespoir de Patrick, je me dépliais, je devenais géante.

Puis je me ravalais dans son étreinte, redevenais fœtus, inexistante. Je retombais dans mon quotidien. Je n'avais pas eu le courage de sauter dans les vagues, je n'avais pas non plus celui de le repousser. Je hoquetais « je t'aime, je t'aime »… Parce que je ne pouvais pas lui expliquer mon désespoir et mon envie de cimes enneigées. J'étais trop lâche pour vivre sans sa véranda vert amande et sa table de ping-pong en sous-sol.

Je t'aime, garde-moi, arrache-moi la cervelle que je n'aie plus jamais envie de monter tout là-haut, que je devienne une bonne petite épouse qui te fera beaucoup de bébés façon poster d'Alain Delon.

Enlève mon angoisse de dessous mes cheveux. C'est là qu'elle me ronge. Et, recroquevillée contre lui, abdiquée, je ne savais que répéter « je t'aime ».

J'étais piégée. Pas par Patrick mais par ma terreur de la liberté. Je ne voulais pas vivre sous sa véranda mais j'y revenais sans cesse.

Ce soir-là, je le laissai m'emmener, toute hachée, dans la voiture. Le laissai m'essuyer le visage, me sourire, me dire « je t'aime, je veux que tu sois ma femme ». Le laissai refermer sur moi la trappe de son bonheur acheté sur catalogue.

Toute mon énergie était passée dans ma course vers

les vagues. Il ne m'en restait plus pour donner un coup de pied à sa mâle assurance. Je préférais le mensonge, le silence. J'étais possédée, remise à zéro, récupérée.

Mon accès de désespoir, comme tous les autres, avait été anarchique et vain. Je lui avais fait mal quelques minutes… Maigre consolation.

Je n'avais plus qu'à sécher mes cheveux en un petit rouleau intérieur, défroisser ma robe, relever mes commissures pour que ses copains ne s'aperçoivent de rien et que nous gardions notre halo de jeunes et heureux fiancés.

La date de mes épousailles se précisait : ce serait en septembre, quand tout le monde, déprimé par le retour de vacances, a besoin d'une fête.

J'étais figurante dans une cérémonie qui allait me consacrer femme de Patrick. Tous ces préparatifs me paraissaient incongrus mais je ne marmonnais mon désaccord que seule dans les chiottes ou juste avant de m'endormir. Le reste du temps, j'acquiesçais. Oui pour dire oui, oui pour aller habiter chez son père et sa belle-mère, oui pour le premier bébé… Oui, oui, oui. Après deux ans de flirt exacerbé et un an de plaisir dit conjugal, je terminais mon exploration existentialiste en robe blanche et rubans roses. Pourquoi en rose et blanc quand tout le monde sait que je hurle de plaisir, le soir, au creux du lit ? Pourquoi devant M. le curé : je ne vais plus jamais à la messe ? Pourquoi si vite ? Pourquoi moi ?

Je n'avais plus que trois mois avant ma mise en société. Trois mois pour vivre. Sans lui. S'il te plaît, laisse-moi partir seule, en vacances… J'ai besoin d'être seule. C'est important. On aura toute la vie pour partir en vacances, ensemble… Toute la vie ? Non, je ne pourrai pas…

Patrick m'écoutait, réfléchissait, disait « oui ».

Merci, mon chéri !

Je partis avec Ramona et Yves. Au bord de la mer. Où? Aucune importance : je ne sortais pas de la maison. Je me foutais pas mal du ciel bleu et de la mer.

Ramona était chargée d'organiser ces derniers jours de liberté. Elle riait, me disait que je n'étais pas obligée, que l'époque où on mariait les filles de force était passée.

– Oui, mais je l'aime bien Patrick, tu sais. Il est beau, fort, intelligent. Il fera un très bon mari, c'est sûr. Un très bon papa, aussi. Son père et sa belle-mère… Qu'est-ce que je les aime, eux ! D'ailleurs, rien qu'à cause d'eux, j'ai envie d'épouser Patrick. J'aime leur petite vie étroite, leur dimanche matin à la grand-messe, leurs croissants frais du retour, leurs mines devant nos cernes et nos bâillements. Tu comprends, Ramona, c'est la première fois qu'on m'offre un vrai tableau de famille. Avec chapeau, gants blancs et bons sentiments. Une famille à l'affection solide. Pas une famille qui se lance des injures et des fusibles à la tête comme la mienne. Non, une vraie, une bien propre, bien carrée. Qui m'aime, que j'aime. Sans explications. Parce que c'est moi, la femme de Patrick. Qui attend que mon ventre s'arrondisse et qu'un petit bébé en sorte. Un petit bébé qui leur ressemble. Comme ça, ils m'aimeront encore plus. Et j'ai tellement besoin qu'on m'aime. Qu'on repeigne la véranda pour moi, qu'on ajoute un volant à ma traîne, qu'on s'inquiète si j'ai un peu de fièvre, qu'on me couche avec un bol de soupe si j'ai mal au ventre… Comme si j'étais un bébé. Mais si je vis la vie que j'ai dans la tête, la vie qui me ronge d'envie, je serai seule sans bol de soupe. Seule, les nuits de mauvais rêves ; seule, le dimanche à midi quand tout le monde déjeune en famille ; seule, sans points de repère rassurants… Avec Patrick, je ne serai jamais seule.

Ramona écoutait mais ne disait rien. Impuissante…

Elle connaissait tous les alentours et leurs habitants.

Elle multiplia les fêtes, les dîners, les déjeuners et les petits déjeuners. Elle me présenta un explorateur barbu, qui revenait de deux ans en Afrique et me fit l'amour sauvagement, se balançant d'un orgasme à l'autre ; un universitaire, qui finissait une thèse sur le signifiant et le signifié chez Barthes, me prenait très doucement pendant des heures et me racontait, ensuite, comment briser le carcan social du langage (mais je dormais déjà) ; et un étudiant américain qui me plaisait beaucoup. Il était si beau qu'il me faisait les rêves doux. Il s'appelait Antoine, de mère amoureuse de Saint-Exupéry.

Quand l'explorateur, l'universitaire ou Antoine étaient absents, Yves se glissait doucement dans mon lit et me rappelait le temps de l'amour devant la photo d'Évita.

Ramona cuisinait. Les plats les plus fous. Tous arrosés de chocolat. Un soir, elle s'enduisit le corps de Banania et fit irruption dans mon sommeil. Je la léchai avec gourmandise.

Le lendemain, c'était un bifteck-frites au chocolat chaud, le plat favori d'une tribu mexicaine cannibale raffinée. Les frites au chocolat, le sang baignant dans le mordoré du Suchard fondu, j'avais la tête qui tournait, je me barbouillais de sauce chaude. J'étais devenue adepte barbare d'un rite étrange et féroce.

Pendant tout ce mois, je refusais de penser, de compter les jours ou d'ouvrir les lettres de Patrick. Je m'alanguissais dans une vaste étendue de plaisirs anonymes. Le seul avec qui j'établis des rapports de cause à effet était Antoine. Antoine indifférent à tout, sûr de lui, heureux dans sa solitude tranquille. Antoine, qui aimait embrasser en appuyant très fort. Antoine, pour qui je me découvrais un dévouement sauvage, tellement sa nonchalance m'excitait et l'éloignait de moi. Antoine que je savais perdu, pour cause de mariage imminent.

Le soir, avec Ramona, sur les marches de la maison, nous dissertions sur la peur atroce de la solitude. Elle attendait toujours le séducteur, pour qui elle abandonnerait son âme ; je soupirais après un bonheur rassurant qui ne me rassurait pas…

Drôles de vacances. Je revins le teint brouillé et le bouton abondant. Je promettais d'être une mariée hépatique.

Quand je revis Patrick, je le trouvai beau et tendre. J'eus envie de lui brutalement sans pourquoi ni comment. Envie qu'il me prenne, qu'il m'écrase, qu'il m'embrasse, qu'il m'emmène loin au paradis. Je passai quarante-huit heures noyée d'amour, décidée à l'aimer sans tergiversation. J'avais juste au-dessus de moi un garçon fou d'amour, superbe, prêt à m'épouser et je rechignais… Je devais être folle ou Ramona m'avait fait perdre la tête ! J'étais d'accord pour tout, prête à sauter sous le voile et dans l'anneau.

Je retrouvais les petits déjeuners familiaux : Philippe rentrait d'Amérique, maman du Périgord. Nous avions tout à nous raconter. Je me sentais au chaud et en sécurité. Le monde était simple, facile à vivre : pourquoi le compliquer ?

La vie pouvait continuer ainsi même si je me mariais. Je ne demandais pas grand-chose : juste que l'instant présent dure éternellement. Une sorte de souhait lamartinien sans lac ni tuberculeuse. Et puis j'avais tant de choses à faire ! M'inscrire en faculté, rédiger mes faire-part.

Je demandai à maman s'il était tout à fait impossible d'inviter tante Gabrielle à mes noces. Elle me répondit que ce n'était pas envisageable. Cela provoquerait de tels embouteillages d'aorte dans l'assemblée, qu'il était préférable de renoncer à ce projet.

Très triste, j'allai quand même présenter Patrick à tante Gabrielle.

Elle nous offrit du thé à la rose et des petits gâteaux

au sésame. Elle se tenait très droite dans son fauteuil et regardait attentivement Patrick. Elle le fit parler des nuages, de son travail, de la couleur de mes yeux, de la fragilité des crocus. Patrick écoutait, surpris. Essayait de répondre, tout en me donnant des coups de mocassins dans les chevilles. Je trouvai cela normal : tante Gabrielle voulait seulement savoir s'il savait rêver et rire sans bande annonce.

Elle lui expliqua la vie sentimentale de son elasticus carbonicus, tombé amoureux de l'elastica carbonica de la voisine et qui se tordait l'écorce pour l'apercevoir. Patrick opinait, comme on écoute un fou qu'il ne faut surtout pas contrarier. L'horloge rythmait les questions folles de tante Gabrielle et la surprise grandissante de Patrick.

Une fois dans la rue, il me demanda si elle était normale et pourquoi la famille ne la faisait pas enfermer. Je ne répondis pas. Je compris que tante Gabrielle venait de me lancer un avertissement : on doit bien s'ennuyer avec un homme qui refuse de quitter le sol ferme de la logique, le temps d'une tasse de thé.

Le lendemain, je reçus un coup de téléphone de Ramona me demandant de l'accompagner à Orly. Ramona a toujours refusé d'apprendre à conduire, trouvant le moteur à pistons d'une totale inconvenance. Elle préfère les transports en commun, persuadée qu'elle multiplie ainsi les chances de rencontrer l'homme de sa vie.

Mais pour aller à Orly, ce jour-là, elle a besoin de moi. « Fais-toi belle, prépare-toi. Je ne veux ni tennis ni jean éculé. » Habituée aux fantaisies de Ramona, j'obtempère. La jupe bien tirée, l'œil assassin mais pas raccoleur, le chemisier ouvert jusqu'au troisième bouton et le sac en bandoulière.

Ramona reste muette. Elle aspire voluptueusement une cigarette anglaise et agite sa cendre dans toutes les directions, sauf celle du cendrier. Depuis son aventure en bibliothèque et sa convalescence laborieuse, elle n'a pas connu d'autres amours. Elle vit cloîtrée dans sa solitude, concentrée sur le désir de ne pas vivre un amour bon marché. Cela lui donne un air de carmélite, une pureté du teint, un relief des pommettes, une acidité dans les yeux qui rend plus d'un homme tourneboulé d'amour. Mais Ramona avance sans les voir…

Je l'aime comme ça. Intransigeante et folle. Je sais toujours trouver la petite veine qui déclenche des volcans dans son corps, prononcer les quatre mots qui lèvent son exigence ou l'emmener voir un film sucre candi qui nous précipite à tâtons sur la boîte de Kleenex… Je la connais ma Ramona, ma louve en fourrure, ma déesse dorée. Je sais qu'elle réprouve mon union avec Patrick. Mais elle me garde, malgré tout, le refuge de son épaule, de son creux d'affection où, enroulées l'une dans l'autre, nous nous jurons aide et fidélité éternelles.

Et, aujourd'hui, je suis à ses côtés, sur une bretelle d'autoroute, suivant aveuglément ses instructions.

Où va-t-elle ? Pourquoi m'emmène-t-elle ? A-t-elle enfin rencontré le grand tremblement de cœur qui remet tout en question et vous rejette haletante sur le bitume ?

Je n'ose pas lui poser de questions de peur de passer pour une sans-intuition… Mais je ne comprends pas très bien ce que nous faisons à Orly-Sud. Elle s'est parée comme pour un sacrifice religieux : toute en noir, les yeux nacrés, les lèvres rouges. Les voyageurs en partance se retournent sur notre passage, perdant leur place dans la queue. Elle me tient par la main, très ferme. L'aéroport est plein de valises et de filets à papillons. Il fait chaud. Je pense que je n'ai pas prévenu Patrick, qu'il doit m'attendre à la maison.

Soudain, Ramona s'arrête, se plante devant le tableau

d'affichage, repère un vol et se dirige vers la porte d'arrivée. Elle attend quelqu'un… Elle m'a emmenée avec elle pour que je sois son témoin. Témoin de sa reddition. Mais qui ? Pourquoi ne m'en avoir jamais parlé ? Elle a peur qu'il ne vienne pas la chercher ? Qu'il l'oublie ? Qu'elle soit obligée de rentrer le cœur vide ? Ramona, aussi, a ces angoisses-là ?

Il va se passer quelque chose d'important. Une fois de plus, Ramona hausse mon niveau de vie, me dépêtre de mes habitudes petites-bourgeoises. J'ai honte de mes préparatifs roses et blancs, de ma liste d'invités, de mes gâteaux au moka. Je comprends que l'amour peut être aussi cette attente, le pied battant, au bas d'une porte d'aéroport, ce mystère qui rend les mains moites et le ventre zigzag. J'ai, une fois de plus, envie d'écouter mes folies secrètes et de me tirer loin des us et coutumes.

Quand, tout à coup, parmi la cohue des vacanciers bronzés et désespérés d'avoir atteint la fin du mois de congé payé, je vois apparaître la tête d'Antoine.

Ainsi, c'est lui. L'initiateur au Grand Amour. Celui devant lequel elle va promettre de vivre une passion dans un dérèglement total des convenances. Antoine, que j'ai caressé et aimé parce qu'il est beau, qu'il ne parle jamais et semble comprendre beaucoup. Antoine, que j'ai serré très fort, la dernière fois, en soupirant devant Ramona.

Elle m'a prêté son amour le temps de quelques étreintes dans un hamac. Elle m'aime assez pour tout me donner, même son rêve. Elle m'a conviée à leurs retrouvailles.

Antoine est là, devant nous. Je me retourne vers Ramona. Elle nous entraîne à l'écart, prend ma main, la pose dans celle d'Antoine.

En silence et poignée de main, elle brise mon avenir avec Patrick, ouvre mes yeux aveugles, renvoie ma Fatalité ailleurs…

Tout me revient dans cette poignée de main : ma haine de la véranda verte, l'avertissement de tante Gabrielle, ma folle course vers les vagues noires, ma furie désespérée de vivre encore un peu, avant qu'il ne soit trop tard...

J'étais devenue végétative. Je mourais doucement comme meurent les jeunes filles obéissantes. En disant oui aux images qu'on leur montre.

Je regarde Antoine, le lèche des yeux, le savoure comme une première liberté. Je suis Pancho Villa sur les bords du Rio Bravo avant d'aller couper la tête du général usurpateur...

Patrick, qui m'a si longtemps paru un refuge contre la solitude, me semble soudain inutile. En une heure, il a perdu son emploi. Je ne le connais plus, je ne le reconnais plus. Je juge tout ce qui m'arrimait à ses bras futile et petit. Des mobiles sans intérêt, des angoisses de petite fille. Je veux lui crier que je détale mais je ne sais pas très bien comment faire.

J'ai le choix entre la lâcheté totale du télégramme : stop-je-ne-t'aime-plus, la demi-lâcheté du téléphone et la bravade de l'entrevue.

Je choisis le téléphone.

Je jette un dernier regard sur Antoine, un dernier souvenir à nos nuits d'été. Il a toujours les yeux noirs et calmes, la peau mate, deux grands bras que j'imagine autour de moi, des dents très blanches et pointues qui me déchiquettent déjà l'omoplate. Toute droite dans mon irrésolution, je m'attarde à le regarder pour me donner du courage.

Je décroche le téléphone, compose le numéro, répète dans ma tête tout ce que je dois dire à Patrick : je ne t'aime plus, je viens de tomber raide d'amour à Orly-Sud dans le hall des voyageurs, porte 55, tout près du tableau d'affichage… Il veut que je parte avec lui… Non ! JE veux partir avec lui. Ça fait plus décidé, si je dis JE.

Surtout ne pas lui laisser d'espoir, ne pas le faire souffrir à petites doses. Une incision sans bavure, précise, définitive. Réaliste : je me tire, je ne t'aime plus…

Je m'affale sur le combiné, tourne le dos à Antoine parce que je sais d'avance que je vais être lâche… Je me recroqueville sur les trous de la cabine comme autant de petites voies respiratoires.

Et j'entends sa voix. Celle qui me donne la chair de poule, le soir sous les draps. Celle qui m'a si longtemps fait dire « oui ».

– Patrick, je m'en vais.

Je plonge. Comme à la piscine quand on me pousse. Le nez bouché, les yeux fermés.

– Où ça ? Je t'attends depuis longtemps, tu sais… J'en ai marre de jouer aux cartes avec ton frère.

– Patrick, c'est sérieux, je pars…

– Comment ça, tu pars ? Tu es folle, non ?

Maintenant que je suis complètement mouillée, autant donner le coup de talon final :

– Écoute, Patrick, je ne t'aime plus. Je ne veux plus t'épouser. Je n'osais pas te le dire mais ça fait long-temps que j'y pense et, comme je sais que, devant toi, je n'aurai rien le courage de dire, je te téléphone… Pour que tu comprennes que c'est fini…

Il n'a pas l'air de comprendre. Interrompu en plein après-midi tranquille, il se demande quelle folie me passe par le cœur, et accuse mes neurones d'avoir lâché à la vue de tant de réacteurs. Son solide bon sens lui interdit l'idée d'un coup de foudre et il demande à exa-miner, de plus près, mes débris d'amour.

Je n'ai même pas le temps de protester qu'il m'a fixé rendez-vous dans notre café, celui où j'aime tant tourner des pailles dans les citrons pressés ; celui où Raymond, le barman, garde nos messages et sert de confident quand on ne se comprend plus. Je raccroche, furieuse. Contre moi. Une fois de plus, je n'ai pas été assez ferme, assez salope. Dans tous les livres que je lis, les héroïnes quittent des hommes désespérés en secouant le bout de leurs boots pour que les larmes ne marquent pas le vernis noir… Et moi, pour ma première aventure sentimentale à épisodes, je me retrouve convoquée devant un café crème chez Raymond, sur des chaises en plastique et des tables en formica. Je commence à souffrir d'un formidable complexe de classe. Le cœur en première, le Nous-Deux en jet-set, les ruptures en wagons-lits, ce n'est pas pour moi…

Heureusement, Antoine est là. Digne d'être le héros d'un feuilleton doré. Paris-Bagdad en tapis volant.

Je lui explique que je dois aller chez Raymond pour déclarer au monsieur avec qui j'ai passé trois ans de ma vie, péché contre péché, que je n'écraserai plus mon nez dans ses virages.

Antoine, courtois, répond que c'est normal, qu'il comprend tout à fait, qu'il m'attendra à l'hôtel, chambre 436.

Le trajet retour est moins mystérieux. J'ai le cœur qui bat d'amour et d'inquiétude, l'impression de préparer une mise à mort. Je culpabilise. Je sais que je vais faire de la peine, et je ne supporte pas l'idée de saigner les gens. Je préfère toujours dire oui du menton que d'articuler un non.

Et les parents de Patrick ? Ils ne vont rien comprendre. Vont sûrement me traiter de génération perdue…

Antoine et Ramona descendent ensemble. Dans le noir des yeux de Ramona, je lis une grande excitation et une dose de vie en rose ; dans ceux d'Antoine, une chaleur qui me fait transpirer sous mes racines. Leur naturel et leur calme me terrifient. Je ne me sens pas capable, comme eux, de jouer la Sérénité Transcendantale.

Patrick m'attend devant plusieurs ronds de bière. Faussement brave. L'air déprogrammé. Je déteste perturber les gens et, encore plus, les grandes machines qui m'ont promis tant de bonheur. Pour une fois, son malheur ne me rend pas importante. Ce serait plutôt le contraire.

Je glisse une fesse près de sa chaise, commande une menthe à l'eau, me racle plusieurs fois la gorge, en priant qu'il attaque le premier, parce que c'est plus facile de se défendre que d'exposer les faits. Qu'il me bombarde d'insultes, même, je prendrai un air offensé et pourrai partir sans m'être déglinguée.

Mais il ne dit rien. Il me regarde par-dessus ses yeux bleu Waterman qui m'ont si longtemps fait chavirer et tire professionnellement sur sa cigarette. Comme un vrai mec à qui sa nana annonce qu'elle fait une fugue mais qu'elle reviendra. Ma menthe à l'eau tiédit et on n'a toujours pas entamé notre dialogue. Et, bien sûr, je cède. Bêtement. Le plus bêtement du monde, je dis :

– Et voilà…

– Voilà, quoi ?

Il se jette sur l'occasion de me faire préciser mon information.

– Voilà, c'est fini…

– Comment, ça, fini ? Explique-toi, au moins.

Tout ce que je voulais éviter.

– Je ne sais pas. Je suis allée à Orly avec Ramona, et tout à coup je ne t'ai plus aimé, je n'ai plus voulu t'épouser…

– Comme ça… Tout à coup… Une idée qui passait par là… Ça fait longtemps que tu pensais ça ?

– Oui et non. Ça n'allait pas très fort mais, en faisant une moyenne, je n'étais pas malheureuse. Juste quelques angoisses. Et puis, aujourd'hui, j'ai décidé de ne plus t'épouser.

Patrick est abasourdi. Il essaie de comprendre les mots : « moyenne », « pas malheureuse », « pas épouser ».

– Mais, pourquoi ne m'en as-tu jamais parlé ? Pourquoi ? J'aurais essayé de comprendre…

Je sens le danger approcher : il va devenir paternel.

Pourquoi est-ce que je ne parle pas d'Antoine ? L'image précise d'un rival mettrait fin à la tentative de communication. Pourquoi est-ce que je ne dis pas mon envie d'un autre ? Du corps d'un autre, de la vie d'un autre ?

Parce que je ne veux pas qu'il souffre trop. Ça m'ôterait tout courage. Juste un peu, que je puisse partir pas mortifiée ; mais pas trop, pour qu'il puisse s'endormir sans m'imaginer, la bouche écarquillée de plaisir, dans les bras d'un autre. Sans somnifères sur la table de nuit, si le cinéma devient trop précis et s'arrête sur la perforation finale, la profanation des corps et le double arc-boutement.

Dans ces conditions, la rupture n'est pas évidente. Je m'enlise. Patrick est prêt à tout. À me laisser réfléchir, à décommander la pièce montée, à remiser son habit gris perle et son haut-de-forme de location.

Alors, je sors le dernier argument faux jeton. Celui qu'utilisent toutes celles qui, comme moi, sont trop lâches pour affirmer leur liberté. Celui que Jean-Paul Sartre nous a si gentiment refilé en classe de philo : je veux voir pousser ma racine. En langage décodé : je veux vivre ma vie, me taper des tas de mecs sans compte à rendre.

Et Patrick trébuche. Il me prend dans ses bras, murmure qu'il comprend tout, qu'il m'aidera, qu'il respectera ma courageuse indépendance et ma volonté de devenir femme. Tous ces gros mots me font honte et je m'effondre en larmes. Devant tant de confiance imméritée, je craquelle, sanglote, vire au rouge, au violet, au bouffi. Je hoquette, frôle l'étouffement, m'agrippe à sa manche. Je perds le contrôle de ma lâcheté organisée et balbutie des « je t'aime » ineptes pour le remercier de tant de gentillesse.

Conscient de m'avoir récupérée, il caresse tendrement ma joue. Raymond nous offre deux petits rouges. Je suis perdue. Je demande à Patrick la permission de rester seule. Pour me promener, respirer, remettre mes idées en ordre. Je lui dis aussi que, ce soir, je dormirai chez Ramona parce que je suis trop épuisée, mais que demain on se verra.

Fier de nos nouvelles conventions, il acquiesce.

Nous sortons enlacés. Comme si l'avion, en provenance de Toulouse, ne s'était jamais posé dans mon cœur.

Écrasée de honte, je cours voir tante Gabrielle et son elasticus amoureux. Je m'effondre sur ses coussins, réclame un conseil et un Tricostéril sur le cœur.

Je lui raconte. Et je prends conscience. Une fois de plus, j'ai renoncé. Je me suis écartée de mon chemin, le mien, celui qui me fait des frissons de délices et de peur. Tante Gabrielle hoche le menton.

– Quand j'ai quitté mon mari et mes deux petites filles, j'ai beaucoup pleuré. Mais je savais que ma vie, la vraie, était aux côtés de Frédéric. Qu'il valait toutes les déchirures. Demande-toi où est ta vraie vie et suis-la. Sinon tu auras toujours le sentiment d'un grand vide en toi...

J'ai envie de suivre Antoine. J'en suis sûre.

Si j'ai abdiqué chez Raymond, c'est par respect de l'ordre établi. Le téléphone est là, tout près. Je demande la dame des télégrammes, lui donne l'adresse de Patrick et enchaîne : « Patrick, je m'en vais. Pour de bon. Même si je t'ai beaucoup aimé, même si tu voulais tout me donner. Ne m'en veux pas. Je ne sais plus qui je suis. Sophie. »

Ce n'est pas encore la totale franchise mais, pour la première fois, je m'exprime. J'enjambe les convenances. Je fais de la peine, en sachant que c'est positif. Pour moi. Je dis non. Réalise une très vieille envie : partir loin de cette véranda qui me bouche l'avenir.

Je prends un risque, morte de peur. Je fais un choix : moi.

Tante Gabrielle m'a poussée de son camé, de son sourire, de sa sérénité. Si on vieillit comme elle, en prenant des risques, je souscris à ses maximes, à son ciel, à mes folies…

À la maison, où je passe faire provision de jeans et de tee-shirts, l'atmosphère est moins méditerranée.

Philippe ne comprend plus rien à mes méandres, maman remise ses envies de bébé à pouponner. Elle s'était habituée à Patrick, s'était construit tout un monde avec gendre et ses avantages : bras sur lequel s'appuyer et cœur où rouler ses cils.

Toutes ces sécurités se dissipent dans un flou inquiétant. Qui est ce jeune homme pour lequel je déchire un avenir de tranquillité ? Que font ses parents ? A-t-il des diplômes ?

J'ai oublié de demander tout cela à Antoine.

Je n'ose pas avouer que je sais tout de ses nuits, de ses rêves, de ses lèvres, mais rien de son curriculum vitæ. Je ne peux que dessiner la fusion incandescente de deux cœurs dans une odeur de kérosène.

Comme ça, en dix minutes ? C'est idiot.

Elle ne comprend pas très bien, maman. Pour qui l'amour est un sentiment qu'on cultive en serre chaude. Une chose bien élevée qui répond à des critères. On ne tombe pas amoureuse dans une gare sous le sifflet du chef de train ni dans un aéroport. Cet amour-là n'existe pas. Est éphémère, fragile, à envelopper. Pas solide. Il faut bâtir dans la vie. Faire de toutes ses émotions une construction harmonieuse, équilibrée, avec feuille de paie et bébés.

Alors mon coup d'amour à Orly ne ressemble à rien.

Et, en même temps, se dessine sur son visage un sourire Trois-Mousquetaires qui me donne le feu vert. Le feu vert de tout ce qu'elle n'a jamais osé faire et qu'elle

74

tremble de me voir empoigner. Le sourire de sa jeunesse gâchée à obéir à des lois HLM. Elle a rêvé ses envies. Aujourd'hui, elles lui encombrent l'âme.

Maman contradictions. Ce qu'elle n'a pas su assumer, elle me l'offre dans son sourire gourmand qui dit qu'elle est prête à attendre. À attendre que je lui raconte la vie hors des dix commandements.

De la voir tant espérer me rend heureuse. Même si mon voyage retour doit être mouillé de larmes, elle sera là pour me scotcher mes fissures. Ce n'est plus ma mère mais ma fan, ma spectatrice du premier rang. Elle n'est plus maman, ni belle-maman. Elle est redevenue Camille. Camille avide de vivre. Le temps de jeter mes dragées dans la réglisse de l'inconnu.

À peine revenus de Venise au présage redoutable, Jamie et Camille s'étaient installés, un peu penauds, à Avignon. Camille voulait garder bonne opinion de l'état conjugal, aussi s'efforçait-elle de ne pas remâcher sa désillusion. Jamie avait promis de ne plus tacher le beau cliché d'Épinal et de ressembler, de toutes ses forces, au mari idéal. Ils se comportaient donc en jeunes mariés amoureux, au su de la famille. Le soir, dans leur chambre, ils faisaient et refaisaient les gestes de l'amour. Les bras enroulés autour du cou, ils laissaient les frissons cicatriser leurs souvenirs.

Camille ferait de beaux enfants que Jamie protégerait. Jamie, en attendant d'être père, parcourait, avec sa tasse à café, les petites annonces du *Midi libre*.

Un jour, il rentra tout excité tenant à la main le journal, bredouillant une annonce exotique, qui parlait de lac Tataro, de barrage et de paie fabuleuse. Le gouvernement malgache cherchait un ingénieur pour endiguer les eaux du lac qui menaçaient, à chaque déluge, d'envahir la vallée. On demandait jeune ingénieur aventurier, expérience toute neuve et esprit large. Il fallait s'entendre avec les indigènes, ne pas froisser les lettrés locaux ni les esprits du lac, calculer la pente de retenue en fonction des dieux de la pluie, baliser les côtés sans troubler l'humeur ruminante des bœufs.

Tous ces détails plaisaient à Jamie, qui voyait s'éloigner la perspective d'un emploi de fonctionnaire, aux horaires perforés.

Camille imaginait de grandes terrasses où ses bébés bronzeraient ultra-violet, mangeraient des papayes sous l'œil attentif d'une nénène noire aux pieds palmés. Grand-père, qui avait amassé fortune sous les Tropiques, tapotait l'épaule de son gendre avec complicité. Ce soir-là, on ne parla que malgache et mandarines. Ce soir-là, Camille se laissa aller contre le corps de Jamie et accepta de donner tout le plaisir qu'elle pouvait inventer. Ils se rejoignirent dans des rêves aux sonorités étranges et multicolores.

La perspective d'une nouvelle vie, où elle serait femme de l'ingénieur en chef Jamie Forza, la faisait balbutier. Elle avait, enfin, trouvé un emploi.

Leur départ fut un événement. Jamie arborait fièrement un large short à soufflets et une casquette en toile imperméable, Camille flottait dans une robe dite tropicale, qu'elle avait achetée à la Mercerie générale de la Grand-Rue. Elle tenait à deux mains un chapeau de paille.

Le trajet en bateau fut sans histoires. Camille restait de longs après-midi étendue sur le pont, enroulée dans un plaid, à guetter le mal de mer. Jamie lui tenait la main.

Leur maison avait des colonnes blanches et un perron à marches larges. Des palmiers, des cocotiers et des buissons rouges cerclaient le blanc des murs. Un grand toit en bois lui donnait un drôle d'air coiffé. Une nénène locale leur souhaita la bienvenue et montra à Camille le bon fonctionnement des moustiquaires et du réfrigérateur.

Camille disposa des meubles, lança des invitations, raccompagna ses invités sur le perron. La vie était facile, les femmes bronzées, les hommes bien élevés, le ciel toujours bleu.

Pourtant, il manquait quelque chose à Camille. Elle aspirait de toutes ses forces au bonheur et le bonheur ne venait pas. Elle possédait un beau mari, une belle maison, une nénène dévouée, des fleurs, des oiseaux, des dessins accrochés au mur... Pas de cholestérol ni de fièvre maligne. Mais elle se sentait incomplète. Camille avait le mal de vivre. Un grand vide intérieur qui la laissait, soudain, désespérée et méchante.

Il lui manquait un lien qui donne un sens à tous ces bonheurs, qui la rattache au monde, qui fasse exister les magnolias et les chaises longues en rotin, qui rende le barrage de Jamie réel, le cri des singes, dans les arbres, moqueur.

Pour qu'elle ne soit plus jamais spectatrice muette, désespérée, mise de côté.

Jamie et son titre d'ingénieur en chef ne lui suffisait plus. Il lui fallait un bébé. Un bébé arrangerait tout.

Elle tutoierait Jamie, goûterait les soupes pimentées des marchés, ferait éclater des bulles de savon dans l'air. Elle serait rattachée à la terre.

Demain, Jamie lui ferait un bébé.

À l'hôtel, chambre 436, il m'attend.

Allongé, très grand. Il est beau. Les cheveux noirs et lisses, les mains longues et brunes, les yeux sombres, les sourcils épais, bien droits, et une moue qui sourit tout le temps. Une moue indifférente et sûre mais sans insolence. Quand il se déplie, il tient du joueur de base-ball et du jaguar qui rentre cool chez sa jaguar, après avoir bien chassé. Bien dans son corps, dirait tante Gabrielle. L'allure épanouie, le torse déployé, la peau bien savonnée.

J'ai oublié que je ne suis plus belle, que j'ai les yeux bombés à force d'avoir pleuré. Il me sourit quand même, m'attire sur le lit, m'allonge près de lui, glisse sa main contre mon ventre, ma tête sur son bras et murmure que ce n'est pas grave, que j'oublierai tout ça, que la vie commence et qu'elle va être belle. J'entends sa montre qui marche contre mon oreille, son cœur qui bat. Sa main me calme en habitant mes cheveux. Je me cale dans sa chaleur et m'endors, épuisée.

Au petit matin, je me réveille, étonnée d'être dans une chambre inconnue avec un monsieur inhabituel. Antoine... Antoine comment ? Il est au bout du lit, il compulse des cartes routières. Je l'espionne à travers mes paupières. On a un mois ensemble. Un mois avant la rentrée en fac. Un mois de voyage, de décisions, de vue sur l'avenir.

Chaque fois que je rencontre un homme qui me plaît, c'est plus fort que moi : je m'imagine mariée. Alors que la seule vue d'un anneau me rend délinquante… Je ne peux m'empêcher de penser au cas où… Avec n'importe qui. Qui fait tilt dans mon cœur. C'est une sorte de jeu avec le feu, un exorcisme.

Pour créer un peu de suspense, je dispose des obstacles au hasard. Si on passe ce feu, je l'épouse. S'il réussit son service, il me demande en mariage. S'il reprend du gigot, on aura beaucoup d'enfants. Tout ça, sans jamais arriver au oui final. Ceux qui me plaisent vraiment ont droit à un petit film à l'eau de mélisse que je me passe dans la tête, le soir avant de dormir et qui se découpe en autant d'épisodes que dure l'intérêt. Ainsi, à treize ans, un dénommé Pachou fut le héros de cent soixante-trois nuits. J'alimentais mon cinéma en l'observant, le dimanche matin, à la patinoire, où il tournait en poinçonnant les cœurs. J'ai filmé jusqu'à ce que, découragée, j'élise un héros plus accessible. À cette époque, les amours platoniques ne me décourageaient pas. Au contraire ! J'aurais été bien ennuyée de me retrouver, coincée dans les vestiaires, avec l'haleine de Pachou sur mon bonnet et mes moufles dans les siennes. Ces feuilletons suffisaient à ma vie sentimentale. Ils étaient riches en rebondissements : prélude, amour, idylle, brouille, meilleure amie traîtresse, réconciliation… Il y avait aussi : belle-mère ennemie, différence sociale, parents indignes, mais amour plus fort que tout et réhabilitation. Suivie de réussite sociale, argent, applaudissements, hôtel particulier, enfants, nurses, rivales, fugue, course en Ferrari, retrouvailles, serments éternels, clair de lune…

J'étais infatigable. L'hôtel particulier était toujours le même, je le remeublais simplement selon le style du nouveau héros. L'ordre et le sexe des enfants immuable (un garçon en premier, c'est beaucoup mieux) et le happy end inévitable.

Au fur et à mesure que je prenais de l'âge et de la pratique, le scénario devenait moins simpliste : j'avais un peu moins de Ferrari, beaucoup plus d'amants et j'étais journaliste.

Je n'ai pas eu le temps de faire entrer Antoine dans mon hôtel particulier. Et pourtant... Depuis hier, je marche sur un cumulo-nimbus, un gros, bien épais, qui tient chaud aux pieds. J'ai l'impression de recommencer ma vie à zéro pointé. Cœur tout neuf et peau de bébé. J'ai oublié qu'il y a à peine une semaine Patrick me prenait dans ma chambre écossaise et je lui gémissais « je t'aime ».

Antoine savoure la vie avec la sagesse du philosophe posé sur le sommet de la montagne. Il lui faut, pour notre voyage, une voiture robuste et confortable, il la commande au téléphone, a le modèle, la couleur et les options qu'il désire. Sans élever le ton. Ramassée sous mes draps, je me décide à émerger pour lui demander d'où lui vient cette facilité à dépenser sans bilan récapitulatif.

Il me raconte l'histoire de son grand-père...

Un colon anglais qui, las des frimas anglo-saxons, débarqua un petit matin au Brésil, en pleine forêt verte... C'était l'époque du boom du caoutchouc. Manaus était la capitale la plus riche du monde, celle des résineux. On ne comptait plus les palais en faïence anglaise, les lustres en porcelaine viennoise, les trottoirs en céramique azulejos et les fenêtres en éclats de diamants biseautés.

Depuis que l'Irlandais Mac Intosh et l'Américain Nelson Good Year avaient découvert les vertus du caoutchouc et s'étaient mis à fabriquer de longs imperméables double boutonnage et des pneumatiques bien rayés, Manaus vivait dans une inflation galopante. Les bébés agitaient des hochets en diamant, les domestiques récuraient les fonds des casseroles avec des émeraudes brutes, les dentistes comblaient les caries de saphirs et les apothicaires recommandaient de laisser fondre une perle noire ou blanche dans une tasse de thé pour combattre les aigreurs d'estomac ou les brûlures du soleil…

À Manaus, on avait installé le premier téléphone d'Amérique du Sud, le premier télégraphe, le premier tram électrique qui reliait la maison du consul de France au théâtre Bleu. On envoyait son linge se faire laver à Londres et repasser à Paris car l'eau en Europe était plus douce et le travail plus délicat. On recouvrait les perrons de larges glaces pour vérifier l'état de ses bottines avant de sortir… Le cirque Barnum venait, chaque hiver, présenter ses avaleurs de mer, ses mâts de cocagne, ses monstres velus et rampants, ses hommes élastiques et la vedette du Stupre : Lola Montes. La liste de ses amants brodée sur son maillot, elle se balançait sur un trapèze au-dessus des cigares des riches planteurs et de leurs liasses de billets qu'elle ramassait du bout des dents.

De Paris, Londres et Berlin, les bateaux déchargeaient des curieux, affamés de richesses, qui venaient vérifier les miracles rapportés par les voyageurs.

Le grand-père d'Antoine n'avait pas résisté à la curiosité et, du plus profond de l'Angleterre, il était venu participer à la formidable ruée au caoutchouc. Il avait vendu ses génisses et ses champs, laissé sa femme de seize ans, grosse d'un enfant. Quand il arriva à Manaus, il y trouva un tel affairement, une telle cohue, qu'il faillit retourner dans sa pacifique Angleterre. De belles étrangères, accourues du monde entier, s'étaient installées dans des vitrines décorées et recevaient tous les matins les prétendants prêts à leur verser pépites et promesses pour obtenir leur main, leurs nuits ou leurs faveurs horaires.

C'est ainsi que le grand-père d'Antoine rencontra Molly Saint-James, jeune Américaine du Dakota dont la vertu montait en flèche : depuis qu'elle avait ouvert vitrine à Manaus, elle avait toujours dormi seule. Elle attendait le riche prétendant capable de s'octroyer, pour toujours, sa vertu, ses yeux capucine et sa tournure parisienne. Tous les matins, elle recevait les propositions, alignait les planteurs émerveillés et les entretenait l'un après l'autre, en prenant des notes. Lorsque l'entretien était terminé, elle battait une ou deux fois des cils pour leur donner raison d'espérer et remettait sa décision à plus tard. Molly n'était pas pressée : elle avait encore six mois avant les pluies et les rues embourbées.

Quand il la vit, le grand-père d'Antoine sut qu'il ne retournerait jamais en Angleterre. Qu'il ne verrait jamais son enfant. Il avait peu à proposer à Molly Saint-James. Il avait beau bomber le torse et peigner sa barbe tout en faisant la queue, il ne se distinguait guère des autres prétendants.

Il venait juste d'acheter une plantation d'hévéas. Sa fortune était certes honorable et ancienne, ses affaires prometteuses, mais la belle Molly désirait beaucoup plus pour laisser tomber son gant.

Aussi lui vint-il une idée crapuleuse mais géniale.

Les cours de caoutchouc étaient établis, à chaque récolte, selon la fantaisie des planteurs de Manaus. Ces derniers, ne connaissant aucun rival au monde, exigeaient toujours davantage de leur production. Une nuit de mai, il chargea sur un cargo soixante-dix mille semences d'hévéas et les sortit, clandestinement, du Brésil, payant très cher une escorte de pirates. Beaucoup de semences périrent en route. Il n'en resta que trois mille à l'arrivée. Il les planta aussitôt à Ceylan, à Java et en Malaisie, constituant ainsi d'immenses plantations, qu'il fit connaître au monde entier et dont il vendit les récoltes à un prix bien inférieur à celui de Manaus.

Ce fut la fin du paradis vert ; le délabrement des palais de céramiques azurées, l'abandon des hochets en diamants sur les perrons glacés. Les planteurs durent licencier leurs seringueros, fermer leurs champs aux troncs lisses. Il y eut un chômage horrible, des milliers de morts de faim. Des imprécations montèrent vers le Ciel, maudissant le nom du grand-père d'Antoine.

Les colons partirent vers d'autres ruées, abandonnèrent le théâtre Bleu, le téléphone privé et les belles étrangères.

Molly Saint-James plia ses crinolines, rejoignit le grand-père d'Antoine en Malaisie, posa avec beaucoup de pudeur sa main dans celle de l'escroc de génie. Ils passèrent leur lune de miel sur une vaste pirogue, blottis l'un contre l'autre à se congratuler.

Devenu milliardaire et respecté, le grand-père d'Antoine s'installa à Washington, dans un palais blanc édifié d'après les plans de la demeure présidentielle.

Molly lui donna cinq garçons et treize filles. Seuls deux survécurent : Amy, la mère d'Antoine, et Jacques, qui ne dépassa jamais l'âge mental de douze ans. Le grand-père vit dans cet acharnement du sort un signe de la vengeance des seringueros. Il eut une fin de vie très triste, entouré de gardes du corps et de médecins.

Antoine est très fier de ce grand-père filou. Il veut voyager pour rencontrer des personnages aussi fantasques et fourbes. La table de ping-pong de Patrick me paraît totalement anachronique, je pénètre par enchantement dans un monde de contes de fées internationales où l'on est Prince Charlatan de grand-père en petit-fils…

Avant de partir, je veux revoir Ramona. Pour lui raconter. Je sonne chez elle en fin d'après-midi. Elle vient m'ouvrir, l'œil inquiet, un immense « et alors ? » dessiné en noir, au fond de la prunelle. Je lui dis tout : ma rupture première ratée, mes hésitations, mes remords, ma visite chez tante Gabrielle et le télégramme lâchement envoyé par les PTT.

Ramona sait très bien écouter. Quand je lui parle, elle est tout entière présente. Pas une oreille dans ses souvenirs et un œil sur la télé. Elle écoute tous sens livrés. Son dédain pour Napoléon, qu'elle avait si fort admiré à cause des pyramides, commença le jour où elle apprit qu'il pouvait dicter trois lettres à trois secrétaires, préparer un plan de campagne et se demander où pouvait bien être passée Joséphine... Ramona avait haussé les épaules et décrété que Napoléon ne présentait plus aucun intérêt.

Je lui décris Antoine, ses cartes routières, ses envies de personnages et de voyages. Quand j'ai fini, elle me dit doucement :

– Moi aussi, je pars. Loin. J'attendais que tu aies quitté Patrick. Je ne pouvais me résoudre à te laisser t'enliser dans cette petite histoire. Mais, aujourd'hui, je m'en vais. En Égypte. Retrouver les pharaons. J'étouffe, ici...

Ramona étouffe de ne pouvoir aimer sans paroles. Sans avoir à expliquer, à justifier. L'amour, selon Ramona, ne comprend ni virgule ni guillemets. Il permet toutes les extrémités, toutes les ivresses. Pourvu qu'on reste « œil dans l'œil ». C'est son expression.

Elle a compris qu'elle ne trouverait pas sa qualité d'amour dans les bibliothèques remplies de cœurs parcheminés, usés, rompus par les habitudes de la ville.

– Je pars dans une semaine, j'ai tout préparé...

C'est notre dernière nuit, toutes les deux seules.

Je suis émue comme à la veille d'une première fois.

Ramona absente, je ne sais plus très bien ce qui va m'arriver. Elle ne sera plus là pour rectifier ma raison trop folle en folie raisonnable. Depuis mes premières règles de trois, elle m'accompagne. On a mélangé nos alchimies pour grandir l'une dans l'autre. Elle m'a fait sortir des manuels de morale. Avec elle, j'ai appris que tout était normal, qu'on pouvait tout faire à condition d'aller jusqu'au bout de soi sans tricher ni mentir...

Je ne suis pas triste. Je sais que je la retrouverai, qu'elle restera toujours intacte, même aux pieds d'Osiris. Je sais aussi qu'elle veut passer cette dernière nuit avec moi. Le temps de respirer une dernière fois nos aventures d'enfance, du survêtement cocorico de M. Hector aux nuits constellées de chocolat de cet été.

Je téléphone à l'hôtel d'Antoine : il est sorti. Je laisse un message disant que je dors chez Ramona.

On ne parle presque pas. On se sent un peu vieilles et sages. Presque adultes. Et si, vers la fin de la nuit, nous nous retrouvons l'une contre l'autre, c'est plus en souvenir-souvenir que par désir de frissons...

Le lendemain matin, elle m'apporte un plateau de petit déjeuner. En kimono bleu et blanc, elle a les gestes graves d'une vestale diplômée. Lentement, doucement, elle immobilise l'instant. Avec une absolue concentration. Pour les faits les plus anodins comme pour les plus graves.

– Tout devient beau et unique quand tu y fais attention...

Ramona va me manquer. Beaucoup...

Je pars sur la pointe des pieds. Elle ne veut pas entendre mon départ. Je marche à reculons, gardant comme horizon le droit de son dos, ses cheveux noirs et les deux pans de kimono, les carreaux à damiers du vestibule où la belle dame blonde... Je referme la porte comme un tiroir plein de photos. Ramona et moi. Dix ans de baisers mouillés, de chiches accomplis, de rêves barbouillés. Et maintenant, toutes les deux séparées, sur des chemins différents.

En partance...

Pour notre voyage d'amour, Antoine m'emmena en Italie.

Seul, d'après lui, l'accent tonique italien était en harmonie avec nos états d'âme mandoline.

Il voulait que rien ne fût pareil. Pareil à mes amours avec Patrick. Comme je n'étais plus jeune-vierge-étonnée-et-tremblante, il imagina de recréer l'attente et le désir. Nous partîmes de Paris le 15 septembre, il ne me toucha pas pendant dix jours.

Nous faisions chambre à part. Dans chaque hôtel, en descendant vers le Midi, il prenait bien soin de préciser à la réception : « Je voudrais deux chambres séparées mais communicantes, s'il vous plaît. » L'employé nous regardait comme les plus grands tordus de la création. Car il était évident que nous n'étions ni frère et sœur, ni cousin-cousine. Antoine se comportait comme un amant fondant tout le temps, sauf le soir où il me renvoyait à mon lit, seule. Il voulait que j'oublie les nuits d'été où je m'étais offerte, sans très bien savoir qui il était et qui serait le suivant. Il était jaloux de la liberté qui m'avait jetée dans son plaisir. J'avais beau le supplier de me laisser dormir avec lui, il me conduisait dans ma chambre, m'embrassait et m'abandonnait dans le noir d'un lit inconnu.

Je ne voyais, n'entendais, ni ne goûtais plus rien. Tout entière concentrée sur le grand vide qui me nouait le corps. J'aurais donné n'importe quoi, signé n'importe quelle profession de foi ou acte de vente pour qu'il me prenne dans ses bras, me serre contre lui, me touche les cheveux, me caresse les épaules, respire dans mon cou, mouille de sa langue le bout de mon oreille. Obsédée, recroquevillée sur la violence de mon désir. Les journées avaient cent vingt heures. Je m'accrochais à ses lèvres, le caressais sans pudeur, menaçais de le renverser en pleine autoroute, lui racontais des scènes délirantes de luxure…

En vain.

À neuf heures, on nous apportait le petit déjeuner. Chacun dans sa chambre. Du fond de mes oreillers, je l'entendais se lever, déplier le journal, ouvrir les robinets.

Un matin, je décide de rester au lit, repousse les draps, enfile des socquettes, une chemise d'homme que je relève jusqu'au nombril. J'attends, les jambes juste ce qu'il faut écartées. Antoine frappe. Une, deux, trois fois. Je ne bouge pas, garde les yeux fermés. Il attend derrière la porte que je vienne lui ouvrir. Puis, il entre, regarde le lit, m'appelle doucement et, devant mon silence persistant, s'approche. Je sens son eau de toilette au chèvrefeuille. Il m'effleure la joue, passe sa main dans ma chemise, me caresse entre les seins. À peine. Comme on caresse une poupée qu'on vient de coucher et qui a fermé ses longs cils balai.

J'ai du mal à retenir le plaisir qui monte de mes talons celluloïde et me brûle. C'est ce qui m'a trahie. Passant la main entre mes jambes, les dessinant du doigt, Antoine s'aperçut que je mentais, que je ne dormais pas, que j'étais tout humide de l'envie de lui… Il me secoua, me força à ouvrir les yeux : « Petite tricheuse… »

La porte claqua. Je me retrouvai seule. Et conne. Inutile avec ma mise en scène ratée et mes chaussettes de marelliste attardée. Ridicule. Clouée au lit, pétrifiée d'inquiétude : « Et s'il ne revenait pas ? »

Je ne pouvais pas me lever, j'avais perdu le mode d'emploi de mes jambes. Longtemps après, le garçon d'étage frappa pour faire la chambre. Je me traînai jusqu'au fauteuil le plus proche et attendis qu'il eût fini. Je regardai en m'appliquant son aspirateur et ses éponges pour me raccrocher à des objets familiers. J'étais abandonnée. Sans usage particulier. Bonne à jeter. J'aimais Antoine de toutes mes forces, de tout mon désespoir. Amputée, s'il ne revenait pas. Capable de rien d'autre que de l'attendre, en comptant les fleurs du papier peint. Malade, achevée pour une odeur de chèvrefeuille qu'une Caravelle avait déposée dans ma vie de petite Française tranquille. Roulée en écheveau sur le lit, je récapitule tout ce qu'il m'a dit et qui prouve qu'il ne partira pas. Crédit et débit de mes chances au bonheur. Aussi coupable que, petite, lorsque j'entamais ma troisième tablette de chocolat, piquée dans le placard aux provisions... J'ai désobéi à Antoine. Je deviens complètement maso, soumise, les bras en croix, les jambes attachées. Dignité avalée et références abolies. Je découvre le plaisir trouble d'appartenir à un autre. Prête à devenir chose, chienne, pour qu'il revienne et ouvre la porte. La même impression de marché aux esclaves qu'entre les mains de M. Hector et son pendule correcteur.

Le soleil descend à travers les rideaux, l'ombre grandit dans la pièce. À chaque pas dans le couloir, mon estomac galope. Puis les pas s'éloignent et je retombe, toute tassée.

Je m'imagine partant seule, prenant le train, le nez rougi, les yeux bouffis, pas belle, personne pour me porter ma valise, arrivant gare de Lyon avec mon petit chagrin et plus d'illusions. Peut-être alors que Patrick... Lui, il me reprendra... J'ai été folle de croire au grand amour, de sortir de sous sa véranda. Je n'aurais pas dû. À cette heure-ci, je jouerais au gin avec lui. Il me dirait :

« Je t'aime, tu es la plus belle, on aura beaucoup d'enfants, tu n'auras plus jamais de souci à te faire… »

Où est-il, Patrick ? Je ne pourrai pas le joindre. Il a dû partir. Pour oublier. Je sombre dans le chagrin toutes catégories. Antoine, Patrick, maman… Et les autres ? Qu'est-ce qu'ils vont penser ?

C'est à ce degré de découragement qu'Antoine tourna la poignée de la porte et me fit remonter à la surface. Il n'est pas parti, il m'aime toujours.

Il était tard, je n'avais pas mangé. Je n'avais pas faim. Je ne sentais plus rien. Il vint s'asseoir tout contre moi, releva mes cheveux, suivit la trace de mes larmes, m'enferma contre lui et m'embrassa tout doucement sur les tempes.

Cette nuit-là, nous avons dormi ensemble mais j'étais trop épuisée pour songer à en profiter. Nous avons quitté l'hôtel, fondus d'émotion, courbatus de désir.

J'adoptai une allure de petite fille sage, aux genoux serrés, à la sexualité distraite. J'écoutais, émerveillée, les Italiens nous faire le plein et nous servir au restaurant. J'aurais mangé n'importe quoi, assaisonné d'accent.

J'attendais et finissais par aimer cette attente.

À chaque hôtel, au moment de retenir les chambres, je suspendais mon souffle, l'envie tapie au fond du ventre. Je n'osais pas lever les yeux sur Lui. Il devenait mon maître, un personnage très important à ne déranger sous aucun prétexte. Et, quand je l'entendais prononcer : « Deux chambres s'il vous plaît », je cassais l'arc d'espoir tendu à l'infini, en quelques secondes, et me remettais dans la file d'attente. Pleine d'une volupté secrète. Je montais l'escalier, les yeux pointés sur mes chaussures, ébranlée par ce renvoi à une date ultérieure…

Arrivés devant ma porte, Antoine me regardait droit dans les yeux jusqu'à ce que je baisse mon regard, et me laissait seule. Je gagnais alors mon dessus de lit et attendais qu'il vienne frapper pour me convier à dîner.

Ce n'est qu'à Rapallo, petit port à proximité de Gênes, qu'Antoine consentit à faire chambre et volupté communes. Je m'étais habituée à devenir dorures, serrures, à me fondre dans le décor, pour ne pas entendre, à chaque hôtel, le verdict des chambres séparées.

Mais ce jour-là, devant mes paupières closes, il comprit. Nous avions roulé sans nous arrêter, laissant les dépliants touristiques et les vieilles pierres classées. Sans parler.

À Rapallo, Antoine choisit une pension cossue et familiale. Les murs ventrus semblaient gorgés de secrets de générations, d'intrigues, de comptes à régler. Une vierge dorée, sur fond bleu, étalait des doigts de pieds roses et blancs, boudinés de pierres précieuses, qu'un pêcheur baisait avec recueillement. C'était l'enseigne de la pension Gondolfi. La vierge arborait un air doux et compréhensif, le pêcheur un sourire de fraîche repentance. Sur le fond du pastel, on devinait une foule de visages haineux, montrant du doigt l'ignoble pêcheur et demandant réparation. Mais le malheureux ne craignait rien, réfugié sous le sourire et le manteau de la Madone.

Cette scène me fit une profonde impression et j'eus du mal à m'en détacher pour suivre Antoine. Ce jour-là, donc, il demanda à la grosse dame de la réception une chambre pour deux. Je demeurai muette, un peu embarrassée. Je ne savais plus comment dormir avec lui. Je ne voulais pas paraître trop hardie, trop ardente. Je décidai de lui laisser toute initiative pécheresse.

Un petit Italien sec et noir monta nos bagages, nous précédant dans l'escalier sombre, recouvert d'un tapis épais à ramages dorés. L'escalier débouchait sur un patio-conte de fées : un jet d'eau et des brassées infinies de verdure qui jaillissaient des pierres, des murs, des pelouses. Des fleurs rouges, jaunes et vertes. L'escalier contournait ce trou de verdure et chaque chambre s'ouvrait sur les massifs de fleurs.

Notre chambre était très grande ; haute de plafond et pourvue d'un lit d'infante espagnole : un lit à baldaquin, large et court. Tout était rose et blanc même le bidet à grosses roses imprimées. Le parquet criait à chaque pas, les portes grinçaient et l'armoire semblait receler de féeriques cadavres. Je n'aurais pas aimé dormir seule dans une telle chambre.

Le garçon attendait, plié en deux, son pourboire. Antoine lui tendit un billet, et il sortit.

Nous étions seuls. Avec nos imaginations, nos refoulements, nos dix jours de désir dans le ventre.

J'attendais dans le coin de la pièce. Antoine s'allongea sur le lit et me considéra longtemps. Je ne savais plus comment me tenir, sur quel pied me balancer et quel air afficher.

– Déshabille-toi.

Pas si loin de lui. Je ne voulais pas. J'avais trop attendu pour qu'il me traite ainsi. Je voulais de la tendresse, de l'amour. Pas être prise comme une pute.

– Déshabille-toi.

Je cédai. Je me déshabillai maladroitement. J'ôtai d'abord ma jupe, mon chemisier, mes chaussures et me retrouvai en culotte et chaussettes comme à la visite médicale.

– Complètement.

Complètement. Nue. Un peu honteuse. Pas certaine d'être si belle que ça. Mais mouillée d'envie.

– Viens maintenant.

Je m'approchai du lit, l'escaladai, fus happée par Antoine. Collée contre lui, verrouillée dans ses bras. J'enfonçai mon visage dans son épaule, consciente d'avoir parcouru un long chemin depuis Orly. Antoine avait cassé les pendules de ma tête. Je cherchais dans ses cheveux, derrière ses oreilles, l'odeur de chèvrefeuille. Il m'embrassa très doucement. En me dévisageant. Fit glisser sa bouche dans mon cou, sur mes seins, sur mon ventre. J'étais raide, offerte, pas tout à fait sûre de ne pas encore être surprise par une ruse de son désir. Je redoutais et attendais les mains qui descendaient le long de mon corps.

Il défit sa ceinture, son jean, envoya voler ses boots, sa chemise et son american caleçon. Je fermai les yeux. Je n'aime pas voir un homme qui se déshabille. C'est trop quotidien, trop vulnérable.

Puis il s'allongea sur moi. Doucement, lentement. Allant et venant entre mes jambes, les yeux fixés sur mon visage qui roulait. Il attendit que je jouisse la première, la bouche dessinée en une longue prière comanche.

Nous avions fait l'amour avec amour. J'avais joui de lui et de sa longue attente. Du temps retenu et de mes sens bâillonnés. Nous fîmes l'amour plusieurs fois cette nuit-là. Les yeux dans les yeux, la bouche dans la bouche, les sexes emmêlés. Sans nous déprendre ni nous heurter. Nous nous sommes arrêtés au signal du soleil filtrant à travers les rideaux. Enroulés dans notre lit de Ménines, sans souvenirs. Neuf et neuve pour une très belle histoire d'amour.

Nous passâmes quatre jours et quatre nuits dans la chambre blanche et rose de la pension Gondolfi. Sans sortir, sans déambuler dans les rues de lumières et de cris. Quatre jours à établir des rapports d'amour fou où je lisais dans les yeux d'Antoine tout ce qu'il voulait que je sois : offerte quand ses yeux se noircissaient, tremblante quand ses mains se crispaient dans mon dos, silencieuse quand il me griffait les reins et les cuisses de longues égratignures et me léchait doucement.

Nous aurions pu être dans un hôtel de Singapour ou d'Asnières, rideaux tirés, bruits assourdis, heures abolies. Les seules interventions extérieures étant les plateaux de nourriture où le signor Gondolfi faisait preuve d'une imagination raffinée, comme s'il avait voulu, ainsi, nous raffermir dans notre chasse au plaisir. Des pétales de rose sur les toasts au miel du petit déjeuner, des légumes gratinés d'amandes dorées à midi et des gaspascho aux mille odeurs le soir… À heures ponctuelles, pour ne pas déranger nos délices.

Le même garçon, noir et sec, frappait trois coups, attendait quelques secondes avant d'entrer, posait le plateau à portée de lit, puis repartait sans un regard pour la chambre bouleversée, les vêtements épars et les draps en tapon. On le voyait à peine. Il nous ignorait aussi.

Et Antoine me racontait…

Comment il m'avait aimée, le premier soir où nous nous étions rencontrés, dans l'obscurité atemporelle de l'été de Ramona, comme il avait été blessé que je ne l'identifie pas dans la ronde de mes plaisirs. Il se souvenait de tout : de ma manière d'embrasser, de croiser les bras derrière sa nuque, de l'appeler et de m'endormir, la bouche gonflée. Comme il m'avait détestée à ce moment-là.

Il avait longuement parlé à Ramona et ils avaient décidé de m'enlever à Patrick.

C'est Ramona qui avait tout organisé. Lui était juste arrivé à Orly avec sa grande valise et le cœur battant. Inquiet à la pensée que je ne rompe pas avec Patrick…

C'est pour cela qu'il m'avait emmenée très vite en voyage. Pour que je n'aie pas la tentation de regarder en arrière.

Et j'avais complètement oublié Patrick. Prise dans l'attente imposée par Antoine, je l'avais gommé de ma circonférence.

Antoine aimait raconter indéfiniment les débuts d'histoire d'amour. Il m'avoua qu'il me rappellerait souvent la nôtre. C'était un porte-bonheur.

Nous parlions pendant des heures, dessinant du doigt sur nos peaux nos chagrins, nos aventures, nos déceptions et nos grandes folies.

Antoine avait vingt et un ans et déjà beaucoup voyagé. Dès l'âge de quatorze ans, il avait vécu seul, faisant ses études en France afin de connaître l'Europe. Ses parents lui avaient loué un studio, en face de la Sorbonne, et il avait appris, en même temps, le français et le boulevard Saint-Michel, les voitures de sport et les jeunes filles décapotées. Il vivait en solitaire. En garçon. Juste un copain de classes pour l'accompagner dans ses promenades nocturnes. À quinze ans, il savait faire l'amour, parler plusieurs langues et être à sa place partout.

Insolent, il provoquait. Ne trouvant personne qui relève ses défis, il avait choisi de retourner aux États-Unis, le baccalauréat et un certain art de vivre en poche.

Aux États-Unis, il s'était installé à Berkeley, l'université à la mode, celle où l'on fumait du H, où l'on voyageait en acide. Inscrit à une très sérieuse Business School, il avait essayé les drogues, mélangé les filles, vécu en communauté, abandonné son smoking et ses dérapages contrôlés trop français. Il avait alors connu une grande période d'exaltation où toutes ses violences et provocations s'étaient dissoutes. Il portait les cheveux longs, des foulards roses et des tee-shirts imprimés. Le plus souvent pieds nus. C'est ainsi qu'il allait chercher la lettre et le mandat mensuels de son père. Cool. Supercool. Sans autre souci que de suivre la course du soleil et le cours du H sur le campus, de caresser la fille d'à côté et de feuilleter un cours d'économie.

De plus en plus distraitement. Jusqu'au jour où il n'eut plus envie de caresser, manger ou aller chercher son mandat. Juste envie de rester là, au soleil, à attendre que le temps passe. Les cheveux de plus en plus longs et l'âme vide.

C'est un article du *Time* racontant la fantastique aventure de Manaus et l'extraordinaire escroquerie de son grand-père qui l'avait rappelé à la vie. Les yeux photocopiant le journal, il s'était souvenu de son aïeul réfugié dans la longue bibliothèque de Washington. Son grand-père qu'il contemplait tout petit avec tant d'admiration... Qu'il voulait si fort imiter...

Cet après-midi-là, il téléphona à ses parents et leur annonça qu'il abandonnait Berkeley et continuerait ses études en Europe. Il étudia ses cours, révisa la Bourse et, en juin, se présenta à l'examen. Une fois reçu, il prit un billet d'avion et retrouva ses parents en France, dans le Midi où ils venaient d'acheter une propriété. Et où Ramona m'avait emmenée...

Il eut un long entretien avec eux : il fut décidé qu'il s'inscrirait dans une université européenne avant le mois d'octobre pour terminer ses études.

On était en septembre et Antoine ne savait toujours pas où se présenter.

Des baskets pour aller danser…

Sous les lampions de Portofino qui brûle les mâts des bateaux morts dans l'année. Des bûchers de longs troncs déguisés de fleurs et de rubans jalonnent le quai et des enfants dansent autour. Des lumières brillent aux fenêtres de chaque mâle venu au monde pendant l'été. On aperçoit les petits garçons, assis, appuyés contre les croisées, tout mouillés de renvois au lait et de salive de hochet. Les yeux vides, ils regardent défiler les grandes personnes, excitées par les préparatifs du feu de joie.

Il fait moite et chaud. Le maire étouffe sous sa cocarde verte, blanche et rouge, et s'éponge avec un grand mouchoir à carreaux qui fait une bosse dans la poche de son gilet. Un défilé de Saintes Vierges portées sur des épaules d'hommes parcourt les rues, faisant sourdre des sanglots, des bénédictions, des confessions spontanées. Les femmes, qui ont trompé leurs maris ou estourbi leurs enfants, se confessent à voix basse et se signent rapidement, profitant du pardon ambulant qui passe à portée de main. Les vieilles marmonnent des *ave*, n'ayant plus aucun péché à avouer, et les enfants se déculottent dans les coins, pour montrer qu'eux aussi peuvent désobéir…

Tout en haut, sur la colline, la petite église brille. C'est la nuit du Pardon universel, la nuit des Espérances, des vœux qu'on formule, appuyé aux pieds de son saint préféré.

Antoine m'a emmenée à Portofino pour me faire prononcer des vœux d'amour éternel. Il n'entend pas que je lui échappe. Le moindre regard coulé sur un autre, et ses sourcils dessinent des smocks. Vaguement flattée, vaguement inquiète, je limite mon horizon à son nez grec, à sa tignasse noire. Je l'écoute parler de la vie, des gens, de nous, et je suis bien, serrée dans ses bras, l'avenir tout mâché devant moi : il finit ses études, je pianote les miennes et nous partons aux États-Unis où il exerce un noble métier pendant que je lui fabrique de rondelets bébés. Je n'ose pas demander pourquoi je me retrouve toujours à fabriquer des bébés. La maternité a un caractère inéluctable que je ne remets pas en question. Je savoure son profil sur l'oreiller le matin, sa bouche dans mon cou le soir et son sourire à fossettes toute la journée. Je le regarde exister avec émerveillement et me mets à exister aussi. Si un mec aussi bien m'a choisie, moi, petite chose, c'est que je ne suis pas si mal que ça, finalement… Pas si moche, pas si bête.

Nous avons le même âge, le même rire. La même intransigeance. Fidélité, Loyauté, Vérité, c'est notre devise. Et mes dix jours de trépignation sexuelle m'ont démontré qu'Antoine ne tergiversait pas avec ses absolus.

Portofino est en fête et j'ai des lumières dans le cœur. Je souhaite très fort que le temps s'arrête. Que mes vingt ans soient éternels. Des farandoles courent dans les rues. On a retiré les bébés des fenêtres, et la musique d'une guitare électrique a remplacé les cantiques des saints. Les pêcheurs reprennent leurs habitudes, la conscience en paix : les mâts ont brûlé très fort, promettant une pêche miraculeuse.

Plus haut, dans la ville, sous les murailles de l'église où Antoine m'entraîne, on entend rire et s'étreindre les nouveaux couples qui baptisent leur amour contre les pierres froides et saintes.

La main dans la main, nous montons. Antoine me chante de l'anglais dans l'oreille et s'arrête tous les dix mètres pour m'embrasser. Arrivés près de la sacristie, il m'appuie sur le parapet. Son anglais s'éteint, il m'assoit sur le petit mur et m'écarte les jambes d'un geste sec et autoritaire.

– Non, pas là… pas là.

Pas si près de la sacristie. Mon catéchisme me l'interdit. J'ai peur que le curé nous surprenne, nous jette l'anathème, que les fantômes des mâts brûlés nous portent malheur, que les bébés couchés nous montrent du doigt dans leur sommeil.

Mais Antoine ne m'écoute pas. Les deux mains sous ma jupe, il me caresse les cuisses, enlève ma culotte, me laisse les fesses nues sur la pierre. Je frissonne. C'est dur et froid. Ses mains me frôlent, m'écartent, remontent, attrapent mes seins. J'ai la tête qui tourne. Il me prend à bout de bras, m'enfonce ; je croise mes mains derrière sa tête, je m'agrippe à ses hanches, j'oublie tout, la tête dans les étoiles, je tourne et tourne autour de son sexe. Aussi haut que les fusées d'artifice, aussi fort que les pétards de la fête. Tout se confond. Je ne sais plus avec qui je suis, ce que je fais là, je vire de tous les bords. Dans le noir de cette fin de cérémonie, dans un plaisir tourbillon qui m'arrache, me fait penser à d'autres bras, d'autres fêtes, il n'y a pas si longtemps. Submergée, éclatée. Je pousse un cri. Retombe. Disloquée. Sans conscience.

C'est quoi déjà votre nom ? Et moi je m'appelle comment ? Je suis redevenue le gigantesque nœud papillon qui émouvait si fort Patrick et me poussait au SMIC sentimental.

Toutes mes heures d'amour dans la pension Gondolfi ne signifient plus rien, à côté de cette crampe ascenseur qui me transporte direct à l'orgasme suprême. Me laisse essoufflée, égarée. La main sur la poitrine qui fait du deux cents à l'heure et les genoux flageolants.

Antoine m'observe, méfiant. De quoi est-ce que je souffre exactement ? J'essaie de lui expliquer ma nouvelle félicité. Mais comment ne pas le froisser en lui rappelant qu'un autre avant lui, à bout de bras aussi, m'a introduite au ciel magique ? Que sa crampe à lui n'est qu'une *bis repetita placent*… Tout un coup, la vie devient compliquée.

Il faut que je m'en invente une différente, avec Antoine. Que je la choisisse bien supérieure à toutes les autres essayées auparavant.

Je mets des mots bout à bout. Avec prudence. Sans faire allusion à Patrick. Son visage s'éclaire, ses bras deviennent protecteurs. Comme il m'aime d'avoir joui si fort. Je deviens encore plus précieuse, encore plus sienne.

Réduite à néant par mon ascension, je regagne péniblement la voiture avant de faire immersion dans l'édredon de la pension Gondolfi.

Un après-midi, où nous rentrons d'une promenade à Portofino, nous trouvons, à la pension Gondolfi, le signor propriétaire des lieux, entre deux gendarmes, menottes aux poignets et valise aux pieds.

À côté de lui, la signora Sérafina Gondolfi semble bouillir de rage et de mépris. Triturant son collier de verroterie pure, elle invoque, dans un murmure précipité, tous les saints de sa connaissance. Le signor, lui, fait triste mine et fixe éperdument le tapis comme si un chemin devait surgir et lui faire signe de le suivre.

Nous n'osons point interférer dans cette scène familiale et gagnons rapidement notre chambre. Je me dessèche de curiosité et demande à Antoine de sonner le garçon pour qu'il nous raconte. Antoine commande deux citrons pressés, et le même garçon sec et noué qui nous déposait les plateaux vient heurter la porte. Nous connaissons alors, grâce à deux billets verts, les aventures du signor Gondolfi.

Mario Gondolfi est né à Trieste dans une famille d'ouvriers nécessiteuse et encombrée. Tout petit devant la misère accentuée de son entourage, il fit le serment de devenir un homme riche et d'envoyer sa mama, tous les étés, à l'hôtel-restaurant. Ayant étudié à Trieste les attitudes des camelots qui haranguent les touristes, il apprit à parler des mains, rouler des épaules, et se lança dans le commerce du baratinage. Le baratinage consistant à proposer à un jeune niais, de préférence étranger ou distrait, une opération fructueuse moyennant finances. Ce pouvait être un tirage de loto, de toto calcio ou, dans un tout autre registre, une grande fresque mélo pour recueillir quelques lires en faveur de l'orpheline ou de l'opprimé.

Mario possédait une série d'histoires à vous tirer des larmes. Histoires qu'il ajustait à la tournure du niais.

Il fit rapidement fortune : sautant de Trieste à Venise, de Venise à Padoue, de Padoue à Ferrare. Pour semer la perturbation dans l'esprit des carabiniers.

Un jour, où il se promenait sur le Corso Italia à Trieste, il rencontra Sérafina Deodata. Sérafina avait fière allure avec ses longs lobes d'oreille qu'elle remuait fièrement et qu'elle décorait de lapis-lazuli. Mario, fasciné, la prit pour une grande cantatrice, échappée de l'Opéra le temps d'un shopping. Il la suivit. Lorsqu'il l'aborda, il bafouilla son boniment pour cœur sensible avec tellement de trac que Sérafina, immobilisant de sa main libre ses chatoyants lapis-lazuli, lui répondit :

– Dites donc, ça marche d'habitude votre baratin ?

Mario resta bouche cousue, bras sans voix, devant tant de cynisme :

– Ben oui…

– Eh, bien ! ils ne sont pas futés les touristes d'aujourd'hui…

Mario, piqué, lui offrit une limonade et entama une conversation d'affaires. Si elle avait éventé sa ruse, c'est que son boniment prenait des ans… Et lui aussi… Si elle était si maligne, pourquoi ne se joindrait-elle pas à lui pour inventer d'autres combines ?

Sérafina était catholique pratiquante. La perspective de faire alliance avec un escroc lui donnait des vapeurs. D'un autre côté, elle venait d'investir ses dernières lires dans un tube de doré à lèvres et se sentait menacée d'impécuniosité imminente. Peut-être que ce petit homme à la moustache fine…

Les yeux baissés, les lèvres refermées sur la paille de sa limonade, les genoux bien serrés comme ceux d'une vraie dame, Sérafina s'enquit du montant exact des économies de Mario, de sa situation de famille, de ses prétentions futures. Puis, elle se dit qu'elle ferait sûrement une bonne action en épousant ce petit homme. Elle le remettrait dans le droit chemin et gérerait honnêtement un bien si mal acquis.

Elle fit alors un extraordinaire numéro de charme à Mario, enroulant ses lapis-lazuli autour de ses doigts, dessinant des baisers de feu de ses lèvres en lamé doré.

Mario la regardait, hypnotisé. Chez lui, dans son quartier, les femmes étaient rougeaudes, avec de petits lobes et des dents cariées. Il n'avait jamais approché d'aussi près une femme qui sente si bon.

Les sens en effervescence, il nota l'adresse de Sérafina. Commença une cour qui dura cent jours. Sérafina était superstitieuse et cent jours lui paraissaient un chiffre porte-bonheur. Au bout de cent jours, elle accorda sa main à Mario. Ils se marièrent à la basilica de San Giusto, et Mario promit devant Dieu d'apporter amour et protection à la fragile Sérafina et de veiller sur ses lapis-lazuli jusqu'à sa mort.

Une fois mariée, Sérafina changea. Elle déposa ses lapis-lazuli à la banque, décida de ne se peindre les lèvres en lamé que les jours de grande cérémonie, supprima son sent-bon, en mit un moins cher.

Ses longs lobes tout nus, ses lèvres toutes pâles lui donnaient l'aspect étrange d'une lune rousse.

Ils s'installèrent à Rapallo, ville balnéaire, achetèrent un hôtel « honorable et chic ». Sur la façade, elle fit peindre une fresque représentant la fraîche repentance de son nouveau mari, avec pêcheur pardonné, Vierge qui a tout compris et angelots complices.

Mario eut beau fulminer, refuser de pénétrer dans l'hôtel si la fresque demeurait, Sérafina fut inflexible : elle voulait le pardon officiel de la Vierge.

Mario céda. Pour la fresque, pour les lapis-lazuli, pour le lamé doré des lèvres, pour les gâteaux pleins de beurre fouetté qu'elle commandait chez le pâtissier.

Comme au temps de son enfance et des ruelles misérables de Trieste, il s'ennuyait. Il rêvait. Sur le pas de la porte. Il traînait ses pieds du salon à la réception, de la réception à la salle à manger, de la salle à manger à la cuisine. Où il retrouvait Sérafina en train de compter, recompter, multiplier, diviser.

Elle mettait de moins en moins ses lapis-lazuli, trouvant de moins en moins de cérémonies à la vie. Elle craquait dans ses robes à ramages compliqués.

Mario réfléchissait au temps où il vivait dangereusement. Où chaque étranger était un oui à faire dire, un mirage à faire naître. Dans ces moments-là, il souriait doucement et appelait Sérafina « carina »...

Un jour, il décida de recommencer. La région était remplie de touristes, c'était trop tentant. Il chaussa ses bottines, prit sa canne à pommeau cuivré, l'autocar jusqu'à Portofino. Il choisit, pour commencer, une histoire d'orpheline abusée, poussée aux dernières extrémités, histoire qu'il répéta dans le car, cisela jusqu'au port et qu'il servit avec délectation à un gros Américain dans un anglais approximatif mais si chantant que l'Américain lui prêta trente mille lires. Avec assurance de les retrouver le lendemain. Mario rentra heureux. Il acheta une paire de boucles d'oreille pour Sérafina. La vie redevint attirante, excitante, valable d'être vécue. Sérafina ne lui parut plus énorme. L'hôtel fut modernisé, raffiné, poli, planteverdi. Chaque chambre regorgeait de bibelots précieux, de meubles centenaires gagnés lors des promenades malhonnêtes de Mario Gondolfi.

Jusqu'au jour où une vieille Anglaise, qui avait repéré et suivi Mario, le dénonça aux carabiniers.

Mario ne pourrait plus rêver, bonimenter, escroquer en paix.

Le garçon d'étage soupira. Il était triste. Il aimait son patron et les histoires sans morale. Désormais, il allait devoir rester avec la grosse vertu de Sérafina et ses méchants calculs. Il se moucha dans les billets.

J'étais songeuse. Je pensais à Mario Gondolfi, à Venise, à un touriste français naïf qui, en un jour, avait perdu le budget de son voyage de noces et l'estime de sa toute neuve épouse…

C'est dans cette atmosphère consternante que nous quittâmes Rapallo. Nous avions eu notre lune d'amour, il fallait maintenant regagner la vie active. Antoine devait se trouver une université, et moi de quoi subsister jusqu'à son diplôme final. Il y avait des universités adéquates partout en Europe. Paris, Lausanne, Munich, Londres… Je rayai Paris par envie de nouveau décor ; Munich ne me faisait pas faire des huit de joie dans mes chaussettes ; Londres non plus, avec son inflation galopante, ses logements squatters et son crachin générateur de rhumes. Tandis que Lausanne… son lac, ses tablettes de chocolat et son français à la traînante… Moi qui voulais me mettre au gazon, me magnétiser, respirer loin des fumées des boîtes ! Nous avions décidé de vivre ensemble, Antoine et moi. De faire cuisinière et lit communs. De vivre imbriqués, de ne faire plus qu'un. Mirettes contre mirettes pour le restant de nos jours.

Nous arrivâmes à Lausanne, c'était l'automne. Les montagnes pelaient vertes et jaunes, le lac rangeait ses cygnes et sortait ses feuilles mortes, les touristes quittaient les terrasses des bars à café. Lausanne, avec ses petites rues en colimaçon, ses marchés ouverts, ses banques multiples, me fit grand plaisir. Je me sentis en ordre dans ce pays qui compte un flic pour deux étrangers. Mon petit amour allait pouvoir grandir tranquille.

Nous inventions le temps. Rien n'était sérieux. Nous avions l'impression de jouer à la poupée tout en nous cherchant un appartement, un job, des copains, des permis de séjour. Nous ignorions tout des mœurs suisses et observions, amusés, la mine réprobative des gens lorsque nous traversions au vert ou en dehors des passages cloutés. On se croyait dans une ville de fées : Hans et Gretel en train de mordiller le macadam.

Depuis ma rencontre avec Antoine, je n'avais plus eu de ces moments de folle angoisse où je m'apparaissais sans avenir. Je n'avais plus envie de courir vers des vagues ou de faire mal pour exister. J'étais bien dans ma peau, bien dans notre peau.

Antoine s'inscrivit à l'université de Leysin, à soixante kilomètres de Lausanne. Mais il me promit de grouper ses cours pour passer le plus de temps possible avec moi. Je décidai de poursuivre ma licence par correspondance.

J'acceptais tout. Heureuse d'avoir une vie à organiser.

Les inscriptions d'Antoine terminées, nous n'avions toujours pas trouvé d'appartement ni de travail pour moi.

– Tant pis, déclara Antoine, on part pour Paris, on verra bien après.

À Paris, il devait retrouver ses parents et moi expliquer à maman que j'allais vivre loin d'elle, dans un pays étranger, avec quelqu'un qu'elle ne connaissait pas…

À la maison, je retrouve maman et Philippe. Et je raconte : Rapallo, Portofino, la pension Gondolfi, l'escroc de Venise, Antoine, ses études, notre envie de vie commune, ma promesse de finir ma licence par correspondance…

Maman écoute, réfléchit, donne son accord. Elle demande à faire plus ample connaissance avec Antoine et déclare que ce petit séjour en Suisse ne peut être néfaste à ma santé.

Et voilà. J'ai la permission de m'expatrier. Antoine passera devant le jury familial avec mention. Maman a un faible pour les Américains.

Les grandes questions du jour réglées, nous passons à notre intimité. Maman veut tout savoir : avant, pendant, après… Elle continue son éducation sexuelle à travers Philippe et moi, n'ayant que peu d'occasions de connaître le ravissement au septième ciel. Elle se refuse à prendre la pilule par peur du cancer, rêve encore du Prince Charmant beau-riche-intelligent-et-libre et, ne le trouvant pas, se contente d'idylles imaginaires avec son voisin de palier, son avocat, son médecin ou, quand elle se sent très hardie, le mari de sa meilleure amie. Mais concrètement, rien. Elle a, pour matérialiser ses fantasmes, l'expérience de ses enfants. C'est ainsi qu'elle apprend par Philippe que l'on peut faire l'amour autrement que dessus-dessous. Elle pousse un cri horrifié puis demande très vite des détails. Par-derrière, à cheval, enculer !! c'en est trop... Un temps de répit et elle reprend ses questions. Abasourdie par notre audace, ravie de notre franchise.

Elle se retourne vers moi et me demande :

– Toi aussi ?

J'acquiesce. Elle s'exclame, horrifiée :

– Comment peut-on sucer la chose d'un homme ? C'est répugnant...

Moi aussi, la première fois, j'ai trouvé ça répugnant. C'était avec Patrick, dans une cabine de la plage. Il avait ouvert sa braguette, exhibé son sexe et l'avait enfourné dans ma bouche. Sans explication. La bouche pleine, le cœur haut, je ne savais que faire. Je trouvais cela plutôt sale. Il me maintenait la tête dessus, s'enfonçait de plus en plus loin, frôlait mes amygdales. J'étouffais et il répétait : « Suce. » À genoux, écœurée, j'avais bravement sucé comme je l'aurais fait d'un sucre d'orge. Au bout d'un long moment, il avait poussé un soupir et éjaculé un liquide âcre et visqueux que j'avais aussitôt recraché.

Depuis, je n'avais pas un goût extrême pour la chose qui répugnait tant à maman. Je m'y soumettais à l'occasion. Pas de goût et l'embarras profond de ne savoir que faire de mes dents. L'appréhension continuelle de mordre, sectionner, blesser dangereusement...

Philippe, qui a des petites amies bien plus coopératives et a rattrapé en un an tout son retard en éducation sexuelle, raconte à maman comment il se fait sucer en alternant thé brûlant et Martini on the rocks, et combien le changement de température le transporte en des états supérieurs...

Bouche bée, maman regarde mon frère en se demandant s'il a encore toute sa raison.

– Non, je ne peux pas vous croire. Vous dites cela pour me choquer. Jamais votre père, avec qui je m'entendais délicieusement bien physiquement, m'aurait demandé ça...

C'est là tout le problème de maman. Elle demande à l'amour des frissons délicieux, ne se doutant pas que le délicieux vient souvent du plus profond sordide. Que le merveilleux naît parfois d'un geste obscène, d'une idée saugrenue... Quand j'ai léché le corps de Ramona enduit de chocolat chaud, j'ai eu les papilles et le sexe fondus de plaisir, vrillés de mille jouissances inconnues.

Pour maman, tout cela n'est que perversion. Sa seule interrogation, elle l'a résolue avec Masters et Johnson, le jour où elle s'est baptisée clitoridienne. Et pas question de prendre son plaisir autrement.

Mais, dans sa tête, elle enregistre. Je connais trop sa curiosité naturelle pour savoir qu'elle y repensera. Elle a trop confiance en nous pour laisser de côté une information. Maman-Camille qui, par manque de réalisation personnelle, s'était tout entière investie dans les idées reçues. Dans des images. Qui avait cru guérir son mal de vivre en faisant des bébés...

Depuis que son bébé était né, Camille rutilait de beauté : ses dents clignotaient, ses cheveux tenaient debout tout seuls, ses ongles s'allumaient rouges et bruns. On aurait dit une affiche en néon, une starlette peinte en phosphorescent.

Elle avait décidé d'appeler sa fille : Sophie. Sophie, sagesse, bonheur, équilibre. Sophie qui, dès qu'elle hurlait, faisait apparaître un triangle violet entre les sourcils. Le triangle de sa colère.

Camille regardait dormir son bébé. Enfin, elle avait quelqu'un tout à elle, quelqu'un qui lui ressemblerait, qui lui appartiendrait, qui réaliserait ses folies et ses ambitions. Pour qui maman serait le bout du monde, la Vierge de l'immensité.

Camille souriait, loin de tous. Utile, reconnue.

Jamie, lui, ronflait de fierté, ratiocinait sur son bébé. Il la langeait, la délangeait, comptait les ongles, les cils, les sourcils, les doigts de pieds. Étonné devant la petite fente si nette du sexe, le rose des tempes et l'argenté du ventre.

Ils firent graver sur de jolies peaux de bananes naines leur faire-part de naissance : « Camille et Jamie Forza sont immensément fiers et heureux de vous annoncer la venue sur terre de Sophie-Hortense-Clémence. Tataro, le 22 octobre 1949. »

Le soir de la naissance de Sophie-Hortense-Clémence, Camille demanda à Jamie :

– Comment te sens-tu Jamie…

Ces simples mots de bon commerce entre époux, ce petit « tu » posé avec naturel et affection dans le creux de l'oreille de Jamie le transportèrent d'une félicité jamais ressentie auparavant. Après trois ans de noces consommées, Camille consentait, enfin, à lui offrir spontanément ce qu'il ne lui arrachait que lors des très grands moments d'ivresse. C'était trop d'émotion pour Jamie, ce jour-là. Il dut défaire le col de sa chemise pour aspirer un peu de réalité. Puis, il embrassa sa femme et sa fille, et partit en automobile, sur les bords de la mer. Pour disperser son émotion dans les vagues. Il songea même un instant à enjamber les embruns et à se laisser engloutir dans la profondeur de l'océan.

– Je ne serai plus jamais aussi heureux que maintenant… Je lui ai fabriqué un beau bébé et elle m'a dit « tu »…

Il répétait cette phrase comme un magicien une formule cabalistique. Prenait à parti les mouettes, les alligators, les carpes, les baleines, les coquillages et les crevettes. Assis sur la plage comme un butin échoué. Encombré de son transport de joie.

Il resta assis longtemps. Puis sa tête se mit à tourner plus doucement, les baleines, les alligators, les mouettes, les carpes, les crevettes repartirent, en haussant les épaules devant un bonheur si humain, si normal... Il se releva, essuya le sable de son pantalon pour ne pas risquer d'égratigner le bébé et repartit, en faction, aux côtés de sa petite famille.

Le temps et le bonheur s'écoulèrent. Tranquillement. Sophie grandissait en centimètres et en lumières. Camille flottait de sérénité. Jamie avait repris le cours du barrage.

Il demanda sa mutation afin que Sophie-Hortense-Clémence connaisse les usages français. Mais, avant de partir, il fallut vérifier le bon fonctionnement de son barrage...

Le jour où on emplit la vallée d'eau fut un grand jour pour Tataro. Le village avait été entièrement reconstruit de l'autre côté du mur de retenue mais les habitants voulaient voir leurs anciennes maisons disparaître dans les remous.

À midi moins le quart, ils se rassemblèrent aux côtés de Jamie, s'alignèrent au lieu-dit « point de vue ». Tous très dignes, habillés de noir, des chapelets dans les doigts et des lunettes fumées pour dissimuler leur émotion.

À midi moins une, Jamie donna l'ordre à l'ingénieur sous-chef de lâcher les eaux du fleuve. Tout se passa comme prévu par les plans carbone de Jamie : les maisons parurent arrachées au sol, flottèrent un instant puis disparurent, englouties. On vit s'accrocher un moment l'école, l'église et l'hôpital, puis plus rien... Des fenêtres éclataient, des charpentes volaient, des murs croulaient...

Il n'y eut ni secousse suspecte ni tremblement du ciel. Jamie était très fier. La main de Camille sur son bras, celle de Sophie sur l'épaule, il se sentait le plus étoilé des hommes. Puis il y eut festivités dans les rues. L'instituteur-éditeur-libraire fit un grand discours sur la magie des eaux et des calculs de Jamie. On dansa toute la nuit. Les habitants regagnèrent leur maison avec du champagne dans la tête.

Cette nuit-là, Jamie tira Camille de ses rêves et lui demanda si elle ne voulait pas un second bébé. À moitié endormie, elle lui répondit que non, c'était encore trop tôt, Sophie-Hortense-Clémence n'avait que trois dents et neuf mois, on avait bien le temps de programmer un autre bébé… Mais Jamie avait envie de redevenir papa. D'un petit garçon à qui il transmettrait le secret d'un barrage sans fissures. Il décrivit à Camille un petit garçon en culottes courtes qui dirait « papa » et tiendrait son crayon bien droit. Camille sourit à cette image, lui dessina un pantalon de flanelle grise, lui fit la raie de côté et laissa Jamie monter sur elle avec solennité. Jamie donna toute son attention à la fabrication de son petit garçon et Camille, attendrie, ne sut plus que penser, trop respectueuse de l'envie chef de famille de Jamie.

C'est dans le grand lit de Tataro, le soir du bon fonctionnement du barrage, alors que roulait dans les têtes le grondement des eaux, que Philippe fut conçu.

Puisque j'étais à Paris, j'allai voir tante Gabrielle.

J'aimais bien marcher jusque chez elle. J'empruntais des rues sans magasins à néon, des rues pavées qui ne laissent passer qu'une voiture dans un sens. Son immeuble avait été construit par le fils de l'architecte de la tour de Pise qui, en révolte contre un père trop autoritaire, avait incliné l'immeuble dans le sens opposé de la célèbre tour. Tante Gabrielle habitait au quatrième. Son appartement suivait une douce pente qui obligeait à s'arrimer à une rampe quand on passait du salon à la salle à manger, si on ne voulait pas être entraîné dans la chambre à coucher.

Je ne l'avais pas prévenue, aussi actionnai-je fortement le pompon sonnette accroché à la porte d'entrée. J'entendis tante Gabrielle escalader la côte qui mène de sa chambre à l'entrée et s'essouffler un peu au passage qui sépare la salle à manger du salon... Puis elle vint m'ouvrir. Elle poussa un oh ! enchanté et me serra sur son camé.

Je regardai autour de moi : les graines de pamplemousses avaient beaucoup poussé, les noyaux d'avocats s'épanouissaient en larges balais verts et les papyrus recouvraient tout un mur... Je la félicitai pour ses doigts chlorophylles.

Elle commença par me donner des nouvelles de toute la famille, du bac de l'un aux fiançailles de l'autre. C'était un interlude car elle savait que ça ne me passionnait pas.

Au bout d'un quart d'heure, tout agitée d'envie de lui raconter, je lui annonçai :

– Tante Gabrielle, je vais vivre avec Antoine...

Je lui décrivis tout : le voyage, les dix jours d'attente, Portofino, la crampe mystérieuse. Elle se montra très satisfaite que la crampe ne soit pas privilège exclusif de Patrick et me demanda si j'avais réfléchi à l'origine de cette jouissance si forte.

– Non, justement. C'est ce que je n'arrive pas à comprendre. Au début je croyais que cela venait de Patrick et voilà que ça recommence avec Antoine. Mais pourquoi sur un mur, contre une église ?

Tante Gabrielle me répondit qu'avec Frédéric, elle n'avait eu besoin ni de muret ni de bras porteur. Alors ?

Nous étions perplexes. Perdues devant l'étendue du mystère. Devant ce plaisir fou qui recroqueville, irradie et transcende l'imagination. Elle y avait goûté tout le temps de son amour interdit, il me tombait dessus par surprise. Je ne savais même pas quand je le rencontrerais à nouveau.

Je sentis que je posais un problème à tante Gabrielle. Elle allait le remuer de longues journées devant ses plantations.

Je lui parlai de Lausanne, des études d'Antoine, de notre dînette. Elle me demanda la couleur de ses yeux, le grain de sa peau, la longueur de ses mains, le son de sa voix, l'éventail de son sourire…

– Et ses yeux, il rit avec ?

Comment s'endort-il ? Rêve-t-il ? Comment m'appelle-t-il quand il veut me prouver qu'il m'aime très fort ? Elle veut tout savoir.

J'exhume de mon récent passé des intonations, des fossettes, des expressions. Elle a l'air satisfaite.

– Ne passe pas à côté de lui. Je l'aime bien ton Antoine. Mais fais attention à ne pas te laisser engloutir, ce serait dommage…

Se construire à l'intérieur. Le vieil adage de tante Gabrielle. Je ne la comprends pas, je l'écoute et les mots ne veulent rien dire. Pourquoi me construire toute seule quand Antoine est là ?

Et pourtant elle a l'air si bien, elle, construite de l'intérieur. Il doit y avoir plusieurs manières d'être heureuse : moi, c'est Antoine ; elle, c'est le cosmos et la solitude…

Avant de partir, elle m'offre une boucle d'oreille à pendant rubis.

– Parce que ça va si bien avec ta passion toute neuve…

Nous remontons vers l'entrée. Je la sens légère à mon bras. Elle me fait promettre de lui amener Antoine, et me dépose un petit baiser framboise sur les lèvres.

Le lendemain, maman me réveille avec une grosse enveloppe brune, pleine de timbres bariolés et de hiéroglyphes. Ramona. Ramona partie depuis un mois au pays des pharaons. Partie. Par manque de chatoiement.

Par nécessité urgente de palmiers à se planter dans la tête. De sable fin à lisser entre ses doigts. De dromadaire à enfourcher… Ramona, ma siamoise. Mon grain de beauté jumeau. Au menton pointu comme son malaise de vivre. Ramona qui croyait mourir à vingt ans en crachotant dans un mouchoir de batiste.

Je laisse Antoine, endormi, et me réfugie dans la cuisine. J'ai toujours peur de ce qui va arriver avec Ramona, sorcière aux filtres croupis à Paris…

Elle me manque. Paris, sans elle, ne ressemble plus à rien. Sa lettre souligne son absence comme une évidence obscène.

Je décachette soigneusement l'enveloppe et extirpe une liasse de feuillets bruns à texture spongieuse où l'encre fait de gros pâtés. Du papyrus tacheté.

« Ma conformiste chérie,
Je t'écris d'un petit village près d'Ismaïlia, sur les lacs Amers. J'y suis arrivée après un voyage d'un mois à travers l'Italie, la Grèce, la Turquie, la Syrie, le Liban et Israël. Je suis allée assez vite car je voulais gagner le pied des pyramides le plus tôt possible. Aucune rencontre intéressante pendant le voyage : j'étais trop absente pour qu'il m'arrive quelque chose. J'ai loué une petite maison sans confort. J'étudie mes parchemins. Ici, les gens sont beaux, nobles et pas concernés, ce qui me plaît beaucoup. Ils disent bonjour de profil enjoignant les mains, ce qui signifie qu'ils t'acceptent dans leur communauté. La vie est très simple, réglée sur les travaux des champs. Tu me manques beaucoup et j'ai l'impression d'avoir un grand trou dans le côté. Je pense très fort à toi. Je suis sûre que je trouverai ton destin écrit sur les parois d'une pyramide. Dès que je l'aurai déchiffré, je te l'enverrai. Tu peux m'écrire à B.P. Lacs Amers, Ismaïlia, Égypte. Il y a des jonques qui apportent le courrier. Je t'embrasse ma châtaigne éclatée. Ne fais

pas de bêtises programmées, je t'en supplie. Ne profite pas de mon absence pour réintégrer un cours d'existence paisible et bête. Je t'aime. Ramona.

P.S. : Embrasse Antoine. »

Ramona sur les lacs Amers… Seule dans une cabane de pêcheurs. Ramona, paisible et sereine, auprès des pharaons… qui écrit sur du papier tacheté et circule en jonque…

Ramona, tante Gabrielle. Elles inventent leur bonheur, hors des lois du monde, et vaquent à leur félicité sans s'encombrer des autres. Je me sens incapable de tant de détachement.

Je les aime et les admire en silence. Impressionnée par leur force et leur indépendance. Sans Antoine, je suis perdue. Et avant, sans Patrick, je flottais… Alors qu'elles poursuivent leur bonheur toutes seules, je m'accroche à un autre pour y arriver. À deux, ça va mieux. À trois, quand il y avait maman et Philippe. Ramona et tante Gabrielle sont des marginales, d'après l'opinion publique… Tandis que moi, je fais comme tout le monde, je suis englobée, comprise, normalisée…

Elles me serrent aux entournures avec leur bonheur sur mesures, leur absolu ouragan. Laissez-moi vivre heureuse avec Antoine. Avec lui, j'y arriverai, j'en suis sûre. Je ferai tout pour que ça marche…

Deuxième partie

Et j'ai tout fait. Absolument tout.

Je me suis coulée, docile, dans le moule de la petite fiancée au grand cœur. Nous sommes arrivés à Lausanne deux jours avant le début des cours d'Antoine. Je me suis vite retrouvée seule. Sans appartement ni travail. Avec ma valise et mille francs que m'avait donnés maman.

Les parents d'Antoine, sceptiques devant la nouvelle passion de leur fils, avaient déclaré qu'ils paieraient volontiers ses frais universitaires (chambre sur le campus, cours et bifteck), mais, en aucun cas, ceux de notre petit ménage. De son faste d'antan, Antoine ne gardait que la voiture, condition indispensable pour faire l'aller-retour entre Lausanne et Leysin.

Il était urgent que je me mette à travailler.

Je pris une chambre d'hôtel à dix francs (chambre à l'entresol, w.c. au cinquième sans ascenseur) et épluchais les offres d'emploi. Je glissais des pièces dans des cabines téléphoniques, vantais mes nom, prénom, qualités à une vingtaine de directeurs de cours privés avant d'être engagée par l'école Z... À 6 francs 40 de l'heure.

Payée au sous-SMIC, traitée à la chaîne, je commençais à sept heures du matin pour finir à dix heures du soir. J'apprenais à de gras et stupides élèves (en majorité Suisses allemands) les finesses de notre langue, grâce à un système pédagogique qui tenait dans une valise.

Dans la valise se trouvaient des crayons, des règles, des cartons, des cubes de couleurs que, tel un prestidigitateur, j'agitais sous le nez des élèves, en demandant : « Qu'est-ce que c'est ? Est-ce un gratte-ciel ? Non, ce n'est pas un gratte-ciel, c'est un carton… Qu'est-ce que c'est ? Est-ce une girafe ? Non, ce n'est pas une girafe, c'est un crayon… Qu'est-ce que c'est ? Est-ce une table ? Non, ce n'est pas une table, c'est une règle… » Le tout accompagné de mimes et de contorsions appropriés, pour souffler la bonne réponse à l'élève ébahi. Car il était interdit de prononcer un seul mot d'allemand ou d'anglais et l'élève devait assimiler règles de grammaire et vocabulaire à la seule vue de mes exhibitions…

Je rentrais de mes journées de travail la tête pleine de petits cartons. Je me faufilais dans ma chambre entresol, m'allongeais sur le lit et attendais le coup de téléphone d'Antoine. Et s'il avait le malheur de commencer une phrase par « Qu'est-ce que c'est ? », je le menaçais de suicide précoce.

C'était la descente aux Enfers culturels. Je titubais de sommeil, renversais le contenu de ma valise pédagogique et luttais contre la dépression de mon esprit.

À l'heure du déjeuner, je reprenais les petites annonces. Immobilières, celles-là. Affrontais gérances, propriétaires soupçonneux et tatillons, cautions, reprises. Je trouvai enfin un studio. Fonctionnel, propre, 20 mètres carrés. Un chef-d'œuvre de l'illusionnisme. En entrant, la pièce semblait vide mais, en tirant des poignées par-ci par-là, on voyait apparaître un lit, une table, une étagère, un plan de travail… La baignoire était sabot, le bidet escamotable et la cuisine encastrée. J'étais « chez nous »… Je pouvais quitter mon entresol et irais désormais aux toilettes sans correspondances.

Antoine, n'ayant pu grouper ses cours, ne venait à Lausanne que les week-ends. Je me retrouvais donc seule le soir, devant ma télé louée, un potage Maggi dans les mains…

Ma merveilleuse histoire d'amour virait au mauvais mélo. J'étais passée du conte de fées à carton-crayon-dodo. Je compensais par une consommation hyper-calorifique de chocolats, brioches, croissants, cakes et autres friandises, cherchant consolation dans le glucose. Résultat : des bourrelets, des rafales de boutons et un pas de plus vers la déprime.

J'étais seule, mais pas complètement abandonnée. Mon cas intéressa très vite d'autres désolés : des privés d'affection, des déracinés, des frustrés par la société de consommation.

Mon directeur, par exemple. Un honnête jeune homme apparemment bien cadré mais qui souffrait d'interrogation existentialiste : Qui suis-je ? Où suis-je ? Que fais-je ? Fais-je bien ?

Il prit l'habitude de venir monologuer, sombrement, à mes côtés, sur sa vie conjugale, son divorce pro-bable, la monotonie de son travail et la destinée des multinationales… Je le plaignais, hochais la tête avec chaleur mais repoussais fermement la main qui mon-tait sous la table. Comme je voulais être bien vue, bien notée et rapidement augmentée, je n'osais pas le repousser trop loin. D'où une gymnastique délicate entre le « je vous aime bien, vous savez… » et la porte claquée au nez lorsqu'il me raccompagnait de trop près.

Et les élèves ! Surtout ceux qui payaient le prix fort, ceux des leçons privées. Ils se croyaient autorisés, vu la cherté de la vie, à me balancer des œillades. Clins d'œil agressifs et tentative de corruption par moyens astu-cieux.

Il y avait un directeur de chocolaterie, tout rose et rond, qui commençait les leçons en sortant de son attaché-case un assortiment de tablettes et me les offrait avec de la bave sur les lèvres. Je mangeais le chocolat mais refusais de le suivre dans des échanges moins alimentaires.

Je me réconfortais en rêvant à un avenir roman-feuilleton où, habillée page de mode, je séduirais un fils de cheikh et irais dépenser mes roupies au soleil. Je me faisais du cinéma dans les tristes locaux marron de l'école Z..., m'inventais des romans d'amour magnifiques tout en ânonnant des accords de participe passé à un public complètement déplacé dans mes fantasmes. Quand je revenais parmi eux, j'avais des bouffées de désespoir devant la médiocrité de ma situation...

Heureusement, il y avait le samedi et le dimanche... Jours avec Antoine. Il arrivait, charmant et entreprenant, me félicitait sur notre petit intérieur, sur le veau sauté qui mijotait dans la cuisine-placard, l'émail éclatant de la baignoire... Il me racontait sa semaine loin de moi, la bobine de ses profs, les fêtes entre copains. Me serrait dans ses bras, me disait combien je lui avais manqué.

Nous redevenions Hans et Gretel, ressortions la dînette et les serpentins. Devant tant d'amour heureux, je me promettais d'avoir du courage, de ressembler à l'image qu'Antoine avait de nous : vaillants et amoureux. Ne pas le décevoir...

Nous partions sur les côtes et les pentes de Lausanne. Il me photographiait, au Nikon, m'emmenait voir les cygnes en pédalo, me gavait d'emmenthal. Fromage et gâteaux, calories bourratives et pas chères. Je grossissais, portais des jupes larges, d'amples chemises et des soutiens-gorge. Antoine, ravi, me caressait les seins.

Blottie contre lui, j'oubliais ma semaine. Il me racontait une vie où nous n'aurions plus jamais de problèmes d'argent, où nous pourrions entrer dans les restaurants, faire la queue au cinéma, acheter disques et livres. Je l'écoutais émue et rassurée. Le lundi, il repartait. Je reprenais ma valise et mes ânonnements. Notre immeuble était peuplé d'étrangers, étudiants pour la plupart, et un semblant de vie communautaire s'installait. Des liaisons, des ruptures, des amitiés. Des tentatives de bonheur.

Sur le même étage que moi, habitait un Français fils-à-maman qui, devant ma résistance à ses avances, sonna un soir et me proposa un vibro-masseur.

L'infidélité était la dernière félicité à laquelle j'aspirais. Percluse dans mon rôle de petite femme vertueuse et amoureuse, je n'avais pas la moindre envie de rouler dans d'autres bras que dans ceux d'Antoine. Tromper me paraissait un acte monstrueux réservé aux seuls dévoyés.

Et pourtant…

Je ne trompais pas Antoine mais, petit à petit, je multipliais les passions autour de moi. Pour meubler mon ennui de vivre et ma solitude.

Je faisais de longues promenades avec Ken, Américain aux yeux bridés, à la peau boutonneuse, moins débile que mes autres élèves… Il me prenait la main, me récitait *l'Attrape-cœurs* et ciselait des « I love you » sur le tronc des chênes…

Je continuais à dîner avec mon directeur, continuais à l'écouter attentivement et continuais à ne pas lui envoyer de soufflets sous peine de licenciement.

Je me laissais couvrir de fleurs par un autre Yankee, quadragénaire celui-là, les cheveux en brosse et le loden boutonné, qui me dissertait sa flamme en me parlant IBM.

Toutes ces idylles platoniques me prouvaient que j'existais puisqu'ils étaient si nombreux à m'aimer.

Cela me mettait quelquefois dans des situations embarrassantes : quand Ken me coinçait contre l'écorce d'un chêne ou que le quadragénaire en brosse sonnait à ma porte à minuit…

Je n'avais pas envie qu'ils me renversent, je voulais juste les entendre répéter leur amour pour moi. Mais, une fois leur flamme déclarée, je ne savais plus comment les arrêter. Ils me traitaient d'allumeuse, je protestais et répondais en réaffirmant mon amour pour Antoine. Leur dire non définitivement, c'était me priver de leurs déclarations ; leur dire oui, c'était trop me demander…

J'admirais les filles qui envoient rebondir loin de leur univers ceux qui ont l'incongruité de leur caresser l'épiderme sans autorisation. Elles étaient mes héroïnes, mes pirates. Je rêvais de leur audace, moi qui disais toujours oui, empêtrée dans mes contradictions, paralysée par toute volonté étrangère.

En plus, je culpabilisais. Je me traitais de pauvre conne. Toute mon énergie passait dans ces injures personnelles…

Bien entendu, je ne parlais pas à Antoine de ces égarements. J'évoquais simplement Untel « amoureux de moi ». C'était bien plus joli et flatteur.

Jamais je ne lui fis part de mon incapacité à m'assurer l'affection des gens sans m'embarrasser de leur amour.

Antoine week-end, Antoine bonheur. Dans les bras d'Antoine, sous la bouche d'Antoine. Antoine qui ne se doutait pas de la précarité de ma situation morale ni du trouble qui m'habitait. En semaine…

J'avais vingt ans et je grossissais dans une ville étrangère. Privée d'extraordinaire.

Je devenais bête furieuse.

Les week-ends avec Antoine ne suffisaient plus à calmer ma colère devant l'absurdité de l'école Z…, l'exiguïté du studio et le vide continu de notre porte-monnaie. Les fins de mois s'étiraient interminables et désolantes.

Le manque d'argent rongeait notre amour, perpétuel-lement endommagé par les notes à payer. Et pourtant, on s'aimait. On jouait les détachés des biens matériels.

Mais on y parvenait mal. Moi surtout. Vivre désar-genté en Suisse est un supplice permanent. L'argent est partout, triomphant et respecté. Il faut payer comptant le garagiste qui vidange la voiture, comptant le loyer, comptant les stores qu'on nous obligeait à poser, comp-tant les contraventions… En chaque Suisse, j'apercevais une tirelire cachée. J'avais envie de crier : « Pouce ! je ne connais pas les règles du jeu, laissez-moi un peu de répit… »

Mais c'est la loi d'être comptant tout le temps. Et la loi est toujours appliquée.

Je multipliais les leçons à l'école Z…, prenais des élèves en dehors de mes cours et ânonnais semaines et dimanches des règles de grammaire et des fautes d'orthographe.

On ne se retrouvait le week-end que pour constater notre pénurie grandissante. On essayait de tenir le coup le plus haut possible, menton fier et ventre creux, de ne rien dire, de ne pas parler bœuf bourguignon mais la rancune naissait, sournoise et patiente. Antoine suppor-tait mieux les privations que moi. Pourvu d'un naturel plus abstrait et d'un solide quotidien pendant la semaine, il trouvait presque intéressant d'être privé une fois dans sa vie. C'était son apprentissage de la vie dure, il rejoi-gnait son grand-père et la légende dorée… Mais moi…

Un jour où nous étions allés faire des emplettes au Carrefour régional, je me mis à baver de convoitise devant une boîte de Nescafé. Une grande boîte de café pour mes retours de cours, en plein hiver. Du café brû-lant que je tiendrais longtemps dans mes mains, que je boirais à petites gorgées, qui me réchaufferait tout le long de la moelle épinière… Le goût du café. On l'avait supprimé depuis longtemps, car éminemment trop cher.

Mais là, tout à coup, je craquai. Je la voulais de toutes mes forces cette boîte de Nescafé. Je délirais, debout, dans l'allée encombrée de chariots, quand Antoine, ayant repéré l'objet de mon éblouissement, m'assena un non péremptoire.

– Non, on ne peut pas. C'est trop cher…

– Comment trop cher ? On n'a qu'à supprimer la bouteille d'huile, le savon et les pommes de terre…

– Pas question, le café c'est un luxe. On peut s'en passer…

Ma rage se mua en boule bouillante dans mon estomac. Je me mis à le détester. Je fulminais, droite, parmi les ménagères du samedi après-midi qui remplissaient gloutonnement leurs chariots.

Antoine m'entraîna fermement vers la voiture où je donnai libre cours à ma rage. Je le traitai de tous les noms : de minable, de petit, de sans couilles au cul, d'incapable de me couvrir de Nescafé, de remplir son rôle de mec. Toute mon impuissance passée à tirer des billets de banque, à faire des hold-up remontait. Lui restait calme, imperturbable, ne semblait pas entendre le bruit de mes insultes. Indifférence qui me faisait redoubler de colère baveuse. La route se brouillait devant mes larmes, je lâchais l'injure finale :

– Je n'aurais jamais dû venir vivre avec toi, t'es qu'un pauvre fils à grand-papa… Sans rien dans le ventre.

Ce jour-là, Antoine me déposa avec les paquets de Carrefour devant notre immeuble, ferma la portière et partit.

Parti. Plus personne. Seule. Sans épaule sur qui finir mes nerfs puis déposer mes larmes. Je remonte mon filet à provisions litigieuses dans mes 20 mètres carrés, m'assois sur la moquette. Et pleure.

Pleure d'avoir dit tant de choses à mon bel amour… Au fond, il n'y est pour rien si on n'a pas d'argent, si ses parents refusent de nous assister, s'il est obligé de poursuivre une scolarité avancée qui l'empêche de m'offrir plein de Nescafé. Antoine… Je sanglote son nom, retourne ma colère contre moi, réalisant que, si je suis dans ce studio fantôme, c'est parce que j'ai décidé de vivre avec lui. Lui absent, ma vie suisse n'a plus aucune signification. Si j'accepte l'école Z…, les petits cartons, les croissants beurre comme plat principal et le même shetland depuis mon immigration, c'est parce que je l'aime, qu'il m'est nécessaire pour respirer, qu'il gomme tout avec son odeur de chèvrefeuille… Mais alors pourquoi est-ce que je ne supporte pas tout ça plus stoïquement ?

Quelque part au fond de moi, il y a quelqu'un pas content du sort qui lui est réservé. Ce n'est pas mon amour pour Antoine qui cloche mais moi… Le bonheur intérieur de tante Gabrielle c'est peut-être ça : la faculté merveilleuse d'être heureuse même si on est privée de Nescafé…

Je me rappelle mes angoisses avec Patrick, mes fureurs contre ses tricots de corps, mon incapacité à être heureuse. Et si ça venait de moi et non des autres ? Si le bonheur n'était pas un cadeau magique incorporé à un monsieur mais plutôt un jeu de cubes à édifier soi-même ?

Tout se brouille dans ma tête. Je ne suis plus très sûre d'avoir compris, je m'endors barbouillée de larmes.

Antoine ne rentra pas le lendemain. Ni le surlendemain.

Pendant toute une semaine, je l'attendis, téléphonai à son université, envoyai des pneus, des lettres, des urgences. Rien. Pas un signe d'amour. Je ne touchais plus à mes croissants beurre, errais fantôme dans les couloirs de l'école Z…, parlais anglais à mes élèves et perdais mes kilos superflus.

La vie ne valait plus la peine d'être continuée. Je n'avais plus qu'à m'asseoir sur le bord du trottoir et à vieillir, tranquille. Me réveiller le matin était un cauche-mar, m'endormir une question de somnifères. L'oreille tendue vers les moindres pas, dans le couloir, je dormais de dix minutes en dix minutes. Je traînais ma non-existence dans les rues et sur les bords du lac.

Mes nerfs commençaient à craqueler, lorsqu'un soir, où je l'appelais par routine à son université, on me répondit :

– Ne quittez pas, je vous le passe.

Je faillis raccrocher. Je ne savais plus quoi dire. Muette, tétanisée.

– Antoine ?

– Sophie ?

– Antoine…

– Sophie, je t'aime à en mourir…

– Moi aussi…

– Je viens…

– Oh ! oui…

Il arriva. Une heure après. Il sonna. J'ouvris et, après m'avoir prise dans ses bras, comme un fou sans ciel, il me regarda droit dans les yeux et me dit :

– Je t'ai trompée.

Et le monde s'écroula.

Il a couché avec une autre fille...

Et il me l'annonce sans préparation pédagogique, et il me répète qu'il m'aime à en suspendre son souffle...

Écrasée contre Antoine, je ne sais plus quoi dire. Il m'embrasse, me parle, me raconte sa semaine. Je n'entends rien. Je me répète : « trompée », « avec une autre fille », « couché ». Des images : lui contre une autre, approchant sa bouche de celle d'une autre, la déshabillant, la trouvant excitante, bandant pour ses seins, ses jambes, son sexe...

Le film se monte dans ma tête et devient insupportable. Je le casse mais il recommence. Toujours le même. Des images précises : le visage d'Antoine quand le plaisir monte, quand il va jouir. Ses mâchoires qui grincent, ses yeux qui deviennent flous, ses reins qui s'appliquent, se concentrent et, tout un coup, son corps en entier qui n'en peut plus et retombe en enfance. Après avoir poussé un petit cri de surprise. Il peut faire tout ça avec une autre ? Impossible...

Je déchire les images. Elles redémarrent. Au tout début. J'ajoute un prologue. Lui dans un bar avec une fille, il lui sourit avec les deux fossettes qui me dilatent le cœur, lui pose le bras sur l'épaule et les visages se rapprochent, se frôlent... Je ne supporte plus.

Je le regarde. Il a l'air sincèrement désolé du mal qu'il me fait. Il n'a pas voulu mentir.

– Jamais je ne te mentirai. Je ne peux pas. Ce n'est pas par complaisance que je te dis ça, ni pour me soulager. Mais parce que je me sens incapable de ne pas tout te dire.

C'est beau, mais ça fait mal. Et j'ai bêtement mal.

Avant lui, quand on me trompait, je ne le savais jamais. Je le supputais mais, toujours, on me rassurait. « Mais non, ma chérie, tu es folle, voyons… Je n'aime que toi, tu le sais bien. » Pas tout à fait dupe mais confortable. Patrick a sûrement dû dormir contre une autre, mais je ne l'ai jamais su.

Aujourd'hui : Antoine qui démonte mes cloisons étanches. Détruit ma belle image. Hans ne trompe pas Gretel. Prononce les mots : « Je t'ai trompée. » Je ne comprends plus rien. On ne dit pas des choses comme ça. On les cache.

J'ai des trous partout et je prends l'eau.

On reste longtemps sans parler. Sans bouger. Longtemps.

Effondrée, le cœur à l'envers, j'ai le monde sur les épaules. On s'endort. Dans la nuit, je fais un cauchemar. C'est la séance de minuit qui commence. Et là, tout à coup : les larmes… Déferlantes, débarrassantes. Je pleure, pendant une heure, en longues vagues avec ressac, reniflements, cris, poings qui écrasent son sale cinéma… Antoine me maintient contre lui, me répète tout bas son amour : « Je t'aime, je ne veux pas te voir dans cet état, je suis là, ne pleure pas… » Calme, doux, tendre… L'odeur de chèvrefeuille qui monte de son cou, qui part là derrière l'oreille gauche, me rappelle combien de fois je suis allée renifler ce réservoir à senteurs, caché derrière le pli du lobe… Le chèvrefeuille me fait fléchir, j'accepte le refuge de ses bras, je ralentis le cours de mes larmes... Dépossédée de mon identité. Rayée de la carte du monde.

Un petit tas inexistant qui se raccroche à son mode d'emploi pour vivre.

En me trompant, il m'a niée.

Je ne sais plus qui je suis. Je m'engloutis dans ses bras.

Le lendemain, j'annule tous mes cours à l'école Z... : je suis trop défigurée pour me présenter munie d'une mallette pédagogique, moi, qui ai perdu toutes mes références, la veille...

Antoine me fait un café (il a rapporté une boîte de Nescafé de son escapade), me cale contre lui et me prie de l'écouter. Il ne veut pas s'excuser, mais simplement que je sache ce qu'a déclenché en lui ma crise de Carrefour et les dernières extrémités de langage que j'ai employées. Sa façon à lui d'être en colère, c'est le grand silence. En revenant de Carrefour, il était très, très silencieux. Avec nécessité urgente d'être seul dans sa tête. Il est parti faire un tour de lac pour réfléchir. Ce qui l'a fait frémir, c'est ma réaction devant un pot de café. Je devais être bien malheureuse pour réagir aussi violemment. Bien malheureuse et bien refoulée. Alors, avant, je jouais la comédie ? Quand je prétendais me contenter du strict minimum ? Tout notre bonheur était bidon, vue de l'esprit... Cette constatation d'échec flagrant délit l'avait complètement désemparé. Il était remonté à l'université, avait été voir son copain Steve et, pendant six jours, ils avaient fait la fête. Six jours de bières, de boîtes, de filles. Et puis, un soir, il avait repéré un jean de dos, avait eu envie de le renverser, de le baiser... Toute la nuit, il s'était balancé sur une image pour exorciser la mienne.

Le lendemain, j'avais appelé.

– Je t'aime vraiment, petite conne.

Et je sombre définitivement dans ses bras.

D'autant plus facilement que, maintenant, je culpabilise. C'est de ma faute s'il est parti chagrin et qu'il a bu pour oublier, c'est parce que je me suis mal tenue. Si je n'avais pas fait ce caprice supermarché, il aurait dormi dans mon souvenir toute la semaine...

Ce matin-là, nous faisons l'amour comme des pénitents qui sortent d'un long carême. Moi, cramponnée à ses mains ; lui, attentif à chaque centimètre carré de ma peau. Je tourne autour de son sexe comme on se raccroche à une bouée de sauvetage. Je m'y arrime, m'y ancre pour réaffirmer que mon vrai bonheur est là. Je redécouvre le bonheur de le lécher, de le sucer, de lui appartenir. Il pose sa main sur moi et je me plie de frissons. Ce que j'ai cru perdu, me revient dans un incendie de sensations : je me suis retrouvée en le retrouvant lui.

Ramona m'écrivait.

Elle avait, disait-elle, beaucoup de temps pour vagabonder autour des gens qu'elle avait laissés derrière elle. Je lui racontais mes malheurs, elle me répondait par ses pensées égyptiennes.

« Tout est étrange, ici. Je me sens remontée aux Origines. Je n'ai pas encore eu le temps de parcourir la région car je fais plus ample connaissance, pour le moment, avec le village et les bords des lacs. On vit au gré du Nil, on se plie sous ses alluvions. C'est la véritable divinité locale. Bien plus que tous les riches pharaons endormis dans leurs bandelettes. Ma maison est comme celle de tous les paysans : en briques et en boue séchée recouverte d'un crépi. Je l'ai repeinte en rose pour que les gens aient envie d'y entrer. J'ai mis un petit banc devant et une cruche d'eau. En cas de gorge sèche ou de crampes dans les jambes. Je n'ai qu'une seule pièce avec, sur le sol, des nattes et, dans un coin, un carrelage pour les ablutions. Derrière, il y a une petite cour recouverte de branches de palmiers où on a coutume de faire la sieste. Je n'ai pas encore approché le pied des pyramides. Pas de grand amour non plus. Mais je sais que je le rencontrerai ici, je l'ai lu dans le Nil, hier, en me promenant…

Suite dans ma prochaine lettre. Ramona. »

Ramona en Égypte. Dans une petite maison de paysan. Je me précipitai dans une bibliothèque et consultai un Atlas. J'avais un peu honte, devant sa situation exotique, de ma vie train-train ménager, de mes leçons à 6 francs 40 et de mes crises Nescafé…

Je l'admirais beaucoup, je l'enviais un peu. Tout en me sachant incapable de l'imiter.

Elle me racontait en v.o. les légendes de l'ancienne Égypte.

« J'ai un grand faible pour la vie d'Osiris. Dieu pas comme les autres. Il monte sur le trône après que des kyriades de dieux y soient grimpés et n'aient rien fait poura méliorer le sort de leurs sujets. Mais lui, Osiris, est bon et beau. Il a une femme qu'il aime à la passion : Isis, et un frère très vicieux et très méchant : Seth. Osiris gouverne en toute tranquillité et grandeur d'âme pendant de longues années. Il apprend aux hommes à se servir des champs pour y faire pousser du blé, du coton, de l'orge. Il leur dessine des charrues, des houes, des jougs, leur montre comment reconnaître, d'un bœuf, le devant du derrière et comment enfoncer profondément le soc dans la terre. En quelques années, l'Égypte devient verte et ondoyante. Alors, Seth étouffe de rage. Lui, frère de Dieu, est assigné à résidence et idées surveillées pendant que son frère planifie le pays ! Un soir, il quitte le banquet de sa promotion, se faufile dans le palais royal, surprend Osiris à son bureau et lui enfonce un long couteau dans le dos. Osiris rend l'âme sur ses dossiers, Seth le coupe en petits morceaux qu'il éparpille à la surface du Nil. Mais, Isis devine l'horrible fratricide. Elle part à la recherche de chaque petit morceau de son amour défunt, drague le fond des eaux, soudoie des pêcheurs pour qu'ils deviennent scaphandriers… Chaque petit morceau retrouvé est rangé dans un sac en plastique. Elle rentre chez elle, reconstitue à l'aide de bandelettes l'anatomie de son cher amour (c'est de là que vient la tradition des momies), le couvre de baisers, sauf sur l'œil et la joue gauche portés disparus, réchauffe son pauvre sexe mou et décomposé dans sa main, le supplie de faire un effort, de revenir sur terre pour l'aider à le venger. Osiris, un peu gêné par ses nombreuses cicatrices, esquisse une moitié de sourire, pose la tête d'Isis sur son sexe afin qu'elle lui rende consistance divine. Sa vengeance, ce sera son fils qui la perpétuera. Et, derechef, il bande et pénètre Isis en pleine période féconde. Isis, reconnaissante, laisse Osiris à son nouveau royaume : la Mort, et part élever la semence de son amour dans un lointain désert. C'est Horus, fils d'Isis et d'Osiris, qui vengera son père en crevant le cœur de l'ignoble Seth… »

Ramona ne se contentait pas de parler des légendes, elle les vivait.

« Mes cheveux ont poussé mais j'ai toujours les coudes aussi pointus. Je me fais des masques à la poudre de momie… C'est une gardienne de temple qui habite Louxor et qui vient régulièrement visiter son fils sur les lacs Amers qui me l'apporte. Elle la balaie dans sa loge avec des plumes d'autruche quadragénaire, la recueille à l'aide d'une petite pelle en or qu'elle porte accrochée au cou. Avec la poudre de momie, on garde une peau de jeune fille sans rides ni boutons pendant toute son existence. À condition de l'appliquer avec beaucoup de respect pour les dieux. Car, une seule mauvaise pensée ou un gros mot, et la poudre fait l'effet inverse : on se retrouve ridée et boutonnée jusqu'à la fin de ses jours… »

Ramona paraissait si à l'aise dans sa nouvelle vie que je me demandais comment elle avait pu grandir chez les dames augustines, dans les embouteillages parisiens, les surbooms les mains sur les hanches. Ses miracles ne s'appelaient plus EDF ou TSF mais Osiris, poudre de momie, Nil.

Pas étonnant qu'elle ait traversé notre adolescence avec un air d'ennui profond, constamment tendue vers un ailleurs qui n'allait pas manquer d'arriver.

Eduardo entra, un matin, dans la triste école Z…

Pas spécialement beau, une dent en or, des cheveux rares mais bien disposés. Habillé italiano, avec des mocassins pointus, une veste à carreaux marron et une chemise à rayures beiges. Italiano et sourire harangueur.

On a dû se dire chacun « Tiens, tiens » et puis, on est passé à la valise pédagogique. Niveau supérieur car Eduardo avait franchi depuis longtemps le stade des petits cartons pour un français châtié qui demandait restauration de conversation. Il avait trop lu George Sand, Eugène Sue et parlait un français peu colorié. Or, ça le chagrinait de parler pâle.

C'est, en tous les cas, ce qu'il m'expliqua et ce que je retins, en sus de l'enjôlement réciproque. Enfin, un peu de rêve s'infiltrait dans le marron de l'école.

On faisait connaissance par cil coulé. Il devait se demander ce que je faisais là, stupide dans ma valise ; je ne comprenais pas que l'on puisse avoir envie de prendre des leçons de français quand, dehors, le soleil bat des plumes et invite à sécher les cérémonies officielles… Mais, pour les débuts, nous restions timides et réservés. Je lui trouvais l'œil expertiseur, la bouche ourlée et le cheveu bien rayé. Tout châtain, quelques poches sous les yeux et dans les joues, indices de bonne vie et de fêtes perpétuelles. On devinait aussi une certaine familiarité avec l'argent dont il ne devait pas manquer souvent. De bonnes étiquettes sur sa veste, sa chemise et ses mocassins. Chic et genre.

La leçon prit fin au retentissement de la sonnerie et Eduardo Babil de Babylone (c'était le nom calligraphié en lettres inclinées par Maria-Rosa, secrétaire flamenco de mon directeur) se leva. Sans rien dire si ce n'est : « Au revoir, merci beaucoup et à bientôt. »

Bientôt, c'était demain. C'était écrit sur sa carte d'élève cotiseur. Profession : couturier prêt-à-porter… Et si c'était un pédé ?

Et puis après ? Pourquoi est-ce que je rêve ? Plus fort que moi. C'est mon fantasme installatoire qui recommence…

Je me reprends et passe à l'élève suivant. Teuton et tyran. Mais le lendemain, j'attends. Je me suis lavé les cheveux, les ai rincés avec un produit qui promet des miracles de volume, ai peint mes ongles, aménagé le tour de mes yeux.

Eduardo Babil de Babylone entre et, sans s'asseoir, m'annonce :

– J'ai demandé l'autorisation au directeur : les leçons auront lieu désormais dans le pub d'en face parce qu'ici il y a une trop grande tristesse.

Je regarde mon emploi du temps, il m'a louée pour

deux heures. Qu'est-ce que je vais pouvoir dire à un rêve pendant deux heures, sans ma valise ?

Mal à l'aise, je ne sais plus très bien comment marcher, passer devant naturellement, appuyer sur le bouton de l'ascenseur, traverser la rue sans me faire écraser et m'installer à une table.

– Vous avez faim ? me demande Eduardo.

– Oh ! oui…

Je laisse échapper ma fringale, bien qu'il soit neuf heures du matin et que je sois censée avoir petit-déjeuné.

– Que voulez-vous manger ?

C'est étrange. J'ai l'intuition que si je commande un steak-frites, il trouvera cela normal.

– Un steak-frites. À point.

– Avec beaucoup de frites et de la béarnaise, précise Eduardo au garçon switzerland ébahi qui regarde sa montre.

Je souris, soulagée d'avoir été si bien devinée. Eduardo me glisse un clin d'œil. On est bien. J'ai l'impression de le connaître depuis longtemps.

La première leçon est entièrement consacrée à mon alimentation. Mon premier steak depuis mon installation en Suisse.

Eduardo a tiré un cigare de sa poche et fume en silence. Après le steak, il me commande du saumon fumé, de la crème fraîche, des profiterolles au chocolat et un baba au rhum. Coincée entre la table et la banquette, je suis montgolfière. Je trouve la vie très belle.

– Est-ce que vous verriez un inconvénient majeur à ce que je vous loue ainsi toutes les matinées tant que je serai en Suisse ? me demande Eduardo Babil de Babylone.

– Mais je vais devenir énorme si je continue à ce régime !

– Vous n'aurez peut-être pas aussi faim tous les jours… S'il savait…

– Mais vous désirez quoi, au juste ? Apprendre le français ou la gastronomie suisse ?

– J'ai envie de vous voir un peu plus heureuse que vous ne l'êtes, c'est tout. J'ai envie de vous faire rire.

– D'accord. On commence quand vous voulez. Mais ça va vous coûter cher, l'école Z… n'est pas une entreprise philanthropique.

– Ça, ce n'est pas votre problème. Je vous demande simplement de me parler la bouche pleine de tout ce que vous avez dans la tête. D'accord ?

– D'accord.

Les deux heures sont passées. J'ai le ventre spongieux et rond. L'humeur rose bonbon. Et un nouvel ami avec qui je me vaporise du rêve. Je flotte, étonnée par la magie de la vie. J'ai envie d'aimer tout le monde.

À demain, Eduardo Babil de Babylone.

Le week-end suivant, je raconte à Antoine mon extraordinaire rencontre avec Eduardo. Depuis le premier steak-frites au pub, on s'est vus tous les jours et j'ai trouvé une sorte de copain-complice attentif.

Difficile de faire accepter toutes ses nuances d'affection à mon amour à la jalousie pointilleuse. Bien sûr, il ne me croit pas et détruit mon beau personnage d'une formule meurtrière :

– C'est évident, il veut te sauter.

Et voilà. J'ai beau me défendre, Antoine n'est pas du tout convaincu.

– Tu verras, un jour, il va te renverser sur la banquette du pub et te déclarer une flamme éternelle. Tu es vraiment naïve…

Il me confisque mon rêve. Pour une fois que je trouve un personnage dans ma triste vie, il faut qu'il me le déboulonne de son socle.

On ne parla donc plus d'Eduardo. Mais il planait entre nous un silence à meubler. Pour dissiper les soupçons et l'irritation d'Antoine devant ce prince Bel Canto, je redoublais de prévenance, d'attentions et d'ingéniosité sexuelle. Pour me faire pardonner mon nouvel ami et le plaisir immense qu'il me procurait.

On avait repris l'amour endiablé après notre incident Nescafé et si, quelquefois, dans mes cauchemars, revenait l'image d'Antoine arrimé à une autre, je frissonnais trois fois, me serrais de toutes mes forces contre lui et m'endormais très vite pour ne pas y penser.

Il avait trouvé des cours particuliers à donner à un richissime Américain qui roulait en Porsche, possédait une chaîne de laveries aux États-Unis, une fiancée suisse et ne voulait plus être appelé yankee.

Un après-midi, Antoine arriva, illuminé : il était, enfin, arrivé à bloquer ses cours et serait désormais à mes côtés tous les après-midi et toutes les nuits.

Le lendemain, on prit la voiture, on traversa le centre de Lausanne et il s'arrêta devant un immeuble grand luxe avec terrasses débordantes et panorama obligatoire.

Il me fit monter jusqu'au septième étage et, arrivés sur le palier, me souleva dans ses bras, passa la porte et claironna :

– Nous voici, chez nous.

J'étais dans un deux-pièces avec tout-à-l'égout rutilant et baie vitrée sur le lac. Une vraie cuisine, une vraie salle de bains et deux chambres. Je suffoquai, battis des mains, des pieds, le couvris de baisers. Quoi ? Tout ça pour nous ? Il avait braqué une banque ? Baisé une vieille riche ? Reçu un chèque de l'Au-Delà ?

– Rien de tout ça. Ce petit paradis vaut à peine plus cher que nos vingt mètres carrés, et mon élève Lavomatic redouble de leçons…

Je dansai de joie. Arpentai mon nouvel home sweet home avec des plans dans la tête. Et là on fera ça, et là on mettra ça, et là… J'allais être chez nous, avec un petit mari bricoleur qui planterait des clous. J'étais en plein bonheur des chaumières. Je me blottissais contre Antoine, éperdue de renonciation personnelle, tout entière décidée à lui faire des bébés et à soigner son image de marque.

Antoine souriait, parlait de Gaylord, le fils aîné, de Caroline, la petite fille qui viendrait après. Un garçon,

140

une fille. Et peut-être un petit troisième pour nos vieux jours, pour nos rhumatismes devant la cheminée.

En sortant, il s'arrêta dans le grand hall vitré de l'immeuble et, montrant du doigt notre image dans la glace, il me dit :

– Regarde ce qu'on est beaux…

Je levai le menton et vis, en face de moi, un couple illustration pour magazines : lui, grand, protecteur, viril ; elle, blottie, fragile, avec de longues mèches blondes. Nous étions un beau couple qui allait s'installer dans un bel appartement, avec un bel avenir devant lui. Une belle image à ne pas profaner. On s'installa le mois suivant. On fit le tour des salles de vente, de l'Armée du Salut, des compagnons d'Emmaüs pour acheter au plus bas prix des matelas, des chaises, des tables. Le reste, c'est Antoine qui le fabriquait.

Je le trouvais à la maison en rentrant de l'école Z… Il me renversait sur la moquette, et me prenait dans tous les sens avec une habileté qui me laissait langoureuse. Ensuite, on s'installait dans la salle de bains où, pendant que je mijotais dans un bain, il dissertait, assis sur les chiottes à côté de la baignoire, sur les sciences et l'avenir. Il m'apprenait pourquoi clignotent les lumières de la ville d'Évian qu'on apercevait de notre balcon, comment marchent les moteurs à combustion… Il pétait, on riait, on s'éclaboussait, on ne pensait à rien de primordial. Il me faisait connaître la musique américaine, moi qui ne fredonnais que Djonny et Sylvie, me lisait des pages entières de Salinger et concluait que ce n'était vraiment pas un jour pour un poisson-banane. Je le regardais du fond de mes eaux troubles et restais sous la magie de sa beauté. J'aimais le voir marcher, sourire, réfléchir, poser une étagère et tout m'expliquer. J'aimais son image.

Les murs étaient remplis de photos d'Antoine et moi en train de nous aimer. J'étais épinglée dans un album dont il était le héros *sine qua non*.

J'étais heureuse. Extérieurement. Pas vraiment satisfaite à l'intérieur. Je me demandais si tout ce décor planté et entretenu par mes soins fébriles me convenait. Ce n'était pas tout à fait moi, cette petite ménagère appliquée qui planifiait ses mètres carrés. Je me sentais un peu à l'étroit dans mon petit confort immobilier. Il me rassurait terriblement mais ne me faisait pas pousser des ailes. J'avais besoin de rallonges.

Mais je sauvais les apparences. J'avais appris très tôt à faire semblant. Semblant que tout va toujours bien et que, comptez sur moi, je me débrouillerai. C'était même devenu une seconde nature. Depuis qu'on m'avait déclarée « forte et astucieuse ». J'avais cinq ans. Maman et ma tante de Clermond-Ferrand nous avaient emmenés, Philippe et moi, aux Grands Magasins. Je tenais Philippe par la main et serrais contre moi le porte-monnaie que maman m'avait confié le temps d'essayer une jupe. Emportés par la foule, loin de la cabine d'essayage de maman, pétrifiés de terreur dans les jambes de toutes ces grandes personnes, j'avais bloqué porte-monnaie, petit frère et Courage Majuscule dans un même élan, m'étais dirigée vers le monsieur qui avait le plus de Bics à sa blouse grise, et lui avais expliqué que nous étions perdus. Il avait lancé un appel au haut-parleur, et maman, en larmes, nous avait rejoints, ébahie devant le récit du chef de rayon qui narrait mon sang-froid avec emphase. Depuis ce jour-là, j'étais Sophie la brave. Sophie la volontaire. Jamais prise au dépourvu. De la même famille que Jeanne Hachette… Image lourde à porter quand on a cinq ans et qu'on a envie de pleurer sans raison, dans les genoux de sa maman, quand on meurt de trouille le matin de la rentrée des classes ou le jour du premier départ en colo. Mais, coincée par mon appellation contrôlée, je fonçais nerfs verrouillés. Je jetais de la poudre de perlimpinpin pour qu'on n'aperçoive pas mes faiblesses béantes. Je grandissais décidée, insolente, et souriais à l'anicroche qui me poignardait le cœur…

Tout cet album d'images à fleurir finissait par me bousiller l'énergie, par me brouiller l'humeur et rendre impossible toute identification de mon moi.

J'étais alors en complet dérangement, en bonheur orthopédique.

C'est pour cela qu'Eduardo devint mon oracle personnel. Il sut aller voir derrière le masque de petit soldat. Il eut envie de m'aider avec ses moyens à lui. Désintéressé. Les mains dans les poches. Il m'a aimée pour moi.

À lui, je racontais mes accès de désespoir. Accès déclenchés par une boîte de Nescafé ou des chemises que je ne voulais plus repasser. J'avais alors d'étranges bouderies, des larmes qui montaient et descendaient, des scènes murmurées et étouffées, des interrogations sans fin sur mon utilité en ce monde. Je me sentais insatisfaite, encombrée de moi.

Le plus dur, c'était le soir. On se couchait tôt car je me levais à six heures et Antoine partait pour son université. Le simple fait de me coucher toutes les nuits, dans le même lit, avec le même monsieur, à la même heure et de reproduire machinalement les mêmes gestes d'amour, de s'échanger les mêmes formules de politesse bonsoir, me soulevait de désespoir. Je tournais et retournais sur mon matelas en me répétant : « Non, ce n'est pas possible, il va se passer quelque chose, je ne vais pas finir en répétitions… » Plus la nuit avançait, plus le problème me paraissait insoluble. J'étais condamnée à subir des habitudes. Non que je n'aie pas envie d'Antoine ou qu'il m'insupporte. Pas du tout. Mais l'inéluctabilité des événements me rendait neurasthénique. Et pourquoi, un soir, n'irais-je pas dormir chez le voisin ? Juste un soir pour casser le rythme...

Je savais très bien que c'était interdit par la coutume conjugale. Alors je me révoltais. Dans le désordre. J'avais le rocher de Sisyphe sur le cœur, menaçais d'étouffement. Je marchais dans la chambre à la recherche de ma respiration. Ou je partais faire le tour du pâté de maisons. Accumulée de désespoir. Comme lorsque Patrick m'avait rattrapée sur les galets, une nuit de mensonges.

Je ne parlais pas à Antoine de ces crises nocturnes : elles ne coïncidaient pas avec la belle image que nous avait reflétée la glace de l'entrée. Et s'il se réveillait je m'inventais des crises d'asthme...

Mais à Eduardo, je disais tout.

Je déroulais mes envies, mes pensées, mes lâchetés. Sans souci d'être jugée. C'était mon double, il comprenait. Un jour, où j'avais joué la généreuse, il me rappela à l'ordre et me fit promettre de ne pas recommencer.

– Je veux que tu sois toi-même, que tu arrêtes de te juger. Sois sordide si tu en as envie, méchante si tu le désires et belle si ça te passe par la tête. Laisse-toi aller...

Au début, je ne comprenais pas son langage. Je n'en retenais que le plus facile : il m'emmenait chez Guerlain, à Innovation, chez le coiffeur.

Un matin, il me téléphone :

– Dis-moi quelle est ton envie la plus secrète, le cadeau qui te paraît le plus impossible...

– Oh !... Je rêve d'un long manteau de renard d'Argentine qui me battrait les talons. Pourquoi ?

– Parce qu'on part à Genève te l'acheter.

J'ai failli dire : « Non, ça ne se fait pas Eduardo, je vais être gênée si tu m'offres ce somptueux cadeau... », mais je sus que, si je minaudais de la sorte, je lui ferais de la peine. Il serait furieux que je lui mente à lui aussi.

Nous sommes allés à Genève. J'ai essayé cinquante manteaux et j'ai choisi le plus chaud, le plus beau, le plus argenté, le plus cher. J'étais devenue princesse de Chine multipliée par un chiffre magique.

Mais Eduardo m'apportait bien autre chose. Il m'apprenait à déchiffrer mes espaces intérieurs, à faire surgir de mon imagination des perspectives infinies.

– Arrête de tout attendre des autres, de vivre en fonction des hommes que tu rencontres, des jugements de ta mère et des dames augustines. C'est toi qui t'étonneras un jour…

Il me reprochait l'école Z…, ma soumission aux petits cartons. Quand je lui expliquais que je me sentais incapable de faire quoi que ce soit d'autre, il devenait furieux et fracas :

– Tu as essayé de faire autre chose ?

– Non, mais je sais…

– Essaie. Présente-toi dans une autre école où on paie correctement les professeurs…

Pour lui faire plaisir, je téléphonais à d'autres directeurs de cours privés, faisant état de ma culture générale et de mes diplômes.

Je fus engagée. Tout de suite. Dans une école privée pour petits Suisses fortunés où je déclinais en latin, orthographiais en français et découvrais Louis XIV à l'helvète : non plus comme un monarque éclairé mais comme un mégalomane timbré et dangereux. Je doublais presque mes appointements !

Eduardo applaudit, comme à la Scala, devant ce tour de prestige. Antoine me congratula paternellement…

Il est évident que je ne racontais pas à Antoine mes conversations particulières avec Eduardo. J'étais même obligée de mentir abondamment quant à la profondeur de notre entente. Ainsi, le manteau fut le cadeau de Noël de maman et de tante Gabrielle, mes mèches rattrapées et blondies l'œuvre d'un petit coiffeur « pas cher du tout, je lui sers de cobaye, tu sais » et mes boots « des super-soldes »…

Antoine n'aimait pas du tout Eduardo. Il le pressentait comme un générateur de troubles, d'envies subites et incontrôlables.

Il était si jaloux… que je ne tentais même pas la moindre explication. Eduardo jugeait Antoine beaucoup trop jeune pour me comprendre. Bref, les deux hommes ne tenaient pas à se rencontrer. Moi, je gardais teint frais et bonne conscience : mon amitié pour Eduardo n'était pas licencieuse, il ne posait jamais le moindre doigt équivoque sur mon anatomie. Et, d'ailleurs, je n'en avais pas envie…

J'allais de l'un à l'autre avec satisfaction. Dormais contre Antoine, parlais avenir, fiançailles, opinais à tous ses plans… Rêvais, m'étonnais, grandissais avec Eduardo.

L'un me serrait très fort dans ses bras, l'autre défaisait un à un tous mes pièges et catapultait mes inhibitions.

Pendant que je tâtonnais à la recherche de mon égo, Ramona, qui avait identifié le sien depuis longtemps, vivait des bouleversements importants.

Réfugiée dans sa cabane sur les lacs Amers, elle était devenue très solidaire des habitants du village. De sa voisine, une brave femme qui tricotait des bas à varices toute la journée en attendant le retour de son mari pêcheur, du patriarche du village, un centenaire à la barbe opalescente qui lui racontait comment le grand barrage d'Assouan, édifié par Nasser, avait tellement perturbé les eaux des lacs que les poissons désorientés préféraient aller nager ailleurs, et du petit garçon Séthi qui se prétendait d'origine divine et portait une auréole en carton au-dessus de la tête.

Ramona les écoutait tandis que le vent balayait, dans un fracas étourdissant, la moitié de leurs propos. Elle avait souvent tendance à compléter, par elle-même, la suite de leurs récits qui ne lui parvenaient pas dans leur intégrité.

Un matin, on vint la réveiller, en lui annonçant que la jonque qui apportait le courrier d'Ismaïlia, se profilait à l'horizon. Le courrier n'arrivant que très rarement dans le petit village de Chaloufa, la jonque postale était considérée comme d'extrême importance. Ramona s'ablutionna les mains et les yeux, revêtit une longue robe blanche et s'élança avec le village à la rencontre de la jonque.

Le vent faisait silence et on n'entendait plus que le clapotis des rames s'enfonçant dans l'eau. Quand les voiles furent dégonflées, que la coque frôla le quai, une voix grave et ferme retentit énonçant les nom et prénom de Ramona Chaffoteaux. Ramona s'avança, émue d'être le centre des attentions et, levant les yeux vers le conducteur de la jonque, se figea dans une posture statue de sel : les bras tendus, les yeux éblouis, un sourire surnaturel sur les lèvres... Elle venait de rencontrer celui qu'elle attendait dans sa pénombre parisienne. Elle comprit pourquoi elle avait échoué sur les bords des lacs Amers, dans ce petit village arriéré et oublié. Elle avait atteint le bout de son voyage.

Il était là, devant elle, grand sur ses longues jambes en coutil blanc, torse nu, un sourire de connaissance sur son portrait officiel. C'était lui. Elle en était sûre.

Il lui tendit la lettre qui venait de Suisse, ses doigts effleurèrent les siens et elle fut électrisée. Incapable de bouger, de faire autant de pas en arrière pour regagner sa place et prendre l'air décontracté. Idiote, avec sa lettre toute chiffonnée par les allées et venues aériennes. Résumée en un regard, en une rencontre au bord d'un lac. C'était lui. Beau depuis des siècles. Imperturbable de solennité. Avec des cheveux châtains drus et une barbe qui creusait des joues émaciées par le soleil et les embruns. Un torse à profusion de poils, un nez de pharaon comme il se doit, et des yeux si aigus et pénétrants que, lorsqu'ils vous fixaient, vous vous sentiez analysée tout entière. Un géant qui refusait de se baisser pour passer sous les portes et dont les mains arrêtaient le vent.

Ramona le reconnaissait. Ses yeux se mélangeaient aux siens. Elle se rappelait les marelles où elle avait dessiné sa tête en guise de paradis et sa mort en Enfer, son nez droit qu'elle griffonnait sur les marges des cahiers, ses jambes qui pesaient sur les siennes les soirs d'insomnie, ses mains qui l'étreignaient dans les rêves qu'elle faisait les yeux ouverts.

Le temps s'arrêta. Les villageois se turent. Une étoile polaire monta au firmament et Sethi, le petit garçon, la désigna d'un doigt sacré.

Enfin, Ramona rejoignit le groupe des paysans et l'action reprit.

On se rassembla autour de la jonque qu'on décora de papillotes, de scolopendres moussues, de verres brisés de toutes les couleurs. Les femmes sortirent des barils de foul qu'elles servirent dans des petits pains ronds et creux. Ramona ne pouvait rien avaler et attendait. Tout entière dépendante de son amour enfin rencontré. Elle resta ainsi tout l'après-midi, les pieds joints et les bras le long du corps. Il la regardait sans discontinuer. On lui demandait de raconter la ville, le lac du crocodile, les avenues à l'ombre des grands arbres, les fleurs dans les parterres et les villas désuètes d'Ismaïlia. Et le chalet de Ferdinand de Lesseps, ce monsieur si distingué qui avait eu l'idée de creuser un canal ? Et le jardin des stèles ?

Il répondait à tous. Avec infiniment de détails. Sans jamais se déprendre de la longue forme blanche qui l'attendait à l'écart sous les arbres. Il leur expliquait qu'on avait dû revernir la façade du chalet qui craquelait de vieillesse, désherber les tombes du jardin et émonder les tilleuls de la promenade fleurie. Que le vieux jardinier de la municipalité était mort de chagrin après avoir trouvé ses massifs saccagés par des voyous en deux roues et qu'on ne trouvait personne pour le remplacer...

Les villageois approuvaient ou manifestaient leur colère. Il continuait à égrener les nouvelles d'une ville dont ils avaient besoin pour supporter les attaques du vent, la rudesse de l'hiver et l'absentéisme des poissons.

Quand vint le soir, qu'il fut temps pour lui de regagner la poste principale, il déplia ses longues jambes de coutil blanc, et gagna sa jonque.

Auparavant, il fit un détour par les arbres, prit la main de Ramona et l'emmena sur les eaux avec lui.

Elle n'eut pas un regard par-dessus son épaule, fit juste un geste de la main au village pour qu'il garde un peu de son affection.

Le vent se faufila dans les voiles, la jonque quitta le quai. Ramona s'assit, prête à suivre pour toujours la silhouette bohémienne qui hantait son cœur depuis si longtemps.

Il faisait tout à fait nuit quand ils atteignirent une petite maison basse aux fenêtres décorées de verres irisés, au large perron en bois.

– C'est ma maison...

C'est la première fois qu'il lui parlait. Ramona lui sourit pour l'encourager mais il se tut. Il poussa la porte d'entrée, s'effaça pour la laisser passer et actionna l'interrupteur. La pièce était grande avec le même plancher en bois que le perron, de larges tapis en tatami, de gros poufs et des palmiers édentés. Il remplit une bouilloire d'eau et lui fit signe de visiter. Ramona fit le tour des poufs et des palmiers, poussa une porte qui était celle de la salle de bains. Une grande baignoire en forme de vasque était enfouie dans le sol et des miroirs de bambou tapissaient la pièce. Elle escalada un petit escalier et se retrouva dans une pièce semblable à celle du bas, occupée par un lit pour géant étalé sans précaution : un lit de trois mètres sur trois. Un lit de sultan. Les fenêtres projetaient une lumière-kaléidoscope dans toute la pièce et se reflétaient sur le blanc des draps. Émue, Ramona s'allongea sur le lit.

Quand elle redescendit, il lui tendit une tasse brûlante, et elle se concentra sur la fumée qui montait, pour ne pas avoir l'air trop intimidée. Puis, il la prit par la main. Ils montèrent le petit escalier. Il l'assit sur le lit de sultan géant.

Droite, les mains sur les genoux, elle le regardait. Elle n'avait jamais dormi avec un homme. Il lui caressait les cheveux, les joues, le menton, la bouche, effleurait ses seins, ses jambes, ses bras. Avec tant de douceur qu'elle n'avait pas peur. Elle ne bougeait pas. Il était à genoux devant elle en train de l'apprendre par cœur. Elle attendait avec ferveur. Il l'étendit sur le lit et déboutonna lentement la longue robe blanche.

Elle était nue devant lui.

Ses doigts reprirent leur mémoire. L'apprirent de nouveau. Les yeux dans les yeux, elle le suppliait de s'abattre sur elle.

Ils se touchaient à peine.

– Tourne-toi.

Ramona se tourna. Elle sentit sa main qui lui caressait le bas des reins, remontait, fouillait le cou, descendait. Elle frissonna.

– Tu es belle.

Il parlait comme s'il n'attendait jamais de réponse.

Il la retourna et se mit à la lécher de bas en haut. À lui mouiller le bout des seins, à déposer des petits baisers sur son ventre, sur ses reins, sur ses cuisses. Il enfonça son nez dans son sexe et la fit s'arc-bouter de plaisir. Le nez, la langue, les dents la fouillant, ses doigts l'écartant. Ramona hurla, lança ses bras vers le ciel. Alors il se coucha sur elle en disant :

– Je t'ai rencontrée, tu es à moi…

Elle pleurait, promenait ses mains sur son dos. Quand il fut nu, il s'appliqua sur elle avec tant de tendresse qu'elle se dit qu'elle pouvait mourir : elle possédait le bonheur complet. Il la pénétra lentement, allant et venant au rythme de l'éternité, lui massant le sexe de son sexe de géant bouclé, lui caressant la tête comme à un bébé…

Épuisée, complètement délabrée, Ramona reprit connaissance quelques minutes plus tard, et l'aperçut, souriant au-dessus d'elle. Elle enfouit son nez dans le torse monumental : elle savait maintenant ce qu'était la crampe dont parlait Sophie.

Mon nouvel emploi de professeur, dans une vraie école, avec conseils de classe, chahuts, dictées et récréations, me changea complètement de l'école Z...

Je ne travaillais que le matin, de huit heures à midi et demie, surveillais deux études par semaine et reniflais avec délices les tranches ouvertes des cahiers. Mes élèves avaient de onze à dix-huit ans, et j'avais dû prévenir ces derniers que j'étais au courant de tous les trucs pour sécher, copier, filouter car, il y avait à peine un an, j'étais à leur place. Cela les mit en joie et on entama les cours avec une solide complicité qui me dispensa des vilenies ordinairement réservées par les grands élèves à leurs professeurs. J'évitais les heures de retenue et les grandes envolées lyriques sur « la Colline inspirée » de Barrès, en échange de quoi ils s'appliquaient à ne pas être trop bruyants et désordonnés.

Seule, âgée de vingt et un ans, en face de trente chevelus gaillards, je devais me pincer le mollet pour m'assurer que je ne rêvais pas. J'avais la même coupe de cheveux qu'eux, les mêmes nostalgies, les mêmes refrains, les mêmes jeans. Mon directeur me suppliait de m'habiller en dame pour paraître un peu plus respectable mais je refusai catégoriquement. Et d'ailleurs, je n'avais pas de quoi me déguiser. Cet argument économique dut le faire fléchir car il ne me fit plus jamais de remarque vestimentaire. J'avais décidé de ne plus jouer de rôle et commençai mes exercices d'authenticité dans mon collège. Eduardo était de plus en plus Scala de Milano et produisait grand effet sur mes élèves lorsqu'il venait me chercher à la sortie des cours dans sa Ferrari extraplate. Je ne sus jamais vraiment si les élèves me respectaient à cause de sa Ferrari ou de mon savoir-enseigner.

Je déjeunais presque tous les jours avec mon Italiano au grand cœur, Antoine n'arrivant à Lausanne qu'en début d'après-midi. Eduardo parlait maintenant un français parfaitement courant où « mec » avait remplacé « monsieur » et « fais chier » « vous m'incommodez ». Il n'avait plus besoin de l'école Z...

Il m'emmenait souvent manger des croûtes au fromage à plusieurs étages, arrosées de fendant. Je sortais de table avec des zigzags dans les jambes. Il n'en profitait jamais et je pensais que c'était vraiment un drôle d'individu. Je n'osais pas lui demander quelles étaient ses intentions secrètes, de peur d'interrompre le charme de nos relations.

On marchait autour du lac, il me parlait de Rome, de sa maison natale, de sa vieille maman, de son frère devenu clochard par chagrin d'amour. Il me racontait ses voyages, ses aventures, m'interrogeait sur maman, Philippe, Jamie. Je l'écoutais, je parlais, je lisais les livres qu'il m'achetait.

Je lui disais :

– Tu me fais rêver...

Il répondait :

– Ne rêve pas. Vis ta vie. Je ne suis pas un mirage, tiens, touche...

Et puis il ajoutait :

– Je ne suis pas complètement désintéressé, tu sais. Un jour je te déclarerai un amour éternel mais pas tout de suite. Je n'ai pas envie de dormir avec un fantôme...

Alors je le traitais d'odieux séducteur, de profanateur de pure jeune fille. Il riait en cascades, dérapait en hurlant « c'est la vie, ma chérie », paroles de chansons rock-and-roll qui lui mettait du rire jusqu'aux larmes.

J'oubliais qu'il était un homme d'affaires venu en Suisse pour offrir des succursales à ses magasins italiens. J'oubliais complètement. Pour moi, Eduardo était envoyé par la Providence pour m'embaumer l'humeur.

Il avait loué une suite au Beau Rivage, grand hôtel international où errent des madones sans sleeping et des saxos à nœud papillon. Avec trois téléphones et une grosse boule en aluminium qui faisait radio-bar-télé. Le soir, il donnait des dîners où se pressaient tous les déshabillés chics et putains de la ville. Je l'imaginais en smoking et verre de whisky dissertant avec compétence sur la crise du textile et la chute du dollar.

Je n'étais pas jalouse des filles qui dormaient avec lui. Je savais qu'il aurait suffi que je dise, au téléphone : « Allô, Eduardo cariño de mi myocardo » pour qu'il accoure, en pleine nuit, me rejoindre sous les glycines. Je régnais en souveraine indétrônable. Je n'avais même plus besoin d'user de mes mèches blondes ou de ma peau guerlainisée. Je n'étais plus un objet de consommation.

Je défaisais mon jean trop serré après une tarte Tatin et trois boules de glace vanille. Lui disais : « Oh, Eduardo, hier j'ai fait l'amour et je n'ai rien senti… » sans craindre qu'il se précipite sur moi pour me prouver qu'avec lui au contraire…

J'osais tout et trouvais fascinant de tant oser.

Je grandissais en assurance pendant qu'il tirait sur ses cigares et souriait à mes audaces.

Quand je retrouvais Antoine, j'étais gaie. Il avait fini par admettre qu'Eduardo me faisait plutôt du bien. Je prospérais depuis que je l'avais rencontré et ne me roulais plus en épileptiques fureurs.

Je passais mes après-midi avec Antoine. On allait au cinéma, on écoutait Crosby, Still, Nash and Young, on voyait des copains sans grand intérêt parce qu'il fallait avoir un semblant de vie sociale et, le soir, je corrigeais mes copies, perdant mes dernières notions d'orthographe devant les barbarismes de mes élèves.

Quand j'éteignais, je roulais contre Antoine. Je le faisais de bonne grâce car j'avais l'impression d'avoir bien vécu toute la journée. Même si c'était sans grand orgasme de ma part. Antoine était devenu trop quotidien, trop à portée de main. Il ne me faisait plus trembler en salle d'attente.

Ce n'était plus le bel étranger qui me clouait de frissons à la réception de chaque hôtel transalpin, arrêtait le temps, et me tirait des fusées dans le corps à Portofino.

C'était Antoine Nescafé, Antoine fin de mois difficiles, Antoine je-lave-tes-chaussettes-et-je-râle…

J'avais dissous la Magie de l'Autre superbe et généreux, L'Inaccessible Indifférent qui vous caresse du bout des doigts et pose sur vous un regard violateur. Nous faisions l'amour comme une formalité agréable à remplir avant de s'endormir. Je savais d'avance comment il allait me prendre, ce qu'il allait me dire dans l'oreille avant de sombrer dans une jouissance que j'attendais et recevais, émue, attendrie. C'était Antoine, mon Antoine. Mon amour si beau. Sans la distance féerique qui transporte ailleurs dans un inconnu des sensations. Je l'avais gravé dans le cœur. Pour la vie. Dans une tranquille assurance qui m'empêchait de me déchirer de plaisir, de me retourner toute mouillée contre lui en le suppliant de me prendre, de m'engloutir dans un plaisir qu'il inventerait pour moi.

Nous étions trop habitués. Trop fatigués, le soir, pour nous faire voyager. Je n'écoutais plus son pas en retard, ne dépérissais plus quand une autre que moi le goûtait du regard, ne battais plus du cœur quand il fronçait un sourcil…

Je l'aimais beaucoup.

– Antoine, et si on se fiançait cet été ?
– Tu en as vraiment envie ? Tu es sûre ?
– Oh ! oui…

Motif : un besoin incohérent de reconnaissance officielle.

Cet été, cela fera un an que je m'endormais, pour la première fois, dans la chaleur et le chèvrefeuille d'Antoine. Je veux célébrer notre amour aux yeux de l'univers entier. Mon bonheur lausannois est parfait, mon petit cœur bien rangé, tout est prêt pour les cérémonies. Gaylord et Caroline gambadent dans nos conversations, nous nous sourions dans toutes les vitrines. Mes cours de professeur agréé se déroulent sans anicroche, mes déjeuners avec Eduardo me tonifient l'âme, et mes après-midi avec Antoine m'alanguissent de toi et moi, moi et toi. J'ai furieusement envie de me faire certifier conforme. Antoine est d'accord : on va se fiancer.

Quand j'annonce la grande et belle nouvelle à Eduardo, son nez se plisse.

– Tu as envie de te marier ?
– Oui…

Je me trouve tout à coup complètement banale et carnet mondain.

– Ah ! bon…

Mais je sens la voiture aller plus mollement, le lac perdre ses reflets et les cygnes rentrer leur cou. J'ai fait une gaffe. Je l'ai déçu. Panique : je ne veux surtout pas perdre son estime. Je le tire par la manche.

– Eduardo…
– Oui…

– Dis-moi ce que tu as dans la tête.

– Ce n'est rien. Je suis un peu triste, un peu veuf à cravate noire…

Il esquisse un sourire pour nécessiteux et se concentre sur son volant. Silence. Il a mal. À cause de moi. On est comme deux clochards sous un pont qui prend l'eau.

Il descend de la voiture, on marche sans se parler. Sans se cligner de l'œil quand passe une dame engoncée dans sa fourrure et ses bigoudis ou un couple d'amoureux au nez qui goutte. Il a de la peine dans son cœur, j'ai du désordre dans le mien.

Éperdue, je recommence :

– Eduardo, je l'aime, Antoine.

– Qu'est-ce que tu appelles aimer ? Tu fais l'amour par habitude, des scrabbles en fin de soirée et des spaghetti pour ses copains…

– Oui, mais je suis heureuse comme ça. Et puis, ce ne sera pas toujours pareil, un jour, il m'emmènera aux États-Unis et là, on vivra vraiment.

– Oui, tu auras des bébés et ton vocabulaire se résumera à papa-maman-pipi-caca…

Je sais qu'il a raison, au fond. Je viens de me réfugier sous une autre véranda. Volontairement, cette fois. Par mesure de sécurité : parce que je ne suis pas sûre de trouver mieux. Mais Eduardo ne peut pas me faire piquer du cœur longtemps. Il prend ma tête dans ses gants et m'embrasse très doucement. Un long baiser de satin, lui qui n'a jamais dérapé sur mes lèvres. Il m'embrasse en prenant tout son temps, toute sa douceur, tout son amour. Je trouve sa bouche chaude et confortable, j'ai envie qu'il ne s'arrête jamais.

Mais il reprend :

– Sophie, réfléchis un peu avant d'enfiler de l'organdi blanc. Pense à tout ce que tu peux faire. Ne profite pas d'une accalmie pour baisser les bras et te réfugier dans un mariage tranquille. Tu sais ce qui t'a manqué le plus, ma chérie ? Un père… Sache-le et ne fais pas de bêtises par manque de réconfort paternel. Je suis là moi, je serai toujours là pour toi… Tu le sais. Alors évite la facilité.

Il m'embrasse une seconde fois, je me répands dans sa bouche, et il me laisse là, sur le bord du lac, toute molle et désemparée…

Abandonnée parmi les arbres. Mitraillée de chagrin. Je l'aime, je ne veux pas le décevoir. Mais j'aime aussi Antoine. Le bonheur qu'Eduardo me dessine me grise, m'électrise, mais me terrorise le soir, dans le noir. Tandis que celui d'Antoine, tout en maternités et charentaises, me convertit à échelle humaine.

Et, en même temps, si je vais mieux, c'est à cause d'Eduardo… De son ambition pour moi. Que se serait-il passé si j'étais restée comme une conne avec ma petite valise à l'école Z… ?

Il m'a prouvé que je pouvais décoller toute seule. M'aventurer sans véranda au-dessus de la tête.

Et sa réflexion sur mon absence de père ?

Jamie, irresponsable et séduisant. Que j'aimais tant, petite fille, mais que je ne prenais pas vraiment au sérieux. Jamie qui me faisait sourire, me donnait des frissons dans le cou avec ses baisers, et secouait maman de sanglots…

Jamie avait trouvé un métier stable, avec feuille de paie et retenues de Sécurité sociale à Paris, France. Il rentrait tous les soirs pour dîner, à sept heures exactement, embrassait Camille, jouait avec les enfants au cheval géant. Puis, ils passaient à table.

Quand pour Sophie et Philippe sonnait l'heure d'aller se coucher, il s'agenouillait au pied de leurs lits, disait les prières en famille, les embrassait et ressortait. Sans une explication à Camille.

Pourquoi ? Elle ne se refusait pas à ses étreintes, à sa main qui glissait sous sa chemise. Elle était toujours la jolie Camille d'Avignon, elle le savait, elle le lisait tous les matins dans les yeux des commerçants.

Il quittait la maison et ne rentrait que très tard. Elle prenait un tabouret dans la cuisine, s'asseyait et pleurait. En silence pour ne pas réveiller les enfants. Une nuit, elle surprit Sophie qui la regardait. Elle la prit contre elle, Sophie éclata en sanglots…

– Ne pleure pas, ma chérie. Maman t'aime très fort.

– Le monde est injuste si les grandes personnes pleurent aussi…

Camille dut la rassurer, lui expliquer qu'elle avait fait trop de ménage l'après-midi, que l'aspirateur et la serpillière sont mauvais pour les nerfs. Tout en parlant, elle caressait la tête de Sophie et pensait que l'amour de ses enfants restait sa seule raison de vivre.

Autrement…

Elle allait de déceptions en déceptions. Elle ne comprenait plus Jamie. Il se montrait empressé à l'extérieur, sombre chez lui. Le dimanche, il se réfugiait dans son journal, écoutait les résultats des matchs de foot, pendant qu'elle portait la lourde lessiveuse et lavait le linge de la semaine. Il ne venait jamais s'asseoir auprès d'elle pour lui prouver son intérêt. Il demandait seulement : « Qu'est-ce qu'on mange ce soir ? » Et s'enfonçait dans ses mots croisés.

Camille ne reconnaissait plus le charmeur des bridges, le dérapeur en Morgan, le rêveur de Venise, le mari attentionné de Tataro. Elle était mariée à un étranger.

Mais elle avait appris à accepter. Soumise et résignée.

Quelquefois les nerfs rompaient. Elle posait la lessiveuse sur la moquette lavande de l'entrée, s'asseyait à côté et attendait que Jamie vienne l'aider. Elle restait un long moment, assise, ruminant sa rancœur aux côtés de sa lessiveuse. Rongeant sa haine des dimanches, des maris hermétiques, des mariages en robe blanche. Elle avait envie de faire autre chose : de lire, d'écrire, de se promener sous les marronniers. Sans raison. Sans enfants à surveiller. De ne plus penser qu'à elle. Entracte.

Jamie ne venait jamais ramasser la lessiveuse et Camille repartait vers la salle de bains en laissant, pour tout souvenir de sa révolte, un large rond dans l'entrée... Les yeux pleins de larmes, le cœur déchiré par cette vie qui ne lui ressemblait pas.

Elle se mit à détester Jamie. Qui ne lui permettait pas de vivre ses rêves, qui n'était pas à la hauteur de ses ambitions. Son amie Odile avait une bonne, un jour de bridge, une maison à la campagne...

Jamie ne parlait pas. Il remplissait de son mieux son rôle de chef de famille mais se sentait inadapté.

Comment avouer à une petite jeune fille d'Avignon que vous avez de plus en plus de mal à jouer le jeu, à faire semblant ? Que les tiers provisionnels vous donnent des envies de ne plus jamais gagner d'argent, que la seule vue d'une feuille de Sécurité sociale vous fait bafouiller d'absurde.

Mais il était marié, père de famille, chef du service exportation à Gennevilliers. Il se levait tous les matins à six heures... Camille rêvait d'une Panhard, d'une machine à laver, d'une télévision. Pour cela, il fallait qu'il fasse des heures supplémentaires, qu'il sourît à son chef M. Lamagne avec ses grosses bretelles sur sa chemise en nylon et son éternelle Gauloise jaune mâchouillée, coincée entre les dents... Il fallait être onctueux avec M. Lamagne s'il voulait avoir des primes et de l'avancement. Pour Camille. Pour qu'elle soit fière de lui.

Quelquefois, il se surprenait à regretter les petites femmes tranquilles sans ambition qui l'aimaient pour lui, pour ses envies d'huîtres à minuit ou sa passion du ballon rond. Comme Flora. Pas très jolie Flora. Mais si attentionnée, si amoureuse. Flora qui le déchargeait de toutes les corvées matérielles et adultes. Mais les jambes de Camille, le sourire de Camille, les bras ronds et bruns de Camille autour de son cou quand il l'avait rendue heureuse… De moins en moins souvent.

Le mépris de Camille quand ils allaient dîner chez son amie Odile. Camille, qui le jaugeait incapable. Son grand vide à lui, à ce moment, son envie de partir, de ne plus jamais dormir contre elle. Le silence qui grandissait entre eux, les reproches qu'ils ne formulaient pas de peur de tout faire éclater et les fusibles qu'ils finissaient par s'envoyer à la tête… Alors il sortait faire rêver d'autres femmes plus faciles Et le charme opérait, foudroyant, garanti pour un an. Ses victoires le rassuraient, il regagnait la maison les mains pleines de fleurs, le cœur gonflé de bonnes résolutions. « Demain je fais des heures supplémentaires, j'invite M. Lamagne à déjeuner, je lui demande des nouvelles de sa femme qui vient de se faire opérer. » Mais le lendemain, quand la sonnerie de l'usine annonçait la fermeture des bureaux, Jamie rangeait ses crayons, attrapait son pardessus et partait en passant très vite devant le bureau de M. Lamagne… Ce soir-là, après avoir couché Sophie et Philippe, il allait n'importe où, avec n'importe qui, pour ne pas avoir à rencontrer le regard de Camille qui attendait tant et tant de lui…

Sa seule amarre, c'était sa fille. La seule femme qu'il aimait sans peur. Parce qu'elle ne lui demandait jamais rien. Comme si elle avait compris qu'il était en rupture de stock. Pas besoin de lui parler. Il la prenait sur ses genoux, il soulevait ses nattes et respirait sa chaleur de petite fille légère…

Ce fut Jamie qui prit la décision de partir. Une nuit où Camille l'avait attendu, blanche et ramassée sur la moquette de l'entrée, sans plus assez de forces pour être jalouse ou réclamer de l'affection.

– Camille, je suis décidé, je demande le divorce…

Jamie se choisit un avocat. Camille fit appel à un vieil

ami de la famille. Il fut entendu qu'elle garderait les enfants mais ce fut tout ce que Jamie voulut lui laisser.

Il exigea la moitié de l'appartement, la moitié des disques, des livres, des fauteuils, des lits, des tapis, des assiettes-couteaux-fourchettes. Ils s'échangèrent l'armoire provençale contre le tourne-disque, la bibliothèque de l'entrée contre la table du salon. Impitoyables et précis. Complètement amnésiques de leurs belles images du temps passé. Ils triaient mécaniquement vêtements, lettres, bijoux, sans se regarder, absorbés par leur cerveau à calculer. Debout, derrière eux, les enfants les observaient, désolés. La main dans la main et la promesse de ne jamais devenir comme eux.

Quand tout fut distribué, Jamie embrassa les enfants, Camille et partit. Ils s'assirent tous les trois sur le divan métallique qui restait. Camille serra les enfants contre elle, soulagée de ne plus entendre de cris, de silences hostiles, d'exaspérations retenues. Elle avait vingt-huit ans, Sophie six et Philippe quatre et demi… Seuls. Sans « monsieur et madame » sur la porte, sans « je le dirai à mon papa » dans les cours de récréation.

Elle allait devoir travailler. Elle n'avait jamais travaillé. Gagner de l'argent, payer les traites de l'appartement, l'école des enfants, faire des comptes le soir, économiser, prévoir, retenir, grignoter. Il lui faudrait descendre de ses rêves et devenir chef de famille.

Seule dans son grand lit, seule aux réunions de parents d'élèves. Sans personne à qui raconter, à qui demander son avis.

Elle choisit le métier d'institutrice. Pour être à la maison à cinq heures, avoir les vacances scolaires, les week-ends entiers. Elle fut nommée dans une école grise et sale du vingtième arrondissement où les enfants la tutoyaient et lui parlaient les doigts dans le nez. Elle partait tôt le matin, après avoir appris à Sophie à lever son frère et à faire chauffer le Banania, prenait le métro, était à l'entrée de l'école, surveillait la cantine, la sieste, le préau pour avoir un peu plus d'argent en fin de mois. Elle dormait de fatigue au milieu de ses quarante-deux élèves, rentrait le soir pour doucher Philippe, faire réciter Sophie, cuire leur bifteck et s'endormir.

Elle rêvait chiffres, saisie, impôts locaux. Quelquefois, elle repensait à Jamie, à Venise, à Tataro, à tous ceux qui l'avaient courtisée, clés en mains, et soupirait : « Le mariage est une loterie. »

Toute son énergie se concentrait sur ses enfants. Elle leur apprendrait à ne jamais être désarmés, à se débrouiller. Ils feraient des études, ils seraient indépendants et libres. Ils ne manqueraient de rien.

Philippe deviendrait un grand homme d'affaires. Sophie ferait un mariage brillant. Un banquier, un baron, un prince peut-être. Elle serait enfin récompensée de ses petits matins en métro, de ses journées si sales. Dans les rêves de Camille, ses enfants devenaient Princes charmants.

Je me fiançai.

Malgré les prunelles gelées d'Eduardo, ses mains crispées sur le volant et le souvenir de ses baisers si pacifiques. Dans l'appartement de mon enfance. Avec, à mes côtés, papa, maman, Philippe, Antoine et ses parents venus de Washington. Son père, amical et beau, que je surpris dans l'entrée, disant à son fils : « C'est vraiment sérieux ou tu te fiances pour lui faire plaisir ? »… En anglais, mais je compris. Je compris que son air amical cachait une longue pratique de femmes séduites. Sa mère, plus agressive, inquiète pour l'avenir de son fils, persuadée qu'il aurait pu trouver mieux… Maman tellement émue par ce qui m'arrivait, tellement dérangée dans ses habitudes de mère de fille dévoyée qu'elle avait préféré ne rien organiser et s'en remettre à un traiteur. Qui n'arrivait pas…

On attendait tous le coup de sonnette qui mettrait fin à nos fringales et à l'embarras des conversations. Papa multipliait les scotches, maman comparait New York et Washington qu'elle ne connaissait pas, Philippe s'ennuyait, Antoine tenait la main de sa mère, lui racontait Lausanne, notre appartement, son université et, moi, je pensais que, pour une cérémonie officielle, ce n'était pas très bien organisé.

Mais, en ce jour de juillet, j'existais. Moi qui trouvais

toujours plus réel, plus beau ce que possédaient ou faisaient les autres, j'étais l'héroïne de la fête, Sophie qui se fiance avec Antoine. Avec des témoins et une bague.

Une bague, qu'Antoine m'avait remise en tête à tête, à l'apéritif, quand papa n'en était encore qu'à son premier whisky, que le traiteur n'était pas en retard.

Il m'avait entraînée dans le couloir, où j'avais si souvent joué à cache-cache avec Philippe, et m'avait passé au doigt un bouquet de diamants et d'émeraudes, signé Cartier, acheté le matin même par ses parents.

J'étais émerveillée. Je le regardais m'enfiler la bague, me prendre la main dans la sienne, me baiser la paume et me dire : « Sophie, je t'aime pour la vie. » Moteur ! Action ! C'est moi, la blonde platinée dans une longue robe à fleurs Cacharel à qui le jeune premier balbutie sa flamme. C'est moi, la future mariée de la petite église de campagne, la maman de Gaylord et Caroline. Tout ça c'est moi. Je fixais la bague énorme, le visage brun d'Antoine, ma silhouette blonde dans la glace du couloir. C'était pour de bon. Je venais de faire quelque chose de décisif : j'allais me marier.

Les télégrammes arrivaient. Des gens que je ne connaissais pas, des tantes que j'avais oubliées, des amis que je croyais égarés.

Mais rien de Ramona. Rien d'Eduardo. Mes deux préférés.

Il était deux heures. Le traiteur ne sonnait toujours pas.

On prenait des photos, on regardait la bague. Papa se resservait. Maman fronçait les sourcils et montrait la bouteille du menton à Philippe qui haussait les épaules.

On mit des disques, on parla politique, Kennedy, Nixon, de Gaulle, l'Otan, Berlin…

À deux heures et demie, le traiteur sonna, s'excusa,

mit la table, menaça l'extra de le renvoyer s'il ne se dépêchait pas.

À trois heures, on s'installa devant un pâté en croûte, une pintade rôtie, des petits pois, des carottes, du fromage et de la charlotte aux poires.

Papa buvait toujours, comparait la varappe en Hautes-Pyrénées et dans le massif du Mont-Blanc. Les parents d'Antoine l'écoutaient intrigués par le mot « varappe ». Maman essayait de récupérer la conversation et de l'élever à un niveau plus international. L'extra avait dressé la table dans mon ex-chambre trop petite et avait du mal à servir les « en bout de table ».

Je me mettais à haïr doucement cette cérémonie officielle. Mon rôle d'héroïne disparaissait dans les ratés de l'organisation. On me volait ma joie de faire comme tout le monde.

Pourquoi est-ce que les autres ont droit aux fleurs par bouquets entiers (papa ne m'avait rien apporté, même pas une anémone), au champagne qui éclate et aux extras stylés, pendant que, moi, j'affronte le retard du traiteur, les langueurs de la conversation et l'embarras des participants ?

Tout allait de travers dans mon album d'images.

J'avais attendu, de toutes mes forces, ce jour-là. J'échouais lamentablement. Une fois de plus, ma construction en Leggo s'écroulait. J'avais voulu faire comme les autres mais n'avais réussi qu'à les singer.

Trop lucide pour gommer mon échec, j'assistais navrée à cette fin de journée.

Papa, imbibé de millésimes divers, s'endormit sur le canapé du salon. Les parents d'Antoine prirent congé, étonnés. Philippe sortit, exaspéré par toutes ces inconvenances, et maman s'écroula de chagrin en maudissant mon père.

Il ne restait plus qu'Antoine et moi, debouts.

Il me prit dans ses bras. Je pleurai longtemps mes

illusions bien élevées, mes efforts pour être agréée. La bague scintillait dans mes larmes.

Ramona reposait, rayonnante et aboutie, le nez enterré dans le torse de son amour. Tous les deux perdus dans le lit, rejoints dans leur Vie.

Ils restèrent ainsi toute la nuit, tout le jour et encore dix jours et dix nuits. Sans se déprendre. À se dévorer des doigts, des yeux, de la bouche. Avec une dévotion qui sentait l'encens, une ferveur de derviche tourneur.

Puis, un matin, ils s'étirèrent, se sourirent, se déclarèrent un grand creux dans leur faim.

Ils prirent à la suite un déjeuner, un dîner et un souper pour mieux se rassasier.

– Il faut se méfier de la jeune fille qui ne roule pas ses doigts dans les ragoûts, ne lèche pas le sucre collé sur ses ongles…, déclara le sultan sentencieux.

Puis il sortit une flûte et se mit à jouer.

– La flûte rend immatériel, aérien. Il faut toujours en jouer après une trop grande absorption de graisses cuisinées…

Ramona souriait aux dictons de son amour, écoutait, enfouie dans un uniforme de postier qui avait appartenu à l'oncle du Caire.

– Dans la famille, tous les hommes sont postiers et les femmes gourgandines. C'est une coutume qui vient de nos ancêtres mamelouks, hommes de grande débauche. Mais tu n'es pas obligée de la suivre, ajouta-t-il, moi-même je ne suis postier que les jours d'extrême nécessité…

Les Mamelouks… Ramona se rappelait les guerriers qui la faisaient divaguer sur ses livres d'histoire. Des aventuriers venus à cheval des steppes du Caucase pour conquérir l'Égypte. Quarante-sept souverains morts des suites d'intrigues de palais, d'empoisonne-ments, d'étranglements, de poignards dissimulés dans de longues manches. Des géants aux yeux bridés, à la moustache peinte chaque matin au blanc d'œuf, au sexe si énorme qu'ils ne pouvaient baiser que leurs courtisanes aux vagins déchirés dès leur plus jeune âge.

Ils avaient lancé leurs jonques à la découverte des épices, pillé les palais des doges de Venise, raflé tous les tissus brillants et lamés pour entourer les tailles de leurs femmes mutilées. Ils avaient construit des mos-quées, des palais aux verres multicolores, comme ceux qui chatoyaient dans la chambre. Ils ignoraient les pré-jugés, les coutumes et les politesses, laissaient leurs esclaves régner en maîtres, leurs femmes les assassiner en douce. Ils envahissaient les royaumes chrétiens, enterraient leurs prisonniers vivants, debout, dans les murailles des villes prises.

Un soir, après une longue bataille où les chevaux s'étaient couchés éventrés, ils avaient perdu leur souve-raineté devant les Turcs vainqueurs. S'étaient éparpillés au hasard des provinces, qui les avaient connus rois et cruels. Peu à peu, la race avait été décimée par les duels au couteau, les meurtres échafaudés les soirs de trop grand ennui, les maladies pernicieuses sorties des vagins des femmes. Mais ils avaient gardé leur stature de géants des steppes asiatiques.

Elle était en train d'écouter la flûte d'un petit-fils de Mamelouk. Dont les yeux n'étaient plus bridés, la moustache plus lissée au pinceau et qui frisait de tout son orgueil, de toute sa vitalité.

Et, pendant qu'elle étudiait le cours de la Seine et le mont Gerbier-de-Jonc, il apprenait à remuer en cadence les rames de la jonque pour être un jour embauché comme postier… Pendant qu'elle écoutait les doigts de M. Hector tracer, au fil de plomb, le taux de sa sco-liose, il crawlait dans les roseaux du lac, pour rapporter des orties parfumées pour le bain de sa maman gour-gandine... Pendant qu'elle repoussait les avances trans-pirantes des minets de surprises-parties, il attendait, sous un portique rouillé, la femme qui se laisserait déchirer par son sexe silex...

Un descendant des Mamleouks et une élève des dames augustines enlacés, éperdus.

Il la regardait penser en souriant, lui essuyait les babines toutes graissées et lui donnait à manger, à la main, les morceaux de buffle qui restaient dans l'assiette.

Le jour baissait. Elle ne savait plus quelle heure il était, de quel jour, de quelle année. Elle essaya de se lever mais trébucha... Il la prit dans ses bras, la berça contre lui.

Juste avant de s'endormir, enchevêtrés dans leur fin de festin, il demanda :

– Comment t'appelles-tu petite Occidentale ren-contrée ?

– Ramona... Et toi ?

– Dheni... Comme le dernier roi mamelouk...

Une nuit, Ramona rêva que Sophie l'appelait, qu'elle courait après une jonque en épelant son nom : R-A-M-O-N-A... Chaque lettre lui faisait cracher des flots de larmes sirop de fraises écrasées. Ramona se réveilla et hurla dans le noir du lit de géant.

Dheni la prit dans ses bras :

– Ramona, tu as rêvé un maléfice ? Veux-tu que je sorte le chasse-mouches de sous mon oreiller et qu'il disperse tes mauvais rêves ?

– C'était Sophie, je l'ai reconnue. Elle a besoin de moi, j'en suis sûre. Et je suis si loin d'elle... Oh ! Dheni, aide-moi...

Dheni caressa le menton de Ramona, sa peau de

bébé fleuri, ses cheveux de fil fin, tout en cherchant comment venir en aide à une petite Occidentale perdue dans les mirages du confort, dans le chewing-gum de la mécanique…

Dès qu'il pensait action, Dheni se travestissait en pharaon.

– Partons consulter mes ancêtres dans la vallée de leur Mort. Eux nous donneront le conseil judicieux…

Avant que le soleil ne se lève, Dheni alla voir son ami et voisin le marchand de bonnets ronds en feutre et lui emprunta de l'argent. Il lui demanda de bénir son voyage et d'atténuer par ses prières le courroux des pharaons arrachés à leur sommeil.

Ils ramèrent de longs jours, dormirent à l'abri des roseaux feutrés, remontèrent le golfe de Suez, la mer Rouge, croisèrent des bœufs amphibies et arrivèrent un soir dans la ville de Kosseir. Là, Dheni, loua un chameau et ils gagnèrent la vallée des Rois et de leur Mort.

– Respire jusqu'au plus profond de l'air, expliqua Dheni, alors seulement tu entreras en contact avec mes ancêtres et tu comprendras leur vérité. Mais si tu t'arrêtes à la superficie des choses, tu ne découvriras que touristes agités, cars pollueurs et Kodachromes sacrilèges. Ferme les yeux, ouvre les narines. Pense très fort à Sophie et le chameau s'arrêtera de lui-même devant la tombe du pharaon qui nous délivrera le message…

Le chameau divaguait à travers les tombeaux. L'œil endormi et stupide. Ramona ne savait pas si elle devait vraiment se fier à lui. Dheni, posté sur la plus haute bosse, posait un regard de sérénité convaincue sur l'itinéraire emprunté par l'abruti quadrupède.

Soudain, le chameau se figea, les membres raides et révulsés, devant le tombeau de Séthi Ier, s'agenouilla brusquement, manquant les estropier à jamais. Dheni releva Ramona et ils empruntèrent le chemin qui mène à l'intimité des pharaons. Ils suivirent un long corridor, traversèrent plusieurs salles carrées, une chambre à quatre piliers, descendirent un escalier de pierre, saluèrent une chapelle et s'arrêtèrent enfin dans un vestibule étroit sculpté de graffiti de tous les siècles.

– Il faut attendre que celui destiné à ton amie apparaisse au milieu des autres. C'est ainsi que procédaient mes ancêtres quand ils voulaient délivrer un message : ils proposaient plusieurs plaques de pierre taillées et écrites pour n'en laisser qu'une seule évidente...

Ils s'assirent devant la paroi. Gardant les yeux grands ouverts pour ne pas laisser passer le message divin.

Ce fut Ramona qui, la première, l'aperçut. Les lettres virèrent au brun sur le mur, s'agrandirent, s'occidentalisèrent et elle put déchiffrer ces mots : BE YOU.

Elles les récita, les incrusta sur sa peau à coups de canines puis regagna la lumière des mortels ignorants, et se laissa reconduire sur la jonque...

De retour de leur voyage dans la vallée des Rois, Ramona et Dheni dormirent quarante-huit heures pour oublier le roulis du chameau. Un matin, Dheni se réveilla et déclara qu'il devait rembourser son ami, le marchand de bonnets en feutre ronds. Il demanda à Ramona si cela la chagrinait beaucoup de rester seule, lui proposa de lire le voyage de Marco Polo aux Indes, lui donna un crayon, du papyrus et partit... Il ne savait pas quand il serait de retour. Il devrait travailler dur pour avoir des économies.

Ramona promit d'être aussi chaste que sainte Irénée la belle, aussi patiente qu'un cerf-volant, aussi douce qu'un sorbet acidulé. En entendant ces mots, Dheni faillit poser son baluchon. Quand son dos carré eut disparu sur le petit chemin, Ramona se sentit vieille et abandonnée. Elle fit bouillir de l'eau pour le thé, raccommoda une pièce de tatami, lut un bout des aventures de Marco Polo aux palmiers qui donnaient des signes de chagrin… La nuit tombant, elle se sentit encore plus isolée. Elle eut alors l'idée d'écrire à Sophie.

Elle prit le papyrus, le crayon, s'enroula dans le dessus de lit, mouilla la mine de sa langue pointue et commença :

« Ma boule d'amour.

Je suis heureuse, si heureuse… À moitié gâteuse. J'ai beaucoup de mal à te décrire Dheni car j'ai l'impression que c'est mon jumeau et je sais mal parler de moi. Te rappelles-tu la première fois où tu vins m'avouer, les yeux papillonnants, ce plaisir étrange que tu baptisais crampe ? Qui te rendait mollusque et servante ? Je viens de découvrir cet amour éclair. Avec Dheni. Le premier soir où nous avons fait l'amour. Ma première fois à moi. Je crus que c'était un hasard. Puis je me suis concentrée pour découvrir l'origine de ce nœud lasso qui me chevillait à son corps… Je crois que j'ai trouvé. Je vais sûrement, en t'expliquant cela, couper la tête à ton Prince Charmant, garantisseur d'extases, mais tant pis… Je me suis rendu compte, qu'en me plaçant copie conforme, juste en dessous de Dheni, ce que les manuels vulgarisateurs appellent position du missionnaire, en empoignant des deux mains ses hanches, en tournant et retournant autour de son sexe, en m'y frottant, en m'y accrochant, en en jouant comme d'un générateur de jouissance infinie, je faisais naître en moi, les prémices de la crampe… La crampe n'est plus magique, elle dépend d'une position physique. Mécanique. C'est triste, sauf si tu aimes tellement le sexe qui te baise que tu sublimes tes lois automates…

Mais, quand tu as découvert l'origine de ce plaisir qui te rendait servile, tu as la joie de te sentir libre et indépendante... Tu ne dépends plus d'un homme, tu as le pouvoir de la crampe en toi...

Voilà ma boule d'amour caramélisée. Tu vas recevoir dans quelque temps le message qu'un vieux pharaon m'a délivré pour toi. Il t'arrivera gravé sur un morceau de pierre. Tu posséderas, ainsi, le secret du bonheur véritable. Je te lèche le bout du nez, y introduis mon index en signe d'affection profonde et te remets le moral d'aplomb. Je t'aime à l'infini. Ramona. »

Elle voulut dessiner Dheni sur le dos de l'enveloppe mais la mine de son crayon cassa...

Dheni rentra au bout de huit jours.

Ramona l'attendait en tailleur sur les marches. Pâle et vert-de-gris. Il fut si ému qu'il la souleva dans ses bras et la lança si haut, dans les airs, qu'elle faillit se perdre dans la stratosphère.

Puis il lui offrit un colosse renversé, pure antiquité qu'il avait déterrée dans les marécages et un chat borgne et maigre, baptisé René-Lucien.

Ramona roula à ses pieds, imita la boule de lastex, la balle de tennis, les billes des cours de récréation, pour le faire sourire, rire et s'effondrer aux pieds du colosse étonné.

Ce n'est qu'une fois qu'il avoua être ficelé d'amour, qu'elle retira l'uniforme de postier, endossé par solidarité, et qu'elle le supplia de la prendre, là, doucement, sur le gazon devant le chat René-Lucien et le colosse renversé...

Un matin de décembre, un de ces matins où la lumière du kaléidoscope est pâle et feutrée, Ramona montra à Dheni son ventre qui s'arrondissait. C'était un bébé.

Il fallut ajouter un étage à la maison. Dheni voulait qu'il gambade en toute liberté. Il lui dessina une balançoire en bambou et un berceau migrateur. Il posa ensuite Ramona dans une nacelle, lui enjoignant d'y passer ses journées, sans remuer afin d'économiser le souffle si précieux à l'expulsion du fœtus. Ramona sautillait dans sa nacelle, impatiente de marcher avec son supplément de bagages... Mais Dheni roulait des yeux si furieux qu'elle promit de rester suspendue. Neuf mois. Le bébé naquit alors que Ramona dormait. Ce fut le chat René-Lucien qui lui fit sa toilette, léchant abondamment le placenta collé à la peau rose et lisse. Après l'avoir nettoyé, il le prit par le cou et partit le poser sur l'oreiller de ses parents.

Dheni le reçut en pleines mains, et remua les doigts, émerveillé devant ce bébé qui le contemplait avec sérieux. Il réveilla Ramona, lui fit part de l'heureux événement et ils reprirent, à deux, leur observation. Ramona frôlait les cheveux mouillés et bouclés, les grands yeux algues mouillées que Dheni avait dû rapporter des lacs Amers, et la bouche ourlée qui tétait l'air.

On n'apercevait pas son sexe à travers les plis et replis de ses cuisses, et les parents trouvaient bien inconvenant de se renseigner si vite, après si peu de présentations.

Ils firent alors ami-ami, échangèrent sourires, baisers, cadeaux. Bien calé dans la paume de son père, le bébé écoutait. Ce fut de lui-même, alors que Dheni, en mâle impatient, se préparait à glisser un doigt indiscret entre les jambes de son enfant, qu'il leur montra une petite fente si nette, si droite qu'ils purent déclarer, sans l'aide d'aucun médecin, qu'ils avaient conçu une fille.

Dès que le sexe fut identifié, Dheni chercha un prénom seyant et onirique. Il réfléchit longuement, demanda à Ramona de lui en énoncer quatre qu'il calligraphierait sur des morceaux de papier.

Ramona proposa Sophie, Iphigénie, Rapsodie, Caramel…

Dheni tendit les quatre papiers au bébé qui, après avoir médité un instant, tira le troisième en partant de la droite.

C'est ainsi qu'apparut, sur l'état civil d'Ismaïlia, Iphigénie, fille de postier mamelouk et de Parisienne exportée.

Mes fiançailles avaient été un échec complet sur le plan des structures d'accueil mais, au moins, j'étais fiancée. On souriait dans la rue à mon annulaire scintillant, on s'attendrissait chez la boulangère, on me félicitait au collège où je faisais rêver mes élèves les plus romantiques. Je n'étais plus concubine, remplaçable d'une minute à l'autre. J'avançais d'un pas plus lent, plus responsable.

Les vacances scolaires suisses étant très courtes, j'avais regagné Lausanne bien avant Antoine, parti aux USA. J'étais donc seule, dans mon petit appartement lorsque mon voisin sonna.

Revêtu de l'uniforme de l'armée suisse, car il est en pleine période militaire. Un mois par an, en effet, les petits Suisses se recyclent dans le maniement des armes, en cas de conflit international.

– Bonjour…

Il est vraiment beau. Dans une vareuse vert bouteille, les cheveux coupés très courts, la taille fine, les cils noirs drus et les dents blanches. Du genre svelte, bien élevé mais coquin. Nous nous sommes déjà dit « Bonjour » plusieurs fois dans l'escalier, avons tricoté un sourire timide et des « il fait beau, il fait chaud, il fait froid n'est-ce pas ? ».

Bref, on se connaît du fond des yeux. En cinéma muet.

– Je viens parce qu'on fait une répétition abri atomique dans l'immeuble et il faut que vous descendiez à la cave avec nous.

Dans chaque immeuble moderne suisse, il y a un abri atomique avec douches, w.c., caisses de savons et de pâtés, couvertures, portes blindées. Je l'ai visité en m'installant dans l'appartement, mais n'aurais jamais imaginé qu'on procéderait à des répétitions.

Mon légionnaire vert m'entraîne dans les sous-sols, où se trouve toute une partie de la population de l'immeuble, grave et frileuse, comme si une bombe était suspendue au-dessus de nos têtes. D'autres hommes verts sont là, qui nous expliquent comment enfiler le masque antigaz, se protéger des émanations, en s'allongeant sur le sol dans le sens opposé à la déflagration (comment le saurais-je ?). Ils distribuent des rôles féminins et ménagers, ou masculins et musclés.

Je sens le fou rire me guetter. Je regarde, du coin de la pupille, mon voisin tout vert. Il a l'air absorbé du petit Suisse confiant dans les institutions de son pays. Bon. Rien à espérer de son côté.

On répète. Les sirènes hurlent. Les femmes s'activent, les hommes vissent les portes blindées. Je trouve tout cela un peu exagéré mais j'obéis. On ne sait jamais. Je serais bien bête de ne pas vivre avec mon temps.

La répétition terminée, on se congratule sur la rapidité de nos réflexes, on fait connaissance, je me rapproche de mon légionnaire qui a l'air d'être le chef ici. Il nous propose de prendre un pot chez lui.

Il a un studio plus petit que notre appartement. Mais sa terrasse est plus grande. Il débouche du champagne en l'honneur de la France et je souris, intimidée, remercie, toute rouge.

Vers dix heures du soir, nous ne sommes plus que tous les deux. Moi, un peu colorée et ragaillardie par les bulles Krugg ; lui, toutes fossettes enfoncées, et le vert profond de ses yeux dans les miens.

Il fait doux, on s'allonge sur la terrasse, je pose ma tête sur ses jambes et on parle de la vie, du temps qui passe, de tous ces mois où on a été voisins muets, de la difficulté de communiquer en grand ensemble, du prix de la vie en France et en Suisse, du vin blanc suisse, du vin rouge français…

On parle, on parle. Il débouche une autre bouteille « rien que pour nous deux »… L'intimité se resserre. Je suis tout près d'un soldat inconnu, pas loin de perdre les sens devant une vareuse étrangère.

Le bouchon du champagne saute, il m'asperge de mousse derrière les oreilles, me lèche le cou, dit que ça porte bonheur. Je le trouve de plus en plus beau. J'ai envie de le toucher, de le respirer. Il m'embrasse. C'est bon… Je glisse dans ses bras, l'appelle mon abri atomique préféré, il sourit, reprend son baiser, passe la main sous mon tee-shirt, effleure mes seins, humm, je ferme les yeux, je m'abandonne, je savoure, lappe sa bouche à petits coups, il se lève, déboutonne son treillis, enlève sa chemise et, soudain, je réalise : Merde, je suis fiancée ! Qu'est-ce que je fous ici, à moitié déshabillée, à côté d'un mec qui n'est pas Antoine ? Toutes mes bulles se crèvent. J'ai failli oublier ma belle bague toute neuve. Je retombe sur le balcon en béton, balbutie une explication conne, du genre : « Excusez-moi, j'avais oublié que j'étais fiancée mais c'était bon quand même… » Il me regarde, stupéfait, et je pars rejoindre l'appartement d'à côté, le mien.

Merde, merde et merde ! Je ne changerai jamais. Mon honorabilité n'aura pas duré longtemps. Je me déteste… Tout en regrettant immensément. J'aurais tellement aimé pécher avec un inconnu. Un qui ne parle pas, qui ne se raconte pas mais qui œuvre en silence, qui me baise anonyme. Moi, les yeux clos, sans identité, fantasmant très fort sur le noble étranger, qui se balance au-dessus. Jouir en se disant que demain c'est fini. Sans référence, sans alibi du grand amour, sans respect pour la famille. Baiser entre parenthèses.

Tout ce dont je ne suis pas encore capable, puisque je viens de me tirer de chez mon beau voisin. Une envie à reléguer dans mes embouteillages intérieurs…

La semaine passe. J'évite mon soldat, me concentre sur les copies à corriger, écris de longues missives pleines de flammes à Antoine, lui répète mon amour à chaque page, lui crie que je meurs sans lui, tranquille, au soleil de mon balcon, toute nue au cas où mon voisin m'apercevrait à travers le verre dépoli de la cloison.

Une année scolaire recommence, mes élèves changent. Les vignes rougissent. Un soir de septembre, où je regarde le soleil se coucher dans les diamants de ma bague, le téléphone sonne :

– Pronto, telefono de Milano…

C'est Eduardo…

– J'arrive demain à Genève par le vol Alitalia 749. Tu viens me chercher ?

Oui signor, avec un plaisir extrême.

Je l'attends le lendemain à l'aéroport de Genève-Cointrin. J'arrive en avance, de peur de rater l'avion, et parce que j'aime traîner dans les aéroports, regarder les boutiques, la tête des voyageurs, les scènes d'adieux et de retrouvailles. Je me construis des romans d'amour, des réconciliations après héritages, des échanges de secrets internationaux, à la vue d'un turban arabe, d'un attaché-case Cartier ou d'une étreinte déchirante…

On annonce le vol d'Eduardo. Je file aux toilettes vérifier si tout est en ordre, si mes cheveux n'ont pas graissé en quatre heures, si la poudre n'a pas viré en plaques. Non, tout va bien. Je retourne ma bague pour qu'il ne voie pas que ça, secoue la tête pour ébouriffer artistiquement mes cheveux et me présente à la sortie des voyageurs.

Il est là. Toujours italiano. Pas très beau. Les cernes se sont agrandis, les bajoues allongées. Il a l'air fatigué. J'aperçois sa dent en or dans son sourire. Ses petits cheveux, rares sur le dessus, volettent aux courants d'air. Il les raplatit, agacé. Mais quand il me repère, il me regarde de façon inoubliable et je reçois en plein visage le charme de cet homme pas comme les autres. J'oublie le cheveu rare, la dent en or et les marques de fatigue. Je ne retiens que le rêve qu'il me balance dans le cœur chaque fois que je le vois.

– Eduardo…

– Sophie…

On se collisionne, émus, pudiques. Pas question de craquer devant l'autre. Il m'a quand même complètement oubliée depuis six semaines… Je me suis fiancée, malgré ses baisers doux. Mais on s'étreint si fort que tout le pardon passe dans nos bras martingales.

– J'ai une très bonne nouvelle pour toi… Même si tu ne la mérites pas vraiment…, commence Eduardo, mystérieux.

Je saute d'impatience, me pends à son bras.

– Qu'est-ce que c'est, qu'est-ce que c'est ?

– Je t'ai trouvé un nouveau travail et celui-là fan-tas-ti-que !

J'ai beau le menacer de me rouler par terre devant tout le monde s'il me fait attendre plus longtemps, il répond :

– Surprise… surprise…

Et affiche un air définitivement bouche cousue.

Eduardo me prend par le bras. Il a du bi-voltage dans les yeux.

– Tu me suis ?

– Oui.

Je suis toujours Eduardo.

Il prend la route de Genève-centre ville. Sans parler de mes fiançailles ni de mon humeur. Il s'arrête devant *la Tribune*, journal bien vu des petits Suisses à qui il apporte jugements et informations certifiés.

– C'est ici, me dit-il en coupant le contact.

– Comment ici ? Tu vas faire une déclaration à la presse ?

– Arrête de plaisanter, affiche un air sérieux. Tu vas rencontrer ton nouveau patron : le rédacteur en chef de ce digne journal, M. Chardon.

– Mon nouveau patron ? Mais je travaille déjà ! Je te rappelle que je suis professeur de français-latin-histoire dans une vénérable institution.

– Tu n'as pas envie de changer, de devenir journaliste par exemple ?

– J'en rêve, mais tu sais bien que ce n'est pas possible.

– Et pourquoi ?

– Parce qu'il faut connaître des gens, être introduite, pistonnée. Tout ce que je ne suis pas…

– Mais tu en as envie quand même ?

– J'en titube d'envie. J'imagine souvent, lors de mes rêveries nocturnes de compensation, que je suis reporter dans un quotidien. Grand reporter, bardée de Nikon, des coupures de presse dans la bouche…

– Tu ne seras sûrement pas grand reporter au début, mais, si tu le désires, je te présente à M. Chardon et tu entres à *la Tribune*. J'ai rencontré ce monsieur à l'occasion d'un dîner, à Milan, il y a quinze jours. Il m'a dit chercher un reporter stagiaire, je lui ai parlé de toi, il est prêt à essayer…

M. Chardon a cinquante ans, les cheveux teints noisette, le ventre en avant, une moustache teinte aussi et des lunettes sur la tête pour faire professionnel. Répandu dans son fauteuil, il me regarde en prenant tout son temps. Moite de timidité, des plaques rouges sur tout le corps, je laisse Eduardo dérouler mon générique. M. Chardon écoute, tout en m'espionnant derrière ses carreaux. Il doit me trouver plutôt introvertie et transpirante. Enfin, il me demande quand je peux commencer. Consciente de tenir la chance de ma vie, je lance :

– Dans trois semaines, le 1er octobre.

(Et qu'est-ce que je vais dire à mon gentil directeur ?)

– D'accord pour le 1er octobre, approuve M. Chardon.

Il me fait signe que l'entretien est terminé, remercie Eduardo de m'avoir présentée et lui serre la main.

C'est ainsi que je fus engagée comme stagiaire à *la Tribune*, et que mon destin fit demi-tour gauche.

Perdue dans mon irréel, je n'ai pas demandé le montant de mes gains, mes heures d'ouverture et la nature de mon travail. Tout est flou et excitant. Je ne sais pas du tout ce qui va m'arriver. Eduardo m'emmène me rétablir dans un bon restaurant. Je reprends le cours de mes paniques :

– Qu'est-ce que je vais dire à Antoine ?

– Tu lui diras que tu vas enfin exercer un métier qui te plaît.

– Qu'est-ce que je vais annoncer à mon gentil directeur ?

– La même chose.

– Oui mais…

– Arrête de dire « oui mais… » sans arrêt. C'est une occasion fantastique, saisis-la au lieu de parsemer des obstacles. Si je te racontais l'histoire d'une fille à qui on propose une telle situation et qui ne fait que répéter « oui mais… », tu la traiterais de conne irrécupérable !

– Oui mais…

Et j'éclate de rire, piégée par le charme infernal de mon ami dérangeant.

– Tu sais, lui dis-je émue (chaque fois que j'évoque

mon enfance, maman ou Philippe, j'ai des larmes instantanées aux paupières), quand j'étais petite, j'avais un journal intime. Et à huit ans, j'écrivais : « Journaliste, je veux être journaliste. Rien d'autre. » C'est drôle, non ?

– Ce qu'il est urgent que tu te mettes dans la tête, petite boule d'angoisses, c'est que sa vie, on peut la choisir, la décider. Au lieu de la subir comme une bonne victime bien élevée ou de rêver comme la plupart des refoulés...

– Eduardo, arrête de te moquer de moi !

– Je ne me moque pas de toi, je t'aime, c'est différent.

Sa déclaration me désarticule. Pourquoi faut-il qu'il prononce des mots aussi compromettants ? Cela jette un trouble dans la conversation.

Je bus beaucoup ce soir-là. Pour célébrer et me donner le courage de mener ma nouvelle vie. Je déchiquetai mon canard à l'orange et nettoyai l'assiette d'Eduardo (je préfère toujours ce qu'il y a dans l'assiette des autres). Eduardo assiste, attendri et indulgent.

– Tu as manqué de beaucoup de choses quand tu étais petite ?

– Oh ! oui... Je suis passée par une grande période de restrictions quand papa est parti.

Avec lui, je n'essaie pas d'être l'expression de mes sentiments distingués. Je torchonne avidement tous les reliefs de son assiette, commande trois desserts et finis celui d'Eduardo.

– Et maintenant que fait-on ?

– Tu veux aller danser ?

– Non, je me sens trop lourde...

– Veux-tu rentrer à Lausanne dormir ?

– Non, c'est trop raisonnable, après une journée comme celle-ci...

– Alors je te propose de regagner ton lit, en passant par la route du tour de lac, avec arrêts romantiques dans chaque village endormi.

– Accepté.

Je me faufile dans sa Ferrari et nous suivons les bords du lac. Il fait doux et constellé. Il ne manque plus que les violons philharmoniques pour nous embolir le cœur. Eduardo me signale chaque monument à la Patrie, chaque église, chaque bout de lac sous clair de lune. La vie est grisante, terriblement personnelle et stimulante. Je ne vais plus de véranda en véranda, me choisissant la plus chauffée et la mieux décorée. Je me construit moi-même mon abri portatif.

J'observe le profil de mon initiateur, dans le noir. Je lui suis si reconnaissante que je serais prête à dormir contre lui. Il me donne des ailes, efface le mauve de mes cernes et fauche mes béquilles. Pas étonnant que j'aie envie de me blottir dans ses bras. Journaliste. Mon rêve de petite fille, que j'avais abandonné tellement il me paraissait irréalisable, insensé. Réservé à des privilégiés. Et je ne me compte jamais parmi les privilégiés. J'ai même plutôt tendance à me ranger dans les classes laborieuses. Celles qui trouvent normal de gagner 6 francs 40 de l'heure à l'école Z… et qui salivent en lisant dans les journaux les fabuleuses histoires des filles qui réussissent. En soupirant, les yeux dans l'encre d'imprimerie que ça ne leur arrivera jamais…

Je m'étire dans le siège baquet. J'ai de la chance. Je lance un grand soupir conte de fées. Je ne sais plus très bien qui je suis : la fiancée tendre et soumise d'Antoine ou la femme karaté qu'Eduardo veut faire de moi ?

J'ai de plus en plus envie de ressembler à la femme d'Eduardo, d'ouvrir grand mes fenêtres sur un avenir plein de possibilités. Pourquoi ne nous apprend-on pas, quand on est petite, que tout est possible ? Au lieu de nous enfermer dans un univers d'interdits et de complexes ? Seule, je ne me serais jamais crue assez présentable, intelligente, qualifiée pour forcer la porte de M. Chardon.

Eduardo me laisse devant mon immeuble sans poser de baiser rose sur mes lèvres, sans évoquer les cent mille paillettes de mes yeux… Je suis un peu déçue.

– Monte dormir et tâche de trouver une excuse valable pour ton directeur, demain.

Tant de réalisme. Il ne me laisse aucune raison de divaguer sur sa flamme éternelle et je le quitte, un peu amoureuse.

Je donnai ma démission au directeur de l'école.

J'essayai, d'abord, de trouver un mensonge crédible, qui explique mon brusque départ en début d'année scolaire, ce qui allait le mettre dans une situation précaire, puis me repris et décidai de dire la vérité. Puisque j'avais envie de vivre mieux, autant m'entraîner à la première occasion.

L'entretien fut difficile. Je lui laissai trois semaines pour se réorganiser, c'était peu, évidemment... Mais quand je prononçai les mots « vocation d'enfant » et, surtout, le titre prestigieux du journal, il remua le menton, se gratta l'oreille et marmonna : « Oui... Naturellement... » Un poste de stagiaire journaliste à *la Tribune* lui paraissait plus attirant que le métier de professeur, et lui-même rêvait peut-être, quand il avait huit ans, d'écrire dans un journal... Il caressa, encore une fois, les ronds en feutrine de sa veste puis me fixa bravement et me dit :

– Bon, je vous laisse partir et vous souhaite de réussir.

Je sortis de cette entrevue, grisée. Eduardo avait raison : dire la vérité et être soi-même faisait de la vie un parcours excitant, se fixer des paris qui font peur vous mettait des talonnettes sous les pieds.

Je pris un chocolat chaud place Saint-François et regardai l'assistance du salon de thé, irradiée de bravoure, moi qui d'habitude pénétrais en pataugeant dans tout lieu public… Je n'avais plus besoin de fumer ou de faire semblant d'attendre une amie, pour excuser ma solitude.

Je rentrai à la maison sur un tapis de plumes. Décidai de ne pas regarder la télévision mais de lire un bon livre, m'enroulai dans le plaid écossais d'Antoine et sombrai dans un essai culturel. J'étais bien, efficace, déterminée, avec même un début d'avenir devant moi.

Je passai la soirée heureuse d'être seule, sans chercher d'occupations pour passer le temps. J'allais éteindre quand le téléphone sonna.

Antoine. De Washington.

– Allô, Sophie ?

– Mon chéri…

– J'arrive demain à Genève, tu viens me chercher ?

– Oh ! oui… Je t'aime…

– Quoi ?

– Je t'aime.

Je criai, dans l'appareil, ma joie de la journée, ma première victoire. Un « je t'aime » venu d'ailleurs.

– Moi aussi. Tu me manques, j'ai plein de choses à te raconter. Tu vas voir, on va avoir une vie extraordinaire…

On échangea encore quelques balbutiements d'amour fou et je raccrochai. Cela faisait trois semaines qu'il était parti. J'avais pu vivre trois semaines sans lui et sans mourir.

Le lendemain, je me garai à l'aéroport de Cointrin-Genève. Deux jours avant, c'était Eduardo que je venais chercher. J'arrivai juste comme l'avion se posait et courus jusqu'à l'arrivée des voyageurs. Antoine. Il y a un an je l'attendais aussi. Sans savoir qu'il atterrissait pour moi.

Il est toujours aussi beau, aussi bronzé, aussi jaguar. Merde ! Qu'est-ce qu'il est beau ! Mon fiancé à la peau mate et douce. J'ai envie de l'embrasser, je m'imagine le déshabillant là, devant les douaniers et la police de l'aéroport. Une envie furieuse qui me donne le goût de son sexe dans la bouche et me fait saliver.

– Antoine…

Ses bras, et son oreille qui sent le chèvrefeuille. Sa bouche sur la mienne, sa valise qui tombe, mes mains qui glissent sous le blouson.

Dans la voiture, on recommence. Et on parle. On ne sait plus où reprendre nos baisers et la conversation.

– C'est inutile. On n'ira pas jusqu'à Lausanne. Viens, je connais un hôtel…

Il m'emmène dans un hôtel derrière la gare. Il monte les escaliers, je le suis… On se déshabille très vite, on glisse sous les draps, je l'attrape à pleines mains, me cramponne à son dos, pendant qu'il me prend sans attendre, sans se faire attendre. Je ne veux pas jouir trop vite tellement c'est bon… Je voudrais que cela dure toujours. On se supplie : « Attends, ne jouis pas… », et on s'arrête dès que l'autre défaille. Le moindre coup de reins me transperce de plaisir, je ne veux pas bouger de peur de tout précipiter. On s'épie sous les paupières, on écoute nos cœurs qui bombardent, on déguste notre plaisir en l'économisant. Jusqu'au moment où on se laisse aller, œil dans l'œil.

Je me délie en silence dans ma jouissance, la goûtant jusqu'au bout, Antoine se plisse de tous ses yeux et s'abat sur moi… On reste longtemps sans parler, sans bouger… Faut-il se séparer trois semaines pour jouir aussi fort ? On vient de redécouvrir l'amour, dans un hôtel, derrière la gare de Genève. L'amour qu'on fait à deux, concentrés, où les discours intérieurs sur ce que je vais faire demain, et comment vais-je m'habiller, sont proscrits…

Après c'est la pause. Calée contre lui je fais des ronds de cigarette ratés et l'écoute. Parler de notre avenir. Son séjour aux États-Unis lui a remis en tête le fantastique dynamisme de ce pays. Son père a de plus en plus besoin de lui. Il y a beaucoup d'argent à gagner, d'affaires à développer. Alors on va partir…

– On s'installera à New York, c'est beaucoup plus vivant que Washington. Je finis mon trimestre ici, passe mon dernier examen en décembre et on s'envole pour les États-Unis…

Il me prend dans ses bras, me plante un énorme baiser mouillé et pousse un « Youppe » de joie…

– Finis les économies et les ennuis. On va vivre, ma chérie, vivre, vivre…

– Oui, mais moi… qu'est-ce que je vais faire là-bas ?

– Toi, tu installeras notre appartement, apprendras à parler anglais couramment, rencontreras des gens. Et tu me fabriqueras Gaylord ou Caroline au choix…

– Oui mais…

– Mais quoi ? Tu n'es pas contente de quitter la Suisse ?

– Si. Mais… Voilà, j'ai trouvé un stage à faire dans un journal. Je commence le 1er octobre…

– C'est très bien. Tu fais ton stage pendant trois mois. Cela te donnera de l'expérience et puis, on part. On te retrouvera bien quelque chose là-bas…

– Oui mais, à New York, je ne parle pas suffisamment bien anglais pour écrire dans un journal…

– Arrête de dire « oui mais… ». Tu m'énerves. Écoute, on verra. Fais d'abord ton stage. On en reparlera…

Antoine perd de l'enthousiasme. Un peu déçu que je ne sois pas plus applaudissante à son changement de société. Il rentre, les bras chargés de nouveaux projets, et je lui parle d'un stage dans un journal suisse… Il ne me comprend pas. Je ne le comprends pas.

– Écoute, Antoine. Réfléchis. Ce stage, c'est mon rêve de petite fille. Si ça marche je peux devenir journaliste. Tu réalises jour-na-lis-te…

– Oui. C'est très bien. Je ne suis pas contre. Mais je pensais simplement que tu serais contente qu'on parte s'installer à New York…

– Bien sûr que je suis contente, mon chéri. Mais comprends que ce stage me fait voir la vie un peu différemment… C'est tout.

– Comment ça différemment ?

– Ben oui… Pour la première fois je vais exercer un métier qui me plaît, qui me correspond…

– Rien ne t'empêche de le faire aux USA…

– Si. La langue.

– Écoute, Sophie, ne nous énervons pas. Fais ton stage, fais-le bien et on verra…

Le charme est cassé. On a oublié qu'on a si bien fait l'amour, qu'on était si heureux de s'être retrouvés. Pour la première fois, nous n'avons pas le même point de mire. Pour la première fois, je ne regarde pas dans sa direction. J'ai la tête et le cœur dévissés.

Et je ne me revissais point.

Mon stage à *la Tribune* commença. Je découvris les dépêches qu'on épluche, les brouillons qu'on jette, les départs en reportage précipités, les conférences de rédaction où le monde entier est cité, les lumières blafardes, le soir, dans les grandes salles de rédaction. Je ne faisais rien de remarquable (j'étais préposée aux faits divers, au monstre du loch Ness et aux suicides au gaz), mais j'observais. Les journalistes m'apparaissaient divins et infaillibles. Je les écoutais parler, refaire la terre, gommer les révolutions, conseiller Nixon et coter le franc. Ces hommes prestigieux, au savoir universel, qui disaient « tu » à Kissinger et Marlon Brando, m'inspiraient un dévouement illimité. Je vivais un rêve, éveillée et appliquée.

Tous les jours, je demandais au kiosque de la rue du Maupas (la rue de mon immeuble) « *la Tribune*, s'il vous plaît » et j'ouvrais le journal à la page des informations générales, des brèves, des filets, qui ne sont jamais signés. C'était moi. Je les lisais, les relisais, les découpais, les envoyais à maman et Philippe, à Ramona, à tante Gabrielle, je les montrais à Antoine, les récitais à Eduardo et dansais de joie en répétant «journaliste, je suis journaliste, j'écris dans un journal». Rien qu'à moi toute seule, j'achetais huit numéros de *la Tribune* chaque jour.

Mes horaires avaient changé : je ne traînai plus jamais au soleil de mon balcon ou dans ma baignoire. Levée tôt le matin, je prenais le train pour Genève, passais la journée à apprendre, recommençais trente fois l'intoxication alimentaire des écoliers de Vevey, le vol à la tire de Montreux. Langue tirée, stylo épuisé, j'avais l'enthousiasme d'une élève amoureuse de son prof de français. Rien ne me coûtait. Ni le train le matin tôt, ni les brouillons que je raturais, ni l'insuffisance de mon salaire. Plus de rancœur ou d'ennui désespéré mais le sentiment de faire enfin quelque chose qui m'étirait, qui m'appartenait. J'étais moi. Même si je scribouillais sur des morts hauts fourneaux ou des baleines fantômes. Le soir, je quittais le journal le plus tard possible, prenais le train en pensant au lendemain et retrouvais Antoine, encore tout imprégnée de mon nouveau monde.

Au début, intéressé par mon enthousiasme, fier de mon nouveau métier, il m'écoutait, me félicitait, lisait mes brèves et mes filets, m'encourageait. Puis il trouva que je ne passais plus assez de temps avec lui.

On évitait de parler du départ pour New York, mais il me paraissait de plus en plus évident que je ne lâcherais pas mon rêve pour tous les Boeing du monde…

Je m'endormais, épuisée par mes heures en train, mes ardeurs au journal et mes tentatives pour tout concilier. Je faisais l'amour du bout du corps, pressée que cela finisse, que je puisse m'endormir et être en forme le lendemain.

C'est ainsi que j'appris à faire semblant. Pas un peu au début pour me donner du cœur à l'ouvrage. Complètement : du premier soupir à la crispation finale. Pendant qu'Antoine, ignorant de la pièce en cinq actes qui se déroulait juste en dessous de lui, me lutinait avec raffinement, je pensais rotatives et encre d'imprimerie. Absente. La concierge est dans l'escalier. Veuillez laisser votre petit colis sur le paillasson. Reviens de suite.

Lâchement, j'évitais de lui dire la vérité. Pour tout dire, je ne maîtrisais pas complètement ma vérité. Faire semblant était un moyen idéal de contenter tout le monde. C'est-à-dire Antoine. Et moi, aussi. Car, sitôt son plaisir expulsé, je courais sur le bidet me savonner, lui plantais un baiser sur la bouche et sombrais retrouver mes rotatives. La conscience en paix : il était satisfait. De le voir aussi facilement heureux m'arrachait des vagues de tendresse maternelle et je m'endormais enroulée dans ses bras, même pas tracassée par une libido exigeante. Mon impulsion, mon trop-plein créateur, je le filais à mes baleines et à mes suicidés. Je bandais en rédigeant trois entrefilets, m'éclatais sur le bout de mon Bic mâchouillé, jouissais de voir ma prose imprimée…

Le seul, qui surveillait cette transformation d'un air expert, c'était Eduardo. Souvent, il venait me rejoindre à Genève et nous déjeunions ensemble. Les lèvres muettes, il me laissait parler et semblait satisfait de ma métamorphose. Il faisait glisser les pommes allumettes, me versait un peu de chambertin, s'étonnait que je ne torchonne plus ni mon assiette ni la sienne. Je ne relevais même pas la nuance pédagogue de sa réflexion et continuais à exprimer ma joie de travailler.

Un soir, où je rentrais par le dernier train, Antoine m'attendait, l'œil en argument. Une lettre à la main, une lettre en papyrus.

– Ramona ?

– Je suppose…

192

Il avait l'air absolument mécontent et toute son attitude pointait mon heure tardive. Je prétextais une faim de géante pour m'attabler devant un pâté en pot et la lettre de ma complice pharaonne. Je lus l'explication de la crampe. Relus. Alors, ce n'est que ça, cette félicité tenailles qui me précipitait sous la véranda de Patrick ? J'avais failli dire oui pour un nœud papillon que je pouvais me confectionner moi-même...

J'oubliais le pâté, l'heure tardive, les sourcils colères d'Antoine, mes faits divers... J'avais l'impression d'être victime d'une escroquerie. La crampe perdait toute magie pour devenir une danse du bassin appliqué. J'étais privée d'un mystère.

Antoine boudait toujours. Je décidais de l'entraîner sur le lit et d'expérimenter, derechef, les dires de Ramona, la saboteuse de frissons. Il se laissa faire, surpris de mon initiative. Je le déshabillai lentement, l'embrassai, lui léchai les lèvres, glissai ma langue dans son cou, sur sa poitrine, sur son sexe et le suçai lentement, doucement. Il gémit, secoua la tête et les mains, refusa un instant le plaisir qui montait puis se laissa aller. Je fus alors saisie d'une frénésie de sexe. Je ne le baisais plus, lui, mais je baisais par amour du cul. En silence, comme une étrangère. Avec application et science. Puisque l'amour était inscrit dans un manuel de gymnastique...

J'avais des envies de sperme jet d'eau, de citée au tableau d'honneur de la meilleure baiseuse. Je me fis experte, avaleuse de sabre et mangeuse d'homme.

Antoine m'empoigna, étonné :

– Maintenant c'est moi qui vais te baiser, petite pute.

Cela m'excita encore plus fort, je m'ouvris des deux mains et le laissai s'enfoncer. Je tournai lentement sur sa queue, fourrant mon sexe dans sa toison, me branlant sur lui, les mains accrochées à ses hanches. Il allait et venait, je continuais mon parcours de combattante obstinée. Lucide et consciencieuse. Je savais que mon étau constrictor le poussait à jouir vite, le broyait d'un plaisir rapide mais je voulais atteindre ma crampe avant.

Il n'y avait plus d'amour entre nous. Nous étions deux ennemis qui se mesurent en baisant. Chacun de son côté, sans penser à l'autre. Tout ce que nous taisions depuis des jours surgissait dans cet affrontement silencieux. Quand, à force de me frotter, j'entendis monter le plaisir, je reconnus celui qui m'avait vissée aux reins de Patrick, au muret de Portofino. Je sus que j'allais jouir en spirale. Écrasée, niée, oubliée dans ma tornade bulldozer. Je criai et fus emportée loin, loin, loin par un plaisir venu du plus profond de moi. Je laissai Antoine poursuivre, triste, oh ! si triste d'avoir vérifié le message de Ramona...

La crampe sans petite musique dans le cœur était si mécanique que la jouissance ne dépassait pas le ventre, n'enchantait pas la tête. Aussi forte, aussi violente, aussi foudroyante qu'avant mais porteuse d'un mode d'emploi qui me laissait amère, désabusée. J'allais jouir avec n'importe quel homme... Je n'aurais plus le sexe gonflé d'attente. J'étais peut-être devenue experte, spécialiste, bonne baiseuse mais j'avais perdu ma magie incantatoire.

Noël. Antoine et moi avons décidé de le célébrer en tête à cœur. Il a décoré un sapin, je cours acheter les derniers paquets cadeaux. Il est cinq heures quand je quitte le journal. Inquiète de partir si tôt, je demande la permission à M. Chardon de me retirer sous mon sapin.

– Dites, commence-t-il grave et inspiré, la main sur son menton mal rasé et le ventre en protubérance, cela va faire trois mois que vous êtes chez nous…

– Oui…

Je déglutis péniblement. Trois mois. La fin de mon essai.

– Vous avez envie de continuer ?

– Oh ! oui…

Et, comme chaque fois que je suis émue, je deviens rouge, balbutiante, incapable de me mettre en valeur. Bête d'avance.

– Bon, je vais réfléchir… Si on vous garde… Et sur quelles bases. Repassez me voir en fin de journée…

C'est quand la fin de journée pour lui ?

Je demande timidement :

– Vers sept heures ?

– Oui, sept-huit heures.

Et Antoine qui attend à la maison. Sept-huit heures… Je ne prendrai pas le train avant neuf heures et demie, je ne serai pas rentrée avant onze heures ! Le soir de Noël !

Tant pis, c'est trop important pour moi…

Pendant deux heures, je fais des emplettes. Pour me faire pardonner mon retard, je dépense toute ma paie. Je lui achète une ceinture en crocodile, une chemise en Oxford, de l'Eau Sauvage, un stylo Mont-Blanc.

Et je lui téléphone.

– Allô ? Antoine ? C'est Sophie…

– Tu sais quelle heure il est ?

Il est sept heures. C'est écrit sur la grande horloge de la Place.

– Je suis encore à Genève…

Je n'aurais pas dû dire « encore ».

– Encore ! Qu'est-ce que tu fous ?

– Je viens de finir mes courses…

– Tu seras là à quelle heure ?

– Euh… Eh ! bien… Justement… Je dois voir M. Chardon.

– Quoi ? (Il hurle dans le téléphone.) Tu retournes au journal à cette heure-ci ?

– Écoute, Antoine, c'est important. Il doit me parler de mon stage, tu sais, il est bientôt terminé…

– Mais qu'est-ce qu'on en a à foutre de ton stage ! Dans quinze jours, on part pour New York.

Une fois de plus, je prends une déviation :

– D'accord, mon chéri. Mais moi j'ai envie de savoir ce qu'il en pense de mon stage. Écoute… Je rentre le plus vite possible. Je te le promets… Je t'ai acheté plein de cadeaux…

– Je m'en fous de tes cadeaux.

Et il raccroche.

Je reste le combiné en l'air dans une cabine téléphonique, sous la neige de Genève. Je ne peux plus continuer à louvoyer de la sorte. Il faut que je me décide. Antoine est persuadé que je vais partir avec lui ; moi, je n'attends qu'une chose : le verdict de M. Chardon.

Choisir. L'horrible mot. Je suis incapable de me décider entre deux pois chiches. Je les avale tous les deux ou

196

les laisse sur le bord de l'assiette. Mais, là, c'est important. D'un côté, Antoine qui veut m'épouser, me remorquer pour la vie. Appartement sur Central Park et avenir assuré. De l'autre, un métier qui me donne des ailes aux pieds et n'appartient qu'à moi. Un chemin plein de zigzags, de dos d'ânes, d'incertitudes et de grandes joies.

Il est huit heures moins le quart. Je pousse la porte de M. Chardon. Un grand trou dans le ventre.

– Mademoiselle Forza…

Oui, c'est moi, mais dépêchez-vous, je dépéris.

– Mademoiselle Forza, j'ai fait le tour de vos collègues et collègueux… Je vous ai bien observée pendant votre stage, vous n'avez fait que des petits articles, avec un certain mal, il faut le dire, à exprimer votre pensée d'une manière concise et claire…

Il respire. Ça y est. Je suis virée. Je pars avec Antoine.

– De plus, votre formation universitaire ne vous aide guère à saisir l'esprit journalistique. Vous avez les défauts de ceux qui se sont penchés trop longtemps sur des explications de textes… Vous savez où on les met, nous, les diplômés ?

– Non…

Je m'en fous complètement. Je suis définitivement virée. Je retapisse l'appartement de Central Park et donne le sein à Gaylord…

– Eh, bien ! ils sont au service des Sports, mademoiselle Forza. Parce que c'est tout ce qu'on a pu en faire…

Moi, le service des Sports… Je préfère encore être au service d'Antoine.

C'est bien fait pour moi. À force de vouloir tout préserver j'ai échoué dans ma tentative de vol libre. J'ai déplié mes ailes avec tant de parcimonie que j'ai vrillé en plongeon dans le vide.

Je suis prête à filer tous ses cadeaux à Antoine pour qu'il me garde avec lui, pour toujours. J'ai rêvé. C'était un beau rêve mon rêve d'enfant…

– Vous savez comment on devient journaliste mademoiselle Forza ?

Oh ! il commence à m'énerver celui-là...

– Non...

Et je n'ai aucune envie de le savoir. Je suis trop triste,
trop déboutée de mon vieux rêve pour avoir envie
d'apprendre quoi que ce soit. Qu'on m'apporte ma
véranda...

– Vous ne savez pas ! Eh bien ! moi, je vais vous
apprendre. Je vous donne une chance, en vous engageant à *la Tribune*, et je me charge, personnellement, de
vous enseigner l'art d'écrire et de raconter. Je vais vous
débarrasser de vos longueurs universitaires, de vos tour-
nures bien élevées... Allez passer Noël en famille et
revenez-moi, début janvier, compris ?

Si j'avais un magnétophone je me repasserais indéfiniment ce dernier paragraphe...

Je balbutie un oui larvaire, lui fais trois révérences
coucher du Roi Soleil, oublie mes cadeaux sur la
chaise, reviens, remercie encore, ressors, heurte la
porte, m'excuse, cherche une cloison pour m'appuyer,
réalise, déglutis, enfourche un cumulo-nimbus qui passait par là et lui murmure « à la gare ».

Dans le train pour Lausanne, je suis Super-Woman.
Le plexus délacé, je marmonne d'une joie de vieille
mémé gâteuse, à qui ses petits-enfants rendent visite...
J'ai des gants de boxe au bout des doigts, l'écran
Paramount dans la tête. J'ai trouvé ma voie et suis prête
à affronter Antoine.

J'ai le cœur qui tombe en panne, en introduisant la clé
dans la serrure. Antoine lit, au pied du sapin illuminé.
Je pose mes cadeaux et décide, un, deux, trois, nous
irons aux bois, d'être enjouée... Mes gants de boxe se
sont recroquevillés en ridicules poupées et mes genoux
flageolent.

– Antoine, mon chéri...

Il grogne :

– Oui ?

– Tu veux qu'on dîne maintenant ou qu'on attende minuit ?

– J'ai pas faim…

– Bien, on attendra minuit.

Je ne sais même pas ce qu'il y a au menu. J'ai complètement oublié de m'en occuper. J'ai pensé aux cadeaux mais pas à la dinde.

– Antoine ? Tu as acheté quelque chose pour le dîner ?

– Non, pourquoi ? Tu as oublié ?

– Oui…

Ma dernière chance de Noël blanc et doux vient de s'évanouir avec le passage du fantôme sans cabas.

– C'est parfait, siffle-t-il entre ses dents, il nous reste quelques maquereaux en conserve et de la Maïzéna…

Devant tant de mauvaise foi, je perds le contrôle de mes bonnes résolutions :

– Écoute, Antoine, tu aurais pu y penser autant que moi. Pourquoi est-ce moi qui dois acheter dinde et papillotes ? Tu savais bien que je travaillais aujourd'hui…

– Parce que c'est à toi de t'en occuper. Moi, je monte le sapin ; toi, tu achètes la bûche de Noël…

– Et mes horaires de travail ? Tu y penses quelquefois ?

– Je n'entends parler que de ça. De ton travail, de ton stage, de M. Chardon, de tes brèves, de tes filets… J'en ai marre. À quoi ça rime ? Tu sais bien : on part dans quinze jours et tu continues à faire le clown dans un journal, pauvre conne !

Là, c'est trop. Devant cette insulte imméritée, mes gants de boxe se regonflent et je lâche :

– Non, je ne pars pas…

– Comment ça tu ne pars pas ?

– Non. Je reste ici. Au journal. M. Chardon vient de m'annoncer qu'il m'engageait. Je reste.

– Tu veux dire que tu ne pars pas avec moi ? Que tu me quittes ?

– Oui.

– Mais Sophie, tu réalises ?

– Oui.

Je réalise que, si j'avais été plus courageuse, je lui aurais parlé depuis longtemps.

Antoine me regarde, feu rouge de colère. Il enfile sa veste et sort, en claquant la porte.

Il vaut mieux qu'il aille réaliser tout seul ce que je viens de dire. Je suis rompue. En brindilles. Le sapin a l'air complètement idiot. Je me fais couler un bain.

Dans l'eau, je me recroqueville comme un vieux fœtus. J'ai envie de ne plus résister. Tous les mots définitifs qu'il va falloir prononcer, cette nuit, me font peur. Ce serait si simple de dire : « Pardon, j'étais en colère, je t'ai fait mal » et de renoncer. Mais l'odeur des vieux couloirs à ramages verts, le ventre hors bretelles de M. Chardon, l'avenir qu'il vient de me proposer me rappellent à l'ordre. Si je renonce, je suis morte dans ma tête.

Il est très tard lorsqu'Antoine rentre. Presque deux heures. Je suis couchée en boule de nerfs. Je me jette dans ses bras.

– Antoine…

– Sophie, dis-moi que ce n'est pas vrai, que tu pars avec moi… Toute ma vie, je l'ai imaginée avec toi…

– Antoine, ce n'est pas toi que je ne veux pas suivre mais la vie que tu me proposes…

– Mais qu'est-ce qu'elle a qui ne va pas, cette vie ?

– Je n'ai rien à y faire.

– Mais si. Gaylord et Caroline, c'est toi.

– Non, ce n'est pas moi. Moi, je veux faire des choses pour moi toute seule, tu comprends. Je ne veux pas exister à travers mon mari, mes enfants. J'ai vingt et un ans, Antoine… Pour le moment, devenir moi, c'est rester à *la Tribune*.

Je choisis mes mots avec tact pour ne pas le blesser.

– Mais pourquoi n'essaies-tu pas de travailler aux États-Unis ?

– Parce que je te l'ai déjà dit, ce n'est pas possible à cause de la langue. J'ai déjà du mal à faire des brèves en français, alors, en anglais, tu imagines !

Nous voilà revenus au point de départ. Je voudrais lui expliquer ce qu'il y a dans ma tête, mais tout est encore confus. La seule chose que je sais, c'est que je ne veux pas partir.

– Mais je ne comprends pas, reprend Antoine, tu as toujours été toi. Tu as eu autant d'amants que tu voulais, tu as voyagé, tu fais des études, tu travailles…

– Oui, mais tout cela, je ne l'ai pas choisi. J'ai eu des amants sans trop savoir pourquoi. Je fais des études parce que maman me l'ordonne. Je pars en voyage quand on m'emmène et je porte des kilts écossais parce que c'est la mode… Mais je ne décide rien de tout ça. Ça arrive. Un mec me trouve jolie, me fait comprendre qu'il aimerait bien dormir avec moi, j'accepte mi-curieuse, mi-flattée, je suis reçue à un examen, je remercie la Chance, je te rencontre, je te trouve beau, différent, je te suis. Je suis toujours accrochée à quelqu'un. Mal dans ma peau. Pourquoi crois-tu que je te fais des scènes Nescafé, que je suffoque la nuit ? Parce que ça ne va pas du tout, au fond. Même si je sauve les apparences, comme on me l'a si bien appris…

Je jette tout en désordre. Passé, présent. Existence en liquidation, tout doit partir. Dans une telle incohérence Antoine ne retient qu'une chose : je suis très malheureuse mais pas à cause de lui.

Ce qu'il faudrait que je lui dise, et dont je me sens incapable, c'est qu'il fait partie, lui aussi, de ce passé frustrateur, paralysant. Que tant qu'il sera là, je n'avancerai pas. Parce qu'il ne changera pas, qu'il aura toujours envie de me garder sous sa véranda. Je ne veux pas de Gaylord, pas de Caroline, pas d'appartement à encaustiquer, de bouquets à dresser. Je ne veux plus d'images.

Mais c'est dur de lutter contre la tendresse.

Nous sommes, tous les deux, fatigués, interloqués. Moi, d'avoir eu le courage de dire « je reste » ; lui, de se retrouver tout seul à bord du Boeing.

Il me prend dans ses bras, m'embrasse. On ne pense même pas à baiser. Ni à ouvrir les cadeaux ou les boîtes de maquereaux. On s'endort tous les deux enlacés, sanglotants. Antoine me murmure dans l'oreille :

– Un jour, je viendrai te chercher... Je t'emmènerai avec moi. Ce jour-là, tu seras à moi pour toujours...

Je souris, attendrie mais je sais que ce n'est pas vrai. On aura trop changé tous les deux.

Le lendemain, je me réveille, étrangère à côté d'un étranger.

Nous sommes toujours Antoine et Sophie, mais n'avons plus rien de commun avec les personnages anciens.

Le réveil est lent et triste. Tous les mauvais souvenirs reviennent cogner dans nos mémoires et nous n'osons pas nous regarder. Nous faisons semblant de dormir pour gagner du temps. Nous nous réfugions dans la tiédeur du sommeil. Bien au chaud, en sécurité. Ramassés sous les couvertures, tassés sur notre malaise. Puis, il lance un bras, m'attire à lui, m'installe sur sa poitrine. Il est chaud et bon et doux. Je le respire, coule mon doigt dans les poils de son torse. Pense à Gaylord. Notre bébé que nous ne ferons jamais. Il aurait eu le rire écumant de son père et m'aurait aimée avec la même ferveur. J'ai envie de renoncer. L'image de Gaylord qui trottine me rend toute molle.

Antoine me litanie dans l'oreille :

– Sophie, Sophie, je t'aime, je t'aime…

Je vacille, je n'ai plus envie de rotatives.

– Tu veux un café ?

N'importe quoi pour rompre le charme.

– Oui, avec plein de crème.

Il s'étire et me sourit en disant « pleine de crème »… Il sait qu'il m'attendrit avec ses mines gourmandes. Il faut que je sois vigilante, que je dresse mes antennes, que j'évite les forget-me-not.

Je lui aromatise un café de Colombie, l'arrose de crème fraîche et lui apporte ses cadeaux sur le plateau. Je me souviens avec quelle fébrilité et mauvaise conscience je les ai achetés la veille. La veille, il y a si longtemps… J'ai tellement changé en douze heures ?

Antoine lance des cris de joie à la vue du stylo, s'arrose d'Eau Sauvage, se ceinture de crocodile. Rassuré : si je lui ai acheté tout ça, c'est que je l'aime.

À son tour, il se lève et va me chercher mes cadeaux. Je tire sur les ficelles dorées, sur les paquets enchantés avec autant d'excitation : un pull en cachemire rouge, un long fume-cigarette de star muette, les œuvres complètes d'Éluard et une casquette de joueur de base-ball.

Je le reconnais dans cet inventaire patient de mes petites joies. Il n'a pas coincé un après-midi de courses pour me faire plaisir, il a flâné plusieurs jours devant les vitrines en pensant à moi. J'ai mal. Je comprends quel amour je sacrifie au profit de mes bonnes œuvres, et je craque, je pleure dans ses bras, je sanglote dans son cou, je me mouche dans ses doigts.

Il ne dit rien. Me berce en silence. Me murmure « là… là… » en me tapotant le crâne. « Ton crâne plat et droit. »

Mais c'est ma dernière manifestation de lâcheté

sentimentale. Je me reprends, renifle mon chagrin, décide d'être ferme.

– Sophie, regarde dans quel état tu te mets… Mon bébé, mon amour. Restons ensemble…

– Non… Je ne partirai pas…

Il invente des arguments nouveaux, câline mes cheveux et je redis non, non, non. Moi, qui ai mis tant de temps à pouvoir articuler cette négation, je m'en saoule.

Et pourtant, je ne peux pas m'arracher à ses bras, je l'embrasse, je le laisse me caresser.

On passe la journée au lit. À manger nos maquereaux, à disséquer notre mal d'amour. La vie est mal faite : on s'est rencontrés trop tôt, je t'aimerai toujours, je ne t'oublierai jamais.

Le soir, nous nous habillons pour aller dîner. Deux convalescents tremblants. J'ai tendance à parler au passé. Antoine emploie un futur salvateur et prometteur de réconciliations. Nous avons adopté une version tacite de notre séparation : il va à New York pour raisons lucratives et familiales, je reste à Genève pour épanouissement personnel. Mais nous nous aimons toujours et bientôt nous nous marierons. Ce doux mensonge, s'il ne nous trompe pas et ne nous rend pas exubérants, nous empêche de sombrer dans le lugubre du mot FIN.

Je n'ai pas d'autre homme dans ma vie, il n'a pas envie d'une autre dame. Nous souffrons d'une incompatibilité de croissance.

Ce compromis nous rassure, minimise ma déclaration d'indépendance et adoucit sa blessure.

Nous passons notre dernière semaine recroquevillés sur nous. Penchés sur le visage de l'autre, sur une image de nous qui n'existera plus. Je déchire mes belles images, mes faux bonheurs. Je ne veux plus être dépassée par ce qui m'arrive, submergée par mes inquiétudes. J'ai décidé de mettre de l'ordre dans mon intérieur : Moi d'abord. De laisser vagabonder mes petites électrodes au fil des découvertes. J'attends, sereine et tourmentée. Je suis heureuse, car je suis sûre de ne pas me tromper. J'ai peur de ne plus jamais pouvoir retourner sous une véranda… La vie est compliquée mais je me ferai compliquée pour la comprendre. Sinueuse ? Je me collerai à mes fantasmes pour en extraire la part de moi qui me fera entrer dans la réalité. Ma réalité. Jusqu'au bout. Dans un dérèglement de toutes les conventions. Je ne veux plus être heureuse à la façon des magazines et des manuels d'éducation. J'ai essayé, je n'y arrive pas. J'ai tout mis bien droit, comme on me l'a appris et ça ne tient pas. Je suis en équilibre sur des morceaux qui se tirent à toute allure, je veux les récupérer pour me recoller, moi. Je veux aller plus loin, très loin, pour me dire « Bonjour » et, enfin, me reconnaître.

Eduardo a déclenché mon vagabondage. Il a été l'initiateur magique, m'a révélé un monde que je ne soupçonnais pas : moi. J'ai envie de poursuivre, seule, le voyage au fond de ma liberté.

Seule : sans père, sans mère, sans amant tutélaire.

J'accompagnai Antoine à son super-Boeing.

Il me laissait la voiture, mon émeraude de fiancée, un long baiser devant la porte d'embarquement. Et des larmes plein les yeux.

Nous nous étions aimés très fort. Nous savions que ce temps-là ne reviendrait plus. Que je n'aimerais plus personne avec autant de foi aveugle.

Quelques jours plus tard, la concierge m'apporta un paquet. C'était l'assentiment de Ramona et Séthi Ier à ma nouvelle vie : BE YOU.

SCARLETT, SI POSSIBLE

à daddy doux…
à Laurent Chalumeau
à dom, à lolo…
à arthur…

Derrière le comptoir du Chat-Botté, Juliette peste. Le beau René, celui que toutes les filles de Pithiviers regardent en coulisse, celui dont les yeux verts, la mèche brune et le blouson font trembler les plus assurées, celui qu'elle a réussi à s'approprier après des semaines de séduction assidue…, le beau René est un coup pourri.

Pourri sournois parce que pas pourri tout de suite.

Aux premières étreintes, c'est même l'enjôlement, les mille et une caresses, les doigts qui volettent, la bouche qui suit, alerte, et l'œil vert barré de brun qui guette le cri de reddition, le cri tomahawk planté dans le poteau de l'orgasme final.

Juliette était prête à s'abonner tout de suite. Il est beau. Tout le monde en veut un morceau et il a du savoir sexuel. Un prince charmant qui a lu le *Kāma-sūtra* sans sauter de passage. Y a pas mieux. C'est sûr. C'est lui. Je le reconnais. C'est celui dont je rêvais quand j'étais petite, le soir dans mon lit…

En trois nuits, elle s'était sentie devenir esclave pour la vie. Ça avait dû l'effrayer, le beau René, parce qu'au fur et à mesure que les séances se multipliaient, son ardeur diminuait, et Juliette mesurait, navrée, les ravages du temps sur la libido de son héros.

Il la retourne, se pose sur elle comme un carbone et la baise en bon père de famille qui pense à l'inventaire du magasin. La veille au soir, il s'est endormi sous son

211

nez. En-dor-mi alors qu'elle salivait à l'idée de la nuit qui commençait. Sur le dos, les bras en croix, avec, en guise d'excuse, un mot emprunté aux classiques de la vie conjugale : fatigué.

On n'est jamais fatigué quand on a envie, avait pensé Juliette.

– Si tu dors, c'est parce que t'as pas envie.

– Je dors parce que j'ai fait trois blocs-moteurs dans la journée (il est mécano au garage du Mail) et que j'ai même pas eu le temps de déjeuner…

Menteur. Voleur de frissons. T'as pas envie, c'est tout. Et pourquoi ? se demande Juliette en s'affalant sur le comptoir. J'ai quelque chose qui cloche tout à coup ? Pourquoi il me confisque mon tomahawk ? Mes peintures de guerre sont pas assez jolies ? Il a repéré une autre squaw, là-bas dans la prairie…

Sa colère mollit. Elle n'a plus confiance en elle. Et si c'était ma faute ? Si je n'étais pas assez experte… Peut-être qu'il n'aime plus mes fesses ? Ou qu'elles ont mauvais goût ? Et si elle se mettait à avoir un gros cul ? Un cul qui arrête les meilleures intentions ?

La sonnerie du magasin retentit. Il suffit de marcher sur le paillasson pour que ça fasse driling, driling. Une idée de son père. Tout comme le cheval à bascule pour les enfants et les ballons collés au plafond qui récompensent tout achat au-dessus de cinquante francs.

– Vous désirez ?

Juliette joue la vendeuse accorte.

– Je voudrais une paire de tennis. Quelque chose de vraiment confortable… C'est pour jouer…

Je m'en doute, banane, pense-t-elle, c'est pas pour accrocher au mur.

– Quelle pointure ?

– Quarante-quatre.

Elle le fait asseoir et va dans la réserve. Elle garde le magasin de ses parents tous les jours de neuf heures à midi. Pour se faire de l'argent de poche. Après, c'est sa mère qui la remplace.

Elle fait ça en attendant de savoir quoi faire d'elle-même. Ce n'est pas parce qu'on a son bac qu'on est plus renseignée. Surtout en juillet 1968 quand le spectre de la révolution vient à peine de s'éloigner et que tout le monde reprend son souffle, éberlué. Pour son père, l'université est définitivement un lieu de perdition, et Juliette n'a qu'à murmurer Cohn-Bendit pour qu'il ait une attaque de couperose… Va quand même falloir qu'elle se décide. Paris ? Orléans ? Quelle université ? Quarante-trois, quarante-quatre, Aigle Hutchinson blanc puisque c'est pour déraper sur les courts… Il n'est pas mal. Ce doit être un touriste. Ou un Parisien à résidence secondaire. Sinon elle l'aurait déjà repéré. Elle a un don infaillible pour localiser les beaux mecs. Son œil crépite comme une baguette de sourcier et son corps se fige en position calendrier de Marilyn. Même avec tout le souci que lui donne René, celui-là, elle l'a remarqué.

De près, il est encore mieux. Blond, le teint hâlé, les yeux marron qui remontent vers les tempes, le nez un peu retroussé, au moins un mètre quatre-vingts et de longues mains.

C'est rare, les clients qu'elle a envie de détailler.

D'habitude, elle ne s'attarde pas et regarde de côté quand ils soufflent en nouant leurs lacets. Elle continue à l'observer pendant qu'il tâte le bout de sa chaussure pour mesurer l'avancée du gros pouce.

– Vous désirez des avant-pieds ?

Il fait signe que non.

– Vous pouvez faire quelques pas si vous voulez, tant que vous ne sortez pas…

On ne sait jamais : l'autre jour, une imbécile a traversé la rue de la Couronne pour aller montrer ses vernis au poissonnier.

– Non, ça va. Je les prends. Merci, mademoiselle.

Large sourire enjôleur, un peu automatique, presque professionnel. Il sait qu'il plaît aux dames.

– Ça fera soixante-quinze francs.

Il faut qu'elle sache d'où il vient avec ses dents blanches, sa raquette et ses grands pieds.

– Vous habitez la région ?

– Je suis le fils de M. Pinson.

– Oh ! C'est vous… Je vous aurais pas reconnu…

La dernière fois qu'elle l'avait vu, c'était le jour de sa communion solennelle. Les Pinson avaient été invités. Puis les deux familles s'étaient perdues de vue. « Mon fils est parisien », répétait avec fierté Mme Pinson. On murmurait en ville qu'il avait réussi dans la publicité et possédait une Lancia bleu marine. C'est un sujet de conversation pour ce soir.

Il faut qu'elle arrache à son père la permission d'aller danser. Le fils Pinson servira d'entrée en matière. Une information, judicieusement choisie, dissipe souvent la mauvaise humeur familiale. Elle pourrait même dire qu'elle y va avec lui, dans sa Lancia bleue, et qu'il lui a demandé de l'épouser. La publication des bans, c'est l'obsession à Pithiviers.

– Vous désirez un ballon ? C'est offert par la maison…

Il rit.

– Vous êtes parfaite en commerçante. Vous réussirez si vous continuez comme ça…

Il la regarde d'encore plus près et Juliette rougit. Elle rougit toujours quand on la regarde avec mention spéciale. Ça la rassure et l'intimide à la fois. C'est comme si on lui présentait une belle jeune fille en lui disant que c'est elle. Le seul inconvénient des compliments, c'est que ça la fait transpirer et que ça lui graisse les cheveux. Elle perd un jour de shampooing.

– Et Paris, c'est comment ? demande-t-elle.

C'est fou ce qu'on peut être bête quand on est intimidée. Il a un petit sourire qui lui enfonce une fossette à gauche.

– Grand, excitant, pollué… Attendez… Quoi d'autre ?

– Je vais peut-être y aller en septembre. Faudrait que je m'inscrive en fac… À Paris ou à Orléans, je sais pas encore…

– Écoutez, si vous choisissez Paris, téléphonez-moi. Au début, vous serez sûrement un peu perdue… Si je peux vous aider…

Juliette remercie. Elle transpire de plus en plus. S'il continue ses gentillesses, ses cheveux vont être définitivement gras. Elle secoue la tête pour qu'il ne s'en aperçoive pas.

Il tire une carte de visite de son portefeuille et la lui tend. Il ne prend pas de risques. Elle est mignonne, cette petite, un peu provinciale peut-être, mais elle a un regard déluré qui lui plaît. Des cheveux noirs qui bouclent autour de la tête, des yeux tout aussi noirs, une bouche qui brille, des dents très blanches et très régulières, un grain de beauté à la racine du nez. Un peu trop maquillée comme toutes les filles de province qui lisent les magazines féminins et appliquent leurs conseils à la lettre. Poignets fins, poitrine ronde… Pour l'instant, le comptoir l'empêche de juger le reste.

– Vous avez quel âge, Juliette ?

– Dix-huit ans et demi… Et ne me dites pas que c'est le bel âge. Je déteste mon âge. Je voudrais être plus vieille…

– Et pourquoi donc ?

Parce qu'à dix-huit ans on a envie de tout et de rien, on veut tout et, en même temps, on ne sait pas par quoi commencer.

– Je sais pas…

Le regard noir se fait très lourd. Les cils s'abaissent. Ce ne sont pas ses yeux qui sont si noirs, ce sont ses cils. Épais, longs, emmêlés et recourbés au bout.

– On ne vous a jamais dit que vous aviez de très beaux yeux ?

Elle éclate de rire.

– Ah ! non. Pas vous… Quand j'étais petite, dans la rue, on m'arrêtait pour me demander si j'avais des faux cils…

Elle rit et tout son visage prend de l'audace.

Il ne croyait pas les honnêtes Tuille capables d'enfanter un tel phénomène. Ils doivent être complètement dépassés. Doivent pas savoir par quel bout la prendre. Le paillasson fait driling, driling et une famille de vacanciers envahit le magasin.

– Bon, écoutez, je vous laisse… Si vous venez à Paris, n'oubliez pas de m'appeler, hein ?

– C'est promis.

Elle lui tend ses tennis avec un grand sourire et se tourne vers les nouveaux arrivés.

Je vais rester le temps de voir ce que cache le comptoir, se dit-il.

Il n'est pas déçu : longues jambes, petit cul rond, taille fine… Moulée au millimètre dans une minijupe.

Comment font-elles pour s'asseoir ? Il s'est toujours posé la question.

La famille le regarde avec insistance. Il doit avoir l'air bizarre, planté au milieu du magasin avec son paquet à la main.

Juliette l'a remarqué et elle sait pourquoi. Depuis longtemps, elle a compris que, si elle voulait impressionner les hommes, il lui suffisait de se lever et de faire quelques pas. Elle rit doucement dans la réserve en bousculant les cartons. Le fils Pinson est comme les autres. Il n'y a que le beau René qui soit indifférent. Et cette pensée lui bousille sa bonne humeur…

« Tragique accident en gare de Malesherbes : une femme se jette avec ses deux enfants sous une micheline en provenance de Paris », lit M. Tuille en portant une cuillère de soupe à sa bouche.

M. Tuille lit le journal à table : les gros titres et les sports au déjeuner, la politique et les faits divers au dîner. Il est abonné à *la République du Centre*.

– Et alors ? demande Mme Tuille dans un élan.

Ce n'est pas qu'elle soit méchante, mais le récit d'une bonne catastrophe, les corps déchiquetés et les bras sanglants qui dépassent la font frissonner jusqu'au lendemain matin et la rassurent à la fois. Avec plein de malheureux autour de soi, on se sent bien au chaud.

– Morts tous les trois, répond M. Tuille en nettoyant son assiette avec son pain. C'est encore les contribuables qui vont payer. On n'arrête pas de payer pour les irresponsables. Tu sais combien ça coûte à l'État un suicide ?

Mme Tuille et Juliette hochent la tête. Ce numéro-là, elles le connaissent par cœur. Ainsi que le prix d'une réanimation ou d'un déblayage de voie ferrée.

Quand elle écoute ses parents, Juliette se sent terriblement lasse. Ils me fatiguent à force de toujours répéter les mêmes phrases toutes faites.

– Papa, je peux sortir ce soir ? Bénédicte donne une fête pour ses dix-neuf ans.

Zut, pense-t-elle, j'aurais dû attendre qu'il ait digéré le coût du suicide sur rails.

– Hein ? Oui... Les Tassin sont des gens très bien. Mais tu rentres à minuit, compris ?

Elle acquiesce mollement. C'est toujours comme ça. Quand on croit que ça va être dur, on obtient la permission tout de suite et, quand ça a l'air facile, on se la voit refuser. C'est imprévisible, les parents. Pour son père et sa mère, il y a les gens bien et les gens pas bien. Les parents de Bénédicte font partie de la première catégorie, alors que les parents de Martine appartiennent à la seconde. Les critères pour être classés dans l'une ou dans l'autre se résument en un seul mot : réussite. Les Tassin ont une belle maison, une belle voiture, une belle pelouse, de beaux enfants : ils ont réussi. Les Maraut – les parents de Martine, son autre copine – sont manutentionnaires à la Sucrerie de Pithiviers et vendent *l'Humanité-Dimanche* à la sortie de la messe : ils n'ont pas réussi.

Bénédicte porte de longs kilts, des shetlands achetés en Angleterre, un petit collier de perles et un foulard Hermès noué autour de son sac Hermès : Bénédicte a bon genre. Martine a des cheveux blonds hirsutes, des minijupes en skaï, du vert pistache sur les paupières et du rouge sur les lèvres : Martine a mauvais genre.

Justement, c'est ce que Juliette aime chez elle : elle ne ressemble à personne. À Pithiviers du moins. Elle n'a pas peur d'être différente. Elle est d'ailleurs la seule à s'être intéressée aux événements du mois de mai. Elle en a adopté tous les slogans. Enfin…, ceux qui l'arrangeaient, ceux qui avaient trait à la libération sexuelle et au rejet de l'autorité. « Il est interdit d'interdire », « soyez réalistes, demandez l'impossible »…

Grâce peut-être aux « événements », Bénédicte, Juliette et Martine ont décroché toutes les trois leur baccalauréat.

M. Tuille repose son journal en soupirant. Les parents Tuille ignorent tout de la vie sexuelle de leur fille. Juliette se procure la pilule avec des ordonnances qu'un médecin donne à Martine. « Il ferme les yeux parce qu'il pense comme mes parents, lui a expliqué Martine, il a l'impression d'ébranler la société chaque fois que je baise. » Juliette vit ses frasques loin du domicile parental, le plus souvent dans des voitures, le samedi soir après avoir été en boîte. Quelquefois dans des lits, mais rarement. Ses amants n'ayant presque jamais un pouvoir d'achat leur permettant de vivre leur libido sur Dunlopillo. Le beau René est le premier à posséder un studio et un vrai grand lit à deux places King Size. C'est ce qui est écrit sur l'étiquette à l'un des pieds.

Avec René, c'est presque le tout-confort. Presque, parce que, pour le rejoindre, elle doit passer par le toit, ses parents n'accordant que la permission de minuit. Elle rentre ostensiblement avant minuit et ressort par la fenêtre de sa chambre. Risqué. Elle suit la gouttière dans l'obscurité et marche selon les pointillés des ardoises. Mais ça vaut le coup. Il se passe des choses très intéressantes dans les voitures ou dans les King Size le samedi soir…

Ils ne savent rien de moi, pense Juliette en regardant son père et sa mère. Je les intéresse pas. Ils préfèrent parler de Pompidou et des accords de Grenelle, de la quatrième semaine de congés payés et de la mort du chanoine Kir…

– Devinez qui j'ai vu aujourd'hui au magasin ?

Ils relèvent la tête, tous les deux, brusquement.

– Le fils Pinson.

– Et tu nous le dis que maintenant ! Mais alors raconte… Le fils Pinson…

– Eh bien… il vit à Paris et il m'a laissé sa carte pour si jamais j'y allais…

– Il est très bien, ce jeune homme… Il paraît qu'il a réussi à Paris. L'autre jour, justement…

Juliette n'écoute plus. Elle se demande ce qu'elle va bien pouvoir mettre pour aller danser ce soir chez Bénédicte…

Une surprise-partie chez les Tassin, c'est toujours un événement. Ce soir, M. Tassin a illuminé tout le jardin de la vieille maison, baptisée « la Tassinière », située avenue de la République, dans le quartier résidentiel de Pithiviers. La façade recouverte de vigne vierge et de chèvrefeuille est décorée de lampions de 14 Juillet, les grandes portes vitrées du rez-de-chaussée sont ouvertes et on entend *Rain and Tears* des Aphrodite's Child.

Juliette se tord le pied sur les graviers blancs de l'allée et pousse un juron. Elle se baisse pour se frotter la cheville et aperçoit trois filles du lycée qui arrivent bras dessus, bras dessous. Les Trois Grâces, les arbitres de l'élégance. Elle se demande tout à coup si elle n'a pas fait une erreur en mettant cette robe princesse à ramages violets, mais les trois filles la saluent aimablement et elle se relève, soulagée. Non, ce sont les chaussures qui vont pas. Je suis sûre que les chaussures vont pas… En ce moment, de toute façon, rien ne va. Faudrait que je change d'air, que je voie autre chose…

Bénédicte est à l'entrée et accueille ses invités.

Bénédicte Tassin est la quatrième d'une famille de six enfants. La tribu Tassin, c'est un ensemble de rites et d'histoires qu'on se raconte dans la grande salle à manger en faisant assaut de mots. Chez les Tassin, Juliette a souvent l'impression d'être en plein examen. Elle ne sait pas toujours comment tenir son couteau ou quoi répondre au grand frère qui cite Saint-Simon.

Même Martine est impressionnée par Bénédicte. Devant elle, Juliette et Martine surveillent leur langage. C'est sans doute pour cela qu'elles ne sont pas plus intimes. Bien qu'elles se soient connues sur les mêmes bancs d'école. Martine dit que Bénédicte fait partie d'un club dont ni Juliette ni elle ne sont membres. Un club où les gens ont de l'argent et de la culture « naturellement », où on lit Montesquieu comme *la République du Centre*, où on vous enfourne les bonnes manières et la prose de Mme de Sévigné avec votre petit suisse. Les membres du club ont le teint rose, le cheveu brillant, pas la moindre pustule ni trace de pellicule.

– Tu comprends, ça mange jamais de conserves, ces gens-là, lui a expliqué Martine, que du frais et du vitaminé. Alors forcément…

Alors forcément Bénédicte est à l'aise partout. Pas de doute sur le ramage de sa robe ou sur la couleur de ses chaussures. Pas de cœur grosse caisse quand le beau René est en retard.

– Alors, princesse, on rêve à l'absent ?

C'est Martine. Elle entraîne Juliette vers un canapé où les deux filles se laissent tomber.

– Tu ferais mieux de t'occuper de ton amoureux transi. Il est là à te dévorer des yeux, dit Juliette en pointant son menton vers un jeune homme d'apparence assez ingrate, qui ne quitte pas Martine du regard.

Il porte un blazer bleu marine dont les manches trop longues lui couvrent les mains et passe son temps à essayer de bloquer une longue mèche blonde derrière son oreille droite. Ce faisant, il exhibe des ongles noirs de terre qui font grimacer les deux filles.

Il s'appelle Henri Bichaut. C'est le souffre-douleur de leur petite bande. Depuis toujours, il est muet d'adoration devant Martine qu'il contemple en remuant les narines comme les ouïes d'un poisson.

– Merci beaucoup, répond Martine, le jour où je me rabattrai sur lui, c'est que je serai vraiment désespérée.

– Pourtant, c'est un beau parti, continue Juliette, il a de l'argent et des terres, et il paraît que…

– Arrête, l'interrompt Martine, tu dis ça parce que t'es jalouse. Ce n'est pas avec le beau René que tu ferais fortune…

– Le beau René est un coup pourri, marmonne Juliette entre ses dents.

Elle regrette aussitôt d'avoir jeté ça. En articulant tout haut la nullité au dodo de son héros, ne va-t-elle pas briser net l'élan qui la pousse dans ses bras ? Or, le beau René, pour le moment, c'est sa raison de vivre. Rien que de le contempler, elle est rassurée. Elle a beau le traiter de coup pourri, elle succombe dès qu'elle le voit. Plus fort qu'elle.

Un après-midi, ils étaient allés à la piscine de Pithiviers-le-Vieil. Pendant tout le trajet, ils s'étaient fait la gueule. René aurait préféré s'entraîner sur le circuit de motocross. À la piscine, un copain leur avait montré des photos d'eux prises lors d'une boum. Juliette n'avait plus pu détacher les yeux de la photo. Qu'est-ce qu'ils étaient beaux ! C'était elle ? Avec lui ! Ils avaient l'air d'amoureux modèles. René la serrait contre lui, Juliette souriait, molle et abandonnée. Elle avait découpé la photo et l'avait mise dans son étui en plastique, celui où elle rangeait sa carte d'identité et ses tickets de cantine. Quand elle n'était plus très sûre d'elle, il lui suffisait de regarder la photo pour que les couleurs reviennent dans sa tête. C'était à cela qu'il servait, le beau René : à la rassurer par l'intermédiaire d'un vieux cliché.

– J'en étais sûre, triomphe Martine, il est trop beau pour être vrai…

– Comment ça ?

– Ben oui… Toutes les filles lui tombent dans les bras. C'est trop facile. C'est comme les jolies filles… Il se noie dans le regard des autres et ne sait plus qui il est. Il n'a plus de désir…

– Tu m'énerves à tout expliquer comme ça ! C'est peut-être de ma faute aussi… Peut-être que je ne sais pas m'y prendre…

– Arrête, le beau René, c'est très simple. Il est tellement habitué à se faire escalader qu'il en perd toute initiative…

Le pire, c'est qu'elle a raison. Les bras le long du corps ou croisés derrière la nuque, il attend. Ou il demande « occupe-toi de moi, aime-moi » et quelquefois des choses tellement ridicules qu'elle en reste glacée. « Prends-moi, viole-moi. » Non, non, non, a-t-elle envie de hurler, c'est toi qui dois me prendre et me violer, c'est toi le mec !

– Arrête de faire cette mine, Juju. On dirait que tu

joues ta vie… Elle est ailleurs ta vie. Enfin, j'espère…
parce que toute une vie avec le beau René !

Martine soupire, découragée.

Pourquoi pas ? pense Juliette. Toute une vie blottie
contre son bleu de travail. Sans angoisse, sans inscription en fac, sans bagarre.

Sur son épaule, la tête de Martine se fait lourde. Elle
lui tient chaud et c'est bon.

Martine pratique, qui a décidé de ne jamais tomber
amoureuse parce que ça bouffe toute votre énergie. Son
énergie à elle, elle veut la mettre à conquérir l'Amérique.
Des amants d'accord, de l'amour pas d'accord, et c'est
en prenant beaucoup d'amants qu'on évite l'amour.
C'est sa théorie. Juliette la retrouve souvent à la Coop de
la place du Marché où Martine a pris un emploi de caissière pour se payer son voyage outre-Atlantique. Elles
vont manger des gâteaux au Péché-Mignon, Martine
déplie un plan de New York et Juliette lui fait réciter les
rues, les stations de métro, les banlieues de Manhattan.
Elles rêvent toutes les deux à Fire Island, Park Avenue,
Forsythe Street, Washington Square…

– Hé, Juju, arrête de penser. Le voilà, René…

Juliette se redresse, tire sur sa robe, fait bouffer ses
cheveux. Cœur qui bondit, racines qui transpirent,
plaques sur les joues, ventre qui se rentre, seins qui
pointent, air naturel qui tremblote…, comment vous
ici ?

Le beau René est sur le pas de la porte.

Pas tout seul.

Une fille se tient à ses côtés. Une fille qu'il tient
enlacée…

Première partie

Chapitre 1

On jouait un slow, le beau René pétrissait sa squaw et, malgré tout ce qu'elle pouvait bien se hurler, Juliette était incapable de détacher ses yeux de ce spectacle affreux. Pire même, elle s'en repaissait pour nourrir la bête qui lui rongeait les entrailles et qui réclamait miam-miam, encore, encore de l'image qui fait mal !

Elle incarnait soudain toutes les grandes douleurs romanesques, celles-là mêmes qu'elle lisait, en classiques Hachette, d'un œil désinvolte et d'un doigt plein de confiture. Elle crut mourir mais, se trouvant toujours en vie, elle se leva, alla buter contre le premier mâle rencontré et s'abîma dans ses bras.

Pas une fois, à partir de ce moment-là, elle ne laissa glisser son œil sur le beau René, même si pour cela elle dut enfoncer plus profond son nez dans la chemise Lacoste de son cavalier et subir de gluants baisers. Chienne hurlante à l'intérieur, forteresse impénétrable à l'extérieur. Elle passait en revue mâchicoulis et barbacanes, arpentait bonnettes et bretèches, préparait ses seaux de poix et d'huile bouillante, alignait béliers et bombinettes, et faisait quelques pectoraux pour narguer l'ennemi.

Le lendemain, toujours abrutie de douleur mais apprenant à vivre avec – si je dors en chien de fusil, le pouce dans la bouche, ça ira mieux peut-être ? –, elle alla trouver Martine à la Coop et lui demanda de tenir un conseil de guerre exceptionnel.

Qu'est-ce que je vais faire ? Qu'est-ce que je vais faire ? répétait Juliette. Fuir, répondit Martine, péremptoire. Et le plus loin possible. À Paris, par exemple. Orléans, c'est encore trop près, tu pourrais, clandestine, venir renifler les vapeurs de pots d'échappement au garage du Mail.

– Mais comment convaincre mes parents de m'envoyer dans la ville de Cohn-Bendit ?

Martine enfourna deux bouchées de pithiviers, but une tasse de thé cul sec, puis, la bouche pleine et pâteuse, réfléchit.

– Trouve-toi une matière que tu ne peux pas étudier à Orléans ? Au besoin, mens… T'as envie de quoi ?

– De rien. Si…, de mourir.

– D'étudier quoi ?

– Sais pas, Martine, sais pas. Pourquoi il m'a fait ça ? Qu'est-ce qu'elle a de mieux que moi ?

– Rien. Mais la comparaison des étiquettes, dans ce cas-là, tu sais…

Juliette alla voir ses parents et négocia son départ pour Paris. Elle jura croix de bois, croix de fer, qu'il n'y avait pas de fac de droit à Orléans et qu'elle voulait absolument être avocate. Pour défendre les opprimés, les faibles, les ratatinés, les victimes d'injustices flagrantes, les abandonnés, les laissés-pour-compte et sur place, une squaw en travers de la gorge.

Marcel Tuille toussa, tripota ses bretelles, se roula une cigarette et émit une liste de conditions que Juliette accepta sans broncher. Elle n'était pas de taille à discuter. Elle irait habiter chez la cousine Laurence, rue Saint-Placide, ne sortirait pas le soir, rentrerait tous les week-ends à Pithiviers et se contenterait de cinq cents francs de mensualité.

Elle promit. Après tout, pensa-t-elle, les promesses

n'engagent que ceux qui les reçoivent. L'important est de partir d'ici.

– Papa... Je peux partir très vite ? Je voudrais m'habituer à Paris...

– On verra. Je vais en parler à la cousine Laurence.

Elle attendit pendant quinze jours.

Quinze jours à lutter jour et nuit contre l'envie d'aller ramper aux pieds du beau René, implorer son pardon, annuler son départ, mendier une petite place, une flaque d'huile de vidange tout au fond du garage entre deux blocs-moteurs où elle pourrait rester à l'admirer, muette, respirant à peine, sans le déranger le moins du monde, sans qu'il puisse seulement s'apercevoir qu'elle existait, sans rien lui demander d'autre que le droit d'être là à le vénérer en silence.

Elle se retint pourtant. Ou du moins, Bénédicte et Martine la retinrent en lui faisant miroiter à la place de la flaque de cambouis son avenir doré à Paris.

Elle se força alors à ne penser qu'à ça : Pa-ris, Pa-ris, Pa-ris...

Pa-ris, Pa-ris quand elle rôdait près du garage pour apercevoir un bout de clé à molette... Pa-ris, Pa-ris quand elle noyait la photo rangée dans l'étui en plastique de grosses larmes nostalgiques. On existait pourtant, la preuve... Elle fixait la photo, hébétée, et le rat dans le ventre s'agitait et réclamait à manger.

Pa-ris, Pa-ris.

Elle n'était toujours pas partie que Paris changeait déjà sa vie. Pas de son fait à elle... Oh non ! pour elle, ce n'était que des syllabes imbéciles, mais les autres... Les autres qui avaient appris Pa-ris et qui la regardaient autrement. L'admiration légèrement envieuse qu'on se mit à lui témoigner l'aida à tenir le menton haut et le René bas dans son estime. Elle devenait « la Parisienne » et on ne lui parlait plus pareil.

Elle essuyait ses yeux et estourbissait le rat, appliquait

Paris sur ses plaies et se reprenait à espérer. Espérer que la vie serait belle à Paris…

Mais alors, une inquiétude venait lui tenailler le ventre : elle se demandait si elle saurait justifier l'auréole qu'on lui octroyait en l'appelant « la Parisienne ». Bref, si elle était de taille à survivre à Paris. Même pas conquérir. Conquérir, c'était pour Martine et ses gratte-ciel. Juste survivre à l'ombre de la tour Eiffel.

Mais alors, elle n'avait qu'à penser à ses parents pour comprendre que rien ne pouvait être pire que Pithiviers chez eux, avec eux et comme eux. Un destin en forme de boîte à chaussures. Ils lui paraissaient encore plus rétrécis depuis que le beau René l'avait trahie. Comme si, auparavant, l'auréole de René avait illuminé de quelques watts les parents Tuille. Ils sont tout éteints maintenant, pensait Juliette.

Au bout de quinze jours, Marcel Tuille donna son accord pour qu'elle fasse ses valises. La cousine Laurence, clouée au lit par une crise d'asthme, ne pouvait la recevoir, mais elle recommandait chaudement une fille d'amie, une jeune fille tout à fait remarquable et de moralité irréprochable, qui, pour subsister, louait des chambres dans son appartement, ses parents ayant été obligés de s'installer provisoirement à l'étranger.

Juliette arriva sous le soleil dans un Paris assombri par l'entrée des chars russes à Prague, un Paris presque en deuil avec les gros titres des journaux qui s'indignaient dans tous les kiosques. Des Parisiens hébétés lisaient et relisaient leur journal en la prenant à partie.

Cela gâcha à peine sa joie. Juliette découvrait la ville avec les yeux d'une touriste sur un bateau-mouche. Elle était en vacances. Paris aussi. Le soleil, les étrangers, les terrasses de cafés, les pelouses des Tuileries ou du Luxembourg l'émerveillaient et lui faisaient oublier que c'était pour de bon, qu'elle était en train de changer de vie.

Elle n'était pas la seule à redécouvrir le bonheur. Cet été-là, *France-Soir* publia un grand sondage IFOP dont l'optimiste résultat avait de quoi étonner : pour les Français, le bonheur était en progrès.

La France sortait tout juste de troubles comme on sort d'un banquet : indisposée par ses propres excès, elle constatait, dans un dernier rot, que, finalement, elle n'était pas si malheureuse que ça. Et même si, de deux cent cinquante mille, le nombre des chômeurs était soudain passé à quatre cent cinquante mille, on faisait confiance au gouvernement pour que tout rentre dans l'ordre dès septembre.

Bonheur des Français sur les plages, bonheur des contestataires qui venaient de semer des croyances, des défis qui allaient prendre racine : amour libre, communautés, rejet de la société de consommation, des mandarins, des parents, installation d'une contre-culture, d'un contre-pouvoir. Bonheur des bien-pensants qui avaient eu bien peur, bonheur d'un gouvernement reconduit en masse et fanfare sans très bien comprendre pourquoi, même s'il soutenait le contraire, bonheur du travailleur qui rêvait de Grenelle comme on croit aux miracles, bonheur des voitures à qui l'essence était revenue, bonheur de Juliette qui apprenait le métro et le bus, la liste des deux cents cinémas parisiens, les magasins ouverts tard le soir, et découvrait en faisant des cercles de plus en plus grands tous les trésors de Paris.

Elle passa la fin du mois d'août à se perdre dans les rues, à suivre dans les journaux la dernière aventure de BB avec un play-boy italien sous l'œil indifférent de Gunther Sachs, à louper ses stations de métro, à déguster des menthes à l'eau, à loucher sur les derniers pavés qui traînaient encore rue Gay-Lussac...

Le jour où, décidée à escalader la butte Montmartre, elle sut se rendre d'Alma-Marceau à Anvers sans se tromper dans les correspondances de Saint-Lazare et place de Clichy, ce jour-là, Juliette se déclara parisienne. Ce jour-là aussi, elle s'aperçut que, depuis dix jours, elle n'avait pas pensé au beau René...

Début septembre, les pensionnaires de Valérie – c'était le nom de la jeune fille qui lui louait sa chambre – revinrent de vacances.

Elles réintégrèrent le 40 avenue Rapp avec la familiarité et l'aisance de ceux qui rentrent chez eux après un long voyage, abandonnant leurs valises dans l'entrée, ouvrant le Frigidaire et posant les pieds sur la table. Juliette, qui avait jusque-là vécu en enfant unique avec Valérie, vit sa tranquillité et son espace envahis. Si Valérie avait le maintien et la discrétion d'une jeune fille très pieuse et un peu ingrate, Regina et Ungrun étaient plus expansives et encombrantes. Toutes deux mannequins, venues chercher fortune là où la mode naissait, elles avaient échoué chez Valérie après avoir, chacune de leur côté, visité placards, réduits, chambres de bonne, monté moult étages et compris comment l'escalade quotidienne de leurs escaliers dispensait les Parisiens de toute autre culture physique.

Chez Valérie, c'était grand, clair et pas trop cher. De plus, l'adresse était fort honorable et l'appartement se trouvait tout près de leur agence. Ce que Juliette eut du mal à comprendre, en revanche, c'était pourquoi Valérie louait ses chambres à des créatures si éloignées de ses conceptions religieuses. Elle comprit très vite que le mannequin était une race infiniment solvable et insouciante et que si, pour la tante Laurence, Valérie avait annoncé quatre cents francs de loyer, Ungrun et Regina payaient beaucoup plus cher.

À partir de cette découverte, Juliette considéra Valérie différemment. Elle ne devait pas être si chrétienne que ça pour exploiter sa prochaine comme une vulgaire marchande du Temple.

Regina était allemande, Ungrun islandaise.

Juliette n'avait jamais rencontré de mannequins et ne se souvenait pas, non plus, d'avoir connu une Islandaise. Elle ne put s'empêcher d'y lire l'heureux présage de ses succès à venir. L'aventure commençait, et en version internationale.

Chapitre 2

Dans le couloir de l'appartement, ce matin-là, il y avait embouteillage. Regina occupait la salle de bains depuis plus d'une demi-heure. Valérie et Ungrun attendaient, accroupies derrière la porte. Il doit se passer quelque chose d'exceptionnel, se dit Juliette, parce que Valérie, d'habitude, est plutôt à cheval sur l'étiquette.

Leur vie avenue Rapp obéissait à des règles très précises établies par Valérie qui veillait à leur application avec la rigueur d'une mère supérieure : interdiction d'amener des étrangers nuitamment, usage du téléphone limité au sablier entre dix-huit et vingt heures (heures fatidiques qui décident de toute la soirée), respect des aliments d'autrui dans le réfrigérateur, respect également de l'espace de chacune dans les placards et surtout, surtout, défense de rester plus d'un quart d'heure dans la salle de bains aux heures de pointe. Quiconque transgressait le règlement était menacé d'expulsion.

Ce matin-là, en effet, il s'était passé quelque chose d'exceptionnel : Regina avait annoncé, au petit déjeuner, qu'elle venait de décrocher son premier rôle au cinéma aux côtés de Gabin.

– JEAN Gabin ? demanda Juliette, impressionnée.

– Bien sûr, pas Roger ! répondit Valérie sur le ton dédaigneux de celle qui a eu la primeur de l'information.

Juliette se tut, mortifiée. Ces trois filles-là, qu'elles le fassent exprès ou non, passaient leur temps à lui faire sentir qu'elle n'était qu'une pauvre provinciale. Oh ! ce n'était pas toujours intentionnel, mais elle devinait bien à une intonation ou une inflexion de sourcil qu'elle manquait de culture parisienne.

C'était le grand espoir de Regina de se reconvertir dans le cinéma parce que, à trente-deux ans, un mannequin est au bout du rouleau.

C'était surtout le matin que la carrière de Regina semblait compromise. Au petit déjeuner, quand elle n'était pas maquillée. On voyait tout : ses pores dilatés, ses cuisses un peu molles, ses racines noires… Parce que, pour réussir dans ce métier, il vaut mieux être blonde. Depuis l'invention du cinématographe, il n'y en a que pour les blondes. Vous pouvez avoir le menton en galoche et des trous dans la peau, si vous êtes blonde, on klaxonne sur votre passage. Pour survivre en brune ou en châtain, il faut être parfaite. Même Evita Perón a été obligée de se décolorer pour haranguer les foules du haut de son balcon ! Pas étonnant, alors, que Regina…

Ce qui dégoûtait le plus Juliette, au petit déjeuner, c'était les sourcils de Regina : deux traits filasse de poils roux. Un mannequin vu de près, ce n'est pas aussi alléchant que sur les photos. Même Ungrun, qui n'a que vingt ans et un visage de bébé qui enchante les magazines, est ordinaire au petit déjeuner. Elle a des seins si lourds et si longs que la directrice de son agence lui a suggéré de s'en faire couper un morceau. Ungrun hésite. À cause de son fiancé qui est resté à Reykjavik et qui aime bien rouler ses longs seins dans ses mains. Ungrun lui a écrit et attend sa réponse. Si elle est devenue mannequin, c'est pour lui offrir un magasin d'électroménager ; dès lors, c'est à lui de décider.

Dans la salle de bains, Regina faisait des vocalises. Lô-a-lô-a-lô-a-lô-a-lô. Montant et descendant la gamme. Changeant d'octave, variant avec Li-o-li-o-li-o-li-o-li. Regina assurait que, si les hommes prenaient moins de rides, c'était à cause des grimaces qu'ils faisaient tous les matins en se rasant. La vocalise, c'est sa gymnastique faciale. Regina possède recettes et solutions miracles pour tous les problèmes de l'existence. Juliette se surprit à penser que, peut-être, grâce aux trucs de Regina, elle pourrait maîtriser ses racines qui transpirent.

Elle avait beaucoup moins d'assurance depuis qu'elle vivait à Paris. Elle se sentait souvent à côté de la fête, petite fille qui regarde tourner les manèges et n'a pas de ticket pour monter. Il faudrait se préparer avant de venir à Paris. Il devrait y avoir des cours dans les mairies de province : « Je monte à la capitale en vingt leçons. »

On y apprendrait, pour commencer, que la vie à Paris est beaucoup plus chère. Et qu'on y est beaucoup plus tenté. Difficile de trouver une rue sans vitrines. La tentation était perpétuelle et les cinq cents francs de son père disparaissaient sans qu'elle sache comment. La fac n'avait pas encore commencé et elle traînait dans les rues, seule. Proie facile pour l'étiquette alléchante.

Un jour, elle décida que ça ne pouvait plus durer. Il fallait qu'elle trouve un travail. Elle ne savait pas très bien quoi et éplucha les petites annonces. Atouts : elle présentait bien, parlait anglais (le tiers au moins du *Harrap's*) et accordait, sans tragédie, les participes passés. Handicaps : elle n'avait jamais frappé sur un clavier de machine à écrire et ignorait tout des graffiti de la sténo. Or, toutes les entrevues se concluaient par la question : « Et combien de mots/minute, mademoiselle ? » Un, pensait Juliette, et à condition que ce soit Azerty. La machine à écrire n'a jamais fait partie de ma culture générale, mais je peux vous réciter puella-puella-puellam ou la poussée d'Archimède dans son bain. Et savez-vous ce qu'a dit Surcouf à l'amiral anglais qui venait de le défaire ?

En vain. Ils manquaient totalement d'imagination, et l'enthousiasme qu'elle avait réussi à susciter par quelques pointes d'esprit et un sourire aguicheur retombait à son niveau le plus bas. Tous ces rendez-vous se ressemblaient : une longue queue accordéon de filles de tous les âges. Les vieilles épiant les jeunes avec méfiance, les jolies toisant les moches avec la solution finale dans le regard. Au bout de l'accordéon, un sergent-major qui aboyait et distribuait des curriculums vitae à remplir. Puis elles passaient toutes devant le chef du personnel, le plus souvent un monsieur couvert de pellicules et de cendres de cigarette, qui ponctuait chacune de ses réponses par un « je vois, oui, je vois » d'aveugle sans chien pour le guider et pensait au programme télé qu'il allait regarder le soir. L'impression d'être suspendue au bon vouloir et à la mauvaise humeur d'un rond-de-cuir sur lequel elle n'aurait même pas jeté un œil dans le métro remplissait Juliette de dégoût social. Être gentille, sourire avec juste assez d'abandon pour qu'il croie que…, tout en gardant sa dignité afin qu'il ne pense pas que…

Chaque fois, elle était éliminée pour cause de paralysie dactylographique. Elle avait fini par prendre Azerty en horreur.

– Tu as trouvé un boulot ? demanda Ungrun, interrompant le cours de ses pensées.

– Non, répondit Juliette. Pourtant, j'essaie…

– Tu devrais en parler à Regina, suggéra Valérie. Avec toutes les relations qu'elle a…

– Tu crois ?

Regina libéra, enfin, la salle de bains et retourna dans sa chambre. Juliette la suivit. Elle chercha d'abord quelque chose de gentil à dire pour ouvrir la conversation et ne pas avoir l'air trop intéressée.

– Elle est jolie ta chambre… C'est même la plus jolie de l'appartement.

– Normal. C'est la plus chère.

Elle n'était pas maquillée, et Juliette s'efforçait de ne pas regarder ses sourcils.

– Dis, tu ne connaîtrais pas dans tes relations quelqu'un qui pourrait me trouver un boulot ?

– Quel genre de boulot ?

– N'importe quoi. J'ai jamais travaillé. À part dans le magasin de mes parents…

– Dessus ou sous la table ?

Juliette rougit violemment. Regina reprit :

– Je plaisantais, nigaude. Écoute, samedi, je vais déjeuner à Milly chez un ami. Si tu veux, je t'emmène. Y aura du beau monde. T'auras qu'à poser la question à la ronde…

Juliette la remercia. Puis elle voulut ajouter quelque chose de gentil. « Merci » tout court, c'était sommaire.

– Tu parles bien français.

– J'aurais préféré que tu me dises que j'ai un beau cul. Ça sert plus dans mon boulot.

Pour le coup, Juliette ne savait plus quoi dire.

– Toi, t'as un beau cul, reprit Regina. On devrait pas avoir de mal à te trouver du travail…

Elle rit et commença à appliquer son fond de teint à l'aide de deux petites éponges.

– … mais tu le mets pas en valeur. Tourne-toi un peu… T'es habillée n'importe comment ! Et ta coiffure ! Va falloir te trouver une dégaine ! Je t'emmène pas comme ça, samedi.

Mais, qu'est-ce qui cloche ? se demanda Juliette. Ils ont quoi, mon kilt et mon shetland ? Ça coûte si cher de s'habiller… Rien qu'à regarder les prix dans les journaux, je me demande comment font les filles qui ont une dégaine, comme elle dit. Elles sont milliardaires, voleuses ou tricoteuses. Ou alors il faudrait que je sois maigre comme Twiggy. Quand on est maigre, on a un chic fou. Même avec un vieil imper sur les épaules, les photographes vous arrêtent dans la rue. J'arrête de manger ou je trouve du travail…

– Tu connais des gens à Paris ? demanda Regina.

– Euh… oui.

– Qui ça ?

– Jean-François Pinson.

– C'est qui ?

– Le fils d'amis de mes parents.

– Sexy ?

– Oh oui ! Grand, blond, avec des yeux… Il chausse du quarante-quatre.

– Tu te l'es fait ?

Juliette hésita. Elle aurait l'air moins « nigaude » si elle disait oui.

– Non. Mais il m'a donné son téléphone.

– Tu devrais l'appeler. On sortirait tous ensemble, un soir.

C'est ça. Pour qu'elle me le pique. Elle me le piquerait, c'est sûr. J'ai peut-être pas beaucoup de chances, mais j'ai pas envie de les gâcher.

Regina avait enduit quelques faux cils de colle et s'appliquait à les poser. Le fond de teint lui avait fait un visage lisse et beige. Elle avait mis du blush sur ses joues. Elle ressemble à ses photos. Regina en avait tapissé les murs de sa chambre. Toutes la représentaient au bras d'hommes magnifiques, souriants et bronzés. Les avortons, elle connaît pas, elle. Doit les écraser en marchant. Sur toutes les photos, elle rit.

L'autre soir, comme Juliette s'ennuyait toute seule dans sa chambre, elle avait ouvert la porte qui donnait sur le couloir et avait surpris un dialogue entre Regina et un homme. Un homme très bien mis, tout en gris, avec un attaché-case. Regina et lui semblaient très intimes, très heureux. Ils parlaient tout bas. Juliette n'avait pas réussi à entendre. Puis l'homme était parti.

– C'est qui l'homme qui est venu voir Regina hier

soir ? Je croyais que c'était interdit ? avait-elle demandé à Valérie le lendemain au petit déjeuner.

– C'est un de ses élèves. Elle donne des leçons d'allemand pour arrondir ses fins de mois. Sinon elle y arrive pas…

– Ah…

Photos, cinéma, leçons d'allemand. Elle en avait des activités, Regina…

– Allez, allez, la consultation est terminée. Faut que je m'habille, moi…

Regina la poussa vers la porte et Juliette se retrouva dans le couloir.

La salle de bains était libre mais, lorsque Juliette posa le pied sur le carrelage, il était tout mouillé. Elle se retourna vers le couloir vide et bougonna :

– La salle de bains est dégueulasse. Je croyais qu'il fallait nettoyer derrière soi…

Personne ne répondit.

Dans la baignoire, il y avait un nœud de cheveux qui bouchait l'écoulement. Juliette le retira, en fermant les yeux de dégoût. Elle ouvrit le robinet d'eau chaude. L'eau coula obstinément froide.

Elle s'assit sur le bord de la baignoire, pensa à la salle de bains de la rue de la Couronne à Pithiviers et eut envie de pleurer.

Chapitre 3

Juliette ne voulait pas revoir Martine et Bénédicte tout de suite. Elle avait besoin de temps pour s'installer dans sa nouvelle vie. Ce n'était pas facile. Elle avançait avec précaution comme un artificier au milieu d'un champ de mines. Voir Martine et Bénédicte l'aurait ramenée en arrière. À la case Pithiviers.

Déjà, quand Martine téléphonait et donnait des nouvelles, Juliette raccrochait avec une drôle de douleur dans l'œsophage, un fourmillement qui courait tout du long et la laissait inutile et tremblante. La peur au ventre. Je veux rentrer à la maison, j'y arriverai jamais. C'est trop inhospitalier, ici.

Au téléphone avec Martine, elle frimait. Elle parlait d'Ungrun, de Regina, et Martine s'ébahissait : « Des mannequins ! Des filles qu'on voit dans les journaux ! » Il faut dire qu'à Pithiviers le mannequin est une espèce rare, pour ne pas dire inexistante, et que le plus ressemblant qu'on puisse trouver est peut-être la fille de la parfumerie de la rue de la Couronne qui se fabrique un visage de magazine à coups d'échantillons.

Et puis il y avait les moments, moins drôles, où Juliette demandait des nouvelles du beau René. Pouvait pas s'empêcher de réveiller le rat et de lui donner à manger. Elle hésitait avant d'aborder le sujet, elle tournait autour, elle imaginait des réponses-pansements qui feraient taire sa douleur, « justement, hier, il m'a parlé de toi » ou « il arpente la ville, tout seul sur sa moto, l'air sombre ». Elle n'exigeait pas une preuve d'amour mais un signe, un indice qu'elle pourrait ressasser, approfondir, aménager plus tard, pendant ses longues heures de solitude.

Au lieu de cela, Martine disait : « Il est toujours avec sa blonde », et le cœur de Juliette tombait dans ses chaussettes. C'est pas vrai que le cœur est en haut, à gauche. Au repos, peut-être… Mais, quand il bat, il bondit entre plexus et socquettes.

– Tu as appelé le fils Pinson ? enchaînait Martine, pratique.

Non. Elle n'ose pas. Tant qu'elle n'est pas sûre d'avoir la dégaine. Elle ne l'aura jamais, c'est évident. Si elle n'est pas capable de retenir le héros de Pithiviers, comment peut-elle séduire celui de Paris ?

Elle raccrochait. Se promettait de penser à autre chose. D'être positive. Faisait une liste de ses atouts : j'ai dix-huit ans et demi, de longs cils noirs bien fournis, un bac, une chambre avenue Rapp, deux amies à Pithiviers, un beau cul… Elle comptait sur ses doigts et chassait la douleur-fourmi, la douleur inutile qui finit par vous faire plaisir, qui vous fait tourner en rond puis plus rond du tout.

Si elle n'avait pas été si seule…

Elle s'était choisi une copine. Une sainte. Sainte Scholastique. Elle l'avait rencontrée dans une église – les églises, c'est calme, apaisant et gratuit –, reléguée, dans un petit coin, sans cierges ni ex-voto. Une statue écaillée où elle avait déchiffré son nom avec difficulté, sainte Scholastique. Elle avait vérifié dans un livre pieux de Valérie, Scholastique était la sœur de saint Benoît. De son vivant déjà, y en avait que pour son frère…

– Ma pauvre vieille, lui chuchotait Juliette, avec un

prénom pareil ! Comment veux-tu que la postérité te retienne !

Juliette avait réfléchi. Elle ne devait pas avoir grand-chose à faire là-haut, sainte Scholastique, et, par conséquent, tout le loisir de s'occuper de ses problèmes. Une sainte oisive, c'est idéal. Même si ça ne téléphone pas...

La sonnerie retentissait pour toutes sauf pour Juliette. Elle finissait même par attendre les appels de ses parents. Deux fois par semaine. Toujours après vingt heures : c'est moitié prix. Toujours du magasin : ça rentre dans les frais généraux. Elle raccrochait sereine. Presque contente d'avoir quitté leur univers étriqué. Quand je pense à eux, c'est chaud et douillet ; quand je leur parle, je suis déçue. Ils n'ont pas le même goût de près et de loin.

C'est ce petit monde qu'elle avait défié en partant. Et, quand on part sur un coup de tête, il faut revenir sur un coup d'audace. C'était une théorie de Martine. Et Martine, elle s'y connaissait en théories...

La première fois qu'elle l'avait vue, c'était chez le boucher, place du Martroi. Juliette était perdue dans la contemplation de la bouchère, une femme plantureuse et grassement maquillée avec des yeux dessinés au pinceau et agrandis de deux bons centimètres (mais sans sentiment), des lèvres rutilantes et des bagues à chaque doigt. Peu lui importait de patienter chez le boucher : elle contemplait la bouchère. Et se demandait pourquoi Hollywood ne l'avait pas encore réclamée. Un jour, donc, qu'elle attendait dans la file du boucher, une petite fille, devant elle, avait demandé quatre steaks bien épais et dans la bavette. Au moment de payer, elle avait déclaré qu'elle n'avait pas d'argent. Pas le moindre sou. La queue tout entière avait regardé cette petite fille qui revendiquait la gratuité du steak quotidien. « Mais ton papa ? et ta maman ? » avait demandé la bouchère inter-loquée. « Ils triment », avait répondu la petite fille.

« C'est ta maman qui t'envoie ? » avait repris la bouchère. « Oui. Elle n'a pas le temps de faire les courses. »

Elle répondait, trouvant normal qu'on lui pose toutes
ces questions, mais un peu agacée qu'on tarde à lui
remettre les steaks. « Qu'est-ce qu'on fait ? » avait interrogé du regard la bouchère. « Va pour cette fois, mais ce
n'est pas la peine de revenir », avait répondu le boucher
qui ne voulait pas se montrer radin devant sa clientèle.

Un mois plus tard, Juliette lisait une bande dessinée
derrière le comptoir du Chat-Botté quand elle vit entrer
la même petite fille. Elle ne dit rien et attendit, le cœur
battant. La petite fille s'assit, demanda une paire de
bottes fourrées en trente-quatre. Elle les essaya, fit
quelques pas, passa un doigt pour vérifier qu'elles
étaient bien doublées, puis déclara : « Je les garde sur
moi. Vous pouvez avoir les miennes. »

Mme Tuille sourit, attendrie, puis passa derrière la
caisse. « Ce n'est pas la peine, ajouta la petite fille, je
n'ai pas de sous. Mes parents triment. » Mme Tuille la
dévisagea, stupéfaite, puis consulta du regard les autres
clients.

– Tu ne peux pas les garder, ma petite, tu dois payer...

– Vous voulez que je reparte pieds nus dans la neige
alors que vous êtes bien au chaud dans vos chaussons ?

Mme Tuille avait tripoté le poil unique de son grain
de beauté sur le menton.

– Non, mais...

Puis, de nouveau, elle était partie quémander un
conseil dans le regard des autres clients. Chacun se
détournait et contemplait ses lacets.

– Mais, qu'est-ce que je vais faire, moi ? avait-elle
gémi. Et mon mari qui n'est pas là !

– C'est la même, avait alors dit Juliette, c'est la même
petite fille que chez le boucher...

– Et qu'est-ce qu'il a fait le boucher ? avait demandé
Mme Tuille pleine d'espoir.

– Il lui a donné les quatre steaks.

– Ah...

La petite fille attendait, bien droite, dans le magasin.

– Bon. Prends-les. Mais ne reviens plus jamais ici ! La prochaine fois, ça ne marchera pas ! Tu peux me croire !

Elle était repartie, laissant sa paire de chaussures éculées sur le comptoir. Mme Tuille répétait « ça alors, ça alors » et son indignation lui donnait des doubles mentons.

Juliette était enchantée. Une petite fille, par deux fois, sous ses yeux, avait mis K-O des grandes personnes !

Trois ans plus tard, elle l'avait retrouvée sur les bancs du lycée. Elles étaient vite devenues inséparables. Martine ne pratiquait plus l'achat pirate depuis le jour où, ayant soutiré deux bonnets de laine au concessionnaire Phildar, sa mère lui en avait confisqué un. « Mais j'en veux deux, avait crié Martine, pour être à la mode, il faut les superposer. » « Deux, c'est le début de l'instinct de propriété, la racine du mal capitaliste », avait répliqué sa mère.

Ce jour-là, Martine révisa la doctrine de ses parents et passa à celle de l'ennemi : « Plus on possède, plus on est heureux. » Elle ne voulut plus revendiquer, plus militer à la sortie de la messe, plus coller des affiches sur les poteaux électriques. Elle décida de se consacrer tout entière à elle et à sa réussite. La plus capitaliste qui soit.

Sa rencontre avec Bénédicte Tassin consacra cette reconversion. Bénédicte Tassin, fille d'un notable de la ville, d'un banquier, d'un homme d'affaires entreprenant, qui ouvrait des pizzerias à Fontainebleau et des épiceries de luxe à Pithiviers. Martine étudia la carrière de M. Tassin et en déduisit qu'il lui fallait d'abord entreprendre des études, puis se choisir un domaine réservé où elle réussirait aussi bien que Tassin. Face à de tels projets, Pithiviers se révélait trop petit. Elle choisit l'Amérique et une université américaine. Pas n'importe laquelle : Pratt Institute à Brooklyn, l'université des architectes, stylistes, créateurs et inventeurs de formes nouvelles. Reconnue par l'Éducation nationale en plus, ce qui facilitait une éventuelle reconversion française. Cinq mille dollars par an, rien que pour suivre les cours. Plus les frais de logement, de « campus », comme c'était écrit sur les catalogues. Le seul problème aux États-Unis, avait-elle expliqué à Juliette, c'est que les études coûtent cher. Va falloir que je travaille, que j'économise. Et, depuis qu'elle avait son bac, elle tenait la caisse de la Coop et plaçait chaque mois de l'argent sur son compte au Crédit agricole.

Bénédicte, aussi, avait décidé de passer à l'action. Elle était entrée au *Courrier du Loiret*. Un journal local surtout rempli de communiqués et de faits divers régionaux. « Mais ce n'est qu'un début, avait-elle déclaré à Juliette au téléphone ; en fait, je voudrais devenir une vraie journaliste dans un vrai journal. » Son père lui avait acheté une 4 L d'occasion pour qu'elle puisse se déplacer sans problèmes.

Elle n'a jamais eu de souci d'argent, elle, pensait Juliette. Déjà, au lycée, elle pouvait tout se payer pendant que Martine et moi on unissait nos économies pour acheter un disque de Johnny ou un pull du Monoprix.

Au déjeuner à Milly, Regina l'avait présentée à ses amis. Elle avait essayé de faire bon effet, mais le résultat avait été plutôt lamentable. Les racines trempées et les joues empourprées, elle avait dû avoir l'air d'une parfaite idiote. Si les hommes présents avaient longuement détaillé son anatomie, aucun ne lui avait adressé plus que les trois mots usuels de politesse.

Depuis, elle feuilletait chaque matin les petites annonces en écartant celles qui exigeaient sténo et dactylo. Ce qui limitait beaucoup le marché. Heureusement, elle allait à la fac de droit, rue d'Assas. Ça l'occupait même si ça ne la passionnait pas.

La rentrée, après les événements de Mai, avait été houleuse. La fac ressemblait plus à un camp retranché qu'à une université, et elle avait l'impression d'être tombée en pleine guerre civile. Les étudiants étaient pour la plupart de droite, même d'extrême droite, et se préoccupaient davantage d'aller casser du gauchiste que de suivre leurs cours. Ils avaient un air propret et suffisant, des joues rouges et des boutons, des cheveux courts et des chevalières avec des armes. Elle ne les trouva pas du tout attirants.

Elle attendait. Soliloquait avec sainte Scholastique, se consolait à coups de crèmes caramel et Chocoletti, et regardait vivre les autres.

Et puis, un beau jour, dans le couloir de l'appartement, Regina lui présenta l'un des industriels à qui elle donnait des leçons d'allemand. Il s'appelait Virtel. Edmond Virtel. Il possédait une entreprise de travaux publics et cherchait une documentaliste pour enquêter sur les divers procédés de fabrication du béton. « C'est un domaine qui bouge, lui expliqua-t-il, l'État lance tout un programme de constructions de villes nouvelles. Il faut être à l'affût des nouveaux procédés et je n'ai pas le temps de faire de la prospection. » Il lui avait demandé si elle parlait anglais. Oui, avait-elle répondu en cherchant comment se disait béton dans la langue du riche tailleur. Puis, si elle tapait à la machine. Elle avait dit oui aussi. Droit dans les yeux. Elle n'allait pas laisser quarante-huit petites touches noires lui barrer la route de l'emploi une nouvelle fois. Elle apprendrait. Il y avait des méthodes express.

Il fut décidé qu'elle commencerait à travailler dès le

lundi suivant, tous les après-midi de la semaine pour la somme de deux mille francs mensuels. Elle faillit lui sauter au cou pour le remercier mais se souvint, à temps, qu'elle appartenait désormais au monde du travail et se retint. « Avez-vous un fiancé ? » ajouta Virtel. « Non », répondit Juliette. « Tant mieux, dit-il, les fiancés sont toujours une source d'ennuis. »

Et, même si elle en avait eu un, elle l'aurait répudié sur-le-champ.

Elle avait un travail.

La vraie vie commençait.

Elle allait célébrer ça tout de suite en invitant ses copines à Paris.

Elles étaient sur le trottoir, toutes les trois, muettes. Juliette, Martine et Bénédicte. Le flot des spectateurs qui sortaient du Kinopanorama les bousculait. Elles se laissaient ballotter sans résister. Martine eut un mouvement pour refermer son manteau écossais. On était en novembre et il tombait une fine pluie froide. Juliette frappa dans ses mains, comme pour dire « bon, c'est pas tout ça, mais où va-t-on dîner ? ». Bénédicte releva le col de son Burberry.

Bénédicte portait toujours ses cols relevés. Elle trouvait que c'était flatteur pour la silhouette et que ça donnait bonne mine. C'était un de ses principes. Elle en avait d'autres comme ça : ne jamais se laver le visage à l'eau et au savon, toujours avoir un vaporisateur dans son sac avec de l'eau de toilette – pas du parfum, c'est vulgaire –, ne jamais téléphoner à un garçon la première et refuser systématiquement le premier rendez-vous – s'il tient à vous, il rappellera –, ne pas dire « par contre » mais « en revanche », etc., etc. Toute une série de règles qui impressionnaient Martine et Juliette et qui, ce soir-là, une fois de plus, les soumettaient au verdict de Bénédicte. Elles attendaient qu'elle prenne une décision.

Bien sûr, la supériorité de Bénédicte leur donnait, quelquefois, le sentiment d'être immatures, mais elles étaient souvent obligées d'admettre qu'elle avait raison. Elle se montrait, sur certains points, bien plus adulte qu'elles deux réunies.

Cette supériorité s'était révélée dès le premier Tampax. Elles étaient allées l'acheter ensemble. Bénédicte avait choisi la marque. Elle savait, de source sûre, que le Tampax était équipé d'un tube applicateur en carton qui en facilitait la pose. Elles avaient soigneusement lu le mode d'emploi et étudié le croquis glissé à l'intérieur. Martine était entrée la première dans les toilettes pour en ressortir, bredouille : le coton avait bien glissé hors du tube mais dans sa main. Juliette avait essayé : à son avis, elle n'avait pas de vagin. C'est alors que Bénédicte avait pénétré dans les W-C. Deux minutes plus tard, elle ressortait, exhibant le tube vide. Juliette et Martine s'étaient regardées, stupides. Bénédicte avait dû leur faire une démonstration, tout en restant dans les limites de sa réserve habituelle. Ce qui n'avait pas facilité les choses. Le coup d'œil que chacune lui avait jeté, ce jour-là, relevait autant du soulagement d'avoir compris comment ça marchait que du serment d'allégeance.

C'était le même genre de coup d'œil que lançait Juliette après qu'elles eurent vu toutes les trois *Autant en emporte le vent*. Pourvu qu'elle ait aimé ! pensait-elle. Ma soirée est foutue sinon. Je vais me sentir coupable pendant tout son séjour. Tout devenait extrêmement important quand il s'agissait de Bénédicte.

– On va manger ? proposa Juliette.

Elle ne connaissait qu'un seul endroit à la mode : le *Pub Renault*. Elle n'y était jamais allée. Elle savait que c'était en bas des Champs-Élysées, à droite. Bénédicte opina. Elles prirent toutes les trois le métro et descendirent à

Franklin-Roosevelt. Juliette jetait des coups d'œil furtifs pour essayer de repérer l'endroit, sans dire qu'elle ne le connaissait pas. Quand elle aperçut la façade, elle poussa un soupir de soulagement. Elle trouva l'intérieur décevant. Comment, ce n'est que ça, cet endroit dont tout le monde parle avec des superlatifs dans la voix ! Un grand hall rempli de courants d'air… Mais bientôt une bande de jeunes vint s'asseoir à la table voisine et le pub retrouva l'éclat de sa légende. Elles ôtèrent leur manteau et commandèrent.

– Tu crois qu'il reviendra, Rhett ? demanda Juliette.

– Je crois pas…, dit Martine.

– Oh si…

– En tous les cas, Scarlett, c'est une vraie héroïne moderne, dit Bénédicte.

Ouf ! Elle a aimé, se dit Juliette.

Elles parlèrent du film et de Scarlett pendant tout le dîner. Juliette enviait son rond de soupirants, Martine soulignait ses talents de femme d'affaires et la manière musclée dont elle menait la scierie, Bénédicte trouvait qu'elle avait vraiment de la classe.

Quand le garçon apporta l'addition, Juliette insista pour payer.

– Et qu'est-ce qu'on fait maintenant ? demanda Martine.

– Sais pas, dit Juliette, vous avez pas sommeil ?

Elle n'était jamais sortie le soir. Elle croyait être quitte avec le *Pub Renault*. Doit bien y avoir un endroit. Elle essaye de se rappeler des pubs de boîtes à la radio ou dans les journaux. Zut ! Zut ! je vais encore passer pour une idiote !

– Et si on appelait le fils Pinson ? proposa Martine que le rosé avait un peu éméchée.

Jean-François Pinson ? Elle n'osera jamais. Et puis, Martine a trop de vert sur les paupières.

– Il est trop tard, protesta-t-elle.

– Trop tard ! pouffa Martine dans sa serviette.

– J'ai pas son numéro sur moi, décréta Juliette.

– Je te parie qu'il est dans le Bottin, insista Martine.

– Faites ce que vous voulez, moi, ça m'est parfaitement égal, dit Bénédicte en bâillant légèrement.

– Viens, on va téléphoner, claironna Martine.

Oh mon Dieu ! Faites qu'il y ait une tache sur son nom ou que la page des PINS… ait été arrachée.

Elles descendirent aux toilettes, trouvèrent le numéro et Juliette, terrifiée, le composa en priant sainte Scholastique que Jean-François Pinson ne soit pas chez lui. Martine se pinçait le nez en faisant signe « ohlala, qu'est-ce que ça pue ici ! ». Elle n'est vraiment pas en état de sortir, se dit Juliette, consternée par la tournure que prenait la soirée. La sonnerie retentit cinq fois. Juliette allait raccrocher quand elle entendit une voix lasse, presque excédée, dire :

– Allô…

– Bonsoir. C'est Juliette Tuille… De Pithiviers…

– Ah oui…

– Je suis au *Pub Renault* avec des amies et…

Elle avait envie de renoncer, de dire n'importe quoi et de raccrocher, mais Martine lui donna un coup de coude dans les côtes.

– … et on se disait qu'on serait bien…, enfin qu'on vous aurait bien vu…

– Quand ? Ce soir ?

– Ben…

Martine lui envoya un nouveau coup de coude et éclata de rire en faisant un bruit de trompette.

– Ben… Oui.

Lui, ce soir, il s'était dit, je ne sors pas, je regarde la télé. Il n'y avait rien à la télé.

– Elles sont comment vos copines ?

– Euh…, elles sont deux.

Il rit. Bon, d'accord. Il va venir. Mais juste pour

prendre un verre. Et pas au *Pub Renault*, au *Privé*, rue de Ponthieu, parce que le *Pub Renault*...

Juliette raccrocha.

Tout à coup, elle se sentit aussi forte que Scarlett dans les bras de Rhett. Il vient, il vient. Je l'appelle et il vient. Me voir, moi, Juliette Tuille de Pithiviers. Merci, sainte Scholastique !

Au *Privé*, il se comportait comme s'il était chez lui. Les barmen le connaissaient et l'appelaient Jean-François. Il avait « sa » table et « sa » bouteille. Il dansa avec chacune d'entre elles. Juliette prétexta un peu de noir à l'œil pour entraîner Martine aux toilettes et lui ôter le vert de ses paupières.

– J'aime pas ce gars-là, dit Martine.

– Ah bon, pourquoi ?

– Je sais pas... Je ne le sens pas...

– Et Bénédicte ?

– Elle le trouve très gentil, très bien élevé. Moi, je dirais trop gentil, trop bien élevé...

– Eh bien, moi, je le trouve formidable ! s'exclama Juliette.

Chapitre 4

– Le problème des patrons français, c'est qu'ils n'ont aucune imagination : ils ne savent pas prévoir ce qui se passera demain. Ils managent le court terme, dans le meilleur cas le moyen terme, ils vivent au jour le jour comme des petits chefs ravis. Ils ne font aucune projection sur les cinq ans, les dix ans à venir… Alors, faut pas s'étonner de perdre des contrats sur le marché international. Vous m'écoutez, Juliette ?

– Oui, monsieur, dit Juliette en se redressant.

C'était un après-midi comme les autres et elle avait un peu tendance à somnoler aux discours de Virtel qui arpentait le bureau de long en large. *Je dois l'aider à penser. Encore heureux qu'il ne me demande pas de prendre tout ça en sténo.*

Grosso modo, elle comprend. Quelquefois même ça l'intéresse.

Il sent un peu trop le cigare à son goût – il en fume six à huit par jour, d'énormes Davidoff torsadés du bout – et s'inonde d'eau de Cologne pour effacer l'odeur. Il porte des mocassins avec d'épaisses semelles qui doivent bien lui faire gagner trois centimètres. Il est roux, légèrement frisé, a le poitrail développé et un cou aussi large que sa tête. *Ce doit être dur de lui acheter des chemises,* pense Juliette. *Heureusement, je ne suis pas sa femme. J'ai jamais eu de goût pour les roux. Je* ne sais pas pourquoi. Je trouve pas ça appétissant… À l'idée du zizi tout roux de Virtel, elle fit la grimace.

– Ça vous impressionne tant que ça, le sort des patrons français, Juliette ?

Elle bredouilla « non, non » et se traita d'imbécile. Faut que je me concentre…

– Le marketing de ces patrons n'étant absolument pas opérationnel, j'ai décidé, moi, d'investir dans le long terme et de trouver le béton de demain. Vous me suivez ?

Bien sûr qu'elle le suivait.

– Donc, je voudrais que vous fassiez des recherches. Lisez la presse étrangère. Vous parlez anglais, n'est-ce pas ?

Elle hocha la tête d'un air très britannique.

– … les revues spécialisées. Courez toutes les foires du bâtiment, bref, tenez-moi au courant. Trouvez les idées de demain. Vous êtes jeune, vous faites des études, vous m'avez l'air dégourdie… Allez-y, foncez. Compris ?

Juliette aimait qu'on lui parle sur ce ton. Elle avait l'impression de partir en guerre. J'ai dû être soldat dans une vie antérieure… Elle était reconnaissante à Virtel de lui confier une tâche aussi importante : l'avenir du béton en France. Tout de suite, elle eut une meilleure image d'elle-même. Elle allait commencer à se documenter dès le lendemain.

À cette idée, elle eut très peur. Une angoisse lui tordit le ventre : où se rendre pour faire plus ample connaissance avec le béton ! Existait-il des librairies spécialisées, des bibliothèques, des centres de recherches ? L'énergie qu'elle allait devoir dépenser la paralysa. Elle n'y arriverait jamais. Trop gourde, trop empotée. C'est toujours pareil avec elle, chaque montée d'enthousiasme est suivie, immanquablement, d'un accès de trouille qui la précipite au plus bas. Elle a l'humeur en montagnes russes. Elle enfile son armure en chantant, mais est pétrifiée au premier pas. À une envie irrésistible de rentrer au campement. J'ai dû perdre pas mal de batailles quand j'étais soldat…

Sa principale activité, depuis qu'elle était chez Virtel, c'était de penser au fils Pinson. Pourquoi ne rappelait-il pas ?

Sur le trottoir, à cinq heures du matin, quand ils étaient sortis du *Privé*, il l'avait embrassée sur la joue et avait dit : « On se téléphone ? » Il allait s'éloigner quand elle s'était écriée : « Mais vous n'avez pas mon numéro ! » Il avait sorti un stylo pur or de sa poche et avait inscrit le numéro de téléphone de Juliette sur son carnet de chèques. Depuis, il n'avait pas appelé. On ne perd pas un carnet de chèques…

– Vous avez tapé ma lettre à l'entreprise Ador de Clermont-Ferrand ?

Faut que j'appelle mon contact là-bas, se rappela Edmond Virtel, je l'ai négligé ces temps-ci. Un billet d'avion pour Paris, un repas d'affaires, une fille de chez Claude et j'ai une bonne chance de m'installer à Clermont !

– Euh… Non. Pas encore, mais je vais le faire tout de suite.

– Bien. Je l'attends pour la signer.

Il enfonça ses épaisses semelles dans la moquette et fit demi-tour vers son bureau.

Cette fille est curieuse, se dit-il, je ne la vois jamais travailler et ses lettres sont impeccables. Il tira un cigare de son étui, le renifla et l'alluma. Faudra que je demande à Regina si elle n'est pas trop gourde, quand même… Parce que sinon ça ne vaut pas le coup…

– Et vous m'appellerez Mlle Wurst aussi…

Edmond Virtel connaissait bien Regina Wurst. Il l'avait rencontrée pour la première fois à Rambouillet, lors d'un barbecue chez son ami le député Archambault. Ce jour-là, elle était au bras d'un dénommé Prestat, propriétaire d'une chaîne de magasins de confection. Depuis, il l'avait souvent revue. Pas forcément avec Prestat, mais toujours dans des endroits à la mode, accompagnée d'hommes prospères. Regina Wurst séduisait utile. C'était le genre de fille qui vous définissait plus sûrement qu'un bilan financier ou une cotation en Bourse, et l'afficher à son bras était un signe de bonne santé financière.

Justement, Edmond Virtel se sentait de taille à jouer les remorqueurs. Les entreprises Virtel-Probéton comptaient cinq cent cinquante employés, disposaient de trois cent vingt et une toupies et bétonneuses, et avaient réalisé, en 1967, un bilan à faire pâlir les autres entreprises des bords de Seine.

Pourtant, la route avait été longue jusqu'à de tels chiffres : rien n'aurait pu laisser prévoir un avenir aussi brillant à ce fils de bouchers normands.

À sa naissance, une nuit de janvier 1926, à Laval, son père bouda. Un second fils ! Les Virtel en avaient déjà un : Jacques, né huit ans plus tôt, et qui épuisait à lui seul les modestes ressources d'amour paternel dont disposait Roger Virtel. « Je n'ai qu'une boucherie à léguer, et une boucherie, ça ne se partage pas », bougonnait le père Virtel pendant que l'infirmière de la maternité essayait de lui poser le bébé dans les bras. Une fille aurait pu tenir la caisse et aguicher le client mais un garçon…

Cependant, lorsque le fils aîné eut la sale idée de s'intéresser aux études et que les instituteurs défilèrent dans le magasin pour convaincre le père Virtel de le laisser partir au lycée puis à l'université, Roger Virtel en vint à se dire que le petit dernier, braillard et disgracieux, pourrait malgré tout servir à quelque chose. Il ne ferait pas d'études, lui, il reprendrait la boucherie. Quand la guerre éclata, Edmond Virtel avait treize ans et de très mauvaises notes en classe. En revanche, il était le premier fournisseur de lance-pierres de l'école. Il pouvait ainsi acheter deux billets de cinéma sans jamais demander d'argent de poche à ses parents, et voler un baiser au moment des actualités.

Les guerres redessinent les cartes et bouleversent le cours des destins. Rien ne se passa comme le père Virtel l'avait prévu. Fin 1943, son fils aîné, qui s'était engagé dans la Résistance, fut fusillé à Fresnes. Et, en 1944, un bombardement – ironie cruelle, un bombardement américain – détruisit sa maison, la boucherie et mit fin à ses jours. On le pleura beaucoup. Le marché noir qu'il alimentait avec l'aide du petit Edmond rendait bien service au voisinage.

À la Libération, Edmond resta seul avec sa mère. Sans le sou. Mme Virtel alla s'installer chez sa sœur à Puteaux. Pour Edmond, l'heure était venue de se débrouiller.

Heureusement, un sale matin pluvieux, son petit doigt – et le désœuvrement total qui l'accablait – lui recommandèrent d'accompagner sa mère à une cérémonie au Mont-Valérien. Mme Virtel y reçut, à la place de son défunt fils, une croix de l'ordre des Compagnons de la Libération. Edmond commença par pester contre ces décorations inutiles qui ne réveillent pas les morts ni ne réchauffent les vivants, mais ne fut pas long à comprendre tout le parti qu'il pourrait tirer de ce grand frère martyr.

En effet, à la fin de la sonnerie aux morts, un quadragénaire rougeaud vint se présenter à eux, le chapeau à la main : Claude Morel, dit « Condor », ancien chef du réseau du malheureux Jacques Virtel. Après les banalités d'usage sur le courage du disparu et la cruauté du sort, on en vint à des questions plus pratiques. Condor demanda s'il pouvait, de quelque façon, aider cette famille qui avait si bien servi la France. Mme Virtel remercia, souligna qu'elle ne demandait rien pour elle mais, d'un air éploré, désigna le grand dadais qui lui tenait le bras.

C'est ainsi qu'Edmond entra comme grouillot chez Morane et frères, une entreprise de travaux publics qui ne pouvait rien refuser à Condor. À la Libération, il avait détruit les contrats (mais pas les photocopies) que les frères Morane avaient passés avec les Allemands pendant la construction du mur de l'Atlantique.

Au début, Edmond, affecté au bureau « Vérification » de l'entreprise, se contenta de recopier servilement les « situations » établies par le métreur de chez Morane. À la différence des autres grouillots, il se débrouilla vite pour apprendre et comprendre le sens des termes qu'il lui fallait reproduire en vingt-sept exemplaires. En janvier 1948, le métreur donna sa démission sans que personne comprenne pourquoi et Edmond prit sa place. Toujours dynamique, il ne se cantonna pas aux descriptifs, quantitatifs et estimatifs, que lui confiait son patron. Il trouvait le temps de passer sur les chantiers, de discuter, de payer le coup non seulement aux clients mais aussi aux ouvriers. En 1950, il débaucha les meilleurs employés de chez Morane, monta sa propre affaire et commença par rafler un chantier, une construction d'immeubles de société sur lequel les frères Morane comptaient ferme. Ceux-ci tentèrent bien de réagir. Une nuit, une bande de costauds vint faire du dégât sur le chantier de Virtel. Le lendemain, Edmond téléphona à Condor qui rappela l'aîné des Morane et on en resta là.

Entre-temps, Condor avait été élu maire d'une petite ville de Touraine. Le conseil municipal vota vite une série de modernisations et de constructions dont Virtel s'acquitta très bien, même si les contribuables de la commune durent y mettre le prix. Condor félicita son protégé et le présenta à d'autres maires, anciens compagnons de lutte, comme lui reconvertis dans la politique.

Tout le monde y trouva son compte. Virtel construisait des écoles, des stades, des ponts, tandis que les notables locaux emménageaient dans de somptueuses villas situées, de préférence, hors des limites de leur commune.

En 1958, Condor mourut. Virtel pleura beaucoup à son enterrement. Il se consola en se disant que Condor avait eu le temps et l'à-propos de l'introduire auprès de tous les maires, députés, industriels de la région, réunis derrière son corbillard.

En 1960, âgé de trente-quatre ans, il épousa la fille aînée de l'un d'eux, Gérard Losserand, député-maire de Longeux. Jacqueline Losserand échappait ainsi, de justesse, à un destin de vieille fille auquel ses cheveux gras et clairsemés, son long nez osseux et la déviation de sa colonne semblaient l'avoir vouée.

Ses lèvres étaient si minces et si obstinément crispées que, en la voyant pour la première fois, Edmond Virtel s'était demandé si elle ne se nourrissait pas avec une paille. Mais il s'entendait si bien avec le père qu'il oublia la paille et épousa la fille. Il continua à prospérer, puis, un beau jour de 1966, finit par décrocher le gros coup, la vraie « culbute ». Grâce aux appuis de son ami Archambault, on lui confia une grosse part de lotissement dans un projet de ville nouvelle. Il transmit aussitôt le dossier à une SARL créée pour l'occasion, bâcla la construction et déposa son bilan. Il lui restait de l'argent, largement assez pour racheter Probéton, un concurrent en difficulté, fournisseur de la moitié du béton de la région parisienne. En un tour de main et de fraude, Edmond Virtel était devenu riche et puissant. Et ce n'était pas fini. Il pouvait aller encore plus loin...

Bien sûr, il restait quelques ombres au tableau. Il était inculte. Au fur et à mesure qu'il développait son entreprise, il avait dû s'entourer de jeunes cadres frais émoulus des écoles de Travaux publics dont les connaissances le bourraient de complexes. Pour tout arranger, sa femme, qui avait eu le loisir de poursuivre de longues études, insistait sur ses lacunes. « Mais non, mon cher, on ne dit pas Meugritte mais Magritte. C'est un peintre belge », lui avait-elle assené en public, un soir où il essayait de briller en prenant l'accent américain.

Inculte et un peu vulgaire. Difficile à habiller. Il ressemblait plus à un taureau qu'à une page de mode et, là aussi, sa femme ne perdait pas une occasion de se moquer des costumes qu'il achetait dans des boutiques dont il relevait soigneusement l'adresse dans les journaux, trouvait sa Rolls nouveau riche et sa chevalière or et rubis « d'un mauvais goût »... Il s'était donc résolu à limiter leurs relations au strict minimum : il lui signait des chèques et embrassait distraitement les deux gamins qu'elle lui avait donnés en souvenir des seules fois où il l'avait approchée.

Pour se distraire de ses infortunes conjugales, Edmond Virtel dépensait sans compter. Il prenait une bouteille dans chaque boîte de nuit qui s'ouvrait, séjournait à Saint-Tropez avec d'« ensorcelantes créatures », avait acquis des parts de chasse dans une propriété en Alsace et dînait chez *Maxim's*.

Son vrai plaisir, c'était les week-ends passés dans les propriétés de ses amis. Il s'y rendait seul, sûr d'y rencontrer de jolies gourdes avec lesquelles il pourrait ensuite parader. Comme celle que Regina avait amenée quelques semaines plus tôt à Milly, une adorable petite brune toute fraîche débarquée de sa province, sans autres atouts que deux yeux innocents, une taille de guêpe et un cul de pute de luxe...

À sept heures, chaque soir, Juliette retrouvait Isabelle, la réceptionniste de l'entreprise Virtel. Ensemble, elles descendaient l'avenue Marceau jusqu'à l'Alma où Isabelle prenait son bus, et Juliette traversait le pont pour rejoindre l'avenue Rapp. Isabelle lui racontait les derniers ragots de la maison. De son bureau, placé dans l'entrée, elle voyait tout et ne se privait pas d'analyser les allées et venues des uns et des autres. Ragots essentiellement à base de cul. Qui est avec qui ? Qui était avec qui ? Qui sera avec qui ?

Ce soir, elle essayait, une nouvelle fois, de savoir combien gagnait Juliette. Juliette tenta d'esquiver la question : la comptable lui avait bien spécifié qu'elle jouissait d'un régime de faveur et qu'elle devait n'en parler à personne.

— T'es gonflée, dit Juliette, ce sont pas des choses qu'on demande.

— Et quand je tape tes lettres en douce, c'est pas gonflé, ça aussi !

Juliette eut honte. Isabelle lui servait de dactylo quand elle avait perdu le J de vue et que Virtel s'impatientait. Elle descendait voir Isabelle qui lui tapait sa lettre en un tour de poignet.

— Écoute, ce n'est pas que je veuille pas. C'est la vieille Germaine qui m'a dit de ne rien dire.

— C'est que c'est pas normal…

Juliette se prit à espérer que l'autobus d'Isabelle arrive vite et qu'elle en soit débarrassée.

— Déjà qu'on raconte dans toute la maison que tu couches avec lui ! Ça va pas te rendre populaire cette histoire de salaire…

— Quoi ! on dit ça… Moi et Virtel…

Elle était sincèrement scandalisée.

— Ben oui. À traitement de faveur, rapports de faveur. Rien n'est gratuit dans la vie. Tu le sais pas encore ? Tu crois vraiment qu'il a besoin d'une assistante pour faire des recherches sur le béton ! Il n'avait qu'à s'adresser au CERIHL et c'était fait…

Tiens, il faudra que je me rappelle ce nom, pensa Juliette.

– Il fait ça souvent, tu sais. Il engage une fille sous un prétexte vaseux et il la saute. Vite fait sur son bureau. T'es pas la première…

Juliette sentit la colère lui chatouiller le nez. Elle eut envie de planter Isabelle sur le trottoir avec une parole blessante, mais elle se rappela le J et le F introuvables et, sur le ton de la confidence, comme si elle lui livrait un secret bien gardé, murmura :

– Mille cinq cents francs…

– Quoi ! T'es payée mille cinq cents francs par mois ! À mi-temps ! Quand je me bats pour obtenir mille huit cents francs à plein temps ! C'est injuste. Y a pas de doute, ma vieille, il veut te sauter, Virtel.

Isabelle jeta un regard mi-envieux, mi-étonné sur Juliette. Juliette ne sut pas quoi répondre. Elle décida de jouer la carte de la dignité pour rétablir son prestige.

– En tous les cas, moi, je me laisserai pas faire. Et, s'il pose le petit doigt sur moi, je le remets à sa place vite fait !

– Et tu perdras ton boulot.

Juliette ne pouvait plus reculer.

– Je m'en fiche.

– C'est ce qu'on appelle avoir des principes, dit Isabelle avec un sifflement d'admiration. Tu le ferais vraiment ?

– Oui, dit Juliette qui se voyait déjà en sainte patronne des secrétaires sexuellement persécutées.

Elles marchèrent un moment, en silence.

– Si tu le penses vraiment, tu m'épates, finit par dire Isabelle.

– Écoute, reprit Juliette qui voulait profiter de l'avantage que lui conférait sa nouvelle vertu. Promets-moi de ne le dire à personne.

Isabelle hésita. Finit par promettre.

– Que tu trouves jamais de fiancé si tu te parjures ?

– Que je trouve jamais de fiancé…, répéta Isabelle.

– Tends la main et crache par terre.

Isabelle tendit la main et cracha.

– Et que tu deviennes toute chauve…

Isabelle arrondit la bouche de surprise, mais s'exécuta.

Maintenant, je suis sûre qu'elle ne le dira à personne, se dit Juliette.

– Ça sert d'être bien foutue quand même, bougonna Isabelle. Tiens, lundi, je m'inscris à la gym…

– Oui, mais ça pose d'autres problèmes, soupira Juliette.

Elle commençait à se dire que ça n'allait pas être aussi simple qu'elle l'avait cru de travailler chez Probéton.

Chapitre 5

Un dimanche après-midi, Juliette partit se promener au jardin des Tuileries. Il faisait beau et elle suivait les quais de l'Alma à la Concorde. Le ciel était bleu glacé, la buée sortait de la bouche des passants, les petits enfants marchaient suspendus à la main de leurs parents avec des nez carotte comme ceux des bonshommes de neige.

Juliette regardait ces belles images de « famille-traînaille-pas triste » et se sentait sereine.

Ce week-end, elle était restée à Paris, avenue Rapp, avec Ungrun qui venait de se faire couper les seins. Elle gardait le lit, la poitrine bandée, décollant un peu l'Albuplast sur les côtés pour voir si ça cicatrisait bien. Juliette la menaçait de lui enfiler des moufles pour qu'elle perde cette manie. Le fiancé de Reykjavik avait fini par donner son accord. Moins de seins, avait-il dû penser, plus de travail. Juliette le trouvait un peu mercantile, mais Ungrun balbutiait d'amour. Il lui écrivait trois lettres par jour, que la concierge déposait sur le paillasson chaque matin. Plus personne ne voulait des timbres.

Ungrun était très sage. Elle ne sortait presque jamais le soir. Pourtant, ce n'était pas les sollicitations qui manquaient. Son air de bébé rose, ses grands yeux bleus et sa bouche en forme de nonnette en rendaient plus d'un fou. Le téléphone sonnait tous les soirs pour elle. Elle répondait très gentiment, gloussait quand on lui assurait qu'on se mourait d'amour mais refusait Castel, Deauville, Gstaad ou Saint-Tropez. Juliette avait beau l'exhorter à tromper son gentil fiancé, ne serait-ce qu'une fois, juste pour voir, pour ne pas avoir de regret plus tard quand elle tiendrait la caisse du magasin d'électroménager, Ungrun répétait : « Je n'ai pas de désir pour eux ». Un soir, Johnny appela. Djônny ! Celui dont Juliette disposait toutes les photos en éventail sur ses murs quand elle était petite…

Il voulait l'emmener danser au *Bus Palladium*. Juliette avait l'écouteur encastré dans l'oreille et pinçait Ungrun jusqu'au sang pour qu'elle accepte. Elle avait dit « Non merci. Je regarde *les Cinq Dernières Minutes*. » Préférer Bourrel à Djônny ! Puis Juliette était devenue triste : pourquoi n'emmenait-il pas Sylvie danser au *Palladium* ? « Parce que les journaux racontent que des mensonges, avait persiflé Regina qui attendait le téléphone en se limant les ongles. Johnny, il cavale comme les autres. »

Elle avait terminé son film avec Gabin et commencé une idylle passionnée avec un jeune acteur italien rencontré sur le tournage.

Juliette se sentait à l'abandon au milieu de tous ces tourbillons d'amour. Elle, elle n'avait que le fils Pinson pour faire battre son cœur. Et elle ne risquait pas la crise cardiaque ! Elle ne l'avait vu qu'une fois après la soirée au *Privé*. Il l'avait emmenée dîner chez des amis. Elle n'avait rien compris à la conversation et avait fait de la figuration. Il l'avait raccompagnée, avait coupé le contact… Elle s'était dit « va y avoir de l'action ». Il l'avait prise dans ses bras. Elle avait fermé les yeux, renversé la tête. Il avait chuchoté « petite fille » et ne l'avait pas embrassée.

– Je ne suis pas petite. J'aurai bientôt dix-neuf ans. Le 7 mars prochain…

Des fois qu'il s'en souvienne.

– Tu es si petite, si innocente…

Il parlait contre son oreille. Elle avait envie de lui mordre la bouche.

– Embrassez-moi, s'il vous plaît…

Il l'avait regardée, étonné. Avait posé ses lèvres sur les siennes si vite qu'elle n'était pas sûre de ne pas avoir rêvé.

– Tu vas rentrer bien sagement chez toi et demain je t'appelle…

Rentrer ! Quand ça promettait d'être si bon !

– Mais je ne suis pas obligée de rentrer, on peut aller chez vous si vous voulez…

Il avait ri.

S'il rit, c'est que j'ai gagné. Il va remettre le moteur en marche et m'emmener chez lui.

– Je pars dans deux jours pour New York, Juliette. Je serai absent trois mois…

Elle avait fait « oh » et s'était reculée.

– Mais, quand je reviens, je te promets qu'on fait la fête.

Trois mois à attendre, avait-elle pensé. Pourquoi ne me trousse-t-il pas sur la banquette ? Comme à Pithiviers le samedi soir.

– Et qu'est-ce que vous allez faire à New York ?

– Des affaires.

C'est vague. Pratique. C'est un mot d'homme qui coupe court à toute investigation.

– Eh bien moi, avait repris Juliette, vexée, je vais rester à Paris et faire des affaires avec Virtel.

– Monsieur Béton ?

– Parfaitement…

C'est dur d'enchaîner après le mot « béton ». Elle peut définitivement renoncer à aller dormir chez lui.

– Allez… Tu vas monter bien sagement. Demain je me lève tôt et je suis fatigué.

Fatigué ! Avant, c'était les femmes qui utilisaient ce mot pour couper au devoir conjugal, maintenant elle ne le rencontre que dans des bouches d'hommes.

– Vous avez une petite amie ? avait-elle demandé.

– Dis donc, t'as du culot !

– Oh ! je demandais ça comme ça...

Autant souffrir un bon coup qu'attendre trois mois pour rien.

Il lui avait caressé la tête, pensif, comme s'il réfléchissait à la question.

– Je n'ai pas de vraie petite amie, si tu veux tout savoir.

Ouf ! Merci sainte Scholastique-vous-qui-êtes-aux-cieux.

– Arrête de te raconter des histoires, Juliette. Je ne suis pas le Prince Charmant, t'as compris ? Pas du tout.

Il lui avait pris le menton entre le pouce et l'index. Son étreinte était dure. Son regard aussi. Presque menaçant. Il répéta encore une fois « pas le Prince Charmant », puis desserra ses doigts. Elle se frotta la mâchoire. Pourquoi lui disait-il cela ?

Et depuis silence. Elle avait eu tort de se jeter contre lui. Faut toujours garder ses distances avec les Princes Charmants, sinon ils refilent la pantoufle à une autre.

Elle pensait donc à Jean-François Pinson, aux seins bandés d'Ungrun, à Johnny et Sylvie, en avançant à grands pas et en laissant échapper des filets de buée de ses lèvres, les modelant, plus épais, plus minces, plus ronds..., quand elle s'aperçut qu'elle était suivie. Un homme marchait derrière elle, s'arrêtant quand elle ralentissait, repartant quand elle accélérait. Elle voulut en avoir le cœur net et s'appuya un instant sur le parapet en pierre du bord de Seine. Il alla s'accouder plus loin.

Il devait avoir dans les vingt-cinq, trente ans, portait la barbe, les cheveux hirsutes. Pas terrible, se dit-elle.

Forcément, les beaux mecs ne suivent pas les filles dans la rue. Ils se promènent, hautains, le col relevé et consultent leur montre d'un air affairé. Elle jeta un second coup d'œil plus appuyé. Il lui fit un signe de la main.

Les Tuileries n'étaient plus très loin. Elle allait le semer au Guignol. Elle prendrait un billet, entrerait dans la salle et, à la faveur de l'obscurité, juste avant que Guignol ne donne son coup de bâton au méchant, elle s'esquiverait.

Ça ne marcha pas. Elle se retrouva projetée contre lui quand elle voulut sortir. Elle se dégagea et lui lança, excédée :

– Qu'est-ce que vous me voulez, à la fin ? Vous pouvez pas me laisser tranquille ! Arrêtez de me suivre !

Il la regarda très calme. Il n'était pas vraiment barbu mais portait une barbe de deux ou trois jours. Un mètre quatre-vingts environ, brun, les cheveux ébouriffés, un vieux jean, un vieux blouson, un pan de chemise qui dépassait du blouson. Un peu négligé, pensa-t-elle. De tête, il ressemblait à une tortue, mais il avait des yeux vifs et enjôleurs, et, bientôt, elle ne regarda plus que ses yeux.

– C'est pas vous que je suis. C'est le plus beau cul du monde.

Un maniaque sexuel. Elle était tombée sur un maniaque sexuel. Il y en a beaucoup à Paris.

Elle haussa les épaules et reprit sa promenade au pas de gymnastique. Il continua sa filature.

– C'est fou ce que vous pouvez être hypocrites, vous les filles. Je suis sûr que vous êtes ravie de savoir que vous avez un beau cul. Et je m'y connais. Je vous le dirais pas si je le pensais pas.

Il a raison. Elle est enchantée mais ne peut absolument pas l'avouer. Ce n'est pas de sa faute, c'est la tradition qui remonte. On n'adresse pas la parole à un étranger dans la rue. Encore moins s'il vous parle de votre cul.

– Fichez-moi la paix ! J'ai pas envie d'écouter vos grossièretés !

– Bon. Je suivrai le plus beau cul du monde en silence.

Elle accéléra le pas. Lui aussi. Les mains dans les poches, il chantonnait : « Cosi, cosa, it's a wonderful world. » Elle pensa, un instant, s'adresser à un agent de police mais se ravisa : ça ferait trop dramatique, vieux film des années cinquante, quand la vertu féminine voulait encore dire quelque chose. L'agent ricanerait. Ou pire, prendrait le parti de l'obsédé.

Elle allait entamer son troisième tour de jardin quand elle fut frappée par l'absurdité de la situation : par un beau dimanche de février, alors que des familles se promenaient, paisibles, que le ciel était bleu, l'air vif, l'humeur à la nonchalance, elle entamait son troisième tour de jardin, au sprint.

Elle alla s'asseoir sur une chaise et fondit en larmes. Elle faisait un lot et pleurait pour tout : pour cet homme qui l'empêchait de flâner, pour Jean-François Pinson, pour sa vie qu'elle trouvait, tout à coup, infiniment triste et sans intérêt. C'est vrai, quoi ! Pas de mec, pas de dégaine, du béton…

Les voitures klaxonnaient rue de Rivoli et elle eut envie de sauter dans un taxi.

Il eut l'air complètement désemparé et vint s'accroupir à ses pieds.

– Je suis vraiment désolé. Je vous trouvais jolie et…

Elle leva la tête vers lui. Il était flou dans ses larmes. Il marmonnait « je suis mauvais, je suis méchant, je recommencerai plus, c'est promis » en se grattant la tête, les yeux vraiment étonnés. Il prenait le vocabulaire de l'enfant contrit. Il se rapprocha et demanda :

– Dites-moi… La statue de la Liberté à New York, elle est en quoi ?

Elle le dévisagea, se moucha sur le dos de sa main et balbutia :

– Ben… Elle est en pierre.

– Non. Elle étend le bras.

Elle ne put s'empêcher de rire. Son nez était rouge, des larmes séchaient sur ses joues, elle continuait à renifler.

– Ah ! vous voyez, ça va mieux. Je vous offre un verre, mademoiselle ?

Elle ne savait plus quoi répondre. Il penchait la tête de droite à gauche, de gauche à droite, mima une supplique, mit un genou à terre, se frappa le cœur, puis, comme elle ne répondait toujours pas, se releva et conclut :

– Bon, tant pis. C'est dommage. Je m'étais attaché à vous…

Il s'inclina. Répéta « pardon pardon », se redressa et s'éloigna. « Cosi, cosa, it's a wonderful world. » Sans se retourner. Il avait les poings enfoncés dans ses poches, deux pièces en patchwork sur les fesses, les épaules larges, les talons bien enfoncés dans ses tennis. Elle l'aima bien de dos, muet, s'éloignant.

– Vous suivez souvent les femmes dans la rue ?

Juliette l'avait rattrapé. C'était elle maintenant qui l'abordait. Et lui qui accélérait le pas.

– Hé ! attendez-moi, lança Juliette, essoufflée.

Il ne répondit pas. Elle hésita entre l'accélération du pas ou l'abandon avec jet d'éponge.

Oh et puis zut ! j'arrête. Je ne vais pas courir après une tortue, je vais rentrer à la maison et étudier le béton. Ça, au moins, c'est sérieux.

Ou mes polycopiés de droit. J'ai un TP lundi et je n'ai rien appris.

Ou faire une crapette avec Ungrun.

Ou…

Je ne sais pas quoi faire de moi…

Chapitre 6

Pendant que Juliette faisait d'étranges rencontres au jardin des Tuileries, Martine suivait, à Orléans, un stage sur « les techniques et recettes de vente dans les grandes surfaces ». Stage d'une semaine suivi de six mois de cours par correspondance, proposé à tous les employés de la Coop qui rêvaient d'ajouter un Bic à la pochette de leur blouse.

Martine jubilait. Tel Christophe Colomb enfonçant son talon dans le sol américain, elle venait de découvrir un continent nouveau : celui de la manipulation du consommateur.

Elle se sentait tellement ivre de savoir et de malice, en disant au revoir à ses collègues, cet après-midi-là, qu'elle décida de regagner Pithiviers en stop. Les transports en commun auraient nui à ses cogitations. Elle avait besoin de grand air et d'espace pour laisser vagabonder ses idées.

Son gros sac en bandoulière, sa minijupe noire sur des collants de laine, son pull acrylique rose assorti à ses lunettes et à ses barrettes, sa lourde frange blonde et ses yeux bordés de noir épais lui donnaient l'air d'une copie de Sophie Daumier. À la gouaille de la fille du peuple, elle alliait une culture sauvage glanée à force de lire, d'observer et d'écouter. Les dames de la bonne société pithivéroise avaient beau la regarder d'un mauvais œil, elle savait qu'un jour elle les étonnerait. Et le mépris qu'elle lisait dans leurs yeux la stimulait plutôt. Elle suivait les regards qui détaillaient le pull moulé sur les seins, les faux cils et les cuissardes vernies noires de chez André, et chantonnait, intérieurement, « un jour, je vous clouerai le bec, un jour, je vous clouerai le bec à tous… ».

Sur la route toute droite, elle pensait à son stage. Quelle histoire ! se disait-elle. J'en apprends plus en une semaine de formation professionnelle qu'en douze ans d'école. Socrate et Pythagore ne m'ont jamais autant motivée que ce petit monsieur à moustache qui me délivrait du haut de son pupitre les secrets de « la politique de la promotion de vente ». C'est ainsi qu'était intitulé le séminaire.

Elle ralentit un peu dans la crainte du point de côté. Elle voulait marcher le plus longtemps possible avant de faire signe à une voiture de s'arrêter.

Travailler va devenir intéressant. Pourtant, depuis que je suis toute petite, je suis confrontée à la réalité : les steaks extorqués au boucher, les bottes fourrées, les bonnets superposés, c'était déjà pas mal comme apprentissage de la vie. Mais, jusque-là, je subissais…

Bien sûr, j'avais des plans de conquête, mais pas les moyens de livrer bataille. Là, soudain, on me donne un code pour manipuler tout un monde. On m'apprend comment ça marche… Je découvre le plaisir du pouvoir. Ce qui me frustrait le plus, à l'école, c'était d'être obligée d'obéir à un système de règles dont je ne tirais aucun plaisir. Se soumettre était le seul moyen de survivre. Sinon je devenais rebelle, maudite, je mourais jeune et fauchée. Pas envie. Moi, je veux vivre riche et longtemps. Se soumettre, d'accord, pour comprendre comment ça marche et en profiter ensuite…

Elle se laissa tomber sur le talus et arracha un brin d'herbe qu'elle se mit à mâchonner. Pendant une semaine, on m'a expliqué gentiment comment améliorer

« le dialogue produit-consommateur », autrement dit comment bourrer les caddies de marchandises inutiles et remplir les caisses de la Coop ! À partir de ce moment-là, ça devient intéressant de travailler à la Coop. Bien plus intéressant que les dix pour cent de réduc sur les catalogues ou la bouteille d'apéro à chaque dénonciation de client qui pique !

S'ils savaient, tous ceux qui pénètrent dans les grandes surfaces, la multitude de pièges qui les attendent !

Elle se renversa sur le talus et pouffa.

Même moi, tout le temps que je suis restée plantée derrière ma caisse, je ne m'en suis pas doutée. Elle faillit s'étrangler en avalant son brin d'herbe et le recracha, loin, en un long jet qu'elle évalua avec fierté : elle crachait toujours aussi bien.

La grande surface, c'est comme un jeu de l'oie. Case départ, vous entrez avec un caddie vide et un portefeuille plein. Case arrivée : votre caddie déborde d'articles en « promotion » et votre porte-monnaie sonne creux. Vous êtes tombé dans tous les puits et, pour un peu, vous faites de la prison pour dettes.

Pourquoi, par exemple, l'alimentaire est-il souvent au fond du magasin ? Parce qu'avant d'arriver à la tranche de jambon quotidienne il vous faudra traverser toute une zone de tentations multiples allant de la canne à pêche à double moulinet au presse-agrumes électrique.

Pour faire des économies, il faut marcher accroupi. Ramper au niveau du rayon le plus bas. C'est là que se trouvent les affaires : la moutarde à trois sous, l'huile bon marché, le pain d'épice sans artifice, le sucre, la farine, tous les produits sur lesquels la marge bénéficière est réduite. Vous vous redressez et toc ! les étiquettes frappent. On paie sa dignité.

Le vrac en tête de gondole ? Un autre piège. On prend des tee-shirts bien rangés à trente francs, on les déplie, on les froisse, on les jette en vrac dans un bac, on les affiche à quarante francs. Ça fait soldes, et les clients se les arrachent.

Même les plus méfiants, qui remplissent leur caddie en suivant scrupuleusement leur liste, se font berner. Ils vont droit au rayon où ils trouvent d'habitude leur moutarde et se heurtent à la béarnaise. Ils réfléchissent : c'est vrai, ça, ai-je encore de la béarnaise à la maison ? À tout hasard, ils en prennent un pot et repartent à la recherche de leur condiment. Ils viennent de tomber dans le piège « animation de produits ».

C'est jouissif les mots, pensa Martine. Au lieu de dire : « j'ai foutu le bordel dans mes rayons pour plumer le client », on dit : « aujourd'hui, j'ai fait de l'animation à l'intérieur de ma famille de produits ». Pas étonnant ensuite que ceux qui ont le pouvoir des mots aient le pouvoir tout court !

En rentrant à la maison, je ne dirai pas « j'ai appris à truander mon semblable, mon frère », mais je parlerai d'achats de réflexion, d'achats d'impulsion, de cadencier, d'articles référentiels…

Oh, mon papa si naïf ! si tu savais tout ça, tu t'y prendrais autrement pour la lutte des classes ! Tu t'inscrirais plutôt à une association de défense du consommateur. C'est plus efficace que le Parti.

Ce stage lui avait remonté le moral. Depuis le départ de Juliette pour Paris, elle avait perdu son plus fidèle supporter. C'est important d'avoir des supporters dans la vie. Ce n'est pas chez elle qu'on porterait un tee-shirt « vas-y Martine, go ahead Martine ». Important d'avoir des supporters qu'on estime. Pas des abrutis qui pensent que New York est la capitale des États-Unis. Des alpha, quoi, pas des bêtas…

Or, depuis que Juliette était partie, Martine avait l'impression d'être cernée par les bêtas. Elle avait même cessé de voir Christophe, son petit copain préféré. Elle n'avait plus envie de faire l'amour dans la 2 CV fourgonnette qu'il empruntait à son père et qu'il garait au sommet de la côte de Pithiviers-le-Vieil. Avec la peur sournoise que le frein à main ne lâche au milieu de leurs ébats. Elle en avait marre. Chaque fois, crac, elle bousillait une paire de collants.

Alors, le soir, en rentrant de la Coop, elle étudiait son anglais. Puis elle dînait en famille. Ils regardaient la télé. Son père agitait sa fourchette en direction de l'écran et vilipendait le gouvernement, les patrons, les Américains, les vilains.

Martine entendait, mais n'écoutait pas.

Elle est de passage dans sa propre maison. Vue de l'extérieur, elle est gentille et sage. Ce n'est pas qu'elle ne les aime pas, elle se sent pleine de tendresse pour eux. Elle a presque envie de les protéger contre la vie à laquelle ils n'ont rien compris. Ce n'est pas leur faute, ils viennent de si loin, ils ont été si pauvres que posséder un emploi à la Sucrerie et un F4 dans la Cité, c'est déjà un luxe à leurs yeux. Elle leur en sait gré en un sens. Grâce à eux, sa génération à elle pourra aller plus loin. Ils ont fait le plus dur : du petit village breton sans ressources à une ville de la grande ceinture parisienne. Un pas de géant.

Quand la conversation devient trop lourde, elle pense à autre chose pour conjurer la bêtise qu'elle sent rôder. Elle ne veut pas être attrapée. Que des lambeaux s'infiltrent sous son crâne. C'est sa hantise. Quand parfois, au détour d'une de ses phrases, elle repère une tournure de sa mère ou un slogan de son père, elle s'arrête net. « Je ne veux pas être comme eux, je ne veux pas être comme eux. »

C'est pour leur échapper qu'elle s'était mise à lire. N'importe quoi. Ou plutôt tout ce que le libraire de la place du Martroi lui revendait à bas prix ou lui donnait parce que le livre était abîmé ou jauni. Ces derniers temps, elle avait surtout dévoré des livres de femmes.

Des traductions de l'américain. Ça ne faisait pas recette à Pithiviers. Dans ces livres, elle se reconnaissait. Elle n'était plus la seule à vouloir que ça change. C'est à travers eux qu'elle avait eu envie d'aller aux États-Unis. Le soir, après le dîner, elle reprenait ses lectures. Elle partageait sa chambre avec sa sœur Joëlle, sa cadette de deux ans. Joëlle avait abandonné l'école pour entrer en apprentissage dans un salon de coiffure. Chez Mme Robert. Elle dépensait presque toute sa paie en vêtements et fonds de teint.

Chaque fois que Martine essayait de parler avec Joëlle, ça finissait mal. Martine s'énervait. Elle avait beaucoup de mal à accepter le manque d'ambition de sa sœur.

La veille de son départ pour le stage, elles s'étaient encore disputées. À cause de Juliette.

– Elle doit être triste, ta copine, avait minaudé Joëlle en se peignant les ongles posés bien à plat sur une pile de *Confidences*. À Paris..., si loin du beau René... Après s'être fait larguer...

– C'est elle qui l'a largué, avait rectifié Martine.

– C'est pas ce que raconte Gladys...

– Cette grande asperge ! Ça va être son tour bientôt !

– Moi, le jour où je l'aurai, je saurai le garder, le beau René.

– Mais qu'est-ce que vous avez toutes à être toquées de ce bellâtre !

Soudain, elle avait eu une inspiration.

– Dis donc, ma vieille, avait-elle demandé, tu as déjà fait l'amour ?

– Pourquoi ? Tu vas aller le dire à maman ?

– Non. C'était pour mon information personnelle. Je me demandais si tu t'intéressais à autre chose qu'à tes pauvres histoires de midinette crétine...

Le pinceau du vernis avait dérapé et Joëlle s'était mise à pleurer.

– T'as pas le droit de me traiter de crétine ! C'est pas parce que j'ai pas mon bac que...

Elle n'avait pas fini sa phrase. Martine regrettait d'être allée si loin. Elle voulut la prendre dans ses bras mais Joëlle l'envoya bouler.

– Fous-moi la paix ! On verra bien celle qui sera la plus crétine des deux...

– Excuse-moi, j'étais en colère, j'ai voulu te secouer... Pour que tu t'intéresses à autre chose qu'au beau René. Tu vaux mieux que ça, tu sais...

Joëlle avait relevé la tête et avait demandé :

– C'est parce que je suis mignonne que tu dis que je suis bête ? C'est comme pour Marilyn ?

Où avait-elle lu ça ?

– Non, c'est moi qui suis bête quelquefois. Allez, arrête de pleurer... Je te fais un cadeau pour me faire pardonner. Qu'est-ce que tu veux ?

Joëlle avait réfléchi, puis :

– Un rouge à lèvres Twenty.

Tu t'attendais à quoi ? s'était dit Martine, à ce qu'elle te demande les œuvres complètes de Simone de Beauvoir ?

Qu'est-ce que j'ai comme mal à accepter que les gens ne soient pas comme moi ! pensa-t-elle assise sur son talus en préparant un nouveau jet de salive. Il y a des fois où je frise l'intolérance. Pauvre Joëlle...

Elle frissonna et se frotta les bras. Regarda le ciel qui était devenu noir et menaçant. Vit l'heure et se leva d'un bond, brossant énergiquement sa minijupe.

Il allait falloir qu'elle trouve une voiture rapidement si elle voulait arriver à Pithiviers pour l'heure du dîner...

Chapitre 7

— Et à quoi rêve la jeune fille accoudée sur le pont ?

Juliette sursauta. L'homme à la tête de tortue se tenait debout derrière elle. Elle était si absorbée dans ses pensées qu'elle ne l'avait pas entendu revenir.

— Au béton, répondit-elle.

Il éclata de rire.

— Au béton ?

— Oui. Je fais des recherches sur le béton, si vous voulez tout savoir. C'est comme ça que je gagne ma vie.

Elle étudie le béton et elle a un beau cul. Jeune fille à suivre, se dit-il.

— Et si je vous payais ce verre ?

— Pourquoi pas ? dit Juliette.

Pour la première fois, ils marchèrent à la même hauteur. Ils remontèrent la rue du Bac, prirent la rue de l'Université jusqu'au *Lenox Hotel*.

Juliette aima tout de suite le bar, beige et discret, avec un long piano blanc au fond de la pièce et de grands canapés ivoire.

À cette heure de l'après-midi, il n'y avait personne. Le barman lisait un Série noire. Il leur fit un signe de tête. Il semblait connaître l'homme des Tuileries.

— J'ai commencé là, dit-il en montrant le piano blanc. Quarante francs de la soirée. Je ne connaissais que deux accords. Je jouais tout en *do* majeur, de *Summertime* à

Sous les ponts de Paris... Comme je faisais rire les clients, on me gardait... « saucisson sec et pommier blanc »...

Juliette sourit. Il reprit :

– J'étais une attraction, une sorte de clown musical...

Elle lui plaît cette fille. S'il en avait les moyens, il prendrait une chambre à l'hôtel et monterait avec elle. Je suis sûr qu'elle serait d'accord. L'air bien élevé mais prête à relever ses jupes... Je m'égare, je m'égare, pensa-t-il. C'est embarrassant cette envie de monter avec elle. Je ne sais plus quoi lui dire, moi...

Ils se regardèrent, gênés. Il commanda un scotch et Juliette un Schweppes.

Faut que je me calme. On se calme. On se calme. Je pourrais lui jouer un petit morceau au piano. Elle trouverait ça romantique et ça effacerait la mauvaise impression des Tuileries... Non. Pas faire d'efforts. Pas changer.

Ils burent leur verre en silence.

Juliette regardait le décor du bar et se sentait bien. Elle aurait bien aimé qu'il joue au piano, mais elle n'osait pas demander. Il va me trouver cucul...

Il commanda un autre whisky. Elle reprit un Schweppes.

Il sortit une cigarette, fit craquer une allumette, alluma la cigarette et remit l'allumette éteinte dans la boîte. Puis il s'avisa qu'il n'en avait pas proposé à Juliette et lui tendit le paquet. Elle en prit une. Il lui tendit la boîte d'allumettes. Elle eut du mal à en trouver une à tête rouge.

Elle tira sur sa cigarette. C'est très bien, ça donne une contenance.

– Un autre Schweppes ?

Elle fit oui de la tête.

– La même chose, demanda-t-il.

Le barman posa une nouvelle fois son livre et les servit.

Merde ! elle pourrait parler de la pluie et du beau temps, pensa-t-il. Ce serait un début. Elle m'énerve à rien dire. Elle pense à quoi d'abord ? Elle se demande pourquoi elle a suivi un homme qui a une tronche d'ampoule électrique ? J'ai envie de la toucher, merde, merde, j'ai envie de la toucher.

Fallait qu'il arrête de boire.

Il en était à son cinquième verre. En plein après-midi !… Je vais être encore bien ce soir…

Il retourna sa poche de jean. Cent balles. À peine de quoi payer les verres.

– Bon, c'est pas tout ça, mais va falloir y aller, décida-t-il après avoir vidé sa poche sur le bar.

Elle finit son verre et attendit.

Ils sortirent dans la rue. Il cligna des yeux à la lumière.

– Vous me donnez votre numéro de téléphone ?

Elle hésitait.

Il ironisa :

– Je veux bien qu'on laisse faire le hasard, mais, dans une ville comme Paris, c'est risqué…

Elle sourit, toujours muette. Un pressentiment lui disait qu'elle ferait mieux d'arrêter là. Cet homme est dangereux. Peut-être.

– Ah… Ah…, reprit-il, c'est là qu'il faut lutter contre ses principes… Je vous jure que je ne suis ni proxénète, ni trafiquant, ni bandit de grand chemin…

En plus, il lit dans mes pensées, se dit-elle.

Elle se mit à faire des ronds sur le trottoir du bout de sa chaussure. « Sais pas. Sais pas. »

– J'ai très envie de vous revoir, mademoiselle.

Il se rapprocha, la poussa contre le mur, prit ses deux mains dans les siennes, les plaqua contre la paroi glacée et humide, plaqua ses bras, son ventre, ses jambes, appuyant tout son corps sur elle, et se pencha, lente-ment, en prenant tout son temps. Juliette plissa les yeux, respira son souffle et sentit sa bouche sur la sienne. Ses lèvres, sa langue, ses dents… Elle s'y fondit comme si, toute sa vie, elle n'avait fait que ça : l'embrasser. Elle essaya de dégager ses bras pour les accrocher autour de son cou, mais il la maintint contre le mur, lui meurtrissant les poignets, la coinçant entre le mur froid et ses jambes, son ventre chauds. Alors, de toutes ses forces, elle appuya sa bouche sur sa bouche et se laissa embrasser, oubliant la rue, les gens autour d'elle, soudée à cette bouche qui l'aspirait, à cette langue qui l'explorait, à ces dents qui, de temps en temps, la mordillaient avant que la langue ne reparte la fouiller plus profond, à ces mains qui froissaient sa jupe et…

– Le baiser des amants détruit la société, dit-il en se redressant tout à coup.

Elle faillit tituber et se rattrapa à son blouson.

– Il y a de l'anarchiste en vous, ma chère. Si j'étais vos parents, je ne vous laisserais pas sortir sans escorte.

Juliette lui jeta un regard furieux. Ça ne se fait pas d'interrompre un baiser brutalement, sans prévenir. Goujat !

– Qui vous a dit que j'ai des parents qui me surveillent ! J'ai passé l'âge d'abord.

Elle est vexée. Tant mieux. Elle a du répondant, cette gamine.

– Bon alors ! ce téléphone… Je ne vais pas passer mes après-midi à vous embrasser, moi. J'ai autre chose à faire.

Elle haussa les épaules, tira sur sa jupe, rajusta ses cheveux et le lui jeta comme si elle lui lançait une injure.

– Je trouve que vous capitulez bien vite pour une jeune fille à principes…

Elle le regarda, ironique.

– Je peux toujours vous raccrocher au nez, vous savez…

Il jubilait. Ça va être la guerre. Une bonne guerre qui

rend les redditions savoureuses, les baisers brûlants et tous les coups permis.

– Bon. Salut ! Je vous appelle…

Il s'éloigna.

Elle reprit sa respiration, toucha ses lèvres de ses doigts – ah ! c'était autre chose que les baisers absents du beau René ! –, descendit la rue de l'Université, sautant du trottoir à la chaussée, de la chaussée au trottoir, inspectant les façades des maisons, imaginant une marquise sur son balcon, un carrosse qui sortait d'une cour, un laquais qui demandait le passage en criant lorsque soudain, à haute voix, elle s'exclama :

– Merde ! Je sais pas son nom…

Chapitre 8

Bénédicte sentait le découragement la gagner.

Elle n'avait pas reçu la moindre réponse aux vingt-deux lettres estampillées « personnel », puis « personnel et urgent » qu'elle avait envoyées depuis le mois de novembre.

Le 15, exactement. Le lendemain du jour où Juliette l'avait appelée de Paris pour lui annoncer que l'opération « Pithiviers-Paris » était réussie : elle avait trouvé gîte et feuille de paie.

Ça avait déclenché une drôle de réaction chez Bénédicte. Elle avait félicité Juliette, puis, après avoir raccroché, s'était assise. Elle était restée un long moment, tripotant le crayon du bloc de téléphone, submergée par une vague de désespoir. Un désespoir aussi subit qu'impossible à maîtriser. Pourquoi elle moisissait, elle, à Pithiviers, au *Courrier du Loiret*, pendant que sa copine s'installait avec succès à Paris ?

Elle se sentait diminuée. Pas vraiment jalouse. Encore que…

Bientôt, elle se reprit : c'est facile de critiquer, mais tu ferais mieux de regarder les choses en face, ma fille. Tu es entrée au *Courrier du Loiret* parce que ton père est un ami de M. Vonnard, le chef d'agence. Peu de mérite à en retirer.

Un soir, M. Vonnard était venu dîner avec sa femme. Il avait vanté les avantages de la profession de journaliste : pas besoin d'une véritable formation – « les études sont plutôt un handicap » –, des relations, des avantages en nature – « ma femme, par exemple, n'achète aucun linge de maison, elle reçoit tout des annonceurs » – et, en plus, la considération, un statut et « pignon sur rue ».

– Tout à fait ce qui conviendrait à mademoiselle votre fille, avait-il dit en désignant Bénédicte. C'est un métier idéal pour une jeune fille, elle pourrait même trouver un mari… Ça mène à tout !

Le lendemain, elle avait appelé M. Vonnard et, depuis, elle travaillait au *Courrier*.

Seulement, cet après-midi-là, après le coup de fil de Juliette, le *Courrier du Loiret* n'était plus suffisant. Il fallait qu'elle vise plus haut. Elle avait bien réfléchi, rongeant les petites peaux autour de ses ongles, et avait d'abord décidé d'envoyer les lettres. Une par semaine au début ; par la suite, n'obtenant pas de réponse, elle avait accéléré la cadence. Toujours sans résultat.

En revanche, à *la République du Centre*, tout s'était bien passé. Au téléphone, la secrétaire lui avait demandé de qui elle se recommandait. Elle avait bredouillé le nom de son père et, deux jours après, elle était reçue par M. Herrier en personne. Elle avait dû répéter que, oui, elle était bien la fille de M. Tassin, la quatrième.

– J'ai bien connu votre père au Crédit agricole. Il nous a souvent aidés et je serai ravi de rendre service à sa fille…

Elle avait expliqué qu'elle voulait devenir journaliste et qu'elle était prête à travailler.

– D'accord, lui avait-il répondu, mais je ne peux absolument pas vous salarier. Notre rédaction est en plein remaniement et les journalistes verraient d'un très mauvais œil l'arrivée d'une petite nouvelle. On vous paiera à la ligne…

Bénédicte avait accepté, trop contente d'entrer dans un vrai journal. Elle avait raconté son entrevue à

Martine, sans mentionner le rôle de son père, attribuant l'heureuse issue de l'aventure à son seul crédit. Martine l'avait écoutée, admirative.

Quant à Bénédicte, à force de raconter à tout le monde la version « Martine », elle avait fini par oublier comment les choses s'étaient passées.

Et, depuis, elle apprenait son métier à force d'interviews de notables engoncés, de cultivateurs taciturnes et de commerçants mécontents. Ses articles avaient beau être des « brèves » qu'elle ne signait pas, elle les découpait et les collait dans un cahier d'écolière. Elle le montrait à Martine qui l'encourageait. « Même payée à la ligne, ça vaut le coup ! Et d'abord tu n'as pas besoin de gagner ta vie, toi, profites-en. »

C'est Martine qui lui avait conseillé, la veille, d'envoyer une lettre d'insultes. Peut-être, ainsi, lui répondrait-on enfin. Bénédicte hésitait. Elle ne savait pas manier l'insulte. Or, pour qu'une lettre d'insultes fasse son effet, il faut qu'elle soit cinglante.

Bénédicte, elle, croyait plutôt à la diplomatie, aux idées qui s'installent petit à petit, à la bonne éducation. Insulter quelqu'un pour obtenir gain de cause ne lui paraissait pas une bonne idée.

Je pourrais ranger ma penderie en attendant, se dit-elle, ça me ferait du bien, j'aurais l'impression de mettre de l'ordre dans ma tête.

La chambre de Bénédicte était impeccablement rangée. Pas une manche de pull-over ne dépassait des tiroirs. Ses livres étaient classés par ordre alphabétique, « comme à la bibliothèque », se moquaient ses frères et sœurs, ses produits de maquillage alignés sur la coiffeuse et des petits coussins à volants éparpillés sur son lit.

Contempler sa chambre la rassérénait. Ainsi qu'établir, en début de semaine, des listes de tout ce qu'elle avait à faire. Quand arrivait le dimanche soir et qu'elle avait tout rayé, elle se sentait heureuse et satisfaite. C'est à cet ordre extérieur qu'elle devait une grande partie de son aplomb.

Ce jour-là, le rangement de la penderie ne suffit pas. Elle n'avait toujours pas décidé si elle devait passer à l'injure. Je vais voir maman, se dit-elle, elle saura.

En descendant le grand escalier en chêne recouvert d'un tapis rouge, Bénédicte chantonnait. C'est bien d'avoir une mère sous la main, une mère qu'on peut consulter à n'importe quelle heure de la journée et qui trouve le temps de vous écouter…

– Maman est formidable, avait-elle dit un jour à Martine, c'est la seule personne que je connaisse qui fasse vraiment attention aux autres.

– Tu as de la chance, avait répondu Martine. Tu le lui as déjà dit ?

– Oh ! non. Elle ne m'écouterait pas…

Martine avait souri.

Bénédicte aurait aimé avoir sa mère pour elle toute seule. Cinq frères et sœurs n'aident pas à l'intimité. Quand elle était petite, elle faisait exprès de s'écorcher les genoux au guidon de son vélo rouge pour que sa mère se penche sur elle et la soigne. Mais, à bientôt vingt ans, ça ne marchait plus.

Mathilde Tassin était dans le jardin, occupée à planter une rose. Elle avait lu, dans une revue, que, si on fendait la tige d'une rose et qu'on y plaçait un grain de blé, la rose prenait racine. Elle profitait d'une éclaircie pour tenter l'expérience. Elle était sceptique. Mais, d'un autre côté, si la rose prenait vraiment racine, elle pourrait repiquer toutes les roses qu'elle recevait.

Le seul problème, c'est qu'elle n'en recevait plus. Cette rose-là provenait d'un bouquet envoyé à sa fille Estelle.

Depuis combien de temps ne m'a-t-on plus offert de roses ? se dit-elle en se redressant et en se massant les reins. Depuis si longtemps que je ne m'en souviens plus… C'est normal : on n'envoie pas de roses à une mère de famille nombreuse.

Elle enfonça sa bêche dans le sol, puis regarda en souriant l'entaille qu'elle venait de faire. Elle avait peut-être quarante-cinq ans et six enfants, mais elle gardait intacte sa vigueur de jeune fille…

Dans la même revue, il était écrit que le corps de la femme enceinte travaillait et fournissait l'équivalent de quatre heures d'énergie-travail par jour ! Devant sa rose plantée, Mathilde prit un morceau de bois et, sur le sol humide, se mit à calculer. Neuf mois de grossesse, six enfants, soit six mille quatre cent quatre-vingts heures… Six mille quatre cent quatre-vingts heures, cela doit faire… (elle reprit son bâton)… dans les cinq à six ans de travail… Elle restait là à contempler ses gribouillis sur le sol. Et moi qui croyais que je ne faisais rien de ma vie !

Bénédicte était trop préoccupée pour remarquer l'air songeur de sa mère. Elle demanda « ça va ? », n'attendit pas la réponse, puis enchaîna :

– Maman, tu sais, les lettres que j'écris chaque semaine ?

– Oui ?

– Eh bien, cela va faire cinq mois que je les envoie et je n'ai pas de réponses…

– Ah…

– Maman, tu m'écoutes ?

Cinq à six ans passés à être une usine à bébés. Plus toutes les années à les élever ! Il aurait peut-être mieux valu que je ne lise pas ce journal.

– Alors, tu le ferais ou pas, toi ? insista Bénédicte, déroutée par le manque d'attention de sa mère. Maman !

– Je suis désolée, ma chérie. Je ne te serai pas d'un grand secours, aujourd'hui. J'ai dû trop bêcher. Je suis fatiguée. On reparlera de tout ça, veux-tu ?

Bénédicte fit « oui-oui » et s'éloigna. Elle n'allait

pas, à son âge, s'ouvrir les genoux à l'Opinel pour que sa mère s'occupe d'elle.

Elle prit son imperméable et décida de marcher jusqu'à la place du Martroi.

Elle s'arrêta au Péché-Mignon et commanda un éclair au chocolat. Tant pis ! ce soir, je ne prendrai ni pain ni dessert. Bénédicte respectait scrupuleusement ce genre de décision et transgressait rarement ses principes. Elle avait décidé, par exemple, de ne faire l'amour que le jour où elle rencontrerait l'homme qui en vaudrait la peine. Elle trouvait les séances de flirt dans les voitures tout à fait dégradantes et les partenaires de Juliette ou Martine insignifiants. Mon Prince Charmant à moi sera un homme de devoir et d'ambition. Les deux. Le devoir tout seul, c'est ennuyeux et l'ambition pour l'ambition, douteux. Un jour, il viendra et je le reconnaîtrai.

De temps en temps, elle fermait la porte de sa chambre à clé et se contemplait, toute nue, dans la glace de son armoire. Elle examinait, rassurée, la longue fille aux cheveux châtains mi-longs, aux yeux châtaigne – « pas marron, c'est péjoratif » –, au nez droit, à la bouche un peu grande… Classique et bien. Sa seule concession à ce mauvais goût qu'illustrait Martine, c'était la mèche de cheveux qu'elle décolorait, elle-même, à l'eau oxygénée. Pour adoucir son visage. C'est tout. Quand Juliette lui avait expliqué, très fière, que Regina lui avait trouvé une dégaine, Bénédicte s'était dit qu'elle s'en était fabriqué une depuis longtemps. Elle n'avait pas envie de changer même si la mode était aux sabots, aux minijupes et aux pantalons pattes d'éléphant.

– Tu me files une sèche ?

C'était Joëlle Maraut. La sœur de Martine. Elle venait de s'asseoir en face de Bénédicte.

Bénédicte lui tendit une cigarette à contrecœur et repoussa son éclair. Elle avait du mal à dissimuler l'antipathie que lui inspirait Joëlle.

– Tu sors du salon ?

Elle essayait d'être aimable. Dès leur première rencontre, Joëlle l'avait tutoyée et Bénédicte ne le supportait pas.

– J'ai fait que des permanentes aujourd'hui. Je sais pas ce qu'elles ont, les bonnes femmes, en ce moment, elles se font toutes friser.

– Ce doit être la mode, dit Bénédicte, bien décidée à ne pas s'étendre sur le sujet.

– Ce serait la mode si elles étaient Julie Driscoll, répondit Joëlle dédaigneuse.

Puis, sans transition :

– J'essaie un nouveau traitement pour la cellulite.

– Ah ! fit Bénédicte qui se sentit aussitôt agressée par la cellulite de Joëlle.

– Ouais, c'est un représentant qui m'a proposé de tester un nouveau produit. Je dois m'en mettre sur une cuisse pendant deux mois et comparer avec l'autre. En plus, j' suis payée deux cents balles par mois. C'est super, non ?

– Et tu crois que ça va marcher ? demanda Bénédicte.

Elle n'aurait pas dû manger cet éclair.

– On verra bien… Ce qu'il faudrait pas, c'est qu'ils oublient de me filer les tubes pour l'autre cuisse ! Tu m'imagines, une cuisse riquiqui et l'autre toute grasse !

C'en était trop. L'éclair au bord des lèvres, Bénédicte prétexta une course urgente et se leva.

– Hé, si tu vois René, dis-lui que je suis ici, cria Joëlle à travers le salon de thé. On avait rendez-vous à cinq heures sur la place…

Bénédicte opina. De loin. Miss Cellulite et M. Cambouis !

La familiarité de Joëlle l'avait tant exaspérée qu'une fois chez elle l'inspiration lui vint comme par enchantement. Elle s'attela à sa lettre d'insultes. Tandis qu'elle écrivait, le visage maquillé et vulgaire qu'elle venait de quitter réapparaissait devant elle. Elle se déchaîna dessus et noircit trois pages sans s'arrêter.

Puis, le stylo reposé, la lettre terminée, elle se surprit soudain à se demander pourquoi elle s'était mise dans tous ses états à cause d'une fille dont elle se fichait complètement.

Je tourne pas rond, moi.

Chapitre 9

– Allô, bonjour, je voudrais parler au plus beau cul du monde…

Valérie raccrocha, furieuse. Cela faisait trois fois que le fou appelait et elle n'avait toujours pas trouvé la réplique qui lui clouerait le bec. En regagnant sa chambre, elle fit un détour par le réfrigérateur. Elle était en train d'hésiter entre un yaourt nature et un Danone au chocolat lorsqu'elle entendit la clé tourner dans la serrure. C'était Juliette. Le cheveu ruisselant et les bras chargés de paquets dégoulinants. Elle poussa un juron lorsqu'elle vit que la couverture de *Elle* avait déteint sur son imperméable blanc.

– Oh merde ! dit Juliette, en se laissant tomber avec ses paquets sur le premier tabouret. Je renonce, la vie est trop dure…

– Il pleut ? demanda Valérie, optant pour le Danone au chocolat. Ça ne fait rien, je commence mon régime demain.

– Mais pas du tout… C'est juste une illusion d'optique.

– T'es de mauvais poil ? reprit Valérie, la bouche pleine.

– Mais non, voyons. Tout va très, très bien. Il fait un soleil radieux et j'ai passé mon après-midi au CERILH à me documenter sur le béton. C'est bientôt la Foire de Paris et je ne sais rien de rien ! J'ai tout ça à m'enfiler.

Elle pointa le doigt vers la pile de dossiers trempés qu'elle venait de poser sur le coin de la table de la cuisine.

– Fallait choisir un autre boulot si le béton te met dans cet état-là…

– Arrête. Je crois entendre ma mère.

– Pourquoi, elle le sait, ta mère, que tu travailles chez Virtel ?

– Oui. Je me suis coupée. Je ne sais pas mentir… Et puis, après tout, c'est pas une honte de travailler ! Il a juste fallu que je jure de continuer la fac…

La fac. Elle avait dû y mettre les pieds six fois en cinq mois. Elle avait des excuses. Elle s'était promis de rattraper son retard en fin d'année, juste avant les examens. Les polycopiés, c'est pas fait pour les chiens.

– Il me semble à moi que c'est plus important d'avoir sa licence que de bosser chez Virtel, dit Valérie.

Juliette soupira. Ça lui coûtait de l'admettre, mais Valérie avait sûrement raison. En ce moment, elle ne maîtrisait rien du tout. Comme si sa belle volonté partait en lambeaux. Elle se laissait vivre, rêvassait au fils Pinson – il doit être rentré des États-Unis, pourquoi il n'appelle pas ? –, relisait plusieurs fois de suite, sans rien retenir, des documents sur les liants hydrauliques, les tensioactifs de synthèse, la résistance mécanique, le béton-gaz, le béton-mousse…

– Tu sais à quoi rêvent les fabricants de béton, dans le monde ?

– Non, répondit Valérie qui avait fini son Danone et raclait désespérément le fond à la recherche de particules de chocolat coincées dans les rainures.

– Eh bien… Ils cherchent tous un béton léger comme une plume, qui résiste au chaud, au froid et qu'on puisse transporter facilement. J'ai même appris aujourd'hui que les Russes, pour alléger le béton, mettaient du sang dedans.

– Tu pourrais attendre que j'aie digéré mon Danone…

– Y a pas qu'eux… Dans le temps, les Chinois mélangeaient du sang frais de pigeon à leur porcelaine pour la rendre plus solide ! Tu te rends compte ?

– Dis donc, c'est passionnant, le béton…

– Quand j'aurai lu tout ça, ajouta Juliette en posant son regard sur sa pile mouillée, je serai imbattable. Si j'étais raisonnable, je commencerais ce soir…

La sonnerie du téléphone retentit.

– Si c'est encore l'obsédé, déclara Valérie, j'appelle le commissariat et je nous mets aux abonnés absents…

– Quel obsédé ?

– Un fou. Un type qui n'arrête pas de demander le plus beau cul du monde.

Juliette rougit violemment. Valérie prit ça pour de la pudeur.

– Je vais lui dire ce que je pense à ce monsieur, tu vas voir !

Curieusement, la présence de Juliette lui donnait de la repartie.

– Non, non, laisse-moi y aller, intervint Juliette. Ça va peut-être le décourager d'entendre une autre voix…

Valérie haussa les épaules. Juliette se précipita vers l'appareil.

– Allô. Je voudrais parler au plus beau cul du monde…

Juliette déglutit, puis dit :

– C'est moi.

– Ah ! c'est vous… Ça fait trois fois que j'appelle et qu'on me raccroche au nez. Vous avez une duègne qui vous garde ?

– Non… Euh… C'est une copine.

Juliette se retourna pour voir si Valérie la regardait, mais elle avait ouvert la porte du réfrigérateur et on n'apercevait que ses pieds.

– Vous les choisissez bien, vos copines. Vous ne seriez pas un peu bigote, par hasard ?

– Ben... C'est que... C'est pas exactement une copine, c'est une fille à qui je loue une chambre.

Mais pourquoi je m'excuse ? Ce serait plutôt à lui de s'excuser !

– Vous auriez pu vous annoncer au moins !

Il siffla dans l'appareil avec une fausse admiration.

– Oh ! mais comme elle parle bien...

Sa voix était nasillarde. Juliette éprouva soudain une violente aversion pour lui. Un homme qu'elle ne connaît pas, qui la drague dans la rue, l'embrasse sans préambule et réapparaît dix jours après pour demander à parler au plus beau cul du monde ! Mais il se prend pour qui ?

– Dites, vous pourriez m'appeler autrement, non ?

– Et comment ? Je ne sais pas votre nom.

C'est vrai. D'ailleurs, elle ignore le sien, aussi.

– On se voit ce soir ?

Juliette hésita. Il pourrait au moins dire : « Qu'est-ce que vous faites ce soir ? » ou « Vous êtes libre ce soir ? » Ce serait plus civilisé, moins direct. Et pourquoi pas « On baise ce soir ? » pendant qu'il y était...

– Si vous avez pas envie, faut pas vous forcer. Y a plein d'autres filles à Paris. C'est l'avantage des grandes villes...

Elle eut envie de raccrocher mais se retint. Sa rudesse l'avait émue. Et la mettait en colère à la fois... Qu'est-ce que je fais ? J'y vais ou je reste à la maison étudier mon béton ?

– Bon, d'accord, répondit-elle. Où et à quelle heure ?

Puisqu'il veut du direct.

– À huit heures, au *Lenox*.

– Neuf heures.

– Neuf heures ? Bon, d'accord.

Il avait raccroché sans dire « Au revoir, je vous embrasse, à tout à l'heure... ».

Juliette resta un moment, assise près du téléphone, songeuse. Elle n'aurait pas dû dire oui. Elle ferait mieux de rester et d'étudier ses dossiers. Elle ne réussirait jamais si elle abandonnait tout au premier coup de fil d'un garçon. Et même pas du Prince Charmant… Je travaillerai demain soir, promis.

– C'était l'obsédé ? demanda Valérie qui avait entamé un second yaourt.

– Non, non, c'était un copain avec qui je dîne ce soir…

– Parce que, s'il rappelle, celui-là, je sais ce que je lui dirai. Je lui dirai : « c'est moi » et on verra bien ce qu'il répondra.

Mais pourquoi est-ce que je tombe toujours sur des mecs qui me traitent mal ? Ou pas du tout. Juliette était trop grande pour la baignoire et n'arrivait pas à rentrer épaules et pieds à la fois. Il lui fallait choisir toujours entre avoir froid en bas ou en haut.

Et je me prépare, en plus, je me lave les cheveux, je m'inonde de parfum… Pour un goujat à tête de tortue. Comment vais-je m'habiller ? Pas trop sexy, sinon il va croire que c'est gagné, mais quand même assez pour qu'il ait envie de m'embrasser comme la dernière fois, sur le trottoir.

Elle le trouva, au bar du *Lenox*, devant un verre de whisky. Il buvait à grandes gorgées comme si c'était du gros rouge. Il prit son verre et alla s'asseoir au piano. Ses épaules bougeaient, sa bouche chantait « obladi oblada, life goes on, braaa… », ses yeux brillaient.

– On va manger, j'ai faim.

C'est elle qui avait parlé la première. Il fit oui de la tête, abandonna le piano et alla trouver le barman. Il régla ses scotches, puis lui glissa à voix basse :

– Tu pourrais pas me filer une chambre, pour ce soir ?

Le barman sourit et dit :

– O.K. T'as du bol, le patron est à Zurich. Mais tu dégages demain à huit heures, promis ?

Louis lui plaqua un billet de cinquante francs dans la main et s'éloigna. Je vais la baiser, et dans un palace…

Ils étaient allés dîner, au hasard, dans un restaurant de la rue de Verneuil. Elle essaya de choisir les plats les moins chers, il commanda un autre scotch. Ils ne savaient pas très bien quoi dire. Ils se regardaient beaucoup et elle rougissait. Il avait des filaments de poulet au citron qui pendaient dans sa barbe et elle n'arrivait pas à trouver ça dégoûtant. Ses yeux brillaient, ses dents brillaient, ses doigts s'agitaient et elle avait envie qu'il la prenne dans ses bras. Tout de suite. Pourquoi attendre quand ça peut être si bon là, maintenant. De temps en temps, ils relevaient la tête et se souriaient puis retombaient dans leur assiette et chipotaient leurs plats. Il demanda l'addition, paya, dit : « On y va ? » Elle le suivit.

– Vous venez avec moi si on retourne à l'hôtel ?
– Oui.
– Dans une chambre ?
– Oui.
– Pourquoi ?
– Parce que j'ai envie de vous.

Elle n'avait pas baissé les yeux ni rougi.

Elle le regardait et attendait.

Ils sont montés sur le grand lit.

Ils n'ont pas su attendre.

Il l'a empoignée, a écarté ses jambes, a enfoui sa bouche en psalmodiant « j'aime ça, j'aime ça ».

Elle a trouvé ça un peu impersonnel comme déclaration, puis n'a plus rien pensé du tout.

Elle a joui dans sa bouche. Il a joui en elle. Si fort qu'il s'est cassé en deux et a poussé un cri.

Au petit matin, Albert le barman est monté avec un plateau de petit déjeuner. C'est l'odeur du café qui l'a réveillé. Il a ouvert un œil, l'a regardée et a dit :

– On n'a pas su attendre, hier…

Elle a voulu se blottir contre lui, mais il l'a repoussée pour boire son café.

– On prend rendez-vous ou on laisse faire le hasard ? a-t-il demandé.

– On laisse faire le hasard.

Ils se sont rhabillés. Ont jeté un coup d'œil dehors et sont partis.

Dehors, le petit matin était gris et froid.

– Bon… Ben… Salut. À bientôt.

– À bientôt.

Des pigeons marchaient dans le caniveau qu'un éboueur noir et maigre balayait nonchalamment. Une odeur de pain frais sortait de la boulangerie et le marchand de légumes disposait ses oranges en devanture.

À la une des journaux, Juliette lut : « Concorde, un pari de dix milliards. » Un pari. Encore le hasard.

Elle se sentait lasse et repue. Un peu étonnée de cette nuit si différente des samedis soir de Pithiviers. Bien décidée à recommencer.

– Oh zut ! J'ai encore oublié de lui demander son nom !

Chapitre 10

Il s'appelle Louis. Louis Gaillard.

Au début, il détestait son nom – comment avoir des angoisses avec un nom pareil ! À présent, il le brandit comme un flambeau. « Gaillard Louis », claironne-t-il à chaque audition. Gaillard Junior quand il se voit vedette à Hollywood. Gaillard tout court quand il téléphone à une fille. Un nom trapu et une tronche de tortue ! Dû y avoir une panne au moment de la trois cent quarante-septième division de cellule, et vlan ! j'ai loupé mon menton. Merci papa. Merci maman.

Grâce à vous, je suis obligé de me planquer derrière une barbe de trois jours – moi qui déteste les barbus.

Papa. Maman. Henri et Raymonde Gaillard, née Morin, instituteurs à Poncet-sur-Loir. Henri et Raymonde étaient mariés depuis onze ans quand, le 2 octobre 1940, ils eurent la joie de faire part de la naissance de leur fils Louis, leur premier-né, qui devait rester unique.

Louis grandit sous un préau vide, rêva dans des salles de classe libérées par la cloche de six heures et la fin de l'étude, et mangea ses soupes sur un coin de table au milieu des copies corrigées à l'encre rouge. Le soir, il sortait dans la cour déserte, scrutait le ciel, repérait des étoiles et rentrait leur chercher un nom dans son précis d'astronomie. « Louis sera astronome, avait un jour dit sa mère. Achetons-lui une lunette. » « Pas question, avait rétorqué Henri. Il sera instituteur, comme moi. »

Louis se sentait plus proche des étoiles que de ses parents et de leurs manies : un bain par jour, la raie bien dessinée sur le côté, les oreilles inspectées chaque soir, « et entre les doigts de pieds, Louis, montre à maman ». Jamais d'accroc à ses pantalons, jamais de bleus aux genoux. À l'école, il ne jouait pas avec les bagarreurs. Il n'avait même pas à se donner la peine de les éviter : fils du maître, il était intouchable. En revanche, les filles le recherchaient. Ça, Louis aimait bien. Elles lui envoyaient des dessins pendant la classe et, plus tard, le laissaient respirer dans leur cou.

Le grand événement de l'année, c'était les vacances d'été. Ils partaient tous les trois, en train jusqu'à Avignon, puis en car jusqu'à La Fresquière, un petit village de la vallée de l'Ubaye. Dans un hôtel où la pension complète coûtait douze francs par jour. Pendant tout le mois d'août, Louis construisait des barrages dans la Béousse et soulevait des pierres pour dénicher des truites. Le car, à l'aller et au retour, s'arrêtait à la ferme des Dominici et les voyageurs descendaient, en paquets serrés, se promener sur les lieux du crime. C'était l'heure de gloire d'Henri Gaillard devenu, au fil des trajets, le guide spécialisé de ce fait divers. « Et là la petite Drummond fut traînée sur près de cent mètres avant d'être sauvagement abattue. » Louis écoutait et imaginait. C'était encore mieux que les étoiles. Trois cadavres britanniques entre la voie ferrée et la Durance. Une famille de meurtriers patibulaires. Un patriarche matois qui narguait la Justice. Une Sardine qui ricanait dans sa bouche sans dents. Il était loin des cahiers immaculés, de la jambe raide et de la canne de son père, loin des lunettes à double foyer de sa mère, loin de la toilette méticuleuse du soir, de la prière les doigts croisés et des draps qui sentent le savon.

Lors du septième été à La Fresquière, Louis rencontra Albert Castes, colonel à la retraite dont les opinions

« rouges » avaient écourté la carrière. Le colonel s'était pris d'affection pour Louis. « Ah ! mon gaillard… », tonnait-il quand il l'emmenait faire de longues marches jusqu'au sommet de l'Oupillon ou pêcher dans l'Ubaye. Tout au long de leurs promenades, le colonel Castes parlait. De la vie, de l'amour, de la mort, de la politique, des parents… Louis écoutait et, pour la première fois, l'envie lui venait de ressembler à quelqu'un. Il n'était pas sûr de tout comprendre, mais ce qu'il en retenait le faisait réfléchir toute la nuit. « Le colonel Castes, c'est quelqu'un ! » s'était-il exclamé, plein d'enthousiasme, devant son père. « Le colonel Castes, c'est personne et on n'en parle plus », avait répliqué Henri.

L'été suivant, ils étaient restés à Poncet. Louis avait tourné en rond sous le préau. Sans plus regarder les étoiles et en tentant de se rappeler les phrases du colonel : « Il faut être vrai, mon gaillard… Ne pas tricher, être toi-même, même si ça doit t'attirer des embêtements… » C'était simple à dire. À illustrer, ce serait plus compliqué.

Loin du colonel Castes, tout seul sous le préau vide, Louis n'avait plus, pour frissonner un peu, que les bisous volés à Élisabeth, la fille du boulanger.

Louis grandit, eut son bachot avec mention très bien, puis partit pour l'armée. Son colonel ne ressemblait pas au colonel Castes et, quand l'adjudant criait « mon gaillard », c'était pour amuser le reste du peloton. Inscrit dans la troupe de théâtre, il avait écrit et monté un spectacle avec d'autres bidasses. Il s'y était moqué du régiment et de son adjudant. Résultat : huit jours de trou qu'il avait accueillis avec sérénité : d'une part s'ils avaient réagi ainsi, c'est que c'était bien, ensuite il se félicitait de pouvoir, toute la semaine, revenir sur le plaisir immense qui l'avait saisi quand il était monté sur scène. Là, tout à coup, il s'était senti devenir quelqu'un d'autre. Il s'était senti devenir lui-même : Louis Gaillard.

Bien sûr, il s'était passé du temps et des péripéties avant qu'il ne lâche tout pour devenir un véritable artiste. Mais à présent, enfin, il vivait selon les principes du vieux Castes. Il était « vrai ». Même si, parfois, ça faisait mal.

Il savourait l'embarras des tablées bien nourries lorsque à propos du Biafra et des « petits Biafrais » il proclamait : « Je ne crois qu'en une seule cause : MOI. » « C'est facile, c'est facile », marmonnaient ses victimes avant de quitter la table sous un prétexte quelconque. Pas démonté pour si peu, Louis se levait et allait semer la zizanie à une autre table. De toute façon, il ne pouvait pas dormir avant le petit jour. S'il restait seul chez lui, il tournait en rond, mangeait de la mie de pain ou de la graine de couscous qu'il faisait gonfler sous le robinet d'eau chaude. « Pour mon ulcère, expliquait-il en posant la main sur son ventre, il ne mange que la nuit. » Il aimait les maladies et les docteurs. Il savait tout sur les transplantations cardiaques. Il ne lisait les journaux que pour les préparatifs du vol Concorde ou la troisième explosion de bombe atomique française.

Le reste, il s'en fichait. Tout comme en Mai 68 il s'était contrefoutu de l'occupation de l'Odéon et des soixante-huitards, « philosophes au petit cogito qui découvraient leur cul et ne le trouvaient pas propre. Plus de jalousie, plus de rapport de force, tout le monde à égalité dans une société sans profit ni patron, des kilos de gentillesse dégoulinante, de peace and love, de fleurs dans les cheveux et d'amours en communauté… Et puis quoi encore ? On n'est pas capable d'assumer tout seul ses petites saletés, alors on va les partager avec les autres… ».

Évidemment, un an après Mai 68, ce genre de discours ne le rendait pas très populaire. Il s'en fichait, précisant même qu'il parlait « d'expérience » : il avait vécu à un, deux, trois, dix. Rien n'avait marché. « L'amour, disait-il, ça n'existe pas. C'est des rapports de force » et même, s'il était mal luné : « Une histoire de chatte et de bitte. »

Après, il rentrait se coucher et se traitait d'imbécile. « T'as pas fini tous ces discours ! T'es comme les autres. Tu aimes comme les autres. Tu veux pas le reconnaître, c'est tout. »

Il était devenu pianiste pour séduire des filles. Il avait remarqué qu'elles s'agglutinaient autour du piano. Le plus beau cul du monde, d'ailleurs, n'avait pas fait exception. Accoudée au piano, le menton dans la main, elle l'avait écouté chantonner « obladi oblada » avec du consentement dans la prunelle.

Après avoir quitté Juliette au petit matin, il avait marché dans Paris jusqu'au studio Sound où il devait enregistrer la musique d'une pub qu'il avait écrite. Pour un fromage crémeux. Cinq mille francs la maquette. Je vais avoir du temps pour faire ce qui me plaît, pour m'écrire des musiques, pour me dénicher un agent qui me trouvera un rôle de jeune premier en échange de ses dix pour cent... J'ai déjà trop traîné. Vingt-huit ans et pas capable de payer une chambre au *Lenox*. Je l'ai embrassée trop vite, j'aurais dû la faire attendre davantage... Je lui ai sauté dessus comme si... La prochaine fois, je la ferai attendre, attendre... Jeune fille sage en jupe plissée. Je suis sûr que je peux tout faire avec elle. Fille gentille et regardeuse de bitte. Quand elle était venue se coller contre lui, cette nuit, il n'avait pas eu envie de la rejeter, loin, comme il faisait pour la plupart des filles avec qui il couchait. Il aime pas qu'on le touche après... Elle s'était accrochée à lui, comme un enfant qu'on porte dans son dos, les jambes autour de ses reins, les bras sur ses épaules, la tête contre son cou, et il n'avait pas bougé...

En arrivant au studio, il croisa l'assistant dans l'escalier.

– Salut Louis ! Ils t'attendent au studio G...

– Tu vas où, toi ? T'as fini ta journée ?

– Je vous rejoins tout de suite, je vais chercher des cafés.

– Ramène-moi donc un scotch, ça me mettra en train...

Il a ses manies quand il joue : la cigarette qui brûle sous son nez et le verre de scotch où fondent les glaçons.

Il passa par la régie, dit bonjour à Max, l'ingénieur du son, puis alla s'asseoir dans le studio.

– Suis pas très frais, mais ça va venir, dit-il en faisant craquer ses doigts.

Max lui fit signe qu'il n'était pas pressé, les deux mains battant l'air comme si elles le retenaient.

– Je t'envoie l'instrumental... Tu vas écouter ce qu'on a fait hier, tu vas voir, c'est bien...

Max lança la bande. Louis écouta. Cosi, cosa, it's a wonderful Chaaambourcy. « C'est pas mal ce que j'ai fait là. Ils vont en vendre des millions de fromages blancs. C'est con de filer ça à la pub, je devrais me le garder et en faire un tube pour Louis Gaillard chanteur... »

L'assistant entra avec son scotch.

– Merci. Je te dois combien ?

– Rien. C'est Max qui paie...

Il montra Max à la console qui fit signe pour dire « c'est rien, c'est rien, laisse tomber ». Louis leva son verre vers Max en guise de remerciement.

– On y va ?

– On y va.

Il but une gorgée glacée, alluma une cigarette, fit quelques gammes..., puis rajouta ses parties de piano à la basse et à la batterie. Nananinaninaninana Chaaambourcy... Quarante-cinq secondes et cinq mille francs.

Et si je partais pour Tahiti ? L'argent ne me vaut rien, le confort m'endort ; si je claque tout mon blé à Tahiti, au retour, je serai bien obligé de trouver des idées… Et puis Tahiti avec elle, les palmiers, un collier de fleurs autour de ses reins et moi le nez dedans à la respirer… C'est bien.

– Bon, on le refait. Un peu plus lent vers la fin, s'il te plaît…

Elle est vraiment bien cette mélodie. Elle lui est venue comme ça, un petit matin, alors qu'il traînait dans Paris. Il s'était assis sur un banc, près d'un arrêt d'autobus. Le bus avait glissé sous ses yeux et, sur ses flancs, il y avait cette fille blonde qui souriait. Dans sa tête, ça avait fait nananinaninaninana. Il avait couru chez lui, chantonné nananinaninaninana sur son magnéto et s'était endormi. Heureux.

– On reprend une dernière fois ? Juste une autre pour être sûr…

Cigarette qui brûle, glace qui brûle. La bande repart. Le bus repasse. Je devrais y retourner sur ce banc, faire Proust et sa madeleine. À la recherche du bus perdu.

– Ça y est. On l'a.

Max leva les deux pouces et lui fit signe de venir le rejoindre. Louis s'étira, se frotta les yeux et passa en régie.

– Il est content, le client ?

– Tu parles… Il bave de joie… T'es parti pour en refaire. Frank m'a dit qu'il fallait que tu passes le voir pour en discuter…

Frank était le patron de Sound. Du même âge que Louis, des idées plein la tête et malin, très malin. En moins de deux ans, sa boîte de pub décrochait déjà les plus gros contrats.

– T'es doué, mec. Tu devrais faire des musiques pour toi.

Louis sourit à Max. « Je ne t'ai pas attendu, vieux »,

pensa-t-il. Il faut être gentil avec les gens qui vous font des compliments, sinon après ils vous détestent et vous traitent de grosse tête. Il se leva, donna une bourrade à Max et se dirigea vers la sortie. Sur le pas de la porte, il se retourna :

– Tu diras à Frank que je passerai demain après-midi pour le contrat... S'il peut pas, il n'a qu'à m'appeler.

Une fois de plus, Max leva le pouce. Dehors, il faisait beau. Il n'avait pas sommeil. Son ulcère avait dormi cette nuit. Il entra dans un bistrot et commanda un double crème. Puis il sortit une Marlboro, craqua une allumette, alluma sa cigarette, remit l'allumette usée dans la boîte et s'accouda sur le zinc. La vie était belle. Le patron poussa la tasse vers lui. Louis remercia. Il avait envie d'être aimable. Cosi, cosa, it's a wonderful world...

Chapitre 11

« Happy birthday to you, happy birthday to you, happy birthday, dear Juliette, happy birthday to you. »

Les dix-neuf bougies tremblaient devant Juliette. Les larmes aux yeux, elle regardait le gâteau où, sur le glaçage au chocolat, sa mère avait fait inscrire « bon anniversaire, Juliette ».

Ils chantaient en anglais parce que Jean-François Pinson était là. Revenu d'Amérique. Il était passé par Pithiviers pour embrasser ses parents et s'était arrêté au Chat-Botté. Mme Tuille l'avait tiré par le bras, lui avait demandé « comment c'était New York ? » et, s'il était libre, « ce soir, on fête l'anniversaire de Juliette ».

Il était assis à la droite de Mme Tassin. Beau comme un Parisien. À l'aise comme un Américain. Bronzé comme un Californien. Il avait séjourné quinze jours à Los Angeles. À Ellai, comme il disait.

Juliette faisait face à son père. Pendant qu'on chantait, elle l'avait entendu marmonner « un p'tit beurre, des touyou, un p'tit beurre, des touyou » et elle avait failli attraper un fou rire.

Bénédicte, Martine et Minette, la grand-mère, complétaient l'assemblée.

– Allez, souffle, ma chérie, éteins-les du premier coup et ton vœu le plus cher sera exaucé.

Mme Tuille avait croisé les mains sur sa poitrine et couvait sa fille du regard.

Juliette prit une forte aspiration, dilata son thorax comme pour les vocalises de Regina et souffla les dix-neuf flammes roses en priant sainte Scholastique : « S'il vous plaît, faites que je me marie avec lui. Oui, je sais, c'est pas votre truc à vous le mariage, vous avez préféré être sainte, mais je vous en supplie... »

Les dix-neuf bougies s'éteignirent d'un seul coup et Juliette battit des mains, s'accrocha au cou de sa mère, de son père, embrassa Martine, Bénédicte et Minette.

– Un baiser pour moi aussi ?

Jean-François se leva, la prit dans ses bras et l'embrassa doucement, au coin de la lèvre, avec un regard si protecteur que Juliette se sentit retomber en enfance. Puis, un bras autour de son épaule, il ajouta :

– Je voudrais porter un toast à la jeune fille la plus jolie, la plus intelligente, la plus prometteuse de la rue de la Couronne et de l'avenue Rapp !

L'assistance applaudit. Minette murmura « avenue Rapp, avenue Rapp » et Mme Tuille dut poser son verre pour lui expliquer. Jean-François trempa son doigt dans sa coupe et déposa une goutte de Moët et Chandon derrière l'oreille de Juliette qui se recroquevilla de plaisir.

– Et maintenant, les cadeaux ! réclama Martine qui trouvait que la soirée tournait à l'eau de rose.

– Oui, les cadeaux, les cadeaux, scanda Juliette, excitée.

Mme Tuille les avait entassés dans un panier et les tendit un par un à sa fille. Une liseuse de la part de Minette. Juliette fit un clin d'œil à ses amies. Un chèque de ses parents, un ours en peluche bleu ciel de Martine et une gourmette en argent de Bénédicte.

Juliette embrassa, protesta qu'il ne fallait pas, que c'était trop...

Et lui ? se dit-elle en scrutant le fond de la panière. Il ne m'a rien acheté ?

– And all the way from Disneyland for Miss Djouliette Touille…

Il brandissait un paquet et une petite boîte. Juliette les prit en rougissant. Il a pensé à moi, il a pensé à moi. Là-bas.

C'était un sweat-shirt et une montre Mickey Mouse. Elle serait la seule à Pithiviers à porter ça.

Elle l'embrassa avec force et dit : « Merci, merci, je suis tellement contente. » Elle se réfugia dans les bras de sa mère car elle savait qu'elle allait pleurer.

Jean-François Pinson sortit un cigare de son étui et le tendit à M. Tuille qui refusa.

– J'en veux un, moi, claironna Juliette.

Mme Tuille la regarda avec désapprobation.

Juliette prit le Davidoff que lui tendait Jean-François.

– Moi aussi, dit Martine.

– Hé doucement, mesdemoiselles, il ne m'en restera plus après…

Mon premier cigare. Je vais encore faire un vœu, se dit Juliette. Deux précautions valent mieux qu'une. « Sainte Scholastique, je sais que je me répète, mais il faut que je me marie avec lui. Ce n'est pas possible autrement… »

Comme ça, plus tard, on viendra voir mes parents et on mettra tous nos enfants autour de la table.

Le téléphone retentit et Mme Tuille alla répondre.

– Je me demande qui ça peut bien être à cette heure…

Le téléphone était accroché au mur, dans l'entrée, à côté de la brosse à habits et du portemanteau.

– Juliette, c'est pour toi…

Juliette leva les sourcils, étonnée, et quitta la table.

– C'est un homme, dit sa mère, sur un ton mystérieux en lui tendant l'appareil.

– Allô ? fit Juliette en faisant signe à sa mère d'aller se rasseoir.

– Le plus beau cul du monde, je présume ?

Juliette se mit à parler tout bas :

– Comment avez-vous eu mon numéro ?

– Élémentaire, ma chère. J'ai appelé la duègne. Je me suis montré très courtois. Je lui ai dit que je voulais parler béton et qu'il fallait que je vous joigne très, très vite. Le béton a pris…

– Ah…

Ça lui faisait drôle de l'entendre ici.

– Et qu'est-ce que vous faites à Pithiviers ?

– Je fête mon anniversaire… avec mes parents.

– Votre anniversaire ?

– Oui, j'ai dix-neuf ans.

– On pourrait peut-être se tutoyer au stade d'intimité où on est…, proposa-t-il, gouailleur.

– Oui. Si vous voulez… Ça m'est égal…

Il éclata de rire dans le téléphone. Puis, soudain, redevenant sérieux :

– Dis, t'es pas avec un mec au moins ?

– Non… Non… Je vous ai dit : avec mes parents.

– Oh ! et puis je m'en fiche. Tu fais ce que tu veux, du moment que je le sais pas. Tu rentres quand ?

– Lundi.

– On se voit lundi soir ?

– Ben…

Peut-être que Jean-François sera libre lundi soir…

– Faudrait que je travaille un peu, j'ai plein de dossiers qui… On n'a qu'à se rappeler dans la journée ?

– C'est ça ! Tu voudrais voir quelqu'un d'autre, mais tu n'es pas encore sûre qu'il est libre…

– Non, non, je vous assure…

– Bon, ben, d'accord. Je t'appelle lundi à sept heures.

Il raccrocha.

Elle ne se rappelait même plus ce qu'ils s'étaient dit. Elle prit deux profondes inspirations avant de regagner la salle à manger.

– Qui c'était ? demanda sa mère, soupçonneuse.

– M. Virtel…, pour un dossier…, je l'ai laissé avenue Rapp et il le cherchait partout. Il en a un besoin urgent, c'est pour ça qu'il téléphonait…

Martine lui donna un coup de pied sous la table. Juliette s'arrêta net. Martine lui faisait signe « laisse tomber, tu t'enferres, t'as vu l'heure ? ».

– Tout le monde prend du café ? demanda Mme Tuille. Jean-François… Vous permettez que je vous appelle Jean-François ?

Jean-François dit oui. Il prendrait bien volontiers du café et oui, bien sûr, elle pouvait l'appeler par son prénom.

Le zèle de Mme Tuille l'amusait et l'attendrissait. Elle doit s'imaginer que je suis un parti idéal et la petite Juliette le pense aussi. La famille française typique ! se dit-il en faisant des boulettes avec sa mie de pain. Comme c'est reposant ! Un jour, j'aimerais bien entrer dans une famille comme celle-là, épouser une petite Juliette. Après le café, ils vont me proposer « un doigt de vieux marc » que je boirai dans ma tasse. Ou peut-être quelques cerises à l'eau-de-vie faites à la maison. M. Tuille choisira un sujet de conversation « entre hommes » : l'entrée en vigueur de la TVA, l'assurance-maladie obligatoire pour les commerçants… Il énumérera les raisons de sa colère et conclura que « ça ne va pas se passer comme ça ». Nous deviserons tous les deux pendant que les femmes débarrasseront et feront la vaisselle. Il fera des allusions flatteuses à ma situation, à mon train de vie, à mes espérances, en chassant de la main la fumée du cigare qui lui donne légèrement mal au cœur. Que doivent raconter mes parents pour qu'on me considère de la sorte ? Ou alors, c'est le résultat d'une association de mots : Paris, publicité, Lancia, États-Unis… Quelle ironie ! Que les braves gens sont faciles à berner !

– Vous voulez prendre le café à table ou passer au salon ? minauda Mme Tuille.

– Non, non, restons à table. C'est très bien, répondit-il.

Le salon ajouterait de la raideur à cette scène familiale. Alors qu'à table on s'alanguit, on laisse glisser son coude, on défait sa ceinture, on enlève ses chaussures en douce. Si je n'étais pas là, M. Tuille ferait un petit rot et se curerait les dents avec une allumette taillée exprès. L'appartement est juste au-dessus de la boutique, les meubles sont en chêne massif. Il y a des napperons et des bibelots partout. Rien n'a dû changer depuis vingt ans. Mme Tuille a trop de rouge. On dirait une pute.

– Alors, les États-Unis, Jean-François, c'est comment ? demanda Jeannette Tuille.

Il commença à parler tout en se rendant compte qu'il intéressait peu. C'est loin pour eux. Ils ont l'impression qu'ils n'iront jamais, alors ils remuent la tête comme s'ils écoutaient mais pensent à autre chose. À la commande d'espadrilles qu'il va falloir passer car l'été approche. On oublie toujours les espadrilles et c'est négligence. L'espadrille est, sans conteste, l'article qui se vend le mieux durant les beaux jours et la marge bénéficiaire…

Les trois filles s'étaient regroupées en bout de table près de la grand-mère qui somnolait. Juliette avait les yeux rêveurs, Martine racontait son stage à Orléans et Bénédicte passait en revue les termes de sa lettre d'insultes.

L'horloge du buffet sonna onze heures.

Juliette n'avait pas envie d'aller se coucher. Le cigare l'avait un peu écœurée. Elle l'avait posé dans un cendrier où il s'était éteint. Martine continuait à téter le sien. Elle portait un chandail jaune, des lunettes jaunes, deux barrettes jaunes, et Juliette en déduisit qu'elle allait bien. Quand elle se donnait du mal pour coordonner lunettes, chandail et barrettes, le moral était au beau fixe. Juliette eut envie de l'embrasser. D'ailleurs, elle avait envie d'embrasser tout le monde, ce soir.

– Vous voulez aller danser, Juliette ?

Prince Charmant avait parlé.

– Oh oui ! s'exclama-t-elle.

– Vous me donnez l'autorisation d'enlever ces trois jeunes filles ? demanda Jean-François en se tournant vers Mme Tuille.

– Mais bien sûr, Jean-François, tant qu'elles sont sous votre garde…

– Va falloir s'entasser ! déclara Jean-François en montrant la Lancia. À moins qu'on décapote…

Il décapota. Les trois filles s'installèrent. Juliette choisit la place tout contre lui. Chaque fois qu'il débrayait, sa main venait caresser son genou…

La première personne qu'elles rencontrèrent au *Club 68* fut le beau René. Tout seul au bar. Martine guetta la réaction de Juliette : c'est à peine si elle le vit.

– Ah ! René… Comment vas-tu ? Tu connais Jean-François Pinson ?

René fit non. Juliette les présenta rapidement, puis entraîna Jean-François à l'intérieur.

– On danse, on danse, supplia-t-elle quand le disquaire mit *Suzanne* de Leonard Cohen, c'est mon disque préféré.

Ce n'était pas exactement vrai. Elle le trouvait un peu larmoyant mais idéal pour flirter : six minutes de slow.

Il la serra contre lui. Elle languissait de plaisir. Quand allait-il se décider ? Quand ? N'y tenant plus, elle redressa la tête afin de rencontrer ses lèvres et il chuchota tout bas :

– Juliette…

Il l'embrassa.

Juliette sentit son corps devenir boule de feu et gélatine. Elle colla sa bouche contre sa bouche pour qu'il n'ait surtout pas l'idée d'arrêter et supplia sainte Scholastique d'intervenir auprès du disquaire pour qu'il enchaîne avec un autre slow.

Ce qu'il fit.

Hey Jude. Sept minutes douze de prolongation.

Le beau René était venu s'asseoir auprès de Martine et de Bénédicte et regardait Juliette flirter sur la piste.

– Qui c'est, ce mec ? demanda-t-il à Martine.

– Ton remplaçant, mon vieux.

Puis, à l'intention de Bénédicte :

– Et nous voilà parties pour une nouvelle romance !

– C'est son anniversaire, répondit Bénédicte, elle fait ce qui lui plaît.

– Oui, mais il risque de durer plus longtemps que les autres celui-là et j'aime pas ça !

Dans la boîte, il n'y avait personne de leur connaissance. Elles étaient déçues. Peut-être était-il trop tôt ? Et le disquaire qui n'arrêtait pas de mettre des slows !

– Si ma lettre d'insultes a fait mouche, dit Bénédicte, je vais aller à Paris, moi aussi…

– Et moi, dans six mois, une fois mes cours terminés, on m'y envoie faire mes armes. C'est écrit dans le contrat !

– C'est formidable, s'exclama Bénédicte. On prendrait un appartement toutes les trois, alors !

C'est trop beau, se dit Martine.

Elle n'aimait pas les rêves mitonnés à l'avance. Ça empêchait d'agir et ça portait malheur. Mais qu'est-ce que ce serait bien !

Toutes les trois. Dans un grand appartement.

À Paris…

Chapitre 12

En entrant dans le grand bureau du service « Étranger », au troisième étage de l'immeuble du *Figaro*, sur le rond-point des Champs-Élysées, Émile Bouchet ne s'étonna pas de n'y trouver personne. Tous les matins, il arrivait le premier. Tous les matins, il parcourait le premier les accordéons de dépêches entassés au pied des téléscripteurs, il était le premier à survoler la presse nationale, le premier à ouvrir son courrier.

Ce matin-là, comme d'habitude, il accrocha son imper au vieux portemanteau, rectifia son nœud de cravate et, debout devant la glace, tenta une fois de plus d'aplatir ses épais cheveux frisés. Il essaya même de les lisser un peu, en y passant un doigt mouillé, puis, comme chaque matin, renonça et s'absorba dans la lecture de son agenda.

Il aimait se trouver seul dans la grande salle des correspondants. Il pouvait alors s'en croire, fugitivement, le chef. Se laisser griser par la contemplation de son ordre du jour : douze heures trente, déjeuner avec M. Thu, membre de la délégation viêt-cong à la conférence de la Paix qui piétinait avenue Kléber. Il soupira. Il connaissait l'énergumène : un rusé qui ne consentait à lâcher une bribe d'information qu'après des heures de propagande éprouvantes. Quinze heures, conférence de rédaction. Il allait encore falloir qu'il se batte pour faire le portrait d'Eisenhower. Il connaissait les arguments de son rédac' chef par cœur. « Mais qu'est-ce que tu vas perdre ton temps avec une nécro ! Comme si t'avais pas assez à faire avec le Viêt-nam ! Laisse donc les chrysanthèmes à ceux qu'on paie pour ça et dis-nous ce que t'as pu arracher à ton niak ! » Comme chaque jour…

D'un autre côté, il devait bien admettre qu'on n'avait pas besoin de lui pour écrire une nécro – fût-ce celle d'Eisenhower. Quelqu'un d'autre pouvait parfaitement s'en charger. Nizot, par exemple. Il aimait ça, lui, fouiller dans les archives. Mais quand même…

Émile Bouchet y tenait à son général président. Non qu'il l'admirât particulièrement, mais c'était le genre de grande figure dont l'évocation réclamait un lyrisme un peu martial et une solennité pour lesquels Bouchet se connaissait des dons certains. Exactement le genre d'article où il se différenciait du reste de la profession. Il voulait ses cinq colonnes. Il les aurait… Seize heures trente, interview du général Stutton, ancien aide de camp d'Eisenhower à Londres… À l'usure. Il les aurait à l'usure. L'édition de la veille traînait sur son bureau. Il commença à la feuilleter au petit bonheur, mais, très vite, sa propre signature l'attirant comme un aimant, il s'accorda le plaisir de relire son article. Une fois de plus, le titre le ravit : « Rockets sur la paix. » De même, il fut heureux de vérifier que le nerf de son intro avait bien survécu à la nuit. Il était si absorbé par sa lecture qu'il n'entendit pas Nizot entrer dans le bureau.

– Alors, Narcisse, on se mire ?

Jean-Marie Nizot alla poser ses affaires sur un bureau situé en face de celui de Bouchet.

« S'ennuie, pas, celui-là, pensa Émile, il arrive de plus en plus tard. »

– Ben oui, mon vieux, et je le trouve plutôt bien mon papier.

– Oui, fit Nizot, rien à dire. Du bon Bouchet.

Le flegme de Nizot agaça Émile. Mais il ne pouvait

pas lui en vouloir : Nizot ne relisait jamais ses propres papiers.

Émile préféra se replonger dans son agenda. Le soir, dîner chez Raoul Frelard, un ancien journaliste de radio qui désirait lancer un quotidien. Émile ne pensait pas une seconde à quitter *le Figaro*, mais il savait qu'il rencontrerait là tout ce que le journalisme comptait de gens influents. De quoi ajouter quelques nouveaux noms à son carnet d'adresses. On juge un journaliste à ses relations. On le lui avait assez répété quand il était stagiaire. Son carnet était vieux, déformé et ne tenait que grâce à un élastique, mais regorgeait de numéros intéressants.

– Monsieur Bouchet, fit l'huissier en passant la tête par la porte. Il y a là une jeune fille qui dit qu'elle a rendez-vous avec vous.

– Ah ! bon Dieu… Faites-la patienter cinq minutes.

Enfin, il allait voir à quoi ressemblait la cinglée qui l'inondait de lettres depuis six mois. Chaque fois qu'il écrivait un article, elle donnait son avis, développait un point de détail et demandait à le rencontrer. Elle voulait devenir journaliste blablabla. Des lettres comme ça, il en recevait dix par semaine. S'il devait répondre à chacune d'entre elles…

Cette fois-ci, il avait fini par céder à cause de son dernier envoi. Une lettre d'insultes, plutôt drôle, où elle lui écrivait qu'« un journaliste qui manquait à ce point de curiosité ferait mieux de devenir fonctionnaire. Ou marchand de lacets. Ou tailleur de fonds de culottes, assis sur ses grosses cuisses à regarder passer les trains… ».

Il ne prenait pas trop de risques en la recevant au journal : si elle devenait encombrante, l'huissier n'était pas loin. Deux ou trois formules de politesse, quelques gargarismes sur le grand et beau métier de reporter et une reconduction ferme vers la sortie.

Des risques, Émile Bouchet n'en avait jamais beaucoup pris. Il préférait travailler beaucoup, progresser lentement, s'imposer petit à petit sans faire d'éclats ni prendre position. C'était sa politique depuis qu'il était entré au CFJ, une école de journalisme. Il s'y était tenu. À la fin de ses études, il avait postulé pour un stage dans la presse écrite, rêvant déjà de son nom imprimé à l'encre noire au bas d'un papier. La gloire. À la radio ou à la télé, les signatures étaient vite effacées par l'image ou le son. Tandis que dans un journal... Là, on existait vraiment, on s'installait dans la vie du lecteur, on le retrouvait chaque jour, on le faisait rêver, surtout quand on travaillait au service « Étranger »...

Et tout ça sans faire de longues années d'études ni d'humiliantes courbettes. Directement au sommet, la plume alerte et le mot dégainé.

Le Figaro proposait trois places de stagiaires, *le Monde* deux. Émile eût préféré *le Monde*..., mais, le matin de son premier jour, âgé d'à peine vingt-quatre ans, il s'était retrouvé tout aussi ébloui en comprenant qu'il allait désormais faire partie d'un des plus vieux journaux du monde, où des plumes fameuses s'étaient illustrées : George Sand, Balzac, Nerval, Zola, Daudet, Verlaine, Mallarmé, Tolstoï, Jules Renard...

En posant le pied sur le marbre des dalles de l'entrée ce jour là, il avait eu l'impression de fouler l'Histoire de France. Tout respirait les traditions et le bon goût français : hauts plafonds, épaisses moquettes, longs couloirs éclairés par de larges fenêtres, portraits de grands hommes, premières pages historiques encadrées, huissiers obséquieux à chaque étage. Il s'était découvert un royaume. Il travaillerait d'arrache-pied, deviendrait chef de service, puis rédacteur en chef adjoint, puis rédacteur en chef, puis...

Au CFJ, il avait pris conscience de la place unique qu'occupait *le Figaro* dans la presse française. « *Le Figaro* est le baromètre du pays. Quand le chiffre d'affaires augmente, c'est toute la France qui prospère… »

Cinq ans après ce premier jour, Émile était toujours aussi radieux. Chaque matin, il foulait l'Histoire de France sur le marbre de l'entrée avec la même émotion.

Bien sûr, depuis quelque temps, le journal connaissait des difficultés. Une querelle opposait journalistes et propriétaires, les premiers entendant conserver leur liberté d'écrire tandis que les seconds désiraient participer plus intimement à la fabrication du journal. Le conflit s'était durci et on en était venu à évoquer la grève. Personne ne voulait céder. « Il faut séparer le journalisme de l'argent, entendait-on dire à longueur de couloir, que les financiers s'occupent de leurs sous et nous laissent faire le journal en paix. » Émile refusait de s'en mêler. On lui reprochait sinon sa lâcheté, du moins son indifférence. « C'est tout le statut du journaliste qui est en jeu, mon vieux, on ne s'en sortira que si on fait corps. »

Émile se disait qu'il ferait corps tout seul.

Il n'avait jamais été censuré, lui…

Pour le journal, Émile Bouchet négligeait même sa vie privée, ne gardant que quelques amies qu'il allait visiter à la sauvette, à deux heures du matin, après un bouclage difficile ou un dîner parisien.

– Dites, monsieur Bouchet, je la fais entrer la petite jeune fille ?

Émile hocha la tête avec résignation. Vingt minutes, pas plus. Puis il prétexterait un rendez-vous et la raccompagnerait jusqu'à la porte.

L'huissier disparut et revint, s'effaçant devant une jeune fille grande, mince, aux cheveux mi-longs châtains et aux grands yeux marron. Une mèche blonde ondulait sur ses yeux, donnant à son regard une profondeur troublante. Ou peut-être cet air de mystère provenait-il de l'ensemble, de sa manière de marcher, de sa longue silhouette ou des gants de chevreau, du sac Hermès et des mocassins à barrettes. Il chercha des mots pour décrire l'apparition qui se tenait devant lui. Il se mit à jouer nerveusement avec son agenda, tournant et retournant les pages, le poussant sur le côté, puis le ramenant vers lui. C'était donc elle, la cinglée de Pithiviers ! Cette créature de rêve semblait plutôt sortie du *Port de l'angoisse* et des bras de Bogart que de l'asile du Gâtinais ! La pommette bombée, le sourcil incurvé, la bouche soulignée au pinceau, la jupe dessinant des hanches minces, le blazer bleu marine, un collier de perles sur un cachemire lavande... Il ne se lassait pas de la regarder.

Il eut du mal à articuler « mais asseyez-vous donc » en désignant une chaise devant lui. Elle s'assit, découvrant un genou rond et parfait, posa délicatement son sac sur le coin du bureau, puis croisa les mains. Il se demanda comment il allait déglutir sans qu'elle entende le bruit affreux de sa glotte coincée.

C'est elle qui parla la première :

– Voilà. Je ne vous ai pas écrit toutes ces lettres uniquement par obsession maniaque. Je veux devenir journaliste.

Elle ne dit pas « je rêve de... » ou « j'ai envie de... » ou « j'aimerais bien... », remarqua Émile. Non. Elle affirme, tranquille, « je veux ».

– Et ne croyez pas qu'il s'agisse d'une lubie de jeune fille de province, continua-t-elle. Je travaille déjà dans un journal, *la République du Centre*, où je m'occupe des faits divers. Pour l'instant, je suis pigiste. Je vous ai d'ailleurs apporté un échantillon de mes modestes talents. Ça ne manquera pas de vous paraître ridicule, mais...

Émile secoua vigoureusement la tête en signe de dénégation et s'empara du cahier. Un cahier Glatigny où elle avait collé des brèves, des entrefilets qui parlaient de vol à la tire, d'agriculteurs mécontents ou de quinzaine commerciale.

– J'avais repéré vos articles... Je les trouvais bien. Je sais que, pour réussir dans ce métier, il faut venir à Paris... Alors j'ai pensé à vous écrire. Je ne connais personne d'autre et... si je me suis un peu emportée dans ma dernière lettre, c'est parce que...

– Je me suis conduit comme un sot et un mufle, coupa Émile. Je ne pouvais pas savoir. C'est qu'on reçoit beaucoup de lettres, vous savez...

La jeune fille eut un large sourire comme pour dire qu'elle comprenait et qu'elle lui avait déjà pardonné.

– J'imagine bien que je ne suis pas la seule...

Il se redressa. Tout à coup, il retrouvait une partie de son prestige. Elle n'était pas la seule, en effet.

– Mais, pratiquement, que puis-je faire pour vous ? demanda-t-il sur un ton qu'il tâcha de rendre professionnel.

– J'ai entendu dire que *le Figaro* engageait des stagiaires pour l'été, et j'ai pensé que vous pourriez m'aider à décrocher un de ces stages.

– C'est exact. Mais ces stages ne sont pas rémunérés, je dois le préciser...

– Oh ! ce n'est pas un problème... J'ai mes parents qui m'aident.

– Dans ce cas, je serai absolument enchanté d'appuyer votre candidature. Vous allez me laisser votre nom, votre adresse, un numéro de téléphone et un bref curriculum vitae. Je vous écrirai dès que j'en saurai plus.

Puis réendossant l'uniforme complet d'Émile Bouchet, grand reporter :

– Voulez-vous faire un tour du journal ? Vous y verrez tous les services... Il est, en effet, d'usage que les stagiaires passent de service en service, pendant leur séjour ici. Afin de tout connaître...

La jeune fille fit oui de la tête et suivit Émile Bouchet

dans le couloir. Quel bêcheur, ce mec ! pensa Jean-Marie Nizot, resté dans le bureau. Il va aller se trimbaler partout avec elle rien que pour frimer... le pire, c'est que, malin comme il est, il est capable de lui dégoter son stage !

En sortant du *Figaro*, ce jour-là, Bénédicte marchait sur des ressorts. Elle était si heureuse qu'elle décida d'entretenir son euphorie en prenant un taxi. L'autobus jusqu'à l'avenue Rapp aurait déformé l'auréole candi qu'elle sentait flotter au-dessus de sa tête. J'ai visité un grand journal, j'ai rencontré des journalistes parisiens et il m'a dit que ce n'était pas impossible que... peut-être... Parce que je m'y étais prise suffisamment tôt..., j'avais toutes mes chances... Avenue Rapp, elle alla droit à la chambre de Juliette et se laissa tomber sur le lit, au milieu des polycopiés. Juliette les repoussa, ravie de trouver une occasion de délaisser « le droit des chalutiers en eaux internationales ».

– Alors ?

– Eh bien... Je crois que j'ai fait bonne impression... Et que j'ai toutes mes chances...

– Raconte, raconte, supplia Juliette.

Bénédicte raconta : le grand hall du rez-de-chaussée, l'huissier monté sur semelles de feutre, l'attente dans le grand fauteuil, le trac, les petites peaux qu'elle rongeait, « mais j'ai gardé mes gants pendant tout l'entretien », l'entrée dans le bureau et la conversation.

– Et lui ? Et Émile Bouchet ? Comment il est ?

– Ça, c'est la partie la moins fascinante... Pas terrible, un peu fluet, les cheveux crépus, le nez busqué, de grosses lunettes carrées, des lèvres minces. Pas très bien habillé, tu sais, avec le col en pointe qui tombe sur le nombril. Il doit avoir dans les trente ans. Plutôt vantard. Surtout à la fin, quand il m'a promenée dans le journal, mais sûrement très, très efficace…

– Beurk…, fit Juliette, déçue.

– Écoute, je ne peux pas tout trouver d'un seul coup : amour et boulot. Moi, je préfère avoir mon stage. Le reste, on verra, je ne suis pas pressée…

Juliette l'envia.

– Ç'aurait été mieux s'il avait eu la dégaine de Warren Beatty tout de même…

– Bécassine, pouffa Bénédicte qui imagina un instant Émile Bouchet dans le tricot de corps de Clyde en train de renverser Bonnie, la mitraillette au pied du lit… Tu veux tout à la fois, toi ! Au fait, qu'est-ce que tu fais ce soir ?

– Ben, on va au cinéma toutes les deux… T'as oublié ?

– Non, mais y a changement de programme…

Juliette sentit son oreillette se tordre. Bénédicte lui avait absolument PROMIS de l'accompagner voir *les Choses de la vie*. Juliette n'aimait pas aller au cinéma toute seule. Il y avait toujours des mecs pour la frôler du coude… Si elle avait réussi à ingurgiter six pages de polycopiés, c'était parce qu'au bout il y avait la séance de cinéma, l'esquimau glacé et la présence de Bénédicte…

– Tu fais quoi à la place ? demanda-t-elle, boudeuse.

– Je dîne avec Émile Bouchet.

Chapitre 13

Juliette reprit la lecture du paragraphe. C'était toujours pareil : elle lisait les premiers mots attentivement, puis ses yeux dérapaient et elle ne retenait plus rien. Arrivée en bas de page, elle était incapable de se rappeler un mot du « droit constitutionnel et de la structure des rapports des pouvoirs publics ». Son esprit vagabondait.

L'appartement était vide. Valérie assistait à une réunion des Petites Sœurs des pauvres – elle devenait irascible, Valérie, critiquait les fréquentations de Regina, les longs coups de fil de Juliette à Pithiviers, il n'y avait guère qu'Ungrun qui trouvait grâce à ses yeux. Regina s'était envolée pour Rome rejoindre son acteur italien, et Ungrun, exceptionnellement, avait accepté une invitation à Deauville en compagnie d'un couple ami. « Avec un couple, je ne crains rien », avait-elle déclaré, pratique. Elle s'était, pour l'occasion, acheté son premier bikini et étrennait ses seins coupés. Elle avait dit au revoir, ce vendredi matin, les yeux brillants, les joues roses : un vrai visage de calendrier des P. et T.

Je suis seule, pensait Juliette. Depuis neuf mois que je suis à Paris, je suis seule. Avant, la solitude, c'était un truc dont j'entendais parler dans les chansons ou à la télé. Un beau sujet qui vous tirait des larmes ou des chèques pour SOS Esseulés. À Pithiviers, on se rend visite sans se prévenir. Ici, il faut téléphoner, prendre rendez-vous, planifier. À Pithiviers, il y a un café à la mode. Ici…

On pourrait penser que, plus il y a de gens dans une ville, plus on se fait d'amis. Eh bien, c'est le contraire. Dix millions d'habitants et pas d'ami. Regina n'ose pas me sortir parce que j'ai pas la bonne dégaine ; Jean-François, c'est sûrement pareil ; quant à Louis, il n'y pense même pas. On ne se rencontre que sur un lit… Les garçons de la fac m'ennuient ou me snobent : je n'appartiens à aucun rallye et ne collectionne pas les cartons d'invitation le samedi soir. Pour faire partie de ce club, il faut aussi une dégaine. Différente de celle de Regina. Une dégaine avec robe longue, vernis de chez Charles Jourdan, twin-set anglais, une touche de Guerlain et l'étiquette Frank et fils par-dessus tout.

Elle préférait encore la dégaine de Regina.

Elle était allée chez Margot, sa coiffeuse, se faire couper les cheveux. Deux cents francs la coupe. Plus le pourboire, vingt balles. Obligatoire, sinon on vous méprise. Mais ça n'avait rien à voir avec le salon de Mme Robert. Chez Dessange, les femmes prenaient le thé pendant qu'on les coiffait, téléphonaient et avaient des cotons entre les doigts de pieds qu'une pédicure leur laquait. Combien doivent-elles gagner toutes celles-là pour venir ici comme dans une cantine ? Elles s'appelaient « chérie » ou « mon chou ». Avaient les dents blanches. Respiraient le parfum. Brillaient de bijoux. Caquetaient de ragots. N'empêche, avec quelques coups de ciseaux, Margot lui avait changé sa tête. Pithiviers avait chu au pied du fauteuil avec les boucles noires, et elle avait découvert dans la glace une autre Juliette espiègle, parisienne, piquante. Ses yeux semblaient encore plus noirs, sa bouche plus grande et ses joues creuses. Son cou s'élançait : elle n'était plus engoncée dans ses épaules. Presque altière. Mon Altesse. Elle se souriait dans la glace. Après s'être contemplée avec admiration, elle s'était effondrée. Et le reste ? Comment allait-elle changer le reste ?

Au rez-de-chaussée du salon, il y avait une boutique. En un clin d'œil, elle avait acheté un pantalon écossais, un chemisier en soie, un pull à losanges, un blouson en satin noir. Son mois entier y était passé. Mais, après tout, c'était pour ça qu'elle travaillait.

Elle avait tout gardé sur elle et était rentrée vite, vite à la maison pour montrer à Regina :

– T'es en progrès, mais rien n'est coordonné.

Coordonné. Ça veut dire quoi, ça ? Nouveau mot. Nouvel obstacle. Dépitée, elle était allée retrouver Scholastique. Elle avait pas tous ces problèmes, elle. La même robe de bure toute l'année, la coiffure au bol. Le bon Dieu l'aime comme ça. Forcément, avec la tronche qu'elle avait, Scholastique, il ne lui restait plus qu'à être sainte. Je vais finir par croire que je suis moche…

Cette idée la déprima et elle alla ouvrir la porte du réfrigérateur. Elle dévalisa toutes les graisses stockées sur son étagère. La carotte, en cas de déprime, ce n'est pas aussi efficace que toutes ces choses mauvaises pour le foie. Faut se faire du mal, quelquefois, pour aller mieux.

Elle revint s'allonger sur ses polycopiés et se mit à jouer à son jeu préféré : ah ! si…

Ah ! Si Jean-François Pinson l'invitait à sortir. Une vraie sortie entre homme et femme qui se désirent, s'empoignent sous les portes cochères, font ventouse dans les salles obscures. Quand ils se voyaient, le scénario était désespérément correct. Marcel et Jeannette Tuille auraient pu être assis sur la banquette arrière. Sauf, un soir, peut-être, où il lui avait tendu un mégot jaune et noir qu'il tenait comme un fétu dans une pince à sucre.

– C'est de l'herbe, avait-il dit, sobre. T'as déjà fumé ?

– Oui, oui, s'était-elle empressée de répondre en tirant à son tour sur le mégot noirci.

Ça avait un goût âcre. Ça lui avait raclé la gorge, coupé le souffle. Elle s'était sentie toute drôle, puis avait éclaté de rire. Un fou rire inextinguible qui l'avait projetée contre lui. Elle ne pouvait plus s'arrêter. Il l'avait redressée sur son siège, inquiet.

– C'est la première fois, hein ?

– Non, non, hoquetait Juliette en redoublant d'hilarité. Ce n'est rien, ça va passer.

Elle voulait à tout prix le rassurer. Et, surtout, ne pas passer pour une dinde.

Il l'avait raccompagnée, un peu inquiet. Un petit baiser sur le pas de la porte et il était reparti. Il avait toujours de bonnes raisons pour s'en aller très vite. Seule, dans sa chambre, après, elle tournait en rond et râlait : « C'est pas normal, ça cache quelque chose, c'est louche. » Il avait peut-être l'air bien élevé et propre, mais son altitude était bizarre.

Le contraire de Gaillard. Louis Gaillard qui lui offrait des gants en caoutchouc en guise d'orchidée. « Ça a la même tronche et c'est moins cher. C'est utile en plus… » Juliette mettait les gants dans un vase sous l'œil réprobateur de Valérie.

La première fois qu'il avait claironné son nom, Juliette avait réfléchi, puis avait laissé tomber : « C'est beau, Louis Gaillard. On dirait un personnage de Victor Hugo. » Il avait souri, désarmé, clairon et herse levés. Elle ne l'avait jamais vu sourire comme ça. Un enfant… Il avait vite abaissé sa herse.

Leur histoire s'installait. Sans qu'ils lui donnent de nom, sans qu'ils fassent de projets, sans qu'ils inscrivent leurs rendez-vous dans un agenda. Au fil de leurs envies. Ça durait depuis trois mois…

Ils avaient pris l'habitude de se retrouver au *Lenox*. Sur un grand lit blanc. Louis inventait des scénarios « pour que ça ne soit jamais pareil. Le désir s'entretient par tous les moyens, même les plus douteux… ».

– Je vais te faire attendre, lui avait-il dit la dernière fois, en se déshabillant lentement devant elle. Ne me touche pas, tu n'as pas le droit, c'est interdit.

Il avait prononcé ces mots d'un ton très froid comme s'il faisait un constat. Puis, nu, les jambes écartées, il s'était longuement caressé tout près d'elle.

Elle l'avait regardé, assise au bord du lit, tout habillée, les genoux bien serrés. Puis, n'y tenant plus, elle avait avancé la main pour le toucher. Il l'avait frappée. Sur les doigts. Un coup sec. Une onde de plaisir avait déferlé dans son ventre. Elle avait levé la tête, surprise, la bouche ouverte, les lèvres humides… Il avait ouvert ses genoux et collé sa bouche sur sa culotte.

À genoux devant elle.

Elle fermait les yeux pour ne pas voir sa tête brune, ses cheveux ébouriffés entre ses jambes. Ses deux mains qui l'écartaient, ses doigts qui s'enfonçaient dans ses cuisses.

Elle avait honte.

Elle avait à nouveau tendu la main pour le caresser. Il l'avait giflée.

– Tu n'as pas le droit, t'as compris. Pas le droit.

Le plaisir s'était tordu en elle. Un plaisir sale, trouble, humiliant.

Elle avait envie qu'il continue, qu'il lui donne des ordres, mais elle n'osait pas demander. C'est pas bien, c'est pas bien, jamais connu ça…

Ou si…

Il y a longtemps…

À l'école primaire. En dixième. Avec Mlle Légis…

Toutes les élèves aimaient Mlle Légis. Elle était drôle, vivante et gaie. Exigeante aussi. Quand Juliette montait sur l'estrade pour réciter :

– Je chante-e, tu chantes-es, il chante-e, nous chantons-…, … on ?

Mlle Légis secouait la tête et sa longue règle de bois.

– Ons. Nous chantons-ons. Répète, Juliette.

La voix d'ordinaire si douce devenait cruelle, méchante, précise. Juliette avait peur. Une peur délicieuse. Elle serrait les jambes pour arrêter le frisson qui montait et elle reprenait :

– Nous chantons-ons…

En bafouillant sous le regard des autres petites filles.

Mlle Légis se rapprochait, la prenait par la joue et disait :

– Recommence, Juliette.

Juliette reprenait et récitait sans encombre jusqu'à la première personne du pluriel, jusqu'au premier coup de règle, jusqu'au frisson dans le ventre. Au bord des larmes, humiliée, elle répétait jusqu'à ce qu'elle ne fasse plus de faute.

Les jours suivants, elle regardait l'estrade, attendant et redoutant le moment où elle allait devoir monter. Elle essayait de garder les yeux baissés, de ne pas s'attarder sur la règle en bois et les doigts pleins de bagues de Mlle Légis.

Avec Louis, elle était remontée sur l'estrade. Il lui tapait sur les doigts, lui tirait les cheveux, et elle retombait en dixième. Tremblante. Soumise. Quand, après lui avoir ramené les mains derrière le dos, il se posait sur elle et la prenait, elle se retenait pour ne pas hurler de plaisir. Un plaisir qui revenait de loin, qui lui faisait passer le mur du souvenir, qui sentait la craie et le tableau noir.

Elle n'osait pas lui demander de lui faire mal, mais elle y pensait souvent comme à une boîte de chocolats posée tout en haut d'une armoire et qu'on se promet, un jour, d'attraper.

C'est parce que je ne le connais pas assez. Un jour, je lui dirai. Un jour…

Un matin, il avait eu un geste qu'elle pouvait assimiler à un geste d'amour. Il l'avait prise dans ses bras et avait demandé :

– Tu veux un cadeau ? J'ai de l'argent en ce moment.

Elle avait secoué la tête.

– Mais si, mais si… Allez, je t'emmène à Tahiti !

– Non, non. Je ne peux pas, tu sais bien…

– Bon, alors, tu veux quoi ? Demande et tu l'auras…, mais je le répéterai pas cent fois.

S'il insiste, s'était dit Juliette, je serais trop bête de refuser.

– Un Solex.

Elle en avait marre de circuler en bus et en métro.

Ils étaient allés acheter un Solex. Avec sacoches, anti-vol, pédales phosphorescentes et protège-moteur. Louis avait fait un chèque de cinq cents francs. Il s'y était repris à deux fois : il avait fait un gros pâté sur le premier chèque.

Après, il l'avait emmenée dîner.

Ils avaient parlé de Virtel et du béton. Surtout de béton, parce que, Virtel, elle ne pouvait pas vraiment lui dire ce qu'il en était. Elle passait son temps à faire du rappel sur le bord de son bureau. Il voulait à tout prix l'inviter à dîner dans un grand restaurant parisien. Elle inventait les excuses les plus rocambolesques, puis, à bout d'imagination, acceptait pour se décommander une heure avant. Incapable de dire non, elle se laissait acculer. Elle était devenue la championne du « oui-peut-être-rappelez-moi-plus-tard-on-verra », tactique maladroite qui aiguisait le désir de Virtel.

Lui qui, au début, ne voyait en Juliette qu'une petite employée bien tournée qu'il allongerait vite fait sur le canapé de son bureau, s'enflammait soudain, insistait, revenait à la charge et finissait par prendre les refus répétés de Juliette comme un défi, une affaire person-nelle. Sa résistance l'étonnait et le désarçonnait. Le ren-dait presque timide, plus très sûr de lui. Il inventait des tactiques de séduction pour la clouer net dans ses bras, mais elle ne lui laissait même pas déclamer la première scène. Il redevenait le petit Edmond de la boucherie Virtel et tripotait les nœuds de son tablier de commis. Je l'aurai, je l'aurai, se répétait-il en mâchonnant un bout de cigare torsadé, dussé-je y mettre le prix. Elle avait pris de l'assurance, en plus, la bougresse, une nouvelle tournure plus parisienne, plus attirante…

Juliette sentait monter le désir de Virtel et ne savait plus quoi faire.

Louis s'intéressait uniquement au béton. Il n'arrêtait pas de poser des questions. Elle essayait d'y répondre en faisant appel à toutes ses connaissances.

– Depuis un siècle, on essaie de fabriquer des bétons légers aussi résistants que les lourds. C'est leur obsession à tous dans ce métier, le béton poids plume et costaud. Dans un mois se tient le Salon du bâtiment et peut-être que, là, j'en apprendrai davantage…

Louis avait déclaré qu'il l'accompagnerait au Salon.

Son enthousiasme lui faisait du bien. Parce qu'elle, elle avait bien du mal à se passionner pour cette matière ingrate, et la commission que Virtel lui avait récemment promise ne la motivait que très moyennement. Elle n'y croyait guère. Pourquoi, moi, je réussirais là où des hommes d'affaires requins se cassent le nez ?

Elle aurait aimé faire fortune avec un produit plus alléchant : le Bic, le Scotch, l'aspirine, le Kleenex, le jean, la barbe à papa…

J'arrive trop tard.

De toute façon, en ce moment, on me proposerait de lancer une ligne de scoubidous, je ferais la moue. J'ai du goût à rien. Ma vie manque de passion, de grand air, d'élan, de trampoline, de portes qui claquent, de baisers qui roulent…

Certains soirs, elle regrettait de ne pas être mystique. Sainte Thérèse d'Avila, par exemple. Devait pas se poser toutes ces questions mollassonnes. Filait à la chapelle, s'agenouillait et vlan ! l'extase. L'amant céleste qui descend sur un nuage d'encens et vous ravit. Y a qu'à voir la tronche des bonnes sœurs en règle générale :

rose, pure, lavée, la félicité dans l'œil et le sourire en bureau d'accueil.

Qui me transporte au ciel, moi ? Qui me confie une cause noble pour laquelle j'aurais envie de me battre ?

L'énigmatique Pinson ?

Le libidineux Gaillard ?

Les boutonneux réac de la fac ?

Personne.

Personne pour me faire la courte échelle.

Même Surcouf, il avait un but dans la vie : remplir les poches de l'Empereur et les siennes. Un pillage pour mon empereur chéri, un pour moi. Ça donne du cœur à l'épée, ça !

Des soirs comme celui-là, répandue sur son lit et sur ses cours, elle aurait aimé être corsaire. Ou carmélite. Ou missionnaire. Ou même, tiens, visiteuse de prisons. Obéir à un ordre qui la dépasse, l'agrandisse, lui ouvre des horizons au lieu d'être là à suinter d'ennui. Du grand, du large, du beau. N'importe quoi pour percer le mur du son !

Bon, à partir de maintenant, je commence.

Sabre au clair, je monte à l'assaut du premier qui m'appelle. J'ose, j'ose.

Si c'est Pinson, je lui saute dessus. Pour voir.

Si c'est Virtel, je lui dis ses quatre vérités : vous êtes vieux, je vous trouve moche, j'ai pas envie de vous.

Si c'est Louis, je réclame les yeux bandés, les mains attachées, la longue règle en bois et tout et tout. Je suis sûre qu'avec lui je peux devenir Surcouf ET sainte Thérèse. Dans un lit, d'accord, mais c'est déjà un début.

Ce fut Louis.

– Ce soir, à neuf heures, au *Lenox* ?

Juliette remarqua que leurs échanges se rapprochaient de plus en plus du morse.

Comme d'habitude, il l'attendait au bar.

– On monte ?

Elle le suivit.

Dans l'ascenseur, à mi-chemin, il balança un coup de pied dans le rayon lumineux. L'ascenseur se bloqua entre deux étages. Louis releva sa jupe. Elle pensa au touriste américain, le Nikon sur le ventre et le «Guide bleu» à la main, qui devait pester à l'étage supérieur en tirant des conclusions définitives sur les ascenseurs français.

En France, les ascenseurs, c'est pas fait pour monter des étages. Ou si, quelquefois, quand les usagers manquent d'imagination.

Juliette frémit quand il s'agenouilla, frémit encore sous sa bouche, se rejeta en hurlant contre la paroi, retomba toute molle, se rhabilla à moitié et tituba jusqu'à la chambre.

Louis poussa la porte.

Elle se laissa tomber sur le lit. Ôta le foulard indien qu'elle portait autour du cou et, pendant qu'il se déshabillait, le dos tourné, en silence, s'attacha le poignet gauche au montant du lit. Attendit qu'il se retourne.

– Mais qu'est-ce que tu fous ? demanda-t-il, surpris.

– Je veux que tu me fasses peur…

Il la regarda, une lueur perverse dans l'œil.

– Et mal ?

– Et mal…

Chapitre 14

On trouva le cadavre, dissimulé dans un bosquet, près de la Sucrerie. Les vêtements en lambeaux, les mains attachées dans le dos. Il manquait une chaussure, mais l'autre, un escarpin noir à talon aiguille, tenait bien en place. Des traces violettes autour du cou prouvaient que la jeune fille était morte étranglée, et de nombreuses ecchymoses sur les bras et le corps qu'il y avait eu violences et brutalités. Le visage était recouvert d'un napperon en dentelle, blanc, attaché par du sparadrap derrière les oreilles. Un napperon propre que l'assassin avait dû emporter sur les lieux du crime et disposer soigneusement avant de partir. On comprenait l'emploi du napperon lorsqu'on le soulevait : le visage était tuméfié, écrasé à coups de talon. On ne trouva ni le sac à main ni le moindre indice qui pût aider à l'identification de la victime. Il fallut une longue enquête des policiers pour découvrir le nom de Deborah Gladmann, jeune Anglaise au pair à Pithiviers. Une jeune fille timide, extrêmement bien élevée, qui avait choisi la province au lieu de Paris pour parfaire son français et qui donnait toute satisfaction à la famille qui l'avait accueillie. Les parents de Deborah vinrent de Manchester pour organiser le transfert du corps de leur fille. Pithiviers s'alarma : c'était le premier crime de sadique sexuel que la ville connaissait. *Le Courrier du Loiret* et *la République du Centre* dépêchèrent leurs meilleurs reporters, et Bénédicte fut adjointe à l'enquête.

On ignorait tout du meurtrier, mais on commençait à en savoir davantage sur l'emploi du temps de la jeune Anglaise, cet après-midi-là. Elle était partie vers midi pour Orléans afin de visiter la ville et de rendre hommage au souvenir de Jeanne d'Arc, « notre terrible ennemie », avait-elle dit en souriant à Mme Crépin avant de quitter la maison. Elle avait aussi promis à M. Crépin de lui rapporter un embout de tuyau d'arrosage qu'il n'arrivait pas à se procurer à Pithiviers. À Orléans, on retrouva le vendeur des Nouvelles Galeries. Il se souvenait très bien de cette jeune Anglaise, grande, les cheveux châtains, rougissant facilement, à qui il avait vendu un embout de « touyau d'alosage ». « Je l'ai même plaisantée sur son accent et elle a piqué un fard, expliqua-t-il au policier. Oh ! ce n'était pas le genre allumeuse, ça c'est sûr ! » Elle l'avait quitté vers dix-sept heures, craignant de rater son car…

Ce fut tout ce que la police put rassembler comme indices. Aucun chauffeur de car ne se rappela avoir pris la jeune Anglaise en charge, mais, en revanche, on retrouva celui qui l'avait convoyée à l'aller. Les enquêteurs en déduisirent que la jeune fille était rentrée en auto-stop, faisant ainsi connaissance avec son meurtrier.

Bénédicte suivait le déroulement de l'enquête avec des frissons dans le dos. Les détails morbides qu'elle avait lus dans le rapport de police emplissaient ses nuits de cauchemars. Elle ne pouvait s'empêcher de se répéter la description des tortures très précises que l'homme avait fait subir à la jeune fille. « Attachée… violée… battue avec une ceinture… bâillonnée… sodomisée à l'aide d'un instrument contondant… traces de sperme sur le ventre… » : elle avait beau secouer la tête pour les chasser de son esprit, ces mots revenaient toujours la troubler.

À Pithiviers, on ne parlait plus que du maniaque sexuel ; les mères de famille vivaient rivées à leur montre et à l'emploi du temps de leurs filles.

Un mois plus tard, on découvrit un second corps, avenue de la République, en pleine ville, cette fois-ci. L'inquiétude fut à son comble. La jeune fille, Madeleine Boitier, demeurait avec sa mère, veuve d'un négociant en grains, dans une belle maison bourgeoise et menait une vie très discrète. Fille unique, elle n'avait guère d'amis et passait tous ses loisirs à étudier les vieilles pierres car elle voulait devenir archéologue. Cette passion avait développé en elle une lenteur, une minutie, une extrême concentration qui ne la rendaient pas très populaire en classe où elle faisait plutôt figure de bas-bleu. C'était la dernière personne que l'on s'attendait à voir mourir de la sorte. Comme Deborah Gladmann, Madeleine Boitier avait été retrouvée les mains attachées dans le dos, les vêtements en lambeaux, un petit napperon blanc et propre posé sur le visage. Comme la jeune Anglaise, elle avait subi d'ignobles tortures sexuelles avant de mourir étranglée.

Pithiviers se mit à gronder. Contre la police qui ne faisait pas son métier, le préfet qui ne déployait aucun zèle à mener l'enquête, contre le laxisme général d'une société qui permettait tout.

On avait murmuré pour une Anglaise, on tonna pour une Française. À qui le tour ? pensaient les jeunes filles de Pithiviers.

En compagnie du reporter de *la République*, Bénédicte menait l'enquête. Les grands journaux nationaux avaient dépêché des envoyés sur place, ainsi que les radios et les télévisions. On ne trouvait plus une chambre d'hôtel à Pithiviers et l'*Hôtel de la Poste* était devenu le quartier général des journalistes.

Pithiviers devint, du jour au lendemain, célèbre dans tout l'Hexagone, ce qui ne manqua pas de réjouir certains commerçants dont les prix montaient à chaque crime.

La famille Boitier s'était enfermée dans la grande maison et refusait de recevoir qui que ce soit. Les envoyés de *Paris Match* eurent beau user de tous les stratagèmes (journalistes déguisés en coursiers, en fleuristes, en employés des pompes funèbres…), rien n'y fit. La grande porte demeurait close. Aucune interview de la mère éplorée, de la grand-mère hoquetant de douleur, aucune photo de Madeleine à cinq ans, sur la plage de l'étang de Combreux, avec son seau, sa pelle et un chapeau de guingois. « Allez-vous-en, allez-vous-en », criait la vieille domestique sur le perron en agitant ses mains comme si elle voulait chasser un vol de corbeaux.

Les ruses des journalistes de *Match* donnèrent une idée à Bénédicte.

Un soir, elle téléphona aux Boitier et demanda, comme si de rien n'était, à parler à Madeleine. Une voix pleine de sanglots lui demanda qui elle était :

– Je suis sa correspondante allemande, déclara-t-elle en entendant son cœur battre dans sa poitrine.

Elle avait pris bien soin d'imiter l'accent allemand et s'était entraînée avant d'appeler. Toutes les élèves du lycée de Pithiviers – ou presque – possédaient une correspondante allemande depuis que la ville avait été jumelée avec Bremahaffen, deux ans plus tôt.

– Un instant, ne quittez pas, lui répondit la voix au téléphone.

Il y eut un moment de silence où Bénédicte entendit des pas qui s'éloignaient, puis d'autres qui se rapprochaient. Quelqu'un souleva le combiné et murmura :

– Beate ?

Ce devait être Mme Boitier, la mère de Madeleine.

– Oui, fit Bénédicte, paralysée par le trac.

– Oh… Beate…

Mme Boitier éclata en sanglots.

– Qu'est-ce qu'il y a, madame Boitier ? Je suis de passage à Paris avec mes parents. Papa est venu pour voir le trou des Halles, vous savez et… je voulais prendre des nouvelles de Madeleine…

Les sanglots de Mme Boitier redoublèrent, Bénédicte sentit son courage diminuer. Elle pensa raccrocher.

– Madame Boitier, je ne voulais pas vous déranger. Je vais vous laisser maintenant…

– Oh non, mon enfant… Ça me ferait tellement plaisir de parler avec vous. Il est arrivé quelque chose de terrible, de terrible… Je ne vous connais pas, mais elle me parlait souvent de vous, de votre famille, de vos frères…

Et c'est ainsi que Bénédicte obtint un rendez-vous dans la grande maison aux volets fermés, avenue de la République. Mme Boitier lui avait expliqué par où passer afin d'éviter la meute de journalistes qui attendait devant la porte.

Elle pénétra dans une grande salle à manger sombre, où tous les rideaux étaient tirés et les sièges recouverts de housses. Un service à café en argent posé au milieu de la lourde table ronde figurait la seule tache de couleur. Bénédicte s'assit aux côtés de Mme Boitier. La pauvre femme parla sans presque s'arrêter. Elle avait répandu un carton de photos devant elle et évoquait la vie de celle qu'elle appelait « sa petite chérie ».

Il y avait des photos de Madeleine en Allemagne et une, plus précisément, sur laquelle on apercevait Madeleine et Beate côte à côte en train de manger une gaufre. La gaufre leur dévorait le visage et Bénédicte pouvait ressembler à Beate.

Elle n'osait pas regarder Mme Boitier en face. Elle avait honte. Elle se trémoussait sur sa chaise comme quelqu'un qui a envie de se lever et de quitter précipitamment la pièce.

C'est horrible ce que je fais là, c'est horrible, cette pauvre femme m'ouvre sa maison, son cœur, son carton de souvenirs, et, dans vingt-quatre heures, elle retrouvera tout ça imprimé dans un journal… Non, je ne peux pas. Je ne suis pas faite pour être journaliste. Je peux pas. Elle eut envie de toucher le bras de Mme Boitier, de lui dire d'arrêter, de tout lui avouer, quand la mère de Madeleine eut un geste qui eut raison de ses scrupules. Elle poussa le tas de photos vers Bénédicte et lui dit :

– Prenez-les. Je ne veux plus les voir. Ça me fait trop mal… Il ne faut plus que je les regarde… Prenez-les, s'il vous plaît…

Puis elle s'écroula sur la table, hurla, balaya d'un geste le service en argent qui alla s'écraser par terre avec un bruit terrible.

Bénédicte demeurait muette. Immobile. La vieille domestique, qui avait entendu le bruit, s'approcha et lui dit qu'il valait mieux qu'elle parte. Bénédicte se leva, les photos contre sa poitrine, des larmes dans les yeux et, presque somnambule, se laissa reconduire vers la petite porte dérobée du jardin…

– Ah ! je lui avais dit que c'était pas une bonne idée de vous recevoir… Mais elle en fait qu'à sa tête… Allez, partez, ça vaudra mieux…

Bénédicte se retrouva seule, hébétée, dans la petite rue qui longeait la maison. Elle marcha un instant, comme dans un rêve, puis s'adossa contre le mur, reprit son souffle et réfléchit. Bon, maintenant, il fallait aller jusqu'au bout… Ce qu'elle avait dans les mains valait de l'or. Elle n'allait pas laisser passer une si belle occasion. Si elle s'écroulait à la première épreuve, autant devenir infirmière ou assistante sociale.

À qui les donner ? se demanda-t-elle, au *Figaro* ou à *la République du Centre* ?

Elle n'hésita pas longtemps et appela Émile Bouchet.

– Allô, bonjour, c'est Bénédicte Tassin…

– Oui, répondit Émile surpris.

Il n'aurait jamais cru qu'elle appellerait la première.

– J'ai les confidences de la mère et les photos de la fille…

– Quelle mère ? Quelle fille ? demanda Émile qui n'y comprenait rien.

– La mère et la fille du crime de Pithiviers.

– NON ! hurla-t-il comme un diable qui surgit du fond de sa boîte… Vous les avez vraiment ! Où ça ? Où ça ?

– Les confidences dans ma tête et les photos dans ma poche, répondit Bénédicte qui se trouvait tout à coup la fille la plus astucieuse du monde.

– Bougez pas… Bougez pas…, dit Émile Bouchet qui réfléchissait à toute allure. J'appelle le chef des info sur l'autre ligne. Vous avez une minute ?

Bénédicte dit oui et attendit. Elle entendit des cris, des exclamations, un « combien ? ». C'est vrai, se dit-elle, il faut que je fixe mes prix ? Zut ! je n'y avais pas pensé…

– C'est à combien de Paris, Pithiviers ?

– Une heure environ…

– Bon, attendez…

Elle attendit encore. Cette fois-ci, il était question de coursier, de papier à écrire vite, d'édition qui tombait…

– Bon, ça y est, c'est arrangé. Écrivez-moi ce que vous a raconté la vieille. Faites-moi du bien mélo, bourré de détails, qui c'était, comment est la famille, la maison, la douleur de la mère… Arrachez-moi des larmes ! Puis mettez l'article avec les photos dans une enveloppe et je vous envoie un coursier…

– Et c'est tout ? demanda Bénédicte, qui ne se reconnaissait plus.

– Ben, comment, c'est tout ?

– Je veux dire : quel avantage j'en retire moi, de mon scoop ?

– Ah…

Il réfléchit. Le plus important, c'était de gagner du

temps. Il pouvait toujours lui promettre la lune, il arrangerait ça par la suite.

– Ne vous en faites pas. Je m'en occupe. Je vous promets le stage et une possibilité d'embauche par la suite...

– Sûr ? demanda Bénédicte, soupçonneuse.

– Sûr de sûr de sûr...

– Bon... Je vous fais confiance...

Avait-elle raison ?

Mais, d'un autre côté, le moyen de faire autrement ?

– Ah ! j'oubliais, se reprit-elle. Je ne veux pas qu'on signe de mon nom... Je suis connue, moi, ici. J'aurais trop honte. Je ne suis pas vraiment fière de ce que j'ai fait...

– Ah ! c'est le métier qui entre... Vous voulez qu'on vous signe comment ?

Elle réfléchit un instant, pensa aux noms et prénoms de ses grand-mères, de ses arrière-grand-mères, mais eut scrupule à les mouiller dans un coup comme ça... Soudain, elle eut une idée :

– Béatrice O'Hara.

– C'est pas français, ça !

– Peut-être, mais ça sonne bien.

– D'accord pour Béatrice O'Hara... et attendez-vous aux honneurs de la première page ! Je vous rappelle dès que j'ai tout reçu.

Bénédicte raccrocha, épuisée et excitée. Béatrice comme la fiancée du vieux Dante et O'Hara comme Scarlett. Une gentille et une chipie. Ah ! si seulement ça marchait ! Elle n'arrivait pas à y croire... Tous ses scrupules s'étaient effacés comme par miracle à l'idée de son scoop en première page. Si ça marche, se promit-elle, je fleuris la tombe de Madeleine Boitier pendant un an...

Ça marcha. L'article de Bénédicte fit la une du *Figaro*. Et ce matin-là, quand elle sortit de chez le marchand de journaux, Bénédicte avait du mal à ne pas afficher sa joie. Tout le monde ne parlait que de ça, et elle devait rester muette. Le pire, ce fut à l'*Hôtel de la Poste* où les journalistes se perdaient en conjectures sur l'identité de la mystérieuse Béatrice O'Hara, sans même lui jeter un coup d'œil à elle, petite correspondante d'un journal de province. Les gars de *Paris Match* étaient furieux, ceux de *France-Soir* stupéfaits, mais le plus interloqué de tous fut sûrement le correspondant spécial du *Figaro* qui, lui, n'y comprenait rien du tout. « Alors, ils t'ont dit qui c'était cette gonzesse ? » venaient lui demander tous ses confrères. Il secouait négativement la tête, assis, assommé, sur sa chaise… « Ben, t'es nul, mon vieux. Non seulement tu te fais doubler, mais t'es pas foutu de savoir par qui… »

L'*Hôtel de la Poste* se vida en quelques heures, au grand dam du propriétaire qui, pour un peu, aurait réclamé un troisième meurtre…

Bénédicte se consolait en pensant au stage qu'elle ne manquerait pas de décrocher après ce coup d'éclat. Ça y est ! se disait-elle, j'y suis arrivée. Toute seule, sans papa, ni maman, ni ami qui intervient. Elle regardait le monde et il lui appartenait. À elle les interviews de Nasser, Golda Meir, Willy Brandt… Et pourquoi pas de Gaulle juste avant le référendum ? Rien ne lui résisterait.

Elle n'avait pas été aussi téméraire le soir où elle avait dîné en tête à tête avec Émile Bouchet. Il l'avait emmenée au *Quai-d'Orsay*, un restaurant sur les quais, rive gauche. Ils avaient dégusté un Montrachet 1959 qui lui avait un peu tourné la tête. Au dessert, elle s'était laissé prendre la main. Il avait de la sueur sur la lèvre supérieure et un peu de buée sur les lunettes. La main dans sa main moite, elle l'avait écouté parler de son métier. Et puis, il avait enchaîné : « Vous êtes si belle, Bénédicte, si j'avais su que ma petite correspondante de Pithiviers avait vos yeux, vos cheveux, votre taille, j'aurais fait le chemin à genoux… »

Elle avait eu du mal à ne pas sourire. Il n'y a rien de plus ridicule que les élans lyriques non partagés. Elle l'avait quand même laissé poser ses lèvres sur les siennes quand il l'avait raccompagnée avenue Rapp. Quand elle serait engagée, elle ne l'embrasserait plus !

« Dominer les volontés d'autrui, c'est comme ça qu'on existe », répétait Martine qui avait lu cette phrase quelque part et ne s'en lassait pas…

À Martine, elle n'avait rien raconté.

Ni à Juliette.

Rien du tout.

Ni le baiser d'Émile ni le coup de Béatrice O'Hara. Elle tenait à ce qu'elles gardent une bonne image d'elle.

Un soir où Martine dînait chez les Tassin et qu'une fois de plus on parlait du crime et du mystérieux assassin, Martine se rappela qu'elle aussi était rentrée en stop d'Orléans, deux mois auparavant, après son stage…

– Aujourd'hui, je ne le ferais plus, c'est sûr… Quoique… Je ne suis pas le genre victime, moi… Je me serais pas laissé coller un napperon sur le visage… Violée, je dis pas…

Il y eut un profond silence autour de la table et Martine se rappela qu'on ne parlait pas comme ça chez les Tassin. C'était toujours pareil : elle se surveillait pour ne pas faire de gaffes et puis… ça lui échappait.

Plus tard, assise dans l'herbe du jardin avec Bénédicte, elle lui donna un coup de coude et dit :

– J'ai fait une gaffe tout à l'heure…

Bénédicte haussa les épaules.

– T'as remarqué que les deux victimes se ressemblent, pensa Bénédicte tout haut, distinguées, discrètes, bien élevées…

– J'aurais aucune chance, moi, en déduisit Martine.

Bénédicte lui ébouriffa sa tignasse blonde.

– Souvent assassin varie…

Martine laissa passer un moment, respirant l'odeur du gazon, des roses, des clématites…

– Qu'est-ce que tu choisirais, toi, entre être très très belle et très très intelligente ? demanda-t-elle à Bénédicte.

Bénédicte réfléchit un instant, puis opta pour « très très intelligente ».

– Eh bien, moi, je prendrais très très belle, dit Martine, et j'en profiterais, je t'assure. On a beau raconter tout ce qu'on veut, la beauté, c'est magique. Ça permet tout. Regarde, moi, il y a plein de choses qui me sont interdites parce que je mesure un mètre cinquante-huit et que j'ai un gros cul… tandis que toi, tu te pointes quelque part et hop ! Émile Bouchet se met en huit pour te trouver un stage et, même, l'assassin peut jeter son dévolu sur toi… Je trouve ça injuste. Quelquefois, tu sais, je rêve d'être une James Bond girl pour que 007 me fasse des bisous dans le cou…

Bénédicte éclata de rire.

– Mais t'es folle ! Qu'est-ce que t'as, ce soir ?

Martine répondit en bougonnant et en regardant le bout de ses sabots :

– Y a que tu vas sûrement aller à Paris rejoindre Juliette et que je vais me retrouver toute seule, à la Coop, derrière ma caisse…

– Mais ne dis pas ça… Tu sais très bien que, si tu réussis ton examen, tu pars en stage à Paris…

– Oui, mais ce soir, je sens que je vais tout rater… Je le sens. Aussi sûr que je mesure un mètre cinquante-huit…

– Arrête, Martine, arrête. Ça ne te ressemble pas de broyer du noir…

– Ben, justement, j'en ai marre d'être toujours celle qui va bien, qui est costaud et qui remonte tout le monde. Moi aussi, j'ai le droit d'avoir le cafard. C'est pas juste, à la fin…

Elle se leva, brossa sa minijupe couverte de brins d'herbe et sortit en trébuchant sur ses hauts sabots. Sans jeter un coup d'œil à Bénédicte, éberluée…

Chapitre 15

Tandis qu'un assassin terrorisait sa ville natale, Juliette arpentait les allées de l'exposition « Bâtimat » en compagnie de Louis. Si elle traînait un peu les pieds, il posait mille questions et ne négligeait aucun stand. Tant de zèle ne tarda pas à agacer Juliette. Malgré tous ses efforts, toutes ces piles de matériaux restaient rébarbatives et elle ne réussissait pas à partager l'enthousiasme de Louis. Ainsi, depuis dix minutes, il était tombé en arrêt devant un grand panneau consacré au banchage et elle n'arrivait plus à l'en détacher.

– Allez, Louis, tu viens ? On va quand même pas y passer l'après-midi, non ? Allez, viens…

– Hé, s'il existe un procédé miracle, c'est ici qu'on le trouvera. Pas aux Galeries Lafayette, ma puce.

Elle ne répondit rien, mais releva au passage que, pour la première fois depuis leur rencontre aux Tuileries, il venait de laisser échapper quelque chose comparable à de la tendresse. Même si c'était grâce au béton.

Tout l'après-midi, ils quadrillèrent l'exposition, piétinant au milieu de la foule, des éléments préfabriqués, des maquettes de génie civil, des armatures d'échangeurs et des pans de maisons individuelles. Sans rien trouver. Tous les bétons exposés présentaient les mêmes particularités que ceux dont Juliette pouvait lire la description dans son paquet de brochures. Précisément,

Louis s'en chargeait les bras. Elle soupira. Elle en avait plein ses tiroirs.

– Faudrait savoir ce que tu veux, finit-il par grogner. Un jour tu parles de béton avec des trémolos dans la voix ; le lendemain, on dirait que ça te dégoûte. T'es hystérique, ma vieille, complètement hystérique.

– Oh ! ça va, hein… C'est pas parce que tu te prends soudain de passion pour le béton qu'il faut me faire la morale !

Il ne répondit rien.

Ils continuèrent d'avancer en silence, Juliette fulminant contre la laideur des stands, la tronche des visiteurs, les termes employés pour vanter béton et briquettes, Louis balançant sa documentation comme un gamin son seau de sable.

– Et puis d'abord, j'en ai marre. On a tout vu, on se casse, dit Juliette en pilant net dans l'allée C.

– Après tout, c'est toi qui travailles chez Probéton, pas moi. C'est comme tu veux…

– Et arrête de balancer ce tas de prospectus à bout de bras, tu vas finir par blesser quelqu'un !

– Oh la la ! Qu'est-ce qu'elle me fait là ? Tu joues les mamans ou quoi ? Tu m' gonfles !

Et, comme ils passaient à quelques mètres d'une grosse poubelle, il répéta « tu m' gonfles » avant de lancer de toutes ses forces le paquet de documentation qui alla s'écraser avec un bruit sourd dans la poubelle.

Depuis trois jours que se tenait l'expo « Bâtimat », personne ne s'était arrêté au stand de Charles Milhal. Il est vrai qu'il ne payait pas de mine. N'ayant pas eu les moyens de réserver un véritable emplacement et de se monter un vrai stand, Milhal s'était bricolé une installation de fortune. Sa précieuse brique flottait au centre d'un saladier en Pyrex posé sur une table de camping. Lui-même était assis sur une chaise pliante. Le seul luxe de l'ensemble, c'était la banderole tendue au-dessus de sa tête comme un drap qu'on a mis à sécher. Mais, même ça, ça n'avait pas attiré grand monde. Et, depuis trois jours, Charles Milhal tuait le temps en regardant les gens qui passaient sans le voir.

Au fil de la journée, il laissait enfler sa haine de la foule, fugitivement apaisé par les rares jolies femmes qu'il pouvait repérer. Elles, il leur pardonnait. C'était déjà gentil d'être venu s'ennuyer à « Bâtimat » et égayer un peu le morne défilé des bedaines d'entrepreneurs et des cigares d'architectes.

La petite brune en minijupe qui s'engueulait avec le cradingue à tête plate était la première depuis bientôt deux heures. Charles Milhal n'entendait pas ce qu'ils se racontaient, mais le ton semblait tendu.

Soudain, Milhal vit le type brandir le paquet de revues qu'il balançait depuis un moment et l'envoyer valdinguer loin devant lui. « Beau panier », pensa Milhal.

Le paquet atteignit la poubelle. Juste un petit peu trop fort. Sous le choc, la corbeille se mit à dodeliner, hésitant un peu avant de se renverser. Ensuite, tout alla très vite. Ou trop vite pour Milhal : il n'eut pas le temps de réagir que, déjà, la poubelle était venue rouler jusqu'à lui et faucher les pieds de sa table pliante. La seconde d'après, tout était par terre, sa table, sa brique, son saladier, pataugeant au milieu d'une flaque d'eau.

– Non mais, ça va pas, non ! Vous n'avez rien de mieux à faire que de venir saccager le stand des gens !

Le couple s'était rapproché. Ils avaient l'air sincèrement désolés.

– Va falloir que j'essuie tout. Et mon tapis de feutrine qui va déteindre ! Regardez-moi ça ! De quoi j'ai l'air, maintenant ?

Pendant que la jeune fille balbutiait des excuses,

Milhal se pencha et ramassa sa brique et son saladier. En se redressant, ils les trouva tous les deux, le nez levé vers la banderole. La petite brune lut à haute voix : « Il y a trois moyens de perdre de l'argent : les femmes, les chevaux et les inventeurs. » Le gars mal rasé éclata de rire.

– C'est de vous, ça ?

– Non. C'est de ce vieux barbon de Rothschild. Ça attire l'œil, hein ?

Le gars hocha la tête. La petite brune lui lança un regard. Un regard… Lourd, profond, noir, presque violet tellement le noir scintillait. Filtré à travers de longs cils qui se recourbaient au bout comme les branches d'un sapin de Noël. Il eut envie d'accrocher des guirlandes à ce regard…

– C'est de la contre-publicité que vous faites, ricana l'homme à la tête plate.

– Je me présente, Charles Milhal, inventeur, dit-il en s'inclinant sur la main de la fille et en serrant celle du type.

– Vous voulez un coup de main ? demanda le barbu. J'étais en train de m'engueuler avec ma femme et, plutôt que de lui faire avaler mes prospectus, je les ai envoyés dans la poubelle. Je suis vraiment désolé.

– Je comprends, dit Milhal, je comprends. Ça va aller. C'est pas un stand compliqué à reconstruire… Je vais rajouter de l'eau dans mon saladier, y poser ma brique et voilà, le tour est joué… Elle est mignonne, votre femme !

– Bon, ben… Si vous avez pas besoin de nous, on s'en va. Excusez-nous encore…

– Salut, dit Milhal.

La fille lui fit un sourire délicieux.

Il les regarda s'éloigner.

C'était à cause de petites brunes comme ça qu'on avait eu raison d'inventer la minijupe.

Chapitre 16

Le 27 avril 1969, la France fut parcourue d'un frisson : elle avait osé dire non à son vieux papa. Les résultats du référendum étaient tombés dans la soirée : 53,17 % de non. Mais il fallut attendre les journaux du matin pour que les Français, en se frottant les yeux, croient au rêve de la veille. Non à la régionalisation, non à la réforme du Sénat, non à de Gaulle.

Deux jours avant le vote, le Général avait réaffirmé sa position : si le peuple français ne lui faisait pas confiance, il faisait ses valises et emmenait Yvonne vivre ailleurs.

Les Français étaient allés voter goguenards.

Juliette râlait de ne pas avoir vingt et un ans : elle aurait dit oui au vieux général. D'abord parce qu'elle lui trouvait de l'allure, ensuite parce qu'elle aimait beaucoup les vieux. Ils la rassuraient, l'enchantaient, lui racontaient des histoires, et eux, au moins, ne lui pinçaient pas les fesses. Bénédicte aurait voté non.

Martine haussait les épaules. Bénédicte et Juliette s'étaient affrontées violemment, à Pithiviers, le week-end précédant les élections.

– T'aurais voté non pour faire ton intéressante, avait dit Juliette à Bénédicte, t'as même pas réfléchi sérieusement…

– Et toi ? avait demandé Bénédicte avec un petit sourire supérieur.

Elles étaient passées à l'injure, et Martine avait été obligée de se fâcher pour les calmer.

– Mais vous êtes zinzin, ma parole ! Qu'est-ce qu'on en a à foutre, nous, du référendum ! Si c'est pas de Gaulle, ce sera un autre, c'est tout pareil. Vous êtes aussi tarées que mes vieux ! Tous à croire que la politique va changer quelque chose…

– Toi, tu t'en fous, avait marmonné Juliette, tu ne penses qu'à te tirer ailleurs…

– Et j'ai bien raison… T'as vu la liste des cinquante premières entreprises du monde ? Non ! T'as pas vu ? Eh bien, dans les cinquante, il y en a trente-cinq américaines et UNE française, et encore c'est la derrière ! Alors, suivez mon regard, l'avenir est de l'autre côté de la mer et sûrement pas dans vos conneries politiques !

Autour de Juliette – ses parents, les commerçants de la rue de la Couronne –, tout le monde avait voté non. C'est peut-être pour ça aussi qu'elle voulait prendre la défense du grand Charles, même si, depuis des mois, il lui cassait les pieds avec sa réforme et sa régionalisation.

De toute façon, en ce printemps 1969, rien ne fonctionnait normalement. La fac fermait une fois par mois pour cause de grève. Des appariteurs musclés s'affrontaient avec des groupes de gauche prochinois. Pour entrer à Assas, il fallait montrer patte blanche ou du moins sa carte d'étudiant. De toute façon, pour ce que ça l'intéressait…

Bien plus passionnant : l'affaire Markovitch rebondissait, éclaboussant au passage Pompidou et sa femme.

Tout le monde se tapait dessus. Même Virtel était nerveux. Il craignait que des troubles sociaux ne viennent compromettre l'essor de son entreprise.

– Et si on change de chefs, qui nous dit qu'on ne va pas se retrouver avec un de ces pantins de la gauche ? On n'est jamais trop prudent avec ces lascars-là…

Un an plus tôt, il avait eu du mal à digérer les accords de Grenelle. Il n'était pas prêt à avaler d'autres couleuvres.

Ils ne se préoccupent tous que de leurs petits intérêts, pensait Juliette, dégoûtée. Y en a pas un qui lève le nez plus haut que son nombril. Ils savent faire qu'une chose : râler. Compter leurs sous et râler.

Ou baiser.

Virtel ne laissait pas passer une occasion de la coincer entre son bureau et la chaise.

Mais pourquoi il ne me met pas à la porte ? Ce serait plus simple. Je ne lui sers à rien...

Un soir, cependant, elle accepta une invitation à dîner.

C'était un de ces soirs où elle rêvassait et se retenait d'aller piller le réfrigérateur. Ungrun regardait la télé, *la Piste aux étoiles*. Comme tous les soirs depuis son week-end à Deauville.

Elle était rentrée, les yeux rouges, des traces de larmes sur les joues, le teint brillant comme si elle avait de la fièvre : sa copine et son ami n'avaient pas arrêté de la courser. De vrais obsédés. Ils voulaient faire ménage à trois. Entre deux hoquets, elle avait articulé :

– Tu vois, j'avais raison de ne pas sortir. Ils sont dégoûtants les gens, ici...

C'est au moment où le roulement de tambour annonçait le triple saut périlleux que Valérie vint cogner à la porte en annonçant qu'on la demandait au téléphone.

– Bonsoir, ma petite Juliette, c'est Edmond... Edmond Virtel.

– 'soir.

– Qu'est-ce qu'elle fait, ma petite Juliette, ce soir ?

– Je regarde *la Piste aux étoiles*.

– C'est bien. Mais qu'est-ce qu'elle dirait d'un dîner chez *Maxim's*, ma petite Juliette ?

Maxim's ! Maxim's...

– Heu... mais... j'ai rien à me mettre.

– C'est pas un problème. Vous empruntez une tenue à une de vos amies. Dépêchez-vous, j'arrive tout de suite.

Il avait raccroché.

Elle eut à peine le temps de se faufiler dans une robe en lamé doré d'Ungrun, de se maquiller, de se regarder, étonnée, dans la glace, qu'il sonnait à la porte. Très fier de lui dans un smoking noir, un imper négligemment jeté sur les épaules. Il lui fit des compliments, en lui reniflant la clavicule et en répétant :

– Quelle peau, mon Dieu, quelle peau…

Elle faillit tout décommander et aller se coucher. Mais la pensée de fouler le sol de *Maxim's* l'emporta. Ils dirent au revoir à Ungrun et sortirent.

Garée devant l'immeuble, une Rolls-Royce attendait.

– C'est à vous ? demanda Juliette, ébahie.

– Oui, mais je ne la sors que dans les grandes occasions ! croassa-t-il avec un clin d'œil appuyé.

C'était une Rolls comme dans les films avec intérieur en bois, bar encastré, moteur si silencieux qu'on pouvait entendre les tic-tac de la montre. Juliette s'assit avec précaution.

Le portier à l'entrée de chez *Maxim's*, la déférence des dames du vestiaire, l'escalier rouge et or, les miroirs aux murs, tout contribua à prolonger l'enchantement. Elle revint sur terre quand Virtel, après avoir commandé, lui prit la main. Il lui parut épais et vulgaire bien que le port du smoking l'avantageât nettement.

Il se mit à parler de sa femme, de ses enfants, de son entreprise, de l'amour, de la mort. Mais de quel droit me dévide-t-il tout cela, pensa-t-elle, comme si ça m'intéressait ! Qu'il se taise et me laisse profiter du décor ! Il enchaîna sur le béton et répéta ce qu'elle connaissait par cœur : la résistance, la légèreté, l'étanchéité…

– Un béton qui flotte, quoi ! finit-elle par lâcher, excédée.

Parler béton chez *Maxim's* !

– C'est exactement ça : un béton qui flotte et sur lequel je pourrais faire passer une autoroute.

C'est ça. Et vous voulez que je m'arc-boute sous les ponts aussi, pendant que vous y êtes ! Quel manque de tact. Ah ! ça n'arrivait qu'à elle des situations comme ça !

Soudain, il y eut un murmure dans la salle, et toutes les têtes se tournèrent vers eux. Juliette plongea les yeux dans son décolleté en rougissant affreusement. Ils ont entendu notre conversation et ils nous méprisent…

Puis elle comprit que ce n'était pas eux que l'assistance fixait mais la table juste à côté. Elle tourna légèrement la tête et aperçut Aristote et Jackie Onassis en train de prendre place.

Les vrais. Les mêmes que sur les photos.

– C'est normal, c'est sa table, fit Virtel d'un air blasé.

Il pouvait bien lui parler de n'importe quoi, glisser la main dans son dos, coller ses lèvres sur sa paume, elle n'avait d'yeux que pour le couple le plus célèbre du moooonde.

Mon Dieu ! quand je vais raconter ça à Pithiviers ! On viendra me visiter comme Bernadette Soubirous dans sa grotte.

Ils parlaient anglais. Ils parlaient très peu. Elle avait une toute petite voix, une voix de petite fille. Elle commanda du crabe et une salade. Lui du saumon et un gigot. Et du champagne.

– 'good for the body, lui dit-il en versant du Krugg dans sa coupe.

Il est tout petit. Tout gris. Elle est belle. Elle mange à peine et trempe ses lèvres dans sa coupe comme si elle buvait un médicament. Peut-être que, si je buvais comme elle, je mangeais comme elle, je serais aussi belle et célèbre qu'elle, se dit Juliette, fascinée.

Elle se rappela tout ce qu'elle avait englouti et eut honte.

Quand Virtel lui fit signe de se lever, elle jeta un dernier coup d'œil sur le couple, rêveuse. Elle avait toujours tendance à penser que les gens qu'on voit à longueur de colonnes dans les journaux n'existent pas pour de vrai.

Dans la voiture, Virtel posa une main de propriétaire sur son genou. Elle la repoussa, doucement.

Ce soir-là, elle s'en sortit en prétextant une grande fatigue. Trop de champagne, trop de sabayon, trop d'émotions. Il bouda et conduisit en silence. Alors, elle promit une prochaine fois, toute proche, d'une toute petite voix, avec une moue de petite fille, et ça marcha.

Un autre soir, elle décida d'appeler Jean-François Pinson. Elle se posait des questions sur son inclination sexuelle. Elle voulait en avoir le cœur net.

Il l'emmena dîner au *Berthou*, un restaurant près du Panthéon où «tout est frais, rien n'est réchauffé». C'était écrit en bas de la carte. Juliette avait toujours dans l'idée que les restaurants détraquaient les estomacs. C'est ce que sa mère ne cessait de lui répéter.

Il y avait beaucoup de monde et il faisait une chaleur étouffante. Elle se déchaussa sous la table, repérant soigneusement l'emplacement du pied droit et du gauche. Il posa sur elle un regard chaud et tendre – sa spécialité – et elle se demanda si elle aurait le courage de passer à l'attaque.

Le garçon apporta les cartes. Juliette commanda un scotch.

– Tu bois, maintenant ? demanda Jean-François, étonné.

– Oui.

– Deux scotches, commanda-t-il.

Le garçon apporta bientôt les deux whiskies et Juliette avala le sien d'un trait. Puis, après avoir pris une large inspiration, elle commença :

– Je voudrais te demander quelque chose…

Il l'écoutait, de l'air du prof à qui le cancre de la classe pose une colle.

– Oui, oui…

– Pourquoi tu dors pas avec moi ?

Il la dévisagea, stupéfait.

Merde. Trop direct, pensa-t-elle, j'aurais pas dû prendre ce raccourci.

– Dis-moi…

Elle le suppliait. Il restait muet. Ailleurs, comme s'il attendait la fin de l'averse pour quitter le porche.

– Pourquoi ? T'aimes pas les femmes ?

Il éclata de rire et faillit en avaler son glaçon.

– Tu penses vraiment ce que tu dis, Juliette ?

– Non, mais…

– Si, si, tu le penses.

Il continuait à rire et ça énerva Juliette.

– Je voudrais savoir pourquoi tu m'embrasses et, après, tu t'arrêtes ? Tu me trouves pas belle ? Tu aimes que les blondes ? Tu veux que je me décolore ?

Il cessa de rire et lui prit le menton dans la main. Comme dans la voiture, sous le réverbère, un geste pour dire quelque chose de sérieux.

– Écoute-moi bien, Juliette. Je t'aime…

– Tu m'aimes ?

– Comme la petite sœur que je n'ai pas eue.

Elle baissa la tête. C'est bien ma chance, ils veulent tous me sauter sauf lui qui me prend pour sa sœur.

– Je reconnais que j'ai eu une attitude un peu ambiguë avec toi. Je me suis sûrement montré trop tendre.

Mais tu es mignonne, très mignonne…, tu le sais… et je t'aime beaucoup…

J'aime un peu les petits pois, beaucoup les endives braisées, pas du tout les rutabagas, mais Roméo aime Juliette. Sans adverbe.

– Je ne suis pas un homme pour toi.

Qu'est-ce qu'il en sait ?

Elle, elle sait. Qu'elle ne peut pas vivre sans lui. C'est où la Seine ? Le four à gaz ? Le revolver le plus proche ? Vous n'auriez pas un nœud coulant tout préparé au fond du restaurant ?

Un garçon vint lui glisser un poêlon d'œufs brouillés à la tomate sous le nez et la vapeur du plat chaud l'étourdit. Elle eut envie de poser sa fourchette et de pleurer. Elle sentait bien que, s'il prenait toutes ces précautions oratoires, c'est qu'il ne l'aimait pas. Quand on aime, on va droit au but. On ne s'embarrasse pas de scrupules ni de mi-temps. Les « je ne suis pas un homme pour toi » ou « j'ai besoin de réfléchir » sont des manières délicates de dire « va, je ne t'aime pas ».

Les larmes se mirent à couler dans son poêlon.

– Juliette, s'il te plaît…

Il avait parlé tout bas pour que personne ne les remarque.

– Sois raisonnable, ma chérie.

– Et pis, ne m'appelle pas ma chérie quand t'en penses pas un mot !

– Tu ne manges pas tes œufs ? Ils sont délicieux, tu sais ?

Je suis en train de périr de désespoir et il me parle jaunes d'œufs ! Ses pleurs redoublèrent. Les gens se mirent à les dévisager. Jean-François Pinson était très gêné.

– Tu veux qu'on rentre ? demanda-t-il.

Elle enfouit son visage dans sa serviette.

– Tu veux qu'on aille chez moi ? reprit-il.

– Chez toi ?

– Oui. Chez moi.

– Maintenant ?

Il hocha la tête. Elle sourit. Se moucha.

– D'accord.

Il fit signe qu'on lui apporte l'addition. Elle partit à la recherche de ses chaussures sous la table. N'en trouva qu'une. Dut se pencher pour repérer l'autre. S'excusa. Disparut. Réapparut rouge et bafouillante. Tenta d'expliquer que sa chaussure avait disparu. Énervé, il l'attrapa et l'entraîna vers la sortie.

Un pied nu…

Il faisait très bien l'amour.

Un peu trop bien même. Avec le savoir-vendre du bonimenteur de foire qui vous refile trois moules à gaufres, cinq passe-montagnes et deux presse-purée pour le prix d'un.

Il la regarda jouir comme un petit chimiste penché sur sa chaîne de molécules, et ça l'embarrassa. Elle fut obligée de faire semblant.

Le lendemain matin, il se leva pour aller acheter le journal et les croissants.

– Si le téléphone sonne, tu ne réponds pas, j'ai mis le répondeur…

– Le répondeur ?

– Je l'ai rapporté de New York.

Elle attendit le premier appel avec impatience pour voir comment ça marchait.

Une sonnerie et la voix de Jean-François sortit de la boîte rectangulaire, invitant à laisser un message.

– Jean-François, c'est Hervé. J'ai un rendez-vous à te transmettre. Au *Fouquet's*, à midi. Mme Cooper de Chicago. Tchao, mon vieux.

Puis, il y eut Corinne :

– Jean-François, tu me manques. Es-tu libre pour dîner, ce soir ? Mon mari est à Milan. Rappelle-moi, mon amour…

Puis encore Françoise, et Danièle…

Juliette se recoucha, abasourdie :

– Et moi qui croyais qu'il était pédé !

Chapitre 17

C'était le mois de mai, le joli mois de mai, chantonnait Louis. Cosi, cosa, it's a wonderful world.

Juliette était venue le chercher au studio Sound. Il venait de terminer une campagne de pub pour une lessive aux enzymes. Une belle découverte, ces enzymes, expliquait-il en riant, elles coûtent cher mais les ménagères en sont folles : elles se ruent sur les boîtes de poudre.

Ça l'arrangeait : il n'avait jamais autant travaillé.

– Enziiimes sous la pluie, enziiimes sous la pluie, what a wonderful feeling, enziiimes sous la pluie…

Il mimait Gene Kelly sur le trottoir. Sans parapluie.

– T'es gai aujourd'hui, marmonna Juliette qui marchait derrière comme d'habitude.

– Je gagne des sous, beaucoup de sous et j'aime ça. Tiens, je pourrais te payer un second Solex ou une caravane pour accrocher derrière ou…

– Tu ferais mieux de me payer un studio, ça va de plus en plus mal avec Valérie.

Ce n'était pas encore la guerre, mais chacune creusait ses tranchées et entassait ses provisions en vue des hostilités. À trois contre une : Regina, Ungrun, Juliette contre Valérie. Valérie aimait Wagner et Bach, les autres Santana et les Beatles. Valérie ouvrait grand les fenêtres du salon quand Regina faisait brûler des bâtons d'encens. Valérie interdisait l'arrivée de nouveaux meubles – en plastique transparent – que Regina projetait d'installer dans SA chambre. Valérie débarrassait SON bol de petit déjeuner, rangeait SA confiture sur SON étagère, passait l'aspirateur dans SA portion de couloir et se levait la nuit pour baisser le chauffage et faire des économies. Résultat : elles étaient toutes les trois enrhumées.

Regina, Ungrun et Juliette avaient décidé de déménager. Le raisonnement de Regina était le suivant : à trois on peut prendre un grand appartement, ça ne nous coûtera pas cher. « À quatre », avait rectifié Juliette annonçant l'arrivée prochaine de Bénédicte. « Je me charge de tout, j'ai des relations, on va trouver », avait conclu Regina.

Juliette ne pensa pas un instant à aller habiter chez Louis. Il ne l'avait jamais emmenée chez lui. Ils se retrouvaient régulièrement au *Lenox.*

– J'ai trouvé un agent, claironna-t-il les mains enfoncées dans ses poches de derrière.

– Un agent pour quoi faire ?

– Pour le cinéma…

– C'est difficile d'avoir un agent ?

– Oui, quand t'es un inconnu et que tu ressembles à une tortue. Je m'en suis tiré en le faisant rire, je lui ai dit qu'avec ma tronche il pourrait toujours me caser dans un documentaire sur les Galapagos…

– Ah…

– C'était pour rire. Dis donc, ça va pas ? C'est le béton qui te travaille ?

Juliette secoua la tête. Elle eut envie de tout lui raconter : Virtel, la fac tout le temps en grève, Jean-François Pinson qui n'avait pas rappelé…

– J'en ai marre, j'arrive à rien, je me traîne… J'apprends par cœur des polycopiés en vue d'examens qui, si ça se trouve, n'auront jamais lieu et je cherche le béton qui flotte. C'est la dernière de Virtel : la brique qui marche sur l'eau !

Louis lui passa le bras autour des épaules et l'attira vers lui. Juliette se laissa aller. Heureusement que je l'ai, celui-là, il me fait rire et plaisir ; avec lui j'apprends tous les jours quelque chose. Il s'intéresse à tout.

– Attends, attends, dit Louis en enlevant son bras, tu te rappelles le petit monsieur à « Bâtimat », celui dont on a renversé la table ?

– Oui…

– Tu te rappelles ce qu'il y avait sur sa table ?

– Un saladier.

– Avec une brique dedans. Une brique qui flottait ! C'est ça qu'il cherche le père Virtel !

– Mais oui ! T'as raison… Oh ! t'es génial, génial !

Elle se suspendit à son cou et l'embrassa.

– Comment il s'appelait déjà ? demanda-t-elle. Il nous l'a dit quand il s'est présenté.

Ils se turent. Ni l'un ni l'autre ne se souvenait.

– Oh non ! gémit Juliette.

– Charles. Je me rappelle Charles. J'ai même pensé qu'il n'avait rien de gaullien avec son pull tricoté main et sa cravate posée par-dessus. Mais le reste…

– C'était trop beau…

– Écoute. Doit y avoir un catalogue avec les participants de « Bâtimat ». On va relever tous les Charles et leur téléphoner. Chez Virtel, on va trouver ça. Viens.

À Probéton, en effet, Isabelle leur montra le catalogue sur la table de la réception.

– Je sens qu'on est sur un coup, je le sens, dit Louis en feuilletant le catalogue. Tiens, recopie ces noms.

Juliette écrivit sous sa dictée. Trouva les téléphones dans le Sageret. Ils les appelèrent un par un. Aucun n'avait entendu parler de la brique flotteuse, mais on essaya de leur vendre un système de ventilation naturelle

362

anti-vent et un éclairage zénithal avec réflection sur les faces.

– Bon. C'est pas grave. On va aller rôder porte de Versailles. Dans les troquets. Il avait une tête à lever le coude, notre zigoto.

Louis n'avait pas tort. L'inventeur aimait les bars, les bières et les conversations de comptoir. Partout, on se rappelait son pardessus usé et la colère de ses petits yeux derrière les lunettes. Mais on ne se souvenait jamais de son nom. Ni de son adresse. Rien.

– Vous devriez aller à *l'Edelweiss*. Il allait y manger souvent pendant le Salon.

À *l'Edelweiss*, la patronne interrogea son mari. C'est lui qui faisait l'arrière-salle. Celui-ci hésita un moment, puis appela le garçon.

Juliette piétinait d'impatience. Dieu, que les gens sont lents ! On doit nous prendre pour des fous, en plus. Deux pauvres tarés qui courent après un homme qui fait flotter des parpaings…

– Ah, mais si… lâcha enfin le garçon, 'vous rappelez pas, madame José, c'est celui qui disait tout le temps qu'il était David contre Goliath. Ça me faisait marrer, moi, cette expression, parce que ça me rappelait les combats de catch. J'y vais…

– Vous vous souvenez de son nom ? l'interrompit Juliette.

– Non. Vous savez, les clients c'est bien rare qu'on connaisse leurs noms. On connaît leurs têtes, leurs habitudes, mais les noms… Celui-là, ça avait dû être un monsieur parce qu'il sauçait jamais son assiette…

– Y a personne qui pourrait nous renseigner ?

– Écoutez, je vois pas. Il mangeait toujours seul…

– L'était pas devenu copain avec Dédé ? demanda la patronne. Il parle avec tout le monde, Dédé…

– Et il habite où ? demanda Juliette pour couper court à la biographie de Dédé.

– Dans l'impasse, en sortant à gauche. Il est toujours dans son atelier, il est menuisier…

Dédé savait.

Il connaissait l'invention du petit monsieur, ses démêlés avec les grosses boîtes, les escroqueries dont il avait été victime. Il savait tout sauf son nom et son adresse.

Juliette enrageait.

– Mais, c'est pas possible ! Vous parlez avec un mec tous les jours pendant deux semaines et vous savez pas comment il s'appelle ?

– Ah si…

– Mais vous venez de nous dire le contraire !

– Je connais son petit nom : Charles.

Arrêtez-moi ou je l'étrangle, fulmina-t-elle entre ses dents.

– Allez, viens, on s'en va, lança-t-elle à Louis.

Louis remercia le menuisier, lui fit des compliments sur la porte en chêne massif qu'il était en train de travailler. Il expliqua, alors, que c'était une commande d'une vieille Russe exilée qui voulait retrouver le motif exact de la porte de sa maison natale en Anatolie, derrière laquelle elle avait été conçue…

Juliette intervint. Elle arracha Louis à l'Anatolie et ils se dirigèrent vers la sortie.

– T'exagères, dit Louis, il est intéressant, ce petit vieux… T'as vu sa porte, elle est magnifique !

– J'en ai rien à foutre. C'est le nom de l'inventeur que je veux…

– Et ta commission…

– Et ma commission, exactement. J' pensais jamais la toucher et échouer si près du but me rend folle de rage, si tu veux savoir…

– Hé attendez, attendez !

Ils se retournèrent. Le menuisier courait derrière eux en se tenant les côtes.

– J'ai un détail qui m'est revenu, cracha-t-il essoufflé,

… c'est peut-être pas grand-chose, mais on sait jamais…, vous permettez ?

Il reprenait son souffle. Juliette et Louis s'étaient rapprochés et attendaient, impatients.

– … Chaque semaine, il passait une annonce dans *le Moniteur* pour vendre son invention…

– Et ça se trouve où *le Moniteur* ?

– Ah ça…, c'est un journal, c'est tout ce que je sais.

Ils trouvèrent *le Moniteur* dans une librairie spécialisée à l'Odéon et s'installèrent dans un café pour éplucher les petites annonces.

– Tu trouves ?

– Non et toi ?

– Que dalle.

– J'arrête, dit Louis. Fait chier, le petit inventeur…

Ils regardaient les consommateurs autour d'eux qui consultaient leur journal pour choisir le film de la soirée. *France-Soir, Pariscope, la Semaine de Paris…* Juliette les contemplait, amorphe. Les uns après les autres. Ça la reposait des émotions de la journée.

– Mais qu'on est cons ! s'écria-t-elle soudain. On a acheté un seul numéro, celui de cette semaine, mais il fallait en acheter des vieux aussi…

Elle fonça à la librairie. La propriétaire tirait le rideau. Elle lui arracha un paquet de *Moniteur*, la paya et partit en courant.

Cette fois-ci, ils n'eurent pas de mal à trouver. Dans le premier numéro que Louis ouvrit, en milieu de feuille, en caractères gras, était écrit : « Charles Milhal, inventeur. Pour un béton léger, résistant, imperméable. » Et, en tout petit, à la fin de l'annonce, son adresse et son numéro de téléphone.

– Ouf ! Ça y est, fit Juliette.

– Milhal, Milhal… Comment veux-tu retenir un nom pareil !

– Allez, viens, on l'appelle.

– Maintenant ?

– Dis donc, ça fait des jours qu'on le cherche et, maintenant qu'on lui a mis la main dessus, tu laisses tomber ! Ça va pas…

– Vas-y, toi, moi je reste ici à mater les filles…

Juliette tourna les talons et alla téléphoner.

Chapitre 18

Charles Milhal habitait, île de la Jatte, une bicoque qu'il avait retapée lui-même et qui, depuis, méritait le nom de maison. D'une case en béton gris et triste, il avait fait un ensemble de quatre pièces avec de grandes verrières et du bois. Il avait lui-même élevé les murs, construit des toits, bricolé une cheminée, installé chauffage et plomberie. Il s'était même octroyé le luxe d'une véranda en aménageant un vieux ponton sur la Seine.

Louis et Juliette avançaient vers la maison d'un pas décidé. Ils frappèrent à la porte. Après un long moment, le petit monsieur, le même que celui qu'ils avaient aperçu à « Bâtimat », vint leur ouvrir. En veston d'intérieur et un verre à la main.

– Ah! je vous reconnais, vous! Vous êtes les vandales qui avez saccagé mon stand.

– Euh…, c'est ça, dit Louis.

– Ben, entrez donc. Vous n'allez pas rester sur le pas de la porte!

Sur la télé allumée, Pierre Sabbagh tétait sa pipe. Charles Milhal coupa le son et se tourna vers Juliette:

– Qu'est-ce que je vous offre?

– La même chose, dit Louis.

– Et moi, un grand verre d'eau, ajouta Juliette.

Il disparut dans une pièce qui devait être la cuisine. Juliette en profita pour dire à Louis qu'elle trouvait la maison rudement bien.

– T'as vu la cheminée ! s'exclama-t-elle. Et les deux fauteuils en cuir ! Oh ! et la table… J'aimerais bien habiter une maison comme celle-là…

– Sans moi, bougonna Louis en écrasant sa cigarette.

– Je te demandais rien… Je parlais de moi. Tu permets ?

– Rapports de couples, rapports de chieurs, persifla-t-il.

Juliette préféra ignorer son agressivité. Ça le prenait régulièrement quand il avait été aimable trop longtemps. Fallait s'y habituer et ne pas se formaliser. Surtout pas lui répondre. On le privait ainsi d'un plaisir délicieux : celui d'argumenter et de se disputer.

Charles Milhal revint avec un plateau et deux verres.

C'est Louis qui attaqua. Il expliqua que Juliette travaillait à Probéton et précisa sa tâche exacte.

– Une petite jeune fille comme vous ! Quelle drôle d'idée, dit Charles Milhal, vous n'y connaissez rien, je suppose ?

Juliette fut un peu vexée.

– Je me suis beaucoup documentée. Au CERILH et…

– Tous des escrocs, tonna Milhal en avalant une gorgée de pastis. Pour qui avez-vous dit que vous travailliez ?

– Probéton. M. Virtel.

– Connais pas. Quand j'ai voulu négocier, je suis allé trouver les plus gros, ceux qui auraient pu traiter pour le monde entier…

Il fit un signe de la main très vague, un peu las.

– Puisque les gros n'ont rien donné, suggéra Juliette, essayez Virtel.

Charles Milhal eut un sourire rusé. Il ne répondit pas. But une autre gorgée de pastis. Il avait de toutes petites mains extrêmement soignées pour un homme qui devait bricoler toute la journée et un regard très malicieux derrière des cils blonds très pâles.

– Vous savez, finit-il par dire au bout d'un moment, mon histoire est une longue histoire. Je vous en ferai grâce… Aux États-Unis, en Allemagne, en Angleterre, partout dans le monde, quand vous découvrez un procédé révolutionnaire comme le mien, on vous dit « combien » et on discute argent autour d'une table… En France, on vous demande si vous avez des diplômes, des références…

– Et si on vous disait « combien » ? demanda Louis.

Le petit homme secoua la tête :

– Ce n'est pas aussi simple… Je trouve une formule que tout le monde attend et on essaie de m'éliminer. Quand une invention est brutale, elle met en danger des acquis et ça… Quand vous touchez aux intérêts des grosses boîtes, vous ne vous faites pas forcément bien accueillir…

– Vous devriez voir Virtel, reprit Juliette. Probéton n'est pas une grosse boîte. Vous ne mettrez pas Virtel en danger… Il a tout intérêt à faire affaire avec vous…

– Au besoin, vous ne lui vendez vos droits que pour la France, ajouta Louis.

Une lueur s'alluma dans les yeux de Charles Milhal.

Louis continua :

– Vous auriez des intérêts sur son chiffre d'affaires. Cela vous permettrait d'exercer un certain contrôle et de poursuivre vos recherches…

– Très juste, jeune homme. Faut que je réfléchisse. Je suis devenu méfiant. Dites à ce Virtel de m'appeler et nous verrons…, c'est tout ce que je peux vous dire pour l'instant.

Juliette et Louis comprirent que Milhal n'en dirait pas plus. Mais Juliette ne voulait pas partir tout de suite. Elle se disait qu'il fallait occuper le terrain, assurer son avantage, se rendre sympathique. Elle chercha un sujet de conversation neutre et, sur un ton enjoué, comme si l'affaire était réglée, enchaîna :

– Vous vous occupez vous-même du potager ?

Elle avait aperçu un petit carré cultivé juste avant d'entrer.

Elle avait frappé juste : Charles Milhal passait des heures à jardiner, cultiver des semis, construire des serres pour des cultures délicates. Elle ignora le regard furieux de Louis et plongea ses longs cils dans le regard pâle de Milhal.

– Dites, monsieur Milhal, coupa Louis revenant à l'attaque, vous pouvez pas nous expliquer à nous comment vous le faites flotter, votre béton ? Parce que, depuis le jour où on vous a rencontré, ça m'intrigue…

Milhal, étrangement, ne se déroba pas :

– Avec du sang. Plus un adjuvant dont j'ai le secret. Mais la base, c'est le sang…

Juliette fit la grimace.

– Ça vous paraît dégoûtant, dit Milhal qui l'avait vue grimacer.

– Un peu, oui… Et puis ça doit sentir…

– Pas du tout. L'odeur du sang est neutralisée par le ciment.

– Mais vous le trouvez où, votre sang ? demanda Louis. Dans les hôpitaux ?

Charles Milhal sourit. On lui posait toujours la même question.

– Mais non ! Il y a les abattoirs. Ils en produisent cent vingt mille tonnes par an et ils ne savent pas quoi en faire ! Ils l'écoulent dans la nature.

Sur l'écran muet, Pierre Sabbagh et sa pipe avaient cédé la place à l'inspecteur Bourrel et sa pipe. Charles Milhal expliquait qu'il n'était pas le seul à utiliser le sang : on s'en servait pour coller le vin, pour fabriquer des engrais, de la mousse d'extincteurs, des cosmétiques et des produits pharmaceutiques…

Juliette l'écoutait, méduserée.

Elle n'aurait jamais cru que ce petit homme savait tant de choses.

Il ne faut jamais juger les gens sur leur mine ou sur leur table pliante, pensa-t-elle.

Le béton au sang, Charles Milhal y avait été initié très tôt lorsque, enfant, il allait passer ses étés en Touraine chez le frère de son père. Absorbé par l'étude de ses poissons chinois, l'oncle laissait son neveu livré à lui-même. Le petit Charles passait donc la plus grande partie de son temps avec Auguste, l'homme à tout faire de la maison.

Tout fascinait Charles : les chenilles qui deviennent papillons, les fraisiers qu'on repique ou l'isolement des caves.

Un jour, Auguste l'avait appelé par l'un des soupiraux de la cave et lui avait demandé de descendre les deux seaux qu'il avait oubliés dans la cour. L'un d'eux contenait de l'eau et du savon noir, l'autre était plein de sang. Charles les avait transportés, réprimant un haut-le-cœur chaque fois qu'il entendait clapoter l'épais liquide noirâtre ou que l'odeur remontait jusqu'à ses narines. « Le sang dans le ciment, y a rien de mieux pour empêcher l'humidité », lui avait expliqué Auguste. Le sang qui faisait imperméable, ça, c'était une histoire fantastique ! Charles l'avait regardé verser le contenu des deux seaux dans une cuve et préparer un répugnant mortier. Puis Auguste avait badigeonné les murs et le plafond avec son étrange mixture. Au fil des étés, Charles s'était habitué aux seaux de sang et c'est sans émotion qu'il avait fini par mettre la main au drôle de mélange d'Auguste. Tout comme, les années passant, il était devenu expert en repiquage de fraisiers et entretien de potager.

En revanche, il ne comprenait rien aux femmes. Il lui

fallut cinq mariages pour s'en convaincre. Il avait décidé de ne plus se marier.

Il n'en voulait pas plus aux femmes qu'aux hommes. Doté d'un imaginaire riche et assez délirant, il inventait chaque jour de nouvelles idées de maisons, de plans d'usines décoratives, de pans de mur réflecteurs, idées qu'il partageait avec ses copains au café du coin, à côté des Beaux-Arts, et qu'il avait la surprise, ensuite, de retrouver classées en projets officiels, remportant des concours nationaux, des médailles.

Devenu architecte, il décida de se méfier et de garder pour lui ses mirifiques projets. Aussi, en 1965, il entreprit de réaliser une idée qui lui venait du temps où, enfant, il cherchait à échapper aux querelles qui éclataient entre ses parents : un logement à géométrie variable avec cloisons amovibles. « Si vous criez trop fort, je tire un mur et je ne vous entends plus. » Il s'était amusé à dresser des plans : sur le papier, ça marchait. Galvanisé par un récent mariage – le dernier –, il décida de réaliser son rêve. La vie était trop courte pour qu'on se refuse ce genre de folie. Et puis, à quoi bon avoir acquis un nom, une situation, de l'argent – bref du pouvoir –, si c'était pour ne pas tout relancer sur le tapis vert.

Il tenta l'aventure. Ça ne pouvait pas ne pas marcher : en hiver, pas de terrasse, les murs extérieurs sortis et une surface intérieure maximale ; en été, les murs rentrés, une grande terrasse et un espace intérieur réduit.

Il y croyait si fort qu'il finança lui-même le dossier de permis de construire. Il y eut quelques détails à régler avec les impôts locaux : sur quelle superficie allait-on les calculer ? Mais le permis fut accordé. Un promoteur dénicha un terrain idéal en vallée de Chevreuse. La vente commença. Sur plans.

Un véritable succès. Les appartements élastiques s'arrachaient comme les emprunts russes avant la révolution. Milhal travaillait déjà sur une seconde tranche afin de satisfaire toutes les demandes.

C'est alors que le scandale éclata : le promoteur n'avait plus d'argent pour construire. Sous prétexte de ne pas laisser « dormir des millions », il avait engagé l'argent des souscripteurs dans une autre affaire. Véreuse. Du jour au lendemain, il ne resta plus un centime pour financer le chantier de Milhal. La presse s'empara de l'affaire, se défoula pendant quelques semaines, puis passa à autre chose, laissant Milhal déshonoré, grillé, fini. Sa femme demanda le divorce. Elle voulait retrouver un nom « propre ».

Milhal dut vendre son hôtel particulier avenue de Saxe et emménagea dans sa petite bicoque de l'île de la Jatte. Pendant trois ans, il dériva. Ruiné, désespéré, refaisant l'historique de sa déchéance nuit et jour, parlant seul, injuriant les arbres au bord de l'eau, les passants qui se promenaient…

Mai 68 l'a distrait un peu. Lui aussi avait des comptes à régler avec la société. Il alla baguenauder autour des barricades. En touriste d'abord, puis, très vite, se prenant au jeu, il se retrouva à lancer des pavés sur les flics.

Après quoi, il s'estima quitte et décida de se remettre au travail. La RATP lançait un concours : les murs du métro suintaient. On cherchait un revêtement isolant et résistant. Milhal se souvint alors du vieil Auguste. Il commença ses expériences et eut l'idée d'ajouter, en plus du sang, un adjuvant qui liait mieux la pâte et supprimait les inévitables bulles d'air qui se formaient toujours au moment du mélange. Il obtint ainsi un béton léger, résistant et vraiment imperméable.

Il décrocha le contrat et refit toute une portion du métro. Aussitôt après, les ennuis recommencèrent : les grosses boîtes voulaient bien son idée, mais sans lui en laisser la paternité ni lui ristourner un pourcentage. De l'escroquerie pure et simple. David contre Goliath.

On lui fit comprendre qu'avec son nom il n'avait rien de mieux à attendre. Il reprit sa fronde et décida d'aller jouer tout seul en attendant des jours meilleurs.

C'est cette formule révolutionnaire qu'il tentait de promouvoir sur sa table pliante dans un coin de « Bâtimat ». Formule à côté de laquelle tous les participants passaient sans jeter un œil, rebutés par la modestie de son stand.

Depuis trois ans, Charles Milhal se heurtait toujours au même problème : il n'inspirait pas confiance.

Chapitre 19

Le printemps 1968 avait ouvert, avec un peu d'avance, la décennie qui suivait. Le printemps 1969 assista, dans le calme, à la fin d'une époque. Un long règne s'acheva sans qu'une crise lui succède et, même si, passant du Général à son chef d'état-major, on changeait plus qu'on ne le pensait, on restait gouverné et dans le bon ton. D'autant plus que les mois précédant le référendum avaient été agités : ceux-là mêmes que les grèves et les barricades de 1968 avaient remplis de terreur surent, l'orage passé, se souvenir de la force de ces arguments-là. La majorité n'était plus silencieuse et le pays se mit à bouger : Gérard Nicoud, CIDUNATI, opération « rideau baissé », étudiants lassés des facs fermées, agriculteurs en colère. Il fallait une poigne pour remettre de l'ordre dans tout ça : l'Auvergnat gros fumeur de Gauloises ressemblait à s'y méprendre au rôle. On l'engagea.

Pompidou eut raison de Poher au second tour des élections, et les Français purent accrocher leur caravane et embouteiller les routes de France, l'esprit en paix. Tout était rentré dans l'ordre.

Les rêves gaulliens étaient dépassés, une France nouvelle allait naître. C'est du moins ce que promit le président lors de sa première conférence de presse : une France industrielle hérissée de hauts fourneaux et de nez de Concorde.

C'est le moment que choisit Bénédicte pour débarquer à

Paris. Les troubles qui s'étaient déclenchés au *Figaro* au mois de mai avaient failli compromettre son embauche. Personne n'avait suivi avec plus d'attention qu'elle le déroulement des événements qui avaient ébranlé le quotidien. Et ce n'est qu'à la mi-juin qu'Émile Bouchet put la rassurer : le service du personnel s'était enfin décidé à poster sa lettre d'engagement, à l'essai, du 1er juillet au 30 septembre 1969.

Ouf! pensa-t-elle le jour où elle tint sa lettre. Entre le coup d'éclat de « Béatrice O'Hara » et l'engagement de Bénédicte Tassin, deux mois s'étaient écoulés, chaque jour alourdissant l'inquiétude de la veille. D'abord, Bénédicte s'était demandé si Émile Bouchet ne l'avait pas bernée… Ce doute, qui la visitait quelquefois, faisait aussi remonter la culpabilité que son excitation avait su refouler jusque-là : si, finalement, elle n'était pas engagée au *Figaro*, son coup de bluff auprès de Mme Boitier n'aurait servi à rien. Une crapulerie qui rapporte, ça pouvait se pardonner, mais une traîtrise inutile…

Pendant ces deux mois, aussi, il fallut faire patienter tous ceux à qui elle avait annoncé triomphante son départ pour Paris et son engagement au *Figaro*. On la harcelait de questions. Avec l'empressement suspect de ceux qui aimeraient bien partir, mais n'en ont pas les moyens.

« Alors, c'est pour quand ? » « Pourquoi sont-ils en grève dans ton journal ? » « C'est embêtant pour toi ? » Elle avait beau afficher une certitude complète, elle avait peur de devoir décommander son rêve. Et de décevoir son entourage. Ses parents, qu'elle avait enfin réussi à étonner, ses amies, Martine en tête, auprès desquelles elle égalait, si elle ne le surpassait pas, le départ de Juliette, et Juliette, enfin, qu'elle avait l'impression de battre sur le fil. Car, si Juliette était arrivée à Paris sur la pointe des pieds, Bénédicte entendait bien faire son entrée en fanfare. Elle étouffait si bien le respect que lui inspirait, au fond, l'innocente et naïve détermination de Juliette qu'elle en oubliait tous les avantages qu'elle allait pouvoir en retirer. À la différence de Juliette, elle n'aurait pas à jouer les pionnières, à trouver un logement, un travail, des relations. Elle habiterait avec Juliette, partagerait ses amis et travaillerait au *Figaro*.

Elle arriva donc à Paris dans les derniers jours de juin quand les rues ressemblent à un parc d'attractions et qu'on flâne bras nus en cherchant une place à la terrasse.

Elle lutta férocement contre la forte impression que lui faisait la ville, bien décidée à ne pas se laisser intimider.

Après tout, Paris n'était jamais que Paris. Aucune raison qu'elle n'y soit pas chez elle et de plain-pied. Elle n'avait rien à craindre. Elle essaya de chasser l'angoisse diffuse, obsédante, qui l'étreignait chaque soir avant de s'endormir. Un sentiment de peur qui lui donnait envie de s'enfoncer au plus profond des draps et de n'en plus bouger… Pourquoi avoir voulu quitter Pithiviers et le nid douillet de « la Tassinière » ? Puis elle se rassurait : elle allait être journaliste munie d'un sésame pour entrer partout. Rien dans cette ville n'existait tant que la presse n'en avait pas parlé. C'est Émile qui le lui avait expliqué. Elle frissonnait en se le répétant, puis s'endormait en rêvant à des incidents où sa carte de stagiaire – dans ses rêves, c'était déjà une carte de presse – réglait tous les problèmes et clouait tous les becs.

Elle n'était pas encore parisienne mais, à ses yeux, soudain, elle était plus que ça : JOURNALISTE et dans l'un des plus grands quotidiens français…

Deuxième partie

Chapitre 1

Il fallut beaucoup de patience, d'énergie et de diplomatie à Regina avant de dénicher le logis idéal pour Ungrun, Juliette, Bénédicte et elle. Patience car, dès qu'une annonce paraissait alléchante, l'appartement était pris d'assaut par une cohorte de gens furieux qui faisaient la queue en se soupesant les uns les autres d'un air mauvais. Elle devait alors piétiner des heures durant avant de s'entendre dire que l'objet de sa convoitise – celui-là même qu'elle avait déjà amoureusement décoré dans son imagination – n'était plus à louer… Énergie pour ne pas désespérer, pour se relever à l'aube, tituber jusqu'au kiosque le plus proche, acheter le journal, lire les petites annonces, repérer l'affaire et se remettre dans la queue. Diplomatie pour garder ses nerfs bien parallèles quand une femme enceinte se servait de son ventre en pointe pour doubler tout le monde. Ou quand, dans le regard de l'employé de l'agence, elle se sentait soudain assimilée au travailleur immigré qui veut habiter avenue Foch. Étrangère, sans bulletin de salaire, sans alliance, grande, blonde et délurée, Regina n'inspirait pas confiance. Pas du tout.

Finalement, comme toujours, Regina fut sauvée par ses relations. Un de ses élèves avait un ami qui connaissait une dame dont le cousin prenait sa retraite et partait s'installer en province, laissant à la convoitise générale un hôtel particulier au 64, rue des Plantes.

– Un hôtel particulier ! déglutit Regina, impressionnée.

– Absolument, répondit-il en se rengorgeant. Et ce n'est pas tout. Ce brave homme n'a aucune idée des prix et n'en demande que trois mille francs…

Regina apprit ensuite que la maison était grande, belle mais située dans une rue souvent embouteillée. Au 62 s'élevait une tour d'HLM morose. Au 66, l'hôpital de Notre-Dame-de-Bons-Secours.

Regina abrégea la leçon et promit de donner sa réponse dans les quarante-huit heures. Au moment de refermer la porte, l'élève glissa un pied dans l'entre-bâillement et demanda d'un air gourmand :

– Dites, si l'affaire se fait, j'aurai bien droit à une ou deux leçons gratuites, hein ?

Les filles allèrent voir la maison : deux étages, cinq chambres à coucher, deux salles de bains, un grenier, une cave et un jardin rabougri. L'intérieur était impeccable. Le propriétaire devait être un de ces maniaques qui guettent la tache avec une éponge imbibée d'Ajax et jouent au petit maçon pendant leurs week-ends.

– Doit se faire chier dans la vie celui-là, en déduisit Regina, mais c'est tant mieux pour nous.

Virtel mena les négociations afin de rassurer le propriétaire. Il signa une lettre où il se portait garant des quatre locataires.

Regina s'attribua la plus belle chambre, celle avec salle de bains adjacente. Juliette et Ungrun n'y trouvèrent rien à redire : après tout, elle avait fait toutes les démarches pour trouver cette maison. Il n'en alla pas de même pour Bénédicte. Elle s'indigna de l'égoïsme de Regina et avertit Juliette :

– T'as pas quitté un tyran pour en retrouver un autre. Fais attention…

Depuis qu'elle travaillait au *Figaro*, Bénédicte était encore plus ferme, si c'était possible, sur ses principes.

Valérie prit très mal leur départ. Prétendant n'avoir pas été prévenue à temps, elle refusa de leur rendre leurs trois mois de caution. Regina vociféra, menaça de faire intervenir ses relations, mais, imperturbable, de l'air de celle qui a quatre as dans sa manche, Valérie répliqua :

– Si j'étais toi, je ne me vanterais pas trop de mes relations !

Et Regina se tut.

Enfin, le 1er juillet, elles emménagèrent dans leur nouveau logis. Le 21, Regina décida de donner une grande soirée. Elle avait hésité un moment entre le 10 – arrivée du Tour de France sur les Champs-Élysées – et le 21 – alunissage de la capsule Apollo, mais les astronautes américains écrasèrent de leur prestige Eddy Merckx et son maillot jaune.

– On va boire, on va danser et, à trois heures du matin, tous devant la télé !

Chacune avait dressé sa liste d'invités. Celle de Regina faisait concurrence à l'annuaire, celle d'Ungrun comportait trois noms, trois amies mannequins. Quant à Juliette, elle avait bien laissé un message sur le répondeur de Jean-François Pinson, mais attendait encore la réponse. Louis était parti tourner en Corse : une Série noire pour la télé. Il y tenait le second rôle masculin. Il lui avait annoncé la nouvelle en mangeant des cachets d'aspirine : les grandes émotions lui donnaient toujours la fièvre. C'était sa manière à lui d'exprimer sa joie ou sa peine. Il en tremblait presque : « Tu te rends compte… mon premier rôle… Fini les musiquettes… J'attaque, là, j'attaque… Tu vas voir, si, si. Retiens bien ce que je te dis. C'est maintenant que ça commence pour moi et je vais le leur montrer à tous. »

Un mois de tournage, mille francs par jour. La tortue partait à l'assaut.

Dépitée de n'avoir personne à inviter, Juliette appela Charles Milhal. Il répondit qu'il viendrait avec plaisir.

Virtel et lui avaient « fait affaire » : Milhal vendait sa licence, pour la France, contre deux millions de francs lourds et deux francs par kilo de produit utilisé. Après avoir rebouché son stylo Mont-Blanc, Virtel s'était frotté les mains et Milhal avait semblé satisfait : il allait pouvoir continuer ses recherches, sans souci d'argent, tout en gardant l'exclusivité du brevet et les droits pour l'étranger.

Juliette attendait toujours sa commission.

Martine était venue de Pithiviers avec Bénédicte qui déménageait petit à petit et faisait de nombreux aller et retour entre la maison de ses parents et la rue des Plantes. Quand elle les vit descendre toutes les deux de la 4 L, les bras chargés de vêtements et de livres, Juliette ne put s'empêcher d'être jalouse. Bénédicte et Martine s'étaient beaucoup rapprochées en un an.

Et puis, il y avait les amis de Regina.

Tous les amis de Regina. Ils étaient beaux, ils étaient jeunes, ils riaient, et Juliette les regardait comme si elle était au cinéma. Ils étaient arrivés avec des bouteilles de champagne, des serpentins, des confettis, des ustensiles de cuisine, des posters, des disques, des fleurs… Ils embrassaient Regina avec effusion. Les hommes la serraient de très près, les femmes échangeaient des baisers sans lèvres, de ces baisers précautionneux où on ne veut ruiner ni son rouge ni son fond de teint. Les filles portaient de drôles de robes pleines de trous, de métal et de plastique, et les garçons des vestes très cintrées et des pantalons évasés du bas. Certains visages paraissaient familiers à Juliette : elle avait dû les voir dans les journaux.

Le petit ami italien de Regina était là aussi : grand, brun, la chemise ouverte sur une poitrine velue, le sourire étincelant. Il évoluait au milieu des gens, la pupille brillante et vide. Il était beau, on le remarquait, il le savait. Juliette l'entendit parler avec animation de l'accident de Ted Kennedy à Chappaquidick. « C'est horrible, sa carrière politique est sûrement foutue », disait-il à une starlette blonde qui devait penser à tout autre chose qu'à l'avenir politique de M. Kennedy.

Juliette soupira. Pourquoi se sentait-elle toujours exclue au milieu des fêtes et des étrangers ? Idiote, maladroite, presque muette. En fac, c'était pareil. Elle avait été reçue à son examen, mais ça ne lui avait pas donné confiance en elle pour autant. « Ils l'ont donné à tout le monde cette année », avait-elle pensé. Elle enchaînait les moments d'audace où elle était Scarlett ET Surcouf et ceux où elle rasait les murs.

Elle se rapprocha de Virtel et de Milhal en grande discussion.

– … il y a une entreprise au Venezuela qui serait intéressée par votre formule de béton pour construire une tranche de bidonvilles, disait Virtel. Voyez-vous un inconvénient à ce que je suive l'affaire ?

– N'avions-nous pas décidé que vous vous borniez à la France ? répliqua Milhal en attrapant une saucisse et en la trempant dans de la moutarde. Donnez-moi la lettre, je me mettrai en rapport avec eux…

– Il faudra en reparler. Vous n'auriez pas cette affaire sans moi et…

– Saviez-vous que le président a décidé de lancer tout un programme de constructions d'autoroutes ? Bientôt, on pourra faire Paris-Marseille d'une traite. Il va y avoir des marchés importants à traiter, je pourrais vous aider si…

Ils lui firent un petit signe de la tête et continuèrent à parler des ponts d'autoroute.

Martine dansait avec un grand énergumène à lunettes dont la longue mèche de cheveux tombait sans arrêt sur ses verres. Martine s'amusait beaucoup. D'ailleurs, ces temps-ci, tout l'amusait. Elle avait fini ses cours par correspondance et avait décroché un stage à Paris. Elle commençait le 1er août comme « réserviste » à la Coop de l'avenue du Général-Leclerc. Elle ne l'avait pas encore dit à Juliette et comptait lui en faire la surprise.

– À quoi pensez-vous ? demanda le grand jeune homme.

– Au magasin Coop où je vais débuter dans moins de dix jours.

– Comme c'est intéressant ! Je croyais que les jeunes filles ne rêvaient qu'à l'amour.

– Toutes, sauf moi.

– Vous n'êtes jamais tombée amoureuse ?

– Jamais.

– Je ne vous crois pas.

– Eh bien si… Tenez, il m'arrive même de croiser des filles dans la rue – des moches et des belles – et de me dire : « Je suis sûre qu'elles sont amoureuses ! Alors pourquoi pas moi ? » J'aimerais bien que ça m'arrive au moins une fois !

– Et ça vous manque pas ?

– Ben non… puisque je ne sais pas ce que c'est.

– Et vous n'avez jamais dit « je t'aime » à un garçon ?

– Non. Je dis des choses gentilles comme « je t'aime bien », « je suis bien » et, quand je les dis, je les pense. Et puis j'oublie… Vous voyez cette jeune fille assise toute seule, dans son coin…

Il se retourna et vit Juliette.

– Elle, elle passe son temps à tomber amoureuse. C'est même sa principale occupation…

Mais pourquoi Juliette restait-elle toute seule ? Martine décida de laisser tomber l'homme à la mèche glissante pour la rejoindre.

– Je suis engagée à la Coop de l'avenue du Général-Leclerc à partir du 1er août comme réserviste. Je suis arrivée première de mon stage, clama-t-elle en se laissant tomber près de Juliette.

– Mais c'est tout près d'ici ! Tu vas habiter avec nous !

– J'osais pas le demander, mais s'il vous reste une soupente…

– Mais non… il y a une chambre vide. On l'avait baptisée chambre d'amis, ce sera la tienne.

– Et les autres ? Qu'est-ce qu'elles vont dire ?

– Elles seront ravies… On partagera le loyer en cinq plutôt qu'en quatre. Ça nous fera faire des économies !

Martine poussa un YOOOUPEE de joie.

– Qu'est-ce qui se passe ? demanda Regina qui dansait avec son Italien à quelques mètres. C'est déjà l'heure des astronautes ?

– Non. C'est Martine qui va habiter avec nous. Dans la chambre d'amis.

– Ah… C'est pas bête… Ça nous fera faire des économies…

– Qu'est-ce que je t'avais dit ? souffla Juliette qui étouffait sous le poids de Martine. Pousse-toi un peu, t'es lourde, ma vieille… Alors, je vais être toute seule à Pithiviers, cet été !

– Ouais. Et t'as intérêt à faire gaffe à l'assassin, t'es tout à fait son genre… Ça commence quand la lune ?

– Vers trois heures du matin…

– On devrait aller s'installer maintenant pour avoir les meilleures places…

Elles se dirigèrent vers la télé et retrouvèrent Ungrun, ses lunettes à portée de main, qui attendait religieusement : son fiancé lui avait promis qu'il penserait très fort à elle au moment de l'alunissage.

– Il reste encore du champagne ? criait Virtel à la ronde.

– À la cave, à la cave, répondit Regina.

– Et où est la cave ? demanda Virtel.

Juliette se cacha derrière Martine et Ungrun. Elle ne voulait surtout pas devoir l'accompagner. Regina fit un rapide tour de l'assistance, puis, ne trouvant personne, se résolut à descendre avec lui.

Sur l'écran de la télé, l'événement se précisait. Peu à peu les invités se rapprochaient et se taisaient. La capsule spatiale se détacha d'Apollo IX et se dirigea vers la mer de la Tranquillité. Le commentateur passait le temps en indiquant régulièrement la distance qui séparait encore les hommes de la lune. Quarante mille pieds, trente-cinq mille, trente mille… Aldrin faisait des commentaires imbéciles : « La mer de la Fertilité ne me paraît pas très fertile. Je me demande qui a bien pu lui donner ce nom… ».

Vingt-cinq mille pieds, vingt mille, quinze mille…

– Oh ! je voudrais tellement être là-bas, à Cap Kennedy, avec les autres journalistes, s'exclama Émile Bouchet qui ne voulait surtout pas qu'on oublie sa qualité de grand reporter.

Le module se rapprochait. « Nous descendons, nous descendons », disait Amstrong.

10 000, 5 000, 2 000, 1 000…

Il y eut un petit nuage de poussière et la capsule se posa sur la lune. Des applaudissements éclatèrent dans la pièce, des gens s'embrassèrent, d'autres crièrent, d'autres encore demeuraient bouche bée. Comme Ungrun. Ou Juliette.

Revêtu de sa combinaison spatiale, Neil Amstrong descendait les marches de l'échelle et posait le pied sur la lune, empêtré comme un gros bibendum.

– Comment font-ils avec l'apesanteur pour faire pipi ? chuchota Martine.

– Tais-toi, tais-toi, dit Juliette, hypnotisée par ce qui se passait sous ses yeux.

« C'est un petit pas pour l'homme, mais un bond de géant pour l'humanité », déclara Amstrong sous sa bulle.

– Hé ! Tu vas pas me faire croire qu'il a improvisé ça… On le lui a écrit avant de partir !

– Arrête, fit Juliette, exaspérée, tu gâches tout !

Là-haut, tout là-haut, deux hommes rebondissaient sur la lune. Elle eut la gorge serrée et envie de pleurer. Quand ils plantèrent le drapeau américain, Martine ne put s'empêcher d'ajouter : « Je me gourre pas en allant là-bas, c'est vraiment l'avenir... » Émile Bouchet, assis tout contre Bénédicte, évoquait Galilée. Bénédicte écoutait. Charles Milhal avait le nez collé sur le poste. Ungrun pensait à son fiancé.

Et Virtel ? Et Regina ?

Ils étaient à la cave et pas pressés d'en remonter.

Chapitre 2

Trois jours après la fête, alors que les filles finissaient avec de moins en moins d'entrain les restes de pâté en croûte, de poulet rôti et de gâteau au chocolat, le téléphone sonna.

– C'est pour toi, dit Regina en se léchant les doigts et en tendant l'appareil à Juliette. Quelqu'un qui sanglote…

Juliette attrapa le combiné d'une main, une cuisse de poulet entamée dans l'autre.

– Allô… bafouilla-t-elle la bouche pleine.

– Ma chérie, c'est maman… C'est horrible, il est arrivé quelque chose de terrible…

Juliette fit mentalement le tour des catastrophes possibles. On ne savait jamais avec sa mère. Il pouvait tout aussi bien s'agir d'un accident survenu à son père, du cambriolage du magasin, du prix des espadrilles soudain monté en flèche ou du décès d'une lointaine voisine.

– Minette est morte.

Minette. La vieille grand-mère qu'on oubliait toujours en bout de table lors des festivités familiales. Elle s'était assoupie, un soir. Son menton avait glissé dans sa crème caramel et elle ne l'avait plus jamais relevé.

De la maison de repos où ses parents l'avaient placée, Minette fut ramenée rue de la Couronne et exposée sur un grand lit.

Pour la première fois de sa vie, Juliette, accourue à Pithiviers, approchait un mort. Elle observait sa grand-mère avec attention. Elle ne sent plus rien, c'est fini. De la mort à la vie, de la vie à la mort, aller-retour en quatre-vingt-deux ans. Normal. Juliette n'était pas choquée. Elle la connaissait si peu. Elles ne se parlaient presque pas. C'était une grand-mère douce et effacée. Plus Juliette la regardait, plus elle avait du mal à l'imaginer jeune, valsant, flirtant, tombant amoureuse, faisant l'amour. Pour Juliette, Minette était née grand-mère. Ce qui la chagrinait surtout, c'était la disparition d'un intermédiaire entre la mort et elle. La prochaine, c'est maman, puis moi… Elle se rapprocha de sa mère et lui prit le bras. Mme Tuille pleurait en balbutiant « maman, maman ». Juliette trouva ce mot saugrenu dans la bouche de sa mère.

Puis il y eut la visite chez le notaire. Sept ans auparavant, Minette avait rédigé un premier testament, mais était retournée chez maître Corbier, récemment, pour faire des corrections. Marcel et Jeannette Tuille s'étaient alarmés de cette modification de dernière heure, aussi était-ce avec impatience qu'ils attendaient la lecture des ultimes volontés de la défunte. Juliette avait dû les accompagner, non qu'elle en ait tellement envie, mais ses parents avaient insisté. « Elle t'aura sûrement légué quelques napoléons et une petite commode, et il est de bon ton que tu te déranges. » Juliette râla. D'abord, l'héritage, elle trouvait ça tout à fait amoral : un pauvre vivant se décarcasse toute sa vie pour amasser quelques biens qui échouent à des héritiers qui n'ont pas dépensé la moindre goutte de sueur dans l'affaire. Ensuite, elle avait dansé jusqu'à trois heures du matin au *Club 68* et n'avait aucune envie de se lever à huit heures pour assister à la lecture d'un testament.

Elle eut raison d'y aller. Minette lui léguait TOUT : sa ferme de Giraines, qui devait bien valoir dans les

400 000 francs, ses actions, ses napoléons, ses bijoux, ses meubles, ses livrets de Caisse d'épargne. Maître Corbier termina sa lecture par les derniers mots de Minette : « Marcel et Jeannette comprendront. Ils sont déjà installés dans la vie et n'ont besoin de rien. Juliette, elle, a pris le risque de monter à Paris et je l'en félicite. J'ai toujours eu peur de prendre des risques. Bon courage Juliette. » Les nez de Marcel et Jeannette Tuille se tordirent.

Pour le coup, ils auraient pu faire la grasse matinée, eux, pensa Juliette qui n'en revenait pas. Le notaire continuait en énumérant les frais qu'il allait falloir déduire de l'héritage, les droits de succession…

Juliette n'écoutait plus.

– Et que vas-tu faire de la maison ? demanda Mme Tuille à sa fille, le soir autour de la soupière.

– Je la garde, bien sûr ! Et demain, j'irai la voir… Je ne m'en souviens plus très bien. Depuis combien de temps Minette n'y habitait plus ?

– Dix ans… Depuis qu'elle était en maison de retraite.

– Et pourquoi vous l'aviez pas prise avec vous ?

– Tu n'y penses pas, Juliette ! Avec le magasin…

– Il va falloir que tu paies les frais de succession, les impôts fonciers, les taxes locales, l'électricité, le gaz, l'eau… Ça coûte cher une maison, déclara M. Tuille en relevant le nez de son journal. Et comment comptes-tu faire ?

– Ben… Je vais vendre les napoléons, les actions et tout ça, quoi…

Marcel Tuille explosa. TOUT ÇA, QUOI ! Était-ce une manière de parler ? Où donc avait-elle été éduquée ? Parfois, il y avait vraiment de quoi se poser la question !

Puis se retournant vers sa femme :

– Ah ! on peut dire que, dans votre famille, on n'a pas le sens des conventions ! Mais qu'est-ce que tu lui as appris pour qu'elle parle comme ça ! Et moi qui me crève la santé à lui payer des études à Paris, à PARIS… Et bientôt je vais me retrouver avec une hippie, des fleurs plein les cheveux, qui m'installera une communauté de drogués dans cette maison de Giraines… Manquait plus que ça !

Juliette préféra se taire.

– C'est comme ce soi-disant travail chez Probéton, continua-t-il. Tu nous avais pourtant bien promis de ne pas travailler ! Eh bien, non ! Il faut que mademoiselle se fasse de l'argent de poche supplémentaire ! Et dans le béton, en plus ! Tu parles d'une carrière féminine…

« Comme si c'est masculin de vendre des espadrilles », se dit Juliette. Elle pensa à sa maison. À Giraines, à dix kilomètres de Pithiviers. Ça lui revenait maintenant : une ferme carrée bâtie en pierres irrégulières, fermée sur une cour intérieure avec un genêt au milieu. La maison était située dans le village, mais l'arrière donnait dans les champs. Des champs de blé à perte de vue. Le royaume du blé et des moissonneuses-batteuses. Plat et jaune l'été, triste et marron l'hiver. Je vais être chez moi, dans MA maison…

– Ça y est ! Ils dévaluent le franc, maintenant ! enchaîna son père, et ils bloquent les prix ! Jusqu'au 15 septembre. Ah ! c'était bien la peine de voter Pompidou. On est gouvernés par des incapables…

– Bah ! Ce n'est pas dramatique, répondit Jeannette Tuille, ravie de voir la conversation déviée sur le gouvernement.

– Et si on veut aller à l'étranger, hein ? Comment on fait avec nos francs qui ne valent plus rien ?

– Tu sais bien qu'on ne bouge jamais d'ici ! On n'est même pas allés voir Juliette à Paris.

– J'préfère pas…

Juste à côté du franc dévalué, il y avait un gros titre : « Le carnage de Bel-Air, l'actrice Sharon Tate et quatre de ses amis trouvent la mort… » Juliette se tordit le cou pour lire la suite, mais son père la vit et dit :

– T'attendras que j'aie fini… Des crimes y en a assez par ici pour que tu aies besoin de lire ceux qui se passent ailleurs !

Il s'était fait nommer président d'un des nombreux comités de défense de Pithiviers. Juliette le soupçonnait de ne l'avoir fait que pour porter, une fois dans sa vie, le titre de président. Il écrivait de pompeux discours : « … Afin de sauver la vertu de notre jeunesse, de la soustraire aux folies d'un meurtrier qui frappe à l'aveuglette… » Tout à coup, il devenait Caton l'Ancien qui ânonnait Delenda est Cartago en piquant les bijoux des femmes sous prétexte d'austérité. Il pouvait en écrire dix pages sur ce ton-là, et l'activité principale du comité consistait à écouter Marcel Tuille lire ses longues tirades. La traque du meurtrier, les gendarmes s'en chargeaient et des renforts étaient arrivés de Paris.

– Tu crois qu'il est de Pithiviers, l'assassin ? demanda Juliette pour l'amadouer en le faisant parler de son sujet favori.

– Je ne peux rien affirmer, mais je sais ce que je sais…

Il se replongea dans son journal, indiquant ainsi que toute tentative de conversation était vaine. « L'héritière » était priée de se taire et de se faire oublier.

Le lendemain, Juliette fut réveillée par de violents coups à sa porte. Elle jeta un regard pâteux à son réveil et vit huit heures et demie ! Elle décida de ne pas répondre et s'enfonça encore plus profond sous son édredon.

– Juliette ! Juliette ! vociférait son père derrière la porte, ouvre-moi IMMÉDIATEMENT.

Elle cria « Voilà, voilà, j'arrive » en nouant le cordon de son peignoir et tituba jusqu'à la porte.

– Peux-tu m'expliquer ?

Il se tenait devant elle, raide comme un adjudant, le teint violacé de l'alcoolique qui a déjà le nez en chou-fleur et le foie en confetti. Il agitait nerveusement une carte postale qui, à l'évidence, devait être destinée à sa fille. À première vue, ou plutôt du côté recto, rien ne justifiait qu'il se mît dans un tel état : une crique, un petit bateau, des rochers à pic et, en haut à gauche, une tête de nègre corse.

– Alors, j'attends, demanda-t-il, cramoisi et fulminant, le cortex au bord du court-circuit.

– Ben… C'est la Corse, réussit-elle à dire dans un demi-sommeil.

« Et ce doit être Louis », ajouta-t-elle en son for intérieur.

– Et ça ? C'est la Corse aussi ?

Il retourna la carte. Son souffle se fit soudain plus précipité, saccadé, haché. De l'autre côté de la petite crique, en plissant un peu les yeux, Juliette réussit à lire : « Poils, bitte, couille, je pense à toi, cosi, cosa, it's a wonderful world. » Pas de doute, c'était Louis.

– Ah… fit-elle, dolente, en essayant d'attraper la carte.

Mais son père la maintenait fermement entre ses doigts crispés.

– Qui c'est ? répéta-t-il.

Manifestement, il ne trouvait pas ça drôle du tout.

– Écoute, papa, je ne sais pas, ce doit être une farce.

– Et de qui ?

Il ne pouvait pas prononcer de longues phrases : il manquait d'air. Il procédait par interrogations courtes et concises.

– Ça n'est pas signé ? demanda Juliette, feignant l'innocence.

– SON NOM !

– Mais j'en sais rien, moi, et puis quelle importance !

S'il savait ce qu'ils faisaient, elle et l'homme de la carte postale, il ne perdrait pas son temps à des détails comme ça !

– LE FACTEUR L'A LUE !

Il suffoquait, mais se força à reprendre :

– Et il me l'a donnée avec un regard ! Inutile de te dire que la ville ENTIÈRE est déjà au courant !

Juliette parvint à examiner de plus près le verso de la carte. Louis avait écrit les trois premiers mots en formes de bittes folles, pleines de poils. Elles se tordaient, montaient, redescendaient jusqu'à prendre la forme des lettres de l'alphabet.

Elle ne put s'empêcher d'éclater de rire.

La gifle fut d'une telle violence que sa tête alla heurter le chambranle de la porte. Pendant un instant, elle vit tout flou.

– Ça va pas, non ? Tu te prends pour Hitler !

– Pour ton père et ça suffit ! Tant que tu habiteras sous MON toit, tu ne ricaneras pas quand je pose des questions. Tu es MA fille, tu portes MON nom et je ne veux pas que des petits galopins de Paris le salissent ! Tu vas me donner, sur-le-champ, le nom de ce voyou, et nous nous expliquerons entre hommes.

Convoquer Gaillard ! Avec son jean rapiécé, sa tronche de tortue, sa barbe de trois jours et son vocabulaire d'anthologie pornographique !

– Tu rêves, mon pauvre papa ! T'es dépassé ! Complètement dépassé. Faut sortir de ta province…

– Je t'interdis de me parler sur ce ton ! Tu vas rester consignée dans ta chambre jusqu'à ce que ta mère et moi nous décidions quoi faire de toi !

Elle s'était bouché les oreilles tellement il criait fort et ôta ses mains lorsqu'il eut fini.

– Pauvre connard, va.

Ça lui avait échappé. Elle mit sa main devant sa bouche pour rattraper le mot, mais c'était trop tard. Ce que Juliette lut dans les yeux de son père, à ce moment-là, c'était de la haine pure. Du concentré de haine. Il tremblait de rage et, n'eussent été les siècles d'éduca-tion (« on ne tue ses enfants sous AUCUN prétexte »), il l'aurait étranglée sur-le-champ. Avec n'importe quoi : son bracelet de montre ou son lacet de chaussure. Au besoin, il aurait lacéré le tapis pour en tirer un fil assez solide afin de lui briser les cervicales. Au lieu de cela, il resta muet, pétrifié, déchira la carte en mille morceaux et les lança à la tête de Juliette. Puis, sur le ton le plus digne, le plus contenu, le plus affermi, d'un seul souffle venu tout droit du fond de ses semelles, sans la moindre pause-sandwich, il ajouta :

– Je peux te dire une chose, ma petite Juliette, c'est que ta mère et moi nous regrettons profondément les sacri-fices que nous nous sommes imposés afin de t'élever…

Il était redevenu Caton, mais un Caton effondré et noble qui commence à comprendre que les charmes de Carthage l'ont emporté sur la rigueur de ses discours. Delenda est Parigo.

– … Et que, si c'était à refaire, nous nous en abstien-drions sans le moindre remords.

Il claqua la porte.

Juliette l'entendit tourner la clé dans la serrure et haussa les épaules. Sacrifices ! Mais qu'est-ce que ça veut dire ! C'est se sacrifier que d'élever correctement un enfant qu'ON a mis au monde et qui n'a PAS demandé à y faire son entrée ? Ah ! Si Louis avait écrit : « Belle marquise, vos beaux yeux me font mourir d'amour et mon cœur périt à vous poursuivre sans cesse », il aurait trouvé cela élégant et pur.

Et moi obscène.

Elle délira quelques minutes sur l'hypocrisie d'une société qui ne respectait que les apparences et les belles images, puis s'interrompit car une idée lumineuse lui avait traversé la tête, une idée encore impossible la veille quand elle ne se savait pas héritière, quand elle ignorait la muette admiration de sa grand-mère pour ses talents de pionnière, une idée qui la remit toute droite, sans larmes et sans colère : je vais aller à Giraines, dans MA maison. Là-bas, tout s'arrangera, je serai chez moi…

En cas de malheur et d'adversité, Juliette savait faire preuve d'une opiniâtreté insoupçonnable par temps de paix.

À peine avait-elle pris sa décision qu'elle tira de sous son lit son sac, son argent, ses papiers, empaqueta ses affaires et prit la fuite par la fenêtre.

Elle alla acheter un pot de Nescafé et des biscuits, puis décida de rejoindre sa maison en auto-stop. Ce n'était pas prudent, certes, mais c'était le seul moyen de locomotion dont elle disposait. Tout en marchant, le long de la route, elle se disait que ses parents n'oseraient pas venir faire de scandale à Giraines et, au cas où…, leur audace n'excéderait pas quelques coups sur la porte et une retraite précipitée si les voisins mettaient le nez à leur fenêtre.

Elle avançait donc, le pouce dressé, l'âme fortifiée par toutes ces adversités, en balançant son paquet de victuailles et de vêtements…

Chapitre 3

Depuis deux semaines, Louis Gaillard tournait *Violence dans l'île*. À Girolata. Jusqu'à présent, il était content. Il jouait le rôle d'un petit truand trafiquant de drogue qui se fait arrêter, perd sa fiancée, s'évade, la retrouve amochée, se venge et meurt en affrontant le caïd de la bande rivale.

Son agent l'avait prévenu : « Fais bien attention à Borel, il tourne tous les feuilletons importants. Pas de gaffe, prends-le dans le sens du poil. »

Louis était prêt à faire tous les efforts possibles. Malgré tout, quand Borel lui expliqua que son personnage était une brute épaisse et bornée, il ne put s'empêcher d'intervenir. À force de discussions, il était arrivé à relever le QI de Bernasconi – « son » truand. Et puis, surtout, il avait convaincu Borel de lui laisser faire son rire de crécelle, le rire aigu et ambigu de Richard Widmark. Ça avait été difficile. Au premier éclat de rire, Borel avait été surpris. Louis l'avait senti hésiter, mais tout le plateau avait applaudi. Borel n'avait rien osé dire. Il n'en avait pas moins fait recommencer la scène cinq fois.

– Pour le principe, avait-il dit.

« Pour le principe de faire chier », avait pensé Louis.

Il s'en fichait. So far, so good. Il ne pensait qu'à son rôle. Du matin au soir, du soir au matin. Il reprenait la scène déjà mise en boîte et se critiquait : « J'aurais dû tenir ma cigarette comme ça, repousser le bord de mon chapeau, attaquer plus bas… » Il marchait et tournait dans son bungalow en se rongeant l'humeur et en mangeant des chips.

Certains matins, il devait être au maquillage à six heures. Il n'aimait pas ça : il prenait sa tronche de mal réveillé en pleine gueule. Pour les besoins du rôle, il avait dû se raser la barbe et plaquer ses cheveux en arrière. Il ne pouvait plus se cacher derrière ses poils. Il râlait ferme auprès de la maquilleuse. On devrait interdire à des parents comme les miens de procréer. Quand on est porteur de chromosomes de tortue, on adopte.

La maquilleuse souriait. Au début du tournage, ils avaient passé deux nuits ensemble, puis il avait laissé tomber. Sans explication. Trois jours plus tard, elle l'avait aperçu, un soir, marchant vers son bungalow, une petite actrice du film sur les talons. Le lendemain, il était à nouveau seul. Accoudé au bar de Girolata. Ses cendres tombaient sur sa chemise. Elle se demanda comment son verre n'en était pas plein. Elle s'était approchée :

– 'soir.

Il n'avait rien dit puis, brusquement, avait demandé :

– T'as dû en maquiller beaucoup de beaux mecs ?

– Les plus beaux sont pas les plus sexy.

– Tu dis ça pour me faire plaisir. T'es gentille. N'empêche. Ce doit être formidable d'être beau…

Il l'avait ramenée dans sa chambre. Sans lui faire l'amour.

– Excuse-moi mais, ce soir, j'ai la bitte en laine tricotée…

En fait, il ne pensait qu'à son rôle.

Et, de temps en temps, à Juliette.

Avec elle, on pouvait baiser et parler.

Rare. Très rare. Elle était curieuse de tout, jamais rassasiée. Imprévisible : naïve et roublarde, bien élevée et salope, gentille et chiante. Pas collante. Quand il lui avait annoncé son départ pour Girolata, elle avait juste dit : « je suis contente pour toi… » avant d'ajouter « applique-toi bien alors, c'est la dernière fois avant longtemps ».

Un après-midi où il ne tournait pas, il se rappela sa petite voix, son ventre collé contre le sien, sa tête battant l'air de droite à gauche quand elle jouissait… Il emprunta une voiture et se rendit à Bastia. À la poste. Il trouva l'adresse du Chat-Botté dans l'annuaire et envoya une carte avec des poils et des gros mots. Les gros mots, c'est pratique. On n'a pas l'air ridicule si l'autre ne comprend pas.

Après, il se sentit très gai. Il devint le boute-en-train de l'équipe. Il ne disait pas « Girolata » mais « chipolata », « beauté nordique » mais « beauté merdique », « riz au safran » mais « riz à cent francs », file-moi une cigarette » mais « donne-moi un cancer »… Tout le monde voulait s'asseoir à sa table le soir, et il tenait de grands discours.

— Vous saviez que le cunnilingus est le meilleur moyen de prévenir les caries…

La petite scripte rougissait et pouffait.

Ou :

— Si notre société idolâtre l'orgasme, c'est la faute à l'Église…

Le patron du restaurant, un catholique fervent qui avait épinglé l'image de la Vierge à côté du tarif des boissons, intervenait en protestant. Louis continuait :

— Si, si. Depuis que l'Église est devenue une institution avec banque, police secrète et maffia, elle a perdu sa crédibilité. Alors on a remplacé Dieu par l'orgasme…

— Vous avez été élevé dans la religion, vous ? demanda le bistrotier, agressif.

— Jusqu'au cou. À cause de ma mère. J'allais à l'église et même au catéchisme. J'ai été contre tout de suite. Le jour où on m'a demandé de croire au coup de l'hostie qui se transforme en corps de Jésus. C'est pas possible, c'est pas possible, je me répétais tout le temps. Mais c'est un miracle, m'assurait le curé. C'est comme si moi je vous ordonnais de croire que ce verre peut se transformer en bicyclette. Je vous prendrais pour un con !

Le bistrotier bougonnait que ça n'avait rien à voir, qu'on ne pouvait pas appliquer la logique au bon Dieu.

– Ah, mais c'est trop facile ! Ou alors, vous faites comme les protestants et vous dites que c'est un symbole. C'est pas pareil... La seule chose que j'aie gardée de mes années de catéchisme, c'est une délicieuse culpabilité vis-à-vis du cul, et rien que pour ça, je regrette pas...

Il se léchait les babines et regardait chaque fille avec gourmandise.

Un jour qu'il était assis à pérorer, un homme s'approcha et, après l'avoir bien observé, vint se planter devant lui en lui tendant la main :

– Michel Varriet. Tu te rappelles ? Poncet-sur-Loir, l'école, tes parents...

Louis le regarda, légèrement éméché. Michel Varriet ?

– Mais oui, continuait l'autre, on était dans la même classe et on allait mettre des pièces de cent francs sur les rails pour que les trains les aplatissent...

Ça y est ! Ça lui revenait. Le père Varriet travaillait à la gare de triage de Château-du-Loir.

– Comment vas-tu ? demanda Louis.

– Ben, ça va... Je me suis marié. Avec ma femme, on est venus faire du camping pas loin... Elle adore ça. Et toi ?

– Ben moi... Je suis en vacances près d'ici, aussi...

Il avait fait un geste de la main. Il n'allait pas raconter sa vie à cet abruti en boxer-short.

– Ben, dis donc, enchaîna le boxer-short, t'as rudement changé... J'ai du pif de t'avoir reconnu...

Louis hocha la tête. Il se leva et paya. Marmonna « salut » à l'estivant.

– Ben… tu me demandes pas des nouvelles d'Élisabeth et…

– Suis à la bourre, une autre fois. On se reverra sûrement. Allez, salut…

Il se précipita vers la porte.

Élisabeth…

Il se força à penser à la scène qu'il allait tourner. L'aumônier de la prison lui annonçait que sa fiancée avait été violée par le chef de la bande rivale. Violée et marquée au couteau. À la figure. Sur le script, Borel avait écrit rage, colère, injures, cris, mais plus Louis y pensait, plus il se disait que ce n'était pas ça. Un type qui a tout perdu, qui se sait condamné à perpète et à qui on annonce que sa fiancée est foutue… il n'a plus de force pour gueuler. Il baisse la tête et encaisse. Il dit des choses toutes bêtes. Il n'avait qu'à se rappeler son regard à elle quand il avait dit « je pars ». Elle avait pas crié, pas pleuré…

La maquilleuse l'attendait avec impatience.

– Mais t'étais où ? Ils sont fous furieux… Tu mets tout le monde en retard…

– T'occupe et fais-moi ma tronche de crapule…

Borel surgit alors qu'elle étalait le fond de teint.

– T'as vu l'heure, Gaillard ? T'as intérêt à me la jouer juste du premier coup ta scène. Et violente…

– Non, répondit Louis, le cou entouré de Kleenex.

– Comment non ? demanda Borel, stupéfait.

– Je la ferai pas violente.

– Tu vas faire ce que je te dis ou je te coupe tes plans au montage !

– Non, j'ai réfléchi…

Puis, se radoucissant, il se tourna vers Borel et essaya de lui expliquer :

– Écoutez, laissez-moi faire. Je vous ai pas planté jusque-là…

Borel ne voulait rien entendre.

– Tu me la feras comme je veux et tu te magnes, tout le plateau t'attend !

Louis le regarda s'éloigner avec une grimace de dégoût.

– Pauvre mec !

– Ils vont tous être contre toi, Louis, dit la maquilleuse. Ça fait plus d'une heure qu'ils t'attendent…

– Je fais ce que je veux et comme je veux, compris ! Sinon, c'est moi que je peux plus regarder en face !

Il arracha ses Kleenex, lissa ses cheveux gominés, ajusta ses vêtements et se dirigea vers le plateau.

Il sentit tout de suite qu'on lui faisait la gueule. Les techniciens, d'habitude sympas, se détournaient. Ils commençaient à en avoir marre des humeurs des acteurs. Un mois qu'ils étaient là, dans ce patelin, à se supporter les uns les autres.

Borel dit une première fois « Moteur » et Louis joua SA scène. Borel lança « Coupez » et prit Louis dans un coin.

– Ou tu la joues comme je veux ou je te saque. Plus de télés, plus de tournages, c'est clair ?

Ils retournèrent sur le plateau. Borel cria une seconde fois « Moteur » et Louis refit SA scène.

– Arrêtez tout, hurla Borel proche de la crise de nerfs.

Puis, sans prendre la peine de faire d'aparté cette fois-ci, devant toute l'équipe, il éclata :

– Tu t'écrases et tu fais ce que je veux, oui ou merde !

Louis le regarda :

– J' peux pas. Prenez une doublure, moi j' peux pas…

– Écoute, mon petit bonhomme, c'est ça ou je te raye non seulement de MES films, mais je fais passer le mot à tous les réalisateurs. Je te fous sur la liste noire et tu ne travailles plus jamais…

– Suis désolé, mais j' peux pas, dit Louis très calme.
Puis se mettant lui aussi en colère :

– Vous savez ce que c'est que la rage, vous ? Vous ne savez pas. Vous avez jamais eu peur, jamais pris de risques, vous enchaînez merde sur merde et vous vous remplissez les poches ! Sans jamais vous mouiller. Alors, la colère, c'est un truc que vous lisez dans les livres… Vous vous en faites une idée romantique. Mais, moi, je sais et vous me ferez pas faire vos imitations de merde ! J'en ai rien à foutre que vous m'employiez plus !

Borel le regarda, blanc de rage. Autour d'eux régnait un silence religieux, le silence qui précède la mise à mort de l'un ou de l'autre. Chacun retenait son souffle.

Pour la troisième fois, Borel cria « Moteur ». Pour la troisième fois, Louis joua SA scène.

Il était sûr d'avoir raison.

Il était sûr aussi d'avoir foutu en l'air une carrière qui commençait à peine et le rendait vachement heureux…

Chapitre 4

Bénédicte ne se débarrassa pas d'Émile Bouchet aussi facilement qu'elle l'avait cru. Elle se rendit vite compte qu'elle avait encore besoin de lui. *Le Figaro* était un vaste monde où une stagiaire pouvait se perdre si elle ne comptait pas quelques alliés. Or, Bénédicte avait beau lancer des regards autour d'elle : pour le moment, elle avait UN allié et il s'appelait Émile Bouchet. Si, les premiers jours, elle attira quelques regards flatteurs et des sifflements discrets, les hommages cessèrent rapidement, et les quatre éditions quotidiennes éclipsèrent bientôt ses sourcils arqués et sa longue mèche blonde. Elle fit partie du décor et aurait pu tout aussi bien passer ses trois mois de stage assise sur une chaise à découper et coller des dépêches sans que personne ne s'en préoccupe vraiment.

L'actualité était la plus forte : le docteur Blaiberg mourait en Afrique du Sud, Pompidou allait fleurir la statue de Napoléon à Ajaccio pour le deux centième anniversaire de la naissance du grand homme, on craignait un soulèvement à Prague à l'approche du 21 août, un an après l'entrée des chars russes, et l'émeute couvait en Irlande du Nord… Les sujets ne manquaient pas. En revanche, il y avait pénurie d'enquêteurs. Beaucoup de journalistes prenaient leurs vacances au mois d'août. Émile n'eut donc aucun mal à obtenir que Bénédicte soit affectée au service « Étranger », même si sa demande suscita quelques sourires…

Bénédicte se retrouva donc dans le même bureau qu'Émile. Elle y vit d'abord beaucoup d'avantages. Émile lui expliquait comment préparer une interview, lui enseignait l'art des questions et des réponses, lui apprenait à faire un plan et à accrocher le lecteur. Il lui dressa une liste de conseils qu'elle épingla au-dessus de son bureau :

– Être précis dans le détail et l'expression. Supprimer le lieu commun ou la généralité.

– Vérifier tous les propos rapportés et toutes ses sources.

– Rester objectif et rendre compte de TOUS les points de vue.

– Être bref : qui, quand, où, comment, pourquoi.

– Montrer et ne pas dire. Il vaut mieux décrire un visage ravagé par les larmes que de dire « il » ou « elle » pleure.

– Ne citer que les phrases importantes et supprimer le bla-bla.

– En conclusion : soulever un autre problème, ouvrir une autre fenêtre…

Il lui montrait des articles bien écrits et lui expliquait pourquoi. Bénédicte écoutait et se demandait quand elle pourrait enfin mettre en application tous ces sages conseils. Aussi, quand il lui annonça qu'elle l'accompagnait à Belfast pour y suivre les violentes émeutes qui avaient éclaté le 3 août, elle ne put s'empêcher de lui sauter au cou. Et, depuis, elle y était accrochée.

Avec tous les inconvénients d'une telle situation.

Néanmoins, ils passèrent quinze jours exaltants en Irlande du Nord. Cela commença dans l'avion où ils lurent et relurent la documentation emportée par Émile. Puis ils atterrirent à Belfast, gagnèrent l'hôtel *Europa*, QG de tous les envoyés spéciaux. Le hall grouillait de jeunes gens affairés, excités, volubiles, et les mêmes mots revenaient sans arrêt dans les conversations : « barricades », « violents affrontements », « morts », « blessés », « Bernadette Devlin »… Émile retrouva des journalistes qu'il connaissait et ils échangèrent les tuyaux qu'ils voulaient bien se donner, chacun persuadé de détenir l'indice principal qui manquait à l'autre. Cette compétition à peine déguisée fit frissonner Bénédicte qui, dans l'ascenseur, demanda à Émile si c'était toujours comme ça.

– Toujours… C'est ça qui est drôle. Ça et les fausses pistes sur lesquelles on se lance…

Partie de Londonderry, l'émeute avait gagné Belfast et huit autres villes. On comptait huit morts et plus de cinq cents blessés. Les nuits d'émeute succédaient aux nuits d'émeute, et des barricades s'élevaient dans presque tout le pays. Bénédicte tint à accompagner Émile dans les rues du ghetto catholique. Il hésita un instant mais, devant sa détermination, il céda et lui obtint un laissez-passer de journaliste afin qu'elle franchisse sans encombre les barrages dressés par l'armée britannique.

Émile était déjà venu à Belfast. Il y avait ses sources. Certains de ses indicateurs étaient morts, mais il en trouva d'autres. Bénédicte l'écoutait poser des questions, prendre des notes, relever des détails, reposer les mêmes questions pour recouper ses informations… Le soir de son arrivée, il dictait son premier papier : « La formation du nouveau gouvernement de l'Ulster, sous la direction du major Chichester Clark, n'a pas eu les résultats espérés à Londres, et une flambée de violence a embrasé Belfast, Londonderry… »

Ils restèrent deux semaines à Belfast, suivant, jour après jour, les péripéties du mois d'août le plus brûlant que l'Irlande ait jamais connu. Chaque soir, Émile Bouchet dictait son papier ; chaque soir, il raccrochait furieux de ne pouvoir répondre aux exigences de son rédacteur en chef : « Je veux Bernadette Devlin, démerdez-vous, même deux mots, mais je veux une déclaration d'elle… »

Émile et Bénédicte se mirent à traquer celle qu'on appelait « la pasionaria ». Ils n'étaient pas les seuls. À l'hôtel, les bruits les plus fous couraient sur elle : elle dormait sur les barricades, dans des caves, à l'*Europa* même…

Finalement, un caméraman de la télévision irlandaise, à qui Émile avait rendu service quelque temps auparavant, au Viêt-nam, vint le prévenir : Bernadette Devlin allait faire une déclaration sur l'une des barricades de Londonderry. Émile se faufila hors de l'hôtel avec Bénédicte. Un journaliste italien et un photographe allemand réussirent à les suivre. Émile jura. Puis se rendit compte qu'ils travaillaient pour des hebdomadaires : il lâcherait son scoop avant eux. Compte tenu des circonstances, la déclaration fut brève. Bernadette Devlin demandait au gouvernement britannique une constitution pour l'Ulster et la convocation immédiate d'une conférence composée des représentants du gouvernement de Belfast, de Londres, de Dublin et des diverses tendances du mouvement pour les droits civiques. Puis, elle disparut dans les ruines et les fumées des barricades. Le soir même, Émile, radieux, téléphonait au journal.

Il raccrocha, épuisé, s'épongea le front. Il avait dû courir pour rentrer de Londonderry et écrire son papier pour l'édition du matin. Il se laissa tomber de tout son long sur le lit…

Le lit.

Si les journées étaient passionnantes, les nuits se révélaient délicates. Les trois premiers soirs, Bénédicte avait réussi à tenir Émile à l'écart et à se réfugier dans sa chambre sous des prétextes divers – décalage horaire, migraine, fatigue –, mais le quatrième, devant son air renfrogné, sa mine sombre et celle gourmande d'une journaliste australienne que les qualités professionnelles d'Émile avaient alléchée, Bénédicte eut soudain peur de le perdre. Elle dut se rendre. La mort dans le corps. Saccageant au passage le fantasme du Mari Charmant qui l'attendait, quelque part dans le monde, fignolant son empire. Ce n'était pas Émile, en tout cas : les cheveux tirebouchonnés, l'haleine tabagineuse, le torse maigre et blanc Elle détourna les yeux quand il posa ses verres épais sur la table de nuit et lui demanda d'éteindre la lumière.

Ce fut sa nuit de noces. Elle la passa les bras le long du corps, les dents serrées, les hanches scellées au matelas. Elle poussa un petit cri au moment où… Émile s'interrompit, s'excusa : « Fallait me dire… Je suis désolé… Oh mon amour… » Elle ne sut pas ce qui la dégoûtait le plus : qu'il l'appelât son amour ou qu'il le lui fît.

Émile Bouchet était si heureux qu'il mit la froideur de Bénédicte sur le compte de « la première fois ». Cette « première fois » mythique qui paralyse les plus ardentes jeunes filles… Il se dit qu'au fur et à mesure de leurs étreintes, elle saurait se détendre, recevoir ses baisers et lui en donner. Après tout, Laureen Bacall et Grace Kelly étaient, elles aussi, des femmes très réservées. La difficulté le piqua et il tomba, si c'était encore possible, d'autant plus amoureux. Les nuits se succédant, Bénédicte restant tout aussi réticente, il se fit une raison : dans la journée, il promenait son rêve à son bras et c'était ce qui lui importait le plus.

Bénédicte fut soulagée lorsque Émile lui annonça qu'ils rentraient à Paris. Elle ne serait plus obligée, alors, de dormir TOUTES les nuits avec lui. Elle se demandait comment elle arriverait à se sortir de cette situation. Elle ne voulait pas y penser. Ou plus tard… Elle le quitta à Orly en lui criant : « À bientôt, on se téléphone » et en savourant le fait d'être toute seule dans son taxi.

Elle tenait par-dessus tout à garder leur liaison secrète. Au journal. Elle entendait garder son mystère. Rouler sous le corps blanc d'Émile n'avait rien de mystérieux. Cela devenait d'autant plus difficile qu'Émile ne se contrôlait plus. Un jour où il la tenait enlacée et essayait désespérément de l'embrasser, Nizot entra dans le bureau à l'improviste, les vit et referma aussitôt la porte en s'excusant. Bénédicte s'arracha des bras d'Émile et, lui tournant le dos, raide de rage, lui déclara qu'elle ne lui pardonnerait jamais de l'avoir exposée ainsi aux ragots de bureaux.

– Et maintenant, tout le monde va raconter que je fais carrière en couchant avec les chefs de service. Merci beaucoup !

– Mais, enfin, répondit Émile, ce n'est pas interdit de tomber amoureux…

Bénédicte n'aurait rien trouvé à redire si on l'avait surprise dans les bras de Jean-Marie Nizot. Jean-Marie était séduisant, il savait s'habiller, maniait le verbe avec aisance, recevait de nombreux coups de fil féminins, sortait beaucoup, et racontait ses soirs de premières avec volubilité. C'était un vrai Parisien. À l'aise partout, Bénédicte et Jean-Marie allaient quelquefois prendre un café ensemble au *Petit Champs-Élysées* en bas du journal et Bénédicte essayait son charme sur Nizot. Il n'avait pas l'air insensible. Et maintenant, c'est foutu ! pensa-t-elle, furieuse.

Ce jour-là, elle sortit en claquant la porte du bureau.

Le lendemain, à la conférence du matin, Émile expliqua si brillamment pourquoi Nixon retirait 35 000 GI's du Viêt-nam que le rédacteur en chef le félicita devant tout le monde, et Bénédicte ne put s'empêcher de lui sourire sous sa mèche. Ils étaient réconciliés.

Un matin, elle le présenta à sa mère qui fut un peu surprise du choix de Bénédicte, mais jugea Émile correct et intéressant. Il était temps que sa fille prenne un amant. Et celui-là avait l'air de tenir à elle.

Venue à Paris pour quelques jours, Mme Tassin n'en repartait plus. Elle s'était installée dans la chambre d'Ungrun, en vacances en Islande, et trouvait la vie absolument délicieuse. Elle avait commencé par découvrir la joie de dormir seule, avec toute la place pour s'étaler, sans mari qui ronfle à vos côtés, la lumière qu'on peut allumer à loisir, le petit transistor posé dans les plis de la couverture, le coin frais de drap qu'on découvre le matin en allongeant le pied, le réveil qui ne sonne pas, le petit déjeuner qu'on prend toute seule, quand on veut… La joie de partir à pied dans les rues de Paris. Paris au mois d'août. Paris sans grogne ni pots d'échappement. Paris qui sent bon et parle à peine français.

Au musée d'Art moderne, à l'exposition de Paul Klee, elle rencontra une Américaine qui, la voyant arrêtée depuis dix minutes devant le même tableau, s'approcha et lui dit : « Vous savez ce qu'il disait, Paul Klee ? Il disait que les tableaux nous regardent… »

Mathilde Tassin fut séduite. Par la phrase et par l'Américaine. Joan était veuve et habitait Atlanta. Son mari, en mourant, lui avait laissé une pension confortable et, chaque été, elle passait un mois en Europe. Comme je l'envie, avait pensé Mathilde, il y a des moments où je voudrais n'avoir ni mari ni enfants. Elles étaient allées prendre un thé chez *Smith*, rue de Rivoli, et Mathilde avait écouté Joan. Elles décidèrent de se revoir. Entraînée par Joan, Mathilde alla voir *Hair* au Théâtre de la porte Saint-Martin. Elle s'amusa beaucoup. Puis Joan voulut aller dans les coulisses. Mathilde la suivit, un peu effrayée, respirant les odeurs de décor, de transpiration, de câbles. Joan serra la main de Julien

Clerc et lui fit signer son programme. Puis elle le donna à Mathilde. Pour ses enfants. Joan avait toutes les audaces, et Mathilde n'en revenait pas.

– Oh, je n'étais pas comme ça quand Harry vivait… Je le suivais partout. Comme un petit chien. Il a bien fallu que je change après son départ. J'ai appris et, à ma grande surprise, je me suis pas mal débrouillée…

Elle avait appris le français aussi, et, même si elle ne le parlait pas parfaitement, Mathilde et elle se comprenaient.

À la fin du mois d'août, Joan partit, laissant à Mathilde son adresse à Atlanta. Mathilde plia le petit bout de papier et le rangea dans son agenda comme un porte-bonheur. Joan avait promis de revenir l'été suivant et, alors, toutes les deux, elles pourraient aller en Italie, à Florence, au palais des Monnaies…

Mathilde avait murmuré « yes » et pensé « impossible ». Dans quinze jours, il faudrait aller acheter les cahiers, les livres, les crayons de la rentrée. La dame de Pithiviers n'aurait plus rien à dire à la dame d'Atlanta. Paul Klee ne les couverait plus du même regard.

Et, regardant sa fille et son premier amant, devant leur tasse de café et le journal déplié, Mathilde Tassin conclut que la vie était bien trop courte pour être prise au sérieux.

Chapitre 5

Ils étaient trois de onze à quinze ans. Ils avaient un air de famille : efflanqués et noirauds. Espagnols ? Italiens ? ou Français… tout bêtement, se demanda Martine à qui son envie de voyager faisait voir des étrangers partout… Partir, partir, quitter cette Coop que la chaleur du mois d'août rendait étouffante, et arpenter la mappemonde.

En attendant, elle étirait le linéaire des confitures : une longue rangée, à hauteur de regard, de confitures Bonne Maman à trois francs les 370 grammes et, sur l'étagère la plus basse, cinquante centimètres de confitures de fraises maison à quatre francs trente le kilo…

Ils parlaient aux vendeuses, demandaient des renseignements sur chaque article, comparaient les prix en consommateurs avisés, et les caissières les regardaient passer devant leur tapis roulant le sourire en fibre maternelle.

– Vous devriez faire une liste et acheter tout en une fois, avait un jour conseillé une caissière à l'aîné.

Il l'avait regardée de ses grands yeux noirs, des traces de Bic sur la joue, un sourire désarmant, et avait répondu :

– Vous savez, madame, à la maison, y a pas de maman…

Elle en avait eu les larmes aux yeux et avait ajouté un paquet de chewing-gum à son litre de lait.

Même le détective du magasin les avait à la bonne. Ils lui disaient que, plus tard, ils aimeraient bien faire son métier parce que « c'était comme jouer aux indiens et aux cow-boys ».

– Pourquoi vous avez pas d'insigne ?

– Parce qu'on me reconnaîtrait. Je pourrais plus prendre les voleurs en flagrant délit.

– C'est quoi le flagrant délit ? avait demandé le plus petit.

Il lui avait expliqué. Très doctement.

– Et vous cherchez à pincer des voleurs en ce moment ?

Le détective s'était soudain échauffé :

– J'essaie de coincer le petit voyou qui dévalise régulièrement le rayon d'électroménager… Ça fait un mois que ça dure !

– Il pique des caddies aussi ? avait demandé le plus petit, très intéressé, parce que, moi, les caddies j'aimerais bien en avoir un…

– Oh ! les caddies… on nous en vole en moyenne trois cents par magasin ! répondit le détective, découragé.

– Ouaou, fit le petit garçon impressionné.

– Non, c'est des transistors, des magnétophones, des Robot Marie qui disparaissent… La semaine prochaine, on m'envoie des auxiliaires de Poissy pour renforcer la surveillance. Il ne m'échappera plus longtemps…

Il s'épongea le front. Il perdait la face avec ces vols à répétition, et l'arrivée de ses deux collègues le prouvait bien. Il pouvait dire adieu à sa prime de fin d'année.

– Vous devriez fermer les vitrines à clé comme dans les autres magasins, suggéra l'aîné.

– C'est pas la politique, ici. On fait confiance…

Martine les observait en souriant. Ils sont forts, pas de doute. Ils se sont mis tout le monde dans la poche, même cette garce de géante dans sa cage de verre qui se penche pour leur dire bonjour quand ils passent près d'elle. Pas bête leur système : il y en a deux qui font du charme au détective ou à une réserviste pendant que le troisième pique, sort avec son butin sous le bras par la porte réservée aux livraisons, va le planquer et revient, tout sourire, rejoindre ses frères.

Elle avait tout de suite trouvé louche l'extrême amabilité de ces gamins. Le client souriant est une espèce rare. Puis, un jour, elle avait surpris le plus petit, sur la pointe des pieds, essayant d'attraper un transistor trop haut pour lui. Il avait baissé les pointes et fauché un grille-pain Calor à la place. Puis, se retournant pour vérifier que tout allait bien, il avait croisé le regard de Martine. « Piqué », avait-elle lu dans son regard affolé, les yeux roulant dans toutes les directions pour repérer ses grands frères. « Pas piqué », avait-elle répondu dans un sourire, détournant la tête comme si elle n'avait rien vu. L'incident avait eu lieu trois jours auparavant et, maintenant, elle sentait bien qu'ils l'observaient avec perplexité. Elle les ignorait et continuait son boulot. Je me demande s'ils vont se faire prendre avec les deux détectives supplémentaires ? Elle se souvenait, émue, du jour où elle avait volé les deux bonnets chez Phildar pour imiter la poseuse de la classe, Bénédicte Tassin, qui avait lancé la mode du superposé. Une vendeuse l'avait aperçue. Elle était partie à toutes jambes. Ce que j'aimerais savoir, pensa-t-elle, c'est ce qu'ils font de la marchandise.

Ce soir-là, quand elle quitta le magasin, elle sentit bien une ombre jaillir d'un amoncellement de cartons, sur le trottoir, mais elle n'y prit pas garde.

Il faisait chaud. Elle marchait en jetant des coups d'œil aux tourniquets de cartes postales, de chaussures, d'« affaires extraordinaires »… Elle s'arrêtait devant des vitrines. Que des boutiques de fringues ! Séparées par des bistrots, des épiceries. L'abondance l'avait frappée en arrivant à Paris. À Pithiviers, pour s'habiller, il fallait aller à Orléans. Et les cinémas ! Elle en avait compté plus de deux cents dans *Pariscope*.

Sinon, Paris ne l'impressionnait pas. C'était une étape avant New York. Elle était arrivée avec un guide, un plan du métro, et depuis elle circulait. Sans appréhension. Toute seule. Au cinéma, au Luxembourg, le long des quais chez les bouquinistes... Juliette finissait l'été à Giraines, Ungrun en Islande, Regina en Allemagne, Bénédicte était partie en Irlande, Rue des Plantes, il y avait Mathilde. Mathilde qui vivait sa vie...

Martine l'observait avec amusement. Elle découvre à quarante-cinq ans les mêmes choses que moi qui n'en ai pas vingt !

Un soir, son amie américaine, Joan, était venue dîner rue des Plantes. Martine lui avait posé des questions sur New York. Joan n'avait pas su répondre : elle n'était jamais allée à New York. Elle préférait l'Europe.

– Il n'y a rien à apprendre là-bas pour des vieilles comme moi, avait-elle dit en riant. Moi, je préfère Paris, ou Londres, ou Rome. New York, c'est pour les jeunes, les célibataires aux dents longues...

Martine avait été déçue.

– Et puis, vous savez, avait ajouté Joan, New York ce n'est pas les États-Unis. C'est la ville où l'on va quand on veut réussir, mais c'est pas une ville pour vivre... Vous croyez à l'argent ?

– Ben... oui, avait répondu Martine, un peu gênée.

– Alors, c'est une ville pour vous.

Martine était impatiente de partir. Plus que dix mois, avait-elle calculé. Si tout se passe bien, je pars en juin prochain.

Elle était allée à l'ambassade américaine et, en lisant les prospectus affichés aux murs, avait appris qu'elle pouvait obtenir une bourse d'études. Il suffisait d'avoir des parents pauvres et le bac. J'ai les deux, avait-elle pensé, ravie. Elle avait rempli les papiers nécessaires et attendait la réponse.

En attendant, elle vivait à Paris, en transit. Comme un touriste étranger. Elle aurait pu emprunter les chemises à fleurs et les appareils photo de ceux qui sortaient en paquets serrés des cars panoramiques. Comme eux, elle trouvait que c'était une belle ville. En se promenant dans Paris, elle rencontrait Voltaire, Rodin, Louis XIV et Jeanne d'Arc. Toute l'Histoire de France et de la vieille Europe. Le moyen de faire quelque chose de nouveau avec tous ces ancêtres qui nous ont à l'œil ! pensait-elle en admirant la perspective des Tuileries ou la place des Vosges. Ici, j'aurais juste envie de profiter, de paresser, de feuilleter des vieux livres et de boire des cafés en respirant l'odeur des siècles...

Absorbée par ses pensées, elle n'avait toujours pas remarqué l'ombre qui la suivait et ne la dépassait pas. Une ombre gigantesque qui se découpait le long des murs, qui se cachait quand elle s'arrêtait et repartait avec elle.

Elle finit, cependant, par surprendre un mouvement brusque derrière son dos et n'eut que le temps de se retourner pour apercevoir quelqu'un se dissimuler derrière une affiche « Soldes exceptionnels ».

Elle décida d'en avoir le cœur net et contourna la pancarte.

Il était là, plié en deux. Le gamin qu'elle avait surpris piquant le grille-pain. Elle lui sourit.

– Qu'est-ce que tu fais là ? Tu me suis ?

Il se redressa, vexé d'avoir été repéré. Et le soleil déclinant projeta à nouveau son ombre immense, dégingandée. Martine ne put s'empêcher d'éclater de rire.

– Pourquoi vous riez ?

– Pour rien. Qu'est-ce que tu me veux ? répéta-t-elle. N'aie pas peur. Je te mangerai pas.

Le gamin haussa les épaules, dédaigneux.

– J'ai pas peur. C'est mon grand frère qui m'envoie. Il veut vous remercier pour… vous savez quoi. Il comprend pas pourquoi vous faites ça.

Il la regardait d'un air méfiant et mâchait son chewing-gum, la bouche grande ouverte.

– Ferme ta bouche, tu vas attraper des mouches, lui conseilla Martine.

Il lui jeta un regard noir et enfonça ses mains profondément dans ses poches, comme un vrai mec.

– Ah, il veut savoir pourquoi ? reprit Martine. Eh bien, écoute… Tu vas dire à ton grand frère que je n'ai pas besoin de ses remerciements, ni envie de satisfaire sa curiosité. Je fais ça parce que… Enfin, tu lui diras…

– Je me rappellerai jamais.

Martine se pencha vers lui et posa ses deux mains sur son blouson.

– Écoute, oublie tout ça. Dis-lui plutôt que vous feriez mieux de faire attention. Y a deux nouveaux détectives qui arrivent demain…

Il prit l'air important.

– Ça, on sait.

– Ah bon ?

– C'est le détective lui-même qui nous l'a dit. On va laisser tomber les vols, mais on continuera de venir pour donner le change, sinon ils trouveraient ça suspect…

Martine siffla d'admiration.

– Dis donc, t'es futé, toi !

– C'est pas moi, c'est Richard, mon grand frère.

– Et il a quel âge, Richard ?

– J' sais pas. C'est un vieux.

– Et toi ?

– Moi. Dix ans.

Ils continuèrent à marcher un moment, leurs deux ombres côte à côte. Puis Martine ne put s'empêcher de demander :

– Et qu'est-ce que vous faites de ce que vous piquez ?

Il hésita, puis répondit :

– Je sais pas si je dois te dire. Faudrait que j'en parle à Richard d'abord…

– C'est pas important, tu sais… Je disais ça par curiosité.

– Je sais, mais il vaut mieux que je lui en parle. Il fait gaffe à tout et, quelquefois, quand on fait des conneries, il se met dans des colères ! des colères terribles…

– Il te fait peur ?

– Ben, un peu. C'est lui qui a tout mis au point, alors quand on sabote…

Martine pensa qu'elle aussi, on lui avait appris à voler. Pas « voler », soulignait son père, « rétablir la justice sociale ».

– Vous faites ça depuis longtemps ? demanda Martine.

– Pas mal de temps.

– Vous vous êtes jamais fait prendre ?

– Jamais.

– Et Richard, qu'est-ce qu'il fait, lui ?

– Lui, c'est le cerveau. C'est comme ça qu'il s'appelle. Il a les idées et nous on exécute… Il en a plein d'idées parce que, là, tu sais pas tout.

Martine sourit. Il parlait comme un businessman dont l'attaché-case est bourré de contrats.

– Tu serais étonnée par les idées qu'il a… À la maison, c'est le caïd. Il dirige tout. Même papa, il s'écrase.

– Ouaou… fit Martine, ironique.

Mais le gamin ne perçut pas le sarcasme. Il hocha la tête, l'air sérieux.

– Tu t'appelles comment ? demanda Martine.

– Christian.

Ils durent s'arrêter à un feu vert et le gamin attendit en raclant le trottoir du bout de ses Kickers tout neufs.

– Et, moi, tu me demandes pas mon nom ? demanda Martine.

– Je le sais, c'est écrit sur ta blouse.

Ce fut au tour de Martine de se taire, vexée. Au feu suivant, elle dut tourner à gauche. Il continua tout droit. Il leva la main en signe d'au revoir et ajouta « et merci encore ». Martine eut envie de lui tirer la langue, mais se retint. Il l'irritait à vouloir se conduire en grande personne. Elle le regarda s'éloigner. Elle ne savait pas pourquoi, mais cette conversation l'avait irritée. Elle entra dans une boulangerie et s'acheta un petit pain et un Toblerone.

Deux jours plus tard, en sortant de la Coop, elle aperçut un jeune homme appuyé contre le mur du magasin, enveloppé dans un long imper, le col relevé, les mains dans les poches, une jambe repliée. Il semblait l'attendre. À peine avait-elle dit au revoir à Lucette et Françoise, les deux réservistes qui travaillaient avec elle, qu'il s'approchait et demandait :

– Vous êtes Martine ?

– Oui.

– J'aimerais vous parler… On va boire un café ?

– Vous êtes de la police ou quoi ? demanda Martine, méfiante.

– Vous avez peur ?

– Non. Mais j'ai peut-être pas envie d'aller boire un café avec vous.

Il la regarda, étonné.

– Il avait raison, Christian, vous êtes facile à reconnaître avec tout ce vert sur les paupières. Vous devez avoir des réductions sur tout…

Ainsi, c'était lui, le caïd. Le grand frère. Le piqueur de colères terribles. Et il lui balançait des vannes en toute tranquillité !

– J'ai 10 % sur les talonnettes si ça vous intéresse, répliqua-t-elle.

Il déglutit. Resta silencieux un moment, puis, beau joueur, enchaîna :

– Un partout. On va prendre un café ?

Il faisait chaud. Martine demanda une menthe à l'eau avec des glaçons. Lui, une Suze.

– Ainsi, vous êtes Richard le voleur... Ou plutôt celui qui fait voler les autres...

– Exact. Vous avez pas répondu à mon frère l'autre jour : pourquoi vous nous couvrez ? Vous auriez pu avoir de l'avancement, une prime, un cadeau, sais pas moi... C'est bien un transistor que vous décrochez après quatre dénonciations ?

– Mes transistors, je me les paie moi-même.

Qu'est-ce qu'ils sont désagréables dans cette famille, pensa-t-elle, pas étonnant que le plus petit soit déjà plein de morgue. Y a qu'à regarder le grand frère.

Il dut le sentir, car il changea de ton et, sortant une pochette d'allumettes, il se mit à jongler avec, puis s'arrêtant net, plongeant son regard dans celui de Martine, il demanda :

– Je voudrais VRAIMENT savoir pourquoi... Vous risquez votre place, après tout... Depuis que Christian m'a raconté que vous l'aviez surpris, ça tourne et retourne dans ma tête et ça m'empêche de dormir. Vous voulez quoi au juste ?

– Écoutez, dit Martine qui sentait le malentendu s'installer, je ne VEUX rien... Quand j'étais petite, que j'avais l'âge de Christian précisément, je piquais aussi dans les magasins. Alors, je comprends... Enfin, je comprends quand ce sont vos frères, parce que vous, vous m'avez l'air en âge de travailler, non ?

Il ne répondit pas et reprit son jonglage avec sa pochette d'allumettes. Il était maigre, pas très grand. Il devait être extrêmement nerveux, car il était toujours en mouvement : il jonglait quand il ne parlait pas et remuait des épaules en parlant. Il avait les ongles rongés et ça la gêna. Ses cheveux noirs étaient plaqués en arrière et une mèche rebelle lui tombait sur le front. Il doit se prendre pour un rocker, pensa-t-elle. Son nez était cassé comme celui d'un boxeur : aplati et mou du bout. Elle eut envie d'appuyer dessus pour sentir le cartilage s'écraser. Ses yeux étaient noirs, très noirs et mobiles. Perçants. Elle ne l'avait pas encore vu sourire. Il était extrêmement bien habillé, soigné même et, quand il se pencha pour ramasser sa pochette qui venait de tomber, elle perçut une odeur d'eau de toilette. Mêlée à une odeur de sueur qu'elle aima. Cette odeur la réconcilia avec le caïd et, lorsqu'il se releva, elle enchaîna, conciliante :

– Vous manquez d'entraînement, c'est pour ça…

Il lui sourit. D'un sourire si rapide qu'elle se demanda si elle avait rêvé. Ce type-là avait certainement le sourire le plus rapide du monde.

Elle toucha ses paupières pour enlever un peu de vert. Il la surprit et lui sourit encore. Puis il demanda l'addition au garçon et, tout en payant, ajouta :

– Ainsi, vous aussi, vous êtes une voleuse…

– J'étais… Je me suis rangée depuis…

Ils n'avaient plus rien à se dire. Il lui fit encore un dernier sourire éclair avant de se lever. Il portait un cache-poussière comme dans *Il était une fois dans l'Ouest*, fendu dans le dos. Il lui prit le bras pour sortir et la lâcha, une fois sur le trottoir.

– Merci, c'est gentil, dit-elle. D'habitude, j'ai ma canne…

Il se déhanchait d'un pied sur l'autre.

– Alors, vous êtes rassuré ? ajouta-t-elle encore. Je ne ferai pas de chantage ni ne demanderai de pourcentage… Vous vous en tirez avec une menthe à l'eau.

– Bon, ben… Salut. Et merci encore.

– Pas de quoi.

Il fit demi-tour et s'éloigna dans la direction opposée à celle de Martine. Elle le regarda un moment puis se reprit. Drôle de garçon, pensa-t-elle, bizarre, bizarre… Puis, soudain, s'immobilisant furieuse : Pourquoi ne m'a-t-on jamais dit que ça m'allait pas tout ce vert sur les yeux ?

Chapitre 6

Juliette passa une semaine à Giraines, dans la maison de Minette. Elle avait vu juste : ses parents n'osèrent pas faire de scandale. Ils vinrent frapper à sa porte, mais comme elle refusait de leur ouvrir, ils repartirent en marmonnant qu'elle aggravait son cas et en souriant aux voisins agglutinés derrière leurs rideaux.

Juliette les regarda monter dans leur Ami 6. Des dégonflés. Même pas le courage d'enfoncer la porte ! Comment puis-je avoir des parents comme eux ? Ils ont dû m'échanger à la maternité. Au départ, j'étais la fille d'un corsaire et d'une effrontée. De Surcouf et Scarlett… Sûrement pas d'eux. Savent pas comment faire…

Elle n'avait jamais pensé à ses parents l'un sur l'autre, copulant. Papa n'a pas de sexe, maman pas de clitoris. C'est une cigogne qui m'a apportée. L'hypothèse lui paraissait, dans son cas, plus vraisemblable que celle d'un coït parental.

C'était sa première brouille avec ses parents, et comme tout ce qui est nouveau, cela lui parut délicieux. Elle finissait par se sentir toute neuve, elle aussi. Elle vivait à sa guise dans une maison où tout lui rappelait son enfance. Elle explorait la maison, contemplait le ciel, les bras en croix, sous le genêt. Au grenier, elle découvrit un vieux piano et pensa à Louis. Elle eut envie de rouler sous le genêt avec lui. Envie de le provoquer, de marcher à quatre pattes en bavant, en retroussant les babines, en grognant. Avec lui, je deviens chienne, pute, salope. Sans rougir. Sans souffrir. C'est bon. Je ne l'aime pas. Je l'aime bien. Il me fait descendre dans une Juliette inconnue que j'explore avec gourmandise mais dont je me passe très bien quand il n'est pas là… On devrait toujours aimer comme ça. Cosi, cosa…

Gaillard, Pinson, Gaillard, Pinson. Elle rêvait à l'un et forniquait avec l'autre. Plus de nouvelles de Pinson depuis longtemps. Il lui fallait se rendre à l'évidence ; il n'était pas amoureux. Mais son cœur avait du mal à capituler et elle trouvait sans cesse de nouveaux indices pour faire rebondir l'espoir. Elle donnait des noms aux nuages et s'en remettait à leur verdict. Si le nuage Pinson double le nuage Gaillard, Pinson m'aime.

Le nuage Pinson l'emportait toujours.

Ou alors, elle effeuillait une marguerite. Il m'aime un peu, beaucoup, à la folie, passionnément, pas du tout. Selon le résultat. Elle décidait de l'identité du « il ».

Pourquoi est-ce que j'aime un homme qui ne fait pas attention à moi, m'a baisée une fois avec l'enthousiasme d'un petit chimiste et depuis me laisse moisir dans un bocal ? Pourquoi ? se demandait-elle sous le genêt. Pourquoi le beau René ? Pourquoi Jean-François Pinson ? Qu'ont-ils de commun pour me faire trembler si fort et éclipser les orgasmes *bis repetita placent* de Gaillard le fort à bras ?

Je comprends rien à moi…

Au bout d'une semaine, elle commença à se lasser : des nuages, des marguerites, du ciel à travers le genêt, de la maison sans bruit, sans compagnie. Le journal déplié de son père lui manquait quand elle mangeait sa boîte de petits pois et carottes nouvelles à la cuillère, sans même la réchauffer… Sa chambre, son lit, l'escalier qui menait de la boutique à l'appartement, la soupière du soir, les tirades sur Gérard Nicoud et les suicides sur rails. À une époque où toutes les filles rêvaient de quitter leurs parents, Juliette était bien forcée d'admettre qu'elle avait encore besoin d'eux. De temps en temps. Comme une photo posée sur le buffet de la salle à manger qu'on consulte du regard, à l'occasion, pour se rassurer.

Elle en vint à guetter le bruit de l'Ami 6. Elle était prête à se réconcilier, mais pas à les relancer. Comme aucun moteur ne ronflait devant sa porte, elle imagina un compromis : elle se rendrait à Pithiviers, descendrait la rue de la Couronne, passerait avec ostentation et nonchalance devant le Chat-Botté. On verrait bien ce qui se passerait.

Mme Tuille disposait ses premiers modèles pour la rentrée dans la vitrine quand elle aperçut Juliette. Elle lâcha ses étiquettes et courut après elle. M. Tuille resta un long moment dans l'arrière-boutique avant de bien vouloir accepter les excuses que lui marmonna sa fille. Des excuses, mais pas le nom de l'iconoclaste auteur de la carte qui signait Cosi Cosa.

C'est allégée et soulagée que Juliette reprit la micheline pour Paris. Heureuse, même. Pourtant, ce qui l'attendait n'était pas tout sucre. Les longs après-midi chez Virtel… Les parties de cache-cache dans son bureau pour éviter les mains baladeuses… La commission sur le contrat avec Milhal, toujours pas accordée. Il ne la paierait jamais, c'était sûr. Une carotte qu'il brandissait pour qu'elle passe sous ses couilles caudines.

En fac, l'année risquait de se dérouler comme la précédente : des élections de délégués dont tout le monde se foutait, des comités d'action, des appariteurs agressifs, des contrôles incessants à l'entrée, des profs déprimés… La désillusion était générale. Enfin, pour ceux qui avaient cru à Mai 68, parce que Juliette, elle, s'en fichait pas mal de l'université. C'était pour rassurer ses parents.

427

Éventuellement, pour brandir un diplôme sous le nez de futurs employeurs…

Accoudée à la fenêtre de la micheline, elle pensait à son précédent départ. Le beau René en entaille dans le cœur, l'impression de triompher en fuyant…

Cette fois-ci, il y avait la rue des Plantes. Les conseils de Regina, la candeur d'Ungrun, l'énergie de Martine et l'aplomb de Bénédicte. C'est bien de vivre en famille, je pique à chacune ce qu'elle a de mieux…

Elle se réjouissait à l'idée de la vie commune. Même si Bénédicte l'énervait avec ses airs supérieurs. Pour son premier reportage, elle avait envoyé des cartes d'Irlande à tout Pithiviers. Est-ce que j'ai fait imprimer des faire-part pour mon béton au sang, moi ! maugréa Juliette.

Quand le train s'immobilisa gare d'Austerlitz, elle fut pourtant la première à sauter sur le quai.

Paris ! Paris ! L'aventure continuait.

Le 1er septembre, à quatorze heures trente, elle poussa la porte de Probéton. Embrassa Isabelle qui, tout excitée, lui raconta qu'elle était tombée amoureuse, au Club Méditerranée, d'un moniteur de plongée sous-marine. Il venait s'installer à Paris et ils auraient plein de petits scaphandriers. Elle était jolie, pain d'épice, et riait sans raison.

Amoureuse heureuse, diagnostiqua Juliette, vaguement jalouse.

À l'étage de Virtel, c'était moins gai. Le patron était rentré le matin même, de mauvaise humeur. Il la salua à peine et lui tendit une liasse de lettres à taper.

Ce qui la renvoya au rez-de-chaussée.

Trois jours passèrent ainsi. Juliette répondait au standard pendant qu'Isabelle tapait des lettres et délirait sur le scaphandrier. Puis, un jour, Virtel l'appela dans son bureau et lui demanda si elle était libre, le lendemain, pour déjeuner.

Juliette fit un rapide calcul mental : déjeuner, déjeuner, ce n'est pas dangereux. Elle en profiterait pour lui rappeler sa commission.

Il l'emmena au *Port Saint-Germain*.

Il laissa passer les huîtres et la sole soufflée. Il racontait ses vacances en Grèce, les escales dans les îles, l'équipage. Il n'avait qu'à me refiler un dépliant, pensait Juliette, pas besoin de me traîner ici pour me parler des Cyclades et des Sporades.

Au café, enfin, il s'éclaircit la voix :

– Hum... Hum... Hum...

Juliette sentit son estomac se cintrer.

– Ma petite Juliette, je ne vous ai pas invitée pour vous parler de mes vacances. Vous vous en doutez...

Juliette opina.

– Cela fait maintenant presque un an que nous travaillons ensemble... J'ai beaucoup investi sur vous et...

– Ça vous a rapporté, interrompit Juliette.

– Laissez-moi parler. Vous êtes astucieuse et vous pensez bien que je ne vous ai pas engagée uniquement pour vos qualités de documentaliste...

Merde ! se dit Juliette, Isabelle avait raison... Son estomac devint entonnoir.

– ... J'ai d'autres ambitions pour vous.

– Justement, je voulais vous dire... pour ma commission...

– Tsst, Tsst... Laissez-moi parler, je vous ai dit !

Elle avait la gorge serrée et reposa sa fourchette.

– Quand je vous ai embauchée, je voulais faire plaisir à Regina, c'est un fait. Regina est une amie de longue date, une amie très chère...

Accélère, pépère, accélère...

– ... Je vous ai trouvée extrêmement séduisante. Je

vous ai même importunée et vous m'avez remis à ma place… Très adroitement, je dois l'admettre.

C'est bizarre : assis là, dans ce restaurant, avec les garçons qui papillonnent autour de lui et lui administrent du monsieur, il me paraît moins moche qu'au bureau.

– Ce que je comprends très bien… Je suis plus âgé que vous et…

Il cherchait ses mots. Sans bredouiller, de l'air appliqué du prof de français qui hésite entre l'emploi de thuriféraire ou vil flatteur.

– … Je n'avais rien de passionnant à vous offrir. Mais, comme je vous le disais, j'ai d'autres ambitions pour vous. Vous voyez, vous avez eu bien raison de me résister, Juliette, vous m'êtes devenue bien plus précieuse ainsi… Je me suis mis à vous considérer différemment.

Il sourit et commmanda deux cafés.

– Vous ne connaissez pas votre exacte valeur, Juliette.

Pour une fois, il avait raison. Il devenait presque intéressant.

– J'ai d'autres ambitions pour vous. J'ai, dans la vie, des avantages que vous êtes loin de posséder : l'expérience, les idées et surtout, surtout, l'argent. Beaucoup d'argent. J'ai les banques derrière moi et je viens de passer plusieurs gros contrats. Je voudrais justement vous proposer un contrat, Juliette. Un contrat d'affaires… Avec beaucoup d'argent à la clé, si vous êtes maligne…

Le cœur de Juliette bondit. Ça y est. Je vais toucher le gros lot. Il va me proposer de travailler sur le contrat Milhal ou m'offrir un pourcentage sur chaque affaire traitée ou…

Il lui fit un clin d'œil et lui tendit la main par-dessus la table. Juliette hésita, puis lui donna sa main. Elle se détendit. Avec ses premiers gros sous, elle inviterait

Louis à dîner. Et Regina… Et Martine… Elle laisserait tomber la fac et…

– On boit à notre association ? proposa Virtel.

Il leva son verre et ils trinquèrent.

La tête lui tournait un peu. C'est le vin blanc, elle supportait très mal le vin blanc.

– On commence quand ? demanda-t-elle, s'enhardissant.

– Vous ne voulez pas connaître les termes exacts du contrat d'abord ?

– D'accord, je vous écoute.

Elle s'était redressée, affichant un air responsable, les mains jointes sur la table, le dos bien droit, l'air attentif.

– Je vais être précis. Toujours en affaires… même si, là, il s'agit d'un contrat un peu spécial…

Juliette fronça les sourcils. Il essayait déjà de l'escroquer ? Elle ne signerait rien sans consulter un avocat. Elle demanderait à Regina l'adresse d'un bon.

Il finit son café, reposa sa tasse et reprit :

– Donnant, donnant : tu deviens ma maîtresse et je t'entretiens. Luxueusement. Comme aucun de tes petits amis ne pourrait le faire. Une rente mensuelle de cinq mille francs, un appartement dans le seizième – je l'ai déjà, il suffira de donner un coup de peinture –, une voiture, et, en échange, le droit à deux visites hebdomadaires, un weed-end par mois et huit jours de vacances par an.

Juliette, bouche bée, ne broncha pas. Elle avait tout imaginé sauf ça : un contrat de cul. Mes vingt ans tout neufs contre ses cinquante bourrés de pépites.

Elle s'affaissa lentement, silencieusement, sur son siège. Il prit son silence pour un encouragement à poursuivre.

– … En plus, je t'offrirai chaque année une prime – bijou, fourrure, tableau, actions –, afin que tu n'aies pas l'impression de te dévaluer. Ce sera ton cadeau de Noël…

Il eut un large sourire, satisfait. Ralluma son cigare. Commanda un autre café et l'addition.

– Bien sûr, tu seras libre d'avoir une vie privée à condition que ça ne dérange pas notre arrangement… Tu fais ce que tu veux, je veux pas le savoir… Voilà, Juliette, tu sais tout. Tu as une semaine pour donner ta réponse…

Le garçon avait apporté la note. Il la régla. Laissant un large pourboire : un billet de cinquante francs qu'il chiffonna avant de le lancer sur l'addition. Le garçon s'inclina et remercia. Virtel demanda qu'on lui apporte son vestiaire.

– Ah ! j'oubliais. Inutile de revenir au bureau. J'ai mis ton mois de septembre dans cette enveloppe. Mois entamé, mois dû, comme au parking… Tu n'aurais plus besoin de travailler maintenant. Traitée comme une reine !

Il lui fit un large clin d'œil goguenard et posa une enveloppe sur la table.

– On dit : dans une semaine, ici ; même heure, même motif ?

Il sourit encore. Lui prit la main et la baisa. Elle ne tressaillit même pas au contact de ses lèvres. La dame du vestiaire, les bras chargés, attendait, souriante. Il enfila son manteau et lui mit cinquante francs dans la main.

– Mademoiselle prendra son blouson en sortant ? demanda la femme.

– Non. Laissez-le, là. C'est parfait… Allez, allez.

Il se pencha vers Juliette :

– À bientôt, chérie.

– Au revoir, monsieur.

– Allons, allons, va falloir t'entraîner à m'appeler Edmond !

Il déposa un baiser sur ses cheveux, se redressa et

432

sortit. Sur le pas de la porte, il se retourna et lui fit un dernier signe de la main.

– Mademoiselle reprendra du café ? demanda le maître d'hôtel, obséquieux.

Juliette fit « non, non » et posa sa tête entre ses mains. Quelle imbécile ! Sale, elle se sentait sale. Et vaincue.

Elle avait été engagée sur un malentendu, elle l'avait laissé se poursuivre. L'histoire se refermait sur le même malentendu.

Aujourd'hui, elle payait. Cash. La tête dans les mains et l'impression d'être couverte de boue.

Chapitre 7

– Mademoiselle Maraut !

Martine sursauta et se retourna. Mme Grangier, la gérante du magasin, avait quitté sa cage en verre et se tenait debout devant elle. Debout et l'air fâché. Très fâché.

– Mademoiselle Maraut, que signifie cette commande de six cents boîtes de choucroute alsacienne premier choix ?

À question brève et péremptoire, colère sous-jacente. C'est un indice infaillible. Ça, plus le léger tremblement de la lèvre supérieure, la contraction des grands zygomatiques et la couleur géranium du visage normalement pasteurisé, homogénéisé de Mme Grangier. Dans sa cage en verre, en temps ordinaire, cette femme ressemblait à un litre de lait. Martine a horreur du lait. Depuis qu'à l'école maternelle, un certain Mendès France, au nom de la productivité des vaches françaises, avait rendu le quart de lait obligatoire à chaque récré… De quoi vous bousiller vos marelles et vos chats perchés. Comment sautiller, alerte, avec le contenu du pis d'une vache dans l'estomac ? Depuis, elle évitait soigneusement tous les laitages. Mme Grangier y compris.

– Euh…

A-t-elle vraiment passé cette commande ? En plein mois d'août ? Elle chercha désespérément à se rappeler ce qu'elle avait inscrit sur son cadencier.

– En plein été ! se mit à fulminer le litre de lait. Mais c'est du sabotage…

– Excusez-moi, madame Grangier, j'ai dû être distraite, un moment…

J'ai dû me tromper de saison. Me croire au pôle Nord, au mois de janvier quand les traîneaux font driling-driling et que les maris rentrent après être allés pêcher l'huile de foie de morue en bouteille sur la banquise… Ou alors, à la Toussaint, au ballon pelé des Vosges, lorsque les loups hurlent à la mort et qu'on se réfugie, moufle dans moufle, pour savourer une bonne choucroute près de la cheminée…

– Mademoiselle Maraut, encore une erreur comme celle-ci et je vous renvoie à la caisse !

Si elle avait été un peu plus observatrice et moins pasteurisée, Mme Grangier aurait aussi pu demander à Martine pourquoi elle arrivait le matin à six heures trente et s'étonnait de trouver porte close, pourquoi ses jupes avaient rallongé, ses cheveux pris un pli et ses yeux perdu leur vert… Pourquoi restait-elle, arrêtée, de longues minutes, devant le pastis Ricard, les pâtes Riche et le saucisson Riffard ? Et si elle avait utilisé un stéthoscope – chose rare chez une gérante de magasin –, pourquoi son cœur défiait-il les sommets d'hypertension autorisée par l'Académie de médecine lorsque sept heures moins le quart sonnaient… Heure à laquelle Martine jaillissait comme une folle sur le trottoir, balayait, d'un large rayon mirador, l'espace compris entre ses doigts de pieds et le trottoir d'en face, montait sur la pointe de ses mocassins pour inspecter derrière la pile de canons puis s'affaissait mollement et repartait, les épaules tombantes… Bref, si elle avait été un tout petit peu plus futée, Mme Grangier aurait compris que Martine était amoureuse. Et que, depuis qu'Éros l'avait épinglée, elle était déconnectée. Débranchée. Dans ces conditions, soixante paires de bottes en caoutchouc à commander pour la rentrée scolaire pouvaient très aisément se transformer en six cents boîtes de choucroute. Fastoche. Comme le carrosse de Cendrillon devenant citrouille.

– Mon Dieu, mon Dieu, murmura Martine en voyant le dos de Mme Grangier disparaître au coin du rayon « Pâtes, riz, farine », rendez-moi ma raison, s'il Vous plaît. Arrachez de mon crâne ce sourire éclair, ces mains qui jonglent et cette tronche en caoutchouc… caoutchouc… caoutchouc… Richard le voleur. Un truand minable petit truand qui joue au caïd en terrorisant sa famille et en dévalisant le rayon électroménager des petites surfaces de la région parisienne ! Pas terrible en plus : maigrichon, pâlichon, les épaules qui avancent à l'amble, le nez mollusque et la mèche dans l'œil ! Et c'est ÇA qui menace mon bel équilibre, ma volonté légendaire ! Oh non, pas lui, s'il Vous plaît, QUI que Vous soyez tout là-haut ! PAS LUI. Vous savez bien que ça n'a pas d'avenir, un voleur… Ou alors envoyez-moi Clyde Barrow que je puisse saccager les hypermarchés en traversant les highways ! Et pratiquer mon anglais. My Grand Union is rich. Give me your money, hé ! sucker. Fuck you bastard. You son of a bitch. Mais pas un truand de Prisunic, un rocker de banlieue, un parigot sans visa. Mais c'est rien, ce mec-là. Il vaut même pas un rez-de-chaussée de gratte-ciel ! Et c'est ÇA que Vous m'envoyez en paquet-cadeau ! Pourquoi lui ? Pourquoi moi ? Qu'est-ce que je VOUS ai fait ? Parce qu'à cinq ans, à la mort de Staline, j'ai colorié le portrait du Petit Père au lieu de m'agenouiller devant vos autels ? que je vole depuis mon plus jeune âge ? que je ne crois qu'à la pilule et au dollar ? Vous me trouvez trop matérialiste, trop organisée, Vous voulez m'élever par la douleur, me sanctifier, me bonifier… C'est bien des idées à Vous, ça.

Elle ne pouvait parler qu'à Dieu. Elle aurait eu trop honte d'avouer son mal à qui que ce soit. Tombée au champ de l'amour. Comme les autres. Le cœur en croix et le cerveau ramollo. Oh non ! oh non ! oh non ! gémissait-elle en prenant les bottes de caoutchouc pour de la choucroute, en mettant son réveil à cinq heures, en contemplant, émue, le pastis Ricard… Oh oui ! oh oui ! oh oui ! souhaitait-elle en aplatissant ses épis, en frottant son vert et en bondissant sur le trottoir à moins le quart. À la fin, n'y tenant plus et craignant de perdre tout à fait le contrôle d'elle-même, elle alla trouver Juliette et se confessa. Enfin, elle crut qu'elle se confessait parce que ses explications étaient si confuses, si saccadées, que Juliette dut reprendre à zéro.

– T'es amoureuse ?

– …

– Bon. T'es amoureuse. Eh bien, c'est formidable !

– C'est horrible.

Elle s'écroula en larmes. La choucroute, Mme Grangier, les snow-boots, sept heures moins le quart, *Bonnie and Clyde*. C'est horrible, horrible… Et mes gratte-ciel, alors ? Qu'est-ce que je vais en faire de mes gratte-ciel ?

Juliette reprit la conversation en main :

– Il s'appelle comment ?

– Richard.

– Richard comment ?

– Sais pas.

– Il habite où ?

– Sais pas.

– Pas la moindre idée ?

– Non.

– Qu'est-ce qu'il fait comme boulot ?

– Voleur.

– … Et ça s'est passé comment ?

– Tu veux dire quand je suis tombée…

– Oui. Ça.

– C'est quand il a ramassé la boîte d'allumettes. Son

odeur… Sur le moment, j'ai juste aimé et puis, après, ça m'a rempli la tête et tout… Comme une drogue.

– Et c'était quand la première vaporisation ?

– Arrête. C'est pas drôle. J' voudrais t'y voir.

Merci, pensa Juliette, ça m'arrive suffisamment souvent.

– Excuse-moi. C'était quand ?

– Y a une semaine environ.

– Et il n'est pas revenu ?

– Non.

Évidemment, se dit Juliette, c'est mince comme indice : une odeur de transpiration. On peut toujours quadriller Paris. En reniflant. Ou le dénoncer aux flics *a posteriori*. Ou encore passer une petite annonce : « Recherche odeur nommée Richard »…

– C'est abominable, gémit Martine, abominable…

– Mais non, la rassura Juliette, mais non.

– C'est abominable… d'être amoureuse, finit-elle par articuler.

– Y a encore pire, ma vieille, déclara Juliette d'un air très savant.

– Quoi ?

– Ne pas être amoureuse !

Martine lui lança un regard exaspéré.

– C'est facile à dire. Tu prends tout à la légère. Tu tombes amoureuse tous les deux mois, toi… Alors, forcément, ça ne veut plus rien dire !

Juliette décida de ne pas répondre.

– Écoute, tu sais ce que tu vas faire, dit-elle, conciliante. Tu vas attendre.

– Mais attendre quoi ?

– Qu'il revienne ou que ça te passe. Après tout, ce n'est qu'une odeur. Il va peut-être s'évaporer…

C'est ainsi que Martine découvrit la relativité du temps.

Avant l'odeur, une seconde égalait une seconde, une

minute soixante secondes et une heure soixante minutes. Une journée comportait vingt-quatre heures, une semaine sept jours et un mois quatre semaines. Après l'odeur, le temps devint aussi mou et étiré que du chewing-gum. Aussi lent qu'un escargot sur une autoroute. Aussi suspect qu'une amie qui vous veut du bien. Aussi hostile qu'un flic qui vous demande vos papiers. Elle ne lui fit plus confiance. Et s'il n'y avait pas eu, quelque part, quelqu'un – elle ne voulait pas savoir qui – qui avait réglementé le temps comme l'abruti qui avait déposé le mètre étalon au pavillon de Sèvres, elle aurait remis en cause toutes les montres, tous les réveils, toutes les horloges. Car cinq minutes pesaient cinq heures et une journée de travail à la Coop se transformait en travaux forcés dans les mines de sel de Silésie.

Quand elle décidait d'être héroïque et de ne pas loucher sur l'heure pendant un long moment, elle arrivait à peine à franchir les douze minutes !

La rentrée scolaire approchait. Martine comptait sur les odeurs de colle, de cartable, de protège-cahier pour la désintoxiquer. Dans sa cage en verre, la bouteille de lait surveillait. Martine lisait et relisait son cadencier avant de le remettre à Mme Grangier et ne commettait plus d'erreur. Et quand elle reniflait les tranches de cahier, afin d'y enfouir à tout jamais le souvenir d'une odeur d'aisselle, elle le faisait en douce quand la bouteille de lait avait le dos tourné.

Elle essaya de se pencher sur d'autres sourires, mais les trouva trop lents, et fondit en larmes.

Elle décida d'apprendre par cœur les stations de métro entre Canal Street et le Bronx, mais s'arrêta à Grand Central.

Elle repeignit sa chambre.

Elle apprit le crochet, pensa à se confectionner un couvre-lit et s'arrêta au troisième carré.

Elle songea à se convertir au catholicisme pour se

réconcilier avec Lui, là-haut. Il la laisserait enfin tranquille ou lui enverrait un prêtre pour l'exorciser.

Elle alla consulter des voyantes, des astrologues, des derviches tourneurs, des acupuncteurs chinois, des hypnotiseurs hindous ; personne ne put lui donner l'heure et le jours exacts, mais tous lui prédirent le retour de l'homme à la tronche de caoutchouc. Il faut bien qu'ils me rassurent pensait-elle, lucide, avec tout le fric que je leur donne…

Elle envisagea même un instant de reprendre le vol à la tire afin de le retrouver, peut-être, au rayon électroménager d'un grand magasin ou dans un commissariat parisien… Bref, elle perdait doucement la boule comme une aiguille de boussole qui a reçu un coup d'aimant et tournicote sans jamais trouver le nord, lorsque, dix-huit jours, deux minutes, onze secondes après l'avoir aperçu pour la première fois, alors qu'elle sortait de la Coop, regardant ses pieds avec l'énergie d'une vieille pile usée, elle entendit, venant de derrière les caisses de bouteilles consignées, une voix, une voix d'homme qui disait :

– C'est pour les talonnettes… Pour la réduction… Je me demandais si…

Elle dilata fortement ses narines avant de se retourner, penchant la tête à droite, penchant la tête à gauche, respirant une nouvelle fois à fond. Puis, l'odeur d'aisselle reniflée correspondant à celle enregistrée dans sa mémoire, d'une petite voix tremblante, la voix de femme amoureuse qu'elle avait toujours détestée, elle articula :

– Richard ?
– Oui.
– Richard le voleur ?
– Lui-même.

Ils ne bougeaient pas. Ni lui derrière ses piles de bouteilles. Ni elle, arrêtée net dans son élan, le sac au bout des doigts, les pieds fondus dans le macadam. Elle lui tournait le dos. Il observait sa silhouette ramassée comme si elle s'apprêtait à laisser éclater une grande joie ou une terrible colère. Il ne savait pas. Il attendait. Il la vit se retourner. Elle était là, à deux mètres de lui, le cheveu lisse, la paupière douce, le sac toujours au bout des doigts…

C'est tout ce qu'il eut le temps de voir. La seconde d'après, Martine bondissait sur lui et, le bourrant de coups de poing, de pied, de griffes, le frappant de son sac devenu massue, elle l'injuriait et déversait sur lui dix-huit jours, deux minutes, onze secondes de rage, de frustration, de douleur aveugle. Le traitait de salaud, de suborneur de réserviste, de manipulateur, de criminel d'après-guerre, de perturbateur de cadencier et de métabolisme humain. Sans se demander une seconde s'il en était au même degré d'égarement, de passion, voire même d'intérêt qu'elle.

Il leva d'abord les bras pour se protéger puis, voyant que sa rage ne diminuait pas et que, bien au contraire, emportée par son élan et encouragée par sa passivité à lui, elle redoublait, il la ceintura et, comme elle le mordait cruellement, décida d'en finir en lui assenant, doucement mais fermement, une manchette à la mâchoire.

Elle s'affaissa, devint toute molle dans ses bras, resta un moment sans connaissance, et il eut tout le loisir d'observer les paupières sans vert, les épis aplatis, la jupe rallongée… Il la serra très fort contre lui et attendit qu'elle se remette.

C'est bien ce qu'il avait pensé et qui l'avait fait si longtemps hésiter avant de revenir rôder autour de la Coop : la vie n'allait pas être simple avec cette gonzesse-là.

Chapitre 8

– Hé, vous croyez que vous tiendrez sur ma moto ?

Martine grommela une réponse que Richard prit pour un acquiescement. Il la secoua pour qu'elle revienne à elle. Lui tapota les joues. Elle sembla se réveiller, se frotta la mâchoire en faisant une grimace douloureuse.

– Légitime défense, protesta-t-il. J'avais pas le choix…

– Vous aviez qu'à pas me faire poireauter comme ça…

– J'étais en Angleterre.

Il était parti voir ses copains. Une bande de rockers anglais. Avec eux, s'était-il dit, elle va bien me sortir de la tête, la fille de la Coop. En fait, il n'avait pas cessé d'y penser. À l'aller ET au retour. Ça l'avait pris sur le ferry et ça ne l'avait plus lâché. À tel point qu'il s'était méfié. Il ne savait pas comment ça marchait ce genre de gonzesses. Elle n'avait pas l'air pratique. Pas le genre à vous filer le mode d'emploi pour vous faciliter la tâche.

– Forcément, dit Martine, en se relevant, avec le boulot que vous faites, vous avez des loisirs.

– Et vous des congés payés. Sais pas ce que je préfère.

Il mit sa moto en marche. Elle demanda :

– On va où ?

– Chez moi.

Elle monta à l'arrière.

Porte de Clignancourt. Un restaurant au milieu des Puces qui sentait la frite et la Javel. Le bar-restaurant se trouvait au rez-de-chaussée, les chambres au premier. Quand on demandait à Pietro Brusini combien il avait d'enfants, il répondait quatre. Les filles, ça ne compte pas. Elles se marient et vont vivre dans une autre famille. Il était arrivé de Naples juste après la guerre. Le pays est foutu, avait-il déclaré, il ne repartira pas. Anna-Maria était grosse de l'aîné, Richard, qui naquit à Paris.

– Chut, fit Richard à Martine en montant les premières marches de l'escalier, ils sont en train de manger, et je tiens pas à faire les présentations.

C'est comme à la maison, pensa Martine. La télé fait tellement de bruit qu'on pourrait baiser dans les escaliers, ils n'entendraient pas. En passant, elle jeta un coup d'œil dans la salle à manger : le papa, la marna et les enfants. Elle reconnut le petit Christian. Il essuyait son assiette en regardant sur l'écran le combat des Shaddocks et des Gibbi. C'était les deux minutes de télé par jour que Martine aimait.

La chambre de Richard ressemblait à la façon dont il était habillé : propre et soignée. Avec le sens du détail : un poster de Johnny, un autre d'une bande de Hell's Angels et un troisième d'un mec qu'elle ne reconnut pas.

– C'est qui celui-là ?

– Vince Taylor. Le seul vrai rocker français. Les autres, ils sont en train de mal tourner… Même Johnny, tiens, en ce moment, il tourne pas rond…

Carnaby's Street, Kings Road l'avaient écœuré. Il ne s'en remettait pas. Chemises à fleurs, cheveux longs et rock psychédélique.

– Le seul qui résiste encore, c'est Gene Vincent, mais…

Martine prit un air entendu. Richard comprit qu'elle n'y connaissait rien et qu'elle posait toutes ces questions pour dire quelque chose. Il lui demanda si elle voulait une bière.

– T'as rien d'autre ?

Il fit signe que non. Les filles qui montaient derrière sa moto d'habitude, elles buvaient des bières. Lola, par exemple, elle ne pouvait pas s'endormir sans sa bière.

– Bon. Donne-moi une bière.

Alignés sous la fenêtre se trouvaient un petit réfrigérateur, une télé couleur, une platine et de hauts amplis.

– Dis donc, c'est grand luxe chez toi… T'as piqué tout ça dans les supermarchés ? Sans jamais te faire prendre !

Elle siffla, admirative et ironique.

– Tu vas pas me faire un cours de morale, hein ?

Martine laissa tomber. Elle disait ça pour faire la conversation parce que, en fait, elle était très intimidée. Comme pour une première fois. En un sens, réfléchit-elle, c'en est une : la première fois que je vais faire l'amour avec amour. La première fois qu'elle attendait dix-huit jours. D'habitude, c'était plus direct : tu me plais, je te plais, on s'allonge.

Il lui tendit une bouteille. Elle le regarda boire à même le goulot et l'imita. En face du lit, des étagères ployaient sous le poids des disques.

– C'est que du rock ? demanda-t-elle.

– Non. Y a de tout. Avant, mes grands-parents vivaient avec nous, et j'ai hérité de leurs goûts. Ma grand-mère surtout…

Elle se leva pour regarder de plus près les disques de la grand-mère. Yves Montand, Charles Aznavour, Charles Trenet, Édith Piaf, Buddy Holly, Ray Charles, Carl Perkins, Johnny Burnete, Fats Domino, Verdi.

– De l'opéra ?

Elle dit ça avec un tel accent de surprise qu'il se sentit vexé.

– Je suis peut-être un petit truand, mais j'aime l'opéra.

– C'est pas ce que je voulais dire…

– C'est ce que tu as dit…

– Tu as d'autres passions cachées comme ça ? demanda-t-elle, essayant de faire la paix.

Il lui sourit.

– La moto. La musique. Et toi… Depuis…

– Dix-huit jours.

– J'avais pas compté. Mais ça m'a paru long…

Richard n'était pas précisément un garçon sentimental. Ce qui lui arrivait là était plutôt nouveau. Sa rencontre avec Martine l'avait ébranlé. Une fille complice de voleurs, ancienne voleuse, qui lui renvoyait ses vannes avec astuce, ne minaudait pas, gagnait sa vie, disait exactement ce qu'elle pensait… avait un gros cul. Elle était différente. Il en avait même laissé choir sa boîte d'allumettes alors que, d'habitude, il était plutôt balaise en jonglerie. Elle l'avait intimidé. Elle installait une distance entre les autres et elle. Non qu'elle fût snob ou méprisante, mais cette fille-là savait EXACTEMENT ce qu'elle voulait, qui elle était. Lui, il ne savait pas. Il faisait un peu de tout. Et, en plus, avec sa minijupe, ses paupières vertes et son sac qu'elle balançait du bout des doigts, elle avait vraiment de la classe. C'est ça : de la classe. Et puis, elle n'avait pas froid aux yeux. Il avait adoré le coup des talonnettes.

Il se rapprocha d'elle et lui passa le bras autour du cou. Martine se raidit. Dans sa tête, tout s'embrouilla. Plus envie. Pas maintenant. S'il te plaît, attends un peu. Attends. Comment dire ça à un garçon sans qu'il pense aussitôt : « T'as pas envie alors ? J' te plais pas ? » Ou alors il faudrait expliquer. Expliquer ce qu'elle ne comprend pas elle-même…

Il se pencha pour l'embrasser. Elle vit sa bouche tout près et recula.

– Richard.

– …

– Ça t'ennuie si… Enfin, si on…

– Tu veux que je mette de la musique ?

– Non.

– Que je ferme la porte à clé ?

De plus en plus difficile. Oh, après tout ! Pourquoi fait-elle toutes ces manières. L'envie va peut-être lui venir en route…

– Non… C'est pas ça…

– Que je ferme les volets ?

– NON.

Elle avait crié. Il s'écarta, stupéfait, et se leva.

– Mais, ça va pas ! T'es folle ou quoi ? Qu'est-ce que j'ai fait ?

Il le savait bien. Il n'aurait jamais dû revoir cette fille. Bien trop compliquée.

Il se mit à arpenter la chambre, les mains dans les poches, lui jetant des regards furieux.

– Pourquoi t'as enlevé ton vert sur les yeux et ta mini-jupe ?

– Parce que je croyais que t'aimais pas.

Oh, Richard, avait-elle envie de dire. Je t'en supplie, ne gâchons pas tout. J'ai pas envie d'aller vite. Tu comprends ça ? Pense à ta grand-mère et à ton grand-père. Est-ce qu'ils se sautaient dessus, eux ? Non. Ils se faisaient la cour. Pendant des mois et des années. Fais-moi la cour, s'il te plaît.

– T'as tort. T'étais mieux avant. Là, tu ressembles à n'importe quelle gonzesse.

– Merci. Merci beaucoup.

Martine se renfonça dans un coin du lit, ramenant ses jambes sous elle.

– Pas les chaussures sur le lit, s'il te plaît, fit-il en montrant du doigt ses mocassins.

– Excuse-moi.

Les chaussures firent cling-clong en tombant par terre.

– Tu veux qu'on aille faire un tour à moto ?

– Non… T'es gentil…

Puis, soudain, se ravisant, comme vieux Newton qui reçoit sa pomme et comprend tout, il demanda :

– C'est la première fois ?

Il s'était agenouillé près du lit et lui avait pris la main. Cette sollicitude soudaine pour une fausse vierge énerva Martine :

– Non. Justement. J'ai tellement baisé que je ne sais plus comment faire quand… c'est différent.

Richard se dégagea brusquement. Son sang napolitain se figea. L'honneur des Brusini était atteint. Il alla se coller contre la fenêtre, sa bière à la main. Muet.

Muette.

Depuis que je suis toute petite, je flirte dans la cage d'escalier parce que la porte de l'appartement est fermée ou que la télé gueule trop fort. À quatorze ans, je prends mon premier amant. Il a dix-huit ans et habite dans l'immeuble. C'était en plein mois d'août. On ne savait pas où se mettre. On errait dans les terrains vagues avec notre couverture sous le bras. Partout les gens pique-niquaient. On avait le fou rire. Finalement, on a échoué pas loin de l'usine des biscottes Gringoire et on a fait l'amour en reniflant l'odeur de gâteau. On riait encore et j'ai pas eu mal. On s'est revu deux ou trois fois sur la couverture et puis, un jour, je l'ai croisé dans l'escalier. Il était avec une autre fille et il m'a dit « Salut ». J'ai pas pleuré. Depuis longtemps, j'avais décidé de ne jamais pleurer pour un garçon.

Elle n'allait pas lui balancer tout son passé comme ça, d'un seul coup.

– Hé… Tu vas quand même pas me dire que je suis la première ?

Il ne répondit pas.

– Ni que je suis une fille et toi un garçon, et que les filles ça ne doit pas coucher avec n'importe qui ?

Il ne se retourna pas. Il but une gorgée de bière et se remit à inspecter le paysage de sa fenêtre.

– C'est ça, hein ?

Il ne dit rien. Posa sa bière. Alla fouiller dans ses disques, en sortit un, précautionneusement, de sa pochette, souffla dessus, l'essuya avec une chamoisine, le posa sur la platine. You've lost that loving feeling… You've lost that loving feeling, and now it's gone… gone gone ohohohyeah…

– The Righteous Brothers, précisa-t-il, glacial.

– Bon. Puisque c'est comme ça… je me casse !

Elle descendit du lit, remit ses chaussures, tapota le dessus-de-lit pour que tout soit bien en ordre puis, sur le ton mesuré et gracieux de la ménagère qui a accompli sa tâche, enchaîna :

– Je suis désolée. Pour tout. Pour tout à l'heure… Pour maintenant… Je ne sais pas ce qui se passe, mais je crois qu'il vaut mieux que je parte…

S'il disait un mot, au moins. Rien qu'un. Mais il chantonnait « you've lost that loving feeling » le dos tourné, le regard vers la fenêtre. Comme si elle n'avait pas parlé.

– Bon et bien au revoir, dit Martine au dos.

– Je vais te raccompagner, proposa-t-il mollement.

– C'est pas la peine, je descendrai sans bruit. Et si je rencontre quelqu'un, je dirai que c'était une erreur, que je me suis trompée d'adresse…

Il lui fit un vague signe de la main. Elle sortit, referma la porte et descendit les escaliers sur la pointe des pieds. Y avait même plus la voix des Shaddocks pour la consoler.

Je ne changerai pas, pensa-t-elle, une fois dans la rue. Je ne suis pas faite pour tomber amoureuse. Je m'étais bien promis de ne jamais tomber amoureuse. J'avais raison. Ma belle histoire d'amour aura duré dix-huit jours et quelques minutes…

Chapitre 9

La rentrée des classes, en ce lundi 15 septembre, eut lieu dans la grogne générale. Grogne des automobilistes devant le litre de super à un franc quinze, grogne des cheminots, grogne des petits commerçants qui défilaient dans les rues, grogne de l'UNEF qui bloquait les inscriptions en fac, grogne de l'EDF-GDF qui menaçait de couper les compteurs... La rentrée était chaude. Chaban-Delmas avait beau réunir des Conseils des ministres extraordinaires et multiplier les heures supp, rien n'y faisait.

Rue des Plantes aussi, on râlait. Pas par solidarité nationale, mais parce que chacune affrontait son lot de soucis et de petites misères.

Ungrun, de retour d'Islande, s'était fait chapitrer par la directrice de son agence pour avoir manqué les collections. Christina, la directrice, lui suggéra enfin de se faire enlever les poches sous les yeux. C'était gênant pour un mannequin junior. Ungrun, qui relevait tout juste de son opération des seins, renâclait.

Bénédicte était inquiète. Son stage au *Figaro* touchait à sa fin et elle ne savait pas encore si elle serait engagée et dans quel service. Depuis deux semaines, elle était affectée aux « Informations générales » et faisait des enquêtes sur le panier de la ménagère.

Pour quelqu'un qui s'était cru grand reporter en Irlande, le retour à la réalité était pénible. Émile essayait bien de la garder dans son service, mais cela ne s'annonçait guère facile. *Le Figaro* était toujours en crise, l'administrateur provisoire nommé jusqu'au mois d'août toujours en place et les problèmes toujours pas réglés. Bénédicte s'impatientait. En attendant, Émile prenait l'habitude de dormir rue des Plantes, et elle voyait avec inquiétude le jour où il suspendrait son pyjama à côté du sien…

Martine était mélancolique. Si elle ne connaissait plus ces moments d'égarement qui lui faisaient prendre la choucroute pour des snow-boots et rêvasser devant le pastis Ricard, elle finissait presque par les regretter. Regretter ces dix-huit jours d'attente fébrile où le temps était chewing-gum et ses nerfs billes de plomb. Elle était exaspérée aussi par l'ambassade des États-Unis qui lui avait renvoyé ses papiers en prétextant une écriture illisible. Il avait fallu qu'elle recommence tout, en lettres capitales, au Bic noir et qu'elle jure une fois de plus sur l'honneur avoir des parents pauvres et pas le moins du monde communistes.

Ils commençaient à l'énerver ces ricains avec leur phobie des pattes de mouches et du communisme. Clean, clean, clean…

Regina déprimait. Pas une seule proposition de rôle ni la moindre séance de photo. Il fallait qu'elle se rende à l'évidence : sa carrière était finie. C'est ce que lui avait fait comprendre, très adroitement, son agent, le jour où elle avait déjeuné avec lui. Restait plus que le mariage… Trente-trois ans, l'âge fatal de la reconversion avait sonné et si elle pouvait éviter le mont des Oliviers… Elle s'entraînait, rue des Plantes, à son futur rôle de femme d'intérieur. Elle avait de quoi : la vie à cinq posait un grand nombre de problèmes et elle se surprenait, quelquefois, à avoir les mêmes réactions mesquines que Valérie. Elle pensait à instituer certaines réglementations concernant le téléphone, les courses, le ménage, les étagères dans le réfrigérateur... « C'est ça, ou on prend une femme de ménage, menaça-t-elle un jour. J'en ai marre que tout retombe sur moi. » « Normal, répliqua Martine, c'est toi que ça dérange le plus... »

Depuis la proposition de Virtel, Juliette ne tournait pas rond. Elle ruminait son humiliation et en tirait des leçons. Si Virtel lui avait parlé ainsi, c'était sa faute. Elle n'avait pas su se faire respecter. Pour la première fois, elle comprenait que l'existence n'était pas seulement cette bande dessinée excitante qu'elle feuilletait, gourmande, la tête en l'air, l'humeur balançant au gré de ses caprices, de ses envies. Tout ce que je fais donne un sens à ma vie, l'infléchit... Je ne le savais pas. En le laissant me coincer derrière son bureau, m'emmener chez *Maxim's*, me baver dessus, je lui ai donné l'idée de ce marché de pute. Normal. On finit toujours par ressembler à l'idée que les autres ont de vous. Si on ne fait rien pour les faire changer d'avis...

Elle refusa de pleurer sur elle-même, de déclarer que tous les hommes étaient des salauds malgré toute l'envie qu'elle en avait. Elle décida de rétablir les rapports de force en le convoquant, lui, avant la date fatidique des huit jours.

Elle l'appela et lui demanda de la retrouver dans un café, rue des Plantes. Elle raccrocha sans lui laisser le temps de poser de questions.

Elle arriva, à dessein, en retard. Une demi-heure. Il attendait, renfrogné, devant deux ronds de bière. C'était un de ces vieux cafés, rescapés des néons et de la peinture fraîche, qui sentait la sciure et le vin rouge. Il s'appelait *les Platanes* en souvenir de l'arbre qui l'ombrageait autrefois. Du platane, il ne restait qu'un tronc scié, à gauche, en entrant.

Virtel portait un costume de tweed vert et une pochette jaune pâle. Il transpirait à grosses gouttes et s'épongeait le front. Juliette l'observa bien attentivement. Dans deux minutes, pensa-t-elle, je suis fauchée et sans emploi.

– Alors, ma petite Juliette ? commença-t-il en avançant la main.

Juliette se laissa tomber sur la chaise devant lui, se concentra une minute sur les rigoles de sueur qui coulaient le long de ses tempes, sur le cou de taureau qui débordait du col, les poils des oreilles…

– Bonjour, monsieur Virtel.

Il eut l'air surpris.

– Appelle-moi Edmond, voyons… Voyons.

– Je vous appelle monsieur Virtel et vous me vouvoyez. D'accord ?

Elle sentit qu'elle tremblait un peu. C'est dur d'avoir de l'aplomb. La première fois. Voulait pas être trop théâtrale non plus. Naturelle. Naturelle. Qu'il ne se rende surtout pas compte que je meurs de trac.

– Mais, qu'est-ce qui te prend ?

– Vous me vouvoyez ou je hurle…

– Non… Non…

Il lui fit signe de se calmer et promena un regard inquiet sur les deux gars qui buvaient au bar et le gros patron, descendant de Tarass Boulba, qui bavardait avec eux en essuyant ses verres.

– Bon. Venons-en aux faits ! déclara-t-il en commandant une troisième bière.

– Et un café, ajouta Juliette.

– Une bière et un café qui marchent, répéta le patron.

Juliette attendit que le café soit devant elle pour commencer :

– J'ai manqué d'à-propos l'autre jour… C'était pas la peine d'attendre une semaine, j'aurais pu vous répondre tout de suite… Mais, il faut dire que je ne suis pas habituée à ce genre de marché…

– Ce n'est pas un marché, voyons, Juliette, c'est un contrat.

– Ah oui… Vous m'appelez Mlle Tuille aussi. Comme moi, je vous appelle monsieur Virtel.

La haine lui remontait aux narines, et elle n'avait plus peur. Plus peur du tout. Elle prit même le temps de lui adresser un large sourire.

– C'est NON, monsieur Virtel. Définitivement NON. Je suis incapable de coucher avec quelqu'un dont je n'ai pas envie. Même pour beaucoup d'argent. Et je n'ai pas envie de vous. Pas du tout.

Il pianota sur la table de ses doigts boudinés. Il ne disait rien parce qu'il ne savait pas quoi dire. Il s'attendait si peu à ce qu'elle dise non… D'habitude, elles disaient oui. Il sautait de jeunes mannequins pour un billet de cinq cents francs ! Refuser tant d'argent… une situation si confortable ! Il ne comprenait pas. Il trouvait humiliant d'avoir fait une telle proposition.

– Vous faites une erreur… une très grave erreur, Ju…, mademoiselle Tuille. Vous ne réussirez jamais dans la vie. Vous n'avez rien compris…

– J'ai pas vraiment envie de comprendre.

– Des filles comme toi…

– Comme vous.

– … Je peux en trouver des dizaines… avez rien d'exceptionnel… C'était une occasion d'évoluer un peu… connaissez rien à la vie. Sans argent ni protection… irez pas loin.

Juliette sourit : ça lui écorchait les lèvres de lui dire vous.

Il tripota son verre de bière, puis demanda :

– Je vous dégoûte tant que ça ?

– Oui.

Il savait qu'il ferait mieux de partir. Tout de suite. Mais il n'y arrivait pas.

– Ce n'est pas ce que pense votre amie Regina.

– Ah ? Parce que Regina…

– Oui. Je l'ai eue dans mon lit. Jusqu'à ce que je la

trouve trop vieille. Elle me sert encore quelquefois. Cet été, pendant la croisière, par exemple... Elle est très amie avec ma femme. Je la paye pour qu'elle me rabatte des filles. Comme vous. C'était une affaire entre Regina et moi.

– Raté.

– Pour moi, sans doute. Pas pour elle. Elle touche sur chaque fille qu'elle m'envoie. Et vous savez comment elle gagne sa vie sinon ?

– Sais pas. Elle fait du cinéma ou des photos...

– Des pipes, ma chère, des pipes ! Ses petites leçons sont des clients qu'elle suce dans sa chambre.

Il se mettait en colère et il élevait le ton. Les trois hommes accoudés au bar se redressèrent et les regardèrent.

– Hein, ça dégringole les illusions ! On voit pas ça en province !

– On s'en passe très bien, monsieur Virtel...

– Vous voyez la vie en rose... Vous faites de l'esprit... Vous arrivez à Paris et vous trouvez normal d'être engagée à deux mille francs par mois, à mi-temps. Pas une seconde, vous vous dites que c'est à cause de votre cul. VOTRE CUL...

Cette fois-ci, il avait crié, et les hommes au bar suspendirent leur conversation pour essayer d'attraper des bouts de la leur.

– Calmez-vous ! Vous n'êtes pas dans votre bureau ici.

Puis, sur le même ton calme qu'elle avait décidé d'adopter :

– Vous êtes ignoble, Virtel. Ignoble. Mais la seule chose que vous oubliez dans votre système à base de gros billets, c'est que les gens sont libres, que JE suis libre... Et moi, j'estime qu'on est quitte. Je les ai gagnés vos deux mille balles. En vous présentant Milhal. Et largement ! Parce que vous allez vous en foutre plein les poches...

– Et t'auras pas un rond, pauvre petite conne !

Il avait répliqué avec un tel aplomb que, pour la première fois, depuis le début de leur conversation, Juliette fut heurtée. En lui rappelant sa fortune, elle lui avait rendu son pouvoir. Il réintégrait son personnage puissant et la traitait avec mépris. Elle ne sut plus quoi dire. La haine était tombée. Ses vieux complexes revenaient à tire-d'aile.

– Parce que c'est ce que tu es. Une pauvre petite conne !

Il articulait bien les mots pour qu'elle n'en perde pas une syllabe.

– Et tu ne feras jamais rien dans la vie. Jamais rien.

– Ça suffit, Virtel !

Elle se leva, jeta deux francs sur la table.

– Pour le café !

Elle sortit sans se retourner.

Les hommes au bar la suivirent des yeux, puis leur regard revint se poser sur Virtel. Quand il se vit observé, Virtel se secoua et marmonna à l'adresse des hommes :

– C'est une pauvre idiote... Elle reviendra. Elle reviendra me manger dans la main et je l'enverrai bouler. Vous verrez !

Juliette ne rentra pas tout de suite chez elle.

Elle avait besoin de marcher, de respirer, de récapituler. La tension était tombée et elle se sentait épuisée. Courbatue.

Elle avait reçu des coups partout, mais elle avait tenu bon. L'histoire de Regina l'avait atteinte presque plus que la hargne de Virtel. Regina... Elle n'arrivait pas à lui en vouloir, ressentait de la pitié pour elle. Et dire qu'elle m'impressionnait tellement quand je suis arrivée à Paris ! Ses amis, sa dégaine, ses conseils, ses photos sur le mur... Les mots de Virtel résonnaient dans sa tête. Pauvre petite conne, tu ne feras jamais rien...

Elle allait lui montrer. Elle allait leur montrer.

Elle commençait à comprendre comment tout ça marchait.

Elle n'avait que vingt ans mais, en ce moment, elle apprenait vite. Ce serait dur. Elle ferait encore des erreurs. Mais elle avait compris un truc : rien n'était gratuit. Il fallait voir les choses en face. Ne pas se laisser abuser et se rappeler la vieille loi du troc. Donnant donnant : l'homme est un commerçant pour l'homme. On est soi-même son pire ennemi pour se troubler la vue, pour se raconter de belles histoires. Parce qu'on veut toujours se donner le beau rôle. Et croire aux contes de fées, croire qu'on est la belle princesse endormie que le Prince Charmant va venir réveiller d'un baiser. Allongée sur le lit, les mains sur le ventre, peinarde en attendant qu'il franchisse les montagnes et les lacs, tue les dragons et les serpents, charme les crapauds et les licornes et vienne baiser votre cul de plomb... Que des mensonges ! On devrait brûler les contes de fées. Ne jamais les lire aux petites filles !

Elle dormait du sommeil de la Belle au bois dormant et un Prince Pas Charmant du tout l'avait réveillée d'un pinçon. Cruel et efficace. Bien fait pour moi... Finis les sommeils à la praline, les rôles de princesse nunuche qui balance son cul et sourit benoîtement en clignant de l'œil. Elle ôtait son hennin, envoyait valser ses pantoufles de vair, se faisait la belle et retournait au macadam, à la rue, voir ce qui se passait vraiment.

Troisième partie

Chapitre 1

Juliette avait pris une décision et entendait passer à l'action. Vite, vite. Ne pouvait même plus attendre pour étrenner ses grandes résolutions. Comme une belle robe neuve. L'inaction lui pesait. Il ne lui restait, pour remplir ses journées et les méandres de son imagination, que les polycopiés, les cours de droit et les trajets en Solex. Insuffisant pour une jeune personne qui a décidé de tout changer dans sa vie… Elle se sentait un peu seule aussi. Louis, après la Corse, était parti en Grèce. Pour réfléchir, lui avait-il dit au téléphone. Du moins était-ce ce qu'elle avait cru comprendre. La ligne était si mauvaise que, l'écouteur plaqué contre l'oreille, elle l'entendait à peine.

Réfléchir ?

Louis ?

À quoi ?

Elle lui avait dit deux mots de l'histoire Virtel. « Viens avec moi en Grèce, ça te changera les idées. »

Elle n'avait pas envie. Elle voulait prendre sa revanche tout de suite. Contre qui ? Elle ne savait pas très bien. Elle cherchait un moulin.

Un soir, elle appela Jean-François Pinson.

Il lui donna rendez-vous, d'un ton très las, dans un petit restaurant près des Champs-Élysées. Il était en retard ; elle s'assit et regarda autour d'elle : de larges fauteuils, des bergères, des bougies, de lourdes tapisseries aux

murs, de la musique classique et des couples qui chucho-
taient, enfoncés dans de moelleux coussins. Elle se sentit
terriblement seule et saugrenue. Les femmes semblaient
avoir dans les trente-cinq, quarante ans et portaient de
petites robes noires et des colliers de perles. Les hommes
étaient tous plus âgés, à l'exception de deux ou trois
jeunes assis au bar qui discutaient avec celle qui devait
être la tenancière des lieux. *Je suis sûre qu'ils parlent de
moi, qu'ils me trouvent mal habillée et pataude ; encore
un endroit où je ne vais jamais oser me lever pour aller
faire pipi.* Elle essaya de disparaître en s'enfonçant dans
la bergère… *Mais si je m'enfonce trop, il ne me verra pas
en arrivant…*

Enfin, il entra. Juliette encaissa l'habituel coup au
ventre. Pantalon de flanelle grise, blazer bleu marine,
écharpe de cachemire. Distingué et désinvolte. Il
embrassa la jeune femme du bar, dit quelques mots
aux jeunes gens. Son regard fit le tour de la salle jusqu'à ce qu'il repère Juliette. Puis il attendit encore un
peu avant de la rejoindre, un verre à la main. Au regard
dont il l'enveloppa, elle comprit qu'elle n'était pas
bien habillée : la robe chasuble empruntée à Bénédicte
n'allait pas. Et, pourtant, quand Bénédicte la portait…
Il l'embrassa distraitement. Ils commandèrent. La robe
chasuble faisait fondre lentement l'audace de Surcouf
et Scarlett. Ils parlaient de tout et de rien. Juliette
raconta ses déboires avec Virtel. Elle n'aimait pas ressasser cette histoire. C'était comme revenir en arrière,
ressentir une nouvelle fois cette sensation nauséeuse
d'échec et de souillure.

– Ma pauvre Juliette, ricana-t-il, tu es simplement en
train de faire ton apprentissage parisien.

Piquée au vif, elle répliqua :

– Mais je survis, je survis… Est-ce que j'ai l'air abattue ?

– Non, répondit-il avec un sourire. De toute façon, je ne sais pas ce qui pourrait t'abattre, toi…

Le sourire la fit sortir de sa robe chasuble, des coussins profonds et de son embarras. Surcouf tira son sabre, Scarlett son éventail. Juliette se redressa. Pour témoigner sa gratitude et affirmer sa nouvelle aisance, elle posa la question qui met tout homme à l'aise et lui donne l'avantage :

– Et vous, Jean-François, comment marche votre travail ?

C'était plus fort qu'elle : elle ne pouvait pas s'empêcher de le vouvoyer.

Il se rembrunit. Elle enchaîna. Parla de l'affaire Gabrielle Russier, de *Macadam Cow-Boy*, de *Jacquou le Croquant*, cherchant désespérément des sujets de conversation. Il l'écoutait à peine, roulait des miettes de pain sous ses doigts, avalait une bouchée de temps en temps.

– Jean-François !

Une femme grande et brune venait de poser son bras sur les épaules de Jean-François Pinson et l'embrassait. Juliette détourna les yeux. La femme s'en aperçut et, se collant encore plus près de lui, demanda :

– Elle a de quoi payer, cette petite ?

Jean-François tapota la main de la femme, mais ne fit rien pour qu'elle s'éloigne. Ne comprenant pas très bien le sens de la question, Juliette préféra regarder ses pieds. La femme s'adressa alors à elle, presque douce, presque maternelle :

– Dis-moi, mon petit, il te fait payer toi aussi ou c'est gratuit ?

Jean-François attendit un peu puis, d'une voix très calme, déclara :

– C'est pas la peine de t'énerver, ma chérie. C'est ma petite cousine de Pithiviers…

La femme brune regarda Juliette, fit : « Oh ! je suis

désolée » et repartit vers le bar en pouffant dans ses doigts. Juliette l'entendit dire, en passant, au garçon qui débarrassait une table : « Oh la la ! Je viens de faire une de ces gaffes ! »

– Gigolo, ma vieille ! Jean-François Pinson est gi-go-lo !

– Non !

– Si !

– Il te l'a dit ?

Juliette était assise en tailleur au bout du lit de Martine. Il était près de minuit et elle lui racontait sa soirée.

– Explicitement. « Tu sais tout, Juliette, je ne travaille pas, je vis de mes charmes. Et sans remords… C'est juste un peu fatigant parfois. C'est tout. C'est pour ça que j'aimerais ne pas me coucher trop tard, ce soir. » Il a demandé l'addition et on est partis. Dans la voiture, comme je devais avoir l'air un peu bizarre, il a ajouté : « C'est pas un drame, tu sais. C'est moi qui ai choisi de faire ça. On ne me force pas. Et si tu réfléchis un peu, c'est même moins difficile à vivre que notre bonne société de Pithiviers et son épaisse couche d'hypocrisie. » Et moi qui suppliais sainte Scholastique de me marier avec lui !

– Mais, tu lui as pas demandé de détails ? Comment il avait commencé ? Ce qu'il gagnait ?

– Ben non… J'étais tellement stupéfaite… Comme le jour où il m'a fallu deux chiffres pour écrire mon âge !

– Et après ?

– Il m'a raccompagnée. En arrivant devant la maison, il m'a attrapée par le bras. D'habitude, j'aurais fondu de plaisir. Là, j'ai eu peur. J'ai même pensé à l'assassin de Pithiviers, je me suis demandé si c'était pas lui. Il avait parlé de la vie à Pithiviers avec tant de haine ! Si, si, je te jure, j'avais peur. Il avait le regard fixe, dur, il m'a dit : « Juliette, je ne veux pas que ça se sache. Pas pour moi, je m'en fiche, mais pour mes parents. Promets-moi, Juliette. Promets-moi, sinon… » J'ai promis, en faisant une exception intérieure pour toi, et il a relâché la pression de ses doigts. Son regard est redevenu normal. Il m'a laissée sortir. Il a même attendu que je sois rentrée pour démarrer…

– Ach… ach… Tu imagines la tête des parents Pinson s'ils savaient ! Eux qui ont la bouche en forme de trompette à force de chanter les louanges de leur fils chéri…

Elles restèrent un moment silencieuses, imaginant les parents Pinson confrontés à la véritable vie de leur fils unique.

– Je peux dormir avec toi ? demanda Juliette au bout d'un moment.

Martine se poussa dans le lit pour faire de la place à Juliette.

– Et comment va l'odeur ? dit Juliette en rejoignant Martine.

– L'odeur ? fit Martine, étonnée.

– Oui. L'odeur d'aisselles qui t'avait mise K-O.

– Oh lui… Je l'ai oublié.

Martine n'avait pas raconté à Juliette sa soirée manquée avec Richard le voleur. Elle ne voulait même plus se la raconter à elle-même.

– Tiens, au fait… Louis a appelé ce soir. Il est rentré. Il voulait te voir…

– Louis ! Chic alors ! Qu'est-ce qu'il a dit exactement ?

– Il rappellera demain, dit Martine en bâillant.

– Je suis contente, je suis contente ! s'écria Juliette en gigotant dans le lit.

– Toi, dès qu'il est question d'un mec, tu frétilles. Je ne te comprends pas, tu es perpétuellement amoureuse.

Au début de la soirée, c'était le fils Pinson ; maintenant, c'est Louis…

– Oh non ! Louis, c'est autre chose…

– C'est quoi ?

– Chais pas. Ce doit être sexuel…

Martine soupira. Empêtrée dans ses propres contradictions, elle finissait par trouver la légèreté de Juliette énervante.

– T'es sûre que t'as pas attrapé une maladie honteuse avec ton gigolo ?

Juliette s'arrêta net de gigoter.

– Tu crois que c'est possible ?

– Avec toutes les femmes qu'il saute… Moi, j'irais me faire faire un examen et, en attendant, je m'abstiendrais…

Juliette soupira, découragée :

– Et qu'est-ce que je vais dire à Louis demain ? Il va mal le prendre, c'est sûr…

Il le prit mal et elle s'y prit très mal.

La soirée avait plutôt bien commencé. Au bar du *Lenox*. Il était bronzé, les cheveux plaqués en arrière, la mine rayonnante, le bout du nez brûlé. Il était beau, l'homme au visage de tortue, ce soir-là. Les femmes le regardaient, et Juliette se sentait fière, propriétaire. Aussi, quand après le dîner, il proposa d'aller rue des Plantes, elle accepta. Un peu inquiète quand même à l'idée de l'excuse qu'elle allait devoir trouver pour qu'il ne l'approche pas. Il ne connaissait pas la maison et décida de renverser Juliette sur les escaliers comme les anciens mariés qui portaient leur femme dans leurs bras en franchissant le seuil.

– Mais, c'est pas ça la coutume, protesta Juliette. Non, attends, attends, on pourrait nous surprendre…

– Toi, tu me caches quelque chose, hein ?

– Mais non, mais non… protesta Juliette en rabattant sa jupe.

Mais qu'est-ce que je vais trouver comme excuse ? pensa-t-elle en montant les escaliers.

Louis siffla d'admiration en regardant la chambre. Puis, il se laissa tomber sur le lit et rebondit plusieurs fois avant d'accorder une mention très bien aux ressorts.

Juliette demeurait debout, raide, embarrassée.

– T'as pas envie, je le sens, je le sens… Qu'est-ce qu'il y a ? T'es amoureuse d'un autre ?

Juliette secoua la tête, négative.

– Bon alors, c'est quoi ?

– Tu es parti longtemps, tu sais, et…

– T'as couché avec un autre mec ?

– Oui.

– Et il t'a mieux baisée que moi ?

Peu de chances de devenir romantique avec Louis. La princesse de Clèves et l'élévation de l'âme, c'était pas son truc.

– Non.

– Souvent ?

– Une fois.

– Je comprends rien. T'es pas amoureuse, t'as couché qu'une fois et tu ne veux pas que je te touche… Excuse-moi, je suis paumé. Je crois que je vais me casser, je déteste ce genre de situation…

Il s'était relevé, avait attrapé son blouson, l'avait enfilé. Furieux. Tirant sur sa fermeture Éclair, la maltraitant, pestant dans sa barbe de trois jours. Juliette priait la fermeture Éclair et sainte Scholastique que la situation se prolonge afin qu'elle trouve une issue. Sinon il partirait, c'est sûr… Mais ni l'une ni l'autre ne l'entendirent et il fut bientôt prêt à partir. Les mains enfoncées dans les poches, l'air bougon…

Il lui lança un dernier regard exaspéré, puis ouvrit la porte de la chambre et descendit l'escalier.

– Louis… Reste…

Elle criait, penchée par-dessus la rampe. Il continua à descendre.

– Reste… S'il te plaît…

Il ne l'écoutait pas. Elle lui courut après et atteignit la porte d'entrée juste avant lui, essoufflée, haletante, et débita dans un seul et même souffle :

– J'ai couché avec un mec et j'ai peur d'avoir attrapé quelque chose…

– Ah, nous y voilà ! Et tu ne veux pas que je l'attrape. C'est gentil de ta part et c'est très consciencieux.

Il l'écarta de la porte et sortit. Elle le suivit.

– Mais tu vas où ? demanda-t-elle.

– Retrouver une gonzesse qui n'a pas de microbes.

– Louis, s'il te plaît, arrête.

– Je fais ce qui me plaît et j'aime pas ce genre de choses. Pas du tout.

– Alors, il fallait que je ferme ma gueule.

– Fallait rien du tout. C'est ton problème.

Il avançait à grandes enjambées, et Juliette devait trottiner pour rester à sa hauteur. À un moment, elle lui posa la main sur l'épaule pour l'arrêter. Elle était fatiguée. Il retira sa main, brusquement.

– Tu fais chier ! cria-t-elle. Tu n'es qu'un chieur ! Je te déteste ! Tu peux te casser au bout du monde avec ta tronche de tortue et ton menton raté !

Il ne s'arrêta pas. Elle le regarda s'enfoncer dans la nuit. Encore un dos qui s'éloignait et la mettait au supplice. Dos d'homme fuyeur, dos d'homme qui m'abandonne…

Elle retourna vers la maison pour s'apercevoir, devant la porte fermée, qu'elle n'avait pas ses clés.

Chapitre 2

Juliette avait eu tort de s'inquiéter. Jean-François Pinson était bien gigolo, mais gigolo expert. Il allait de sa réputation et de son train de vie d'être toujours en bonne santé. Il consultait régulièrement un médecin. La règle d'or du parfait gigolo.

Il y en avait d'autres : ne jamais faire l'amour sans rémunération et surtout, surtout, ne jamais tomber amoureux. C'était la fin du boulot, la fin de la vie facile, des économies placées en Suisse, au Canada, la fin des belles voitures, des chemises de chez Charvet et des blazers Cerruti. Ceux qui tombaient amoureux partaient vivre quelque temps avec l'élue de leur cœur et revenaient vite à leur ancienne occupation. À moins que, menacés par la quarantaine, ils n'aient décidé de prendre leur retraite et de faire un mariage de raison.

Jean-François était arrivé à Paris à l'âge de vingt ans. Il voulait devenir pilote de course. Il économisa, prit des leçons, bricola des voitures, tourna sur des circuits. Ses parents ne lui versaient, à dessein, qu'une somme ridicule chaque mois, tout juste de quoi survivre, dans le secret espoir qu'il renoncerait et rentrerait à Pithiviers prendre la succession paternelle à l'étude Pinson. Mais Jean-François tenait bon.

Un soir, un de ses copains l'entraîna à Paris, dans une boîte de nuit. Ils se firent draguer par deux belles femmes, plus âgées qu'eux. Jean-François fut d'abord intimidé, essayant de cacher ses ongles bordés de cambouis, puis l'une des femmes posa sa main sur sa cuisse et il se détendit.

Il la suivit chez elle.

Le lendemain matin, quand il prit congé, elle dormait dans le grand lit bleu à baldaquin. Elle murmura quelque chose d'incompréhensible en désignant du doigt une enveloppe sur le guéridon.

– Pour toi… Pense que ça ira… Rappelle-moi…

Il se pencha, l'embrassa. Elle enfouit son visage dans l'oreiller et il lui murmura :

– Au revoir… J'ai aimé, tu sais…

Il avait envie de dire « je t'aime, merci », mais elle gardait le visage caché dans l'oreiller. Il remonta le drap et partit sur la pointe des pieds. C'était sa première vraie femme. La nuit qu'il avait passée avec elle ne ressemblait à aucune autre et il sentait son ventre se nouer rien qu'à se rappeler certains gestes, certaines paroles. Il ne pensa pas à ouvrir l'enveloppe.

Il retrouva son copain et ils firent le trajet retour ensemble. Jean-François regardait par la fenêtre de la Simca 1000 et avait des bouffées de bonheur.

– Alors, t'as touché combien ?

Le copain ricanait et essayait de se curer une dent de son ongle de pouce. Jean-François ne répondit pas.

– T'as pas eu de petite enveloppe, toi ?

Il se rappela l'enveloppe, la sortit, puis la remit dans sa poche décidant de la lire plus tard, quand il serait seul dans sa chambre.

– Ben… Tu regardes pas ?

– Non… plus tard.

– T'as pas envie de savoir combien elle t'a donné. Dis donc, t'es pas curieux, toi !

Jean-François reprit l'enveloppe et l'ouvrit. Elle contenait dix billets de cent francs et un numéro de téléphone.

– Pas mal, ma combine, hein ! C'est une boîte connue pour ça… J'y vais de temps en temps pour me refaire, et puis c'est pas désagréable…

Jean-François était muet. Payé pour faire l'amour ! Il n'arrivait pas à le croire. Cette femme merveilleuse, qui lui avait procuré tant de plaisir, lui donnait de l'argent en plus !

Il n'avait plus rien dit. Il évitait son copain. Il s'efforçait de penser que ces mille francs allaient lui payer un mois de leçons de pilotage.

C'est elle qui le rappela. Quinze jours après.

Quand il arriva chez elle, un bouquet de roses jaunes dans les bras, elle n'était pas seule. Elle avait invité une amie. Au bout de six mots, à force d'arriver en retard et fatigué sur les circuits, il abandonna la compétition. Parfois, il regrettait.

Il prit un bel appartement, connut des garçons qui faisaient le même « métier » que lui, eut un agent. Il aimait séduire, mais ne voulait ni fixer les prix ni organiser les rendez-vous. À vingt-huit ans, il possédait un appartement rue de Varenne, dans le septième, l'arrondissement de Paris où le mètre carré est le plus cher, un compte en banque en Suisse, un autre aux États-Unis. Il venait d'acheter un studio sur Park Avenue, à Manhattan, et projetait d'acquérir un terrain dans les Hampton, la campagne chic des New-Yorkais, et d'y faire construire. Il avait encore une dizaine d'années devant lui. Après, il serait trop vieux, vite fatigué. Dans ce métier-là, quand on commençait à tricher, on était foutu. Les femmes payaient très cher, et il ne fallait pas les duper.

Il menait donc une double vie. Pour sa famille et ses anciennes relations, il travaillait dans la pub ; pour les autres, il vivait de ses charmes. Il ne voyait que des professionnels comme lui. Il jouait au poker, sortait, était invité partout. Il avait appris à parler anglais, jouait au golf, portait le smoking et lisait le *Herald Tribune* et le *Financial Times*. Un vrai pro. À l'aise partout. Pas de ces minets minables qui sautent à la sauvette pour deux cents francs... Finalement, il était assez fier de ce qu'il faisait. Après tout, combien de jolies femmes vivent entretenues par leur mari sous le seul prétexte qu'elles sont jeunes et désirables ?

Mais à force de reproduire le même schéma – tendresse, caresse, prouesse, tendresse –, il finissait par ne plus très bien savoir quand il travaillait ou pas. En fait, se disait-il, je bosse tout le temps. Gentil, prévenant, attentif, il n'arrivait plus à se laisser aller, durant ses heures de loisirs, à piquer une colère ou à ne pas sourire à tout propos. Même sa réserve était encore une manière de séduire. Il enveloppait tout être humain du même sourire charmant, un peu las.

Il aimait bien aller chez ses parents à Pithiviers ; il lui revenait des images de l'autre Jean-François et il questionnait sans arrêt sa mère : « Et j'étais comment ? Je faisais ça ? J'ai osé dire ça à grand-mère ? C'est moi qui avais cassé le vase, t'es sûre ? Et tu m'as giflé ? » Il écoutait, étonné, les récits de sa mère et ressortait de vieilles photos. Il se regardait attentivement, à tous les âges, et refermait l'album, rasséréné. Un jour, il redeviendrait ce petit garçon... Pour le moment, il se contentait de son reflet dans les yeux des femmes. Il était devenu si habile à simuler l'amour qu'il lisait dans leur regard l'interrogation suprême : serait-il le même si je ne le payais pas ? Peut-être est-il amoureux de moi ?

Elles ne savent plus, elles doutent, se disait-il, je suis si habile que je les égare. J'aurais dû être comédien...

Un objet de désir. Un homme qu'on déshabille et qu'on habille. Il ne s'achetait rien lui-même. On lui offrait des boutons de manchettes, des costumes, des cravates en soie. On le sélectionnait parmi des dizaines d'autres photos chez son agent, on l'emmenait au restaurant...

Si avec la petite Juliette, il n'avait rien ressenti, c'est parce qu'elle n'avait pas payé. L'absence d'argent entraînait une absence de désir.

Il se jouait entre ses clientes et lui un ballet réglé par l'argent. Il fallait qu'elles y mettent le prix, puis qu'il leur fasse oublier ce prix. Qu'il fasse disparaître la boule de billets par la tendresse d'un baiser, les 20 % de l'agent par une caresse de tout son corps. Se mettre à leur écoute, deviner le fantasme secret à un tremblement de paupière, un frémissement de lèvre, endosser successivement l'uniforme du petit page, du macho, du voyou tout cuir, du papa en trois-pièces. Pour finir toujours en confident.

Il avait honte de la manière dont les femmes se confiaient à lui, des petits détails intimes et répugnants qu'elles lâchaient sur leur mari avec la précision et la froideur de la haine longuement accumulée et distillée avec gourmandise. Il avait envie de se boucher les oreilles, mais elles en rajoutaient, fouillant dans le secret de leurs alcôves à la recherche d'une manie, d'un détail salissant. Il les prenait en horreur. Mais il ne devenait pas pour autant complice des hommes, des maris trompés. Eux aussi, il finissait par les haïr : haïr leur suffisance, leur morgue, leur petit plaisir vite expédié...

Alors, quand il se sentait écœuré, fatigué, il rentrait chez lui et branchait le répondeur. Absent. Il faisait des puzzles pendant des heures. Seul. Ou il échafaudait des plans de reconversion, comptait ses gains en Bourse, ses intérêts sur ses comptes étrangers, regardait des photos de son appartement de New York ou de son terrain dans les Hampton...

Dans dix ans, il aurait gagné suffisamment d'argent pour s'installer aux États-Unis et vivre de ses rentes. Alors, il profiterait de la vie et apprendrait à vivre rien que pour lui.

Chapitre 3

Émile était parti en reportage au Cambodge, laissant Bénédicte et Jean-Marie Nizot seuls dans le bureau du service « Étranger ». Auparavant, il avait réglé le problème de Bénédicte ; elle était embauchée pour trois mois, à l'essai ; mais il ne faisait guère de doute que l'essai serait transformé en contrat définitif. Pour cela, Émile avait dû intriguer auprès du rédacteur en chef, M. Larue. « Laisse-moi faire, avait-il recommandé à Bénédicte. Ton engagement, je m'en charge. Contente-toi de sourire à Larue quand tu le croises dans les couloirs. »

Ça avait marché. Bénédicte était soulagée. Libre d'imaginer les mille et une manières dont allait se dérouler sa carrière. Pour le moment, elle était seule avec Nizot.

Elle aimait l'observer le front penché sur une documentation ou un livre. Elle le trouvait fin, distingué. Voilà le genre d'hommes que j'aime, se disait-elle, mais pourquoi n'a-t-il pas aussi l'ambition d'Émile ? Il serait parfait… Elle soupirait et revenait au délicat profil : le nez aquilin, les cheveux noirs et lisses, une mèche tombant sur le front, la peau mate au grain serré, le sourire éclatant ; il se dégageait de lui un charme, une sensualité un peu surannée qui donnait envie de s'abandonner dans ses bras comme sur le vieux siège en cuir d'une belle Torpédo. Grand et mince, presque maigre, il était toujours très bien habillé mais sans ostentation.

À l'anglaise : des cols un peu limés, des vestes légèrement avachies, taillées dans du tweed ou du cachemire
de première qualité. Il sentait bon l'étiquette.

Bénédicte était très sensible au vêtement et reprochait
à Émile, sans jamais oser lui dire, de manquer de classe.
Émile qui transpirait dans des cols roulés en acrylique
ou des costumes semblant sortis tout droit du Carreau du
Temple. Pas étonnant qu'elle n'ait pas très envie d'un
homme attifé de la sorte. Je sais, je sais, c'est l'âme qui
compte, mais moi j'aime bien quand c'est beau dedans
et dehors. Réversible…

Jean-Marie Nizot était issu d'une vieille famille lyon-
naise qui avait fait fortune dans la verrerie. Dès 1830, la
ville, qui avait assisté autrefois au martyr de Blandine,
fut approvisionnée en charbon incitant Ferdinand Nizot,
riche soyeux lyonnais, à se lancer dans l'industrie du
verre. Homme d'affaires curieux et avisé, Ferdinand
s'intéressa également aux techniques nouvelles de la
houille blanche et de l'automobile. Il mourut très vieux
et parfaitement conscient qu'aucun de ses fils ou petits-
fils ne reprendrait le flambeau. Sa dernière phrase,
« tous des incapables », ne laissa aucun doute sur sa luci-
dité. L'entreprise périclita vite en effet. La famille dut se
replier dans sa propriété d'Oulins et vivre de ses rentes.
Le père de Jean-Marie préféra le suicide au déshonneur
de la faillite, et sa mère le remariage au titre de veuve de
suicidé failli. Elle épousa un Brésilien argenté et s'éta-
blit à Rio laissant le petit Jean-Marie, alors âgé de deux
ans, aux soins de sa grand-mère paternelle.

Jean-Marie prit très jeune l'habitude de s'isoler de
longs après-midi dans le grenier de la vieille maison,
adossé contre une toile de maître qui attendait, comme
tant d'autres, l'avis de l'expert et le marteau d'une salle
de ventes. Enfoui dans des éditions anciennes des *Illusions perdues*, de *Lamiel*, du *Rouge et le Noir*, de
l'*Éducation sentimentale* et vivant sa vie au gré de ses

lectures. C'est ainsi que, pendant quinze jours, il se prit pour Julien Sorel et tomba gravement amoureux de sa maîtresse d'école. Il dut garder le lit et ne recouvra la santé qu'aux derniers mots du roman. Le médecin, perplexe, regardait ce jeune malade qui se rétablissait aussi vite qu'il s'était alité, et sa grand-mère, enchantée de le voir à nouveau gambader, allait répétant partout que les études ne servaient à rien et que le bac était réservé aux gens qui n'avaient pas de relations. Elle avait des relations qui, Dieu merci, avaient survécu aux divers déshonneurs de la famille. Elle lisait assidûment le carnet mondain du *Figaro* – elle en connaissait le directeur pour l'avoir autrefois inscrit sur son carnet de bal – et elle eut ainsi l'idée d'envoyer son petit-fils au rond-point des Champs-Élysées avec un mot écrit de sa main dès que Jean-Marie manifesta le désir de «faire quelque chose». Jean-Marie n'eut qu'à choisir le service où il désirait être affecté.

Il prit l'étranger. Par romantisme ou idée reçue, il ne savait pas très bien. La politique française lui paraissait bête, répétitive. Il était naturellement de droite, conservateur, mais ne votait pas pour autant. Il trouvait son époque matérialiste et gloutonne. Il était surpris, à la fin de chaque année, de voir son salaire, indexé sur l'inflation, augmenter automatiquement. «Gosse de riches», se moquait Émile Bouchet.

Jean-Marie jugeait Émile Bouchet vulgaire et déplaisant. S'il reconnaissait ses talents de reporter, il ne faisait rien pour entrer en compétition avec lui. Il détestait partir en reportage, préférait rester à Paris et écrire ses articles d'après des piles de documentation. De temps en temps, il levait les yeux sur la liste des conseils du parfait petit journaliste épinglée au-dessus du bureau de Bénédicte et souriait. Émile Bouchet avait commencé une collection de boules en verre, avec de la neige quand on agite, pour imiter et flatter Larue qui en avait une depuis longtemps. De chaque reportage, Émile rapportait une boule. « Et c'est très important que le nom de la ville soit inscrit sur un petit support à l'intérieur… c'est ça qui donne toute sa valeur à la boule », expliquait Émile.

Un soir, Jean-Marie eut envie de savoir ce qu'une fille comme Bénédicte Tassin faisait avec Bouchet. Il ne comprenait pas. Ou plutôt si… Mais ça lui paraissait trop simple, trop cru, trop déjà vu… Il l'invita à dîner. Un jour, au journal, il avait glissé dans une conversation qu'il aimait bien les femmes en noir. « Quand une femme met du noir, on ne voit qu'elle », avait-il dit, rêveur, pensant aux longues robes de sa grand-mère ou de ses tantes dans le jardin d'Oulins. « L'œil ne se perd pas dans des couleurs voyantes. »

Le soir où Bénédicte le rejoignit dans un petit restaurant du quai Voltaire, elle portait une robe noire. Ainsi, elle voulait lui plaire.

Il n'eut plus envie de la séduire.

Il parla de lui.

– Je reste des heures assis devant ma machine et j'écris des lettres. À des amis. Je leur glisse des histoires qui les font rire aux larmes… Mais je ne veux pas seulement raconter des histoires, je veux qu'il y ait un sens derrière mes histoires, un sens qui donne une morale à mon écriture. C'est pour cela que le journalisme me pèse. On ne me laisse jamais aller plus loin que les faits, et moi je veux aller voir derrière…

– Je ne savais pas que tu voulais devenir écrivain, répondit Bénédicte, admirative.

– Tu sais ce qu'on dit du journalisme ? reprit Jean-Marie que l'admiration silencieuse de Bénédicte ennuyait.

– Qu'il mène à tout à condition d'en sortir…

Il lui sourit. Elle connaissait ses classiques.

– Et tu as très envie d'en sortir ? lui demanda-t-elle.

– Oui… Très vite.

– Pas moi. Moi, j'ai envie d'y réussir très vite.

Ah bon ! Il comprenait maintenant pourquoi elle sortait avec Émile Bouchet. Mais il ne résista pas à l'envie de lui poser la question.

– Oh ! Émile ! fit-elle en accompagnant sa moue d'un geste vague de la main, renvoyant le pauvre Bouchet au dernier rang près du radiateur avec les cancres.

– Je croyais que…

– Qu'il y avait quelque chose entre nous ? Mais non. Pas du tout. Mais il n'arrête pas de me coller. C'est ennuyeux !

Elle eut un petit sourire canaille qu'il ne lui avait jamais vu auparavant.

– Non… C'est un bon copain, sans plus… Il m'aide beaucoup, c'est vrai. Qu'est-ce qu'on raconte au journal ? Que je suis avec lui ?

– C'est l'impression que vous donnez en tout cas.

– Oh ! Je suis terriblement ennuyée… J'ai essayé de lui faire comprendre combien ça pouvait être gênant pour moi.

Plus elle mentait, plus elle avait l'air sincère. Et sincèrement désolée.

– On n'est pas là pour parler d'Émile, interrompit Jean-Marie que cette conversation finissait par gêner.

– Non, mais j'aime pas ça. Va falloir que j'aie une explication avec lui quand il sera rentré… Tu as lu Beckett ? On parle de lui pour le Nobel cette année. Tu savais ?

Il la regarda, stupéfait. Quelle comédienne ! Elle éliminait Bouchet d'un accent circonflexe de sourcil et reprenait son entreprise de séduction en lançant le nom de Beckett.

Il parla de Beckett.

Puis il la ramena chez lui. Elle ne fit aucune difficulté. C'était la suite logique de la robe noire, du mensonge à propos de Bouchet et de Beckett.

Il était seul, ce soir-là. Elle était belle. Elle était la femme d'un autre. Il n'avait d'aventure qu'avec les femmes des autres.

Après cette première nuit, Bénédicte décida de consolider ses rapports avec Jean-Marie Nizot afin que la situation soit installée quand Émile rentrerait. Jean-Marie se révéla difficile à circonvenir. Au bureau, il se montrait cordial mais, chaque soir, il était pris. Elle fit une discrète enquête au journal pour savoir s'il avait une petite amie régulière. Mais non… tout le monde l'assura que, si on le voyait souvent avec des filles, ce n'était jamais avec la même. « Il me le faut, il me le faut », se répétait-elle en mettant au point des stratagèmes qui, tous, échouaient. La nuit passée avec lui avait été si différente de toutes celles avec Émile. Elle s'était montrée entreprenante, elle devait le reconnaître, mais elle n'avait pas eu besoin de se forcer. Elle avait tout de suite aimé son corps, son odeur, sa manière de se déplacer, de l'embrasser. Il était doux et fort et savant et… Mais il ne manifestait pas la moindre envie de recommencer.

Elle envisageait toutes les hypothèses : peut-être est-ce pour me tester parce que je me suis offerte trop facilement ? que je lui ai ravi son rôle de séducteur… peut-être ne lui ai-je pas plu ? ou a-t-il des remords vis-à-vis d'Émile ?

Émile devenait gênant tout à coup. Elle se prenait à souhaiter qu'il meure déchiqueté par une grenade. Ça arrangerait tout. Et elle pourrait s'habiller en noir quelque temps…

Elle se promettait de ne pas faire le premier pas. Elle le surveillait du coin de l'œil. Il était au téléphone et parlait tout bas. À qui ? Mais à qui ? « Réforme de l'École polytechnique : les jeunes filles pourront désormais y

entrer », disait le titre en page cinq. Ça l'épaterait peut-
être que je fasse Polytechnique. Un tricorne sur la tête,
une épée sur le côté. C'est même pas sûr… Et si je
donnais une soirée rue des Plantes ? Je pourrais l'inviter.
Ce serait anodin.

Elle se décida pour le samedi suivant. Elle n'avait pas
de temps à perdre.

Jean-Marie Nizot accepta. Il se dit qu'il viendrait avec
une jeune fille qu'il essayait d'amener dans son lit et
qui offrait quelque résistance. Il aimait qu'on lui résiste.
Les jeunes filles, aujourd'hui, ne savaient plus résister.

Chapitre 4

Juliette s'est fabriqué une planche à bain. Assez large pour y poser journal, pomme, théière et livre. Elle passe des heures dans sa baignoire. Jusqu'à ce que la peau autour des ongles devienne toute molle et qu'elle la déchiquette de ses dents. Petites peaux blanches comme les cadavres de noyés. Blanches et molles...

Elle se sent bien dans son bain en ces temps où les couvercles de confiture tombent toujours du mauvais côté. Mauvais présage... Dans la baignoire elle a une consistance, un début et une fin. Elle voit son corps, le touche, touche sa tête, fait sortir ses pieds de l'eau. Elle est entière. Dans la vie, ce sont des petits bouts d'elle qui flottent : un bout à la fac, un bout rue des Plantes, un bout qui cherche du travail, un bout qui dort dans des lits inconnus. De temps en temps, elle entend sa voix et se dit : « Tiens, c'est la voix de ce bout-là. » J'ai plusieurs voix parce que je ne sais pas encore qui je suis, j'ai plusieurs amants parce qu'ils me rassurent.

Louis Gaillard est parti tourner des westerns spaghetti en Italie. Il affirme que sa carrière en France est foutue.

Ils s'étaient réconciliés après la dernière dispute qu'ils avaient baptisée « la dispute du microbe ». Juliette l'avait rappelé. Ils s'étaient donné rendez-vous au *Lenox*. Il était là, allongé sur le lit, quand elle avait ouvert la porte. Elle s'était précipitée pour l'embrasser, mais il l'en avait empêchée.

– Fais-moi la putain.

Elle avait reculé, effrayée. Il avait sorti deux billets de cent francs de sa poche et les avait posés sur la table de nuit.

– C'est pour toi. Allez, vas-y.

– Mais, je sais pas…

– Tu sais pas ? Invente.

– Mais pourquoi ?

– Tu veux pas ?

Il avait repris les billets et se levait.

– Louis !

– Oui ?

Il avait reposé les billets, calé un oreiller derrière son dos, allongé ses jambes comme s'il se préparait à assister au spectacle.

Elle traversa la pièce, prit les deux billets, les examina et les mit dans son sac. C'est comme ça qu'elles font les putes. « Il n'y a que les princes, les voleurs et les filles qui sont à l'aise partout », avait dit Balzac. Elle serait les trois à la fois : une pute royale extorqueuse de billets. Elle se déshabilla lentement, face à lui, en le regardant droit dans les yeux puis alla s'asseoir dans une bergère et, croisant les jambes de manière qu'il n'aperçoive d'elle que le strict minimum, elle se caressa, doucement, ne lui offrant que son visage aux yeux clos, sa main entre les cuisses et l'arc de son corps tendu vers le plaisir.

– Salope, grogna-t-il, viens ici.

Elle ne bougea pas. S'abandonnant à son plaisir, laissant échapper quelques soupirs.

Il la rejoignit sur le canapé, arracha sa main de ses cuisses et plaqua sa bouche, ses doigts, fit glisser sa salive sur le corps de Juliette.

Juliette frissonne dans le bain. Sa main trouve le chemin de son ventre et descend, descend…

Avec Louis, elle se sent hardie. Il la force à relever des défis.

Il a envoyé une carte chez ses parents à Pithiviers :

« Bien chère Juliette,
Il fait beau, je mange bien, je dors bien, je visite les
musées et trouve l'art de Véronèse très beau, très
pictural, d'une tonalité tout à fait émouvante, mais
je préfère quand même Leonardo da Vinci. J'ai
aussi vu de très beaux Goering. Je t'en parlerai plus
longuement lorsque nous nous verrons. Je te souhaite un pieux Noël et t'embrasse respectueusement.
                                        Frère Louis. »

Son père avait secoué la tête, songeur : « Je ne savais
pas qu'il y avait des Goering en Italie. »
Il téléphonait parfois.
– Tu rentres quand ? demandait Juliette.
– Pourquoi, tu t'ennuies de moi ?
– Je m'ennuie tout court.
Il ne savait pas quand il rentrait.
– T'es amoureux ?
– Non et toi ?
– Non plus. T'as des histoires ?
– Oui… sans plus. Et toi ?
– Pareil.
Elle collectionne les hommes d'après un scénario
immuable : rencontre du héros, édification d'une statue,
vénération de l'idole, renversement et mise à sac de la
statue. Durée : deux jours, deux semaines, deux mois…
Personne ne résiste.
   Un garçon qu'elle rencontre à une soirée où Regina
l'a traînée la tient immobile, souffle coupé, sur le seuil
de la porte d'entrée. Toute la soirée, elle ne voit que
lui, frissonne quand il la regarde, brûle s'il lui tend
une cigarette et manque de s'évanouir lorsqu'il lui
demande son numéro de téléphone. Il n'appelle pas tout
de suite et elle tremble. Fait le guet près du téléphone,

soupçonne les P. et T. d'avoir mis la ligne en dérangement, et quiconque approche du poste de vouloir sabo-
ter sa romance. Elle ne sort plus, parle à peine et
pendant deux jours hisse la statue du héros, la décore de
fleurs, de couronnes, de gerbes multicolores. Il appelle.
Il dit qu'il veut la voir. Elle passe trois heures à se
préparer, essaie tous ses vêtements, aucun ne va, court
vers le café où il l'attend, vérifie une dernière fois dans
le reflet de la porte tambour si ses cheveux sont bien en
ordre, pénètre dans la salle, piétine en ne l'apercevant
pas tout de suite et s'arrête net. Il est là, il lui tourne le
dos, voûté, dans un caban blanchi par le temps et
quelques pellicules, des petits cheveux fins dépassent
sur le col… Elle s'engouffre dans la porte tambour à
toute vitesse et ressort sur le trottoir, essoufflée. Mais
qu'est-ce qu'il lui a pris de fantasmer ainsi… Il est nul,
ce mec, pas beau, et bête, même de dos.

D'autres fois, cela dure plus longtemps. Comme avec
Étienne… Il vient dîner rue des Plantes ; il spécule sur
les cours du café et du cacao. Il a d'irrésistibles yeux
verts, et Juliette se jette contre lui. Il la repousse, étonné,
puis cède. Juliette vit alors deux semaines de passion
totale, écrasée contre le torse protecteur d'Étienne.
Étienne est un homme d'affaires puissant, le plus puissant de tous, et un amant merveilleux. Le cacao et le
café, c'est passionnant. Elle est prête à l'épouser et à
devenir une mère pour ses deux enfants.

Un jour, il lui propose de partir en week-end avec lui
chez des amis. Ils conviennent qu'elle passera le prendre
en taxi en bas de chez lui puis qu'ils prendront le train
pour Cabourg. Elle monte guillerette dans le taxi, donne
l'adresse d'Étienne en chantonnant et rêve : « On se pro-
mènera sur la plage, on ira manger des crêpes, on louera
des bicyclettes et on pédalera dans les vagues. Le soir,
on fera du feu et on regardera les flammes, blottis l'un
contre l'autre. En revenant… peut-être… il me deman-

dera en mariage et je dirai oui, oui, oui. » Elle se blottit dans le coin de la banquette et rosit de plaisir. Sa vie, soudain, a un sens. Virtel avait tort. Moi aussi, j'avais tort de me perdre dans des histoires sans suite. Papa et maman avaient raison. Ils l'aimeront bien, Étienne, c'est sûr. Le taxi tourne dans la rue des Archives et prend la rue des Millegrains. Il doit être en bas à attendre. Juliette se penche par la fenêtre et le voit.

Le voit.

Se rejette de toutes ses forces contre le dossier. Il est ridicule avec cette petite valise marron au bout de son petit bras.

Elle se ratatine dans le taxi, se ratatine dans le train, se ratatine dans le lit quand il veut poser sa main sur elle. « Ne me touche pas ou je crie », parvient-elle à articuler les lèvres blêmes. Il ne comprend pas. Demande des explications. Elle se retourne et se raidit. Il n'y a pas d'explication. Il y a une petite valise, un petit bras, un petit costume, un petit train, un petit mec. Mais qu'est-ce qu'il m'arrive ? Je deviens folle. Elle a envie de pleurer et mord le drap.

Le lendemain, comme Étienne a l'air triste, elle flirte ouvertement avec un garçon venu tout seul, dort avec lui dans la chambre qui jouxte celle d'Étienne et repart avec lui. Elle l'abandonne deux jours plus tard. Préfère encore passer ses soirées avec Martine.

Quand Bénédicte avait annoncé qu'elle donnait une surprise-partie, Martine avait haussé les épaules. Juliette l'avait rejointe dans sa chambre et l'avait fait parler. De Richard le voleur.

– Tu dis qu'on perd son énergie à être amoureuse, lui avait fait remarquer Juliette. Mais, toi, tu es en train de la perdre à ne pas vouloir être amoureuse…

Martine avait fait la moue, puis avait lâché :

– De toute façon, je ne fais rien que des bêtises. C'est pas mon truc, l'amour…

Elle lui avait raconté sa visite chez Richard. Juliette avait retenu la description des lieux, localisé le bar-tabac des Brusini et s'y était rendue un soir. Richard l'avait reçue dans sa chambre et lui avait offert une bière. Juliette l'avait invité à la soirée de Bénédicte.

– Elle dépérit, Martine, depuis qu'elle ne vous voit plus…

– Elle sait pas ce qu'elle veut cette gonzesse, avait-il grommelé en regardant par la fenêtre.

Moi, je sais pas ce qu'elle lui trouve, avait pensé Juliette. Il est pâlot, plutôt maigrichon, le nez écrasé et les jambes arquées. En plus, la décoration de sa chambre est ridicule.

– Moi, je sais ce qu'elle veut. Elle veut vous voir. Elle ne serait pas dans cet état-là sinon…

– Pourquoi elle vient pas me le dire elle-même ? Pourquoi elle se tire quand je l'embrasse en m'affirmant qu'elle a baisé avec le monde entier ?

– Écoutez, ça c'est votre problème… Moi, je la connais bien, Martine, et je peux vous dire qu'elle est amoureuse de vous. Maintenant, vous vous débrouillez…

Il était venu à la soirée rue des Plantes. Ou, plutôt, il s'était faufilé par la porte entrebâillée et avait attendu dans l'entrée. Près d'une heure. Enfin, Martine était passée dans le vestibule. Elle montait dans sa chambre pour changer de collants et recoller ses faux cils. Il la siffla doucement…

Le lendemain, ils prirent leur petit déjeuner tous ensemble. Martine était embarrassée. C'était la première fois qu'elle introduisait un homme à la table du petit déjeuner. Regina mit tout le monde à l'aise en demandant à Richard s'il était célibataire et s'il ne voulait pas l'épouser. « Je devrais bien finir par me trouver un mari avec tout ce passage », soupira-t-elle. Elle continuait à recevoir des clients à domicile et ils venaient quelquefois boire un verre au salon. Seules,

Martine et Juliette étaient au courant. Bénédicte ayant été jugée trop collet monté pour pouvoir encaisser la nouvelle...

Ce même matin, Bénédicte faisait la gueule. Quand Jean-Marie Nizot était arrivé, accompagné d'une ravissante jeune fille, Juliette avait bien vu que Bénédicte laissait en plan tous ses invités pour se précipiter vers lui. « Pas mal, pas mal, ce petit jeune homme », s'était dit Juliette ; mais elle s'était maintenue à distance de peur d'irriter Bénédicte. Il vint plusieurs fois lui demander de danser. Elle refusa. À la fin de la soirée, alors qu'elles rangeaient la vaisselle dans la cuisine, Bénédicte avait intercepté Juliette et lui avait lancé :

– Merci pour Jean-Marie Nizot... Comme si t'en avais pas assez comme ça !

– Mais j'ai rien fait, avait protesté Juliette. J'ai même pas dansé avec lui !

– C'est ce que disent toutes les allumeuses ! Tu crois que je t'ai pas vue peut-être !

Elle était sortie en claquant la porte. Juliette avait regardé Regina, Ungrun et une autre fille qui essuyaient les verres, stupéfaite.

Allumeuse, allumeuse, avait-elle maugréé. Comme si elle n'avait pas envie de l'allumer, elle, le petit Nizot. Elle est jalouse, ma parole ! Mais de quoi ?

Bénédicte enviait la faculté de séduction de Juliette. Il est vrai que si l'on détaillait chacune des deux filles à l'aide d'un compas et d'un centimètre, Bénédicte était la plus parfaite. Mais il suffisait que Juliette pénètre dans une pièce pour que neuf mâles sur dix viennent se ranger à ses genoux.

Pendant quelques jours, les deux filles se firent la guerre. Juliette alla se réfugier chez Charles Milhal.

Elle lui demanda la permission de l'appeler Charlot. Il dit que ça lui allait. Il s'était pris d'affection pour Juliette et l'avait invitée plusieurs fois dans son pavillon de l'île de la Jatte. Au début, elle lui demanda de ne jamais parler de Virtel. « J'ai pas encore cicatrisé. »

Charles Milhal travaillait sur un nouveau béton encore plus léger, plus résistant mais, celui-ci, il se promettait bien de ne pas l'abandonner aux mains avides de Virtel.

L'eau du bain s'est refroidie et elle tourne le robinet d'eau chaude du bout de ses doigts de pied. Reprend le journal. « Après une lettre ouverte d'Alain Delon au président Pompidou, maître Roland Dumas réclame de nouvelles mesures dans l'instruction de l'affaire Markovitch… »

L'affaire Markovitch, ça lui plaît bien : des gens célèbres, un crime, des soirées scandaleuses et un suspense tenace…

Elle se verse une tasse de thé, feuillette encore le journal et pousse un cri. Si fort que Martine accourt.

– Mais, qu'est-ce qui se passe ? demande Martine. T'as quelque chose ?

– Moi non, mais écoute…

– Tu m'as fait une de ces peurs ! J'ai cru que tu t'étais électrocutée ! Oh la la…

– Écoute, écoute. T'es assise ? « Le sadique de Pithiviers menace : je frapperai avant la fin du mois. M. Tuille, président de l'Association des parents de Pithiviers, a reçu cette lettre qu'il nous communique, lettre dans laquelle l'odieux sadique menace de commettre un nouveau crime dans les quinze jours qui suivent… »

– Mon Dieu ! murmure Martine, effondrée sur son tabouret.

Elle sort de la salle de bains. Elle veut appeler ses parents. Juliette reste à lire la suite de l'article. « Émoi dans la population… lettre arrivée dans la nuit… la police sur les dents… l'insolence de l'assassin… M. Tuille déclare… »

Elle laisse tomber ses bras dans l'eau du bain et le journal se ramollit…

Songeuse.

Pithiviers, autrefois si calme, si calme…

Chapitre 5

Regina avait d'autres préoccupations en tête que le meurtrier de Pithiviers. D'ailleurs, Regina aurait été bien en peine de situer Pithiviers sur la carte de l'Hexagone. De la France, elle ne connaissait que les hauts lieux de sa géographie personnelle : Rambouillet, Saint-Tropez, Val-d'Isère, Deauville, Régine, Castel et, depuis peu, la rue des Plantes. Enfin, son bon sens lui interdisait de s'imaginer, une seconde, « victime », encore moins victime d'un sadique.

Non. La préoccupation essentielle de Regina se résumait à ce casse-tête binaire : trouver un mari et une femme de ménage. Le mari semblant un objectif nettement plus difficile à atteindre ; elle se concentra sur la femme de ménage.

La vie quotidienne rue des Plantes devenait impossible. Elle était la seule à se préoccuper des « détails » – c'était le terme employé par ses co-locataires – tels que la vaisselle dans l'évier, les cendriers pleins, les carreaux sales. Elle en déduisit que c'était à elle de s'organiser. Elle trouva une femme de ménage.

Rosita était de ces femmes fortes, autoritaires, au teint rubicond, difficiles à franchir. Espagnole, elle avait quitté son pays lorsque son père, grand propriétaire terrien de Castille, avait appris qu'elle s'était amourachée d'un « rouge ». Rosita avait dû fuir. Par une nuit de décembre 1947, elle avait suivi Kim Navarro, son galant, et le passeur, à travers de petits chemins escarpés. Le cœur gros : elle laissait derrière elle treize frères et sœurs, une mère qu'elle chérissait et une vie de privilégiée. Elle avait beau fixer la carrure de Kim devant elle, elle se retournait souvent. Arrivée en France, elle voulut se marier. Kim trouvait la procédure « bourgeoise », mais dut céder. Rosita voulait bien vivre à l'étranger mais pas dans le déshonneur. Il céda encore quand elle décida d'aller vivre à Paris. Ils prirent une loge de concierge. Un réduit plutôt, car l'exiguïté de la pièce unique qui leur servait de chambre à coucher, salle à manger, salle de bains, cuisine, aurait interdit à M. Littré – pour peu qu'il ait une conscience sociale – l'emploi du terme « loge ».

Dans cette pièce minuscule et sombre – il n'y avait pas de fenêtre et, seul, un vasistas dispensait une faible lumière – naquirent pourtant deux filles robustes et pétulantes. Kim prit un emploi au CIC. Responsable et chargé de famille, il avait décidé de miner le système capitaliste de l'intérieur.

Pour arrondir ses fins de mois et dans l'espoir d'agrandir, un jour, son espace vital, Rosita faisait des ménages dans le quartier. C'est ainsi qu'à la suite d'une petite annonce scotchée sur la balance du boulanger, elle échoua rue des Plantes.

Rosita lavait, repassait, astiquait, raccommodait, cuisait le bœuf en daube et la paëlla, répondait au téléphone, prenait les messages et fit d'emblée preuve d'un tel bon sens et d'une telle autorité qu'elle gouverna bientôt toute la maison.

Tel Saint Louis sous son chêne, elle rendait des jugements sans appel.

Elle venait trois fois par semaine : les lundi, mercredi et vendredi, et installait sa table à repasser dans la cuisine pour suivre les conversations du petit déjeuner. Seule trace de son origine espagnole, elle prononçait les *v* comme les *b*. D'abord, les filles s'étonnèrent, après avoir longuement exposé leurs problèmes, d'entendre Rosita répondre, d'un ton sentencieux : « il faut boir, il faut boir ». Mais très vite, elles s'accommodèrent de cette infirmité phonétique. Dans la bouche de Rosita, Virtel était un bieux déboyé et Milhal une baleur braie. Pythie de la cuisine, Rosita lâchait ses oracles entre deux coups d'Ajax et deux jets de vapeur de fer à repasser et ne revenait jamais sur ses jugements. Chaque nouvelle connaissance devait lui être présentée et recevoir son approbation. Sans quoi, une longue vie de persécutions commençait pour le nouveau venu.

La conversation, ce matin-là, portait sur le dégraissage du bouillon de pot-au-feu. Chacune avait sa recette et, pour une fois, Rosita ne pouvait les départager, chaque recette étant garantie par des générations de grands-mères. Regina secouait la tête, découragée :

– En France, il y a autant de recettes que d'individus et le pire c'est qu'ils sont tous persuadés d'avoir raison…

Seule Martine ne jetait pas sa grand-mère dans la conversation.

Martine était ailleurs. Elle se prélassait dans un état qu'elle avait si souvent critiqué et dont elle se méfiait depuis toujours : l'état amoureux. Martine et Richard. Huis clos dans la galerie des glaces. Cadeau tombé du ciel qu'ils contemplaient l'un et l'autre avec le sourire extasié d'un bébé devant son premier arbre de Noël.

– Pince-moi, demandait Martine à Richard. J'arrive pas à y croire…

Le voleur riait et la serrait dans ses bras. À l'étouffer. Il n'était pas très fort en mots d'amour et s'exprimait en la broyant. En la roulant sous lui. Parfois même en la boxant.

– À quoi tu penses ? demandait Martine à Richard mille fois par jour.

– À toi… Je voudrais te trouver un nom rien que pour moi… un nom qui n'a jamais servi…

Avec Richard, Martine réapprenait les gestes de l'amour.

Au début, elle n'osait rien faire. Les bras le long du corps, terrifiée par la vague qui la jetait contre lui, elle butait contre sa poitrine et restait là, immobile, presque énervée, ne sachant quoi faire de ses mains, de sa bouche. Envie de l'étreindre, de l'avaler, de mourir avec lui.

Richard, patient, attendait. Il défaisait le nœud des bras, le nœud des jambes, les nœuds dans la tête. Ils parlaient. De tout et de rien : de la Sucrerie, de la famille Brusini, des bonnets volés chez Phildar, de l'usine Gringoire…

Ces deux solitaires rattrapaient tout le temps où ils étaient restés muets. Ils s'abandonnaient, rivalisaient de confidences. Chacun écoutait l'autre, frappé de l'écho qu'il lui renvoyait. Brusini-sale-rital dans la cour de récré tendait sa moufle à la petite fille qui vendait *l'Huma-Dimanche* à la sortie de la messe. Pressée contre Richard, Martine se découvrait, enfin. Avec émerveillement. En choisissant de l'aimer, elle, il lui démontrait qu'elle était unique, irremplaçable, merveilleuse, immense. C'est pour ça que l'amour tient tant de place dans la vie des gens, constatait Martine, c'est comme de se regarder dans un miroir magique : tout à coup, on se trouve la plus belle, la plus intelligente, la plus drôle, la plus… On a envie de conquérir le monde et de s'en déclarer maîtresse.

Il y avait aussi des moments où elle se disait : « Ce n'est pas possible, le miroir va se briser, je ne vais pas rester amoureuse de lui. » Elle se forçait à regarder Richard. Sans prisme rose. Elle prenait son regard d'étrangère vaguement étonné, légèrement réprobateur. On ne peut pas faire de projets avec un voleur. Il n'a pas d'ambition, pas d'avenir, pas envie de gratte-ciel… Ça va s'arrêter, c'est sûr. Un beau matin, plouf !, le voleur à l'eau et moi sur la berge à récupérer mes affaires… Et puis, il lui caressait les cheveux, parlait du prénom qu'il allait lui donner, et elle était prête à raser ses gratte-ciel.

Elle lui avait caché son envie de partir. Elle ne l'avait pas fait exprès. Un simple oubli, au départ, qui pesait de plus en plus lourd…

Elle le poussait à prendre un vrai boulot.

– C'est quoi, un vrai boulot ? demanda-t-il, méfiant.

– Un boulot honnête.

– Où on se casse le cul pour pas un rond ?

Trois jours plus tard, elle lui proposa, triomphante, une place de coursier chez Coop.

– Et c'est payé combien ? marmonna-t-il en remuant les épaules comme s'il se sentait déjà à l'étroit.

– Mille francs pour commencer.

Il grimaça.

– Pour commencer et pour finir. C'est pas le genre de boulot où t'as de la promotion…

Il hésita, la regarda de biais. Sortit ses clés de sa poche et les jeta en l'air.

– Ça te ferait plaisir que je dise oui ?

Martine fit oui de la tête.

– Bon, d'accord… Je ferai comme si j'étais le messager d'un gros bonnet de la Mafia new-yorkaise… J'aurais préféré un boulot avec un bureau et un téléphone. Maman aurait été fière…

Il marchait devant elle, jonglait avec ses clés. Il lui en voulait de lui proposer ce boulot idiot. Il valait mieux que ça, quand même. Merde, il fallait qu'il l'aime cette gonzesse pour ne pas la détester après un coup pareil…

De rage, il shoota dans un marron.

Il savait pas comment s'y prendre avec elle. D'habitude, avec les filles, il restait loin. Un tour sur la mob et un tour au lit. Vite fait. Pas d'embrouilles. Tout le temps pour ranger ses disques, lire ses journaux de moto ou *Rock and Rolk*. Une fois, il était tombé amoureux : il avait eu l'impression de marcher dans un couloir tout noir et de se cogner contre des obstacles. Il avait eu peur et s'était tiré. La fille en avait jamais rien su. Il s'était caché chez lui le temps que ça lui passe. Comme ça lui passait pas, il était parti à moto pour le Maroc. Le plus drôle, c'est qu'en rentrant, Bob lui avait affirmé que la fille en pinçait pour lui et qu'elle avait pleuré quand il s'était cassé. Il s'était dit simplement qu'il avait loupé un truc. Il avait ruminé quelques jours, puis avait oublié.

Avec Martine, il avait plongé. Profond. Il y avait des moments, quand ils étaient encastrés l'un contre l'autre et qu'il la sentait devenir toute molle, toute douce, où il avait envie de lui dire : « Marie-moi, fais-moi un bébé, un bébé comme toi. » Il cherchait la chose la plus énorme à lui dire pour qu'elle comprenne bien à quel point il tenait à elle. Mais il n'osait pas. Elle avait l'air si organisée... Il se taisait. Il l'écoutait. Il avait peur qu'à force de ne pas pouvoir parler, un jour, ça se retourne contre elle et qu'il se mette à la détester... Là, avec son histoire de coursier, il l'avait détestée. Elle avait dû le sentir, car elle avait placé sa main dans la sienne pour traverser au feu vert et il avait oublié sa haine... C'était la première fille avec laquelle il pouvait marcher main dans la main sans que ça le gratte ou qu'il transpire.

– N'empêche qu'ils sont cons à ta Coop. Ils devraient plutôt m'engager comme conseiller en vols... J'en connais un bout... Tiens, tu connais le coup des billets de cinq cents francs ?

Il s'anima brusquement. Se retourna. Et, marchant à reculons, lui expliqua :

– Un type arrive avec une liasse de billets de cinq cents francs, les fait miroiter sous les yeux de la caissière et, au moment de payer, sort deux billets de cent balles glissés dans le tas. La caissière, hypnotisée par la liasse, rend la monnaie sur mille balles... Pas con, hein ?

Un dimanche matin, il appela, tout excité. Un copain lui avait prêté une Simca 1000. Il voulait aller à Pithiviers.

– Je demande pas à être présenté à tes vieux, mais je voudrais voir le magasin Phildar.

Martine accepta. Après un moment d'hésitation. C'était le 28 novembre, et il ne restait plus que trois jours à l'assassin pour mettre ses menaces à exécution.

Ils s'arrêtèrent à la première station-service sur l'autoroute. Richard resta aux côtés du pompiste tout le temps qu'il servit. Il revint l'air méfiant.

– Tous des voleurs, murmura-t-il en mettant le contact.

– Qui ça ?

– Les pompistes... Je les connais...

– Ah ! ironisa Martine, un voleur qui dégomme d'autres voleurs.

– Je sais de quoi je parle, j'ai travaillé comme pompiste... Un client fait un petit plein de vingt, trente balles, le pompiste ne remet pas le compteur à zéro et le prochain client paie son plein plus les vingt balles qui vont dans la poche du pompiste. Et c'est pas tout...

– T'as été pompiste quand ? demanda Martine en laissant tomber ses sabots et en posant ses pieds sur la boîte à gants.

Richard fronça le sourcil en la voyant faire, mais ne dit rien.

– C'est comme l'huile... Ils te disent que t'en manques, se pointent avec un bidon vide et font semblant de te remplir ta jauge...

– T'as été pompiste quand ?

– Sans compter ceux, sur les autoroutes, qui sont de

mèche avec les hôteliers… Ils t'envoient passer une nuit à l'hôtel sous prétexte que ton moteur est naze, passent un coup de chiffon dessus pendant la nuit et, toi, le lendemain, après avoir raqué une nuit d'hôtel, tu raques pour la réparation…

– T'AS ÉTÉ POMPISTE QUAND ? hurla Martine.

– L'année dernière.

– Mais tu m'avais dit que t'avais jamais travaillé ?

– Oui, mais là, j'étais obligé.

– Pourquoi ?

– Parce que j'avais été en taule… Là… Voilà, t'es contente ?

Martine eut un haut-le-cœur.

– T'as été en prison ?

– Ça t'emmerde ?

– Pour quoi ?

– Drogue. Du shit marocain que j'avais passé par Gibraltar. Je me suis fait piquer en vendant à un flic en civil… J' te jure. Un mec qui avait ma tronche et qui était flic !

– Et t'as fait combien ?

– Un an. Mais quand je suis sorti, il a fallu que je paie ma contrainte. Cinq cents francs par mois…

– C'est quoi, ça ?

– On te fait rembourser l'équivalent de ce que t'as trafiqué.

– Pourquoi tu me l'as jamais dit ?

– C'est le passé. J'ai pas envie d'en parler…

– Y a d'autres trucs que tu m'as cachés ?

– J't'ai rien caché. J'ai oublié de te le dire.

Elle le regarda, réprobatrice. Elle le soupçonnait de pouvoir mentir sans le moindre problème de conscience. Sa morale, il se la fabriquait sur le moment et sur mesure. Si un mensonge devait le tirer d'un mauvais pas, il mentait.

– Et, maintenant, je vais où ? demanda-t-il en quittant l'autoroute et en branchant la radio.

Martine garda les dents serrées. Du menton, elle lui indiqua la direction à prendre, et ce n'est qu'en apercevant la flèche du clocher de Pithiviers qu'elle se détendit et oublia leur conversation.

Ils allèrent tout droit au *Café du Nord*. Martine y retrouva des copains qu'elle présenta à Richard. Il y eut des sourires étonnés qui disaient : « Martine est à la colle. » Elle n'y fit pas attention. Richard alla s'installer devant le flipper. Martine le rejoignit au bout d'un moment et s'accouda sur la glace.

– Qui c'est le mec qui n'arrête pas de te dévisager ? grinça Richard entre ses dents.

Martine se retourna et aperçut Henri Bichaut, son vieux soupirant. Au bar. Seul. Avec ses manches trop longues et ses ongles noirs. Il leva son verre vers elle. Ça l'étonna. Il devait avoir un peu bu. D'habitude, il disparaissait dans les coins.

– C'est un vieux copain, dit-elle à Richard.

– Il a intérêt à arrêter de te reluquer ou je lui casse la gueule.

– Arrête, Richard, t'es con. Il est inoffensif. Je l'ai jamais regardé.

– Mais vise-le, il te quitte pas des yeux, reprit Richard les doigts crispés sur les bords du flipper.

– Tiens, tu viens de perdre une boule. Tu ferais mieux de te concentrer sur ton jeu, petit voleur…

– T'aurais eu l'air maligne avec un fiancé pareil. Heureusement que tu m'as rencontré, t'étais mal barrée.

– Qui c'est ? cria une voix derrière elle pendant que deux mains lui couvraient les yeux.

– Je donne ma langue au chat, répondit Martine, qui avait reconnu la voix de sa sœur, Joëlle.

Les deux sœurs s'embrassèrent, puis Martine présenta

Richard à Joëlle. Elles allèrent s'installer à une table. Henri Bichaut les regardait toujours.

– C'est incroyable, pouffa Martine, il me dévisage comme ça depuis que j'ai quatorze ans ! Richard est fou de rage.

– Tu sais pas ! Il s'est marié. Avec Véronique Charlier... Ouais, ma vieille. Elle s'est fait mettre en cloque. Tout le monde dit qu'elle l'a épousé pour son blé ! C'est lui ton nouveau mec ?

Elle désignait Richard qui s'était remis à jouer au flipper.

– Il est pas mal, dis donc ! Et t'es heureuse ?

Martine allait répondre, mais Joëlle la coupa :

– Moi, c'est décidé, j'attaque sérieux le beau René. Tu sais que je sors avec lui... depuis septembre. Trois mois que je tiens, ma vieille, mais c'est du boulot. Faut tout faire avec un mec comme lui, mais je m'accroche. Il est beau...

Elle eut un geste de la main pour indiquer à quel point elle le trouvait beau.

– Dis donc, tu savais que ta copine Juliette, elle se l'était refait cet été... un soir... C'est lui qui me l'a dit. Ils ont passé la nuit ensemble. Elle a pas intérêt à marcher sur mes plates-bandes, tu le lui diras de ma part. Parce que, moi, je vais me faire épouser par le beau René et, au besoin, je fais comme la fille Charlier, je me fais faire un môme !

– Ça marchera pas ! Ça marche plus ce genre de combine, protesta Martine, humiliée par l'attitude de sa sœur.

– À Paris peut-être, mais, ici, à tous les coups tu gagnes.

Un instant, Martine avait été heureuse de retrouver Pithiviers, son café, sa sœur, mais très vite elle s'était sentie coupée de son ancienne vie.

Étrangère dans son fief.

– Tu vas pas voir les parents ?

– Non. Pas cette fois… On fait que passer. Leur dis pas que je suis venue, ça leur ferait de la peine.

– Oh ! tu sais. Ils pensent qu'à l'assassin, eux. Tout le monde pense qu'à ça, ici… Dis donc, tu vas l'épouser le joueur de flipper ?

Joëlle avait la mine gourmande de la commère qui cherche son potin, le matin, au marché. Dans vingt ans, elle aura le même air, pensa Martine, elle sera simplement un peu plus grasse, plus rougeaude, plus ridée.

– Me marier, moi ? Ça va pas !

Joëlle eut l'air déçue.

Richard vint s'asseoir à côté d'elles. Joëlle retrouva son bagout.

Martine eut peur, soudain, qu'elle parle de l'Amérique, de New York, de l'université. Elle se leva brusquement :

– Allez, viens, on se casse, lança-t-elle à Richard.

Sur l'autoroute, il l'attira vers lui. Elle se laissa aller sur son épaule. Il lui dit un mot à l'oreille. Elle ne comprit pas et demanda : « Quoi ? Quoi ? »

– J'ai trouvé ton nom… Je t'appellerai Marine. C'est joli, hein ?

Chapitre 6

Le lendemain du passage de Martine et Richard à Pithiviers, Joëlle décida, en quittant le salon de Mme Robert, d'aller chercher le beau René. Chaque fois qu'elle le pouvait, elle y allait. Trop de filles tournaient autour de lui. Il fallait qu'elle se méfie. Quand elle arriva au garage de l'Étoile, Lucien le mécano lui dit que René était parti faire un dépannage pas loin de la piscine municipale et qu'il n'allait sans doute pas tarder à revenir.

– Je vais aller à sa rencontre, déclara Joëlle.

– Si tu veux… Mais tu ferais mieux d'attendre ici…

– Non, j'y vais…

Lucien se remit à sa vidange. Toutes pareilles, ces bonnes femmes, peuvent pas nous faire confiance. Préfèrent se geler le cul à marcher sur la route en plein hiver plutôt que d'attendre, peinardes, bien au chaud. Cette petite-là, il l'avait à l'œil. René lui avait promis de la lui refiler dès qu'il en aurait fini avec elle.

Joëlle prit la route et avança d'un bon pas. Ça la gênait pas de marcher. Elle aimait mieux ça que de se ronger les sangs à se demander ce qu'il faisait. Elle avait toujours peur qu'il lui échappe comme une savonnette qui vous glisse des mains. C'est fou ce qu'il lui faisait comme effet, le beau René. Il suffisait qu'il pose les mains sur elle pour qu'elle frissonne… Il fallait absolument qu'ils se marient.

Une fois la bague au doigt, elle serait plus tranquille.

Elle allait demander de l'augmentation à Mme Robert et monter son ménage. En plus, elle voulait se payer une 4 L pour Noël. Ça valait dans les six mille sept cents francs sans les « options facultatives obligatoires ». Ça va être dur d'obtenir ce que je veux avec Mme Robert. L'a aucune idée des prix, celle-là. On dirait une bonne femme entretenue ou une gosse de riches. Doit faire son marché les yeux fermés. Trois francs vingt-sept de l'heure, le SMIG quoi, c'est plus suffisant. Un timbre : quarante centimes ; une baguette : cinquante centimes ; une visite au docteur : quinze francs ; une place de cinéma : cinq francs. Elle allait lui réciter tout ça. En anciens francs, bien sûr, parce qu'avec les nouveaux, elle était complètement paumée. Je vais carrément lui mettre le marché en main : soit vous m'augmentez, soit je me tire.

Je me tire et j'épouse René. Bon d'accord, on aura moins de blé et faudra se serrer la ceinture, mais je l'attendrai à la maison en lisant des revues et en lui faisant des bons petits plats…

Il faisait nuit noire. Elle accéléra. Il n'y avait plus personne dans les rues. C'est pas possible… Il est pas allé faire un dépannage, il traîne avec une gonzesse. C'est fatigant d'aimer René, faut toujours avoir l'œil ouvert.

Elle avançait, poitrine bombée, ventre rentré, lorsqu'elle entendit un bruit de moteur derrière elle. Elle se retourna. Le réverbère diffusait une lumière très pâle et elle distingua une voiture qui roulait à très faible allure… Une grosse voiture grise. Il a dû emprunter la voiture d'un client. Elle lui fit un signe joyeux de la main et la voiture vint se ranger près d'elle. La porte s'ouvrit. Une main l'attrapa. Elle fut happée à l'intérieur avec une telle violence que sa cuisse heurta la portière et elle poussa un cri.

– Mais, René… Tu pourrais faire attention tout de même… Tu m'as fait mal !

– Ta gueule, fit une voix. Tu la fermes ou je te tape dessus.

Elle se recula, effrayée. L'homme qui lui parlait n'était pas René. Il portait un masque, un loup noir qui lui cachait le visage.

Elle comprit aussitôt : c'était l'assassin. Elle ouvrit la bouche pour hurler, mais aucun son ne sortit. L'homme ricana :

– Tu peux crier… Y a personne… Vas-y, crie encore !

Joëlle jeta un regard désespéré autour d'elle. Personne. Pas la moindre voiture, le moindre passant, le plus petit tracteur ou agriculteur attardé dans les champs. Qu'est-ce que je vais faire ? Mon Dieu… Que ferait Martine à ma place ? Elle eut envie de l'appeler, mais une fois encore elle demeura sans voix.

L'homme ricanait toujours et accélérait. La voiture dépassa les dernières maisons de la ville, puis vira soudain dans un petit chemin de terre. L'homme descendit et lui fit signe d'en faire autant.

– Tu passes à l'arrière… Allez ! Vite !

Il tenait une carabine à la main et désignait du bout de son canon la banquette arrière. Il parlait d'une voix douce et elle se prit à espérer : il ne peut pas être méchant. En plus, il avait l'accent du pays, l'accent des ploucs, se moquait-elle avec ses copines quand elles parlaient des Beaucerons. Il diphtonguait les « qu » et traînait sur les premières syllabes.

Elle passa à l'arrière et s'allongea sur la banquette, la face contre le cuir. Il lui mit les bras derrière le dos et la ligota. Puis il lui enfila une cagoule. Elle poussa un cri. La cagoule était épaisse, collante et l'empêchait de respirer.

– J'étouffe, parvint-elle à dire.

– C'est ça que j'aime, répondit-il, presque aimable.

Elle sentit un poids chaud qui lui tombait dessus. Une couverture ?

La voiture redémarra. Il alluma la radio. « Wight is wight Dylanus Dylan, Wight is wight viva Donovan, c'est comme un soleil… » Il chantonnait. Joëlle se revit dans les bras de René en train de danser. Cela lui parut loin, si loin…

– Vous dansez, mademoiselle ?

Il éclata de rire.

– Ah ! Tu fais moins la fière, maintenant…

Ils roulaient. Ils devaient être en pleine campagne quand il s'arrêta, la tirant brutalement de la voiture, la poussant en avant. Ça sentait le bois roussi et la terre humide. Elle crut un instant qu'elle marchait sur une route, puis son talon s'enfonça dans une plaque molle et collante. Elle l'entendit donner un grand coup de pied et une porte s'ouvrit. Il la fit avancer en appuyant le bout de son arme dans son dos.

– Enlevez-moi mon masque, s'il vous plaît. J'étouffe…

– C'est très bien, j'aime ça, j't'ai dit…

Il la poussait toujours jusqu'à ce qu'elle bute sur ce qui devait être un lit et se laisse tomber.

– T'es en jupe… C'est bien… J'aime quand c'est propre et beau…

Il passa la main sous sa jupe et la retira aussitôt.

– Ah ! Mais t'as des collants… Tu vas être punie pour avoir mis des collants… Tu le fais exprès pour que je t'approche pas…

Il est fou, pensa Joëlle, complètement fou. Et cet accent… C'est un gars d'ici, pas de doute. Elle l'entendit qui marchait en long et en large devant elle. Soudain, il s'immobilisa :

– J'vais te laver parce que t'es sale…

Il déchira ses collants, fit craquer l'étoffe de sa jupe, arracha son col roulé puis, l'enlevant dans ses bras, la fit tournoyer.

– Voulez-vous danser, mademoiselle ?

Joëlle frissonnait.

– J'vais te donner un bain, un bon bain…

Il la déposa dans ce qui devait être une baignoire. L'eau était glacée et sentait le beurre rance, l'odeur des betteraves quand on les arrache en novembre.

– Tu es sale, chantonnait-il, tu es sale… Tu as les ongles noirs. Je ne veux pas que tu me touches avec ces mains-là… Va-t'en, laisse-moi, pas ce soir, j'ai mal à la tête…

Elle sentit le contact d'une pince sous ses ongles. Il lui nettoya le pouce, l'index, puis marqua une pause et enfonça la pince sous l'ongle profondément. Elle hurla et se recroquevilla au fond de la baignoire. Il l'empoigna, lui reprit les doigts, reprit la pince.

– Je ne peux pas être propre, je te l'ai dit, tu veux pas me comprendre. Personne me comprend. Tu vois comme ça fait mal. Dis-moi que ça te fait mal…

Joëlle tenta de se débattre, mais il la maintint dans l'eau glacée.

– Dis-moi que ça fait mal, répéta-t-il en la secouant.

– Ça fait mal, balbutia-t-elle à travers le masque en latex.

– Dis que tu regrettes de me faire mal…

– Je regrette de vous faire mal…

– De TE faire mal, connasse, reprit-il de la même voix basse et douce, de sa voix de mari qui demande des comptes en fin de semaine. Précis, exigeant.

– De te faire mal.

Il relâcha sa pression.

– C'est bien. J'aime mieux quand tu dis ça, mais tu me parles jamais…

Joëlle suffoquait. Elle remuait la tête de gauche à droite à la recherche d'un peu d'air. Dès qu'elle ouvrait la bouche, le caoutchouc venait se coller sur ses dents… Je vais devenir folle. Faut que je pense à autre chose, à autre chose… Elle se mit alors à réciter le discours qu'elle tiendrait à Mme Robert, à se répéter le prix de la baguette, de la place de ciné, puis elle se rappela les tables de multiplication, les départements…

Il la sortit de la baignoire et la ramena sur le lit. Il l'étendit, les quatre membres écartelés. Il va m'attacher et je ne pourrai plus rien faire. Elle sentit la panique l'envahir. Bouches-du-Rhône, préfecture : Marseille ; sous-préfectures : Aix-en-Provence…

– Il ne faut pas que tu cries… Jamais. Si tu cries, je t'enfonce les ciseaux sous l'ongle… Je veux rien entendre du tout… Pas de cris surtout… Je suis ton maître, répète.

– Tu es mon maître.

– Et tu m'obéis.

– Et je t'obéis.

– C'est bien… Montre tes ongles.

Elle tendit ses mains.

– C'est bien. Tu obéis… Avant de t'attacher, je vais te talquer. Tu vas avoir un beau corps tout blanc. Comme une dame…

Une fine poudre tomba sur ses jambes, son ventre, ses seins, et des mains la massèrent. Doucement. De bas en haut, en rond.

– C'est pour le cœur. Ça fait du bien au cœur… C'est le docteur qui l'a dit… Maintenant, montre-moi comme tu es propre…

Elle tendit une jambe et l'autre, puis un bras et l'autre…

Il la fit se mettre sur le ventre et recommença son étrange massage le long du dos. Joëlle remarqua qu'il ne lui touchait pas les fesses, qu'il les évitait même. Comme tout à l'heure, il avait évité son sexe.

– Tu vas m'obéir et je vais te faire très mal, tu sais. Les autres, elles ont pas tenu le coup. Il a fallu que je les tue. Elles étaient molles et elles s'évanouissaient tout le

506

temps… Quand tu seras prête, je te ferai attendre pour que tu aies peur. Je me cacherai dans un coin et j'attendrai et tu me supplieras de m'approcher de toi… Même pour te faire mal… Tout plutôt qu'on s'occupe pas de toi. Tu es comme ça. Tu es une mauvaise fille. Pourquoi tu m'as épousé, hein ? Pourquoi ? Pour mes champs, hein, dis-le…

– Je t'ai épousé pour tes champs…

– Je le savais, je l'ai toujours su…

Il avait l'air très content.

– Et c'est la ville ta complice ? C'est elle qui t'a poussée…

– Oui, c'est elle…

– Je le savais, je le savais. Tout le monde pensait que j'étais bêta, que je savais rien… mais je savais.

Il commença à l'attacher. Avec une corde.

– Ouvre tes jambes… Encore plus… Là c'est bien…

Il faisait des nœuds serrés, et Joëlle eut peur. Ses tempes bourdonnaient, son ventre se tordit et elle se recroquevilla.

– T'as peur, hein ? T'as peur. Tu te tords les boyaux de trouille… C'est bon, j'aime ça… la peur chez les gens.

Il continuait à faire ses nœuds, méthodique. Joëlle se rappela quand elle était petite : le grand Jacques la faisait prisonnière et l'attachait aux troncs des arbres pour mieux l'embrasser. Elle se délivrait en se tassant sur elle-même quand il faisait ses nœuds, donnant ainsi du mou à la corde. Dès qu'il avait le dos tourné, elle se redressait et faisait glisser ses poignets. Une seule fois, il l'avait embrassée et, encore, c'est parce qu'elle avait bien voulu.

Quand il eut fini de la ligoter, il se laissa tomber sur un siège et elle sentit l'odeur d'une cigarette. Elle aurait donné n'importe quoi pour pouvoir fumer… Avoir les mains libres et fumer…

– Je vais sortir maintenant… Je vais te surveiller de dehors… Et si tu bouges, je rentre et je te tue… Pan, pan. C'est facile, tu sais…

Il sortit. Elle entendit la voiture démarrer. Un moteur de Diesel. C'est une feinte, il me teste, il va revenir. Elle resta immobile, repliée dans le grand lit.

Elle avait raison. Bientôt la porte se rouvrit. Il s'approcha du lit, vérifia ses liens, lui fit bouger la tête. On dirait que je suis déjà morte, pensa Joëlle, il me manipule comme un paquet. Puis ce fut à nouveau le bruit de la voiture dans la nuit. Et le silence. Ce devait être l'heure du dîner. Des infos à la télé. L'heure où des millions de gens se retrouvent dans une maison chaude, en famille. Elle eut envie de pleurer. Personne ne va s'inquiéter : maman pensera que je suis avec René, et René…

Elle ne bougea pas. Continua à se réciter les départements.

Quand elle fut arrivée au Var, elle eut soudain conscience du temps qui s'était écoulé. Il serait déjà revenu s'il avait voulu. Il n'aurait pas attendu tout ce temps derrière la porte. Elle essaya de bouger, fit crisser la corde. Attendit. Recommença à gigoter. Attendit. Il ne venait pas. Il devait être parti manger sa soupe. Elle tordit ses poignets. Sa peau gonflait et la brûlait. Elle sentit la corde qui entaillait la chair, et bientôt une sensation de chaleur poisseuse le long de son bras. Elle faillit s'arrêter tellement elle avait mal. C'était comme si on lui cisaillait la peau avec un fil à beurre. Mais la pensée qu'il ne revenait pas l'encouragea. Au bout d'un long moment, elle parvint à se dégager une main. Elle arracha son masque, prit une profonde inspiration et regarda autour d'elle.

Elle se trouvait dans un hangar abandonné. Avec un lit au milieu. C'était tout ce qu'elle pouvait voir pour l'instant.

Avec ses dents et sa main libre, elle parvint à se libérer tout à fait et s'assit sur le lit, nue, frissonnante. Elle se mit debout. Elle crut qu'elle ne pourrait pas marcher. Elle tremblait de froid et de peur, et ses jambes flageolaient. Et s'il était derrière la porte, la carabine à la main ?

Elle chercha des yeux un instrument pour se défendre et elle vit le reste de la pièce. Elle aperçut la baignoire ou plutôt ce qu'elle avait pris pour une baignoire. C'était un bassin d'eau croupie où les cultivateurs lavaient leurs betteraves avant de les faire peser, pour enlever la boue. Elle était dans une bascule. Elle fut prise d'un haut-le-cœur et se mit à vomir. Tout se brouilla devant ses yeux et elle se cramponna aux barreaux du lit pour ne pas tomber. Il ne faut pas que je m'évanouisse, il ne faut pas… Il faut que je marche jusqu'à la porte et que je sorte. Vite, vite. Avant qu'il revienne…

Elle s'exhortait tout en marchant, s'arrêtant, s'appuyant sur les murs. Jusqu'à ce qu'elle atteigne la porte et l'ouvre. Tout grand. Dehors, il faisait noir et froid. Elle ramena les bras sur son corps et avança avec précaution. La voiture avait disparu. Elle essaya de se souvenir de la marque de la voiture. Une grosse voiture blanche ou grise… Et elle se mit à courir, courir, à toute vitesse, tombant, se tordant les chevilles, grelottant, couverte de boue, de sang, se protégeant le corps de ses deux bras.

Enfin, elle aperçut une pancarte : Grangermont. Un village ! Sauvée ! Elle alla s'abattre contre le premier portail qu'elle vit. Sa chute fit du bruit et elle réveilla tous les chiens des fermes environnantes. Un concert d'aboiements qui couvrait ses appels au secours, ses coups contre le portail… Elle avait beau tambouriner de toutes ses forces, les chiens faisaient tant de bruit qu'ils couvraient sa voix.

– Je vous en supplie, ouvrez-moi, j'ai froid, j'ai froid…

Bientôt, elle n'eut plus la force d'appeler au secours et se laissa tomber sur le sol humide. Épuisée. Elle entendit des pas, une voix qui criait : « Qu'est-ce que c'est, qu'est-ce que c'est ? » et une autre à côté : « N'ouvre pas, Jean, n'ouvre pas. »

Quand l'homme ouvrit, elle vit d'abord ses lourdes bottes, sentit la truffe d'un chien qui la reniflait.

– Je ne veux pas mourir, s'il vous plaît, je ne veux pas mourir… Je ferai tout ce que vous voudrez…

Elle pleurait, le nez dans la boue, les cheveux collés sur le front, les ongles crispés dans la terre. L'homme la regarda pendant quelques secondes puis, s'agenouillant près d'elle, lui releva la tête, lui essuya le visage :

– Ben, ma foi… Quieuce qui vous est arrivé, ma pauvre petite ?

Elle s'évanouit. Il l'emporta dans ses bras. Sa femme referma le portail et les chiens se turent.

Chapitre 7

– Allô, bonjour… Je voudrais parler au plus beau cul du monde.

– Louis ! Louis ! Où es-tu ?

– À Dijon-la-moutarde, et le temps de franchir quelques péages, je me disais que j'aimerais bien caresser le plus beau cul du monde.

– Oh oui…

Juliette trépignait, accrochée au fil du téléphone.

– Alors, rendez-vous au *Lenox*. Vers huit heures. Tu demandes la plus belle chambre, le meilleur champagne, du caviar, du foie gras et tout ce que tu veux… Et la télé, j'oubliais, je veux la télé dans ma chambre… J'ai du blé, ma puce, plein de blé, on va faire la fête !

Pas de fiancée italienne cachée dans le coffre, se dit Juliette. Il rentre. Il revient. Après la Corse, la Grèce, l'Italie, c'est le retour de Louis Gaillard sur grand écran : *Ben Hur, le Cid, les 55 Jours de Pékin*, une superproduction avec le sourire carrelé blanc émail de Gaillard, sa tronche de forban maousse, sa démarche d'enrouleur de charme, ses yeux de charmeur de serpents et les sabots fourchus du diable qui dépassent des draps. Je vais rire, pensa Juliette en montant les escaliers à grandes enjambées, rire, dire des bêtises, ouvrir les jambes et perdre la tête.

Elle fit irruption dans la salle de bains.

Ungrun végétait dans son bain. Une pâte blanchâtre lui recouvrait le visage et une cigarette pendait au coin de sa bouche. Elle essayait d'échapper à l'opération des cernes en appliquant toutes sortes de masques de beauté : plâtre blanc, vert, bleu, rose... Ce jour-là, c'était blanc.

– Louis arrive ! Louis arrive ! cria Juliette en dansant à l'indienne autour de la baignoire.

Elle se planta devant la glace et blêmit :

– Mon Dieu, je suis horrible... J'ai le cheveu triste, un bouton qui perce sous le menton... J'arriverai jamais à tout réparer ! Il est à quoi ton masque, aujourd'hui ?

– À la gelée royale, dit Ungrun du bout des lèvres. Ne me fais pas parler. Pour que ça marche, il faut rester de glaçon...

– De glace... On dit de glace... Je t'en achète deux cuillerées à café, proposa Juliette en se faisant des grimaces dans la glace.

T'es moche, ma fille, t'es moche. C'est à force de manger tout ce chocolat pour calmer tes angoisses.

– C'est pour qui ? demanda Ungrun de sa voix de douairière qui prend le thé.

– Pour Louis, j't'ai dit !

– Alors, c'est gratuit...

– Merci... Le diable te le rendra au centuple ! Je peux m'en mettre et venir avec toi dans le bain ?

Ungrun fit la moue, mais se déplaça dans son bain. Juliette était très peu douée pour rester seule.

– Et aux cabinets, tu y vas toute seule ? demanda Ungrun.

Juliette haussa les épaules et commença à s'enduire de crème.

– Dis donc... Fais attention. Ça coûte cher... Tu serais pas amoureuse pour t'en mettre autant ?

– Amoureuse ? De Louis ? Ça va pas ?

Elle réfléchit un instant en regardant ses doigts tout blancs :

– Louis, c'est mon jumeau.

– Un jumeau avec qui tu connais des extases à réveiller toute la maison.

Juliette ouvrit de grands yeux.

– On fait tant de bruit que ça ?

Ungrun fit clapoter l'eau de ses doigts.

– On pourra bientôt louer les marches de l'escalier.

– Oh…

– Heureusement qu'il est pas là souvent. Mais tu devrais penser aux pauvres filles en manque.

– Si t'es en manque, c'est de ta faute. J'en connais plein qui demanderaient pas mieux que…

– Je parlais pas de moi.

– De qui alors ?

– Réfléchis…

Le masque durcissait et Juliette s'aperçut qu'elle ne s'était pas déshabillée. Il allait falloir ruser pour ne pas tacher son pull.

– Pas toi. Pas Regina. Martine ? non. Bénédicte ?

– Gagné.

– Elle t'en a parlé ?

– Non. Mais je vois bien comment elle te regarde les lendemains matin.

– Elle a qu'à se choisir un Prince Charmant, un vrai, un métamorphosé au lieu de son crapaud…

Ungrun éclata de rire.

– Oh, merde ! Mon masque. Arrête, Juliette !

– C'est toi qui me parles.

Devant le mutisme d'Ungrun, Juliette entreprit de se déshabiller puis, nue, allait poser un pied dans l'eau du bain lorsque, se ravisant, elle courut dans sa chambre, attrapa un livre et revint. Au bout de quelques minutes, elle fut interrompue par la voix perchée d'Ungrun :

– Juliette.

– Tu vois, c'est toi qui me parles encore.

– Juliette, que fais-tu en ce moment ?

– Je lis. Tu vois bien.

513

– Tu pourrais me lire un passage ?

Juliette regarda son livre. Elle tenta de déchiffrer ce qu'elle lisait. C'était de l'islandais. Elle était rentrée chez Ungrun et avait attrapé le premier livre venu.

Elle éclata de rire et enfouit son visage dans le livre ouvert.

– Oh non. Je renonce à prendre mon bain avec toi, protesta Ungrun devant les pages maculées de gelée royale. T'es impossible !

– Ungrun… Ungrun… T'es fâchée ? cria Juliette, inquiète.

Ungrun sortit sans lui répondre.

Il avait ouvert une valise et l'avait jetée sur le lit.

– C'est pour toi.

– Tout ça ?

Elle montrait du doigt la valise qui débordait de tee-shirts, de minirobes, de ceintures en plastique rouge, jaune, bleu, de lunettes, de sandales, de colliers en forme de banane…

– Tout ça.

– Mais…

– On ne proteste pas quand un homme vous couvre de cadeaux !

– On fait quoi alors ? demanda Juliette en minaudant.

– On le mérite…

Une lueur gourmande s'alluma dans ses yeux. Juliette comprit. Louis fit le tour du lit, les mains en avant. Juliette l'évita et s'abrita derrière le couvercle de la valise.

– Tu veux que je t'attrape ? demanda Louis.

Juliette ne répondit pas.

– Et que je t'attache ?

Le jeu commençait.

– Je vais t'attraper, reprit-il en rabattant le couvercle de la valise.

Elle fit un bond et alla se cacher dans la penderie au milieu de ses affaires. Ça sentait Louis, déjà, dans la penderie. Elle enfonça le nez dans son vieux blouson pour le respirer. Se déshabilla prestement. Enfila ses bottes, son vieux cuir et sortit.

– Je suis un garçon, lui lança-t-elle, tu veux de moi ?

– Une cigarette ?

Juliette acquiesça.

Il avait eu un choc quand elle avait jailli de la penderie, longue et blanche dans son cuir avec ses fesses rondes, ses cheveux noirs ramenés en arrière sous une casquette de toile, ses grands yeux baissés sous ses cils noirs, ses lèvres mordues au sang et sa manière d'avancer en se déhanchant… Petite pute métallique et chaude.

Il lui mit la cigarette dans la bouche.

– T'as pas peur que je te brûle ? demanda-t-il.

– Non… maintenant c'est fini. C'est la trêve.

Il l'embrassa, se releva et alla ouvrir la porte du réfrigérateur. Juliette regardait son dos bronzé, trapu, couvert d'une épaisse toison de poils noirs qui descendait des omoplates, frisait sur les reins, plus drue entre les fesses, bouclée sur les jambes. Elle aimait le corps de Louis, son odeur, le goût de sa peau quand elle la léchait.

– J'aime ton corps.

Il ne lui répondit pas, occupé à déboucher la bouteille de champagne.

– Pourquoi on nous apprend pas que c'est bien d'aimer les gens sexuellement ? On parle toujours de l'âme, du cœur, de l'esprit, mais jamais du cul. C'est important quand même…

– Parce que t'as été mal éduquée… Tu t'es rattrapée depuis, heureusement… Note qu'une bonne éducation catholique, y a rien de mieux pour bien baiser. Je me demande comment font ceux qui n'ont pas eu le sens du péché fourré dans leurs langes ?

515

– Quand je fais l'amour avec toi, j'ai l'impression que… que je m'explore… c'est comme une aventure…

– Ah ! c'est mieux que le Club Med… Et pis ça coûte moins cher !

Le bouchon claqua en sautant, et Louis renversa la mousse sur les cuisses et le ventre de Juliette.

– Comme dans les films de tsars et tsarines pervertis.

– Ils sortent quand tes films ? demanda Juliette.

– En Italie, à Noël. En France, sais pas… Je ne sais même pas si j'ai envie qu'ils sortent en France. Pour te dire la vérité, j'aimerais bien tourner autre chose que des western-coquillettes.

Il lui léchait le ventre en faisant un bruit de ventouse. Elle le repoussa en protestant qu'il était obscène.

– Et toi ? Qu'est-ce que tu as fait de grand et de beau ?

Elle fut tentée de mentir, de se mettre en valeur, de s'inventer des projets, mais renonça. Pas mentir. Pas à Louis.

– Rien.

– Rien ?

– La fac… c'est tout…

Quand on s'est rencontrés, pensa-t-elle, j'avais des ambitions. Aujourd'hui, je collectionne les déceptions.

Il la regarda avec inquiétude.

– T'es malade ?

Elle lui sourit doucement.

– D'une maladie qu'on ne trouve pas dans le Vidal.

– C'est depuis ton histoire avec Virtel ?

– Sais pas.

Elle ne voulait pas y penser.

Elle rota.

Il la cala contre lui.

– Faut pas que tu te laisses abattre parce qu'un gros porc a essayé de t'avoir.

– Il n'y a pas que Virtel… Tout est moche… Joëlle, tu sais, la sœur de Martine, elle a été victime du sadique de Pithiviers. Elle est en état de choc. Elle veut pas en parler.

— Faut réagir, ma puce. Faut pas te laisser abattre par tous les malheurs du monde. Ou t'en finis pas…

Juliette passa les doigts dans les boucles noires, sur son torse et joua à faire des nœuds.

— Dis, tu crois que je suis une perdante ?

Il se détacha d'elle, la prit à bout de bras et, la regardant au fond des yeux :

— Écoute-moi bien, Juliette. Tu n'es pas une perdante. Tu es une gagnante avec une sensibilité de perdante. Tu veux foncer, mais la moindre égratignure te fait mal. Réagis, réagis, retrouve un boulot. N'importe quoi pour t'occuper la tête.

Elle marmonna :

— Oui, je sais, je sais.

Charlot lui répétait la même chose.

Elle aussi, d'ailleurs, se tenait de grands discours entraînants comme des marches militaires. Mais, était-ce sa faute si, à l'intérieur, ça ne suivait pas ?

Chapitre 8

Noël approchait. Paris s'ornait de boules multicolores, de sapins décorés et de vitrines illuminées. Des Pères Noël se faisaient photographier avec de petits enfants ébahis, et les restaurants écrivaient des menus de fête en lettres givrées sur leur vitrine.

– C'est sinistre, Noël, déclara Martine en suspendant son imper mouillé dans le vestibule. Je déteste cette ambiance de fête obligatoire.

Dans le salon, Juliette se prélassait sur un paquet de polycopiés et Regina achevait le vernis de son petit doigt de pied droit.

– Y a Richard qui a appelé, dit Juliette. Il passera te prendre vers huit heures pour aller manger chez lui.

– Il aurait pu m'en parler d'abord. J'en ai marre de passer toutes mes soirées chez les Brusini !

– Ça, c'est l'inconvénient quand on fréquente un rital, dit Juliette.

Martine soupira et monta se changer.

Elle n'avait jamais eu le sens de la famille très développé. Richard, lui, ne se sentait à l'aise que dans son pavillon. Quand il venait rue des Plantes, il avait l'air en visite. « Y a trop de gonzesses, ici », marmonnait-il. C'est à peine s'il acceptait de retirer son blouson. « Tu dors avec ? » lui avait dit un jour Martine en plaisantant. Il ne l'avait pas quitté de la soirée. Les poings dans les poches, le col relevé. « C'est chauffé, chez nous », avait ajouté Regina.

– N'empêche, dit Juliette qui avait posé *Paris Match* par-dessus ses cours, j'aimerais pas être Pompidou et gouverner avec l'ombre de De Gaulle qui me surveille de Colombey…

– Tu fais quoi pour Noël ? demanda Regina.

– Papa-maman, répondit Juliette. Et toi ?

– Sais pas…

Regina avait dit ça sur un ton si désabusé que Juliette releva la tête.

C'était la première fois qu'elle surprenait Regina en plein délit de mélancolie.

– T'aimes pas Noël, non plus ?

– Pas vraiment…

Soudain, Regina redevint la Regina des petits déjeuners : les sourcils roux, la peau blanche et les cuisses pleines de cellulite. Toute seule : le bel Italien avait disparu au bout de deux mois comme tous les autres auparavant.

– Elle doit pas voir les gens qu'il faut, dit Juliette tout haut.

– Quoi ?

– Excuse-moi, je marmonnais toute seule.

Elles n'avaient jamais parlé ensemble des parents de Regina, de son enfance, de ce qu'elle faisait avant Paris. C'est drôle, pensa Juliette, pour moi la vie de Regina commence à Paris. Elles n'avaient jamais évoqué, non plus, le problème des « petites leçons ». Pauvre Regina qui fait des vocalises pour arrêter le temps et des pipes pour gagner sa vie !

Quand, avec Ungrun, elles étaient allées voir le film de Regina, elles l'avaient, en vain, cherchée sur l'écran. Il avait fallu qu'elles assistent à une seconde séance pour l'apercevoir, de dos, au moment où Gabin entrait dans l'armurerie.

– Tu vas rester rue des Plantes ? demanda Juliette.

– Oui… à moins que le Prince Charmant se décide, enfin, à apparaître.

Ce serait gentil de l'inviter pour Noël à Pithiviers, se dit Juliette. Si elle était sympa, elle m'emmènerait dans sa famille, pensait Regina. Faut que je demande à papa-maman d'abord, réfléchit Juliette. Elle doit même pas imaginer que ça me ferait plaisir, conclut Regina. Une fille comme moi, à Noël, à Pithiviers, ça doit lui paraître saugrenu.

– Martine et Bénédicte, qu'est-ce qu'elles font, elles ? reprit Regina.

– Papa-maman aussi… Je crois.

– Ça va maintenant Bénédicte et toi ?

Elle doit vraiment aller mal pour s'enquérir de l'état de mes rapports avec Bénédicte.

– Oui…

Elles avaient signé la paix. Une paix surveillée où chacune respectait le territoire de l'autre. Bénédicte était d'autant plus encline à enterrer la hache de guerre que Nizot se montrait aimable et attentionné. Malgré la présence d'Émile revenu du Cambodge avec une boule de neige pour sa collection personnelle, une autre pour Larue et un reportage que tous s'accordaient à trouver « exceptionnel ». « Mon prochain scoop, affirmait-il, c'est une interview exclusive de Nixon. »

Nizot l'écoutait parler et clignait de l'œil à Bénédicte. Ils n'arrivaient pas à être seuls. Tout à son bonheur d'avoir retrouvé Bénédicte, Émile la suivait partout. Pourtant, Bénédicte en était sûre, Jean-Marie avait changé. Lui, si distant, si secret, devenait disponible et serviable. Il lui rapportait un café quand il allait s'en chercher un, lui avait proposé des places pour une projection privée de *Satyricon*, et l'avait aidée à rédiger son papier sur la conférence de Tripoli où devait se rendre

Nasser à la fin du mois... Il a eu besoin de temps pour réfléchir et moi j'étais trop pressée, pensait-elle.

Un soir, Émile voulut aller au cinéma. Bénédicte proposa à Jean-Marie de venir avec eux. Jean-Marie accepta.

– Il va s'ennuyer tout seul avec nous deux, dit Émile. Faut lui trouver une cavalière... Que fait Juliette, ce soir ?

– C'est une bonne idée, rétorqua Jean-Marie, avant que Bénédicte ait eu le temps de protester.

Juliette sortait avec Louis Gaillard, ce soir-là.

– C'est qui ce Louis Gaillard ? demanda Jean-Marie.

– Son petit ami, répondit Bénédicte.

– Ah... Et il est comment ?

– Très sexy.

– Ah bon. Tu trouves ? Moi, je le trouve grossier et vraiment pas intéressant, dit Émile.

– Oui, mais toi, tu es un homme...

Le mardi suivant, lorsque Jean-Marie et Bénédicte quittèrent le bureau pour leur congé de Noël, ils crurent qu'ils allaient enfin pouvoir se parler, seul à seule... Ils partaient tous les deux, le lendemain, passer Noël dans leur famille respective. Ils descendirent au café en bas du journal, mais à peine étaient-ils installés qu'Émile arrivait, essoufflé :

– Jean-Marie, Jean-Marie... Un appel pour toi... de Lyon... Ta grand-mère a eu une attaque...

Juliette, Martine, Bénédicte et... Regina passèrent Noël à Phitiviers. Ungrun resta à Paris. Elle se faisait opérer. Son fiancé venait de Reykjavik pour lui tenir la main.

Marcel et Jeannette Tuille avaient un peu hésité avant d'accueillir Regina. « Mais on ne la connaît pas, cette demoiselle ! » avait dit Marcel Tuille. « Et tu dis qu'elle est étrangère, allemande ! Mon Dieu, mon Dieu, dans quelle chambre vais-je la mettre ? » s'était inquiétée Jeannette Tuille.

Juliette les avait rassurés : Regina était très simple et ne poserait pas de problèmes.

Regina fit la conquête des parents Tuille. De M. Tuille surtout. « Cette fille est une vraie nature, gaie, chaleureuse, ouverte, drôle », expliquait-il à tout le monde… Il utilisait à tout propos les dix mots d'allemand qui lui restaient de la guerre, appelait Regina *fraulein* et ne disait plus que *bitte* et *danke*. Il se permit même d'être un peu familier, lui posa la main sur la cuisse le soir de Noël au moment de la bûche… et l'embrassa sur la bouche quand 1969 devint 1970. Ce qui choqua Juliette. Il acheta un flacon de « Brut for Men », ressortit son costume trois pièces gris anglais et promenait Regina à son bras. Il lui expliquait gravement son rôle de président de l'Association des parents de Pithiviers contre le sadique. Regina s'exclamait et trouvait cette histoire « incroyable ».

Ce n'est qu'après avoir rencontré l'inspecteur Escoula, envoyé de Paris pour aider ses collègues locaux, qu'elle cessa de prendre le meurtrier pour un criminel d'opérette. « Vous comprenez, expliqua-t-elle à Marcel Tuille, c'est difficile pour moi d'imaginer Pithiviers en proie à un sadique. »

Elle avait l'impression d'être dans une ville de poupées, ordonnée autour de deux places envahies par le marché le samedi matin, d'une église où Jeanne d'Arc s'était arrêtée et de trois cafés où la jeunesse locale se donnait rendez-vous. Propre, calme, coquette, sans autres problèmes que l'ouverture de la chasse et de la pêche, la quinzaine commerciale, la réfection du toit de la sous-préfecture ou les heures d'ouverture de la nouvelle piscine.

Elle fut invitée dans la grande maison bourgeoise des

Tassin, dans le F4 des Maraut et comprit l'insolence froide de Bénédicte et la rage presque vulgaire de Martine.

Si Bénédicte pouvait être rassurée par l'ordonnancement raffiné de sa maison, Martine n'avait dû, en effet, n'avoir qu'une envie : quitter le triste ordinaire de son milieu familial. Mathilde Tassin était au courant des derniers films, des derniers livres, de la dernière mode ; Mme Maraut avait à peine ouvert la bouche et s'était levée pour faire la vaisselle alors qu'ils étaient encore tous à table. Il faut reconnaître que la famille Maraut avait été très ébranlée par « l'accident » – c'est ainsi qu'ils nommaient l'agression du sadique – arrivé à Joëlle.

Joëlle était devenue une héroïne à Pithiviers. Sur son passage, les gens baissaient la voix et levaient les yeux. Honteux et excités. Le salon de Mme Robert ne désemplissait pas. Après avoir obtenu une semaine de congé et une substantielle augmentation, Joëlle avait repris son emploi. Elle portait des lunettes noires, parlait peu, soupirait beaucoup. Les clientes l'observaient en feuilletant leurs revues. Il y en eut même une qui lui demanda un autographe. Joëlle le lui donna, résignée et lasse. Tout de suite après son « accident », elle avait été mise sous surveillance médicale. Un médecin lui avait ordonné des calmants qu'elle continuait à prendre.

La bascule à betteraves, où elle avait été séquestrée, avait été fouillée. L'homme devait porter des gants, car on ne trouva pas d'empreintes. On analysa les traces de pneus, c'était une grosse voiture, mais on ne trouva rien d'autre qui permette de faire progresser l'enquête. Lorsque l'inspecteur Escoula interrogea Joëlle, elle évoqua son accent, le fait qu'il était marié… jeune…

– Jeune marié ? avait demandé l'inspecteur.

– Je ne sais pas… Je ne sais pas…

Malgré des heures d'interrogatoire, Joëlle ne se

souvenait pas de la voiture ni de sa marque ni de sa couleur.

– Mais faites un effort, je vous en prie…

Il la pressait de questions. Joëlle finit par s'évanouir et glisser de sa chaise. Le médecin, appelé d'urgence, traita l'inspecteur de brute. Joëlle Maraut avait une tension extrêmement faible et saignait du nez sans discontinuer. Il l'envoya passer une semaine dans une maison de repos près d'Orléans. C'est à son retour que Joëlle put constater à quel point l'attitude des gens envers elle avait changé. Elle n'était plus n'importe qui. Et même si le regard qu'on posait sur elle relevait plus de la curiosité malsaine que de l'admiration béate, elle trouva cela assez plaisant.

Le beau René aussi avait changé. Il la voyait régulièrement, ne la faisait plus attendre et venait la chercher chez elle quand ils sortaient ensemble. Le fait qu'il fréquenta Joëlle au moment de l'agression l'avait consacré « fiancé », et il jouait son rôle avec la docilité et la maladresse du héros malgré lui.

– Tu m'aimes ? lui demandait Joëlle sans arrêt.

– Mais bien sûr que je t'aime, répondait-il en l'entourant de son bras.

– Tu me laisseras jamais tomber comme toutes les autres ?

Il secouait la tête.

– Jure-le-moi… Je crois que j'en souffrirai encore plus que de cet ignoble individu.

René jurait. Joëlle soupirait et se serrait contre lui. Bientôt elle obtint de ses parents qu'il dorme avec elle dans sa chambre. Sinon, je fais des cauchemars, affirmait-elle en geignant.

– Résultat : je campe dans la salle à manger entre la télé et le buffet, expliquait Martine à Juliette, Regina et Bénédicte avec qui elle prenait un thé. L'atmosphère à la maison est devenue irrespirable… Sais plus quoi faire… Tu imagines dans quel état doivent être mes parents pour admettre que René dorme à la maison ?

– Elle a changé quand même, dit Juliette. J'ose à peine lui parler avec ses lunettes noires, son air alangui et son mutisme.

– Faudrait qu'elle parle, continuait Martine. Si elle parlait, elle se délivrerait.

– Ou qu'elle aille voir un psychologue, suggéra Bénédicte.

– Elle refuse.

Les filles se retrouvaient souvent au salon de thé, autour de pithiviers aux amandes. Regina ne mangeait que la pâte et Juliette finissait toutes les croûtes. Martine y recevait les coups de fil de Richard. « À la maison, c'est impossible d'avoir une conversation. Tout le monde écoute… » Il appelait d'une cabine, qu'il avait trafiquée, près de Montparnasse. Il ne payait pas les communications. Il continuait à faire le coursier sans beaucoup d'entrain.

Juliette était heureuse chez ses parents. Ça avait été une bonne idée d'amener Regina. Grâce à elle, les repas étaient amusants, et chacun se trouvait bien dans son rôle de parent ou d'enfant.

– Dieu que cette ville est reposante ! soupira Regina. Plus ça va, plus je me dis que je suis faite pour une vie de notable de province.

– Tu t'en lasserais vite, dit Bénédicte.

Elle s'ennuyait chez elle. Personne ne lui parlait du journal, de son métier, de sa vie à Paris. Le cartable du petit dernier ou la réunion des parents d'élèves étaient plus importants. Et puis, elle avait envie d'avoir des nouvelles de Nizot. Elle avait beau presser Émile de questions, quand il lui téléphonait, elle n'en obtenait rien. Si ce n'est que Jean-Marie avait demandé un congé prolongé pour enterrer sa grand-mère.

– Vous trouvez pas ça sympa de se retrouver ici toutes les quatre ? lança Juliette.

– T'es une sentimentale, toi, lui répondit Martine en souriant.

Juliette fit la moue.

Peut-être que oui, peut-être que non.

– Bon, on y va, Regina... Avec mes parents on a intérêt à être à l'heure pour dîner.

– Et vous faites quoi, ce soir ? demanda Bénédicte.

– Y a Henri qui parle d'aller en boîte à Orléans... On se retrouve chez lui ?

– D'accord.

Mais lorsque Regina et Juliette arrivèrent au Chat-Botté ce soir-là, la boutique était en émoi : Mme Tuille gisait, assise, la tête renversée, haletante, les bras ballants, un flacon d'eau de Cologne dans la main droite, et M. Tuille arpentait le magasin en long et en large.

Ils firent à peine attention à l'arrivée de Juliette et Regina.

– Mais, qu'est-ce qui se passe ? demanda Juliette.

– Il se passe que ce n'est plus possible, que cette fois-ci il dépasse les bornes. Oser venir me défier, moi, le président, dans mon magasin. La police va devoir prendre ses responsabilités !

– Je comprends rien, dit Juliette. Qui t'a défié dans ton magasin ?

– Fais-lui lire, Marcel, parvint à dire Jeannette Tuille entre deux halètements. Fais-lui lire...

Marcel Tuille tendit à sa fille, d'un geste théâtral, un morceau de papier tout chiffonné à force d'avoir été serré. Juliette le déplia soigneusement et lut : « Prenez garde, habitants de Pithiviers, je vais frapper si vous me provoquez encore... Et, cette fois-ci, je me surpasserai. »

Les mots avaient été découpés dans un journal, et la colle semblait fraîche.

L'assassin ne manquait pas de culot : il était venu narguer M. Tuille dans son magasin.

Mme Tuille versa de l'eau de Cologne sur sa

526

compresse, la respira longuement, puis se la posa sur le front.

– Et dire que je l'ai vu… peut-être même frôlé ou touché…

– Arrête, Jeannette, arrête.

– Vous pouvez pas essayer de vous rappeler qui vous avez servi, aujourd'hui ? demanda Juliette.

– Tu parles ! Pendant ces jours de fête… on voit défiler de tout… Des gens d'ici et de partout… Non, il a bien concocté son coup. Il est rusé.

– À quoi il fait allusion quand il parle de provocation ?

– Je ne sais pas, je ne sais pas, répondit Marcel Tuille, très énervé. Mais j'ai convoqué l'inspecteur Escoula, et il va bien falloir mettre fin à cette sinistre comédie.

Chapitre 9

Le samedi 25 avril 1970, Joëlle Maraut épousa René Gabet à Pithiviers. La ville tout entière s'était unie pour célébrer les noces de celle qu'on n'appelait plus que « la petite victime ». La mairie et l'église furent décorées de fleurs blanches, de banderoles portant des messages de sympathie et une fanfare ouvrit le cortège qui menait les jeunes époux de la mairie à l'église.

Les parents Maraut avaient protesté quand Joëlle avait parlé de cérémonie religieuse. Ils durent s'incliner : le mariage de leur fille n'était pas un simple mariage, c'était la réponse d'une ville à un criminel. Aux yeux des habitants de Pithiviers, l'union de Joëlle et René symbolisait le triomphe de la vie et de l'innocence. Et tout le long du parcours qu'emprunta le cortège à travers la ville, on acclama les mariés.

Elle était jolie, Joëlle, sous son voile blanc. Toute blonde, presque fragile, elle s'appuyait sur le bras de René, laissant dodeliner, à chaque arrêt, sa tête sur son épaule, puis reprenait sa marche avec la grâce et la délicatesse d'une frêle héroïne. Jolie et heureuse. Elle avait du mal à ne pas laisser éclater son bonheur en pirouettes et exclamations. De temps en temps, elle se mordait les lèvres pour ne pas lâcher un « Putain, que je suis contente ! ». Elle regardait René. Superbe dans son queue-de-pie gris. Un peu embarrassé par le chapeau qu'il tenait à la main. Elle avait repéré leurs tenues dans une revue spécialisée, *Mariages*, et les avait commandées à Orléans. La ville entière s'était cotisée pour les frais de la cérémonie. M. Tassin, élu depuis peu au conseil municipal, avait insisté pour faire de ce jour une date spéciale qui peut-être toucherait le cœur de l'assassin. « Tu parles », grommelait Marcel Tuille, ceint d'une écharpe bleu canard avec le nom de son Association, « ça va l'exciter au contraire et on va avoir droit à un crime bien crapuleux… » L'inspecteur Escoula l'avait assuré que la surveillance, ce jour-là et les jours suivants, serait renforcée.

Dans le cortège, Martine, Juliette et Bénédicte piétinaient. Émues et bousculées. C'était la première fois qu'une fille et un garçon de leur bande se mariaient. Juliette, surtout, avait du mal à y croire. Un an et demi plus tôt, elle aurait rançonné sainte Scholastique pour pouvoir dire oui au beau René. Et, maintenant, elle assistait, indifférente, à la prise au lasso de son ancien héros.

– C'est un coup pourri, je la plains, chuchota-t-elle à Martine pendant l'Élévation.

– Ne crache pas sur ce que tu as adoré, lui répondit Martine.

– Même quand je l'adorais, je savais que c'était un coup pourri.

– Mais, toi, t'aimes quand c'est compliqué. T'es tordue, ma vieille !

– Parce que Richard et toi, c'est simple peut-être ?

« Touché », pensa Martine.

Richard avait repris ses activités clandestines et abandonné son métier de coursier. « Ça ne rapporte pas assez et c'est ridicule ; en plus, à Paris, il pleut tout le temps. » Elle n'avait pas envie de lui faire la morale, et avait fini par s'habituer à ses petits casses. C'est drôle, je vis cette histoire comme si je m'attendais à ce qu'elle finisse d'une minute à l'autre. Comme si c'était une erreur. Détachée et froide quand il n'est pas là, incapable de raisonner quand il déboule avec son imper de western, ses mains qui jonglent et son sourire éclair. Je l'aime, merde, je l'aime. Ce doit être ça, l'amour : quand on ne peut pas expliquer.

Il allait et venait. Disparaissait pendant une semaine et resurgissait avec une Rollex ou des bracelets Cartier. Elle ne demandait pas d'explications. Elle préférait ne rien savoir. Après s'être beaucoup parlé, ils ne se disaient presque plus rien, restaient des heures, enlacés. Il lui caressait les cheveux en répétant : « Marine... Marine. » Elle l'écoutait et fermait les yeux. « On se marie, Marine, et on fabrique un bébé. » Elle disait oui et ils n'en reparlaient plus. Ou si, pour recommencer leur litanie... Elle ne lui avait toujours pas parlé de son départ, tremblait qu'il ne tombe sur une lettre de Pratt Institute ou que quelqu'un ne lâche dans la conversation : « Et c'est pour quand le grand départ ? » Les filles et Rosita savaient qu'il ne fallait pas dire New York ou l'Amérique quand il était là, et chacune protégeait son secret. Elle avait pris son billet pour le 28 juin. Deux mois à l'avance, c'est moitié prix.

– Plus que deux mois de répit, chuchota Juliette qui avait suivi le cours de la pensée de son amie.

– Salope, répondit Martine en pinçant Juliette jusqu'au sang.

– On ne pince pas sa conscience ou elle se venge cruellement...

Juliette attrapa le petit doigt de Martine et le retourna. Martine poussa un cri. Il y eut un murmure de réprobation dans l'assistance.

– Conscience pour conscience, tu veux que je répète à Louis tout ce que tu fais quand il a le dos tourné ?

– Tu peux. Il en fait autant. Et je ne serais pas surprise qu'il approuve, en plus...

Elles s'étreignirent le coude sous leur feuille de cantiques.

– Je t'aime, toi, reprit Juliette. Tiens, si je pouvais, je t'épouserais de suite.

– Ach… Ach… Arrête, tu vas me faire pleurer.

– Qu'est-ce que vous racontez ? demanda Bénédicte en se penchant vers elles. Ça n'en finit pas cette messe !

– C'est Juliette qui divague. Mais arrêtez, on va se faire remarquer. Et puis, c'est le mariage de ma sœur quand même…

Bénédicte et Juliette se turent et entonnèrent «Plus près de toi, mon Dieu, plus près de toi ». Bénédicte enviait la complicité de Martine et Juliette. Elle avait beau faire des efforts, elle n'arrivait pas à s'immiscer dans leur clan. Ce n'était pas qu'elles fassent bande à part, mais elles semblaient nées du même chromosome, ces deux-là. C'est ma faute, pensa Bénédicte. Je n'ai pas leur courage, moi. Courage de vivre avec Louis Gaillard et les autres ou de m'afficher avec un voleur et de partir en Amérique, toute seule. Courage de ne pas faire semblant, de ne pas prétendre être ce que je ne suis pas. Je voudrais réussir, mais comme je manque d'audace, je me colle à Émile. Que je supporte mal. Mais j'ai peur sans lui, sans son ombre qui veille sur moi. Je ne me sens pas capable de le quitter tant que j'en ai pas trouvé un autre qui m'entraîne dans son sillage…

Il y avait des moments terribles où Bénédicte était lucide. Où elle voyait toutes ses lacunes, où elle prenait de grandes décisions : rompre, partir d'un nouveau pied, seule. Ne devoir ma réussite qu'à moi.

Puis elle regarda René et Joëlle et se remit à espérer qu'un jour, elle aussi, dirait oui à celui qui l'attendait quelque part et, grâce à qui, elle n'aurait plus peur, plus jamais. Un qui serait suffisamment beau, riche et célèbre, pour qu'elle soit rassurée.

La messe était terminée et le cortège nuptial reprit

son long déroulement jusqu'à la place de la Mairie où un dîner était prévu. Martine et Juliette se proposèrent pour faire le service et, au moment de la pièce montée, alors que Joëlle et René venaient de couper d'une seule main les choux caramélisés, une valse jaillit d'un haut-parleur. M. Tassin déclara le bal ouvert. Il alla s'incliner devant Mme Maraut qui lui emboîta la mesure, en serrant son sac sous son bras. Ils furent bientôt suivis des mariés qui tournoyèrent un moment, seuls, sous les projecteurs et les applaudissements de la foule.

– Le voile, le voile, le voile ! crièrent les invités.

Joëlle lança son voile en l'air, et chacun en déchira un morceau. Puis la musique reprit son air de valse. M. Tuille invita sa fille. Mathilde Tassin, un peu éméchée, essayait de convaincre son voisin de danser avec elle sous le regard désapprobateur de Jeannette Tuille. Martine allait se lever pour entraîner son père quand une main la retint.

– Cette fois-ci, tu ne pourras pas me refuser…

Elle se retourna. C'était Henri Bichaut. Elle lui sourit et se laissa emmener sur la piste de danse. Bénédicte resta seule, morose. Ce n'est pas ici que je le rencontrerai, c'est sûr.

Le 30 avril, au petit matin, un éboueur qui ramassait les ordures rue de l'Amiral-Gourdon demanda l'aide d'un collègue devant le poids surprenant d'une poubelle. Le collègue, curieux, souleva le couvercle et poussa un juron. À l'intérieur, se trouvaient deux corps emmêlés et recouverts d'un morceau de gaze blanc qui rappelait le voile d'une mariée. Les deux victimes étaient deux sœurs jumelles : Christine et Caroline Lantier. Habillées de manière identique, toujours en train de pouffer derrière leurs mains ou de se parler à l'oreille, elles terminaient leur première au lycée de Pithiviers. Une peau de porcelaine, des yeux vert profond, des cils très noirs, d'épais cheveux châtains, elles passaient le plus clair de leur temps à parler chiffon et à feuilleter les magazines. L'assassin avait dû les rencontrer alors qu'elles revenaient de la piscine à pied, car la dernière fois qu'on les avait vues, c'était dans le grand bassin de la piscine couverte.

La suspicion naquit entre habitants de Pithiviers, et tout le monde se regarda de travers. C'est sûr, commença-t-on de caqueter, elles le connaissaient, sinon elles ne seraient pas montées avec lui. Mais alors, QUI est-ce ?

Dans les cafés, les queues des commerçants, les salles d'attente, les salons de coiffure, les stations-service, les soupçons allaient bon train. Chacun avait sa petite idée. Et puis le voile de la mariée, vous allez pas me dire que c'est un inconnu ? Il était invité, pour sûr… Moi, je vous dis que…

Des lettres anonymes circulèrent : « Où était votre mari, votre fils, votre frère, le jour du crime vers sept heures ? » Ou « Comment se fait-il que votre mari soit si souvent absent ? Si j'étais vous, je vérifierais son emploi du temps »…

Certaines victimes apportèrent leur lettre au commissariat. D'autres n'osèrent pas. Mme Tuille reçut un mot : « Je sais où était votre mari ce soir-là. Devinez… » Elle s'assit, tremblante, et murmura : « Mon Dieu, Marcel… » Il n'était pas au magasin ni à l'appartement ce jour-là. Une autre lettre arriva : « Ne trouvez-vous pas étrange que votre mari soit président de l'Association ? Et s'il voulait brouiller les pistes ? »

Mme Tuille dut prendre un calmant dans son armoire à pharmacie et plongea un sucre dans un petit verre de cognac. Le soir, quand Marcel remonta du magasin, le front soucieux et l'air las, elle essaya de l'interroger, mais le fit si maladroitement qu'il l'interrompit :

– Qu'est-ce qu'il y a, Jeannette ? Toi aussi, tu me soupçonnes ?

Elle bredouilla « mais non, je t'assure… » et ils mangèrent leur soupe en silence.

Les lettres ne cessèrent pas pour autant. « Soit votre mari vous trompe, soit c'est un assassin. » Jeannette Tuille en perdit le sommeil. « Si je m'endors à ses côtés, vais-je me réveiller ? » Elle prétexta des quintes de toux pour aller dormir dans la chambre de Juliette, et ferma la porte à clé.

La famille Tuille n'était pas la seule à être victime de ces missives odieuses. D'autres reçurent des lettres de chantage, des demandes d'argent, des rappels de vieilles querelles. La ville, qui s'était rassemblée dans un bel élan de solidarité, pour les noces de Joëlle, se déchirait avec la même ardeur.

Je ne vais quand même pas faire mon article sur des lettres anonymes, se disait Bénédicte, envoyée par *le Figaro*. Il faut que je réunisse un coup comme la dernière fois.

L'inspecteur Escoula ne lui était d'aucun secours. On ne sait rien de plus, rien de plus, s'entendait-elle répéter chaque fois qu'elle essayait d'approcher les responsables de l'enquête.

Elle traîna quelques jours à Pithiviers. Se creusant la tête pour trouver un fil conducteur, un indice qui lui permette d'alimenter la copie qu'elle devait envoyer à Paris. Larue s'impatientait, menaçait d'envoyer les journalistes spécialistes des faits divers.

– Si j'ai pris sur moi de vous envoyer, vous, c'est parce que c'est votre ville, nom de Dieu, vous êtes chez vous ! Fouillez les poubelles, introduisez-vous chez les gens. Vous avez essayé les parents des victimes ?

Ils avaient quitté la ville aussitôt les obsèques terminées.

Elle tournait en rond et ne trouvait rien.

Sa famille ne l'aidait pas. C'est tout juste si on lui avait demandé ce qu'elle venait faire à Pithiviers. M. Tassin avait rejoint l'Association de M. Tuille et écrivait des articles vengeurs dans *la République du Centre*. Mme Tassin faisait des aller et retour incessants entre l'école, le centre de plein air, les camarades des uns et des autres, de peur qu'un de ces enfants ne soit abordé par le sadique. Et quand elle se trouvait seule avec sa fille, elle lui parlait de Paris, de son amie américaine dont elle avait reçu une lettre.

– Elle tient absolument à ce qu'on fasse ce voyage ensemble à Florence. Si, cet été, il y a une chambre de libre rue des Plantes, tu crois que je pourrais venir y passer quelques jours ?

Bénédicte essayait de faire dévier la conversation sur elle, sur le journal, sur son enquête. Sa mère l'écoutait, distraite, puis reprenait son sujet favori : Paris.

– Mais, maman, ça ne t'intéresse pas ce que je te raconte ?

– Mais si, ma chérie. Et je suis très fière de toi, tu sais. Je le dis à toutes mes amies… Si, si.

Bénédicte opinait. Déçue. Blessée.

Elle décida d'aller interroger Joëlle. Pendant qu'elle composait le numéro de téléphone de la nouvelle Mme Gabet, elle mesurait l'ironie de la situation. Comment elle, qui n'avait jamais ressenti que mépris et antipathie pour Joëlle, allait-elle réussir à lui inspirer confiance afin qu'elle lui parle ?

Joëlle reçut Bénédicte dans son deux-pièces de la rue de l'Église. Elle ouvrit la porte puis alla se rallonger sur le sofa jonché de revues. C'était au tour de Bénédicte de se sentir mal à l'aise. Joëlle la regardait avec assurance et même une certaine insolence.

Bénédicte s'éclaircit la voix et commença :

– Tu sais pourquoi je suis venue te voir…

Joëlle prit une lime à ongles et attaqua sa main droite.

– Eh bien… je me suis dit qu'il y avait peut-être des détails qui t'étaient revenus depuis et…

– Mon Dieu ! Je ne t'ai rien offert à boire…

– Merci. Tu es gentille… Je n'ai pas soif.

Elle avait encore du mal à la tutoyer.

– T'es sûre ? Moi, je vais me faire un petit Americano… D'habitude, j'attends que René soit rentré, mais ce soir je vais faire une exception…

Elle s'était levée et se dirigeait vers le bar.

– Oui. Donc je pensais que, peut-être, en réfléchissant, il te reviendrait des détails…

– J'ai tout dit à la police quand ils m'ont interrogée. Je ne me souviens de rien. J'essaie d'oublier cette horrible histoire…

Elle s'était arrêtée, et Bénédicte aurait juré qu'elle avait pris la pause.

Alanguie et meurtrie, sa bouteille d'Americano serrée contre elle.

– Joëlle, tu es la seule qui puisse mettre fin à ce cauchemar… Tu connaissais les jumelles Lantier ? Tu n'as pas envie que ça se reproduise ?

– Oh ! non… C'est trop horrible.

– Alors, fais un effort ! La voiture ?

– J'te dis que j'ai tout dit aux flics !

– Tu n'essayes même pas !

Elle s'en fiche royalement de ce qui peut arriver aux autres. Il ne faut pas que je m'énerve, pensa Bénédicte en se forçant à rester calme.

– Écoute, je ne veux pas te bousculer… mais je voudrais vraiment que tu m'aides.

– Tu voudrais faire un scoop, c'est ça ?

Joëlle avait prononcé ces mots d'un petit air rusé et sournois.

Bénédicte eut envie de sortir, mais se retint. Tant d'égoïsme et de bêtise la dégoûtaient. Mais cette fille pouvait encore lui servir...

– Non. Je voudrais qu'on retrouve ce salaud. C'est tout.

À ce moment-là, une clé tourna dans la serrure et René entra. Joëlle se leva pour aller l'embrasser et se serra contre lui.

– Bénédicte est venue m'interviewer pour *le Figaro*.

– Encore ! fit René en grommelant. On n'en sortira jamais de cette histoire !

– Mais, je lui ai dit que j'avais rien à dire.

Elle se serra encore plus contre son mari.

– Bon. Je vous laisse... Si jamais... Tu m'appelles, dit Bénédicte sans conviction aucune.

– D'accord. Salut.

En passant devant les boîtes aux lettres bien alignées dans l'entrée, Bénédicte ne put s'empêcher de jeter un coup d'œil sur celle de Joëlle et René. On la reconnaissait facilement : elle était ornée de petits nœuds blancs signalant les nouveaux mariés. Comme les morceaux de gaze qu'on avait retrouvés collés sur les faces écrabouillées des jumelles...

Quand Bénédicte ne savait plus quoi faire, qu'elle piétinait dans une enquête ou dans un problème, quand la nature ou le cours des événements lui paraissait hostile, elle appelait Émile. Il était tard, ce soir-là, quand elle essaya de le joindre.

D'habitude, elle le trouvait toujours au journal. Ce serait la première fois, en dix mois, qu'elle téléphonerait chez lui.

– Allô. C'est Bénédicte Tassin. Je voudrais parler à Émile...

– Allô. Oui che... Che ne comprends pas...

La femme qui lui répond a un très fort accent yiddish et du mal à s'exprimer.

– Excusez-moi, madame. J'ai dû faire erreur.

– Che n'est rien, mâdemoiselle.

Bénédicte raccrocha et recomposa le numéro.

– Allô. Je voudrais parler à Émile, s'il vous plaît.

– Ah... c'est la mademoissele...

– C'est bizarre, réfléchit Bénédicte tout haut, c'est pourtant le numéro qu'Émile laisse au journal.

– Acchh ! fit la dame, fous êtes du chournal. Fou voulez parler à Jacob ?

– Jacob ?

– Ouiche... Jacob, mon fils. Il est chournaliste dans un très grand chournal. Che souis sa maman...

– Émile Bouchet ?

– Jacob Goldstein. Fous êtes sa secrétaire ?

– Non. Je suis une amie.

Bénédicte se tripota la lèvre supérieure. Il doit y avoir une erreur.

– Dites, madame, moi je parle d'Émile. Un garçon pas très grand avec des lunettes très épaisses et des cheveux tout frisés...

– Jacob. Il habite avec nous. Il a beaucoup de problèmes avec ses yeux. C'est vrai, ça.

Pas de doute, c'est Émile.

– Et vous êtes sa mère ?

– Oui, mademoissele. Che souis sa maman.

Bénédicte laissa passer un moment, le temps d'assimiler « je suis sa maman », puis reprit :

– Est-ce que je peux vous laisser un message ?

– Che ne sais pas écrire, mademoissele. Il est descendu à la boutique, mais il va remonter.

– Bon, je le rappellerai plus tard... Au revoir, madame.

Bénédicte raccrocha, stupéfaite.

Émile Bouchet... Jacob Goldstein... Émile... Jacob... Comment vais-je l'appeler, maintenant ?

Chapitre 10

Le lendemain, Bénédicte décida d'aller revoir Joëlle. Elle l'attendit à la sortie de son salon. Elle avait réfléchi toute la nuit et avait mis au point une stratégie. Il fallait lui faire perdre de sa superbe. Tant que Joëlle aurait l'impression d'avoir le dessus, elle n'en tirerait rien. Elle était trop confortablement installée dans son deux-pièces et son bonheur, son auréole de martyre, la décourageant de faire le moindre effort.

Dans dix minutes, il serait six heures, et tous les magasins de la ville fermeraient. Les dernières ménagères de Pithiviers se hâtaient de faire leurs courses. Elle vit passer Mme Tuille, un imper en Tergal jeté sur sa blouse de commerçante, qui se hâtait vers la boucherie. Elle avait noué un foulard imprimé sous son menton et avançait, rapide, en hochant la tête comme si elle se parlait à elle-même… Une dizaine de mètres derrière suivait Mme Pinson, altière, prenant tout son temps comme si les commerçants se devaient de l'attendre.

Émile n'avait pas rappelé la veille. Elle non plus. Elle n'aurait pas su quoi lui dire. Elle se rappela Jacob Goldstein et sourit. Ainsi, moi aussi je peux intimider un Parisien ! Puis, elle fit la grimace : Émile était si peu parisien.

Six heures sonna au clocher de l'église, et Joëlle jaillit du salon de coiffure de Mme Robert.

Bénédicte l'aborda aussitôt :

– Tu viens prendre un café ?

– René m'a dit de ne plus parler de l'affaire.

– Oui, mais René n'a pas pensé à tout.

Elle vit une lueur intriguée dans l'œil de Joëlle.

– Allez, viens. Je t'offre un café et je t'explique.

Joëlle se laissa entraîner. Elle commanda un thé, parce que le café était mauvais pour ses nerfs.

– Écoute…, commença Bénédicte, j'ai réfléchi depuis hier soir. Tu m'écoutes ? Le meurtrier a eu l'impression d'avoir été ridiculisé lors de ton mariage. La ville tout entière l'a défié. Qu'a-t-il fait ? Il a commis un double meurtre. Une sorte d'avertissement. Une fois encore, on n'a aucune piste. Une fois encore l'affaire va être classée. Que va-t-il se passer ? Il va se sentir invincible et ça ne m'étonnerait pas que…

Elle s'interrompit et regarda Joëlle. Elle avait cessé de faire tourner sa cuillère dans sa tasse et l'écoutait. Bénédicte laissa le silence se prolonger.

– Et alors ? demanda Joëlle.

– Alors, il va vouloir prouver encore qu'il est le plus fort…

– En faisant quoi ?

– En commettant un nouveau crime.

Joëlle haussa les épaules. Et reprit sa cuillère.

– Mais pas n'importe quel crime…

– Tu as beaucoup trop d'imagination, souffla Joëlle en décortiquant sa rondelle de citron de ses petites dents blanches. C'est le problème avec les journalistes.

– Je continue, dit Bénédicte. Pas n'importe quel crime, parce qu'il ne peut plus se le permettre. Il a placé la barre très haut en tuant les jumelles. La prochaine fois, car il y aura une prochaine fois, soit il en tue trois – ce qui me paraît difficile –, soit il s'attaque à l'impossible.

– C'est-à-dire ? demanda Joëlle en posant sa tranche de citron.

– À toi.

– À moi ?

– Oui.

Et comme Joëlle ne répondait pas.

– Ça me paraît tout à fait logique. Réfléchis bien : tu es la seule à t'en être sortie, la seule à l'avoir mis en difficulté, la seule à l'avoir emporté sur lui. Il va vouloir se venger. Il va attendre un peu, puis il s'attaquera à toi. Tu as envie de vivre traquée ? Perpétuellement inquiète ? Tu crois que René supportera cette tension. Il en a marre, René, hein ? Il se mettra à sortir avec ses copains et reprendra sa vie d'avant. Je le comprends, remarque. Il m'a paru bien énervé, hier soir, quand tu lui as dit pourquoi j'étais là…

– Mais, qu'est-ce que tu veux que je fasse ? soupira Joëlle, excédée.

– Je veux que tu te souviennes de la marque de la voiture.

– Mais je ne peux pas. C'est pas ma faute.

– Tu ne fais aucun effort.

– T'es marrante, toi. J'ai tout fait pour oublier cette histoire. Quelquefois, la nuit, j'en rêve. J'ose pas le dire à René parce qu'il ne veut plus m'écouter. Il en a ras le bol. Alors, tu parles, si j'ai envie de me rappeler détail par détail ce qui s'est passé ce soir-là ! Je demande pas mieux, moi, que d'aider la police…

– Tu demandes pas mieux ? Bon, alors, j'ai une idée.

Elle attrapa Joëlle par la main et elles quittèrent le *Café du Nord.*

Il était sept heures, heure à laquelle, six mois plus tôt, l'homme abordait Joëlle. Bénédicte la plaça sur le trottoir, tout près de la chaussée, et lui demanda de marcher en se retournant à intervalles réguliers.

– C'est comme ça que tu faisais, hein ? Tu attendais René ? Bon… Et tu allais vers la piscine. Rappelle-toi tout ça. Marche et retourne-toi chaque fois que tu entends une voiture.

Bénédicte la suivit, les doigts croisés dans le dos. Mon Dieu, pourvu que ça marche ! Il n'y a rien d'autre à attendre de cette petite dinde.

Au début, Joëlle avança sans se retourner. Comme si elle n'avait pas le courage de regarder derrière elle.

– Je ne peux pas, murmura-t-elle. Je ne peux pas. C'est trop dur.

– C'est ça ou tu auras peur tout le temps.

Joëlle reprit sa marche le long du trottoir. Se retournant à peine, regardant très vite par-dessus son épaule.

– Non. Je peux pas. Je me souviens pas.

– Si. Tu peux. Vas-y.

– J'ai peur. J'ai jamais eu peur comme ça. Et s'il revenait ?

Elle lui jeta un regard plein d'effroi et, soudain, Bénédicte eut pitié d'elle.

– J'avance avec toi et je te donne la main.

Elle attrapa la main de Joëlle et la serra très fort.

– Tu es prête ?

Joëlle opina. On doit faire un drôle d'équipage, se dit Bénédicte.

– C'est celle-là, cria Joëlle.

Elle montrait du doigt une 504 grise. Mais son doigt retomba et elle murmura « non, non »… Elle reprit sa marche, lâcha la main de Bénédicte. Elle s'était redressée et se retournait à intervalles réguliers, les sourcils froncés, le regard fixé sur la route.

On ne doit plus être très loin de la piscine, maintenant. Pourvu qu'elle se souvienne avant. Sinon, j'ai fait tout ça pour rien.

– Celle-là ! Non, non, pas celle-là. Celle-là ! Non. C'est pas ça…

Ce n'est pas possible, soupira Bénédicte. Il ne circule pas en voiture de collection, le sadique ! Cela doit faire trois quarts d'heure qu'on marche et elle n'a rien reconnu. À moins qu'il ne s'agisse d'une Traction avant ou d'une Grand Large, il y en a encore dans les cours de ferme, à la campagne.

Soudain, Joëlle s'immobilisa. Son sac pendant à son poignet. Elle montrait du doigt, tendue, arc-boutée, comme si elle portait la voiture à bout de doigt, une Mercedes gris métallisé.

– C'est celle-là. J'en suis sûre. J'en suis sûre. Il était assis derrière le volant, il portait un masque sur le visage, un loup de Zorro et il m'a attrapée comme ça et ça m'a fait mal parce que ma cuisse a éraflé la portière… Je me rappelle. C'est lui, c'est lui…

La Mercedes passa devant elles, et Joëlle poussa un cri. Un cri strident avant de s'effondrer dans les bras de Bénédicte.

L'homme qui conduisait s'arrêta.

– Vous voulez de l'aide, mademoiselle ? demanda-t-il très poliment.

– Non. Ça va. Ça va. Partez, s'il vous plaît.

Et comme l'homme ne bougeait pas et la regardait, muet, Bénédicte se mit à hurler :

– Vous m'avez comprise. Partez ! Ou j'appelle la police !

Le soir même, Émile appela chez les Tassin et demanda à parler à Bénédicte.

– Allô, chérie, la bonne m'a dit que tu avais appelé hier soir ?

Bénédicte resta muette. La bonne ?

– Oui. Je voulais te parler de l'affaire de Pithiviers.

– Larue est furieux. Il parle d'envoyer Rachet.

– Rachet ne fera pas mieux que moi, tu sais. Les flics ne lâchent rien.

C'est pas la bonne qui a répondu, avait envie d'ajouter Bénédicte. Pourquoi tu me mens ? Mais, elle ne se sentit pas le courage de remuer tout ça… Et pas vraiment l'envie. C'est son problème après tout.

– Tu rentres quand, ma chérie ? Tu me manques, tu sais…

Le commissaire Escoula lui avait demandé de ne pas souffler mot au sujet de la Mercedes. Ni Bénédicte ni Joëlle ne devaient parler. « Il ne faut pas qu'il se doute qu'on tient enfin un indice, avait dit le commissaire. On va faire vérifier toutes les cartes grises de Mercedes de la région et enquêter sur leur propriétaire. Mais, en attendant, pas un mot. » « Et, en échange, avait demandé Bénédicte, vous me donnez quoi ? » « L'exclusivité de l'information, quand on aura mis la main sur l'assassin », avait promis le commissaire.

Elle n'avait plus qu'à attendre.

Et passer pour une incapable auprès de Larue.

– Je crois que je ne vais pas tarder à rentrer, annonça Bénédicte. J'ai plus rien à faire ici.

– Je t'attends, chérie. Rentre vite !

Émile ne mentait pas. Bénédicte lui manquait. Il avait eu peur, la veille, quand il était rentré et que sa mère lui avait dit qu'une jeune fille avait appelé. Il avait échafaudé tout un plan pour éviter l'aveu. Je lui avouerai plus tard, plus tard, quand j'aurai la place de Larue, que je serai tout-puissant et qu'elle ne pourra plus me quitter.

Il raccrocha, ragaillardi : elle ne se doutait de rien. Sinon, elle lui aurait battu froid. Elle aurait pris son air de princesse et lui aurait demandé des explications.

Personne ne savait. Personne.

Depuis qu'il était avec Bénédicte, il voyait bien, dans le regard des autres, l'admiration et l'étonnement. Bien sûr, de temps en temps, il lisait aussi des choses moins plaisantes : « Si cet avorton-là se la fait, moi aussi je peux. » Mais, c'était rare.

L'autre jour, Larue l'avait fait appeler dans son bureau et lui avait offert un cigare. À lui ! Émile ! Il était prêt à parier que, dans peu de temps, Larue le prendrait comme adjoint.

Ce jour-là, peut-être, il lui dirait. À Bénédicte.

Il lui raconterait l'histoire de Jacob Goldstein. L'histoire de ses parents aussi… Des juifs de Hongrie qui avaient fui sous les persécutions nazies et qui s'étaient installés à Paris. « France, terre d'accueil », répétait son père dans le train qui les emmenait à Paris. Son père était devenu tailleur, sa mère ne travaillait pas. Elle aurait eu du mal : elle parlait très mal français et ne savait pas écrire. La famille Goldstein s'était installée dans une petite rue derrière la place de la République. Le petit Jacob avait grandi en se disant que, un jour, il sortirait de là. Un dimanche après-midi, son père l'avait emmené aux Tuileries et il avait vu des petits garçons très bien habillés qui faisaient voguer leur bateau dans le bassin plein d'eau. Il n'avait même pas osé demander à son père de lui en louer un. Un jour, un jour…

Fasciné par l'importance du journal que, chaque matin, son père et ses oncles lisaient, se le passant, se le repassant, commentant longuement les nouvelles, il avait choisi de devenir journaliste. Il s'était inscrit dans une école de journalisme. À la sortie, une place était disponible au *Figaro*. Il avait été engagé. Pas fâché de s'éloigner le plus possible de son milieu d'origine. Là, au moins, on ne viendra pas me débusquer. Pour cela, il avait changé de nom, de prénom et s'était inventé une famille, des racines bien françaises. Il y croyait presque maintenant, et il ne fallait pas beaucoup le pousser pour qu'il raconte comment il jouait rue des Vignes avec le petit de La Rochefoucauld et la petite de Montalembert, dont le père chassait avec le sien en Sologne. S'il avait renié ses parents socialement, il continuait à s'occuper d'eux matériellement. Son père, devenu vieux, ne travaillait plus. Ses frères le gardaient à la boutique par gentillesse et il passait le plus clair de son temps à découper les articles d'Émile et à les coller dans un grand album.

Son fils était un bon enfant : s'il ne faisait pas sabbat le vendredi soir ni kiddouch, il passait Yom Kippour tous les ans avec eux.

Ce jour-là, il s'appelait Jacob. Il ne touchait ni au feu ni à l'électricité, et laissait sa mère le servir. M. Goldstein ne regrettait qu'une chose : que son fils ne soit pas marié. À trente ans, c'était presque une tare. Mais, quand il en parlait à Émile, celui-ci prétextait du travail, des déplacements… Il n'insistait pas : son fils était gentil avec eux. C'était le plus important. Pour sa femme, surtout. Elle grappillait sur les dépenses de la maison pour lui acheter des costumes, des chaussures, parce qu'Émile n'avait pas le temps de faire des courses…

Émile aimait habiter chez ses parents. Si j'étais resté en Hongrie, se disait-il, j'aurais pu tout concilier. En France, ce n'est pas possible. On ne peut pas être différent. Le vêtement, l'accent, les manières vous trahissent et vous marquent. Dans cinq ans, dix ans au plus tard, j'aurais rattrapé tout mon retard et je serai plus français que Nizot…

Elle m'aurait ri au nez, Bénédicte, si elle avait découvert la vérité. Et je ne veux pas qu'elle m'échappe… J'ai besoin d'elle. Je veux qu'elle m'apprenne la France et les belles manières, je veux qu'elle m'épouse et me fasse des enfants bien français, je veux, je veux… Je jetterai Nizot dans les bras de n'importe quelle fille pour qu'elle l'oublie. Il ne l'aura jamais. Il n'en a pas besoin, lui, de Bénédicte Tassin. Il en a des dizaines dans sa vie…

Il avait déjà commencé à travailler Larue pour qu'il

mute Nizot dans un autre service. Encore deux ou trois cigares fumés entre hommes, et Nizot ne me gênera plus.

Émile se frotta les mains.

Elle rentrait bientôt.

Elle ne savait rien.

Larue l'avait reçu seul à seul dans son bureau.

Chapitre 11

« Cent dix mille personnes se sont entassées sur les gradins du stade aztèque de Mexico pour assister à la demi-finale de la Coupe du Monde de football qui oppose l'Italie à l'Allemagne… »

Martine tourna, impatiente, le bouton de la radio, cherchant une autre station. « Elsa Triolet vient de s'éteindre. La célèbre compagne d'Aragon était âgée de… »

– Y a rien de plus gai ?

– Pour bous, y a rien d'assez gai, dit Rosita. Bous boyez tout en noir en ce moment.

Martine haussa les épaules et ne répondit pas.

On était à la mi-juin et elle n'avait toujours pas dit à Richard qu'elle partait. Dans dix jours…

– Mais, Rosita, comment voulez-vous que je sois gaie ?

– Ça, c'est sûr. Bous abez rien fait pour…

Richard faisait des projets d'été, d'automne, d'hiver. Richard disait « nous », « on ». Richard, devant ses absences et son air préoccupé, devenait soupçonneux : « T'as un autre mec ? Dis-le tout de suite, je lui casse la gueule… » Elle secouait la tête : « Non, non. Je te promets. Je te jure que non… » « Mais, alors ? demandait-il. Qu'est-ce que tu as ? » Rien, si ce n'est le poids de sa tête sur ses genoux quand il disait : « Je me rends, je me rends, je déclare l'amour… » Le poids de sa tête contre un diplôme encadré de Pratt Institute.

Rosita l'observait et secouait la tête, découragée. Cette petite me fait faire du souci, pensait-elle. Ça m'étonnerait pas que tout ça finisse en dépression nerbeuse… Il a l'air très atteinte, toute de même. Autre particularité linguistique de Rosita, elle avait rayé le genre féminin de ses phrases, ce qui prêtait quelquefois à confusion.

– Elle est rentrée de la fac, Juliette ?

– Oui. Il est très contente. Ses examens se sont très bien passés.

– Je vais monter la voir. Elle va me remonter le moral, dit Martine en soupirant.

– Dis donc, pendant mes exam, j'étais assise à côté d'une fille qui est mariée à un prêtre ! lui déclara Juliette tout de go.

– T'en as de la chance !

– On a parlé en attendant qu'ils distribuent les sujets et elle m'a dit qu'en France il y avait à peu près trois cents prêtres mariés. Et tu sais quoi ? Elle prend pas la pilule parce que le pape est contre… Alors, je lui ai dit : « Mais tu écoutes encore ce que dit le pape, alors que t'es mariée avec un défroqué ! » « Oui, m'a-t-elle répondu, un peu coincée. Il est toujours notre berger. » J'ai eu du mal à me concentrer après.

– Ça a l'air d'aller, toi ?

– Impeccable. Je finis même par trouver le droit intéressant.

– Juju… Ça va pas… Qu'est-ce que je vais faire ?

– C'est toujours comme ça… On est très fort pour résoudre les problèmes des autres et impuissant devant les siens. Il va bien falloir que tu le lui dises un jour. Qu'est-ce que tu attends ?

– Sais pas. Je me dis que l'université va modifier ses dates, que les cours ne commenceront qu'en octobre…

Martine eut un pauvre sourire.

– … que les frontières vont se fermer par suite de conflit international… Je finis par espérer une guerre qui m'enfermerait ici avec lui, tous les deux, dans la cave, sur un pauvre matelas… Je peux pas, Juliette, je t'assure que je peux pas.

– Mais tu as envie de quoi, là, maintenant ?

– De plus rien. De me mettre au lit et de dormir. Juliette, c'est pas vrai qu'on peut tout concilier : le cœur et les envies de réussir. Du mensonge de magazines… Regarde-moi, je suis minable. Je mens, je me mens, je lui mens, je nous mens…

– Arrête. Dédramatise. Va lui parler.

– Il ne supporterait pas que je balance entre lui et quelque chose d'autre. Tu le connais pas. Il a les yeux noirs dès qu'un autre homme m'effleure du regard ! Alors, partir faire des études en Amérique…

– Mais, c'est plus que des études, c'est ton rêve de petite fille… Rappelle-toi quand tu étais caissière à la Coop ?…

– Oui, mais, avec lui, je vis un autre rêve. Un qui n'était pas prévu et dont je me moquais pas mal…

– Mais, tu vas quand même pas partir à la sauvette en laissant un mot sur l'oreiller ?

Martine se tordait les mains. Elle avait les cheveux retenus par un élastique, la frange grasse, les barrettes, les lunettes et le pull de couleurs différentes. Deux grandes rides s'étaient creusées de part et d'autre de sa bouche, et le bord de ses yeux était rougi.

– Je finis par m'en remettre au hasard… aux étoiles… Je lis les horoscopes. Tiens, je suis même retournée voir une voyante ! Tu sais ce qu'elle m'a dit ? Elle a regardé les lignes de ma main et m'a déclaré : « Il vous aime, qu'est-ce qu'il vous aime, ce jeune homme brun, vous en avez de la chance d'avoir un amoureux comme ça ! Faites-y bien attention, mademoiselle. »

– Tu étais bien la dernière personne que je croyais capable de se mettre dans un tel état, conclut Juliette, pensive.

– Mais toi, qu'est-ce que tu ferais ? demanda Martine pour la huit millième fois.

– Moi ? Je resterai... c'est évident. Mais je n'ai pas ton ambition ni ta volonté.

– Tu en as parlé à Louis ?

– Je lui ai dit que tu partais fin juin. Mais j'ai pas parlé de Richard ni de ton problème. C'est bien ce qu'on avait décidé, non ?

Martine acquiesça.

Juliette aurait mieux fait d'en parler à Louis.

Louis venait d'apprendre, par son agent, qu'il allait avoir un rôle important dans *le Conformiste*, un film réalisé par Bertolucci.

– C'est la chance de ma vie. On fête ça... Ce soir... Je viens te chercher et on fait la fête, lui annonça-t-il au téléphone.

Juliette n'avait aucune idée de qui était Bertolucci, mais elle savait précisément ce que « fête » voulait dire avec Louis.

Ce soir-là, il fit son entrée comme un magicien loué pour une matinée d'enfants. Vêtu d'une cape noire, d'un haut-de-forme noir aussi, d'une chemise à jabot de dentelle blanche. Il s'était maquillé les yeux et ressemblait à une tortue masquée.

– Bonsoir mesdames, bonsoir mesdemoiselles, bonsoir messieurs...

Il était près de huit heures et, dans le salon, se trouvaient un client de Regina, Regina, Émile, Bénédicte, Richard, Martine, Ungrun, Juliette et Rosita qui s'apprêtait à partir et boutonnait son imperméable.

Ils le dévisagèrent tous. Il souriait, content de lui. Il avait réussi son entrée.

– Ce soir, on célèbre… Et j'ai là une surprise pour vous que je ne consens à vous dévoiler que si vous me promettez tous, je dis bien tous, de fermer les yeux afin que la lumière soit…

Rosita haussa les épaules. Elle se méfiait de Louis. Elle ne l'aimait pas beaucoup. Le trouvait débraillé, sale, « même un peu bicieux, précisait-elle, cet homme-là, il a un regard à bous faire sauter le soutien-gorge ».

Ils fermèrent tous les yeux, sauf Juliette qui tricha et les tint mi-clos. Louis souleva sa cape et découvrit une énorme bouteille de champagne, un magnum qui lui arrivait à la taille.

– Ouaou ! siffla Juliette, stupéfaite.

– Elle a triché, elle a triché. Elle sera punie, tonna Louis. Vous autres, les sages et les dociles, ouvrez les yeux. Je le veux !

Ils ouvrirent les yeux, et tout le monde applaudit.

– Bous ne pourrez pas l'oubrir, déclara Rosita, praque.

– Mais si… Au sabre…

Et il tira de sa cape noire un long sabre étincelant.

Juliette poussa un cri.

– Il ba m'en mettre partout sur ma moquette, ronchonna Rosita.

– Qu'on m'apporte des coupes ! clama Louis.

– Et un plastique, ajouta Rosita.

Louis ne releva pas la remarque désobligeante et fit tourner le sabre dans l'air, au-dessus de sa tête. La lame siffla. Elle tournait, tournait, les têtes se courbaient, Louis se dressait, un sourire de barbare aux lèvres.

– Vous avez peur, valetaille, pauvres ouailles…

Émile lança un regard à Bénédicte. « Il est vraiment bizarre, ce mec. » Bénédicte mit son index sur la tempe et le fit tourner comme si elle le vissait.

– Vous êtes prêts ? demanda Louis… Et, toi, lame sifflante ?

La lame s'abaissa et vint heurter le goulot de la bouteille, la décapitant net.

– Et voilà, mesdames, mesdemoiselles et messieurs, la fête peut commencer !

Richard regarda Louis et le trouva formidable. Il hésita un instant, puis se mit à l'applaudir, frénétique, bientôt suivi par tous.

– Il a eu de la chance, dit Rosita qui tenait à rester sur sa réserve.

– Des toasts, maintenant ! Et c'est moi qui commence, lança Louis. À moi d'abord : que ce film m'apporte gloire et reconnaissance internationale…

Il leva son verre et en but une gorgée.

– Faut toujours penser à soi, sinon personne ne le fait à votre place…

Il laissa échapper un long rot sonore.

– À Juliette, ma bien-aimée : succès et confiance en elle…

Juliette s'inclina et mima une révérence.

– À Rosita, qui ne m'aime pas beaucoup et tremble pour sa moquette : des produits de ménage irréprochables…

Rosita lui jeta un regard noir par-dessus son verre.

– À Bénédicte : une carrière qui continue au grand galop. À Émile : le courage de suivre…

Bénédicte ne put s'empêcher de lui sourire et porta délicatement le verre à ses lèvres.

– À Ungrun : toutes les couvertures des plus prestigieux journaux de France !

Ungrun piqua un fard. Depuis qu'elle s'était fait ôter les cernes, elle était « surbookée » et travaillait sans répit. « Fais attention, tu vas te refaire des cernes », disait Juliette en plaisantant.

– À Regina : un petit mari bien français…

– Répète, répète, demanda Regina en se mettant du champagne derrière l'oreille.

– À Martine : que son prochain départ pour les Amériques lui ouvre toutes grandes les portes du succès…

Les doigts de Martine se crispèrent sur son verre.

Richard avait blêmi. Ses yeux étaient devenus deux minces fentes noires.

– Quel départ ? demanda-t-il en regardant Louis droit dans les yeux.

– Son départ pour New York, pour faire ses études… C'est pour bientôt, non ?

– New York, répéta Richard en bégayant… Elle part pour New York…

– Je crois que je viens de faire une gaffe, dit Louis en baissant la tête.

Richard se tourna vers Martine :

– C'est vrai ?

Martine ferma les yeux. Un grand vide se fit dans tout son corps, de sa tête à la pointe de ses pieds. La vie se retirait tout doucement d'elle. Je vais m'évanouir, pensa-t-elle. Elle essaya de parler, mais ne put proférer aucun son. Richard la dévisagea. Lui aussi devenu muet. On aurait dit deux mannequins de cire qui se faisaient face. Ils restèrent ainsi des minutes qui semblèrent éternelles. Puis Richard, sans dire un mot, quitta la pièce. Martine se laissa tomber dans un fauteuil.

– Mais cours-lui après, rattrape-le, explique-lui, dis que c'est faux, criait Juliette que l'immobilité de Martine rendait folle.

Martine ne l'entendait pas. Tassée dans le fauteuil, elle contemplait ses chaussures.

– Bon Dieu… Qu'est-ce que j'ai fait ! gémit Louis.

Juliette le prit à part :

– Richard ne savait pas. Martine n'osait pas le lui dire.

Louis se frotta le visage.

– Oh… je suis désolé… C'est de ma faute…

Il avait l'expression dévastée des petits garçons qui viennent de faire une grosse bêtise, et Juliette ressentit une immense tendresse pour lui.

Il alla s'agenouiller aux pieds de Martine.

– Suis désolé. Je voulais juste faire la fête…

– C'est pas ta faute, hoqueta Martine. C'est la mienne. Je savais bien que ça allait finir comme ça… Je m'y attendais…

– Ça, c'est bien une gaffe terrible, dit Bénédicte.

– C'est pas sa faute, protesta Juliette. Il voulait nous faire plaisir…

– Se faire plaisir, tu veux dire…

– T'es trop injuste…

– Je bais aller le trouber, décida Rosita. Je bais lui parler, moi.

– Non. J'irai, moi, dit Martine. Au moins, maintenant, il sait…

– Il habite où ? demanda Louis qui, à l'idée de réagir, se sentait mieux.

– Dans les Puces.

– Je t'emmène.

– Je viens avec vous, dit Juliette.

Ils se rendirent tous les trois porte de Clignancourt. Juliette tenait la main de Martine qui pleurait et dissimulait son visage dans la manche de son manteau.

– T'as pas chaud avec ça ? lui demanda Juliette en montrant le manteau.

– C'est son cache-poussière. Il me l'avait donné. Il disait que ça se prenait dans les rayons de sa mob…

Elle renifla. Juliette lui caressa les joues.

– Ben… tu vois. Il t'aime. Je suis sûre que ça va s'arranger.

– Il me pardonnera jamais de l'avoir appris devant tout le monde…

– Mais si…

– J'ai même pas essayé de le retenir. J'ai été une lavette… J'ai failli m'évanouir…

– Mais non… mais non…

Juliette lui essuya le visage, remit ses cheveux en place, effaça les traces de rimmel noir qui avait dégouliné.

– Faut que tu sois belle, ma poule.

Martine lui sourit à travers ses larmes.

– Pourquoi t'es pas un mec, toi ? demanda-t-elle à Juliette.

Ils étaient arrivés devant le bar-tabac des Brusini.

– Tu veux qu'on t'attende ? proposa Juliette.

– Non. Je sais pas combien de temps ça va durer.

Elle avait remonté le col de son manteau.

– Suis pas trop moche ?

– Mais non… T'es la plus belle, la rassura Juliette.

Elle renifla encore. Sortit. Claqua la porte de la voiture.

Juliette la regarda frapper à la porte du pavillon. Une femme de cinquante ans, environ, lui ouvrit. En tablier, les pieds dans des chaussons, le chignon qui dégringolait sur les épaules.

Dès qu'elle vit Martine, elle se mit à crier :

– Il ne veut pas te voir… Il me l'a dit : « Maman, ne la laisse pas m'approcher. » Pars, t'es une mauvaise fille. Tu me l'as fait pleurer…

– Il faut que je le voie, il faut que je lui explique, la supplia Martine.

– Je te dis qu'il ne veut pas. Il a pleuré, lui mon fils, qui avait les yeux secs depuis sa naissance. Tu me l'as fait pleurer…

Martine implora encore, mais la porte se referma. Elle se laissa tomber sur les marches.

Juliette s'approcha d'elle :

– Psst…

Martine releva la tête.

– Qu'est-ce que tu vas faire ?

– Je reste.

– Où ça ?

– Ici. Il va bien falloir qu'il sorte…

– T'es sûre ?

– Oui. Rentre à la maison.

Juliette hésita.

– Va-t'en, supplia Martine, laisse-moi faire…

– Bon… Si tu veux…

Mais elle attendait encore. Elle sautillait d'un pied sur l'autre.

– Tu veux que je t'apporte un sandwich ?

– Non. J'ai pas faim. Laisse-moi ou je vais recommencer à pleurer…

Juliette s'éloigna à regret.

Martine lui fit un geste de la main.

Juliette revint vers la voiture.

– C'est ma faute… Qu'est-ce que je suis con…

– Mais non… C'est pas ta faute…

– Tu crois pas qu'on devrait rester ?

– Elle veut pas.

Ils rentrèrent en silence.

Rue des Plantes, tout le monde les attendait.

Il y avait les optimistes et les pessimistes, ceux qui disaient « il reviendra », ceux qui affirmaient « il reviendra pas »…

– T'es dans ton bain, le téléphone sonne, tu réponds ou pas ? demanda Louis à Émile.

– Je réponds pas.

– Ça m'étonne pas.

Chapitre 12

Enveloppée dans son cache-poussière, Martine regardait le soleil se coucher sur Clignancourt. Des petites maisons les unes sur les autres aux toits inégaux, aux gouttières déglinguées, rapiécées, aux garages en tôle ondulée. Des chats frôlaient les murs en miaulant ou escaladaient les palissades.

On dirait un dessin animé de Walt Disney, *la Belle et le Clochard*. C'est là qu'il a grandi, petit Brusini.

Elle l'imagina traînant son cartable, une chaussette tirée, l'autre tire-bouchonnée, et les larmes lui montèrent aux yeux.

Il vaut mieux que je pense à autre chose…

Mais le petit garçon au sourire éclair revenait sans cesse dans sa tête. Quand on aime quelqu'un, on veut un enfant de lui. Pour revivre son enfance. C'est Lou Andreas-Salomé qui avait écrit ça…

Martine repensa à ses lectures féministes. Elle, qui avait milité si fort dans sa tête, se retrouvait assise sur les marches d'un pavillon de banlieue à faire le siège d'un homme !

La volonté, ça marche pour les abdominaux, le chocolat, la cigarette, mais pas pour les sentiments. Je l'aime et je le veux. On n'a pas besoin de raisons pour aimer et, si on en a, c'est suspect…

Ce soir-là, la reddition, aux yeux de Martine, paraissait aussi belle que la victoire, aussi joyeuse que les plus beaux projets américains. La joie de marcher avec Richard, main dans la main, peut être la plus belle des joies et tant pis pour les bataillons de suffragettes qui ont défilé dans ma tête…

Mais il ne sait peut-être pas que je suis là ? se dit-elle soudain. Sa chambre donne de l'autre côté, sur la petite cour, et sa mère ne lui a rien dit ! C'est ça. Il bougonne dans sa chambre sans se douter que je l'attends, plantée là sur le perron…

– Richard, Richard…

Elle avait mis ses mains en porte-voix et hurlait du plus fort qu'elle pouvait.

– Richard, c'est moi, Martine…

Les murs aux alentours lui renvoyaient sa voix en écho. Chard… moi… Tine…

– Richard, Richard…

Un voisin mit le nez à sa fenêtre. La serviette nouée autour du cou et le tricot de corps à trou-trous.

– C'est pas bientôt fini, cette comédie…

« T'as de la salade sur les dents, hé connard », marmonna Martine. Ça lui fit du bien d'insulter ce type.

Elle se rassit sur les marches. Rien à faire si ce n'est attendre en regardant le soleil se coucher, boule rouge sur banlieue merdique.

Je l'aime, ce mec, je l'aime. Il le sait. J'ai fait une connerie, mais il pourrait me donner une chance, mettre son orgueil d'Italiano macho dans sa poche.

Quand ils allaient au restaurant, il marquait une pause sur le seuil et disait : « Donne-moi le bras. » Au début, elle demandait pourquoi. « T'es ma gonzesse ou pas ! », répondait-il. Elle lui donnait le bras et ils entraient dans le restaurant. Lui, patron, elle, fiancée. Fiancée en maxi-jupe de daim, « le maxi, c'est mieux pour les femmes de ta classe, la mini, c'est pour les putes ». Il avait ses idées. Partout, il la présentait comme sa fiancée. On ne laisse pas sa fiancée toute une nuit sur des marches d'escalier…

Derrière elle, dans la maison, elle entendait des bruits, bruits de vaisselle, de télé, de conversations. Ils doivent parler de moi, se moquer… Ulcérée à cette idée, elle alla tambouriner à la porte d'entrée. Il n'y avait pas de sonnette chez les Brusini à cause des nerfs de M. Brusini. Elle frappa, frappa, fit passer toute sa rage sur la porte close, appela Richard encore et encore jusqu'à ce que le même voisin en tricot de corps réclame le silence…

– Et si vous continuez, j'appelle la police…

Il avait ôté son dentier, et ses lèvres ressemblaient à celles des femmes à plateaux, larges et molles.

Martine haussa les épaules. Revint à ses premières décisions de dignité et de silence, et se rassit sur les marches.

Je donnerais toutes mes économies pour qu'il vienne s'asseoir, là, à côté de moi. J'emprunterais même la sainte de Juliette. Sainte Scholastique, s'il vous plaît, jetez un coup d'œil sur moi. Si vous m'exaucez, je vous promets que j'irai remplir votre tronc et planter des cierges devant toutes vos statues. Et pas des petits…

Il commençait à faire frais. Martine se recroquevilla dans son manteau. Les télés s'éteignirent une à une, et elle n'entendit plus que les voitures qui tournaient sur le périphérique, les motos qui roulaient dans le quartier et les chiens qui fouillaient les poubelles.

Ses paupières tombèrent et elle s'endormit.

Richard ne se montra pas le lendemain.

Ni le surlendemain.

Martine resta deux jours sur les marches, regardant passer les membres de la famille Brusini, refusant d'écouter les exhortations à rentrer de Juliette et

Bénédicte qui, tour à tour, lui apportaient des sandwiches.

Rosita décida d'avoir une entrevue avec Mme Brusini. Elle alla frapper à la porte, le menton ferme sur son col de gabardine.

Mme Brusini lui tendit une carte postale signée Richard et envoyée de Lyon. Rosita donna la carte à Martine.

– C'est facile d'imiter une écriture ! déclara Martine, surtout celle de Richard, c'est celle d'un gosse…

Puis elle aperçut le cachet de la poste : Lyon, le 20 juin.

– Mais il est parti quand ? s'exclama-t-elle. Je suis restée là ! J'ai pas bougé !

– Il était déjà parti quand bous bous êtes installée ici…

– Qui vous l'a dit ?

– Sa mère.

Martine regarda Rosita comme si elle avait du mal à comprendre. Il n'était pas repassé chez lui ? Il était parti tout droit au hasard ?

– Sa mère m'a dit aussi que c'était pas la première fois. Quand il est fou, il faut qu'il fasse des kilomètres. Ça le calme. Il pique une auto ou une moto et il roule. C'est l'époque qui beut ça…

Rosita prit Martine par le bras et la força à se lever.

– Elle vous a dit quand il reviendrait ?

– Elle en sait pas plus que bous…

Bénédicte attendait, un peu plus loin, dans la 4 L. Martine monta à l'arrière sans rien dire. Ruminant ses pensées, faisant mille hypothèses. Elle ne se retourna pas quand elles quittèrent la rue et prirent la grande avenue qui conduisait au périphérique.

– Mais qu'est-ce qu'il faut que je fasse ? gémit Martine.

– Dis-lui que t'es enceinte, suggéra Bénédicte.

Rosita haussa les épaules. Martine ne répondit pas.

– Je sais ce que je vais faire, dit-elle brusquement, le buste redressé, les mains crispées sur le siège de Rosita.

Rue des Plantes, elle alla droit à sa chambre, fouilla dans un tiroir, prit le grand dossier où étaient rangés tous ses papiers pour les États-Unis, sortit le billet d'avion de l'enveloppe « Air France » et le déchira en deux.

– En quatre, suggéra Juliette, il ne pourra pas te soupçonner de vouloir les recoller.

Martine réduisit le billet en confetti, le versa dans une enveloppe, ajouta une feuille blanche où elle écrivit : « Richard, je t'aime. »

Elle allait écrire l'adresse à la main quand Juliette lui suggéra de la taper à la machine.

– Ils croiront que c'est une lettre officielle et la lui remettront…

Enfin, pour brouiller définitivement les pistes, elles allèrent poster la lettre dans une boîte du huitième arrondissement.

L'attente commença. Ordre fut donné de ne pas occuper le téléphone trop longtemps et de dégager le terrain si jamais « il » se montrait. Personne ne devait troubler les retrouvailles.

– S'il ne bient pas, c'est un imbécile, commentait Rosita.

– S'il revient, je fais une poule en daube, promit Regina.

Juliette demanda à Louis :

– Tu reviendrais, toi ?

– Je ne sais pas… L'amour, ma puce, c'est de ménager l'amour-propre de l'autre.

Ils attendirent. Plusieurs jours. En vain.

– Ça m'apprendra, dit Martine. J'ai voulu tout garder, j'ai tout perdu…

La vie reprit.

Juliette passa ses oraux. Ungrun partit poser pour des catalogues en Allemagne. Rosita annonça qu'elle prenait ses vacances en juillet et Regina préféra partir pour Saint-Tropez plutôt que de regarder la vaisselle s'empiler et les cendriers se remplir. Bénédicte reprit la lecture matinale des journaux. L'inspecteur Escoula l'avait prévenue : le dénouement de l'enquête était proche. Il tenait un suspect et elle serait la première journaliste qu'il contacterait. Juliette essayait de convaincre Martine de partir avec elle à Pithiviers.

– Ou à Giraines, si tu veux. Dans ma maison… On inviterait Louis, Charlot, on serait bien tous les quatre.

– Oui, mais, s'il revient…

– Envoie-lui un mot.

– Il le recevra pas. Ça va faire comme pour le billet d'avion. Sais plus quoi faire pour qu'il sorte de son silence. Je pourrais me promener toute nue sur un cheval ou dynamiter sa maison, il ne broncherait pas, sale rital !

Juliette eut une idée. Un peu extrémiste, elle le reconnaissait, mais adaptée à la situation.

Une nuit, elles empruntèrent, Martine et elle, la voiture de Bénédicte et partirent pour la porte de Clignancourt. Elles se garèrent à quelques rues du pavillon des Brusini et s'y rendirent à pied. En silence.

Arrivées devant le bar-tabac, elles sortirent des bombes de peinture rouge et inscrivirent en lettres énormes :

MARTINE AIME RICHARD
ET L'ATTEND À PITHIVIERS.

Martine voulut ajouter « merde aux autres » en minus-cules, mais Juliette la convainquit que cela nuirait à l'efficacité du message.

Elles regagnèrent, à pas feutrés, la voiture et, une fois à l'intérieur, laissèrent éclater leur joie. Une joie de gamines comme au temps où, au lycée de Pithiviers, Martine lâchait des boules puantes ou du poil à gratter sur les bancs... Elles battirent des mains, s'embras-sèrent, se pincèrent, chantèrent à tue-tête « on va gagner, on va gagner », tant et si bien que Juliette lâcha le volant et que la voiture fit une embardée sur le périf...

Elles retrouvèrent leur raison et rentrèrent, calmées, à la maison.

Le lendemain, Bénédicte, avertie des aventures noc-turnes de ses deux amies, alla faire le badaud porte de Clignancourt, emmenant avec elle un photographe du journal. Le cliché était bon, on le passa dans la page des faits divers avec une légende qui disait : « Les Juliette d'aujourd'hui parlent à leur Roméo. »

France-Soir racheta la photo et la fit paraître en pre-mière page. On était au début du mois de juillet, l'actua-lité était maigre.

Le rédacteur en chef du journal télévisé de l'Île-de-France trouva l'histoire drôle et eut l'idée de faire venir Martine en direct sur le plateau.

Martine mit ses lunettes, ses barrettes, son tee-shirt jaune canari et vint raconter son histoire. Avec humour et tendresse. Quand le présentateur, un jeune homme au long nez qui présentait tous les signes d'une sinusite chro-nique, lui demanda de conclure, elle s'enquit, intimidée :

– Je peux lui lancer un dernier message ?

– Mais, bien sûr, répondit-il en reniflant.

Elle prit une profonde respiration et, fixant la caméra qui la prenait en gros plan, elle murmura :

– Reviens, imbécile, je t'aime.

Bénédicte avait accompagné Martine sur le plateau de télévision et observait, émerveillée. C'est ça que je veux faire, pensait-elle. Je ne l'ai inscrit sur aucune liste car je ne savais pas que ça existait, mais c'est ça…

Elle essaya d'accrocher le regard du présentateur. C'était plus fort qu'elle, il fallait toujours qu'elle mette en avant sa mèche blonde et ses longues jambes. Il ne la vit pas. Il avait décroché un téléphone et parlait pendant qu'un reportage sur la mort de Mac Orlan défilait sur l'écran.

– Il parle avec la régie, lui dit un cameraman qui avait suivi son regard étonné.

– C'est quoi, la régie ?

– C'est ce grand studio vitré que vous voyez au-dessus de nous. C'est là que se fait la mise en images du journal… Si vous voulez, après, je vous fais visiter…

Il s'appelait Lucien. On l'appelait Lulu. Il leur montra la régie qui ressemblait à une cabine de pilotage de Boeing et où régnait une grande agitation. Puis, il les emmena dans un dédale de couloirs, de portes vitrées, de pancartes, de machines à café, visiter les bureaux.

– Dis donc, c'est vétuste leur installation, fit remarquer Martine quand elles furent dans la rue.

– Vétuste ou pas, je veux y entrer. Je trouve ça passionnant. Bien plus que d'être reporter au *Figaro* !

– Tiens, tiens, fin du chapitre Émile, on dirait.

– Pas du tout. T'as rien compris. Tu mélanges tout.

– Hé, c'est pas la peine de t'énerver parce que j'ai frappé juste.

– Tu te trompes. Ça n'a rien à voir avec Émile.

Bénédicte raconta alors l'histoire de la maman de Jacob Goldstein. Elle s'était juré de n'en parler à personne, mais, devant Martine, elle ne pouvait résister.

– Hé alors ? fit Martine. Il est juif et d'origine modeste… Je vois pas le problème.

– Pourquoi il ne m'en a jamais parlé ?

– Parce que tu l'impressionnes avec tes grands airs !

– C'est ridicule.

– Non, c'est être amoureux. Émile a peur de toi. Fais-le parler si tu l'aimes, sinon quitte-le sans rien lui dire. Par respect pour lui.

– Je ne sais pas comment faire…

– T'as peur pour ton boulot, hein, c'est ça ?

Martine fit claquer sa langue en signe de dérision.

Bénédicte se sentit humiliée. Épinglée. Je ne suis pas comme ça. Je ne veux pas être comme ça. Je quitterai Émile. Je peux réussir toute seule. Toute seule…

Ces mots lui faisaient peur. Elle avait les jambes qui tremblaient de trouille.

– T'as bien plus de courage que moi, quand même, soupira Bénédicte. Et c'est injuste parce que, moi, je m'en tire et toi pas.

– Tu t'en tires ? Pas si sûr, ma vieille. T'as rien essayé pour l'instant. Émile, il compte pour du beurre. Attends la suite des événements…

Elle lui donna un coup de coude dans les côtes et Bénédicte eut le souffle coupé. Elle faisait mal, Martine, quand elle tapait avec son coude.

– Tu vas à Pithiviers, cet été ? demanda Bénédicte qui voulait changer de sujet de conversation.

– Finalement oui, répondit Martine. C'est encore là que je me sentirai le mieux…

Quatrième partie

Chapitre 1

En ce début du mois de juillet 1970, Juliette, Martine, Louis et Charles Milhal se retrouvèrent à Giraines dans la maison de Juliette. À manier la masse et la truelle. Comme des millions de Français à qui les facilités de crédit octroyées par les banques permettaient de réaliser un vieux rêve : posséder ses pierres. C'étaient des années florissantes pour le bâtiment, et la France se transformait en un immense chantier d'autoroutes, de villes nouvelles, de résidences secondaires.

Ces quatre marginaux formaient, le temps d'un été, une équipe de maçons appliqués. Ils faisaient l'admiration de plus d'un au village, à commencer par leurs voisins, un couple de cultivateurs, Simon et Marguerite, qui venaient observer ces Parisiens amateurs d'efforts.

Il y avait beaucoup de travaux à faire : il fallait abattre des murs, isoler des combles, poser des Vélux, crépir des murs, récurer le carrelage, gratter les poutres, couler des dalles de béton.

– Du béton, s'était écriée Juliette, mais ça va être horrible !

– Pas mon béton ! avait rétorqué Charles Milhal, vexé. Tu verras, c'est beau le béton lissé…

– Si t'aimes pas, tu pourras toujours poser du coco comme dans toutes les fermettes des Parisiens, s'était moqué Louis.

Juliette et Martine grattaient les poutres et les sols,

Louis abattait les cloisons, Charlot préparait son béton. À la cave et dans le plus grand secret.

– Charlot, Charlot, on peut vous aider ? claironnaient Juliette, Martine ou Louis à tour de rôle.

Il le prenait très mal. Parlait d'installer un verrou sur la porte de la cave.

– Mais, enfin, on vous le piquera pas votre secret… On n'y connaît rien !

– Je ne veux personne dans la cave, un point, c'est tout ! répondait-il, agacé.

Ils finirent par le laisser tranquille.

Charlot avait le sens des mystères. Et des économies. Il se révéla vite un intendant intraitable et gérait le budget avec parcimonie. Il était le seul à faire les courses, étant aussi le seul à posséder une voiture. Qu'il rechignait à prêter.

Il revenait du marché en déclarant :

– Je n'ai pas pris de faux-filet aujourd'hui. Il était à vingt-huit francs le kilo.

– Et alors ? demandait Louis en s'épongeant le front.

– Le prix normal est de vingt-deux francs.

– Mais, Charlot, j'ai besoin de viande, moi ! protestait Louis en montrant le tas de gravats à ses pieds.

– Bon, avait répondu Charles Milhal après un temps de réflexion, je prendrai de la viande pour toi.

– Sans compter Juliette qu'il faut satisfaire tous les soirs !

Juliette lui avait tiré la langue.

Il était heureux, Louis Gaillard, à taper sur des cailloux, à boire le pastis à sept heures, à vivre au grand air. Il se reposait, fumait moins, buvait moins.

– Bientôt, j'arrête de me servir de ma tête, plaisantait-il.

Il se faisait fondre le cerveau à travailler comme une brute. Il n'avait plus de mal à s'endormir le soir. Plus d'angoisses. « Je vais finir comme tous les imbéciles : heureux. »

C'est son agent qui l'avait envoyé au vert comme Louis demandait pour la cinquante et unième fois si le contrat avec Bertolucci était signé. Il avait alors proposé à Juliette de « casser du caillou » chez elle.

Dans la journée, quand il avait mal aux bras à force d'avoir cogné, il s'asseyait sur un escabeau et regardait le cul de Juliette qui frottait le sol.

– Bitte, chatte, coule, murmurait-il en direction de Juliette.

Elle l'ignorait et continuait son va-et-vient.

– Ce soir, je te prendrai par-derrière et je t'enculerai très fort… Je te l'ouvrirai en deux ton petit derrière…

Ils dormaient dans une tente dressée au fond du jardin. Martine occupait l'unique pièce habitable, et Charlot s'était installé un peu plus loin, dans les travaux. Quand il faisait beau, Louis et Juliette sortaient leur sac de couchage. Juliette se tortillait dans son duvet persuadée qu'elle allait être dévorée par des fourmis rouges géantes. Louis râlait qu'elle l'empêchait de dormir.

– J'aurais moins peur si tu me prenais dans tes bras, lui déclara-t-elle un soir.

– Je ne peux pas dormir avec quelqu'un dans mes bras, répondit-il.

– Je ne suis pas quelqu'un.

– Je ne peux pas dormir avec TOI dans mes bras !

– Tu n'as jamais essayé…

– Avec toi, non ; mais avec d'autres, oui.

– Salaud !

Elle lui tourna le dos et attendit. Qu'il s'excusât. Quand elle se retourna, il dormait. Les mains posées sur la poitrine, un léger sourire sur les lèvres. Elle eut envie de le battre.

Il avait acheté une télévision. Tous les soirs, quand ils la regardaient, Juliette essayait de passer le bras de Louis autour de ses épaules. Il n'y mettait aucune bonne volonté. Elle attrapait sa main, l'enroulait autour de son cou, mais la main glissait, retombait sans jamais s'accrocher. Juliette renonça.

Peu après leur arrivée, Martine avait recueilli un chien perdu. Juliette l'avait baptisé Chocolat.

Chocolat mangeait les restes que lui donnait Juliette, dormait au soleil, se couchait sur le lit de Martine, suivait Charlot à la cave, mais ne s'approchait jamais de Louis.

Un soir, pourtant, il vint se coller contre le canapé où se reposait Louis.

– Qu'est-ce qu'il me veut ? demanda Louis, surpris.

– Que tu le caresses, répondit Juliette.

– On fait comment ?

Il disait vrai : il ne savait pas caresser un chien. Juliette dut lui montrer où placer sa main, comment remonter et lisser le poil entre les yeux, grattouiller derrière les oreilles, descendre sous le ventre... Chocolat se laissait faire et ronronnait de plaisir, étalé sur le dos, offert.

Louis essaya, mais appuya trop fort. Chocolat se releva et alla se faire caresser ailleurs.

Les attouchements de Louis étaient purement sexuels. En fin de soirée, quand l'heure de se coucher approchait, il attrapait les orteils de Juliette avec ses doigts de pied et les triturait frénétiquement.

– Tu peux pas me toucher gratuitement ? se plaignait Juliette. Sans idée derrière la tête ? La tendresse, tu connais pas ?

– Si. C'est un truc de bonne femme pour vous couper les couilles...

Marcel et Jeannette Tuille vinrent leur rendre visite. Juliette présenta Louis comme le neveu de Charlot. Cela étonna M. Tuille :

– Je ne comprends pas qu'un homme aussi charmant que M. Milhal ait un neveu aussi fruste…

Louis ne fit aucun effort pour séduire Marcel Tuille.

– Hypocrite, petit trou du cul serré, marmonna-t-il quand le père de Juliette se fut éloigné.

M. Tuille était très satisfait de Juliette et posait un bras de propriétaire heureux sur l'épaule de sa fille. Reçue en troisième année de droit, elle avait, sur le conseil d'un de ses professeurs, envoyé un dossier pour entrer comme stagiaire dans un cabinet de droit international : Noblette et Farland. Elle attendait la réponse et espérait qu'elle serait non seulement engagée mais rémunérée.

– Tsst, Tsst… Je tiens à t'entretenir. Après tout, tu es ma fille unique !

Marcel et Jeannette Tuille burent l'apéro avec eux et promirent de revenir. Ils saluèrent Charlot, embrassèrent Juliette et firent un petit signe de tête à Martine et Louis.

– Tu vois, moi aussi je suis mal vue, dit Martine à Louis. Mais moi, depuis longtemps !

– C'est à cause de gens comme ça que tu te casses si loin, plaisanta-t-il.

Martine avait décidé de partir à la fin de l'année.

Son message à la télé n'avait rien donné.

Je ne vais pas passer ma vie à l'attendre, se répétait-elle pour se convaincre. J'ai fait une connerie, mais c'est du passé. J'ai payé.

Elle refusait de se ratatiner de remords ou de se morfondre sur son sort. Elle désirait, par-dessus tout, redevenir NORMALE. Comme avant. Il lui arrivait de se réveiller en pleine nuit parce qu'on avait cogné au carreau de la chambre. Ce devait être un rêve, car Chocolat ne bronchait pas. Il ne reviendra pas, il ne reviendra pas. Arrête de te raconter des histoires ma pauvre vieille, se répétait-elle en s'endormant serrée dans les couvertures.

Un jour, alors qu'elle avait accompagné Charlot à Pithiviers, sa mère lui dit qu'un jeune homme avait appelé.

– Un jeune homme ? Mais qui ?

– Je ne sais pas.

– Mais il a parlé… Il a dit quelque chose ? avait demandé Martine, énervée.

– Oui. Il a dit : « Est-ce que Martine est là ? »

– Et alors ?

– J'ai dit non.

– Et c'est tout ?

– Oui. J'étais pressée, il fallait que je sois à la laverie avant midi.

– Oh non ! gémit Martine. Ce n'est pas possible. C'était peut-être Richard…

– Je connais pas tes amis, moi. Il rappellera, t'en fais pas !

– C'est incroyable ! avait éclaté Martine. Tout le monde est concerné par mon histoire, je passe dans les journaux, à la télé et ma propre mère raccroche le téléphone en disant « il rappellera ».

Tout à coup, tout lui revenait : sa haine pour la toile cirée, la télé qui hurle, le F4, la résignation de ses parents et leur confiance aveugle dans les consignes du Parti. Tout, pêle-mêle, la remplissait de rage. Elle avait envie de secouer la nappe, de secouer sa mère, de secouer le bouquet de fleurs en plastique posé sur le buffet.

Devant l'air apeuré de sa mère, elle se retint. Préféra sortir en faisant claquer la porte. Elle ne comprend pas. C'est même pas la peine d'essayer de lui expliquer. Elle est bien plus à l'aise avec Joëlle à parler marque d'encaustique ou programme de télé !

Un autre homme appela Martine : l'inspecteur Escoula. Il la convoqua dans son bureau, le 7 juillet à quinze heures.

Martine s'y rendit, intriguée. Que me veut-il ? J'ai

rien fait de mal. Dans ce bureau de flic, elle retrouvait ses peurs de petite fille qui chaparde. Elle pensa un instant à Richard, puis se raisonna et attendit.

Quand elle ressortit, elle se demanda si elle n'aurait pas préféré être convoquée pour un vol de bonnet ou de grille-pain.

– Nous pensons connaître le meurtrier, lui avait dit l'inspecteur. Grâce à votre amie Bénédicte. Nous avons enquêté auprès des propriétaires de Mercedes de la région sous un prétexte fallacieux de vice de moteur et, parmi eux, nous en avons repéré un dans la voiture duquel on a trouvé des cheveux qui pourraient bien appartenir aux jumelles Lantier. Il est jeune, marié depuis peu, mal marié…

– Je le connais ? l'interrompit Martine.

– Attendez…

– C'est qui ?

– Attendez, je vous dis. Nous l'avons suivi et nous nous sommes rendu compte qu'il tournait autour de votre sœur. On l'a surpris plusieurs fois tentant de l'intercepter. Heureusement, elle ne s'est rendu compte de rien. Apparemment, il veut se venger, et votre sœur représente une cible idéale.

– Vous lui en avez parlé ?

– Non, ce serait prendre un trop grand risque. Elle est très fragile et pourrait paniquer. Je ne veux pas qu'il se doute de quoi que ce soit. Je veux le prendre sur le fait.

– Sur le fait ?

– Exactement. Nous allons nous servir de votre sœur comme appât.

– Mais vous n'avez pas le droit de faire ça !

– Vous préférez qu'il l'agresse un soir où nous ne serons pas là ?

Les questions se bousculaient dans la tête de Martine : je dois connaître l'assassin s'il me parle ainsi… Ils veulent se servir de moi et de Joëlle… L'assassin se doute-t-il ?

– Qui est-ce ? finit-elle par redemander.

– Je ne sais pas si je dois vous le dire.

– Vous me faites suffisamment confiance pour me parler mais pas assez pour me dire son nom. Je vous jure de ne le révéler à personne.

– Ce que je vous demande est très simple : attirer votre sœur en un lieu et à une heure dite. Le reste, je m'en charge.

– Vous me promettez que vous empêcherez l'assassin de passer à l'action ?

– Absolument. Je serai là avec mes hommes.

– Bon. C'est d'accord, mais à une condition…

– …

– Vous me dites son nom. Je n'ai pas envie de frôler la mort en ignorante.

Le commissaire hésitait. Ils n'étaient que deux à savoir : son adjoint et lui-même. Si ça venait à s'ébruiter, son plan était foutu. D'un autre côté, il avait besoin de la collaboration de cette fille. Elle lui paraissait solide, digne de confiance.

Il se laissa tomber dans son fauteuil, allongea les jambes et la regarda en face.

– Vous me jurez de garder le secret, de ne le dire à personne ?

– Je vous en prie, commissaire. Bénédicte a tenu sa langue et elle est journaliste. Personne n'a su le coup de la voiture…

Escoula hocha la tête. Obligé de reconnaître qu'elle avait raison.

– Je pense que vous le connaissez…

Martine s'était redressée sur son siège, prête au pire. Après la campagne de calomnies qui s'étaient répandues dans la ville, elle s'attendait à tout. N'avait-elle pas, elle-même, soupçonné le père de Juliette ?

– Henri Bichaut.

Elle laissa échapper un hoquet de stupéfaction et resta un instant, la bouche ouverte. Henri Bichaut. Il lui fallut un long moment pour que les syllabes reprennent leur sens habituel. Henri Bichaut. Son vieux soupirant aux ongles sales et à la timidité maladive.

– On n'a aucune preuve contre lui, mais j'en suis quasiment sûr, reprit le commissaire. Je vous préviendrai quand notre plan sera arrêté… En attendant, motus et bouche cousue.

Toute la soirée, Martine resta silencieuse.

Juliette et Louis tentèrent de la dérider en faisant des blagues.

– J'ai une idée, lança finalement Louis. On va tirer un feu d'artifice dans le jardin…

– Et on invitera tout le village, poursuivit Juliette. Et Bénédicte et tes parents et ta sœur et René… Tu vas voir !

Martine pensait à Henri Bichaut. C'est pas possible… Il s'est trompé, Escoula. Bichaut… Il osait à peine me regarder, et c'est lui qui aurait violé, torturé et tué plusieurs filles ?

Non.

Doit y avoir une erreur.

Un autre sentiment se mêlait à la surprise horrifiée de Martine ; un sentiment qu'elle n'aurait confié à personne : l'impression qu'on lui volait quelque chose. À elle. Longtemps, Bichaut avait été une assurance. Une rassurance. Elle en riait, s'en moquait, mais elle avait fini par l'aimer bien. Par son assiduité inconditionnelle, il lui conférait une supériorité que personne, jamais, ne lui avait accordée. Il lui appartenait. Et c'est lui qu'on prenait pour jouer le rôle de l'assassin !

Chapitre 2

Louis fixa la date de la fête au 14 juillet et déclara le 13 chômé. Pas de béton, ni de brossage de poutre ni de récurage de sol, ce jour-là.

Martine semblait aller mieux, mais avait toujours de curieux moments d'absence.

– L'amour, c'est vraiment une saloperie, bougonnait Louis.

Il préférait penser à son feu d'artifice.

Il était allé à Orléans avec Charlot acheter les rusées. Il ne lui restait plus qu'à demander l'autorisation au maire de Giraines, M. Michel.

– Tu aurais mieux fait de la lui demander d'abord, dit Charlot. Et s'il refusait ?

– Je le tirerai quand même !

Il demanda à Marguerite où habitait le maire.

– À côté de l'orme, répondit-elle comme si elle lui livrait un code postal.

– Quel orme ?

– L'orme du maire.

Louis s'en alla dans le village, de maison en maison, d'orme en orme, à la recherche de M. Michel.

M. Michel demanda à réfléchir. Il organisait lui aussi un feu d'artifice, une retraite aux flambeaux et un bal, le 13 au soir…

Louis comprit : il ne fallait pas que le feu d'artifice du Parisien soit plus beau que celui du village.

– Eh bien… si vous n'y voyez pas d'inconvénient, je mettrai cinq cents francs dans la caisse du village, dit Louis.

Et comme le maire ne réagissait pas, il précisa :

– Cinquante mille francs anciens.

L'affaire fut conclue. Le tambour du village prit sa bicyclette et son porte-voix et s'en alla annoncer les festivités des 13 et 14 juillet. Il transmit aussi l'invitation faite aux villageois par Juliette.

– Un vin d'honneur sera donné par Mlle Juliette, petite-fille de Mme Mignard, le 14, en son jardin.

La maison prenait forme. Une chambre avait été nettoyée, le sol bétonné, lissé, les murs blanchis au plâtre.

C'est ça le bonheur, pensait Juliette en regardant sa maison, Martine, Louis et Charlot dans son jardin. On ne sait jamais comment penser à lui et, pourtant, tout le monde en rêve. On le ressent dans des moments, dans des endroits si différents… En lumière douce et calme comme ce soir, diffus mais présent, une impression de paix qui descend, m'enveloppe et me rend forte… En petit cube concentré quand j'ai fait signer le contrat entre Virtel et Charlot, l'impression d'exister très fort et d'avoir remporté une victoire… C'est une matière volatile. Il se pose un instant, le temps de se faire remarquer, puis repart. On respire, on déplie son thorax, on se dit « je suis bien », mais si on essaie de reproduire cet état si heureux, ça ne marche pas. Le bonheur se méfie des images, des clichés et se tire à toute allure…

– On les met où, Émile et Bénédicte ? demanda Louis.

– Dans la belle chambre, répondit Juliette, tout imprégnée de bonheur et désireuse de le répandre autour d'elle.

– Dommage de faire baptiser un si beau lit par un couple qui baise si mal, dit Louis.

Bénédicte et Émile arrivèrent le 13 au matin de Paris. Encore tout bruissants de l'agitation de la capitale. Émile eut l'air soulagé quand il vit la télé : il pourrait se tenir au courant des dernières émeutes de Londonderry. Bénédicte avait apporté un épais tapis beige comme cadeau de crémaillère.

Juliette les conduisit à leur chambre. Louis se laissa tomber sur le lit et rebondit en regardant Bénédicte. Elle détourna les yeux.

– Tu sais pas, dit Bénédicte tout excitée, Nizot a donné sa démission à Larue… Depuis la mort de sa grand-mère, il était tout drôle… Il veut écrire son roman, paraît-il.

– C'est bien, dit Juliette.

– C'est idiot, dit Émile. Il aurait très bien pu faire les deux… Je me demande de quoi il va vivre…

– Sa grand-mère lui a laissé des tableaux de maître, dit Bénédicte, il pourra toujours les vendre.

– De toute façon, il n'était pas fait pour être journaliste, conclut Émile. Alors, quel est le programme, ce soir ?

Le soir, ils assistèrent, avec tout le village, à la retraite aux flambeaux, puis allèrent se poster à la fourche des routes de Giraines et de Germont, point stratégique pour apprécier le feu d'artifice. Puis, il y eut bal sur la place du village. Ils s'y mêlèrent en se déhanchant au son des accordéons.

– Fais danser Martine, souffla Juliette à Louis.

– J'peux pas, j'ai promis ma première danse à Marguerite.

Marguerite étrennait pour l'occasion une permanente bien brillantinée.

– Ça brille, ça fait fête, expliqua-t-elle à Louis. Ma

foi, comme je suis ben petite, faut que je soye encore plus belle.

Elle mesurait un mètre cinquante et devait peser dans les soixante kilos. Toute ronde.

– Ne me lâchez pas, sinon je roule, lui dit-elle comme la musique s'accélérait.

Louis éclata de rire.

– Vous, au moins, vous avez pas de complexes !

– Encore un mot de Parisien ! On n'a pas de temps pour ça à la campagne… C'est qui votre boelle à vous ?

– Votre quoi ?

– Votre boelle… Votre fille, quoi.

– Ah… c'est Juliette.

– Je me disais aussi que Martine, elle avait l'air trop triste. On doit pas s'ennuyer avec vous.

Elle rit et son visage se plissa comme une vieille pomme. Une lueur coquine s'alluma dans ses yeux.

– Si vous voulez faire un petit potager au fond du jardin, dites-le-moi, je m'en occuperai, ça me fera des sous…

– Ça, il faudra en parler à Juliette, Marguerite. C'est elle, la patronne, ici.

Elle tourna la tête, et il reçut une bouffée de brillantine dans les narines.

– C'est ma copine, Monique, la laitière, dit-elle en montrant une dame brune du menton. Elle a du bon lait de vache, bien gras, avec la crème qui remonte quand vous faites bouillir le lait…

– Dites, Marguerite, vous pouvez m'expliquer pourquoi les vaches qui ne bouffent que de l'herbe ont du lait si gras ?

– Ça, ma foi…

Elle ne savait pas. C'était une question que Louis se posait depuis qu'il était tout petit. Il soupçonnait les vaches de manger leurs veaux. Il avait passé plusieurs nuits à essayer de les surprendre.

La musique s'arrêta. Marguerite remonta son corset et se lissa les cheveux. Louis alla rejoindre Juliette et Martine à la buvette. Juliette était toute rouge et essoufflée, Martine plutôt sombre.

– Tu danses ? demanda Louis à Martine.

– Non.

Louis insista.

– N'insiste pas, Louis, s'il te plaît…

Louis se retourna et enlaça Juliette. Ils s'éloignèrent. La nuit était noire, l'orchestre et la piste de danse, entourés de lampions, formaient un carré de lumière. Tout autour, on devinait des ombres, des masses et, plus loin, un autre carré : le parking des voitures. Des personnes âgées avaient planté leurs lampions dans le sol et regardaient les jeunes danser.

L'orchestre attaqua « Capri, c'est fini, et dire que c'était la ville de mon premier amour… ». Martine pensa à Richard. Mon premier amour… Les couples s'étaient formés. Les filles accrochées au cou de leur partenaire, les gars les mains posées sur les hanches des filles.

– Tu danses ?

Martine se retourna et eut un haut-le-corps. Bichaut…

– Tu me remets pas ?

– Si. Si. Mais tu m'as fait peur… Enfin… tu m'as surprise…

Il souriait. Elle secoua la tête, incapable de le regarder en face. Elle chercha l'inspecteur et ses hommes.

– T'attends quelqu'un ?

– Non. Si. C'est-à-dire…

– On danse ?

Ils se mêlèrent aux danseurs. Juliette les vit et dressa le pouce en signe de victoire, puis, se penchant vers Louis, lui murmura quelque chose à l'oreille. Louis se redressa et fit un clin d'œil de connivence à Martine.

Les imbéciles, pensa-t-elle.

Elle avait peur.

Trois jours avant, l'inspecteur Escoula l'avait prévenue que le piège serait tendu le 13 au soir lors du bal
de Giraines. Un inspecteur, chargé de faire le joli-cœur
auprès de la femme de Bichaut, avait convaincu cette
dernière de venir au bal avec son mari. Martine avait
téléphoné à Joëlle.

Joëlle s'était montrée réticente. René détestait les
bals. Elle ne voulait pas sortir toute seule.

– Viens avec Gladys… Ça me ferait tellement
plaisir… Je te montrerai la maison. J'aimerais bien que
tu nous donnes des conseils…

Joëlle avait fini par dire oui.

Bichaut dansait mal, ses pieds frappaient la mesure à
contretemps, il avait toujours cette mèche de cheveux
qui lui tombait dans les yeux et qu'il relevait machinalement. Ses ailes de nez se retroussaient comme gon-
flées par le vent.

Martine essayait de ne pas être trop raide ou hostile,
mais sa main moite glissait sans cesse de celle de Bichaut.

– T'es venu sans ta femme ?

– Si. Elle est plus loin.

– Et ton bébé va bien ?

– Oui…

« Nous n'irons plus jamais où tu m'as dit je t'aime,
nous n'irons plus jamais, tu viens de décider… »

Enfin, elle aperçut Escoula. Sous un arbre. Accompagné d'un inspecteur en chemise rose. Il lui fit un petit
signe et elle se détendit. Des rigoles de sueur coulaient
dans son dos. Elle se laissa aller sur l'épaule de
Bichaut… Une seconde. Puis, elle se reprit et s'écarta
brusquement.

Il la regarda, étonné.

– Tu te sens mal ?

– Non… Non…

Il lui serra le poignet comme pour lui prendre le

pouls. Elle le dévisagea : un paysan empêtré et gauche avec un bon sourire. Troublée. Ce ne peut pas être lui.

– Tu as quoi comme voiture ? demanda-t-elle.

– Une Mercedes. Pourquoi ?

– Comme ça…

Et cette chanson qui n'en finit pas… Elle scruta la foule des danseurs pour apercevoir Gladys ou Joëlle. Personne.

– T'attends quelqu'un ? reprit-il.

– Non… Personne…

– Sais pas. Tu passes ton temps à regarder partout…

À ce moment-là, elle aperçut Gladys et Joëlle. Elles dansaient ensemble. Gladys faisait l'homme et mâchait du chewing-gum. Quand elles virent Martine, elles se rapprochèrent.

– Qu'est-ce qu'on s'ennuie dans cette fête de ploucs ! dit Gladys en s'éventant avec sa pochette.

– C'est bien pour te faire plaisir qu'on est venues, ajouta Joëlle. Tiens, salut Henri !

Martine vit les narines de Bichaut s'ouvrir et se fermer.

– Tu me dis quand tu veux qu'on aille visiter la maison… Mais, moi, j'ai pas envie de faire de vieux os, ici, dit Joëlle.

Bichaut la regardait, fasciné, le visage agité de tics nerveux. Joëlle ricana et murmura à l'oreille de Gladys qui pouffa à son tour.

– Allez, cette fois-ci, je t'enlève et tu ne protestes pas…

Martine se sentit emportée par une poigne solide et se retrouva serrée dans les bras de Louis qui tournait, tournait, au son d'une valse, l'éloignant de Joëlle et de Bichaut.

Elle chercha à se dégager, mais Louis prit cela pour un jeu et la maintint plus fermement.

– Laisse-moi, Louis, laisse-moi…

– Sûrement pas. Tu me dois une danse…

Elle aperçut au loin Bichaut et Joëlle qui s'éloignaient vers la buvette, et Gladys qui dansait avec un homme du village.

L'inspecteur n'était plus sous l'arbre ni la chemise rose.

– Laisse-moi, Louis, s'il te plaît…

– Tu danses avec un vieux soupirant et tu me refuses, moi ? C'est pas gentil, ça.

Martine hésita puis, de toutes ses forces, elle lui décocha un coup de genou dans l'aine. Louis se plia en deux, poussa un cri et s'agenouilla par terre.

– Désolée, mon vieux, mais tu ne comprenais pas…

Elle se précipita à la recherche de Joëlle, fouilla l'obscurité, puis le carré de la buvette… Les repéra enfin sur la route qui menait au parking. L'inspecteur ne se montrait toujours pas. Il est fou ! Bichaut va l'entraîner dans la voiture et ce sera trop tard…

Elle fit valser ses escarpins à talons trop hauts pour courir et, pieds nus, se lança à la poursuite de sa sœur.

– Attendez-moi, attendez-moi, cria-t-elle.

Bichaut et Joëlle ne se retournèrent pas.

Martine eut peur, une peur terrible. Dans un dernier effort, hors d'haleine, elle rattrapa le couple et retint Bichaut par sa veste.

– Laisse-la, Bichaut… Laisse-la…

Elle avait dit cela sur un tel ton de supplication qu'il recula et la regarda. Il lut la panique dans son regard. Elle savait. Ses yeux devinrent fixes et froids. Il l'agrippa et lui demanda :

– Pourquoi tu as peur comme ça ?

– Va-t'en, cria Martine à Joëlle, va-t'en… C'est lui, c'est l'assassin, celui qui t'a torturée…

Joëlle demeura un bref instant plantée là, puis détala à toute vitesse. Bichaut resserra son étreinte, et Martine suffoqua.

– Tu vas me suivre gentiment jusque dans ma voiture, sinon je t'étrangle…

Martine sentit ses jambes flageoler. Il dut la traîner jusqu'au parking. La Mercedes était garée sous un réverbère, et Martine eut le temps d'apercevoir la chemise rose qui se baissait pour se dissimuler.

– Lâchez-la, Bichaut ! Levez les mains et rendez-vous !

– Sûrement pas ! cria Bichaut. Si vous tirez, c'est elle qui prendra…

Il redressa Martine afin de s'en faire un bouclier. Puis contourna la voiture. Écrasée contre lui, prise dans un étau, Martine ne pouvait se dégager. Elle sentit qu'il fouillait dans ses poches pour prendre ses clés. Il n'a pas d'arme, se raisonna-t-elle, je ne risque rien… Puis il se baissa pour ouvrir la portière, se baissa encore pour s'asseoir sur le siège du conducteur, alluma le contact, fit grincer la marche arrière, le bras gauche tordant toujours le cou de Martine, pliée en deux, suffoquant… Enfin, quand il fut prêt à démarrer, il donna un violent coup de pied à Martine qui alla rouler sur le bitume du parking. Elle se protégea la tête de ses mains, entendit la voiture qui démarrait, suivie d'une autre voiture, puis ce fut tout… Elle eut une envie terrible de faire pipi et se laissa aller.

Quand les policiers arrivèrent dans la cour de sa ferme, le corps d'Henri Bichaut reposait sans vie sur le capot de sa voiture. À ses pieds, se trouvait la carabine avec laquelle il venait de se tuer. La carabine dont il avait menacé toutes ses victimes…

Chapitre 3

La conclusion de « l'affaire Bichaut » fit l'effet d'une bombe à Pithiviers. Les langues se délièrent. Il y avait ceux qui avaient toujours trouvé Bichaut « bizarre » et ceux qui « se refusaient d'y croire ». Qu'importe, on respirait, on ne se regardait plus avec suspicion, et les jeunes filles purent recommencer à se promener sans avoir peur… M. Tuille rendit son écharpe de président avec regret et décida de se présenter au prochain poste de conseiller municipal. Il avait pris goût au pouvoir, aux déclarations pompeuses, au titre de « monsieur le président »…

Joëlle redevint une héroïne le temps de quelques interviews accordées aux journalistes qui s'étaient abattus sur la ville.

L'inspecteur Escoula tint parole et réserva la primeur de ses informations à Bénédicte qui eut droit à une interview complète de l'inspecteur.

– C'est Larue qui va jubiler, lui dit Émile. Voilà un week-end de vacances qu'il ne regrettera pas…

Bénédicte s'enferma dans sa chambre pour rédiger son article, puis alla chez Simon et Marguerite pour le téléphoner aux sténos du journal.

– À qui ? demanda Juliette, qui suivait Bénédicte partout.

– Aux sténos. Elles prennent en dictée aussi vite que je parle. Tu vas voir…

– Et si tu veux changer un truc à la dernière minute ?

– C'est sans problème. Elles modifient le texte. De toute façon, Émile l'a relu et le trouve très bien.

– Tampon du prof, dit Juliette en plaisantant.

Bénédicte lui lança un regard noir.

Simon sortit le téléphone du placard où il le rangeait. Bénédicte dicta son papier sur le ton de la conversation. Juliette, qui connaissait l'histoire par cœur, ne put s'empêcher de le trouver passionnant.

Tout le monde était content. Sauf Louis. Ses fusées allaient pourrir dans leur carton, c'était sûr, si on attendait trop pour les tirer.

– Mais non, le rassura Juliette, ce n'est pas parce qu'on a décalé la fête de deux jours qu'elles ne marcheront plus.

– Viens avec moi, on va faire un tour à Pithiviers, demanda-t-il à Juliette en faisant la moue du petit garçon bougon.

Juliette ne savait pas lui résister quand il retombait en enfance. Charlot, exceptionnellement, prêta sa voiture à Louis en l'assommant de recommandations et en rappelant son bonus de bon conducteur.

Arrivé à Pithiviers, Louis tira son carnet de chèques et décida de dilapider…

– Arrête de dépenser comme ça, lui dit Juliette. Tu n'en auras plus après…

– Il ne faut pas stocker son argent, ma puce, ça rend mauvais. L'argent est fait pour être jeté par les fenêtres !

– Ce n'est pas ce que disent mes parents…

– Oui, mais t'as vu comment ils vivent : mi-nus-cu-le, derrière un cheval à bascule et des sandalettes en promotion. Il faut créer un sentiment d'urgence, sinon tu ne fais rien. Quand tu n'as plus d'argent, qu'est-ce que tu fais ?

– J'en gagne.

– Et voilà. Tu te casses le cul. Tu trouves le rire de Widmark, tu observes la brillantine de Marguerite, tu retrouves Charlot dans l'île de la Jatte… Tu agis. Parce que c'est urgent ! Sinon, tu te reposes sur ton matelas de billets et tu deviens tout mou…

– Et tes parents, demanda Juliette, qu'est-ce qu'ils pensent de la manière dont tu vis ?

– Je n'aime pas parler de mes parents ? Ça me rend triste…

– Pourquoi ? Ils sont comment ?

– Ils sont mous et petits, et, moi, j'avais le choix entre devenir pédé ou obèse. Fils unique de mous…

– Ça veut rien dire. Le père d'Hitchcock, il vendait bien des poulets.

– Et Hitchcock était obèse. Tu vois que j'ai raison !

On ne pouvait jamais parler sérieusement avec Louis. Il s'en sortait toujours par des pirouettes. Tout ce qui touchait à l'enfance, à l'amour, au couple était interdit de conversation. Elle haussa les épaules et le suivit.

Enfin, ce fut la fête. Louis avait disposé ses fusées au fond du jardin et allait vérifier toutes les dix minutes qu'elles étaient bien placées. Martine, Juliette et Bénédicte avaient dressé des planches et des tréteaux sur lesquels étaient posées des bouteilles de Suze, de Bartissol, de Byrrh, de Martini et de pastis.

Louis avait voulu les « taster » avant, et Juliette le surveillait, inquiète. Elle avait terriblement peur qu'il se tienne mal devant ses parents. À jeun, il se retenait… Éméché, il ne répondait de rien.

Quand M. et Mme Tuille descendirent de voiture, elle remarqua qu'ils s'étaient habillés en dimanche. Comme la plupart des gens du village et les parents de Martine. Seuls, les Tassin étaient venus en décontracté.

Juliette entreprit de faire visiter la maison.

– Louis va aller à une vente publique de grand hôtel à

Orléans pour récupérer une baignoire et un lavabo pour la salle de bains, dit Juliette.

– Il est très dévoué, ce jeune homme, fit remarquer Mme Tuille.

– Très dévoué, mais pas très bien élevé. Il m'a l'air d'avoir un petit coup dans le nez déjà, dit M. Tuille.

– Et vous comptez avoir fini quand ? demanda Mme Maraut.

– À la fin de l'été.

La visite terminée, M. Tuille prit sa fille à part :

– Il faut que je te parle.

Juliette le suivit dans la chambre de Bénédicte. Il se laissa tomber sur le lit et tapota le dessus en faisant signe à sa fille de s'asseoir. Puis, il lui mit la main sur le cou. Juliette frissonna. Elle était toujours gênée quand son père se montrait tendre physiquement.

– Tu me fais plaisir, tu sais. Tes travaux et ta réussite en droit… C'est bien…

Juliette était de plus en plus embarrassée.

– J'ai eu peur que tu tournes mal au moment de cette carte postale obscène… Si. Si. Mais, dis-moi, il y a une question que je voudrais te poser…

Il parlait pompeusement avec un débit très lent comme s'il attendait que les derniers mots prononcés lui reviennent avant d'en sortir d'autres.

– Qui paie les travaux, ici ?

– Euh… Charlot et Louis… Mais je les rembourserai quand j'aurai de l'argent.

– Je ne trouve pas ça convenable.

– Tu sais, Charlot a gagné beaucoup d'argent avec Virtel, et Louis…

– Non, non. Je vais aller trouver M. Milhal et lui parler. C'est à ton père de régler ces questions et, justement, je voulais te faire un cadeau pour tes examens.

– Oh ! merci, papa.

Elle l'embrassa. Il la serra contre lui. Puis ils restèrent très embarrassés, ne sachant comment se déprendre.

– Allez, viens ! On va rejoindre tes invités. Ce n'est pas poli de faire des apartés, finit par dire M. Tuille.

Des groupes s'étaient formés dans le jardin. Les gens du village ne se mélangeaient pas avec les autres.

– Il faut faire quelque chose, déclara Louis. Ils ne vont pas passer l'après-midi à s'observer en rats des champs et rats des villes…

Il fila à l'intérieur de la maison.

– Je suis sûr que Juliette va très bien se débrouiller à la rentrée, expliquait Charlot à M. et Mme Tuille. Elle a eu une année un peu difficile à cause de l'histoire Virtel, mais…

– Quelle histoire Virtel ? demanda Mme Tuille.

– Oh… Il l'a renvoyée sans explication, et elle a été très blessée.

– Mais, elle ne nous a rien dit !

– Maintenant, elle va tout à fait bien. Elle a repris du poil de la bête, poursuivit Charlot. Et puis, elle finit par s'intéresser au droit.

– Je voulais vous parler d'un petit cadeau que je voulais lui faire, dit M. Tuille. Vous recevrez sous peu un chèque pour payer une partie des travaux, car il n'y a pas de raison que je ne participe pas. Après tout, cette maison appartenait à la famille de ma femme et est, en quelque sorte, un bien de famille.

Charlot refusa. M. Tuille insista. Charlot céda.

– Vous savez, reprit Charlot, elle est costaud, votre fille. Elle est plus forte qu'elle n'en a l'air ou qu'elle ne le croit. Elle passe son temps à dire qu'elle n'est pas capable de faire ci ou ça, puis se lève, fonce et le fait ! Mon oncle disait toujours qu'il n'y avait pas d'échecs de talent mais des échecs de caractère. Juliette a du caractère, beaucoup…

Mme Tuille écoutait, attentive. M. Tuille opinait d'un air de propriétaire heureux.

– Je ne me fais aucun souci pour Juliette, dit-il.

– D'autant plus, ajouta Charlot, que, si elle réussit dans le droit international, elle pourra m'être utile dans quelques années. Je travaille, en ce moment, sur l'amélioration de ma formule. C'est pour ça aussi que je fais tous ces travaux pour Juliette.

Il fit un clin d'œil goguenard à M. Tuille.

– Si je ne me suis pas trompé, ce béton-là est encore plus léger, plus résistant, plus isolant que l'autre. Je vais démoder ma propre formule…

Il se mit à leur expliquer qu'avec sa formule nouvelle, la résistance mécanique de son béton serait le double de celle du béton traditionnel.

– … Le ciment a un pouvoir adhésif mécanique, et l'adjonction de quelques milliards de protéines plasmatiques lui confère une capacité électrochimique d'adhésion et de cohésion extraordinaires.

Il s'arrêta net. Il avait oublié que les Tuille ne connaissaient vraisemblablement rien au béton. Il prétexta un verre à boire et s'éloigna.

– Tu sais où est Louis ? demanda-t-il à Juliette.

– Aucune idée. Il est parti comme une flèche dans la maison et n'en est plus ressorti.

Charlot la regarda. Brune, bronzée, ses yeux noirs brûlants, ses petites dents blanches, son grain de beauté à la racine du nez, son petit duvet de moustache qu'elle s'efforçait d'éclaircir.

– Je viens de parler de toi avec tes parents…

– C'est pour ça que tu te verses une grande rasade de Martini !

Il sourit.

– Coquine !

– Il t'a donné un chèque pour les travaux ?

– Il m'a dit qu'il me l'enverrait.

– C'est toujours ça de pris, dit Juliette avec un petit sourire gêné.

– Dis donc, demanda Charlot, tu es amoureuse de Louis ?

– Non. Pas du tout. Je suis bien avec lui.

– Ah bon… Et t'es amoureuse de qui, en ce moment ?

– De personne.

– Tiens, tiens, c'est rare avec toi.

C'est vrai, se dit Juliette. D'habitude, je suis toujours en état d'amour. J'ai dû tomber dedans quand j'étais petite comme Obélix et la potion magique.

Bénédicte était allongée à côté de sa mère sur la pelouse. Heureuse. Larue l'avait félicitée au téléphone. Elle se sentait généreuse, prête à écouter sa mère parler.

– J'ai convaincu ton père de me laisser aller à Florence cet été, avec Joan. Dix jours.

– C'est bien, répondit Bénédicte.

– Et si c'était possible, je passerais bien la fin du mois d'août à Paris comme l'année dernière.

– Je serais ravie, dit Bénédicte en embrassant sa mère. Tu pourras même choisir ta chambre… Ni Juliette ni Ungrun ne seront là !

– Ça doit te faire drôle d'avoir une mère qui redevient adolescente ?

– Je trouve ça plutôt bien. Et puis, tu sais, tu n'as jamais ressemblé aux autres mères.

Bénédicte posa sa tête sur l'épaule de Mathilde. Les Maraut s'étaient rapprochés de Simon et Marguerite, et elle les entendait parler de la Sucrerie.

– Papa sait pour Émile et moi ? demanda-t-elle soudain.

– Oui. Je le lui ai dit. Il s'en fiche, tu sais. À Pithiviers, il avait peur du scandale, mais à Paris… Et puis il y a des règles d'éducation qui s'arrêtent à dix-huit ans. Vingt ans, tu es grande maintenant. Tu y tiens à ce garçon ?

– Sais pas…

– Tu rêves du Prince Charmant ? Oublie. Il n'existe pas. Il faut que l'homme que tu aimes t'apporte l'essentiel. Le reste… tu composes…

– Je sais…

Le reste, c'était hier soir quand ils avaient regardé la télévision. Louis et Juliette installés sur le canapé, Émile et elle par terre. Bénédicte s'était rapprochée d'Émile et lui avait pris la main. Quand, soudain, elle avait vu les pieds de Louis. Bruns, poilus, avec des ongles trop longs, presque crochus, des pieds de diable. Elle avait eu une envie irrésistible de ces pieds, envie de les caresser, de les embrasser, de les lécher. Elle avait rougi. Elle ne regardait ni n'entendait plus la télé, hypnotisée par ces pieds. Et, tout à coup, le pied de Louis était allé se poser sur celui de Juliette, l'avait tripoté, griffé, une vraie copulation, les orteils se rentrant les uns dans les autres, se prenant, se reprenant, se recroquevillant… Elle ne voyait plus que ça : des orteils qui s'aimaient sous ses yeux. Elle s'était levée et avait quitté la pièce submergée par la jalousie.

Du grenier parvint une musique de film muet, une musique de piano mécanique.

– Il marche, le piano ? fit Mme Tuille, étonnée.

– Quel piano ? demanda Juliette.

– Le piano de Minette. Elle prenait des leçons avec un jeune homme et dut s'arrêter quand les mauvaises langues du village prétendirent que c'était son amant !

– C'était peut-être vrai, dit Juliette.

On ne se méfie jamais assez de ses grands-mères sous prétexte qu'on les connaît quand elles sont vieilles. On leur enlève le droit d'avoir rêvé et aimé…

– Le jeune homme est parti et on ne l'a plus jamais entendue parler du piano… Il faudrait dire à ton ami qu'il fasse attention, le sol du grenier n'est pas très sûr…

– Louis ! cria Juliette sans se déranger.

– Oui, ma puce, répondit Louis en passant une tête hirsute dans l'ouverture de la lucarne.

Juliette rougit. Qui avait entendu « ma puce » ? Personne…

– Fais attention au sol. Il paraît qu'il y a des trous !

– D'accord. C'est génial : le piano marche, je vais vous donner un concert.

– Il joue du piano ? demanda Mme Tuille.

– Oui…

– Mais qu'est-ce qu'il fait comme métier ?

– Euh… acteur.

– Ce n'est pas un métier !

– Il joue aussi du piano dans des bars et compose des musiques pour des publicités.

– Il connaît Jean-François Pinson ?

– … Non.

– Tu ne le vois plus, lui ?

– On s'est un peu perdus de vue.

– C'est dommage. C'était un jeune homme si bien. Tu vois, j'aurais bien aimé que… toi et lui… Enfin, c'est un gendre qui m'aurait bien plu.

– Je suis encore trop jeune pour me marier, maman.

– J'avais l'impression que tu y tenais…

C'est vrai : elle y avait beaucoup tenu. Elle l'aurait même épousé s'il lui avait demandé…

– C'est compliqué, maman, tu sais.

– Pour votre génération. Pour la mienne, c'était si simple.

En haut, Louis jouait. Il frappait sur le clavier et Juliette devinait sa jubilation. « Paris, mais c'est la tour Eiffel avec sa pointe qui monte au ciel, on la trouve moche, on la trouve belle, Paris s'rait pas Paris sans elle… »

Sur la pelouse, on s'était tu. Les gens balançaient la tête, certains s'étaient levés et dansaient. Tous avaient l'humeur rose. Juliette fermait les yeux et pensait au bonheur qui n'allait pas manquer de tomber, petite nappe fine, sur la maison… Et Louis attaqua son tube, son air préféré, celui qui le mettait en joie, qui le faisait danser : « Cosi, cosa, it's a wonderful world… Cosi, cosa… »

Louis tira son feu d'artifice, seul. En plein jour. Le soleil marquait six heures à l'horizon.

On lui avait bousillé sa fête. Aux premières mesures de « Cosi, Cosa… », le petit père Tuille, le trou du cul serré, s'était levé et avait hurlé qu'on arrête la musique. Puis l'avait injurié, lui. Avait giflé sa fille. Devant tout le monde. La chemise en nylon sortant du pantalon, débordant des bretelles.

– Ah ! c'est vous… C'est vous, cosi, cosa, et les mots obscènes… l'ignoble individu… Vous qui avez sali mon nom, répétait-il rouge sang en montrant la lucarne du doigt.

Il avait défait le col de sa chemise et sifflait sa haine entre ses dents.

– Je ne veux plus vous voir, monsieur, plus jamais… Ni vous ni ma fille, votre complice… Vous avez bafoué mon nom, ma réputation… Plus jamais… Et toi, la menteuse, c'est plus la peine d'attendre ça de moi…

Il avait fait claquer l'ongle de son pouce entre ses dents, avait attrapé Mme Tuille par le bras et ils étaient sortis.

Juliette s'était tenue toute droite jusqu'à ce que la porte claque puis s'était laissée tomber en larmes parmi les invités à la mine contrite ou gourmande. Qui demandaient des explications.

– C'est à cause de ta carte, sanglotait Juliette effondrée sur la pelouse, une jambe repliée sous elle. C'est à cause de la carte de Corse…

Louis avait préféré fuir au fond du jardin. Ça lui donnait envie de gerber. La haine, pensait-il, la haine comme dans tous les couples, toutes les familles, la haine inévitable dès qu'il y a institution, possession exclusivité... Il prétend aimer sa fille et il lui ruine sa fête. Pour une carte postale mal digérée...

Il avait envie de lui écrabouiller la gueule au petit trou du cul serré, cet hypocrite qui se vante d'être si propre, si blanc, si net, si bien élevé... envie de lui tirer la merde du cul et de lui en barbouiller la figure.

Il valait mieux qu'il tire ses fusées.

Les fusées jaunes, les fusées vertes, les fusées bleues qui montaient dans le ciel et rivalisaient avec le soleil...

Chapitre 4

Ce n'était pas la première querelle qui opposait Juliette et ses parents. Il en est des ruptures comme des exceptions aux règles de grammaire. Une, ça va. Plus, c'est mauvais signe. C'est que la règle est caduque.

La vieille règle d'amour censée régir les rapports parents-enfants était une nouvelle fois ébranlée. Sérieusement. Juliette le savait et, comme chaque fois que le cordon se tendait prêt à se rompre, elle avait peur. Peur de quitter l'abri rassurant de l'enfance quand papa et maman sont des paratonnerres puissants, peur de se retrouver, seule, en face de ce que les adultes appellent pompeusement LA VIE.

Bénédicte était rentrée à Paris avec Émile ; Martine se préparait au grand départ, et son esprit voguait déjà de l'autre côté de l'Atlantique…

Bien sûr, il y avait Charlot.

Et Louis.

Son attitude avec Juliette variait. Parfois, il posait sa tête sur le ventre de Juliette et soupirait, repu, heureux : « C'est rare une fille avec qui on peut baiser, rire et parler », laissait-il échapper. Juliette caressait la tête brune et lui retournait, mentalement, le compliment…

Puis ils allaient se baigner au lac de Combreux et il se retournait sur chaque fille bien roulée en sifflant.

– T'es ridicule, on dirait un collégien, pestait Juliette.

– J' fais ce qui me plaît…

Alors, le doute naissait dans l'esprit de Juliette. Papa a peut-être raison, c'est un voyou, un pas grand-chose... Débraillé, hirsute, le pantalon mal fermé et glissant sur les hanches, les yeux s'allumant à chaque passage de cul, la main toujours prête à se balancer sur une croupe... Dans ces moments-là, elle était possédée par l'esprit de son père et voyait Louis de travers. Et cette manière de gaspiller tout son argent, de ne pas avoir de situation stable, de tout tourner en dérision... C'est pas un homme pour moi, ça.

Un jour, elle dut le penser si fort que Louis, qui achevait de fixer un chambranle de fenêtre, s'arrêta et lui lança :

– Hé, ma puce, on grandit, on grandit et on serre les dents. On ne pense pas à ses parents.

– Je n'y pense pas !

– Si. Si. Je le sens. C'est du temps perdu. Oublie-les. Ils sont bêtes et méchants.

– Je t'interdis de dire ça ! Ce sont MES parents. Et qui es-tu d'abord pour les juger ? Un pauvre acteur qui court après le cacheton !

Louis releva la tête et la jaugea. D'un regard qu'elle ne lui connaissait pas, un regard qui la soulevait, la soupesait et la plaçait dans le camp des ennemis.

– Charlot ! Tu me passes les clés de la voiture ? cria-t-il.

– Mais pour quoi faire ? bafouilla Juliette.

– Je me casse. Ça pue la haine, ici.

– Et tu me laisses toute seule ?

– Franchement, t'as l'air très bien toute seule.

Charlot lui tendit les clés et il partit.

Juliette fulminait. Il s'en va. Quand j'ai besoin de lui. Je le déteste. Il est tout juste bon à me pincer les fesses et à dire des gros mots.

Elle entendit le moteur qui ronflait et se précipita dehors.

– Je te déteste, je te déteste, lui cria-t-elle en donnant des coups de pied dans la portière.

– Franchement, ma chère, j'en ai rien à cirer…

Il démarra.

Cette nuit-là, il ne rentra pas.

Juliette attendit sous la tente.

Après la colère vint la réflexion. Pouce ! Je fais le bilan. Il se passe trop de choses en ce moment pour que je ne prenne pas le temps de réfléchir. Louis a raison : je grandis. Et ça fait mal. Ou je le fais mal. Depuis que je le connais, je trouve tout normal : normal ses cadeaux, normal qu'il soit là, normal qu'il m'envoie au ciel, normal qu'il parte, normal qu'il revienne et qu'il appelle aussitôt, normal qu'il passe l'été avec moi… Et moi en échange ?

Bouderies, colères inexplicables, jalousie quand il en regarde une autre, découpage de sentiments en quatre, et prétendue indifférence… Ce ne serait pas plus simple d'aller le trouver et de lui dire : « Je t'aime. C'est pour ça que j'ai ces sautes d'humeur, que je ruse pour que ton bras m'entoure quand on regarde la télé ou qu'on s'endort dans les duvets. »

La nuit dernière, il avait laissé tomber, par hasard, une jambe sur sa cuisse. Elle n'avait plus osé bouger de toute la nuit de peur qu'il la retire…

Je l'aime.

Mais lui ?

Il ne sait pas que je l'aime !

Le lendemain matin, au petit déjeuner, Louis était là. Pas rasé, les yeux vagues, une tasse de café à la main. En pleine discussion avec Charlot.

– C'est un fait scientifique, expliquait Charlot, que les moustiques en temps normal ne se nourrissent que de nectar et de l'humidité des plantes, sauf la femelle, qui, lorsqu'elle porte des œufs, a besoin de protéines supplémentaires qu'elle trouve dans le sang des hommes ou des animaux…

– Je te vois venir, Charlot, le moustique qui pique est une moustique enceinte et je dois me laisser bouffer par humanité… Eh bien, non ! Il n'en est pas question…

– Bonjour, dit Juliette avec son sourire le plus charmant. Vous avez bien dormi ?

Ils lui répondirent à peine et enchaînèrent sur la moustique enceinte. Juliette se versa une tasse de café, et se coupa une tartine de pain.

– Attends, attends, continuait Charlot excité. Pour éloigner la moustique enceinte, il suffit de lui faire entendre le bruit d'un moustique mâle en rut…

– Je la comprends, ricana Louis. Quand on s'est fait baiser une fois, on est prudent…

Juliette préféra ne pas relever la remarque. Ça allait être dur de parler d'amour après une telle introduction.

Toute la journée, Louis fut occupé. Ni hostile ni fuyant, mais pris ailleurs. Elle dut attendre le soir pour faire sa déclaration et, comme elle avait beaucoup attendu, la fit sans ménagement. À la hussarde.

Ils étaient couchés sous la tente, car l'orage menaçait. Le duvet de Juliette se rapprocha du duvet de Louis, et Louis grogna :

– Qu'est-ce que c'est ? J'ai sommeil…

– Je veux vivre avec toi.

– Non.

– Je t'aime.

Le duvet de Juliette escalada le duvet de Louis. Louis sentit les boucles noires qui lui chatouillaient le nez. Il détourna la tête afin de ne pas éternuer.

– Arrête, tu me chatouilles…

– Je veux vivre avec toi.

– Il n'en est pas question. Je suis très flatté que tu me fasses cette proposition, mais c'est non.

– Pourquoi ?

– Parce que je suis invivable et que tu es une gentille fille.

– Je t'aime, répéta Juliette, obstinée.

– Faux. Tu as l'impression de m'aimer.

– Mais enfin, je sais ce que je dis.

– Pas quand tu parles d'amour.

– Parce que, toi, tu as tout compris ?

– À peu près. C'est très simple. Si tu veux, un jour, je te ferai un dessin…

– Je t'aime, je veux vivre avec toi et ne plus te quitter.

– Oh la la !

Il se tortilla pour faire glisser le duvet de Juliette à terre. Juliette tomba sur le tapis de sol, se frotta les hanches et lui donna un coup de poing de dépit.

– Je te déteste !

– Tu vois ! J'avais raison.

– On ne peut jamais parler sérieusement avec toi, tu tournes tout en dérision.

– Mais si, on peut parler de la lune, des étoiles, du béton, du moteur à injection, de la moustique femelle enceinte… On en a des sujets de conversation !

– Moi, je veux parler de toi et moi !

– Et moi, je veux pas !

Juliette sentit au ton de sa voix qu'il ne céderait pas. Elle s'enroula dans son duvet, dépitée. Elle se mit à penser à elle, et des larmes lui montèrent aux yeux. Pauvre moi… Qu'est-ce que je vais faire s'il ne m'aime pas ? Elle s'attendrissait et ses larmes redoublaient.

Louis ne bougea pas. Je ne céderai pas au chantage des larmes. Elles font toutes ça depuis qu'elles ont vu

Rhett Butler tendre son mouchoir à Scarlett et la prendre dans ses bras.

Juliette ne s'avoua pas vaincue. Ayant constaté que pleurer ne servait à rien, elle reprit la conversation :

– Je te dis « je t'aime », et ça te fait rien ?

– Je te réponds que je suis très flatté. Mais j'ai le droit de refuser de vivre avec toi, non ? Je suis honnête.

Juliette fut obligée de le reconnaître. Elle changea de ton et se fit suppliante :

– Tu m'aimes pas ?

Louis secoua la tête en faisant claquer sa langue :

– Écoute, ma puce, ne compte pas sur moi pour te dire des mots d'amour…

– Mais qu'est-ce que tu ressens pour moi ?

– Écoute… On est bien, non ?

– Mais tu m'aimes comment ? Un peu, beaucoup…

– C'est un test de *Marie Claire* que tu me fais passer ?

– Dis-moi, Louis, s'il te plaît… Je t'en supplie.

– Il ne faut jamais supplier un homme, ma puce, toujours rester digne…

– Dis-moi !

– Allez, on dort, j'ai sommeil…

Il lui tendit le creux de son épaule et elle s'y blottit, consciente de l'immense geste de tendresse qu'il venait de perpétrer. Elle s'enhardit :

– Qu'est-ce que tu me trouves alors, si tu m'aimes pas ?

– Je t'aime bien.

Juliette fit la moue. Il se mit à rire :

– T'aimes pas que je te dise ça, tu voudrais « je t'aime » tout court ?

Elle ne répondit pas. Louis bâilla. Trop fort pour que ce soit naturel, pensa-t-elle. Je gagne du terrain petit à petit.

– Je ne te laisserai pas dormir tant que tu n'auras pas répondu !

– Mais je t'ai répondu, s'énerva-t-il. Je t'aime bien. Là ! Qu'est-ce que tu veux à la fin ? Que je t'aime ou que je te coure au cul ?

– Que tu m'aimes.

– C'est à voir. Allez, j'ai sommeil. On dort.

– N'y compte pas.

– Si. Parce que, sinon, je prends mon duvet et je vais dormir avec Martine…

– Pas chiche !

Il se leva, prit son duvet et sortit de la tente.

Martine grogna en sentant Louis se glisser dans son lit. Elle crut un instant que c'était Chocolat, puis sentit deux pieds froids contre les siens.

– Qu'est-ce que tu fous dans mon lit ?

– Je fuis Juliette qui me bassine pour que je la demande en mariage !

– Vous deux ! Ce serait de la folie !

– Tu trouves aussi ?

– Absolument. Mais t'en fais pas, elle oubliera vite. Elle passe son temps à tomber amoureuse. Ça va s'arranger. On dort ?

– On dort.

Mais Louis eut du mal à s'endormir. « Elle passe son temps à tomber amoureuse… » Il se mit sur un coude, réfléchit, puis réveilla Martine :

– Elle est amoureuse de quelqu'un d'autre en ce moment ?

– Ben, non… Puisque c'est de toi ! Ça va pas ?

Il resta silencieux.

– Cela dit, poursuivit Martine, je ne comprends pas

que tu résistes ; elle est jolie, futée. D'habitude, les mecs tombent comme des mouches…

– Ah ! parce qu'il y en a beaucoup ?

– Pas mal. Et elle les voit pas tous, en plus !

– Forcément, ronchonna Louis, comme tout ça c'est rapport de force et compagnie, il suffit qu'elle ne les voit pas pour qu'ils tombent amoureux… Je ne veux pas faire couple, cria-t-il, je ne VEUX pas…

– Hé, calme-toi…

– C'est plus fort que moi. Je vois mon père et ma mère, et j'ai envie de prendre mes jambes à mon cou !

– Tu penses encore à eux ? T'es pas tiré d'affaires, mon pauvre vieux !

– Excuse-moi, j'ai pas fini ma croissance et j'entends bien ne jamais la finir ! Je ne comprends pas ce que vous avez, vous les filles, à toujours vouloir tomber amoureuses. On dirait que c'est votre seul but dans la vie !

– Parce que, toi, t'es au-dessus de ça ?

– Je trouve que ça gâche tout.

– Alors, qu'est-ce que tu fais là, en plein été, à piocher comme un forcené, si t'es pas amoureux de Juliette ? Tu t'es posé la question ?

– J'oubliais que t'étais sa copine.

– C'est ça. Évite de répondre en persiflant…

– Oh ! Mais vous m'énervez toutes les deux !

Il se releva, reprit son duvet et partit retrouver Charlot qui dormait dans la nouvelle chambre. Sur le dos, la bouche entrouverte, laissant échapper un léger ronflement.

– Au moins, celui-là, il ne me fera pas la conversation !

Tactique, tactique, se répétait Juliette, le lendemain. Je me suis découverte, hier, perdant ainsi mes avantages, je vais frapper un grand coup aujourd'hui.

Vers une heure, au moment de passer à table, Louis s'approcha d'elle et demanda :

– T'es plus fâchée ?

Juliette prit l'air étonné :

– Pour hier ? Mais non… Excuse-moi, j'ai eu une petite déprime sentimentale, mais c'est fini. J'ai dû t'énerver, hein ?

Elle ne le laissa pas répondre et enchaîna :

– Cet après-midi, je vais à Pithiviers. Quelqu'un a besoin de quelque chose ?

– Qu'est-ce que tu vas faire à Pithiviers ? demanda Louis.

– Prendre l'air et m'acheter des chaussures…

Elle tendit son pied nu et sa longue jambe brune.

Louis loucha sur le pied et remonta le long de la jambe.

– Prends-moi un tube de Rubson, dit Charlot.

– Et des cigarettes, ajouta Martine.

– Et tu y vas comment ? demanda Louis.

– En stop. Ça marche très bien depuis qu'il n'y a plus d'assassin !

Place de Martroi, elle rencontra Jean-François Pinson. Il sortait de la pharmacie, l'air soucieux et les bras chargés de paquets. Il arrivait de Paris. Sa mère avait eu un malaise et refusait d'être hospitalisée.

– Tu restes un moment ? dit Juliette.

– Oui…

– Tu veux venir voir ma maison à Giraines ?

– Avec plaisir, répondit-il en abaissant ses lunettes de soleil et en retrouvant l'assurance arrogante du beau mec qui se fait draguer.

– Alors, rendez-vous au café en fin d'après-midi, j'ai des courses à faire…

Juliette repartit en faisant danser son panier. Il ne l'impressionnait plus, mais il pouvait lui être utile.

Elle s'acheta des hauts talons rouges et une minijupe en cuir rouge fendue sur les côtés. Quand elle passa devant le magasin de ses parents, son cœur battit. Son père rangeait l'étalage. Elle se demanda s'il l'avait vue, mais ne détourna point la tête.

Le poissonnier, qui disposait un arrivage de merlus, courut vers sa femme qui tenait la caisse pour qu'elle ne rate pas la scène :

– Pour sûr que des talons comme ceux-là, il n'en a jamais vendu le père Tuille !

Jean-François Pinson cligna de l'œil quand il la vit arriver. Elle avait de l'allure, Juliette Tuille. Plus rien à voir avec la petite jeune fille qui disparaissait dans les coussins du *Brummel*…

Juliette avait calculé qu'afin de réussir son effet, il lui fallait arriver à la maison à l'heure du pastis. Elle ferait alors une entrée digne du grand escalier du *Casino de Paris*, découvrant le beau Pinson, dents blanches et jean américain.

Elle appuya sur le klaxon pour signaler leur arrivée. Entra, triomphante, puis s'effaça pour laisser passer Jean-François. Louis va être furieux. Il a un vrai menton, Pinson, un vrai nez, une vraie bouche, ce n'est pas un rejeton de tortue, lui !

Jean-François se présenta, serra des mains. Juliette lui servit à boire et lui proposa de rester dîner avec eux. Il déclina l'invitation, mais suggéra d'aller au *Zig-Zag* à Orléans après le dîner.

– D'accord, dit Juliette, tu viens me prendre ici à dix heures ?

Elle le raccompagna en chaloupant sur ses hauts talons. Lui donna un long baiser, collée à lui de la pointe de ses orteils à celle de ses cheveux.

Quand, vers dix heures, elle entendit crisser les pneus, elle se leva et se dirigea vers la porte.

– Tu devrais prendre un pull, fit remarquer Louis. Tu risques d'avoir froid.

Elle opina et, sans regarder Charlot ni Martine, attrapa un chandail.

– Ciao, ciao, fit Juliette en envoyant des baisers à la ronde. Ne m'attendez pas, je rentrerai sûrement tard.

– Ciao, ciao, répondit Louis. Amuse-toi bien, ma puce.

– J'y compte bien.

Il lui dédia le sourire le plus angélique. Sans froncement de sourcils ni barricades dans l'œil.

Le klaxon retentit et elle se décida à sortir. Plus aussi triomphante. Le sac à la traîne, les chevilles se tordant sur les hauts talons...

Chapitre 5

Juliette dansa jusqu'à cinq heures du matin. Il fallait que Louis ait le temps de fumer le calumet de l'anxiété sous la tente. Qu'elle imprime son signe de Zorro dans sa mémoire afin que, la prochaine fois qu'elle murmurerait « je t'aime », il ne lui réponde pas « je suis très flatté »…

Elle n'eut pas beaucoup à se forcer. Jean-François Pinson se montra charmant. Il n'y avait plus de malentendu ni de séduction entre eux. Ils laissèrent tomber les masques et s'amusèrent.

Quand il la raccompagna à Giraines, elle le remercia pour la très bonne soirée qu'elle avait passée. Elle le pensait vraiment. Elle rentra de fort bonne humeur et allait rejoindre directement la tente lorsqu'elle aperçut de la lumière dans la pièce où dormait Martine.

Martine portait la longue chemise dans laquelle elle dormait toujours et Charlot était tout habillé.

– Je dérange ? fit Juliette, malicieuse.

Ils avaient tous les deux des airs de conspirateurs.

– Vous m'avez l'air bien matinal… Qu'est-ce que tu fais à cette heure-ci, Charlot, tout habillé ?

– Je reviens de Paris.

– De Paris ! Mais pourquoi ?

– Je reviens de Paris où j'ai conduit Louis.

Il ôta ses lunettes et se frotta les yeux. Pâle. Les lèvres pincées comme s'il retenait sa colère.

– Conduit Louis ? répéta Juliette, abasourdie.

– Tu ne croyais quand même pas qu'il allait t'attendre, les bras croisés, pendant que tu t'envoyais en l'air ! Je vais te dire quelque chose, Juliette, s'il n'avait pas pris, tout seul, la décision de partir, je l'aurais mis moi-même dans la voiture en lui bottant le cul ! Dieu merci, il n'a pas eu besoin de moi et il reste encore quelques spécimens d'humains avec marqué « hommes » sur le front !

– Ça y est ! soupira Juliette, le couplet macho…

– À chacun sa chanson, ma chère. Tu nous joues l'air de la coquette, on t'envoie le basson du macho… Moi, j'en ai assez vu comme ça, je vais me coucher. Bonsoir !

Juliette se retourna vers Martine et l'interrogea du regard.

– Tu venais à peine de sortir avec Pinson, expliqua Martine, que Louis s'est levé, a roté et a déclaré : « C'est pas tout ça, on me déclare la guerre, je me dois de rejoindre mes positions. Je rentre à Paris. » Après, il s'est excusé de ne pas finir les travaux et de laisser Charlot tout seul et il a ajouté : « Si je reste, je n'oserai plus me regarder en face même dans un reflet de vitre. » J'ai trouvé ça très beau…

– Et il m'a pas laissé de message ?

Martine sourit.

– Non. Il était pas d'humeur à t'écrire un mot.

– Et voilà, conclut Juliette, je me suis punie dans mon expédition punitive…

Juliette et Martine passèrent la fin du mois de juillet à philosopher sur leur situation de veuves. On est comme les moustiques mâles, ironisait Martine, nos partenaires nous fuient.

Bénédicte et Émile vinrent passer leur week-end à

Giraines, et Émile donna un coup de main à Charlot. Il n'était pas aussi habile que Louis mais, après quelques jours d'entraînement, il sut se débrouiller.

– Je me demande si ce n'est pas Bénédicte, une fois de plus, qui a raison, disait Juliette. Pas de passion, mais de l'estime et de l'affection. Regarde, comme ils paraissent heureux !

– Moi, je les envie pas, répondait Martine. J'aime encore mieux être toute seule que de goûter à ce petit bonheur-là.

Le soir, avant que la nuit ne tombe, ils partaient faire une promenade. Charlot en voulait toujours à Juliette.

– Mais, je ne l'ai pas perdu, Charlot, tu verras. Je le retrouverai. Pas tout de suite, car il doit être encore furieux, mais dans quelque temps… Je le retrouverai. Je suis très forte avec les hommes, tu sais, c'est même là que je réussis le mieux… J'irai sonner chez lui et…

Elle s'arrêta en pleine phrase et se frappa le front en gémissant :

– Oh non… Oh non…

Charlot, Martine, Bénédicte et Émile la regardèrent, étonnés.

– Je n'ai pas son adresse à Paris ! Je ne suis jamais allée chez lui ! Il venait rue des Plantes où on se retrouvait au *Lenox* !

– Il est peut-être dans l'annuaire…

– Ça m'étonnerait…

De ce jour-là, elle perdit sa belle assurance de reconquérir Louis. Elle s'épuisa en conjectures. Je pourrais traîner dans les bars, les maisons de productions, chez les agents de cinéma ou au *Lenox*…

Puis elle se reprit : elle le retrouverait.

Charlot n'en était pas convaincu.

– J'adore ce grand lit, déclara Bénédicte en se couchant ce soir-là.

– Pour l'usage qu'on en fait, maugréa Émile.

Bénédicte ne voulait pas engager une conversation qui la mènerait tout droit à la rupture, si elle disait la vérité, ou aux mensonges. Depuis quelque temps, Émile se plaignait, faisait des remarques que Bénédicte jugeait déplacées, car elle ne voulait pas y répondre. *Je veux bien me forcer de temps en temps, mais pas tous les soirs.*

Quand elle pensait à leur couple, elle évoquait Pierre et Marie Curie, penchés ensemble sur leur microscope et découvrant le radium. Comme Émile faisait toujours la tête, elle lui dit d'une petite voix douce :

– Tu sais à qui on ressemble, toi et moi ?

– À un vieux couple de quatre-vingt-dix ans.

– À Pierre et Marie Curie. Et j'en suis très fière !

– Eh bien moi, j'aimerais être l'amant de Marie Curie.

– Marie Curie n'avait pas d'amant !

– Si. Parfaitement. C'était même l'assistant de Pierre Curie.

Marie Curie avait un amant… Bénédicte n'en revenait pas.

– Et, puisque tu fais allusion au couple, poursuivait Émile, j'aimerais bien un peu moins de qualité dans le nôtre et un peu plus de trivialité. Bonsoir !

Il se retourna dans le lit.

Bénédicte fut soulagée. Pour ce soir, elle était sauvée. Il allait bouder un moment, puis viendrait faire la paix sous un prétexte quelconque. Comme toujours. Elle rêvait d'une rupture qui les laisserait amis. *Je ne veux pas le perdre tout à fait. Ce n'est pas ma faute si j'ai pas envie de lui. Il pourrait faire des efforts, mettre des verres de contact, apprendre à s'habiller, se tenir droit, se soigner la peau, aller chez le dentiste…* Plus ça allait, plus elle lui découvrait des défauts physiques.

Demain, elle irait voir sa mère.

L'article de Bénédicte sur l'arrestation de Bichaut, signé en gras, en première page du *Figaro*, avait été fort apprécié à Pithiviers. Il faut dire qu'elle avait pris soin de citer quelques notables de la ville, et chacun gardait son exemplaire avec son nom dessus. On la félicitait, on lui serrait la main, elle rosissait de plaisir et se cachait derrière sa mèche. Quand il fallut acheter le gigot du dimanche, elle passa une heure chez le boucher. Il la présentait à tous ses clients en disant : « C'est elle, c'est Bénédicte Tassin. » « Et votre conclusion, fit un client, elle était du tonnerre ! » La conclusion était d'Émile.

À « la Tassinière », Mathilde épluchait des haricots pour les mettre en bocaux pour l'hiver.

– C'est incroyable, fit Bénédicte, je ne peux plus taire un pas dans la ville sans qu'on me félicite pour mon article !

– Je dois dire que je l'ai trouvé très bien. Surtout la fin… Tu as mûri, ma chérie.

Bénédicte s'assit et commença à éplucher, elle aussi, les haricots. La table de la cuisine était couverte de pots, de caoutchoucs, d'étiquettes, de pluches et de vieux journaux.

– Je suis débordée. Je ne sais plus comment faire…, dit Mathilde.

Mathilde s'agitait. Un foulard retenait ses cheveux. « Qu'est-ce qu'elle est belle ! pensa Bénédicte. J'aimerais être aussi belle qu'elle à son âge. » Elle portait ses longs cheveux noirs en chignon, et tous ses gestes étaient empreints de distinction. Un jour, à l'école, on avait donné des notes à nos mères. Maman était arrivée en tête avec 19. Juliette râlait parce que la sienne avait tout juste la moyenne et Martine avait prétendu que ces classements étaient de la foutaise : sa mère arrivait bonne dernière.

– Alors, ma chérie, on fatigue ? dit Mathilde à Bénédicte qui rêvait.

Bénédicte reprit l'épluchage.

– Qu'est-ce que c'est ennuyeux ! Alors que c'est aussi bon en boîte !

– Ignorante suprême ! Des haricots en boîte !

Elle finit de remplir un bocal, inscrivit « Haricots beurre été 70 », puis reprit :

– Verrais-tu un inconvénient à ce que je donne ta chambre à ta sœur ? Elle se plaint de ne pas avoir de place aux murs pour afficher ses posters.

– Ma chambre ! Mais pourquoi ?

– Parce qu'elle habite ici tout le temps et que, toi, tu n'y viens presque plus. Tu prendras sa chambre… Tu verras, elle est très bien. Je te l'ai arrangée. J'y ai transporté tes affaires et ta coiffeuse…

– Ah ! Parce que c'est déjà fait !

– Bénédicte chérie, Geneviève a seize ans et besoin d'espace. C'est vrai que sa chambre est moins agréable, mais c'est comme ça dans toutes les grandes familles, il faut se faire de la place.

– Mais les autres, ils ont tous gardé leur chambre !

– Les autres, comme tu dis, reviennent bien plus souvent que toi et n'avaient pas choisi la plus belle chambre…

– De toute façon, puisque c'est fait… Je suppose que je n'ai plus le choix…

Mathilde tenta une dernière fois de minimiser la chose. Elle ne pensait pas que Bénédicte le prendrait si mal.

– Chérie, tu es grande. Ta vie est ailleurs, maintenant.

Tu as une très belle maison à Paris. À quoi ça sert de te cramponner à ta vie de petite fille ?

– C'était ma chambre…

Bénédicte fixait les bouts de haricots pour ne pas pleurer. Je hais les grandes familles. J'aurais voulu être fille unique. Je ne veux plus partager tout le temps, échanger, donner… Elle releva les yeux, ils étaient pleins de larmes.

– Bécassine qui pleure ! Mais c'est ridicule. Allez, essuie-toi et fais-moi un sourire…

Bénédicte s'essuya les yeux.

– Tiens, je vais te faire un cadeau, dit Mathilde, pour ton article. Je te le réservais pour ton premier bébé, mais enfin…

– Le collier de perles grises et blanches ? articula Bénédicte la gorge serrée.

Sa mère fit oui de la tête. Bénédicte se remit à pleurer. D'émotion, cette fois. Elle se précipita au cou de sa mère.

– Oh maman ! Je t'aime tellement, tu sais, tellement…

– Moi aussi, ma chérie. Allez, dépêchons-nous, sinon on n'aura jamais fini. Attrape-moi un autre journal pour les épluchures. Celui-là est plein. Là-bas, sous la cheminée, avec les vieux journaux.

Bénédicte se pencha et prit un journal au hasard : c'était *le Figaro* du 15 juillet. SON *Figaro*.

Quand elle rentra à Giraines, ce soir-là, elle se précipita dans les bras d'Émile et le serra à l'étouffer.

– Émile, Émile, j'ai besoin de toi… Besoin de toi… Tu ne me quitteras jamais, hein ? Jamais. Dis-le-moi. Même si je suis mauvaise avec toi…

Émile lui releva la tête, ému.

– Qu'est-ce qu'il y a, mon chéri ?

– Dis-moi que tu m'aimes, dis-le-moi… J'ai tellement peur après hier soir que tu ne m'aimes plus. J'ai été méchante, hein ? Méchante…

Elle hoquetait. Émile la prit dans ses bras et la berça.

– Pleure pas, ma chérie, pleure pas. C'est pas grave, tu sais. Je t'aime et je ne te quitterai jamais.

– Jamais ?

– Jamais.

Bénédicte resta un long moment dans ses bras, puis alla se remaquiller pour le dîner du soir.

– Merci, Émile, lui dit-elle en l'embrassant avant qu'ils ne quittent la chambre.

Chapitre 6

À Paris, Louis se précipita chez son agent. La secrétaire lui dit que M. Vicci était absent et lui conseilla
de téléphoner, la prochaine fois, avant de passer. Louis
lui décocha son sourire le plus enjôleur, mais elle resta
de marbre. Mauvais signe, se dit-il, le contrat n'a pas
dû être signé…

Paris était vide en ce début du mois d'août. Il alla faire
un tour au *Lenox*. Le barman, son copain, était là. Il lui
offrit un verre et demanda des nouvelles de Juliette.

– Fini…, dit Louis en balayant le comptoir d'un large
geste de la main.

– Dommage, elle était mignonne. Mais une de
perdue…

– Dix emmerdes évitées !

Ils trinquèrent.

– Ah ! Les gonzesses…, ricana Louis, après avoir
vidé son troisième scotch… Remarque, j'ai bien essayé
un mec, une fois, dans la vie faut tout essayer, mais j'ai
pas pu…

Ce n'était pas la première fois que Louis prenait la
fuite et rompait les amarres. Il devait même reconnaître
qu'il y avait quelque chose de grisant à tout briser derrière soi, à se retrouver seul au bord du précipice.

– Le plus difficile, c'est la première fois. Partir, partir… Quand, depuis que t'es tout petit, on t'a appris à
rester, rester…

Élisabeth. C'était la fille du boulanger de Poncet-sur-Loir. Une petite blonde tavelée d'éphélides. Elle prenait des leçons, le soir, à l'école, avec le père de Louis, parce qu'elle ne suivait pas en classe. « Elle est trop jolie, elle passe son temps à se regarder dans la plume de son stylo », maugréait Henri Gaillard. Les Gaillard dînaient tôt. Louis mangeait sa soupe, puis partait rejoindre Élisabeth dans la grange voisine.

– Montre-moi sous ta jupe et je te donnerai deux réglisses.

– Ce n'est pas assez.

– Trois.

– Plus !

Louis réfléchissait. Il avait très peu d'argent de poche. Son père était contre.

– Quand on sera grands, on se mariera, proposait-il en échange.

Elle retroussait le jupon rose et blanc sur ses cuisses rose et blanc. « Que c'est beau, que c'est beau ! » s'extasiait Louis. Il avançait la main pour toucher, mais Élisabeth rabattait son jupon.

– Encore, encore, protestait-il.

– Non. Ça suffit.

Le lendemain, il devait lui faire des promesses encore plus importantes.

– Et on aura beaucoup d'enfants ? demandait Élisabeth, la bouche ouverte, les lèvres mouillées.

– Et on aura beaucoup d'enfants, répétait Louis pour pouvoir poser sa bouche sur cette fente humide et rouge.

– Et on habitera la maison de tes parents ?

– Ah… non. Quand je serai grand, je serai aviateur !

– Aviateur ! Mais il faudra que tu ailles à Paris ! Je ne veux pas aller à Paris, je veux rester ici.

Il renonça à être aviateur.

À dix-huit ans, Élisabeth était devenue une grande fille rose et blonde, et les garçons du village salivaient en la voyant passer. Elle passait ses journées à manger des glaces – elle disait des ice-creams – et à se mettre du rose sur les lèvres et sur les joues. Louis était si jaloux qu'un jour il se fit saigner les paumes des mains en serrant les poings parce qu'un garçon la regardait de trop près. Elle voulait bien continuer à le voir, mais il fallait qu'il prouve qu'il était sérieux.

– Mais j'ai mon service à faire !

– On se fiance maintenant et on se marie quand tu reviens.

– Et après ?

– Tu seras instituteur comme ton père et on s'installera à l'école.

– Instituteur ! répéta Louis, je n'y avais jamais pensé.

Ils se marièrent à l'église de Poncet-sur-Loir, un samedi après-midi du mois de juin 1960. Louis avait vingt ans. Élisabeth s'était confectionné une robe à la Bardot, bien serrée à la taille, avec des bouillonnements de jupons et portait un petit fichu blanc noué sous le menton. Tous les hommes du village envièrent Louis.

Ils partirent en voyage de noces à Paris. Les parents d'Élisabeth et de Louis s'étaient cotisés pour leur offrir « un bel hôtel ». Ils choisirent le *Royal Monceau* parce qu'il était près des Champs-Élysées.

Au bar du *Royal Monceau*, il y avait un pianiste noir américain qui jouait, à la demande, les airs que lui fredonnaient les clients. Le premier soir, alors qu'Élisabeth se reposait dans la chambre, Louis alla s'accouder près de lui et regarda les doigts noirs sur le clavier blanc, le corps qui s'agitait sur le tabouret, les femmes qui s'agglutinaient autour du piano… Il eut envie de pousser le pianiste et de prendre sa place. Il passa la nuit à claquer des doigts et à faire djaguedjaguedjague en cadence.

Il buvait des verres à la chaîne au fur et à mesure que le pianiste en commandait pour lui.

Vers trois heures du matin, le pianiste lui fit signe de s'asseoir près de lui :

– Come on. Play something…

Louis ne comprit pas.

– Ton nom ? demanda alors le pianiste.

– Louis…

– Louie-Louie-hé-Louie…

Louis se rapprocha et frappa d'un doigt sur le clavier.

– You don't know ?

Louis fit « non, non » de la tête. Il ne comprenait pas ce que l'homme lui disait.

– Try… try… There's nobody left, who cares ?

Il se poussa sur le côté, et Louis comprit qu'il lui demandait de jouer. Il s'assit, commença d'abord timidement, au hasard, puis tapa. Le Noir riait. Louis riait. Puis le Noir fit « non, non » de la tête et frappa un accord en montrant à Louis où mettre ses doigts. Louis répéta. Puis un autre, puis un troisième…

– Whisky ?

– Oui, oui, fit Louis, qui se sentait déjà complètement ivre.

Le Noir demanda une bouteille et deux verres.

– Straight ?

Louis répéta « Straight ». Il crut que le pianiste lui demandait de l'argent et vida ses poches. Le Noir rit et se tapa sur les cuisses.

– Joints ? Smoke ?

Il faisait signe de fumer. Louis acquiesça. Le Noir roula deux cigarettes, une pour lui, une pour Louis, et reprit sa leçon.

– Hé, man, you can sing what you want with three cords… That's fine. When you don't know, just do lalala…

Au petit matin, Louis était malade, mais heureux. Il chantait « lalala » sur trois accords et toutes les chansons. Le Noir se leva en titubant :

– Hé man, I have to go…

Louis le regarda partir.

– To-morrow ? demanda-t-il.

– You mean tonight ? fit le Noir avec un gros rire enroué. OK, Louie-Louie tonight…

Il partit en renversant les tables sur son passage. Louis laissa tomber son menton sur le piano et s'endormit.

C'était sa nuit de noces.

Les jours suivants furent épuisants pour Louis. Pendant la journée, il visitait Paris avec Élisabeth, montait sur la tour Eiffel, arpentait le Louvre, glissait dans les galeries de Versailles. Le soir, après avoir versé un léger somnifère dans un verre d'eau qu'il faisait boire à Élisabeth, il retrouvait Billie, le pianiste.

Élisabeth ne comprenait pas pourquoi elle était si fatiguée, Louis l'assurait que c'était Paris, la bordait et descendait au bar.

Quand il ne restait plus de clients, Billie commandait une bouteille, roulait des joints et faisait jouer Louie-Louie.

Billie venait du Mississippi. Depuis tout petit, il tapait sur un piano sans connaître une note de musique.

– Nothing. I don't know anything about music. Just listening to it and then lalala… That's enough, you know when you like it…

Louis crut comprendre qu'il avait une femme et cinq enfants là-bas et qu'il voyageait pour prendre l'air parce que « you know, one wife and five kids… ». Il montrait du doigt UN et CINQ en roulant des yeux et des épaules comme s'il les avait sur le dos.

– Pas possible Louie-Louie. Pas possible. Eux manger toi… Alors, moi, partir, partir… Paris. Ah ! Paris…

Et il jouait «Paris, mais c'est la tour Eiffel avec sa pointe qui monte au ciel… On la trouve moche, on la trouve belle, Paris s'rait pas Paris sans elle ». Louis connaissait les mots de la chanson, mais pas les accords. Billie les lui apprit.

Billie lui apprit tout ce qu'il savait en une semaine. Louis se regardait dans la glace et se trouvait beau avec ses cernes noirs.

La dernière nuit, il était si triste de quitter Billie qu'il lui parla de Poncet toute la nuit.

– Il y a un bar là-bas ? demanda Billie.

Un bar ! À Poncet ! Non, non, fit Louis de la tête.

– No music ! fit Billie, les yeux écarquillés.

– No music…

– Buy some records… disques…

– Good idea, dit Louis, records !

De retour à Poncet, il acheta un piano et des disques. Il y engloutit son livret de Caisse d'épargne, et ce fut l'occasion du premier affrontement avec son père.

– Toute ma vie, toute ma vie, je me suis battu pour te donner une éducation, des bases solides, le sens des vraies valeurs et voilà ce que tu fais ! Tu gaspilles d'un seul coup toutes tes économies ! Est-ce que tu as pensé à ce que tu ferais s'il t'arrivait quelque chose ? Tu n'es plus tout seul, maintenant ! Tu es res-pon-sa-ble ! Tu comprends ce que ça veut dire ! tonnait son père.

La trouille, pensa Louis, il essaie de me communiquer sa trouille.

Il tint bon : il acheta son piano et ses disques. Élisabeth ne dit rien. Si Louis avait envie d'un piano…

Ils s'étaient installés dans l'annexe de l'école en attendant que Henri Gaillard prenne sa retraite.

Louis posait les disques sur l'électrophone et essayait de les jouer au piano. Au début, il tâtonna puis, grâce aux accords de Billie, parvint à jouer les mélodies qu'il entendait. Ses heures de musique empiétant sur son travail d'instituteur, il acheta *le Livre du maître*, où étaient consignés tous les problèmes de robinet, de participes passés, de trains qui se croisent ainsi que les solutions.

– Deux robinets fuient, dictait Louis, l'un à raison de trois décilitres la minute, l'autre de dix-sept. Combien de temps leur faudra-t-il respectivement pour remplir des barils de cent litres dont l'un souffre d'une fuite de mille deux cent millilitres par minute ?

Dans *le Livre du maître* figuraient seulement les réponses : 26 et 98 heures. Mais pas la méthode pour arriver à ce résultat étonnant. Mon Dieu, mon Dieu, faites qu'il y en ait un, au moins un, qui trouve ! Sinon, je suis foutu...

Il sentait la sueur perler sur son front et regardait avec avidité ses élèves gribouiller. Il lança même quelques sourires serviles à Paul et Jacques Buzard, les espoirs de la classe. Enfin, il dut se résoudre à relever les copies et à interroger ses élèves.

– 12 et 46, dit le petit Paul Buzzard.

– Non, ce n'est pas ça, et toi Jacques ?

– 13 et 82.

– Non plus. Laurent ?

– 19 et 123.

– Non plus. Mais personne dans cette classe n'est fichu de trouver ! Je vais vous flanquer des zéros, moi, et des retenues. Plus de jeudis après-midi, plus rien...

Sa chemise lui collait au dos et il broya un morceau de craie entre ses doigts. Si personne n'avait trouvé, il piquerait une colère terrible, les mettrait tous au piquet et chercherait la solution pendant que la classe serait punie... Sinon, je passe pour un con et je n'ai plus un gramme d'autorité. Je ne peux plus faire ce métier... C'est une idée, ça...

– Moi m'sieur, moi m'sieur !

C'était Gérard Letur, bigleux et bégayeur. Son dernier espoir.

– Vinvinvinvin…

– Prends ton temps, Gérard.

Il semblait être sur la bonne voie.

– 26 et, et, et, et… 98 !

– C'est très bien, Gérard, tu auras un 20. Et tu vas venir au tableau expliquer à tous ces cancres comment tu as fait.

Pour divertir la classe, il acheta un perroquet qu'il se mit en tête de faire parler. Une heure par jour les élèves tentaient de converser avec le volatile. Toute la classe retenait son souffle pendant que l'oiseau qui trônait sur une branche d'arbre au milieu des grains de raisin et des quignons de pain demeurait obstinément muet. Louis en profitait pour faire des digressions sur la sagesse de cet oiseau qui avait compris que le langage causait souvent la perte de l'homme.

Élisabeth attendait un bébé. Louis se sentait de trop chez lui. Il naquit. Un petit garçon qu'on appela François. Et qui lui interdit le piano.

– Au moins, au début, Louis. Tout ce bruit le réveille, il est si petit…

– Ce n'est pas du bruit ! s'indignait Louis, c'est de la musique !

François avait à peine fait ses premières dents qu'Élisabeth se sentit à nouveau dolente.

Rosalie était une ravissante petite fille blonde et rose comme sa maman. Le piano faisait toujours trop de bruit. Louis parlait au perroquet qui n'émettait toujours pas le moindre son.

– Je vais partir, je vais partir, lui disait-il pour se défouler, je vais faire comme Billie. Une femme et deux enfants, c'est trop pour moi…

Le perroquet mâchait son quignon de pain mouillé et le laissait retomber dans la plus parfaite indifférence.

– Tu t'en fous, toi, tu vis cent ans ! Mais moi, mon

pote, je n'ai pas cent ans devant moi ! Je veux vivre maintenant… Je vais partir, je vais partir, je vais partir…

Devant ses propres enfants, il ne ressentait pas grand-chose. Il oubliait même leurs noms. Élisabeth ne se formalisait pas :

– C'est normal. Ça n'intéresse pas les hommes, des bébés si petits, attendez qu'ils grandissent et vous verrez…

Louis attendait avec impatience qu'ils grandissent pour reprendre son piano la nuit.

Élisabeth devenait un peu molle, un peu sucrée. Ce doit être le lait de la maternité qui la barbouille, pensait Louis. Il n'avait plus besoin d'insister ni de marchander pour qu'elle soulève son jupon.

– Dis-moi « non », une fois, lui murmura-t-il un soir avant de s'endormir.

– Non à quoi, mon chéri ?

Il n'insista pas.

Le jour de la retraite de son père arriva enfin. Il y eut passation des pouvoirs. Déménagement, remise de trousseaux de clés et de conseils.

– On va faire une petite dînette pour fêter ça, proposa Élisabeth. On invite mes parents et les tiens, et on fête l'installation…

On ne fête pas une « installation », pensa Louis. C'est sinistre ce mot. Je m'installe, je creuse mon trou.

Pendant le dîner, un toast fut porté à Louis, le chef de la famille et de l'école, et il se voûta légèrement.

Les jours qui suivirent furent pires encore. Tout le monde s'adressait à lui : la femme de ménage pour les heures de cantine, le plombier pour une fuite de robinet au second étage, les parents d'élèves pour leurs enfants et Élisabeth pour les siens.

Les parents de Louis prirent l'habitude de venir dîner tous les soirs « parce que l'école leur manquait ».

Louis rageait en se couchant :

– Ils veulent ma peau… Ils économisent toute leur vie pour s'acheter une maison, et, sitôt installés, ils ne pensent qu'à revenir ici !

– Mais ce sont tes parents, mon chéri ! disait Élisabeth.

– Justement, qu'ils restent à leur place de parents : loin de moi !

– Mais vient un moment où tes parents deviennent tes enfants… Tu dois l'admettre, mon chéri. Toi-même, plus tard, tu seras bien content que François et Rosalie s'occupent de toi !

– Ah, toi aussi ! Tu me vois déjà en vieillard impotent ! Mais, qu'est-ce que vous avez tous ? J'ai vingt-trois ans, moi, et je ne suis pas vieux !

Il était si furieux qu'il se leva et alla fumer une cigarette auprès du perroquet.

– Je vais partir, mon vieux, je vais partir…

Il essaya de parler à Élisabeth, mais elle le prit très mal.

– Dis-le que tu ne veux pas grandir, que tu veux rester un enfant toute ta vie !

– C'est ça : je ne veux pas grandir. Je ne veux pas me mettre un costume d'adulte et prononcer des mots compliqués d'un air pénétré ! Et quel mal y a-t-il à cela ?

– Il fallait pas te marier alors, pas faire des enfants. C'est trop tard…

Cette nuit-là, Louis dormit dans le préau.

Cette nuit-là, il décida de partir.

Il fit sa dernière journée comme de coutume. Rentra pour dîner comme de coutume. La table était mise. Ses parents lui souriaient.

– Le boucher est passé et a demandé ce qu'on voulait pour samedi, lança Élisabeth qui virevoltait autour de la table, arrangeant un détail par-ci, par-là. Non, non, laissez-moi faire, papa, disait-elle au père de Louis qui se proposait de couper le pain… Je lui ai demandé un rôti, mais je pense qu'on devrait acheter un Frigidaire. Tu sais, celui qu'on a vu la semaine dernière ?

Pas question, se dit Louis, si j'achète le réfrigérateur, je suis foutu…

Il restait debout, devant la table, sans toucher à sa serviette, sans repousser la chaise pour s'asseoir.

– Mais qu'est-ce que tu fais planté là comme un ballot ? demanda Élisabeth en soulevant le couvercle de la soupière. Assieds-toi !

– Non.

Ils relevèrent tous la tête. Son père avait un peu de soupe qui lui coulait sur le menton.

– Louis, qu'est-ce que tu as ? Tu ne te sens pas bien ? demanda sa mère.

La maladie. L'alibi des non-communiquants. L'argument suprême pour se dérober. Je n'ai qu'à dire que j'ai mal à la tête et tout redeviendra normal. On me consolera, on me soignera. Je serai bien au chaud dans le cercle de famille avec deux comprimés d'aspirine. Je l'aurai échappé belle !

– J'ai décidé de partir.

Il tomba sur la chaise, les jambes coupées.

– Ils t'ont muté ailleurs ? dit Élisabeth. C'est pour ça que tu n'es pas bien depuis tout à l'heure ?

Une dernière chance de dernier mensonge.

– Non. Je pars pour toujours. Je ne peux pas. Tout ça…

Il montrait du doigt le décor si net, si propre, si rassurant qui, dans une revue, illustrerait le bonheur à la maison.

– Je suis désolé, vraiment désolé, mais je me suis trompé…

Ils étaient muets. Comme au spectacle quand on attend la chute du vilain et le triomphe du héros. Son père avait toujours le menton qui brillait et sa mère tenait sa cuillère à soupe à mi-chemin entre l'assiette et ses lèvres. Je franchirai la porte et elle la portera à sa bouche. Cette pensée lui redonna du courage. Ils ne dépériront pas sans moi.

Il se leva, alla jusqu'à la porte et se retourna :

– Je vous écrirai… J'essaierai de vous envoyer de l'argent…

– Tu oublies que tu as deux enfants ! dit son père.

– Je sais, je sais, je suis désolé…

Il appuya sur la poignée de la porte et sortit.

Il avait l'impression d'avoir joué dans un film au ralenti, mais dès qu'il fut dehors, la vitesse redevint normale. L'air frais vint lui caresser le visage.

Dans le préau, le perroquet dormait.

– Hé, mon vieux… Je pars… Je pars…

Il lui gratta la tête.

– Tâche de parler un de ces jours !

Il regarda son piano, ouvrit le couvercle et le referma.

Il fouilla dans sa poche et trouva deux billets de dix francs.

Chapitre 7

Martine repartit pour Paris à la mi-août.

Elle avait téléphoné à la gérante de la Coop qui voulait bien la reprendre… comme caissière et jusqu'à Noël seulement.

– Je vais refaire mes dossiers pour Pratt et je partirai à Noël. Et cette fois-ci quoi qu'il arrive…

Juliette resta seule à Giraines, avec Charlot et Chocolat.

– Va falloir qu'on finisse tous les deux, dit Charlot en montrant les travaux inachevés.

Le départ de Martine et la vue de tout ce qui restait à faire découragea Juliette.

– On n'y arrivera jamais !

– Mais si… Et puis Simon nous donnera un coup de main.

Elle ne sut pas pourquoi, mais l'optimisme de Charlot l'énerva.

– J'en ai marre de ce chantier ! dit-elle en donnant un coup de pied dans un tas de sable. C'est trop long…

– Ça irait plus vite si on le faisait faire… Mais ça coûterait plus cher aussi.

L'argent, toujours l'argent. Elle se heurtait sans arrêt à ce problème. On devrait nous apprendre comme en gagner dès qu'on est en âge de comprendre. On ne nous apprend que des choses qui servent à rien !

– Papa t'a envoyé le chèque ?

– Oui.

– Et tu l'as gardé ?

– Oui.

– Mais pourquoi ? Je t'aurais remboursé, moi, plus tard ! Je ne veux rien leur devoir…

– Tu n'as pas d'argent, Juliette.

Humiliée. Par ses parents et par Charlot. Humiliée et assistée. Je ne veux plus dépendre financièrement de quelqu'un.

Elle monta se réfugier au grenier. Près du piano.

Cosi, cosa… Je ne sais pas où il est. En train de murmurer des gros mots à une autre ?

Elle se blottit au pied du piano et entoura ses genoux de ses bras. Je suis jalouse et ça fait mal. C'était bien, au début, quand je ne l'aimais pas. J'étais plus facile à vivre et sûrement plus intéressante. L'amour fait perdre tous ses moyens. Il vous rend bête juste au moment où il faut briller de mille feux.

Les pédales du piano brillaient lisses et dorées. Juliette imagina la bottine de Minette pressant sur la pédale et le pied du professeur venant l'effleurer.

De son doigt, elle caressa l'acajou brillant, remonta sous le clavier, sentit une plaque de bois qui accrochait. C'était une pièce de contreplaqué rajoutée comme une rustine. Elle essaya de l'enfoncer, de la faire glisser, gratta, cogna jusqu'à ce que la plaque s'ouvre comme un ressort et libère un paquet de lettres et une photo. Celle d'un jeune homme aux grands yeux noirs, aux cheveux noirs, qui tenait sa joue de ses trois doigts et esquissait un doux sourire. Les lettres parlaient d'amour, de mèches folles, de profil appliqué, d'ongles nacrés et de doigts agiles. Elles étaient toutes de la même écriture fine, presque féminine. La dernière lettre évoquait un baiser sur la joue à la fin d'une leçon, une rupture et promettait célibat, chasteté, amour éternel. Il s'inclinait devant la décision de Minette, sans se révolter, et s'excusait de sa hardiesse.

Comme tout cela a changé ! se dit Juliette. Comment pouvait-on rompre à cause d'un baiser sur la joue ? S'empêcher d'aller plus loin, de vivre sa passion ? Minette a dû l'aimer cet homme. Plus que son mari. Et, pourtant, elle est restée ici, à Giraines, dans l'ordre choisi par ses parents, son mari. Elle a obéi. S'est soumise.

Derrière les lettres, dans la cachette, Juliette trouva le journal de sa grand-mère. Il commençait ainsi : « Je dois lui chauffer le lit avant qu'il ne se couche et il ne s'y étend qu'après avoir demandé : "L'as-tu bien chauffé ?" Je veille tard dans la cuisine, attendant qu'il s'endorme afin de ne pas subir "la chose". Quand il me touche, j'ai l'impression d'être difforme : les seins trop petits, la taille épaisse et les jambes courtes. Son regard me rend laide. »

Le journal était plein de détails de la vie quotidienne de Minette : « Hier, j'ai appris à faire les pommes de terre sautées au beurre à plein feu sans que le beurre noircisse. C'est simple. Il faut des pommes de terre très fraîches qu'on remue sans arrêt dans une cocotte en fonte à l'aide d'une grosse cuillère en bois. Pendant vingt minutes, l'attention ne doit pas se relâcher. Il ne faut pas quitter la cocotte. Après, je les sers toutes dorées dans l'assiette avec une grosse cuillerée de crème fraîche… »

Ou encore : « Les roses sont des gens formidables. » « Je respecte les araignées, je ne les tue pas. Je les cache à mon mari qui, lui, les estropie. »

Elle parlait souvent de son mari. « Il ne daigne pas prendre de précautions, c'est à moi de faire attention, à moi de trouver des adresses. Je ne veux pas d'autre enfant. Je n'ose en parler à personne. Quand je me plains auprès de ma mère, elle me rudoie : "Sois souple, ça s'arrangera. Tu n'es pas la première ni la dernière."

Lui, c'est le maître. Hier, on s'est disputé parce que je n'étais pas d'accord avec le prêche de monsieur le curé, il m'a commandé de me taire : "Tu n'es qu'une femme, tais-toi." Quand j'ai rapporté cette phrase à ma mère, elle m'a répondu : "Qui gagne l'argent ? C'est lui. Alors sois souple." »

Toujours l'argent, pensa Juliette. Si Minette avait eu de la fortune, elle aurait suivi le professeur de piano. La soumission des femmes repose plus sur leur impécuniosité que sur leur sens du devoir.

D'autres jours, Minette était gaie : « Un homme, ça demande beaucoup d'entretien, mais, au moins, le mien est en bonne santé, travaille et ne boit pas comme le mari de Blanche. Je n'ai pas honte de lui quand nous sommes invités à la sous-préfecture. »

À la fin du cahier, elle écrivait en abrégé : « Hier, quatorzième avortement. Pourquoi ne suis-je pas stérile ? »

Les derniers mots étaient terribles : « 22 décembre 1958 : il est mort. Joyeux Noël à moi. »

Juliette remit les lettres en place (elles appartenaient au piano) mais conserva le cahier.

Un matin, au courrier, le facteur apporta une lettre réexpédiée de Paris. L'enveloppe portait le cachet de Noblette & Farland. Son dossier avait été retenu. Juliette Tuille était admise à un stage d'un an, chez Noblette. Non rémunéré.

L'été de Juliette se termina à Giraines. Ce mois presque solitaire lui fit du bien. Elle observait les fleurs et les fourmis, Chocolat et les araignées, les rosiers et les fraisiers. Elle ne parlait pas beaucoup avec Charlot.

Elle accompagnait Marguerite dans les champs. Marguerite se plaignait toujours du temps.

– Quand il fait beau, vous vous plaignez, quand il pleut aussi… Vous n'êtes jamais heureuse, disait Juliette.

– Le bonheur, disait Marguerite, c'est encore un mot de Parisien. Ça n'existe pas à la campagne. On vit avec le temps et les récoltes. C'est pour ça que c'est si important la météo…

– Mais, disait Juliette, tu t'es mariée, Marguerite. C'est que tu l'aimais, Simon…

Marguerite haussait les épaules.

– Il me fallait un homme pour cultiver les champs et c'est tout. Le premier qui m'a prise, j'ai dit « oui »…

– Mais t'as été heureuse ?

– Ma foi ! Mes petits sont en bonne santé et on a eu de quoi les élever. Le reste…

Le reste, c'est ce qui fait mon quotidien à moi, pensait Juliette. Minette rêvait au beau professeur, Marguerite est abonnée à *Nous Deux*, moi je poursuis avec acharnement un idéal masculin qui n'existe peut-être que dans les rêves ou dans les livres. Et si c'était moi, la dupe et la victime ?

À Paris, Martine s'était inscrite à des cours d'anglais commercial. Elle sortait de la Coop à sept heures moins le quart pour être place de l'Odéon à huit heures moins le quart. Tous les soirs. Sur le prospectus, ça s'appelait l'« immersion totale ». C'était le seul moyen d'effacer le souvenir d'un long imper et d'un sourire éclair que lui renvoyait chaque coin de rue.

– Mais tu ne t'arrêteras jamais ? demandait Bénédicte, étonnée par la puissance de travail de Martine.

– Quand je m'abrutis, ça va mieux…

– C'est Richard ? Ça recommence ? Pourquoi ne vas-tu pas le voir ? Il est sûrement rentré…

– Je me suis assez exhibée. À lui de faire un petit pas maintenant.

– Tu veux que j'y aille ?

– Je veux surtout ne plus en parler, l'effacer de ma mémoire. Black-out. Erase… Et ce n'est pas en m'en parlant que tu m'aideras.

Bénédicte décida d'y aller elle-même. La famille Brusini ne la connaissait pas et si Richard était là, elle lui parlerait. C'est Mme Brusini qui lui ouvrit. Bénédicte eut le temps de remarquer que les graffiti à la bombe avaient été effacés, mais la façade n'avait pas été repeinte pour autant.

– Bonjour, madame. Je travaille pour le Comité national de recensement de la population française…

– Vous avez votre carte ?

Bénédicte montra rapidement le sigle tricolore de sa carte de presse et Mme Brusini la fit entrer.

– Faudra faire vite… J'ai mon dîner à cuire.

Bénédicte sortit un crayon, des imprimés piqués au journal et posa ses questions : nombre d'enfants et situation des enfants. Mme Brusini ne comprenait pas. Bénédicte s'énerva.

– Qui est le chef de famille ? demanda-t-elle sèchement.

Après tout, une vraie enquêtrice aurait de l'autorité.

– Mon mari, mais il est alité… Et mon fils aîné est en déplacement. À Marseille…

– Profession du mari et du fils ?

Mme Brusini hésita un instant, puis lâcha :

– Mon mari est au chômage et mon fils est journalier, à Marseille. Il travaille au port… Il nous envoie un peu d'argent à la fin du mois.

– Adresse de votre fils à Marseille ?

Plus elle parlait sèchement, plus Mme Brusini filait

doux. Elle se leva et alla fouiller dans un tiroir de son buffet. Bénédicte la vit qui s'appliquait à retrouver l'adresse de Richard et eut un étrange sentiment de pouvoir... Pourquoi suis-je si hardie quand il s'agit de jouer un autre rôle que le mien ? Comment, moi, qui ai si peur de la vie, j'arrive à faire des coups comme ça ? Personne ne m'aide, en ce moment... Personne ne m'a donné la main ni conduite jusqu'ici...

Mme Brusini revint s'asseoir, une lettre à la main. Elle tira la lettre de l'enveloppe et lut une adresse : rue Martini, 36. Appartement J5.

Bénédicte nota l'adresse et posa encore quelques questions. Puis elle replia son dossier et prit congé.

Mme Brusini la raccompagna jusqu'à la porte en s'excusant bien de l'avoir mise en retard. Bénédicte ne prit pas la peine de répondre.

Chapitre 8

– Elles étaient une dizaine environ et, à ce que j'ai compris, elles voulaient déposer une gerbe à la femme du Soldat inconnu…

– À qui ? demanda Regina qui avait soudain des doutes sur son français.

– À la femme du Soldat inconnu. C'est ce qui était écrit sur leurs banderoles : « Il y a plus inconnu encore que le Soldat : sa femme… »

Mathilde était rentrée très agitée. Joan et elle se promenaient sur les Champs-Élysées lorsqu'elles avaient aperçu un groupe de femmes qui se dirigeait vers l'Arc de Triomphe. Joan avait pressé Mathilde de se joindre à elles. Elles n'en avaient pas eu le temps : des policiers avaient aussitôt arrêté les manifestantes, leur avaient arraché gerbes et banderoles et les avaient embarquées au commissariat. Mathilde et Joan avaient assisté à toute la scène, médusées.

Regina écoutait en mangeant des compotes de coing rapportées d'Allemagne, goulûment à même le pot.

– Je me rends surtout compte que, si je continue comme ça, je vais devenir énorme et plus aucun homme ne voudra de moi. Même pas le Soldat inconnu…

Mathilde avait les joues en feu.

– Je ne sais pas pourquoi, mais ça m'a fait quelque chose de voir ces femmes manifester toutes ensemble… D'habitude, ce sont les hommes qui défilent… Y en avait une qui tenait une pancarte qui disait : « Un homme sur deux est une femme. » J'y avais jamais pensé…

– Un homme sur deux est une femme. Mais combien sont des maris possibles ? demanda Regina, la bouche pleine.

– Vous voulez vraiment vous marier ? dit Mathilde.

– Je n'attends que ça. Je vois pas ce que je pourrais faire d'autre. J'ai pas de diplômes, pas de fortune personnelle, pas de formation professionnelle. En fait, je ne sais rien faire…

– Quand je me suis mariée, j'étais comme vous.

– Ben, vous voyez. Et, maintenant, vous avez de beaux enfants, une belle maison, un gentil mari. Vous avez réussi votre vie…

Mathilde opina. Elle avait réussi sa vie. Et, pourtant, il lui manquait quelque chose.

Le lendemain, *France-Soir* titrait : « Les manifestantes féministes de l'Étoile n'ont pas pu déposer leur gerbe. » L'article parlait de Mouvement de libération des femmes, faisait un bref historique du Women's Lib américain et rappelait que la veille, à New York, 25 000 Américaines avaient envahi les rues.

Quand Martine rentra de son cours d'anglais ce soir-là, Mathilde alla la trouver dans sa chambre et lui raconta son aventure de la veille. Martine l'écouta en souriant.

– C'est drôle ce que vous me dites là, Mathilde. Vous découvrez quelque chose, hein ?

Mathilde rougit légèrement.

Martine reprit :

– Ma mère a été dévorée par le militantisme politique… J'aurais préféré qu'elle lutte pour la cause des femmes. Politique, piège à cons, ça c'est mon slogan… Il n'y a aucun parti qui s'occupe des femmes. D'ailleurs, je ne pense pas qu'on ait besoin d'un parti. C'est à chacune de se libérer… Quand je partirai pour

New York, je vous donnerai mes livres. Vous verrez, il y en a qui vous intéresseront…

– Vous ne voulez pas m'en prêter un ou deux, maintenant ?

– D'accord, mais faites attention, Mathilde ! On ne peut plus revenir en arrière après. Qu'est-ce que vous ferez de toutes vos idées nouvelles à Pithiviers ? Vous allez au-devant des ennuis…

– J'aviserai en temps utile.

Martine lui prêta le livre de Betty Friedan, *la Femme mystifiée*.

– Vous croyez que je vais comprendre ? demanda Mathilde.

– Mais oui, fit Martine, presque maternelle.

Ça lui faisait drôle d'initier Mme Tassin à la littérature féministe. Elle était émue.

Mathilde était revenue de Florence, belle, bronzée, différente. Avide et grave. Avide de savoir, appliquée à apprendre.

Elle faisait ses provisions pour l'hiver. Provision de lectures, de concerts, d'expositions…

– Je vous aime bien comme ça, avant vous m'intimidiez, dit Martine.

– Comment ça ?

– Je ne sais pas. La famille Tassin, pour moi, c'était comme un autre monde. Un monde de privilégiés où on a des couverts à poisson et des conversations culturelles à table.

– C'est vrai… Mais, je ne me suis jamais occupée de moi. Tout était toujours par rapport à mes enfants et à mon mari. Je me posais bien des questions de temps en temps, mais je n'avais aucune réponse à leur apporter, alors j'oubliais et j'étais reprise par les petits détails quotidiens. Vous vous rendez compte que, l'année dernière, pour la première fois de ma vie, j'ai pris des vacances toute seule ?

– Maman n'a jamais pris de vacances toute seule, soupira Martine.

– Vous voyez… On fait partie de ces femmes qui découvrent la vie tardivement. À quarante-cinq ans…

Bénédicte regardait évoluer Mathilde avec la répugnance muette d'une mère pour sa fille boutonneuse et amoureuse d'une star de l'écran.

Elle ne comprenait pas. Et si elle avait osé dire ce qu'elle pensait, elle aurait déclaré qu'elle trouvait ridicule que Mathilde se mette à lire les livres de Martine, ridicule qu'elle veuille reprendre des études, ridicule sa manière de s'habiller… Mathilde portait des pantalons larges, des tuniques indiennes, et ses cheveux flottaient en longue tresse sur ses épaules. Mais, surtout, elle repoussait chaque jour son retour à Pithiviers.

– Mais, enfin, maman, ça va bientôt être la rentrée des classes !

– Tu exagères, ma chérie, j'ai encore une bonne semaine.

Quand elle mangeait, Mathilde faisait un bruit étrange avec ses mâchoires : un bruit d'os qui craquent. Avant, je ne l'entendais pas ce bruit, pensait Bénédicte, énervée.

– Et puis, ton père peut bien s'en occuper, lui, pour une fois…

– Papa achetant des cahiers et des livres scolaires ? Tu n'y penses pas !

– Mais, pourquoi pas ?

– Je vois. Ce sont les livres de Martine qui te montent à la tête !

– Tu ferais bien de les lire, toi, ces livres.

– J'en ai pas besoin.

– Je n'en suis pas si sûre.

– Qu'est-ce que tu veux dire ? fit Bénédicte, agressive.

– Rien de spécial.

– Merci bien. J'ai pas envie de ressembler à ces Américaines excitées qui ont défilé dans les rues de New York avec de la bave aux lèvres !

– C'est comme ça que tu me vois, maintenant ? demanda Mathilde, surprise par la violence de la réponse de Bénédicte.

– Oh ! maman… parlons d'autre chose, veux-tu. On va finir par se disputer, et ça n'en vaut vraiment pas la peine.

– Ce ne serait pas si grave. Il paraît qu'il faut toujours tuer sa mère, un jour ou l'autre…

– Et tu dis ça avec un grand sourire ! T'es devenue folle…

Juliette arriva de Giraines au moment même où Mathilde s'était enfin décidée à regagner son foyer. Non sans maudire les fournitures scolaires et les tabliers à marquer. Non sans promettre aussi de revenir.

– Et, cette fois-ci, s'il n'y a pas de place chez vous, j'irai à l'hôtel, tant pis !

Juliette prêta peu d'attention au drame qui se jouait entre Bénédicte et sa mère. Elle n'avait qu'une idée en tête : retrouver Louis.

La maison était presque finie et Charlot satisfait de son nouveau béton. Il était reparti heureux, le chien Chocolat installé sur la banquette arrière au milieu des bidons de formule et des échantillons de béton.

Juliette se rendit à l'hôtel *Lenox*. Ce ne fut pas difficile de connaître l'adresse et le téléphone de Louis. Il avait passé la nuit précédente dans une chambre et y avait oublié tous ses papiers. Juliette ne sut pas si elle devait lui en vouloir ou le remercier.

– Partout où ce mec passe, lui dit le barman, y a des gonzesses qui lui courent après. Je me demande bien ce

que vous pouvez lui trouver : il est sale, grossier et fou…
Tiens, celle d'hier, un superbe mannequin hollandais,
elle aurait été bien mieux avec moi, gentil, attentionné et
avec des économies en plus. Lui, il claque tout !

Juliette hésita quelques jours avant d'appeler.

Elle fixait le morceau de papier où elle avait recopié
téléphone et adresse, et se disait : Et si je le jetais ? Je
me débarrasserais de Louis…

C'était trop tard : elle le connaissait par cœur. Je serais
capable d'apprendre le numéro de sa plaque minéralo-
gique et celui de sa Sécu…

Un soir, elle fit le numéro en priant sainte Scholastique
qu'il ne décroche pas.

Il décrocha.

Elle reconnut sa voix et sa manière de crier « allô »
comme si c'était « au feu ». Il devait être en train de
manger, car elle l'entendit mastiquer.

Elle raccrocha.

Pas la force de tenir l'appareil. Une étrange faiblesse
lui faisait tourner la tête et gargouiller le ventre.

Et il n'a dit qu'« allô »…

Une heure après, elle refit le numéro.

– Bonjour, c'est Juliette…

– Juliette qui ?

Gloups. Ça fit gloups dans tout son corps. Étrangement, embouteillage des artères, de l'entendement, arrêt
du cœur, tours de manivelle pour qu'il reparte. La main
qui devient moite sur le combiné, le combiné qui glisse,
les cheveux qui graissent, la tête qui pense « je raccroche » et le ventre qui proteste « non, non, non, j'ai
envie qu'il me baise et si c'est le prix à payer, tant pis ! ».

Tout plutôt que de me ronger à attendre, récapitula
Juliette, et puis, un jour, je prendrai ma revanche. Un
jour, je le rencontrerai dans la rue, je serai belle, j'aurai
des talons hauts et je ne le regarderai pas. Je me blottirai
contre celui qui m'accompagnera sans un cil sur lui…

– Juliette Tuille.

– Ah ! Bonjour… Comment elle va, Juliette Tuille ?

Il avait le ton narquois du joueur qui vient de gagner la partie et qui savoure sa victoire, la hanche négligemment appuyée au bar et un peu de mousse de bière aux commissures des lèvres… Qui va raconter son exploit à ses potes et qui prend son temps… Qui fait bien remarquer combien il prend son temps…

Un à zéro, se dit Juliette. Tant pis. Je raye le mot amour de mon vocabulaire et je deviens pratique. Du cul, du cul, du cul. Je veux qu'il me dise que ça glisse, que c'est bon, que ça coule de partout et qu'il aime ça… Le reste, l'orgueil, l'amour-propre, l'amour du prochain, on verra plus tard.

Ils échangèrent des banalités. Sur le temps qu'il faisait, le temps qui passait, le temps qui s'était écoulé depuis qu'ils ne s'étaient plus vus.

– On pourrait se voir, alors ?

Il proposait, généreux, débonnaire.

– Demain, à midi, enchaîna-t-il.

– Non, je ne peux pas.

Midi, ce n'est pas bien pour des retrouvailles. Il vaut mieux l'obscurité et la main qu'on attrape dans le noir.

– Demain soir, dit-elle.

– D'accord.

Elle raccrocha.

Demain soir, espoir.

Demain soir, je dors avec lui. Fini de me ronger les sangs. Au moins jusqu'à demain.

Après-demain est un autre jour.

Il lui avait donné rendez-vous dans un restaurant chinois. Elle eut beau arriver en retard, elle était la première.

Il entra, les mains dans les poches de son jean, souple et tranquille.

Il lui frotta le crâne en guise de bonsoir.

– Je suis content de te voir.

Ils ne parlèrent pas de la nuit où il était parti.

Ils évoquèrent la maison. Charlot, les travaux, Martine, Émile, Bénédicte. À onze heures, il regarda sa montre et se leva :

– J'enregistre au studio à onze heures et demie.

– Toute la nuit ?

– Toute la nuit.

– Je peux venir ?

– Vaut mieux pas.

Dans la rue, il l'embrassa et demanda :

– On se revoit quand ?

– On laisse faire le hasard, dit Juliette.

Et, cette fois-ci, ce n'est pas moi qui le provoquerai. Qu'il aille au diable !

Il aima sa réponse.

Il aimait beaucoup de choses en elle.

Pendant le dîner, il avait été aux toilettes et, en revenant s'asseoir, il l'avait vue de loin : le menton dans la main, les cheveux ébouriffés, et les cils comme des pinces de crabe.

Il avait eu un frisson dans le dos : elle avait la concentration du fauve qui guette sa proie. Elle se léchait presque les babines. Je ne veux pas, s'était-il dit, je ne veux pas. Et il avait inventé la séance du studio. Ce soir, je me lèverai une fille et je la baiserai en fermant les yeux, en me concentrant sur ses seins ou son cul…

Depuis qu'il était rentré à Paris, il cherchait du travail. Le film avec Bertolucci se faisait sans lui. Le temps passait et, lorsqu'il comptait sur ses doigts, il se trouvait presque vieux. Vingt-huit ans et rien fait.

Il avait repris la musique et les pubs. Les studios où

il chantonnait pour Chambourcy. Au moins, il gagnait de l'argent.

Je veux devenir une star. Avec mon nom en grand sur les affiches et de longues queues devant. J'en ai besoin. Pour aller bien. Et merde à ceux qui crachent dessus ! Et elle, si je ne lui montre pas gui est le plus fort, je la perdrai. Ne pas obéir au chantage. Être le maître-chanteur.

Elle l'avait appelé et s'était faite belle pour lui. Il l'avait emmenée dans ce petit restaurant qui sentait le bouillon. Le néon lui tombait droit sur le nez. C'est trop facile pour elle : quand ça va pas, elle siffle et un mec accourt. Pas moi. Et je ne veux pas qu'elle m'explique pourquoi elle a agi ainsi. Je ne veux pas comprendre. Pas devenir objectif. Si je comprends, je suis foutu. Je deviens son copain, je comprends tout, je permets tout. Pas être copain. Pas comprendre. Pas supporter. Rester debout, tout droit, assez loin pour que l'autre vous désire. Même quand on a envie de glisser sa main sous la table et sous la jupe, envie de l'emmener se coucher sur son matelas, la fille aux pinces de crabe.

Chapitre 9

— Je veux le voir, je veux le voir, répétait Juliette en donnant des coups de pied dans des cailloux, aide-moi, Charlot, aide-moi.

— Mais pourquoi tiens-tu tellement à le voir ? Tu n'étais pas si acharnée avant qu'il ne t'envoie promener !

— Pourquoi ? Parce que j'en ai envie. Là, là et là.

Elle montrait sa tête, son cœur et son ventre.

— C'est pas des bonnes raisons, ça ?

Charlot remonta son cache-nez. Il commençait à faire froid en ce début d'octobre. Il allait falloir faire rentrer du fuel pour l'hiver.

Louis venait souvent le voir. Il ne lui parlait jamais de Juliette. Ils se promenaient dans le jardin qui descend doucement vers la Seine et les barques. Louis lançait un bâton à Chocolat qui, au lieu de le rapporter, gambadait, triomphant, le bâton dans la gueule.

— Il est con, ce chien, disait Louis en partant à l'assaut de Chocolat.

Louis plongeait à terre et Chocolat l'esquivait. Charlot était stupéfait de la violence avec laquelle il se jetait sur le chien. Même le chien était étonné et finissait par lui abandonner le bâton.

Louis parlait sans arrêt de son travail. Ou plutôt du fait qu'il n'arrivait pas à travailler.

– Attends un peu. Ça va changer quand tes films sortiront en France.

– Sortiront jamais.

Puis, il restait silencieux pendant tout le reste de la promenade.

– À quoi tu penses, Charlot ? demanda Juliette.

– À Louis.

– Tu vois, toi aussi. Avec les autres garçons, je m'ennuie. Rien que la façon dont ils lisent et commentent le menu au restaurant me donne envie de bâiller. Sauf peut-être Nizot…

– Nizot ? C'est qui celui-là ?

– Tu sais, le type qui travaillait au *Figaro* avec Bénédicte. Il m'a rappelée plusieurs fois et je suis finalement allée au cinoche avec lui, un soir. Il est raide dingue amoureux et me regarde comme si j'étais… Tout !

Et ça me fait du bien, beaucoup de bien, ajouta Juliette mentalement.

– Et Bénédicte, qu'est-ce qu'elle en dit ?

– Elle le sait pas. Il prend un nom de code quand il m'appelle à la maison. Frédéric Moreau.

– Ah ! C'est celui qui veut écrire ?

– Oui et il écrit d'ailleurs. Il a commencé un roman. Je l'aime bien, mais… Bon… je suis pas amoureuse. Charlot, Charlot, juste une entrevue avec Louis et, si ça ne marche pas, je te promets que je t'ennuierai plus.

Un samedi matin, Charlot appela Juliette :

– Il est là.

– J'arrive.

– Mais je ne veux pas être mêlé à tout ça.

Il parlait tout bas contre le combiné, et Juliette hurla : « Merci, Charlot » dans l'appareil.

Je ne vais pas me laver les cheveux ni me faire belle, il se douterait de quelque chose.

Elle vérifia qu'il y avait assez d'essence dans le réservoir de son Solex, puis partit pour l'île de la Jatte.

Il était là.

Dans l'atelier de Charlot.

Elle joua la surprise.

– Oh ! Louis… Bonjour.

– 'jour.

Il était penché sur une pièce qu'il limait.

Juliette ne fit pas attention à lui et se tourna vers Charlot :

– Ça y est, j'ai commencé chez Noblette et ça se passe très bien.

Charlot fit des yeux tout ronds. Bien sûr qu'elle avait commencé chez Noblette. Depuis quinze jours…

– Je prendrais bien ton brevet pour m'en occuper à l'étranger…

Elle joue les femmes d'affaires pour l'épater, se dit Charlot.

Louis n'avait toujours pas relevé la tête et semblait absorbé par son travail. Charlot ne savait pas comment s'éclipser de manière naturelle.

Juliette lui faisait de grands signes dans le dos de Louis pour qu'il s'en aille.

– T'as fermé la barrière ? demanda Charlot.

– Non, fit Juliette qui se rappelait très bien l'avoir soigneusement refermée.

Charlot tremblait toujours que Chocolat aille sur la route et se fasse écraser.

– Mon Dieu ! Chocolat ! j'y vais… cria-t-il en s'éclipsant.

Juliette défit son blouson et se rapprocha de Louis :

– Une chance qu'on se retrouve ici…

– Une chance pour qui ?

– Tu fais quoi, là ?

– Je récupère un vieux cardan pour la voiture d'un pote.

– Et à part ça ?

– À part ça ? Rien du tout.

Il continuait à bricoler sa pièce.

Juliette vint s'appuyer contre l'établi, lui ôta le car-dan des mains, lui ôta la lime, mit ses bras autour de sa taille, puis, glissant une jambe entre ses jambes, elle l'embrassa doucement. Au début, il serra les dents et détourna la tête, mais elle frotta son genou contre sa cuisse et enfonça sa langue dans sa bouche.

– Salope…

Il lui attrapa le visage dans ses mains et l'embrassa à perdre l'équilibre. Ses doigts descendirent sur ses seins, ses jambes pesèrent contre ses cuisses. Juliette poussa un soupir et glissa sa main dans son pantalon, prit son sexe et le caressa. Elle se préparait à retirer son jean pour qu'il la prenne, là, sur l'établi, quand il se redressa :

– Juliette, c'est idiot… Je ne peux rien pour toi. Je ne peux pas te donner ce dont tu as envie.

– Et j'ai envie de quoi, d'après toi ?

– Tu veux qu'on fasse comme tes parents, qu'on s'installe, qu'on joue au couple, qu'on soit fidèle et tout ça. Je ne peux pas.

– Et si j'abandonnais cette idée ?

– Il t'en viendrait une autre. Similaire. Jusqu'au jour où tu finirais par l'emporter, pas par amour, mais parce que je suis paresseux et lâche.

– T'as peur ?

– Peut-être.

Elle réfléchit un instant :

– Je ne suis pas habituée à des garçons comme toi.

– Moi non plus. J'arrive pas à m'habituer à moi.

Juliette rit.

Il reprit :

– Un rien me rend heureux, un rien me rend malheureux. Si je suis seul, ça va…

– J'ai envie d'essayer quand même.

– Tu vois ? T'es prête à tout.

– Alors, disons que j'ai envie de te voir.

– Pour baiser ?

– Pour baiser.

– J'aime mieux quand tu dis la vérité.

– On commence quand ? demanda Juliette.

– Demain soir.

– D'accord.

Elle sauta de l'établi. Se rajusta.

– Dis-moi un mot tendre avant que je parte, juste un…

Il reprit son air méfiant. Secoua la tête. Juliette insista :

– S'il te plaît, un mot tendre pour la route.

Il avait repris son cardan et le détaillait avec application.

Juliette soupira. Elle renonçait.

Elle enfilait son blouson, lui tournant le dos quand elle l'entendit murmurer :

– Bitte.

Elle sourit. Se retourna et répondit :

– Couilles.

Rue des Plantes, une lettre l'attendait.

Elle reconnut l'écriture de ses parents et l'ouvrit, fébrile.

Réconciliation ? Déclaration d'amour ? Signature d'armistice ? Ils reconnaissent que j'ai grandi et s'engagent à respecter mon territoire… Moi aussi, je les aime, même si on ne se comprend pas quand on parle français. Après tout, on peut décider de s'aimer en sourd-muet.

Elle se laissa tomber sur le lit, serrant l'enveloppe contre elle.

Une feuille pliée en quatre tomba, puis un chèque de deux mille cinq cents francs signé par M. Marcel Tuille, le Chat-Botté, 26 rue de la Couronne, Pithiviers.

Elle ouvrit la feuille pour la lire. Elle était blanche.

Pas un mot.

– Oh non ! gémit Juliette, les yeux pleins de larmes.

Elle se laissa aller à pleurer, puis se reprit. Les larmes, ça ne sert qu'à s'apitoyer sur soi-même.

Elle prit le chèque, le déchira en petits morceaux, les mit soigneusement dans une enveloppe sur laquelle elle inscrivit l'adresse de ses parents. Puis elle alla à la poste. Aussitôt. Pour ne pas revenir sur sa décision.

Et qu'est-ce que je vais faire, maintenant ? C'est un beau geste. Une belle réplique. Tel Surcoût au fond de sa cale, quand le capitaine anglais, qui vient de le faire prisonnier, l'insulte : « Vous, les Français, vous vous battez pour l'argent, tandis que, nous autres, Anglais, on se bat pour l'honneur ! » « On se bat toujours pour ce qu'on n'a pas », avait ricané le vieux corsaire, les deux pieds dans les fers.

Elle n'avait plus un rond, mais des provisions d'honneur. Surcouf, lui, avait fini par faire fortune, pavant le sol de sa maison de Saint-Malo de pièces d'or ! Comme Napoléon lui interdisait de mettre les pièces à plat sous prétexte qu'on allait piétiner son effigie, il les avait mises sur tranche ! La marine française était ruinée, et Surcouf dorait ses parquets. C'était un pirate, certes.

Une idée vint à Juliette.

Une idée qui lui fit faire la grimace, mais qu'elle se promit d'examiner. Il fallait voir les choses en face : elle n'avait plus d'argent.

Pas question d'en emprunter à Charlot. Il était trop radin.

Ni à Louis.

Ni à Martine.

Ni à Bénédicte.

Pas question de vendre sa maison.

Alors ?

Virtel...

Si sa proposition était toujours valable... Pourquoi pas ?

Pirate ou courtisane ? Si, au lieu de penser « pute », je pense courtisane, c'est déjà plus facile.

Courtisane... Il n'y a pas si longtemps, c'était un moyen comme les autres pour une femme d'arriver. Aussi honnête que corsaire. Je mets le bandeau noir de Surcouf et les robes en cerceaux de la Païva... je monte à l'assaut de Virtel et lui pique son blé. Le temps de remplir les cales de mon bateau, de faire un pied-de-nez à mes parents et de convaincre mon Prince Charmant...

Juliette n'était pas vraiment sûre que ce soit une bonne idée.

Elle se donna deux semaines pour réfléchir.

Cinquième partie

Chapitre 1

Le 10 novembre 1970, dans la matinée, les standards téléphoniques de Paris explosèrent et la capitale fut privée de téléphone.

Martine, qui s'était réveillée avec des courbatures et de la fièvre, voulut appeler Mme Mersault, la gérante de sa Coop, afin de la prévenir qu'elle ne viendrait pas travailler. Le médecin, que Regina avait appelé tout de suite, l'avait examinée et lui avait ordonné de rester au lit.

Il n'y avait pas de tonalité. Martine secoua le combiné, l'injuria, injuria les Postes françaises, la technique française, puis se précipita dans la salle de bains où Regina faisait ses vocalises.

– On n'a pas payé le téléphone depuis quand ? demanda-t-elle.

– Lô-a-lô-a-lô-a-lô-a-lô… On est parfaitement en règle… Li-ô-li-ô-li-ô-li-ô-li.

– T'es sûre ?

– Assurément. Pourquoi ?

– Y a pas de ligne…

– Attends un peu, ça va se rétablir. Tu sais les P. et T…

Martine referma la porte, dépitée. Elle tenta à nouveau de téléphoner, souleva le combiné, l'injuria, le brutalisa. Sans résultat.

Elle alla se mettre au lit. Trop fatiguée pour lire, elle alluma son petit transistor qu'elle cala dans un pli de la couverture. Elle reposait dans une douce absence, le corps douloureux, la tête vide, lorsque le flash de onze heures la tira de sa torpeur.

« Comme nous avons été les premiers à vous l'annoncer ce matin, le général de Gaulle est mort, hier soir, à dix-neuf heures vingt-huit, dans sa propriété de la Boisserie, à Colombey-les-Deux-Églises… »

– Merde ! s'exclama Martine. Vieux de Gaulle est mort. C'est papa qui va être content !

– Depuis ce matin, les Français, bouleversés, commentent la nouvelle et les standards téléphoniques de Paris, sursaturés, ont sauté.

Ah ça ! pour commenter, ils vont commenter. Les Français vont se refaire, en vingt-quatre heures, trente ans d'Histoire de France et confectionner au vieux général qu'ils renvoyaient, il y a même pas un an, à ses *Mémoires* et à ses moutons, un véritable habit de lumière.

Elle éteignit son poste. Elle ne voulait pas subir le flot d'éloges mortuaires qui n'allait pas manquer de suivre. Vont pas se priver, maintenant. De son vivant, il les encombrait, tandis que maintenant ils vont pouvoir le récupérer, l'ajuster à leur taille, se l'approprier. Je hais cette hypocrisie. C'est vrai, quoi, il suffit d'être mort pour devenir quelqu'un de formidable. Devrait y avoir une case dans les curriculum vitae, qualité du demandeur d'emploi : mort ou vif. Vous soulignez mort et vous êtes à tout coup engagé. L'homme le plus critiqué de son vivant allait virer au héros national. Je ne veux pas entendre ça. Les Français aiment bien les morts, surtout les morts illustres. Ça leur file des centimètres d'importance. Moi vivant, lui mort.

Et puis, c'est si agréable un mort : on se retourne vers son passé et on le trouve grand, glorieux, heureux. Une raison de plus de s'apitoyer sur le présent pas terrible et de se bander les yeux quant à l'avenir pas radieux. Ah !

on existait en ce temps-là… La France était un grand pays. Cocorico en play-back et à l'imparfait. Jeanne d'Arc, Louis XIV et Napoléon vont resservir. On va les dépoussiérer et les faire parader. Bon, y en a une qui est morte brûlée, l'autre fou gâteux et le troisième abandonné sur un rocher. C'est pas grave, c'est notre Histoire, notre Passé, notre Grandeur.

Seule, dans son lit, à râler. T'es bête, ma pauvre fille…

Les morts célèbres pullulaient, en ce moment. Pas moyen d'ouvrir un journal sans se heurter à un cadavre. Suivi d'éloges. Suivi de nostalgie. Suivi d'oubli. Y en avait pour tous les goûts : pour la ménagère, le fin lettré et le politique. Bernard Noël, Luis Mariano, Bourvil, Giono, Dos Passos, Mauriac, Mac Orlan, Nasser, Kerenski, Daladier. Pas tous égaux au sismographe des sanglots. Parce que, même dans la mort, y a les bons et les mauvais élèves… Ceux qui ont droit à un programme spécial à la télé et ceux qui écopent de trente secondes de notule funèbre. Le moyen de passer à la postérité en faisant si court ! Faut mourir le bon jour pour ne pas rater sa sortie.

Et si Richard était mort ?

Personne n'en aurait parlé. À toute vitesse sur l'autoroute ou dans une combine douteuse ?

Quand elle était faible ou fatiguée, Richard devenait flou. Une décalcomanie doucement délavée. Une silhouette à qui elle aurait dit « bonjour, monsieur », si elle l'avait rencontré dans la rue. De lui, elle ne gardait qu'un sourire express, un nom secret : Marine, et des mots, des expressions qui la faisaient encore rire. Un jour, elle l'avait traîné au musée d'Art moderne voir une exposition de peintres américains contemporains. En sortant, comme elle lui demandait ce qu'il en pensait, il avait murmuré :

– Cacas de nez, colonies de pédés…

C'était devenu un signal entre eux. Signal de connivence, de réconciliation, de déclaration d'amour. On les regardait, stupéfaits, quand on les surprenait en train de se murmurer « cacas-de-nez-colonies-de-pédés », mais, eux, ils savaient. Quand elle appuyait sur ces mots, ça lui faisait mal. Très mal. Sinon, tout autour, c'était indolore… Était-ce le début de l'oubli ? Ou une accalmie avant d'autres douleurs ? Elle était novice en souffrances d'amour. Elle apprenait au fur et à mesure. Peut-être vaudrait-il mieux qu'il soit mort… Je serais veuve.

C'est plus noble que plaquée.

Plus confortable. Plus valorisant. C'est un titre en société. Veuve de Richard le voleur. Comme Yvonne, veuve du général de Gaulle qui a sauvé la France. On a droit à une pension, à de la considération, à de l'affection. Tandis que les plaquées, ça engendre la pitié par-devant, le ricanement par-derrière.

Le moyen de cicatriser en paix avec ça ! Faut slalomer entre les regards, les murmures et ses propres blessures.

Elle ralluma son poste pour échapper à ses divagations intérieures.

Encore de Gaulle…

Martine avait raison. Les jours qui suivirent furent extrêmement bavards. Les langues et les plumes allèrent bon train. Pas seulement en France. Le monde entier prit le deuil et Paris, pour quelques jours, devint ce que le général avait toujours rêvé pour son « cher et vieux pays » : le centre du monde.

Au *Figaro*, vingt-quatre reporters et photographes couvraient l'événement. Émile Bouchet fit preuve de tant de zèle et de sens d'organisation que Larue lui demanda de superviser les reportages.

La veille de la messe à Notre-Dame, le 11 novembre au soir, un grand rassemblement eut lieu sur les

Champs-Élysées avec pose de gerbes et défilés d'Anciens Combattants sous l'Arc de Triomphe. Émile envoya Bénédicte faire un « papier d'ambiance » :

– Tu me croques des visages dans la foule, l'atmosphère, le recueillement, les étrangers, les vieux combattants, enfin tu vois quoi…

Sa tâche de grand superviseur lui donnait du poitrail, et il se gonflait d'importance au point d'en devenir convexe.

Bénédicte, que cette mission ennuyait, demanda à Juliette si ça lui ferait plaisir de l'accompagner. Juliette acquiesça. La mort du général l'avait émue.

Il ne lui était jamais apparu comme un politicien. La politique ennuyait Juliette. C'était, comme en classe, avoir la moyenne. Et ça ne l'intéressait pas. Le général voulait des mentions pour la France. Et il essayait de l'entraîner au sommet en lui racontant des rêves de grandeur. Un magicien romantique qui rêvait que sa princesse soit la plus belle, la plus respectée, la plus courtisée. Un Prince Charmant drapé dans les couleurs de la France et qui s'était pris les pieds dans son drapeau.

Juliette aima cette foule de Parisiens, recueillie et digne. Elle eut des larmes aux yeux. Elle fut fière d'être française. C'était la première fois qu'elle avait le sentiment d'appartenir à un pays, à une culture, à une histoire. C'est sûrement ce qu'elle regretterait le plus : de Gaulle avait su inventer le french dream qui, comme tous les dreams, sont fabriqués mais vous fixent des ailes dans le dos. Après lui, plus personne n'oserait.

La France redeviendrait naine. L'histoire de De Gaulle avait été l'Histoire de France ; l'histoire de Pompidou était celle d'un homme né à Montboudif, etc.

Elle pensait à tout cela en suivant Bénédicte qui, crayon et bloc en main, interviewait des gens dans la foule. Bousculée, trempée – il pleuvait sur Paris –, elle essayait de ne pas perdre de vue son amie qui se démenait.

– Viens, on va essayer de se rapprocher de l'Arc de Triomphe, dit Bénédicte.

Un instant, Juliette eut peur, puis elle l'agrippa par un pan de son Burberry's et ne la lâcha plus. Bénédicte se frayait un chemin en donnant des coups de coude, et des personnes protestèrent. Juliette baissa les yeux. Gênée. Elles parvinrent, enfin, au premier rang, juste derrière les forces de police. Un gigantesque drapeau bleu, blanc, rouge, flottait sous l'Arc de Triomphe, éclairé par un faisceau tricolore. La nuit était tombée, et le ciel noir de Paris était strié de lumières. Malgré la pluie, la foule se serrait autour de la place et, de temps en temps, on entendait « Vive de Gaulle, vive le général de Gaulle », aussitôt repris en chœur. Juliette se retint de crier. Peur du ridicule. Peur du regard de Bénédicte qui prenait des notes en râlant.

Sous l'Arc de Triomphe se tenaient des élèves des grandes écoles, une brochette d'Anciens Combattants et des messieurs tout en gris. La fanfare de la Garde républicaine fit retentir *la Sonnerie aux morts* puis joua *la Marseillaise*. Juliette ne put s'empêcher de pleurer. Elle renifla pour arrêter ses larmes. Elle eut à peine le temps de reprendre sa respiration que Bénédicte la tira brusquement vers elle, en lui disant :

– Viens ! J'ai aperçu des Japonais, là-bas. Je vais aller leur parler. C'est bon, ça.

Après les Japonais, il y eut un Américain et deux jeunes Anglaises qui avaient mis un crêpe noir à leur drapeau national.

– Extra, conclut Bénédicte. J'ai tout ce qu'il me faut. On va au journal.

Elle devait écrire son article tout de suite. Elles retournèrent au *Figaro*. Pendant qu'elle griffonnait sur le bout d'une table, Juliette regardait la grande pièce transformée en bureau d'état-major où Émile officiait. Elle eut du mal à reconnaître le petit homme en pyjama qui beurrait ses tartines rue des Plantes. Il lui dit bonjour distraitement.

Du balcon, elle aperçut les Champs-Élysées qui se vidaient. Je viens d'assister à un moment historique, se dit-elle. Un jour, je raconterai tout ça à mes enfants et petits-enfants.

Chapitre 2

Louis maniait à nouveau la masse et la truelle. Dans une cave, rue du Temple. Quand Juliette arriva, ce soir-là, il était en train de faire un mélange de mortier. Son jean n'avait plus de pièces aux fesses et était déchiré aux genoux. Il portait un vieux pull rouge, trop petit pour lui. Juliette le regarda. Je suis amoureuse d'un marmot qui joue, au square, dans son bac à sable.

– Ben, qu'est-ce que tu fais là ? demanda-t-elle.

– Tu vois, je fais travailleur manuel.

– Ah…

Il n'était pas le seul à « faire travailleur manuel ». Une quinzaine de garçons et filles étaient occupés à scier des planches, planter des clous, peindre des panneaux.

– Tu t'installes en communauté ?

– Exactement, ma puce. Et à partir d'aujourd'hui, va falloir me partager.

Juliette alluma une cigarette.

– Tu fumes ? demanda Louis.

– Ça m'arrive quelquefois… C'est le béton de Charlot ?

– Non. Il refuse de me passer sa formule. Même toute préparée. À moi, tu te rends compte ? On est un peu en froid à cause de ça.

Une fille blonde s'approcha et, sans regarder Juliette, demanda à Louis s'il venait manger un morceau avec eux au bistrot.

– Non, je suis avec une camarade. Marie-Ange, Juliette.

Les deux filles se dirent bonjour sans beaucoup de conviction.

– Bon, on se retrouve après. Y a les autres qui veulent bosser tard, ce soir, dit Marie-Ange.

– D'accord.

– C'est qui, celle-là ? demanda Juliette, une fois que Marie-Ange fut partie.

– C'est une fugueuse. Elle va jouer dans la troupe. Elle veut faire actrice. Mignonne, hein ?

Juliette fit la moue. Elle se sentait tout à coup terriblement bourgeoise dans ce décor. Je vais en fac, je travaille dans un cabinet de droit international, j'habite une grande maison. Bon, d'accord, j'ai pas un rond et il va bientôt falloir que je me prostitue...

– Et qu'est-ce que vous allez faire dans cette cave ?

– Du théâtre, ma puce. Puisque les institutions ne veulent pas de nous, on va monter nos propres tréteaux avec nos textes et nos tronches. Ah ! bien sûr, ce sera pas le Français, mais ça coûtera moins cher...

– Et t'as décidé ça, quand ?

– J'ai rien décidé. J'ai rencontré Bruno, le grand brun là-bas, au fond, celui qui repeint...

Il le lui désigna du bout de sa truelle.

– ... chez mon agent. Enfin, celui qui était censé être mon agent, parce que j'ai pas dû lui coûter cher en téléphone ! Faute de rôle, il bricolait, il repeignait des appartements. On est allés boire un coup ensemble. On s'est même un peu beurré la gueule et puis, il y a trois semaines, il m'a appelé. Il m'a demandé si ça m'intéressait de me joindre à une troupe, fallait pouvoir jouer la comédie et taper sur des clous, je me suis dit « pourquoi pas ? ». Ça ne m'empêchera pas de continuer à faire mes petites musiques de pub... T'as faim ?

Juliette fit signe que oui.

– On va manger ici. Y a tout ce qu'il faut.

Il alla fouiller dans un carton et revint avec une bouteille de vin et des conserves. Il ouvrit une boîte de sardines à l'huile, une boîte de fruits au sirop et une boîte de crème Mont-Blanc au chocolat. Puis il déboucha la bouteille.

– À toi l'honneur, déclara-t-il à Juliette en lui tendant les sardines à l'huile.

– Y a pas de pain ?

– Attends, je vais voir.

Il se leva et rapporta du pain de mie sous cellophane. Il déchira le paquet d'un coup de dents, tendit une tranche à Juliette qui prit une sardine et l'allongea délicatement sur le pain. Louis plongea ses doigts dans la boîte et attrapa deux sardines qu'il avala sans mâcher. Puis il s'essuya les doigts sur son jean et, la bouche pleine, continua :

– Ça va marcher… Les gens en ont marre de payer des fortunes pour voir des pièces de constipés. Nous, pour le prix des places, on a prévu une grande roue et des numéros de un à cinquante. Ce sera une loterie : celui qui tirera le numéro un paiera un franc, etc. Pas mal, hein ?

– Ça fait longtemps que je t'avais pas vu aussi enthousiaste !

– Je me démène, je me démène… Ce qu'il y a de sympa, c'est qu'il y a plein de nanas…

Juliette haussa les épaules, furieuse. Qu'est-ce qu'il l'énervait quand il parlait comme ça ! Sale gamin qui me nargue avec son seau et sa pelle.

– Je m'en fiche, tu sais. Chez Farland, y a plein de mecs aussi. J'en fais pas tout un plat.

– Ah, ah, elle est vexée. Elle boude.

– Ça m'est complètement égal. Chacun sa vie, non ?

– Exact. Tu veux un peu de crème au chocolat pour ton cancer du foie ?

– Non, merci. Mes doigts sentent la sardine et j'en ai pas de rechange.

Louis lui sourit.

Son ulcère s'était calmé ces derniers jours et il donnait sans somnifères. Cet endroit lui plaisait. Ça va être sale, moche et dans le vent. Ici, je vais pouvoir parler vrai, écrire vrai, arrêter de me faufiler dans des rôles bidon où le metteur en scène exige que je pique des fausses colères avec de faux mots.

– Et après ce délicieux repas, on fait quoi ? demanda Juliette.

– Rien, ma puce. Moi, je me remets au boulot.

– …

– T'as entendu Marie-Ange ? On bosse tard, ce soir. On ouvre dans une semaine et on n'a pas fini.

– Ah bon… T'aurais pu me le dire avant !

– Écoute, Juliette, entre toi et mon boulot, je choisis mon boulot. C'est clair ?

– Lumineux. Alors, salut, hein ?

Elle afficha son plus beau sourire et sortit. Dans l'escalier, elle croisa Marie-Ange et le reste de la troupe. Elle s'effaça pour les laisser passer.

– Tu restes pas avec nous ? demanda le grand brun qui devait être Bruno.

– Non. À bientôt.

Ce fut Louis qui rappela le premier.

– Alors, ma mine, on est fâchée ?

– Pas du tout. J'ai beaucoup de travail, c'est tout.

– On se voit quand ?

– Chais pas…

– T'es fâchée. Ça s'entend. Qu'est-ce que tu veux que je fasse ? Que je me roule à tes genoux ? Que je te couvre de bijoux ? Que je t'écrive une lettre ?

Juliette faillit éclater de rire. LOUIS, ÉCRIRE UNE LETTRE. Autant lui demander de dire « je t'aime » au clair de lune avec des fleurs et un violon.

– Pas chiche, dit Juliette.

– Absolument chiche, répondit Louis.

– D'accord, j'attends.

Deux jours plus tard, elle recevait une lettre : « Mademoiselle Juliette Tuille, 64, rue des Plantes, Paris 14e. »

– Tu ne croiras jamais ce qui m'arrive, dit-elle en agitant la lettre sous le nez de Martine qui s'apprêtait à partir. Louis m'a écrit…

– Non ! s'exclama Martine. Il sait écrire ?

Juliette déchira l'enveloppe et en sortit une grande page blanche sur laquelle Louis avait écrit une lettre, une seule lettre énorme, ronde et grasse, ironique et obscène : Q.

– Le salaud, murmura Juliette entre ses dents, il me le paiera.

– Et tu m'as beaucoup trompée pendant ces deux semaines ? demanda Juliette, lovée contre Louis dans le grand lit d'une chambre du *Lenox*.

– On ne pose pas cette question… à moins qu'on aime délicieusement souffrir.

Elle n'avait pas résisté longtemps. Elle l'avait appelé. Il lui avait proposé de passer le prendre à la cave.

Comme elle voulait réduire les possibilités de frictions, et surtout se ménager un tête-à-tête loin de Marie-Ange et des autres, elle avait suggéré le *Lenox*.

– Et moi, tu ne me demandes pas si je t'ai trompé ? demanda Juliette.

– Non.

– Parce que tu as peur que ça fasse mal ?

Il ne répondit pas.

– Tu ne sens quelque chose que quand je te fais mal, dit-elle en le regardant au fond des yeux.

– Tu devrais être contente, c'est déjà un début… Allez, on parle d'autre chose. Tu sais comment ça finit sinon…

Comme Juliette faisait la moue, il la prit dans ses bras, l'embrassa et lui dit :

– Écoute, ma puce, une femme et un homme se quittent rarement parce qu'ils se trompent, mais plutôt parce qu'ils s'ennuient. Ce n'est pas notre cas, alors changeons de sujet.

Elle était si bien, enroulée dans ses bras, qu'elle n'avait plus beaucoup d'arguments pour discuter.

N'empêche, j'ai quand même l'impression de faire du sur-place avec lui, pensa-t-elle.

– On n'avance pas, Louis. Je t'assure qu'on n'avance pas…

– Qu'est-ce que t'appelles avancer ? Fonder un foyer et faire des enfants qui trinquent ? Moi, je préfère être amoureux que confortable. Si on baise bien tous les deux, c'est parce que j'attends les moments où on va se voir, où je vais te toucher, t'écarter, te lécher…

Sa voix avait changé. Était devenue plus basse, plus grasse, et Juliette ferma les yeux.

– Encore les mots, encore…

Elle ferait la guerre plus tard.

Les occasions de déclaration de guerre ne manquaient pas.

Louis vivait plus au Vrai Chic – c'était le nom du café-théâtre – qu'avec Juliette. Faut que j'occupe le terrain, se répétait-elle, devant les filles qui tournaient autour de Louis. Il les regardait avec gourmandise, et quand Juliette surprenait ses regards, il protestait :

– Mais je suis vivant… Merde ! Tu ne me feras pas vivre dans le mensonge, je ne veux pas. J'ai décidé, y a longtemps, de ne plus mentir et je ne mentirai plus…

Mais, surtout, Juliette se sentait étrangère à la famille du Vrai Chic. Ils passaient tout leur temps dans cette cave. Quand ils ne réparaient pas leur décor ou un plafond sur le point de s'effondrer, ils montaient sur les planches ou écrivaient des passages de pièce. Leur premier spectacle marchait plutôt bien, et les caisses étaient pleines.

Un jour, parce que plusieurs d'entre eux avaient la grippe, la représentation fut annulée. Louis écrivit un mot qu'il afficha sur la porte : « Ce soir, pas de représentation, l'artiste a ses règles. » Petit à petit, il imposait ses idées, ses formules. « Ce soir, on ne fait pas payer les pantalons écossais » ou « Le chauffage est cassé ? C'est pas grave, on va leur servir une soupe à l'entracte. »

Il avait presque entièrement écrit le spectacle suivant. *L'intelligence pure est bête* était l'histoire d'une jeune mère qui, offrant un baptême de l'air à ses fils, voit l'avion s'écraser sous ses yeux. Elle hurle son désespoir, pique une crise de nerfs, se roule par terre, lorsqu'un ingénieur très bien mis, très hautain, s'approche et lui explique à quel point elle est ridicule de pleurer ainsi. Enfin, elle sait bien que les lois de la pesanteur existent ! L'avion et ses enfants représentent une masse M irrésistiblement attirée, à la suite d'une défaillance technique de l'appareil, par cette autre masse qu'est la Terre. C'est ce qu'on appelle la chute des corps. Sous l'action de son poids mpg, un corps subit une accélération $y = mpg/m$. L'expérience démontre que tous les corps, quelles que soient leur nature et leur masse, tombent avec la même accélération. Elle vient d'assister, tout simplement, à l'illustration de la vieille théorie de Galilée. Bref, il est tout à fait normal que cet avion se soit écrasé au sol. Si elle est intelligente, elle doit le comprendre. Peu à peu, les sanglots de la femme s'apaisent et elle se met à discuter avec l'ingénieur. « Oui, se rappelle-t-elle, d'ailleurs Newton a été le premier, dans son ouvrage

Philosophiae naturalis principia mathematica, publié en 1687, à effectuer la synthèse entre pesanteur et gravitation, en considérant le poids comme manifestation d'un phénomène beaucoup plus général : l'attraction que les corps exercent les uns sur les autres. » L'ingénieur respire, cette femme est intelligente, elle a compris. Ils s'étreignent, se marient, ont beaucoup d'enfants qu'ils emmènent, un jour, sur un terrain d'aviation. Nouveau drame. Mais, cette fois-ci, l'ingénieur ne veut rien entendre. Il préfère être déclaré bête et pleurer ses enfants. On lui remet alors, solennellement, un brevet de bêtise et... ses trois enfants sauvés des flammes.

– ... Car tout s'explique, tout se rationalise avec des mots, faut se méfier des mots, expliquait Louis aux autres.

Il repensait alors à ses années d'instituteur, à ses classes, à ses cours. Il y a dix ans, il épousait la fille du boulanger et essayait de vivre comme tout le monde. Aujourd'hui, il était seul, instable, pas très équilibré. Il commençait une nouvelle carrière dans une cave avec des chômeurs, des fugueurs, des peintres en bâtiment. J'aimerais bien vivre avec Juliette, mais je n'arrive pas à choisir entre le sexe et l'affection. Si je vivais avec elle, elle deviendrait mon infirmière, ma gouvernante, ma maman... Peut-être que je suis encore trop jeune... Peut-être qu'à quarante-cinq ans, si je n'ai pas une cirrhose du bras droit, je verrai les choses différemment.

– Louis, Louis, qu'est-ce que t'as ? demanda quelqu'un.

– Je pensais.

– À ta pièce ?

– À ma pièce.

C'est ainsi que *L'intelligence pure est bête* devint une pièce écrite, mise en scène et jouée par Louis Gaillard et sa troupe.

Chapitre 3

Depuis qu'Émile était l'adjoint de Larue, Bénédicte avait acquis une assurance qui agaçait bon nombre de ses confrères. Les mauvaises langues s'étaient déjà déchaînées lorsqu'elle avait été engagée, dans le service d'Émile qui plus est ; mais, depuis la promotion de Bouchet, les médisances allaient bon train. Bénédicte ne s'en rendait pas compte, car les personnes qui la dénigraient étaient souvent les mêmes qui lui demandaient « ça va ? » avec un large sourire. Après tout, et jusqu'à nouvel ordre, elle était la favorite d'un homme dont l'ambition, si elle était discrète, n'en était pas pour autant ignorée. Bénédicte allait et venait dans les couloirs du journal avec l'aisance de la maîtresse des lieux. C'est tout juste si le bureau d'Émile n'était pas le sien… Elle lisait les dépêches, utilisait sa secrétaire, regardait les invitations qu'il recevait, choisissait les projections privées auxquelles elle voulait assister, et triait, parmi les informations, celles qui l'intéressaient pour qu'Émile l'envoie en reportage. Elle goûtait au pouvoir par personne interposée.

Bien sûr, elle conservait cette élégance froide et distante qui fascinait tant Émile, et agissait en tout avec la même distinction. On ne pouvait jamais la prendre en flagrant délit de mauvais goût, mais elle avait, depuis peu, une manière de se conduire au journal qui ressemblait plus au maître visitant ses terres qu'au pauvre serf tordant sa coiffe d'angoisse.

Émile, aussi, changeait. Il s'était laissé emmener par Bénédicte chez un tailleur avenue Victor-Hugo qui lui renouvela sa garde-robe. M. Barnes habillait les stars de la publicité, les jeunes députés et les chefs d'entreprise dynamiques. Il lui proposa un choix de costumes et promit de veiller lui-même au bon déroulement des essayages. Émile accepta aussi de se faire désépaissir les cheveux et détartrer les dents. Mais lorsque Bénédicte évoqua d'autres changements plus radicaux – le port de verres de contact par exemple –, il refusa net.

Émile ne voulait pas changer trop brusquement. Il savait que son ascension ne faisait que commencer et qu'il lui fallait ménager ses collègues afin de pouvoir s'appuyer sur eux le jour où la véritable prise de pouvoir aurait lieu. Il cherchait donc à n'irriter personne et minimisait sa promotion. Son seul point vulnérable était Bénédicte. Ou, plus exactement, les femmes. Car, avec son nouveau titre, le comportement de ces dernières à son égard avait changé. Pour le moment, il le vérifiait surtout au journal. Sa notoriété n'avait pas encore franchi les murs du *Figaro* pour se répandre dans les dîners parisiens ou les colonnes des journaux. Il y eut quand même un entrefilet dans *le Monde* annonçant sa nomination et dont il fut très satisfait.

Quand Bénédicte apprit que les règlements de compte entre truands marseillais reprenaient et que les cadavres s'allongeaient dans les bars et sur les trottoirs, elle n'eut aucun mal à obtenir d'Émile qu'il l'envoie en reportage.

Elle n'avait pas perdu espoir de retrouver Richard. Ni de le ramener à Martine. Même si cette dernière avait, une fois de plus, acheté, deux mois à l'avance, son billet d'avion pour New York. Elle voulait partir tout de suite après Noël pour commencer l'année 1970 sur le sol américain, à Times Square, avec tous les New-Yorkais qui s'embrassent pour la bonne année…

Plus le temps passait, plus Bénédicte appréciait Martine. D'abord, mais elle n'en était pas consciente, parce qu'il n'y avait aucune compétition entre elles – ni sentimentale, ni professionnelle, ni sociale –, mais aussi parce que Martine forçait son admiration par sa volonté, sa rigueur, sa franchise, sa détermination. Bénédicte lui enviait sa force : ne dépendre que de soi, ne devoir qu'à soi les trophées qu'on aligne sur ses étagères.

Elle n'avait pas envie que Martine et ses trophées quittent le sol français… Tant que Martine demeurait rue des Plantes, elle brillait en exemple, en Madone qu'on invoque les soirs où on se sent héroïne et prête à tout.

Bénédicte partit donc pour Marseille. Elle fit son enquête, téléphona son article puis se rendit au 36 de la rue Martini. Dans le hall vitré du grand immeuble moderne, il y avait un interphone où Bénédicte trouva les initiales : R. B.

Elle n'osa pas appuyer et attendit que quelqu'un pénètre dans l'immeuble pour se faufiler. Elle prit l'ascenseur et monta jusqu'au sixième.

C'était un immeuble imposant avec du marbre, des plantes vertes et de grandes baies vitrées. Sur le palier, la moquette était épaisse et une lithographie de peinture moderne affichée aux murs.

Elle sonna, prit une profonde inspiration et attendit. Si jamais ça ne marche pas dans le journalisme, se dit-elle, je me reconvertis chez les détectives privés. J'ai toutes mes chances…

Une somptueuse blonde en peignoir lui ouvrit. De celles qui posent nues dans *Lui*. Elle portait un peignoir qui bâillait sur ses seins et des mules à talons et pompons roses. Pas maquillée, elle avait un visage de petite fille.

– C'est à quel sujet ? demanda la blonde. Et comment ça se fait que vous n'ayez pas utilisé l'interphone ?

C'est bien la peine de payer un loyer hors de prix pour que ce putain d'interphone serve à rien !

– Je suis une cousine de Richard. C'est sa mère qui m'envoie…

La blonde bougonna, mais la laissa entrer.

– Je vous préviens, je repasse. Ça me détend les nerfs.

Elle était passée derrière la planche à repasser et faisait glisser le fer avec gourmandise, lissant un volant, s'appliquant sur une fronce, reprenant une emmanchure.

– Il revient vers quelle heure, Richard ?

– D'habitude, il arrive quand je pars travailler. Vers sept heures.

Manifestement, elle n'avait pas envie de faire la conversation. Bénédicte n'osa pas enlever son manteau et attendit les bras croisés.

La blonde était absorbée par ses volants et ses dentelles. Bénédicte essayait de comprendre comment le Richard de Martine était devenu celui de la blonde.

Vers dix-neuf heures, alors que la fille était partie dans la salle de bains se faire une beauté, la clé tourna dans la serrure et Richard entra. Habillé de cuir noir, avec un manteau noir fendu dans le dos, des lunettes noires et une casquette de cuir noir.

Il aperçut Bénédicte et marqua un temps d'arrêt.

– Qu'est-ce que tu fous là ?

– Je suis venue pour te voir.

– T'as vu Gina ?

– Oui. Elle est dans la salle de bains.

– Tu viens de la part de qui ?

– De personne. Martine ne sait rien.

– Ça m'étonnerait…

– Je suis venue de mon propre chef, Richard. Tu n'as pas eu ses messages, cet été, après que… euh… ?

– Quels messages ?

– D'abord, elle t'a écrit. Ensuite, elle est passée dans les journaux et à la télé.

– J'ai pas reçu de lettres et je lis pas les journaux. J'm'excuse. On n'est pas des cultivés, ici. Tu pourras faire ton rapport à la menteuse.

– Martine n'est pas une menteuse. C'est parce que…

– Bye bye, je vais travailler.

Gina était sortie de la salle de bains.

Bénédicte comprit quel travail elle faisait. Ses yeux papillonnaient sous une épaisse couche de vert et ses longs cheveux blonds ondulaient sur ses hanches. La croupe moulée, les talons en pente abrupte et les seins dévalant le balconnet.

– Minou, on se retrouve chez Pierrot pour manger un morceau ?

– D'accord, fit Richard en lui claquant la cuisse. Travaille bien.

Elle fit tourner sa pochette en lamé doré et partit. Sans un regard pour Bénédicte.

– Tu travailles pas au port ? demanda Bénédicte.

– Non, Je suis proxo, ma chère. Semi-proxo parce que Gina, je la partage avec un pote qui est en cabane. Je m'en occupe tant qu'il est à l'ombre. C'est pas très fatigant… C'est une bonne gagneuse.

– C'est pas la peine d'en rajouter…

– J'en rajoute pas. C'est avant que j'en rajoutais, dans l'autre sens. Coursier au SMIG, mon cul ! Dire que j'y ai cru ! On se fait toujours piéger une fois, pas vrai ? Moi, j'ai donné, ça y est.

– Richard… Elle t'aime. Je te le promets. Elle t'a attendu tout l'été…

– Elle est pas partie aux States ?

– Non.

– Tu pourras lui dire qu'elle peut faire ses bagages. Elle est pas près de me revoir. Tu veux boire quelque chose ?

– Non merci.

– Tu m'excuseras, mais c'est l'heure de mon Bloody Mary…

Il alla dans la cuisine et elle entendit des bruits de glaçons dans un verre. Le téléphone sonna et il répondit. Il eut une longue conversation au sujet d'un cheval qu'il avait joué et raccrocha satisfait.

– Je l'ai aimée, Martine, j'te jure que je l'ai aimée…

Il semblait chercher ses mots, et Bénédicte ne voulait pas l'interrompre de peur qu'il s'arrête.

– J'ai cru crever le jour où Louis a dit qu'elle partait. Comme quand j'ai arrêté la came. Pareil, j'te jure. Accro, j'étais accro à cette gonzesse. J'étais comme un fou cette nuit-là. J'ai tiré une BM et j'suis descendu ici. À fond la caisse sur l'autoroute. J'm'rappelle, le mec de la BM, il avait une cassette avec des morceaux enregistrés. Y avait *Stand by me*… Je me la suis passée et repassée à me claquer les tympans. Ici, j'ai trouvé des potes. Ils avaient des filles. La première fois qu'une pute m'a fait monter sans me faire payer, j'ai pris un grand pied. C'était Gina. Quand son mec est tombé, j'ai repris l'affaire. Voilà…

Il jouait avec son verre, le faisait passer d'une main à l'autre sans que le liquide verse. Il avait parlé les yeux baissés ; quand il les releva, il eut un sourire, son sourire aller-retour.

– La vie avec elle, comme elle le voulait, c'était pas pour moi… Je disais oui pour lui faire plaisir. Mais c'était pas moi… J'ai ma routine, ici. Je deale un peu, y a Gina… Les calanques le dimanche, les copains, les belles tires, les petites magouilles, le soleil tout le temps…

– Mais elle t'aime, Richard !

Elle avait à peine prononcé ces mots qu'elle comprit à quel point c'était vain d'essayer de le convaincre. Il avait raison.

– Fallait pas qu'elle fasse ça, reprit-il. Fallait pas… Je pars sûrement dans une vie de galère, mais j'ai envie d'aller voir… Tu veux qu'on aille manger un morceau ?

Ils dînèrent dans un petit restaurant sur le Vieux-Port.

Vers la fin du repas, alors qu'il fouillait dans sa poche pour payer l'addition, il dit :

– C'est pas la peine de lui dire que tu m'as vu.

– Tu es sûr ?

– Ouais. Elle a toujours mon manteau ?

– Oui.

Mon manteau. Son gros cul. Ses barrettes, ses écharpes, sa santé, son énergie, ses idées bien arrêtées… Un jour, cet été, il avait appelé à Pithiviers. On lui avait dit qu'elle venait de sortir et on avait raccroché aussitôt. Heureusement… Il aurait été capable de craquer, de laisser son nom et son téléphone. Il serait allé au-devant de nouvelles emmerdes. Dès le début, il avait eu le pressentiment d'embrouilles. You've lost that loving feeling, you've lost that loving feeling, you've lost that loving feeling and now it's gone, gone, gone, ouaouaou…

Il l'avait perdu. Pour un bon moment.

Pour Martine, il avait arrêté de se ronger les ongles. « Je sens rien quand tu me caresses le dos, t'as pas d'ongles », s'était-elle plainte un jour. Il avait acheté un vernis amer, et ses ongles avaient poussé.

Pour Martine… Pour Martine…

Il s'arracha un morceau d'ongle, paya et ils sortirent.

Ils se dirent au revoir dans la nuit, et Bénédicte prit un taxi pour la gare Saint-Charles.

Elle décida de ne pas parler de sa visite à Martine.

Il valait mieux. Après avoir découvert l'amour, Martine découvrait la haine.

Avec le même étonnement.

Au début, elle s'était dit : « Je vais l'oublier. Facile. Je suis une pragmatique, moi, une énergique. Je dis que j'oublie et j'oublie. »

676

Ça marcha.

Pendant deux ou trois jours.

Puis, un imper fendu jaillissait du coin d'une rue et elle s'arrêtait net. Écorchée vive. À bout de souffle. Elle avait envie de courir derrière l'imper. C'est à moi. Objet volé. Rendez-le moi… Je vous assure qu'il est à moi, monsieur l'agent.

Puis la souffrance se distillait. Lentement. À travers tout le corps. Elle vivait avec. Dormait enroulée sur elle-même pour la tenir bien au chaud. Pouvait pas dormir allongée…

Comptait les secondes. Les grains de sable du sablier.

Ça passait.

Elle se redressait. Dans son lit. Dans la me. Ça y est, elle était guérie. Ouf !

Alors vinrent les rêves.

Sournois, les rêves. Une nuit, Richard lui apparut et lui donna de ses nouvelles. Je vais bien, je viens de gagner un concours hippique, le championnat du monde de patins à glace, Roland Garros et je m'entraîne pour la prochaine rencontre de poids welter au Madison Square Garden. Ah bon…, lui avait-elle répondu, mais comment fais-tu ? Oh ! c'est très simple, j'ai rencontré une fille qui me dit tout, pour qui je suis important, qui fait attention à moi… Et il s'évanouissait. Elle demeurait sans voix. Puis se réveillait en colère : et le concours international de boules de neige, tu l'as gagné aussi ?

De la colère naquit la haine.

Haine de ne pas pouvoir l'insulter de vive voix.

Haine d'avoir été abandonnée.

Haine de ne plus être indispensable.

Haine d'être remplacée.

Haine de s'être laissé piéger.

Haine de lui. Haine d'elle. Savait plus où donner de la haine.

Elle eut honte de tant de haine. En fit un petit cube

qu'elle rangea sous son lit. Bien au fond, pour que personne ne le trouve. Même pas Rosita en passant l'aspirateur.

Mais sa haine ne lâchait pas prise facilement. Le petit cube restait caché pendant quelques jours sous le lit et puis… tout à coup, il se diluait dans des litres et des litres de bouillon. Elle suffoquait, battait des pieds, et des mains, perdait la tête, manquait de se noyer. Pour un peu, elle serait allée mettre le feu chez les Brusini, aurait ouvert une voie d'eau dans leur cave ou leur aurait confectionné des petits pâtés au cyanure.

La haine décuplait son imagination.

Réduisait Richard en bouillie informe. Moche, incapable, petit, nabot, inculte, macho, prétentieux, torve, sourire torve, suspect, parasite de la société, épave, trafiquant de shit…

Elle s'enfonçait dans sa haine comme sur une autoroute en pleine jungle. Pleins gaz. Ça lui faisait du bien. Elle tranchait au coupe-coupe dans sa douleur. Quelle occupation délicieuse que de haïr ! Humm… C'est bon. Encore, encore. Nez tordu, pas foutu de sourire, aisselle qui pue, rastaquouère…

Ah ! j'oubliais, mauvais fils ! mauvais frère ! mauvais…

Elle était allée rôder près de la maison des Puces. Avait attrapé le petit Christian par le bas du pull et l'avait forcé à parler : « Richard pas là. Richard, loin, loin », lui avait-il dit les lèvres serrées sur sa promesse de ne pas passer à l'ennemi.

Il faut en finir, décida un jour Martine. Bon, je suis atteinte de haine aiguë. C'est une maladie. Ça se soigne. Faut pas en avoir honte. Après tout, c'est aussi intense comme sentiment que le don de soi à Super-Jésus ou le hara-kiri grand samouraï, qui, eux, ont acquis leurs lettres de noblesse. Bon, j'ai la haine. C'est une activité comme une autre.

– Qu'est-ce que vous faites en ce moment ?

– Je hais.

– Vous haïssez ? Et chez qui ?

– Chez Brusini. À plein temps. Même les week-ends. Oh ! y a plein d'avantages… Des heures supplémentaires ? Oui, quelquefois… L'indemnité trajet ? Oui aussi… Je hais partout.

Remettre la haine en petit cube, mais cette fois-ci l'exposer. Pour lui ôter ses moyens au petit cube. Qu'il ne se dilue plus en torrent ravageur.

Ça alla mieux.

Elle pouvait regarder le petit cube en face. Sans avoir honte.

Ça lui donnait même une raison d'exister. Et de l'énergie.

La haine se transformait en carburant. Elle faisait le plein.

Elle pulvérisa les records d'immersion totale en anglais commercial, franchit les trois niveaux en deux mois. Les professeurs se grattaient le menton en la regardant ; les autres élèves – des messieurs en costume cravate – devenaient presque serviles et pour un peu lui auraient proposé du travail dans leur entreprise…

Agrandie. Multipliée. Aussi forte qu'avant.

Avant ?

Qu'est-ce que je haïssais si fort avant ?

Elle repensa à son enfance.

À ses naines d'enfance. À M. Gilly, le fermier qui lui vendait le lait…

Elle avait oublié M. Gilly… Le doigt qu'il enfonçait fort dans sa culotte quand elle allait chercher le lait… elle n'osait rien dire tellement elle avait peur. Elle faisait des détours avec son pot cognant contre ses jambes pour retarder le moment d'arriver à la ferme. Et lui qui l'attendait, qui la serrait entre ses jambes «comme une vache que je traie» et qui la caressait…

La haine avait commencé à monter.

La haine de ses parents à qui elle ne pouvait pas parler.

La haine de la Sucrerie. La haine de la Cité. La haine d'être pauvre.

La haine de ne pas être comme les autres filles en classe, de voir sa mère soumise, sa sœur prête à se soumettre… La haine du Parti qui les endormait tous avec les réunions de cellule et l'espoir d'un lendemain meilleur…

La haine de Richard effaçait toutes ses haines passées. Les édulcorait. Elle avait de la pitié pour sa mère, de la pitié pour Joëlle, de la pitié pour son père, pour le F4 pour la Sucrerie…

Changement de cargaison : tout le monde descend. Richard monte.

Pour le circuit du grand huit…

Mais, au bout de quelques tours, elle s'ennuya. Avait plus de goût à la haine. Voulait essayer autre chose, sinon elle allait tourner en rond…

Alors, un espoir lui vint.

Pas l'espoir bidon qu'elle avait caressé tout l'été : il va revenir et tout recommencera comme avant… L'espoir qui dépend d'un autre, l'espoir trompeur, qui vous fait croire à quelque chose qui n'existe pas, qui vous fait voir la vie en rose et vous anesthésie…

Mais l'espoir en elle. L'espoir qu'elle s'en sortirait.

C'est à lui, maintenant, que je vais prouver que j'existe. Toute seule, sans son bras pour me faire entrer au restaurant, sans son œil noir qui me surveille, sans son appellation contrôlée de fiancée. Je vais lui montrer que je peux faire quelque chose de grand, de respectable, d'énorme. Sans lui. Rien que moi dans le rôle de la trapéziste qui s'élance dans le vide… Qu'il s'incline devant mon envie d'outre-mer. Par K-O.

Et quand j'aurai épuisé ma haine, qu'il ne sera plus qu'un parfait étranger à qui je dirai : « Tiens… Bonjour, comment ça va ? Moi ça va et toi ? », je lui rapporterai de New York des vieux disques introuvables et des fanions pour sa moto.

Je serai gentille et urbaine, compréhensive et tolérante, généreuse et magnanime.

Bref, plus amoureuse du tout.

Chapitre 4

Juliette avait bien réfléchi.

La vie n'était décidément pas ce que lui avait enseigné l'école, ses parents ou les délicieux contes de fées que lui lisait sa mère pour l'endormir... Enfin, pour le moment. Peut-être que, plus tard, elle découvrirait l'amour du prochain, le don de soi et le Prince Charmant qui gravit les escaliers du château pour vous enfiler la pantoufle de vair... Pour l'instant, elle en était plutôt aux rapports de troc et de traque.

Élevée par deux petits-bourgeois, dans la société protégée de Pithiviers, Juliette avait longtemps cru que la vie était simple : les bons et les méchants, la Justice qui pourfend ces derniers, l'Honnêteté et la Vertu qui triomphent du Mal. Depuis qu'elle était à Paris, elle était bien forcée d'admettre que c'était plus compliqué. Qu'il fallait souvent retourner les apparences pour découvrir la vérité et que les gens n'étaient ni bons ni méchants mais un mélange de vilennie et de bonnenie. De plus, la théorie de « la bonne mine » chère à ses parents se révélait caduque. La bonne mine de Jean-François Pinson, de Regina, de Henri Bichaut, de Virtel, cachait une vérité plus cruelle. Les gens sont comme des gants. Lisses et anodins à l'extérieur, fourrés de mystères et de contradictions quand on les retourne...

Comme tous ceux qui font l'apprentissage de la vie, Juliette était excessive. Ses illusions perdues la précipitaient dans un abîme de cynisme. Où les autres ne voyaient ni vice ni travers, son œil soupçonnait le pire.

Elle décida d'être cynique avec l'ardeur et la rigueur qui président aux grandes décisions. Je vis dans une société de troc où mon père exige soumission totale contre chèque en fin de mois, où Louis échange partie de cul contre partie de cul, où Virtel lui-même me propose un contrat dodo. Jouons le jeu et troquons.

Mon cul contre une rente mensuelle.

Elle poussait son raisonnement à l'extrême afin que les nuances s'effacent et que la conclusion s'impose. Si elle voulait rester à Paris, il lui fallait trouver une source de revenus. Elle ne voulait abandonner ni Noblette ni la fac. Donc, ce devait être un emploi « spécial ».

Sous Virtel.

Elle reculait sans cesse le moment d'appeler Edmond. Elle s'entraînait à penser à lui en tant qu'Edmond, afin que cela lui paraisse moins dégoûtant… La magie du prénom ne durait pas longtemps : « Je vais me coucher sous cher Edmond et… Beurk ! Beurk ! Non, je ne pourrai jamais. En tous les cas, je ne le toucherai pas. Il fera ce qu'il voudra, mais moi je ferai de la résistance passive… Comme une vraie pute. Il paraît qu'elles interdisent qu'on les embrasse sur la bouche, qu'on leur touche les seins ou qu'on les décoiffe. Moi, ce sera pareil. Pénétration et coït. Avec, si possible, éjaculation précoce. Je fermerai les yeux et penserai à autre chose.

Au chèque.

À Louis. Louis…

Virtel.

Elle appela Virtel.

La voix d'Isabelle claironna : « Entreprise Virtel. Bonjour ! », mais Juliette ne se fit pas reconnaître.

Puis ce fut Évelyne, la secrétaire de Virtel, qui se plaignait toujours de ne pas être assez payée.

– Bonjour, ma petite Juliette, vous allez bien ? Vous

pouvez être rudement fière de vous, vous savez, parce que le contrat Milhal nous a apporté beaucoup d'affaires...

J'augmente mes prix, se dit illico Juliette.

– Vous voulez parler à M. Virtel ?

– Oui, c'est ça...

Au cher Edmond. Le moyen de subsister jusqu'à la solution prochaine parce qu'attention, cher Edmond, tout cela n'est que provisoire, pas question de...

– Allô, Juliette ? Comment vas-tu ?

Ils débitèrent quelques banalités. Parlèrent du béton, de la rue des Plantes, de Charlot. Juliette répondait, ne sachant pas comment aborder le sujet. Elle allait renoncer lorsqu'il demanda, mielleux :

– Mais je suppose que tu ne m'as pas appelé pour me donner des nouvelles du temps ou de Charles Milhal...

– Euh... non.

– Bien, je t'écoute.

Il y eut un long silence.

– Ben voilà... C'est... Je ne sais pas comment vous le dire...

– Aurais-tu, par hasard, réfléchi à ma proposition ?

– C'est ça. C'est pour ça que j'appelle...

C'était dur d'annoncer une telle chose au téléphone.

– J'ai des problèmes d'argent. J'ai besoin de trois mille francs par mois...

Elle avait augmenté le prix de ses prestations afin d'augmenter aussi les chances de refus.

– Alors, je me suis dit que, peut-être, on pourrait s'arranger et... trois mille francs par mois contre une...

Zut ! Elle n'avait pas pensé au terme à employer.

– ... visite, par mois.

C'est ça. Visite. Comme chez le dentiste.

– Dis donc, t'es devenue gourmande !

– Oui, mais je ne vous demande ni appartement, ni fourrures, ni vacances sous les Tropiques...

– Mais quand même… Et puis, il faut que je réfléchisse. Tu comprends, j'avais pris mes dispositions après ton refus…

S'il croit que je vais me battre ! Je raccroche, tant pis. J'irai cambrioler une banque, c'est moins dégoûtant.

– C'est oui ou c'est non. Vous pensez bien que j'ai hésité avant de vous appeler. J'ai jamais fait ça, moi !

– Très bien. Je réfléchis et je te rappelle. Au revoir, Juliette !

Il raccrocha sans qu'elle ait le temps de protester.

Il tenait sa revanche. Il ne s'était pas remis de l'humiliation que Juliette lui avait infligée. Il y pensait encore et se vengeait en rudoyant une pauvre Suédoise qu'il voyait trois fois par semaine dans son petit appartement de la rue de la Tour. Une apprentie mannequin qui vivait plus de ses largesses que de sa photogénie.

Il la rappela trois jours plus tard.

– Allô, Juliette ? C'est Edmond.

Elle va être obligée de m'appeler par mon prénom…

– Voilà. C'est moi qui propose. Trois mille francs, d'accord, mais deux rendez-vous par semaine, le lundi et vendredi de sept à neuf… Tu marques l'adresse ? 28, rue de la Tour. Je t'y attends lundi prochain, entendu ?

– D'accord, parvint à déglutir Juliette qui s'était promis d'annuler sa proposition quand il rappellerait.

Ça y est, se dit-elle en raccrochant. Je suis devenue un gant. Petite jeune fille de bonne famille d'un côté, pute de l'autre.

Trois soirs par semaine environ, Juliette voyait Louis. Comme il ne voulait plus aller rue des Plantes sous prétexte qu'il ne supportait pas Émile – « il parle comme une dictée, il me tape sur les nerfs » – ni au *Lenox* parce que son copain barman était parti au service militaire, il l'emmenait chez lui. Quand il était de bonne humeur, il proposait « on se met tout nus dans le lit ? », sinon c'était plus lapidaire « on baise ? » ou « bitte, chatte ? ».

Il habitait au dernier étage d'un immeuble de la rue Monge, un deux-pièces rempli de disques, de livres, de cendriers, de vêtements jetés en tas sur le sol. Elle avait regardé les cendriers par terre, les assiettes par terre, les coussins par terre, la télé par terre, la chaîne posée sur des briques, le matelas à même la moquette.

– Que veux-tu, je régresse… Je ne marche pas, je rampe.

Elle n'avait rien dit. Elle n'avait jamais vu un appartement aussi… abandonné.

Elle comprit vite pourquoi.

Louis avait le don de tout salir autour de lui. Comme s'il n'arrivait pas à coordonner ses mouvements dans sa tête. Faire un café relevait de l'exercice le plus périlleux. Il éventrait le paquet de café moulu, en renversait par terre, versait de l'eau tout autour de la cafetière, attrapait le sucre, en saupoudrait la table et quelquefois son bol, partait dans l'appartement, le bol à la main, le posait pour allumer une cigarette, l'oubliait, repartait vers la cuisine s'en remplir un autre qu'il déposait sur la télé pour pianoter sur son orgue électrique, cherchait son café des yeux, ne le trouvait pas, allait s'en verser un troisième qu'il plaçait sur le rebord de la baignoire quand le téléphone sonnait…

Il en était de même pour les cigarettes qu'il oubliait sur tous les rebords et qui se consumaient, dessinant des auréoles marronâtres. Le savon fondait dans la baignoire, les ampoules électriques claquaient, des croûtes de fromage se recroquevillaient dans des assiettes collées à la moquette. Des chaussettes traînaient, dépareillées, ainsi que des billets de cent francs chiffonnés et des numéros de téléphone gribouillés sur des bouts de papier ou des pochettes d'allumettes.

La première fois que Juliette vint chez Louis, elle était si heureuse qu'elle lui apporta des fleurs. Il les regarda comme s'il ne savait pas comment les tenir, dit « merci » et fila à la cuisine. Le lendemain matin, elle retrouva les fleurs fanées. Sur la table.

Elle essaya de ranger. Il commenta :

– T'es fâchée ? Une femme range toujours quand elle est fâchée…

Juliette apprit à se laver dans le noir, à s'essuyer avec un bout de serviette en priant qu'il soit propre, à se maquiller dans un bout de miroir cassé posé en équilibre sur le robinet du lavabo, à récupérer le dentifrice dans le tiroir à couverts, à faire marcher la télé toute neuve à l'aide d'un couteau – il avait cassé tous les boutons – et à plier ses vêtements soigneusement près du lit.

Chaque matin, il piochait au hasard dans son tas de vêtements, remettant quelquefois ceux de la veille, s'habillant à la hâte pour s'épier ensuite dans toutes les vitrines. Comme s'il ne se supportait qu'en reflet. Il se regardait, s'ébouriffait les cheveux, mécontent de ce qu'il avait entr'aperçu et repartait en bougonnant.

Il ne lui demandait jamais ce qu'elle faisait les soirs où ils ne se voyaient pas. Elle non plus. Un soir, elle le rencontra avec une fille, une blondasse avec un grand nez et des boucles d'oreilles comme des boules de sapin de Noël. Le lendemain, elle lui demanda :

– Ça t'ennuie si je sors avec un autre mec ?

– Non.

– Et si je baise avec un autre mec ?

– Non plus.

– Tu dis ça pour que je me sente libre ou pour que tu te sentes libre ?

– Numéro deux.

Elle ne dit rien et ils allèrent s'allonger sur le matelas.

Elle ne sentait rien. Leur dialogue tournait et retournait dans sa tête.

– Ça y est. Tu ne m'aimes plus, déclara-t-il en arrêtant de l'embrasser.

– Non, mais…

– Tu penses à ce que je t'ai dit tout à l'heure ?

Elle fit oui de la tête. Avec Louis, il valait mieux dire la vérité.

Il la prit dans ses bras.

– Écoute, ma mine. Si tu pieutes avec un autre pour me faire chier, c'est con pour toi. Si tu en as vraiment envie, c'est con pour moi et j'aime mieux pas le savoir. D'accord ? Je sais bien que la mode est à l'amour libre et à toutes ces conneries, mais mot j'y crois pas. Quand on aime, on est jaloux, on n'a pas envie que sa gonzesse se fasse un autre mec…

Juliette se demanda si elle pouvait prendre ça pour une déclaration d'amour. Elle décida que oui. Elle poussa un soupir et l'embrassa en lui murmurant les mots précis qui le rendaient fou. Plus tard, alors qu'elle se couchait sur lui pour lui faire l'amour, il la regarda et lui murmura : « Tu es belle… Tu es belle. »

C'était une deuxième déclaration d'amour et elle eut envie de tout laisser tomber pour lui.

Seulement, il y avait les autres fois.

Toutes les autres fois où elle avait l'impression qu'elle n'existait pas. Qu'elle était anonyme. Érotique anonyme. Un trou, une chatte, un cul…

Quand ils regardaient un film d'amour à la télé, il ricanait et fustigeait les pauvres héros qui se déclaraient l'amour fou. Au cinéma, dans la queue, il se tenait loin d'elle et n'esquissait pas le moindre geste de tendresse. Un jour, elle lui dit :

– J'aimerais bien que tu me prennes dans tes bras quand on fait la queue…

Ils attendaient pour voir *Mash*.

– Tu veux que je te prenne dans ma queue ?

Elle n'insista pas. Dans le domaine des cochonneries, il était plus fort qu'elle.

Elle se disait que, peut-être, un jour, il baisserait les bras et accepterait de l'aimer. Elle se demandait d'où lui venaient sa méfiance, sa hargne, son incapacité à vivre à deux.

En attendant, elle voyait Virtel. Deux fois par semaine. Elle avait la même nausée, le même trac que petite, quand sa mère la traînait chez le dentiste. La même attitude aussi. Soumise et raidie. Dans l'attente de la douleur. Ou du dégoût.

La première fois, pourtant, elle avait failli avoir un fou rire. Il la tenait contre lui, enlacée – il lui arrivait au front – quand il avait envoyé promener ses chaussures, il avait perdu plusieurs centimètres et lui effleurait le menton.

Non seulement, il n'était guère appétissant, mais il se montrait très maladroit.

– Allez, viens t'allonger à côté de moi, lui avait-il dit en tapotant le dessus-de-lit d'un geste que Juliette trouva obscène.

Elle s'était allongée avec précaution. Il s'était jeté sur elle lui écrasant les lèvres, lui murmurant des mots qu'elle n'avait jamais entendus :

– Mon chaton, mon ange, patounne-moi, regarde comme mon oiseau est dur…

J'aime mieux les obscénités de Louis, s'était dit Juliette.

Puis sans autres préliminaires, il s'était jeté sur elle, lui avait chiffonné les seins, écrasé le clitoris, mordu la cuisse.

– Vous me faites mal ! avait crié Juliette.

Il s'était arrêté net.

– Comment ça, je te fais mal ? Ça alors… Tu veux me couper mes moyens ? J'ai jamais entendu dire ça de ma vie !

– C'est que ce sont des menteuses ! avait crié Juliette en se massant la cuisse.

Il la dévisageait, furieux.

– Ah, c'est trop fort ! C'est trop fort… Va falloir plier, ma fille, tu vas pas le gagner comme ça ton argent…

Cette fois-là, elle avait été épargnée. Il s'était rhabillé et avait quitté l'appartement en maugréant.

Elle était restée une demi-heure sous la douche. Ah ! il a pas été traumatisé par la révolution sexuelle, lui ! Pense encore que c'est suffisant de bander et d'enfoncer en frottant par-ci, par-là. Il n'a pas étudié les graffiti de Mai 68 et les revendications féministes sur le droit au plaisir. À la guerre comme à la guerre. Je bande donc je suis. J'avais tout prévu, sauf ça.

Néanmoins, il la rappela et lui fixa rendez-vous pour le vendredi suivant. Ce fut pire.

Elle avait l'impression de baiser avec Donald Duck. Des gros baisers gluants qui laissaient des traits de salive partout. Donald Duck camionneur. Il la roulait dans ses bras, l'écrasait sous son poids, lui louchait le sexe comme s'il débitait du saucisson. « Coin, coin », pensait-elle. Elle s'était promis de ne pas protester et souffrait en silence. Les dents serrées, les jambes à peine entrouvertes, la haine naissante. À un moment, après deux ou trois frottements qui se voulaient caresses, il lui rabattit les jambes derrière les oreilles et l'empala en donnant de vigoureux coups de reins. Ça y est : me voilà transformée en canapé-lit. Elle se retenait pour ne pas crier de douleur pendant que, très satisfait, il la baisait en débitant des grossièretés.

Mais pas les grossièretés délicieuses de Louis, chuchotées à l'oreille, avec les coups de hanches adéquats, l'œil qui frise et la bouche tendre. Des grossièretés mécaniques, impersonnelles, comme s'il s'adressait à toute la gente féminine et qu'il la détestait cordialement.

Le seul aspect positif, si ça continuait comme ça, c'est qu'elle n'avait vraiment rien à faire. Il dirigeait tout, et se comportait au lit comme au bureau. En tyran. L'autre n'existait pas. Pas question alors qu'elle lui donne du plaisir…

Une fois que c'était fini, il demandait, une oriflamme dans chaque œil :

– Alors, c'était bien ? T'as bien joui ?

Elle répondait « oui » et il se massait les couilles, satisfait. Suivait invariablement une célébration de ses talents au lit. Donald Duck s'ébouriffait les plumes, se gargarisait de compliments, se rengorgeait de fierté et rougissait du plaisir qu'il venait de distribuer si généreusement.

Plein de lui-même, il faisait son propre panégyrique en se frappant le thorax, les cuisses, le ventre, comme pour montrer la virilité de son anatomie. Et il recommençait à se masser les couilles.

Après l'amour, il fallait jouer au gin.

Il détestait perdre. Surveillait la marque et boudait quand Juliette menait. Il allumait la radio très fort ou mettait la télé, changeant de chaîne et de station sans arrêt. Il lui soufflait au visage la fumée de ses gros cigares torsadés. Juliette toussait, battait l'air des mains, mais il n'en avait cure. Il parlait de ses chantiers, de ses contacts, de ses filons, de la manière dont il roulait les architectes. Il ne les armait pas, les trouvait bavards et prétentieux.

– T'as vu comme je l'ai roulé Milhal. Dans la farine ! Et c'est pas fini ! Je compte bien aller passer des contrats aux États-Unis…

– Vous n'avez pas le droit. C'est spécifié dans le contrat : vous ne représentez que le territoire français.

– Mais, chaton, ça s'interprète un contrat. Tu fais sauter une virgule et tout change… Que tu es naïve ! Grand gin et doublé en plus !

Il comptait ses points et Juliette trichait. C'est elle qui tenait la marque.

Il commençait à l'énerver avec sa suffisance. Moi, moi, moi. À l'entendre, elle ne connaissait rien. Elle n'était qu'une plouc.

– Tiens, tu connais l'île Maurice ? lança-t-il un jour, dédaigneux.

– Non.

J'ai même aucune idée où ça se trouve.

– Comment ? On t'y a jamais emmenée ? T'es sortie avec des radins, ma pauvre !

Et d'exhiber des photos de lui avec une fille sur la plage. On le voyait en gros plan, torse bombé, et la fille derrière. À moitié cachée.

– Et celle-là, c'est aux Seychelles, l'année dernière…

Même photo, même pause, mais la fille avait changé.

– Vous emmenez jamais la même ?

– La même quoi ?

– La même fille.

– Non. Quand c'est usé, je jette, dit-il avec un grand sourire.

– Et votre femme ?

– À la maison. Dis donc, je l'ai épousée, ça suffit comme ça…

Ce n'est pas le dégoût physique qui va me faire fuir, pensa Juliette. Mais le dégoût moral…

Heureusement, il y avait Nizot. Jean-Marie. Ce que ni Louis ni Virtel ne lui donnaient, Jean-Marie l'en gavait : tendresse, amour, attentions. Jean-Marie Nizot, pour la première fois de sa vie, était tombé amoureux.

Dès le premier soir.

Le soir où Bénédicte Tassin l'avait invité, rue des Plantes. Il y était arrivé en compagnie de la petite Sabine de Croix-Majeure. Il venait de sonner à la porte, lorsqu'il entendit un bruit dans la haie de thuyas carbonisés qui donnait sur la rue. Il s'était retourné et avait aperçu une forme accroupie, qui, à l'évidence, faisait pipi. Surpris, il avait attendu que la forme se relève, mais elle semblait prendre un grand plaisir à rester ainsi, le derrière nu dans le froid de la nuit, se balançant de droite et de gauche. Dans la rue, une voiture était passée, pleins phares, et il avait aperçu une jupe verte étalée en corolle, des cheveux bruns et de longues cuisses qui jaillissaient de la jupe.

Plus tard, dans la soirée, il avait pu identifier la jupe verte. Elle s'appelait Juliette. Elle avait un rond de soupirants autour d'elle. Elle accordait à l'un un sourire, à l'autre un regard filtré par de longs cils noirs, à un troisième une tape amicale sur la joue. Souveraine. Élue par le désir de ces hommes qui l'entouraient, prêts à la renverser. Elle gardait ses distances et les jaugeait de son regard noir comme si elle se livrait à une muette estimation de leurs dons et de leurs qualités.

Quand Jean-Marie s'était mêlé à son groupe, elle l'avait regardé avec intérêt. Puis froideur. Chaque fois qu'il était venu s'incliner, elle l'avait éconduit. Du même sourire carnassier, du même regard noir, avec la même grâce que si elle avait dit oui.

C'est elle, s'était dit Nizot. La duchesse d'Arcos de Sierra Leone, Mathilde de la Môle et Lulu réunies.

Plus rien d'autre n'avait existé cette nuit-là. Le monde de Jean-Marie Nizot s'était refermé sur Juliette Tuille comme un rond de projecteur, isolant son héroïne du reste du monde. « Juliette, Juliette », chantonnait-il, la tête posée sur l'oreiller quand le sommeil tardait à venir. « Juliette, Juliette », quand il écrivait un article sur les relations Pompidou-Willy Brandt ou sur Soleiman Frangié…

Pour elle, il se rapprocha des « Thénardier » – c'est ainsi qu'il avait surnommé le couple Émile-Bénédicte –, espérant favoriser une nouvelle rencontre. Mais Bénédicte se méfiait…

Il était en train d'échafauder une nouvelle tactique d'approche lorsque sa grand-mère mourut. Jean-Marie passa la nuit entière à son chevet avant qu'elle ne s'éteigne en murmurant ces mots : « Mon petit, ne rate pas ta vie. Ne fais pas comme ton père. Ne te cache pas la tête sous le sable. Vis. Ose. De là-haut, je veillerai sur toi. » Jean-Marie était très peu religieux mais, à partir de la mort de sa grand-mère, il se sentit protégé. Par une puissance invisible, au-dessus de sa tête, qui lui insufflait courage et persévérance. Lui, le dilettante, qui parlait beaucoup de ce qu'il voulait faire et ne le faisait jamais, qui occupait au *Figaro* une position confortable d'observateur bien payé, qui jouait à séduire les femmes et à disséquer les comportements humains, prit la décision de rentrer dans la vie.

Il donna sa démission du journal et s'imposa une discipline. Il s'octroyait deux ans pour écrire son livre. Il renonça aux dîners parisiens, aux jeunes filles élégantes et bien nées, aux parades, aux discussions de salon, à tout ce qui avait fait sa vie jusque-là. Il se levait tous les matins à huit heures et travaillait jusqu'à midi. Il allait ensuite se promener, prenait une légère collation et se remettait à travailler jusqu'à huit heures, le soir. « Un vrai fonctionnaire », se disait-il.

Un fonctionnaire de la plume.

Quelquefois, il allait au théâtre ou au cinéma. Ou encore au concert. Le plus souvent seul. Il aimait cette nouvelle solitude. Le téléphone qui ne sonnait pas durant des journées entières, la boîte aux lettres vide, les longues promenades, seul…

Il s'imaginait Lucien de Rubempré à son arrivée à Paris. Lui aussi avait rencontré sa Coralie.

Un jour, il eut le courage de l'appeler. Il fut surpris qu'elle accepte aussi facilement de dîner avec lui. Surpris qu'elle se montre aussi spontanée, gaie, ouverte.

Il eut peur, un instant, qu'elle ne soit pas l'héroïne qu'il avait rêvée, la femme inaccessible qui détrônait toutes les autres. Mais, lorsqu'il la raccompagna chez elle et que, presque malgré lui, comme pour renouer avec ses anciennes habitudes, il essaya de l'embrasser, elle se déroba avec le même éclat dans les yeux, le même port altier, la même condescendance qu'elle avait eus, autrefois, pour lui refuser toutes les danses.

– Non. Ce serait trop facile. Et, voyez-vous, je n'aime pas les choses faciles…

Jean-Marie la regarda s'éloigner. Ravi – en homme qui aime les mots – de la réplique hautaine de son héroïne, ému par son aplomb, heureux d'avoir pu conserver son rêve intact.

Après ce premier soir, Jean-Marie et Juliette se revirent fréquemment, chacun trouvant dans l'autre le reflet héroïque que seule son imagination avait osé polir. Avec Jean-Marie, Juliette devenait princesse au hennin brodé et à la lippe dédaigneuse. Assise dans les tribunes, elle tendait son gant au preux chevalier qui combattait pour défendre ses couleurs et permettait, à peine, à son souffle léger de venir se poser sur ses lèvres.

En compagnie de Juliette, Jean-Marie vivait, pour la première fois, toutes les émotions délicieuses, qui, croyait-il, n'existaient que dans les livres. Il devenait, enfin, Julien Sorel essayant d'attraper la main de Mme de Reynal sous la table et attendait, fiévreux, le soir où elle s'abandonnerait…

Chapitre 5

André Larue avait toutes les raisons de se féliciter d'avoir nommé Émile Bouchet rédacteur en chef adjoint. Ce petit jeune homme est épatant, pensait-il en se frottant les mains. Il n'a l'air de rien, mais il en remontrerait à plus d'un fin politicien. En voilà un à qui le pouvoir réussit. Il a échappé à tous les pièges tendus au jeune loup en pleine ascension. Il reste d'une modestie et d'un effacement exemplaires, ne prend aucune décision sans me demander mon avis, me laisse toutes les apparences du pouvoir et ne revendique aucun privilège.

André Larue prenait l'habitude de se décharger sur Émile des corvées qui lui pesaient. Aussi, quand Florent Bousselain lui téléphona, un jour, en le priant de recevoir sa fille Annick qui voulait faire du journalisme, il demanda à Émile de s'en occuper.

Émile fut ravi de l'opportunité qui se présentait. Florent Bousselain était certainement le patron le plus en vue de France. Propriétaire de la première entreprise française d'électronique, il avait su habilement se diversifier et était, à cinquante-deux ans, à la tête d'un groupe qui comprenait, outre son affaire d'électronique, une banque privée, des journaux féminins, des actions dans une radio périphérique et une marque de cosmétiques. En peu de temps, Florent Bousselain était devenu un personnage public. Grand, élégant, distingué, il défendait les intérêts de l'industrie française à l'étranger où il avait installé de nombreuses succursales. C'était un de ces ténors qui avaient compris l'usage que l'on pouvait faire des médias et savaient rendre les problèmes de fabrication ou de compétition internationale aussi passionnants que les derniers démêlés de Soljénitsyne avec le Nobel.

– Pourquoi elle travaille pas dans les journaux de son père au lieu d'essayer d'entrer au *Figaro* ? demanda Bénédicte à Émile après qu'il eut vu la petite Bousselain.

– Parce que, justement, ce sont les journaux de son père, répondit Émile.

– Elle est comment ?

– Ravissante et féminine et…

Il avait pris pour lui répondre un ton rêveur et feutré comme s'il parlait d'un personnage de la plus haute importance. Cela irrita Bénédicte, qui rétorqua :

– Une fille à papa, quoi !

– Pas plus que toi.

Bénédicte le regarda, stupéfaite. C'était la première fois qu'Émile adoptait un ton critique à son sujet. Le supporter du premier rang sifflait sa vedette préférée. Il dut s'en rendre compte, car il signa aussitôt la paix.

– Mais non, ma chérie, je plaisantais. Je te promets.

Il l'embrassa.

Bénédicte se laissa faire, mais garda de cet incident l'impression pénible d'avoir été trahie.

– Rosita, vous pouvez donner un coup de fer à mon chemisier ? demandait Bénédicte sur le seuil de la cuisine.

– Oui. Bous êtes la seule à porter ces franfreluches. Chaque fois que je repasse, c'est pour bous.

Rosita était de très mauvaise humeur. Sa vieille haine contre Franco était réveillée par le procès des seize nationalistes basques à Burgos. Il fallait toute l'énergie et le bon sens de son mari et de ses deux filles pour la retenir d'aller manifester dans la rue.

– C'est pas difficile, commentait-elle à l'adresse de Juliette et Martine. À la maison, on dit pas aller aux petits coins, mais aller chez Franco. C'est bous dire en quelle estime on le porte celui-là... Il pourrait mourir écorché bif que je trouberai ça à peine assez. Après toutes les atrocités dont il est responsable !

Juliette et Martine ne répondirent pas. Elles ne comprenaient pas grand-chose au problème basque et ne voulaient pas ouvrir une discussion à ce sujet aussi tôt le matin. Elles se regardèrent par-dessus leur bol de café et haussèrent les épaules.

– Rosita, cria Bénédicte, ça y est ?

Juliette jeta un coup d'œil sur le chemisier Saint-Laurent que Rosita manipulait délicatement et siffla.

– Dis donc, elle déjeune avec le président de la République ?

– Presque, répondit Martine. Elle rencontre Florent Bousselain. Il a invité Émile à déjeuner chez *Maxim's* et elle a réussi à se faire inviter.

– À mon avis, elle va essayer de le séduire...

– Rosita ! piaffa Bénédicte.

– Boilà, boilà... L'a pas de conscience politique, celle-là. Me bousculer un jour comme ça...

Bénédicte attrapa le chemisier et partit finir de s'habiller.

Bénédicte grattait de l'ongle la banquette en peluche rouge sur laquelle elle était assise. Elle s'ennuyait. Les deux hommes parlaient, parlaient. Émile essayait d'éblouir Bousselain ; Bousselain récapitulait l'état de la France comme un propriétaire qui fait l'inventaire : la nouvelle société de Chaban, les émeutes maoïstes, la révolte des commerçants, la resucée de Mai 68 en mai 70, l'arrestation de Geismar, la dissolution de la gauche prolétarienne...

– C'est inquiétant, cette séparation de la France en deux, disait Émile. La révolte gronde partout...

Ils échangeaient vues sur le monde et morceaux de pain avec le même sérieux.

– Oui mais, regardez le sondage fait aujourd'hui, un mois après la mort de De Gaulle : Pompidou obtient 69 % de satisfaits. Plus que le général n'en a jamais obtenu... C'est un très bon président que nous avons là. Il s'occupe peut-être un peu moins de la grandeur de la France mais beaucoup plus de moderniser son industrie. Je suis extrêmement confiant.

Puis ils évoquèrent le déclin de l'Amérique et du dollar.

– C'est le moment d'aller s'installer là-bas... Les conditions financières nous sont tout à fait avantageuses.

Bénédicte pensa à Martine qui avait son billet en poche.

Comme il se devait, Émile laissa le mot de la fin à Bousselain.

Chacun a joué son jeu, pensa-t-elle. Émile voulait briller et se faire connaître, Bousselain obtenir la place pour sa fille. Donnant donnant.

Bousselain invita Émile à venir chasser avec lui en Sologne. Émile remercia et assura qu'Annick pouvait se considérer comme embauchée. Le chauffeur de Bousselain les déposa devant *le Figaro*. Dans l'ascenseur, Bénédicte explosa :

– Qu'est-ce que je me suis ennuyée !

– Tu aurais pu te laver les cheveux quand même, dit Émile.

– Mais je me suis lavé les cheveux !

– On dirait pas…

Elle n'eut pas le temps de protester davantage. La porte de l'ascenseur s'ouvrit et l'huissier s'inclina devant Émile. Dans le bureau d'Émile, Geneviève, sa secrétaire, l'attendait avec une liste de gens à rappeler et des problèmes à régler immédiatement. Bénédicte le laissa à regret.

Souvent, dans les jours qui suivirent, Bénédicte eut l'impression étrange qu'il se passait quelque chose et que ce « quelque chose » allait changer sa vie de manière irrémédiable. Elle n'aurait pas su dire quoi exactement, mais elle se sentait menacée. Dans le dos.

Elle devint inquiète, à l'affût, maladroite.

Émile était très occupé : de violents affrontements avaient éclaté dans les ports polonais de la Baltique et les troubles s'étendaient bientôt dans toute la Pologne ; en Espagne et en France avaient lieu des manifestations de masse pour soutenir ou vilipender Franco ; le divorce était introduit en Italie ; Régis Debray allait être libéré en Bolivie ; à Rio, l'ambassadeur suisse était enlevé… Il fallait envoyer des reporters dans tous les coins du monde et, en ce mois de décembre, c'était dur de faire partir les journalistes cramponnés à leurs achats de Noël et à leur sapin. Émile ne quittait presque plus son bureau, encourageant les envoyés spéciaux au téléphone, demandant son avis à Larue, relisant la copie, rédigeant des titres et des chapeaux. Bénédicte n'arrivait plus à le voir.

Il y a autre chose, pensait-elle. Il a déjà été accaparé, mais il y avait toujours de la place pour moi.

Il ne dormait plus rue des Plantes, prétextant des horaires trop irréguliers, et rentrait chez lui. Il n'était plus jamais libre pour déjeuner. Il l'évitait.

Éjectée. Étrangère. Tout juste si Geneviève ne lui

disait pas : « Rappelez plus tard, M. Bouchet est occupé » quand elle téléphonait.

Elle crut devenir folle. Elle comprit les gens dont la raison vacillait après une séparation ou une rupture.

Sans le regard d'Émile, elle était privée de carte de visite.

Elle joua son va-tout.

Depuis longtemps, un journaliste du service politique – le service noble du *Figaro* – lui faisait la cour.

Elle se laissa inviter à déjeuner, puis à dîner. Il n'osait pas aller plus loin : elle l'encouragea.

Un vendredi soir, il vint dans son bureau et lui proposa de partir avec lui un week-end à Honfleur. Elle accepta. Il avait à peine quitté la pièce, ne croyant pas à son bonheur, qu'elle prit son téléphone et composa le numéro de la ligne directe d'Émile. C'est lui-même qui répondit.

– Allô, c'est Bénédicte.

– Oui. Écoute, je n'ai pas le temps, j'ai Desjardins sur l'autre ligne en direct de Rio…

– Je vais être très brève. Je viens d'accepter de partir en week-end avec Édouard. Je voulais seulement te prévenir.

Elle raccrocha. Pantelante. Les genoux tremblant, le cœur galopant. Elle le provoquait pour qu'il fasse, enfin, attention à elle.

Il rappela.

– Bénédicte, c'est stupide… Pourquoi fais-tu ça ?

– Parce que, depuis quinze jours, je n'existe plus. Tu ne me regardes plus.

– Mais c'est faux. Je suis très occupé, tu devrais le comprendre.

– Tu mens, Émile. Tu mens.

Il ne répondit pas et elle raccrocha, ivre de rage, cher-cha des yeux quelque chose à casser, jeta violemment le pot avec tous les crayons par terre et renversa le télé-phone.

Elle décida d'aller aux toilettes se passer de l'eau froide sur le visage. Ça va me calmer, il ne faut pas que je perde les pédales. Rester digne, digne. Elle répé-tait ces mots, en se tapotant le visage sous le robinet quand elle entendit des pas dans le couloir et des voix qui se rapprochaient. Elle se réfugia dans l'une des trois cabines et s'accroupit, reprenant son souffle. Elle reconnut les voix de Geneviève et de la secrétaire de Larue. Tout me fait peur, soudain. Je bats en retraite devant des filles que je regardais de haut il y a… Ça me paraît si loin. Elle retint sa respiration et écouta ce qu'elles disaient. Elles parlaient d'elle et d'Émile.

– Bien fait pour cette petite mijaurée. Elle se croyait tout permis… Ça va lui faire du changement.

– Je le comprends, Bouchet. Pour sa carrière, la petite Bousselain est bien plus utile… Sans compter qu'elle est plutôt jolie… Elle est au courant, tu crois ?

– À mon avis, non. Elle arrête pas d'appeler et de faire des scènes au téléphone… Mais va bien falloir qu'il le lui dise, j'ai l'impression que la petite Bousselain veut s'installer et vite. Elle est pas habituée à ce qu'on lui résiste, celle-là…

– Encore une qui va le mener par le bout du nez !

Elles pouffèrent de rire.

– Tu fais quoi ce week-end ?

– Je repeins l'appartement avec Gilbert… Il en a besoin, tu sais. Ça va faire dix ans qu'on est là et on n'a jamais rien fait.

Elles parlèrent peinture, maquillage et belles-mères. Puis se retirèrent en riant.

Bénédicte restait enfermée. Elle eut envie de vomir et se pencha sur la cuvette des toilettes. Elle avait mal à la tête, mal au cœur, mal au ventre. Elle pleurait. Des larmes coulaient sur son visage, et elle ne cherchait pas à les arrêter. Bientôt, elle entoura ses genoux de ses bras et se mit à sangloter :

– Maman, maman, pourquoi tu m'aimes pas ? Je sais que tu m'aimes pas, maman, maman…

La raison se retirait tout doucement d'elle. Elle devenait irresponsable, étrangement légère, comme une enfant. Elle ne voulait plus sortir des toilettes. « Ils » vont voir que j'ai pleuré et « ils » vont être si contents.

Elle resta longtemps accroupie, à attendre qu'« ils » partent et que ses yeux dégonflent. Le visage contre la cuvette froide, le regard fixant l'eau jusqu'à en être hypnotisée. Elle n'arrivait pas à y croire. Ça lui paraissait impossible. Je vais me réveiller. Ce n'est qu'un cauchemar.

Édouard Rouillier attendit, en vain, Bénédicte Tassin, ce soir-là. Lui aussi dut se dire qu'il avait rêvé. Que c'était un beau rêve…

Quand elle fut sûre de ne plus rencontrer personne, Bénédicte quitta *le Figaro* et rentra rue des Plantes. Là, elle se remit à pleurer, au milieu du salon, sous les yeux stupéfaits de Juliette, Martine, Regina et Ungrun. Elle hoquetait des phrases incompréhensibles entre deux sanglots.

– Émile, Bousselain, jamais plus, *Figaro*…

– T'as une histoire avec Bousselain, et Émile s'en est aperçu ? commença Juliette.

Bénédicte secoua la tête, et ses sanglots redoublèrent.

– Bousselain t'a fait du gringue. Émile s'en est aperçu et ça a fait un drame, dit Martine.

Bénédicte continuait à pleurer. Martine et Juliette s'interrogèrent du regard. Regina trancha :

– Cette petite a besoin de Tranxène, sinon elle va nous faire une crise de nerfs. Je vais en chercher…

Ungrun prit Bénédicte dans ses bras et la berça contre elle. Cela aussi fit redoubler les larmes de Bénédicte.

– Maman, maman, criait-elle, maman !

– Il est arrivé quelque chose à sa mère… fit Juliette.

– Maman… Où elle est ?

Regina revenait avec des comprimés et un grand verre d'eau. Elle força Bénédicte à avaler les comprimés et lui posa une compresse sur le front.

– Elle doit pleurer depuis longtemps, elle a de la fièvre… Je crois qu'il vaudrait mieux qu'elle se couche, elle nous expliquera demain matin.

Elles hissèrent Bénédicte jusqu'à sa chambre, la déshabillèrent, la mirent au lit. Martine et Juliette décidèrent de rester à son chevet jusqu'à ce qu'elle s'endorme.

– Le Tranxène va la faire dormir, déclara Regina.

Une fois seules avec Bénédicte, Juliette et Martine chuchotèrent dans la pénombre. Qu'est-ce qui avait bien pu se passer pour que leur chef de bande s'écroule ainsi ?

– Et si j'appelais Émile ? Il doit savoir, lui…

– Tu as son numéro ?

– Non. Mais, au journal, ils me le donneront peut-être…

Émile était encore au journal. Il eut l'air soulagé de pouvoir parler avec Martine. Depuis trois semaines, il fuyait Bénédicte, fuyait l'explication. Il raconta tout d'un trait. Comment il était tombé amoureux d'Annick Bousselain la première fois qu'il l'avait vue, comment ils s'étaient revus « par hasard » – à ce mot, Martine eut un petit sourire – et comment il était désemparé face à Bénédicte.

– Vous allez vous occuper d'elle, Juliette et toi ? demanda-t-il.

– Oui, bien sûr.

– Je t'en suis très reconnaissant. Je ne sais pas quoi faire avec elle…

– C'est sérieux avec miss Fille-à-papa ?

– Oui… Non… Je ne sais pas.

Lui non plus, il ne comprend pas ce qui lui arrive, se dit Martine et elle raccrocha.

Bénédicte resta alitée toute une journée. Juliette et Martine se relayèrent à son chevet. Chaque fois que le téléphone sonnait, elle tressaillait, inclinait le buste puis se rallongeait, déçue. Juliette l'observait, étonnée. Tellement stupéfaite de l'attitude de son amie, qu'elle restait là, à lui tenir la main sans parler. Elle n'aurait jamais cru que Bénédicte tînt autant à Émile.

Martine, si elle ne parlait pas davantage, comprenait mieux. Il la rassurait tellement qu'elle doit se sentir perdue, handicapée, sans ressources…

Aussi, le lendemain, quand Bénédicte déclara qu'elle resterait à la maison et n'irait pas travailler, Martine intervint :

– Tu vas t'habiller, tu vas même te débrouiller pour être très belle et tu files au *Figaro*.

– Non. Je ne peux pas, marmonna Bénédicte, blême.

– Si. Qu'est-ce qu'ils vont penser de toi là-bas ? Sans compter que ce n'est pas professionnel.

– Je t'assure que je ne peux pas. Je veux rester ici.

– Martine a raison, reprit Juliette. Il faut que tu leur fasses croire que t'en as rien à foutre.

– Absolument, et même… même… que t'as un autre mec ! s'écria Martine.

– Oui. C'est ça. Tu vas t'inventer une autre histoire d'amour… Comme ça, les gens croiront que c'est toi qui as largué Émile ! dit Juliette.

– T'as pas un mec qui te tourne autour en ce moment ? demanda Martine.

Bénédicte écoutait, passive, Martine et Juliette mettre au point toute une stratégie pour qu'elle ne perde pas la face.

– C'est très important de garder la tête haute, reprit Martine. Ne serait-ce que pour toi…

– Je peux te prêter Nizot, si tu veux, dit Juliette. Il le fera. Pour te rendre service. Il ira te chercher au *Figaro* le soir, et les gens diront : « Tiens, tiens, la petite Tassin sort avec Jean-Marie Nizot… »

– Comment ça, tu peux me prêter Jean-Marie ? Tu le vois ?

Juliette se mordit les lèvres. Elle avait fait une gaffe. Dans son élan de générosité, elle avait complètement oublié que Bénédicte ne devait pas savoir qu'elle voyait Jean-Marie.

– Euh… oui… c'est-à-dire…

Martine lui lança un regard terrible et Juliette se tut.

– Écoute, ce n'est pas le problème en ce moment, dit Martine. Lève-toi, prends une douche, fais-toi belle et vas travailler. D'accord ?

– Et si je le rencontre ? demanda Bénédicte. Qu'est-ce que je fais ?

– Comme lui. Tu l'évites et tu l'ignores…

– J'arriverai jamais…

– Si. T'as qu'à penser que la personne que t'aimes le plus au monde est à côté de toi et te donne la main.

– Maman…

– Si tu veux. Pense que ta mère est là et ignore-le. Rappelle-toi : la tête haute et froide. Tu sais bien faire ça d'habitude, ma chérie.

C'était la première fois que Martine avait un mot tendre pour elle, et Bénédicte eut envie de rester au lit, bien au chaud, avec toute cette tendresse autour d'elle.

– Et Noël ? Qu'est-ce que je vais faire à Noël ? J'ai

pas envie d'aller chez mes parents avec tous mes frères et sœurs qui vont faire la fête.

– Écoute, on verra plus tard pour Noël…

– On pourrait le passer ici, toutes ensemble ? proposa Juliette qui voulait se faire pardonner.

– Pourquoi pas ? dit Martine. Allez, lève-toi et sois fière…

Bénédicte posa un pied par terre. Juliette l'embrassa.

– Tu m'en veux pas, dis, tu m'en veux pas ?

– Non. J'ai l'impression que tout m'est égal…

Qu'est-ce que je vais devenir sans lui ? Je ne saurai même plus écrire un tout petit article. Elle repensa à la liste de conseils que lui avait donnés Émile et qu'elle avait affichés au-dessus de son bureau.

Je l'aime bien plus maintenant que lorsque j'étais avec lui, se dit-elle. Mais qu'est-ce qui se passe dans ma pauvre tête ?

Chapitre 6

Martine faisait ses adieux à Pithiviers. Elle était venue en ce week-end de décembre chez ses parents, dans le F4 de la Cité où elle avait passé toute sa jeunesse. Les marches carrelées qui résonnaient au moindre bruit, les cages d'escalier qui amplifiaient les cris de la femme du troisième injuriant son mari revenu ivre du café, les rampes en bois où chaque fille ciselait le nom du garçon avec qui elle flirtait et le paillasson de la concierge avec les initiales R. G. imprimées en gros. Il avait appartenu aux premiers concierges et chaque nouveau gardien, depuis, l'avait conservé. Il intriguait beaucoup Martine quand elle était petite. Elle se demandait ce que voulaient dire ces lettres pour que le paillasson demeure, immuable, malgré les changements de propriétaires : Renseignements Généraux ou Révérence Garder… Des heures et des heures, elle jonglait avec ces initiales quand elle attendait qu'un de ses parents rentre de la Sucrerie et lui ouvre la porte. Rapidité Garantie, Respectabilité Gagnée… Elle inventait les alliances de mots les plus absurdes et jouait sans fin avec le paillasson.

Je vieillis, se dit-elle ce jour-là, je pose un regard attendri sur mes souvenirs d'enfance… Ses parents aussi, elle les considérait autrement. Elle ne leur en voulait plus comme avant. C'est moi qui suis différente, pas eux. Eux, ils sont comme tout le monde. Pourquoi suis-je ce petit canard noir qui se dandine à l'écart ?

Joëlle parlait glissière de rideaux avec sa mère quand Martine entra. Elles s'interrompirent, et Martine eut l'impression de gêner. Elle prétexta une émission de télé à regarder et se tint à l'écart. La conversation reprit sur l'espace à laisser entre les crochets sur la rufflette et les fronces qu'il convenait de faire. C'est peut-être à ça que j'ai échappé en perdant Richard, au monstrueux alibi du mariage qui permet à la femme de renoncer à elle-même avec la bénédiction de la société ? À s'occuper de rufflettes et de rillettes puis d'oreillons et de biberons, de garderies et de jeudis, de compositions et de récitations.

Chaque fois que Martine pensait à Richard, la haine revenait. Le petit cube se dilatait et l'emplissait de rage. De rage froide et déterminée. Il peut crever sur le trottoir d'en face, je ne jetterai même pas un regard de côté pour assister à son dernier hoquet… Ne pas penser à lui. Ne pas penser à lui, se répétait-elle les poings serrés. Ne pas me retourner sur mon passé sous menace de me retrouver changée en statue de sel. Regarder droit devant la ligne bleue des gratte-ciel, faire gambader les initiales de Pratt Institute et les Américains, les beaux Américains dans leurs longues voitures décapotables. C'est autre chose qu'un petit rastaquouère au nez de travers. Oui fuit. Ne pas y penser, ne pas y penser. Ou alors pour me donner l'espérance de la vengeance, l'énergie de la revanche, la force du coup de poing retour qui écrase l'adversaire. K-O. Comme le comte de Monte-Cristo.

Le week-end se passa à traîner. À dire au revoir aux uns et aux autres. À mettre des pièces dans le juke-box du *Café du Nord* et à écouter sans fin le thème du film *Borsalino*, la joue contre la glace de la machine. Marseille et ses truands, Belmondo et Delon sous le soleil chaud, les putes, les cafés, les règlements de

comptes, les petites rues du Panier, la Méditerranée…
J'aurai pas ces images « là-bas », à New York.

Elle pensait « là-bas » et cherchait des raisons pour rester « ici ». Reprenait un sirop d'orgeat, commandait un pithiviers, allumait une Gitane, faisait glisser son doigt sur le formica de la table du café. Là-bas, ici, là-bas, ici. Gratte-ciel et statue de sel.

Le samedi soir, elle invita ses parents au restaurant. Ils étaient un peu intimidés de se retrouver dans un cadre qui ne leur était pas familier. On n'est jamais parti en vacances ensemble, se souvint Martine, Joëlle et moi nous allions en colonie de vacances dans un centre aéré du Parti et eux restaient à Pithiviers. Ou allaient voir de la famille en Bretagne.

– C'est la première fois qu'on se retrouve tous les trois comme ça au restaurant, dit Martine.

– C'est vrai qu'on ne sort guère, répondit sa mère.

Ils mangeaient en silence. Trouvaient que ça manquait de sel. Que le vin sentait le bouchon. Que le service était trop lent…

– Et c'est le service qu'on paye, fit remarquer M. Maraut.

Habitués à toujours compter, les Maraut ne savaient pas profiter. Ils avaient choisi les plats les moins chers sur la carte, et il fallut que Martine insiste pour qu'ils prennent une timbale de fruits de mer et un lapereau aux morilles.

– C'est moi qui vous invite…

Ils s'étaient résolus, un peu à contrecœur. Comme pour lui faire plaisir. Et ça lui gâchait sa joie.

– Papa, maman, vous savez, c'est la dernière fois qu'on se voit peut-être avant longtemps…

Ils la regardèrent, étonnés qu'elle parle ainsi. Aussi directement. D'habitude, ils passaient par le temps ou le prix des haricots pour communiquer.

Le garçon disposa les couverts à poisson de chaque

côté de l'assiette de Mme Maraut, et Martine surprit un regard de sa mère vers son père.

– Vous allez me manquer, continua Martine bien décidée à ne pas laisser le silence habituel s'installer.

Ici, il n'y a pas de télé pour couvrir les voix. Ils vont être obligés de parler et d'écouter. À la maison, il faut crier si fort pour se faire entendre que personne ne prend plus la peine de ne rien dire.

Ils parurent d'abord déroutés par la déclaration de leur fille.

Puis son père eut un renvoi, posa son couteau et demanda :

– Pourquoi, tu pars, alors ? T'es pas bien ici ? Tu as un bon travail pourtant…

– J'ai envie de grand, papa. De gigantesque. J'étouffe. J'ai l'impression que les gens sont rangés dans de petites boîtes et…

– Déjà petite, elle disait qu'elle avait besoin d'air, rappelle-toi, dit sa mère à son père.

– Non, pour moi, ce sont ses lectures qui lui ont gâté l'esprit… Ses lectures et ses fréquentations.

Martine constatait, avec tristesse, que le début de dialogue amorcé s'arrêtait aussitôt.

– Ce n'est pas votre faute, vous savez. C'est quelque chose que j'ai dans la tête depuis longtemps. Je me trompe peut-être, on verra.

Il y eut encore un silence, le temps pour son père de nettoyer son assiette avec un morceau de pain, puis il reprit :

– Je ne comprends pas. C'est dur là-bas. Sans pitié. Tu vas être obligée de te battre…

– C'est ça que j'aime…

– C'est chacun pour soi…

– Justement, ce qui me séduit dans ce pays, c'est qu'il ne repose sur aucune théorie politique. C'est un pays pragmatique où seules l'expérience et l'action comptent…

Ils ne parlaient jamais politique ensemble. Depuis que Martine s'était rebellée, et avait voulu garder les deux bonnets volés chez Phildar, le sujet était interdit. Plus tard, pour que les choses soient claires malgré le silence imposé, elle avait affiché, juste au-dessus de son lit, une phrase écrite au crayon feutre rouge qui disait : « J'aime pas les kopecks et tout ce qui va avec. »

– C'est un choix. C'est TON choix. Mais tu sais bien ce que j'en pense…

– Papa, laisse-moi t'expliquer.

– C'est inutile, Martine. On ne t'a jamais rien empêché de faire, ta mère et moi, tu le sais bien. Cela n'empêche que je ne comprends pas pourquoi tu pars là-bas. Tu as toujours été contre nos idées, je ne sais pas pourquoi et je ne tiens pas à le savoir. Je préfère d'ailleurs qu'on n'en parle pas, comme ça on reste en bons termes, toi et nous.

– Ah ! c'est facile de dire ça, protesta Martine, qui sentait la colère l'envahir.

– C'est peut-être facile, mais c'est comme ça…

– Mais, papa… On ne peut jamais parler de rien avec toi. Je ne critique pas vos idées, je revendique les miennes, c'est différent quand même !

– Fameux ce petit bordeaux finalement, tu ne trouves pas, Thérèse ?

Au même moment, Martine reçut un coup de pied dans les chevilles, et elle comprit que sa mère lui demandait de se taire.

– Je suis contre les idéologies, toutes les idéologies. C'est ça mon militantisme à moi, conclut-elle.

– Parce que tu n'as pas eu à te battre. Comme tous ceux de votre génération. Si on n'avait pas revendiqué, ta mère et moi, tu n'aurais pas, crois-moi, tout le confort et les ouvertures dont tu disposes aujourd'hui…

– Il a raison, Martine, intervint Mme Maraut. C'est facile aujourd'hui de critiquer…

Martine renonça. Elle n'allait pas leur reprocher leurs années de militantisme. Ils étaient sincères et honnêtes, eux. Ils n'en avaient tiré aucun profit personnel. Ils étaient de vrais ouvriers qui, maintenant, vivaient comme de vrais petits-bourgeois. Elle leur reprochait, au fond, de s'être arrêtés en chemin. Au F4 de la Cité et aux consignes du Parti. Pas d'esprit critique ou d'initiative personnelle. Pas de discussion possible ou de regard différent. L'horizon s'était refermé sur les réunions de cellule et les paroles du camarade Waldeck-Rochet. Ils doivent penser que je trahis, que je passe à l'ennemi. Et ils regrettent peut-être aussi de ne pas être resté devant leur télé à regarder les Forsythe…

Elle eut un sourire maladroit et leur demanda ce qu'ils voulaient comme dessert.

Le lundi matin, elle se leva à cinq heures et demie et prépara le petit déjeuner. Son père faisait partie de l'équipe de sept heures, sa mère ne travaillait qu'à neuf heures, ce jour-là. Elle resta donc seule avec son père, lui servit son café au lait, lui beurra ses tartines. Il la remercia pour le dîner au restaurant. Elle posa sa main sur la sienne et il la retira pour se frotter les yeux. Puis, il se leva en se massant les reins.

– T'as mal ? demanda Martine.

– Oui. Le toubib m'a dit de porter une ceinture… Bah ! ça passera. C'est le temps… mauvais, mauvais…

Il jeta un coup d'œil par la fenêtre. Il faisait gris et le ciel était bas. Pendant toute la semaine, il allait se lever sous le même ciel pour effectuer le même travail. C'était l'époque où on acheminait les betteraves vers la Sucrerie, où les tracteurs et les camions venaient décharger leurs cargaisons, où il fallait manœuvrer de lourds containers de tubercules boueux.

Martine se leva et alla l'embrasser comme il s'apprêtait à partir, sa gamelle en bandoulière et le béret enfoncé.

– Au revoir, papa.

– Au revoir, ma fille.

Ils étaient debout, l'un en face de l'autre, et ne savaient pas quoi dire.

– Bonne journée, ajouta Martine.

– Oh ! tu sais, le lundi c'est gai que pour les riches… Allez ! Et bonne chance…

– C'est ta faute aussi, lui dit sa mère. Il faut toujours que tu parles de ce qui chagrine… Tu crois que ça lui plaît à ton père de te voir partir en Amérique !

– Mais si je ne parle pas avec vous, ça sert à quoi que vous soyez mes parents ?

Sa mère haussa les épaules et trempa sa tartine dans son Banania.

– T'as toujours été comme ça. Tu as toujours voulu réformer le monde. Je me demande ce qu'on avait dans la tête quand on t'a faite !

– Vous étiez peut-être en pleine rébellion. C'est de vous que je tire ça…

– Va savoir ?

– Dis, maman, à qui je ressemble ? À papa ou à toi ?

Elle aurait eu envie que sa mère lui parle. Qu'elle l'évoque, bébé ou plus grande. Qu'elles se penchent toutes les deux sur son enfance. Au lieu de quoi, Mme Maraut se leva, alla poser son bol dans l'évier, fit une rapide vaisselle, puis, s'essuyant les mains, ajouta :

– C'est pas tout ça, faut que j'y aille. Je pointe à neuf heures aujourd'hui.

Elle suivit le même cérémonial que son mari. Prit sa gamelle, la mit en bandoulière, noua un foulard sur ses cheveux et remonta son col.

– Doit faire frais aujourd'hui…

Martine la regarda avec attention. Elle ne savait pas quand elle la reverrait. Elle eut peur. Envie de se blottir contre son manteau.

– Allez, ma grande, porte-toi bien et donne de tes nouvelles. Fais bien attention à toi…

– Take care, comme disent les Américains.

– Quoi ?

– Rien.

Sa mère l'empoigna rudement, frotta ses deux joues contre les siennes. Martine sentit la gamelle lui rentrer dans le ventre, l'odeur de savon propre et le col du manteau un peu rêche. Maman, maman.

Sa mère se dégagea.

– Et donne de tes nouvelles, hein ?

Elle agitait l'index comme si elle lançait un avertissement.

– Promis, dit Martine.

– Et, en sortant, tu fermes à clé et tu laisses la clé chez les gardiens.

– Promis.

– Et ne fais pas la sotte, tu es grande maintenant.

Martine hocha la tête.

Elle n'aurait pas cru que ce serait si dur de quitter ses parents.

Elle passa la journée à ranger ses affaires, à trier ce qu'elle emportait. Elle avait allumé le transistor, et Anne-Marie Peysson donnait des recettes de cuisine. Énervée, elle passa sur Europe et, comme elle changeait de station, elle prit une chanson en plein cœur. You've

lost that loving feeling, you've lost that loving feeling,
you've lost that loving feeling woo, woo…

Le souffle coupé, elle se laissa tomber sur une chaise.
La chanson de Richard. Le sourire aller et retour revint
la hanter, elle eut comme un fourmillement de douleur
au plexus et elle pria tout bas : Reviens, Richard,
reviens, s'il te plaît, où que tu sois. Je t'aime, s'il te
plaît, reviens…

Chapitre 7

– Ma petite Djouliette, je voulais vous dire que j'étais très contente de vous.

– Content, monsieur Farland. Vous êtes masculin.

Farland rit et s'assit sur le bord du bureau de Juliette, les mains dans les poches. Il est toujours habillé pareil : costume gris, chemise rayée avec col boutonné, cravate club. Les cheveux grisonnants coupés court, les yeux bleus, la chevalière de son université à la main gauche, le sourire éclatant – il le soigne comme d'autres polissent leur voiture – et la mine bronzée. Une vraie réclame de cadre quinquagénaire prospère. Il a envers elle des manières amicales sans l'ombre d'une ambiguïté ni la moindre tentative de séduction. Tombé amoureux de la France, il vit à Paris depuis deux ans. Il a monté son cabinet d'avocats internationaux avec un autre Américain, d'origine belge, M. Noblette. Chez Noblette et Farland, la majorité du personnel est anglaise ou américaine, et Farland vient souvent « entretenir » son français avec Juliette. Il prononce Djouliette et elle aime bien.

– Vous vous débrouillez très bien, vous savez. J'ai eu une bonne idée de vous prendre en stage.

– Je vous retourne le compliment : je suis très contente – féminin – de travailler avec vous.

Elle disait la vérité. Chez Noblette, le travail était rapide et efficace, les patrons ne vous pinçaient pas les

717

fesses et elle apprenait tous les jours quelque chose. Son anglais s'était grandement amélioré et elle s'était inscrite aux mêmes cours d'anglais, bien qu'à un niveau inférieur, que Martine.

– Pourquoi vous êtes-vous intéressée au droit, Djouliette ?

– Pour qu'on m'appelle Maître… Et vous ?

– Depuis le jour où mon train électrique tout neuf s'est cassé… J'avais neuf ans, je me suis juré de poursuivre le salaud qui me l'avait vendu et d'avoir sa peau.

Ce fut au tour de Juliette de rire.

Depuis qu'elle travaillait chez Noblette, la fac lui paraissait totalement dénuée d'intérêt. La première année, elle avait été terrifiée ; la seconde, elle avait travaillé, et c'est seulement en troisième année, qu'elle se demandait ce qu'elle faisait là sur les bancs d'Assas, à bâiller aux textes de loi alors qu'il se passait des choses bien plus intéressantes dans son bureau avenue Victor-Hugo. Elle se demandait si elle n'allait pas interrompre ses études. Elle en parla à Farland qui le lui déconseilla.

– Un diplôme, c'est toujours bien. Surtout en France… Et puis, si un jour, vous vouiez aller travailler aux États-Unis, ça vous fera gagner du temps.

Juliette soupira. Pour le moment, elle en manquait terriblement de temps. Noblette, la fac, les cours d'anglais, Nizot, Virtel, Louis.

Ce soir, elle sortait avec Jean-Marie. Ils allaient voir *le Songe* de Strindberg à la Comédie-Française. Il y a une semaine, se dit Juliette, j'ignorais tout de Strindberg. Je l'aurais pris pour un courant polaire ou pour une marque de maillot.

Jean-Marie l'attendait sous les arcades, les deux billets à la main. Juliette avait souvent le sentiment d'assister à un spectacle « sacré » quand elle allait au théâtre. L'impression de participer à une mise en scène grandiose et rituelle qui commençait au contrôle et durait tout le temps de la représentation. Elle n'aurait pas été étonnée de voir se pointer Louis XIV et sa cour au moment des trois coups. Le faste de la Comédie-Française, ce soir-là, lui plaisait particulièrement. Toutes les conventions, que Louis et ses copains essayaient de supprimer, voire de ridiculiser, dans leur cave de la rue du Temple, y étaient illustrées. Quand elle retrouvait Louis, au Vrai Chic, elle se faisait le plus cradingue possible pour ne pas détonner. Leur dernière invention : ne pas faire payer les roux !

Ce soir, avec Jean-Marie, elle s'était habillée et savourait le plaisir des lumières, du décor, de l'odeur – elle aimait l'odeur des théâtres, une odeur de plusieurs siècles. Quand le rideau tomba, Juliette applaudit à tout rompre.

– Tu es la fille la plus enthousiaste que je connaisse, lui dit Jean-Marie.

Ses cheveux noirs brillaient, ses yeux chatoyaient, il portait un costume élégant avec une désinvolture telle qu'il en paraissait encore plus distingué. Il émanait de lui une supériorité intelligente et raffinée qui ravissait Juliette, l'emportait sur des sommets et la bonifiait.

– C'est grâce à toi. Depuis que je te connais, je vais beaucoup mieux, j'ai changé. Tu m'as appris à être fière de moi…

– « La conscience de soi vaut mieux que la gloire », a dit Barbey d'Aurevilly et, toi, tu es en train de devenir une force, une vraie force… avec laquelle il va falloir compter.

– Je vais devenir terriblement orgueilleuse…

– Tant mieux. C'est du bon orgueil. Savoir qui on est et ne pas se laisser marcher sur les pieds. C'est ma grand-mère qui m'a appris ça.

Il lui parlait souvent de sa grand-mère.

Juliette regrettait de ne l'avoir pas connue. Comme Minette. Elle, je l'ai frôlée. Je l'ai regardée avec le regard des autres et je l'ai manquée. Je n'avais pas encore mon regard à moi.

– Jean-Marie, Jean-Marie !

Ils se retournèrent et aperçurent Émile Bouchet en compagnie d'une grande blonde. Tiens, la remplaçante de Bénédicte, pensa Juliette qui se promit de marquer la distance.

Émile fit les présentations et proposa à Juliette et Jean-Marie de venir dîner avec la blonde et lui, chez *Castel*. Juliette brûlait d'envie d'y aller, mais elle ne répondit rien par solidarité avec Bénédicte.

– C'est très gentil, mon cher. Mais nous avons d'autres projets, dit Jean-Marie.

Émile eut l'air déçu. Apparemment, un des grands plaisirs qu'il retirait de sa nouvelle conquête était de l'exhiber.

Ils se séparèrent, Émile multipliant les sourires, la blonde affichant une distance proche du mépris.

– Je hais les sourires serviles d'Émile, commenta Nizot. On dirait un commerçant… Et elle, sous prétexte qu'elle est fille de grand patron, elle se croit déshonorée si elle desserre les lèvres.

– C'est une fausse blonde. J'ai vu ses racines, ajouta Juliette.

Ce soir-là, ils allèrent dîner dans un restaurant russe, et Juliette en sortit un peu ivre.

– Juliette, viens chez moi… S'il te plaît. Je te regarderai dormir, je ne te toucherai pas.

– Non. Ce serait trop facile…

« Trop facile » était devenu un mot de passe entre eux. Une manière de se reconnaître complices, unis dans la même conspiration : la découverte et la fabrication de Juliette Tuille. Elle avait peur qu'en s'allongeant toute nue contre Jean-Marie, cette Juliette-là disparaisse à tire-d'aile. Que l'autre Juliette, celle qui se laissait escalader froidement par Donald Duck ou passionnément par Louis, n'en fasse qu'une bouchée et détruise, avec la même avidité, Jean-Marie Nizot.

Comme elle ne pouvait pas expliquer tout cela à Jean-Marie qui s'était soudain rembruni, elle lui dit d'une toute petite voix douce et suppliante :

– S'il te plaît, fais-moi confiance. J'ai besoin de temps… S'il te plaît.

Elle se pencha et lui déposa un baiser chaud et léger sur la bouche.

Un baiser doux de fiancée, pensa Jean-Marie. Que c'est douloureux d'être amoureux ! Il n'osait pas poser de questions sur l'autre ou les autres qui prenaient des soirées et des nuits de Juliette. Il attendait qu'elle vienne vers lui. Il se répétait qu'il fallait être patient mais. Dieu, que c'était dur parfois ! Quand, pendant toute une soirée, il l'avait sentie à côté de lui, senti son parfum, son souffle, observé le sérieux qu'elle mettait à vouloir apprendre, écouter, comprendre, il n'avait qu'une envie : la prendre dans ses bras et l'emporter pour lui tout seul.

– Juliette…

Elle lui mit un doigt sur les lèvres et secoua la tête. Il ne faut pas parler, semblait-elle dire. Attends, attends…

Avec Virtel, les rendez-vous se déroulaient selon un rite immuable. Donald Duck s'amusait avec son canapé, le pliait, le dépliait, rabattait les accoudoirs, inclinait le dossier, donnait de larges coups de langue, de vigoureux coups de reins, saccageant au passage les mécanismes. Heureusement que j'ai un service après-vente, pensait Juliette, sinon ce sagouin me bousillerait définitivement ma belle sensualité ! De temps en temps – il devait alors se rappeler les protestations véhémentes de Juliette à ses débuts –, il relevait la tête et demandait :

« Et là, c'est bon ? » en pointant une partie de son anatomie qu'il s'employait à meurtrir avec application. Elle
répondait « oui, oui » en pensant à autre chose. Mieux
que le yoga ou la méditation transcendantale pour faire
le point. Elle avait le temps de récapituler ses journées,
ses problèmes et même ceux des autres.

Séminaire en baise mineure.

Elle faisait aussi d'intéressantes découvertes sur sa
sexualité. Ainsi, elle s'aperçut que si elle permettait au
cher Edmond, avec une générosité qui frôlait l'indifférence, l'usage et l'abus de son sexe, il n'était pas question qu'il prenne les mêmes libertés avec sa bouche ou
ses seins, zones érogènes nobles, réservées aux Princes
Charmants. Il pouvait enfoncer sa bouche, ses doigts ou
son sexe dans le sien, ça la gênait à peine. C'était
quelque part en bas, loin d'elle. Au BéloucRhistan ou en
Mongolie-Extérieure. Mais elle ne supportait pas qu'il
se rapproche. Les doigts sur les bouts de seins, la langue
dans la bouche, la bouche dans le cou là où naissent les
frissons, c'était une intimité insupportable. Alors, la
haine naissait dans le ventre. Elle avait envie de replier
ses genoux et de l'envoyer bouler à l'autre bout de la
pièce. Pour le moment, Virtel se contentait de cette
sexualité limitée et délimitée.

Quand il en avait fini de ses diverses manipulations,
il se laissait tomber sur le côté et enchaînait, aussitôt :

– Gin ?

Les parties de gin étaient devenues aussi importantes
que les ébats de Donald Duck. Il se levait, enfilait un
caleçon, bombait le torse, se frappait les pectoraux tel
un guerrier qui va livrer bataille et vérifie le bon état
de ses muscles, passait une main dans l'entrebâillement
de son slip, attrapait une couille, la massait vigoureusement, passait à l'autre, allumait la télé ou la radio, un
cigare, se servait un scotch, soupirait d'aise de tant de

bonheurs accumulés, repartait tâter une couille et sortait les cartes.

Juliette tenait la marque et Juliette trichait. Je veux bien qu'il me baise au lit mais pas aux cartes. Elle faisait tout pour gagner et, quand le sort était contre elle, elle truquait les scores. Virtel la soupçonnait, mais n'osait pas l'accuser. Ç'aurait été se rabaisser, devenir pinailleur, petit enfant boudeur qui cherche désespérément une raison à ses échecs successifs. Il ne pouvait pas se le permettre. Il était Virtel le magnifique, le plus grand entrepreneur parisien, le roi de la toupie. Alors, il se contentait de jeter des coups d'œil furtifs et furieux sur les scores, de refaire mentalement les calculs, mais Juliette déplaçait la marque ou accélérait le jeu, l'obligeant à se concentrer sur ses cartes. Ce n'était plus une partie de cartes, mais un règlement de comptes où aucun ne parlait, où ils se faisaient face, ramassés sur leur tactique. Ils finirent bientôt par passer plus de temps à jouer au gin qu'au lit.

Parfois, Juliette gagnait sans avoir à tricher. Elle lui tendait alors, triomphante, les comptes et il les froissait rageusement. D'autres fois, quand il l'emportait, elle déclarait : « Ça y est, j'ai encore gagné » et déchirait la marque sans lui laisser le temps de contester.

– Je comprends pas, je comprends pas, répétait-il, sonné.

– Vous gagnerez la prochaine fois, Edmond, disait-elle, suave.

Baisé, mon vieux, baisé, chantonnait-elle dans sa tête. Et je te vouvoie, en plus, t'aimes pas ça, non plus… Que c'est bon de faire la guerre, d'embrocher l'adversaire, de le transpercer sans qu'il puisse même protester !

Il avait déjà signé un premier chèque qu'elle était allée déposer à sa banque avec la fierté du pirate qui entrepose son premier butin dans sa grotte. Surcouf lui faisait un clin d'œil. On se bat toujours pour ce qu'on n'a pas. Je gagne mon blé et sauve mon honneur.

Après avoir longtemps plié, Juliette se redressait. Elle commençait à comprendre les lois de la jungle et elle trouvait cela bien plus palpitant que les vieilles notions chrétiennes de gentillesse, générosité, exposition de la joue gauche après que la droite eut été frappée. Elle aurait eu envie d'en parler à quelqu'un, comme on partage l'excitation d'un secret, mais elle se voyait mal en train d'expliquer à Martine ou Charlot d'où provenaient les trois mille francs mensuels qui la faisaient vivre. Son apprentissage restait secret, et elle devait jubiler toute seule.

C'était ça, surtout, qui l'embêtait…

Chapitre 8

– C'est pas possible. Tu triches !

Virtel avait lancé ses cartes sur la table. Son peignoir blanc bâillait sur des bourrelets roses. Il secouait la tête en fulminant, à la fois furieux et incrédule. Assis sur un petit pouf en cuir noir, il avait du mal à rester droit tant son poids le déséquilibrait, le faisant pencher tantôt à droite, tantôt à gauche.

Leurs rencontres auraient intrigué plus d'un observateur étranger dissimulé dans une penderie ou derrière les plis d'un rideau. Ils arrivaient, se disaient à peine bonjour, se déshabillaient vite, vite, baisaient à toute allure, chacun pensant à la partie qui allait suivre. Juliette avait de plus en plus de mal à tricher sans se faire prendre ; Virtel se dépensait tellement à essayer de la battre qu'il lui venait de fortes et entêtantes migraines. Les cigares torsadés remplissaient les cendriers et il en tétait les bouts avec fébrilité.

– Je n'ai pas gagné une fois depuis qu'on joue. Tu vas pas me dire que c'est normal ?

Juliette ramassait les cartes sans rien dire.

– Estimez-vous heureux, Edmond, on ne joue pas d'argent…

– Parlons-en d'argent… On peut dire que tu le gagnes facilement, ton fric. Jamais vu une fille aussi passive !

– Forcément, je consacre toute mon énergie au gin. On peut pas être partout.

– C'est ça, moque-toi, fais la maligne, tu vas pas la faire longtemps.

Il allongea un bras, l'agrippa par le poignet et la fit s'agenouiller devant lui.

– Mais qu'est-ce qui vous prend, Edmond !

– Je veux que tu me tutoies, compris ?

– Je peux pas.

– Si. Tu vas me tutoyer.

– Non.

– Tu vas me tutoyer, t'entends ?

– Jamais.

Les veines sur ses tempes devinrent toutes bleues et ses doigts s'incrustèrent dans son poignet. Il hocha la tête avec un mauvais sourire.

– Ah ! Tu frimes parce que tu gagnes au gin mais, au lit, t'es zéro, ma fille.

– C'est vous qui avez voulu, c'est pas moi. Lâchez-moi, vous me faites mal.

– Je te tiens, je te lâcherai pas !

Juliette se tortilla, essaya de se dégager, mais il la serra encore plus fermement et lui encercla l'autre poignet.

– Tu te crois la plus forte, hein ? Tu me méprises ?

– Écoutez, Edmond, vous ne voulez pas me lâcher qu'on puisse parler de manière plus confortable ?

Elle lui avait parlé très patiemment, comme à un enfant qui fait un caprice, et cela finit de l'exaspérer. Il donna un violent coup de pied dans la table basse et plaqua Juliette contre lui.

– Fini de parler, fini de jouer. Maintenant, tu vas faire ce pour quoi tu es ici, ce pour quoi je te paie. Tu vas me sucer comme une vraie pute.

Juliette le regarda, interdite.

Ça, elle en était incapable. Se laisser prendre, c'était une chose, mais sucer le sexe rose et mou, piqué de poils roux, de Virtel, impossible. Même pour des millions et des millions de dollars. J'évite de regarder son sexe quand il me baise, je me bouche le nez pour ne pas le sentir, alors le sucer...

– Suce !

Il ouvrit son peignoir et attira la tête de Juliette entre ses jambes, la maintenant de ses deux mains. Juliette vacilla. Ferma les yeux, retint sa respiration et secoua la tête. Peux pas, peux pas, suis pas une pute, erreur de la banque en ma faveur, je rends les trois mille francs mais ça, je ne peux pas, je peux pas, je peux pas.

– Suce !

– Non.

Il força sa bouche à lui frôler le sexe ; ses lèvres se crispèrent, elle eut un haut-le-cœur.

– Suce, salope, comme si t'aimais ça...

Elle secoua vigoureusement la tête, se rejeta en arrière, lui faisant lâcher prise, et gémit :

– Peux pas. Tant pis. On arrête. Je me suis trompée... On arrête tout...

– Tu veux pas me sucer ?

– Non.

– T'es saquée, tu sais ? T'es saquée.

– J'm'en fiche.

Il la regarda, ébahi. Sa bouche fit une drôle de moue, toute molle, en accent circonflexe qui dégouline, son regard tomba sur les plis gras de son ventre et il referma le peignoir. Même lui, il n'aime pas son corps, se dit Juliette.

Il ne disait plus rien, il restait, là, assis sur son pouf, les mains posées sur son peignoir.

– Faut pas m'en vouloir. J'avais vraiment besoin d'argent et je ne voulais pas en demander à mes parents. Vous comprenez. On s'était disputés et je ne voulais pas qu'ils paient mon loyer.

– Passe-moi mon pantalon, je vais te faire ton chèque.

Elle lui apporta son chéquier. Elle n'allait pas regarder le montant tout de suite. Pas devant lui. Elle l'empocherait et attendrait d'être dans la rue. Il va peut-être essayer de m'humilier une dernière fois. Elle prit le chèque, le plia sans regarder et commença à se rhabiller.

Quand elle fut prête, elle se retourna. Il était toujours sur son pouf, les jambes écartées comme le bonhomme Michelin sur sa pile de pneus. Elle voulut lui dire au revoir, lui serrer la main ; il se détourna.

– Va-t'en !

– …

– Va-t'en !

Comme elle passait devant la cuisine, elle aperçut la porte du réfrigérateur entrouverte et, machinalement, s'approcha pour la refermer. À l'intérieur, il y avait trois bouteilles de champagne. Elle en prit une.

Elle allait faire la fête avec Louis.

Pas étonnant que les gens méprisent tant l'amour physique, pensait Juliette en marchant dans la rue, la bouteille de champagne dans la poche de son long manteau, ils le font si mal. L'amour que je sabotais avec Virtel n'a rien à voir avec l'amour que j'invente avec Louis. La plupart des gens doivent baiser comme je baisais avec cher Edmond. N'importe comment. Deux corps l'un sur l'autre. Pas de jeu, pas de suspense, pas de halte-là-vous-ne-passerez-pas, ou de c'est-à-vous-faites-de-moi-ce-que-vous-voulez. C'est pour ça qu'ils méprisent tant le plaisir et parlent d'histoires de cul avec le dédain aux lèvres. Préfèrent l'amour où on met pas les doigts.

C'est fini. Mon cauchemar avec Virtel est fini. Pourquoi j'ai fait ça ? Comme si j'avais emprunté l'idée de quelqu'un d'autre. Suis pas faite pour être pute. Il faut vraiment avoir une mauvaise idée de soi – ou pas d'idée du tout – pour accepter d'être pute.

Elle monta quatre à quatre les marches de l'escalier. Il y avait de la lumière sous la porte. Il lui avait dit que, ce soir, il restait chez lui à travailler. Elle sonna. Attendit. Sonna encore.

Enfin, au bout d'un long moment, elle entendit des pas et la voix de Louis qui demandait :

– C'est qui ?

– C'est moi, c'est Juliette.

Il laissa passer un instant avant de répondre :

– Tu ne veux pas revenir dans un quart d'heure, je suis dans mon bain, et...

Elle comprit. S'appuya contre la porte et serra la bouteille contre elle. On dirait que je viens le voir exprès pour souffrir.

– Non. Je reste jusqu'à ce que tu m'ouvres.

Puis il y eut une voix de fille qui disait :

– Qu'est-ce qu'il y a ? Tu viens, Louis ?

Louis jura. Il dut aller dans la chambre, car Juliette entendit des pas qui s'éloignaient, puis il revint :

– Écoute, Juliette, ne complique pas les choses. Casse-toi et reviens dans dix minutes.

– Non, j'attends. Et si tu n'ouvres pas, je casse la bouteille contre la porte.

– Quelle bouteille ?

– Une bouteille.

– Bon, attends.

Il y eut un conciliabule de l'autre côté de la porte. Une voix de fille cria :

– Mais, ça va pas, non ?

Louis insistait à voix basse. Juliette essaya de regarder par le trou de la serrure.

– Non, je reste, et que cette connasse se tire ! cria la fille.

Louis reprit les parlementaires.

Je m'en fiche, je reste, se disait Juliette. C'est moi, sa gonzesse, pas l'autre. Il me connaît depuis plus long-temps, on a un passé ensemble. Elle, ce doit être une de ces putes qu'il ramasse au *Bus*.

– Ouvre ou je balance la bouteille contre la porte. Ça va faire du boucan, c'est pétillant, menaça Juliette.

– Laisse-la faire ! cria la fille.

– Bordel de merde, vas te rhabiller toi d'abord, hurla Louis.

– Je compte jusqu'à trois…, reprit Juliette.

Avec tous les ennuis qu'il a avec son propriétaire, il ne va surtout pas vouloir se faire remarquer.

– D'accord, d'accord, dit Louis.

Il ouvrit la porte et Juliette la vit. Nue. Enveloppée dans un drap. Soulagée : ce n'était pas Marie-Ange.

– Bon et, maintenant, dégage ! dit Juliette à la fille.

Elle regarda Louis qui haussa les épaules.

– C'est vrai ? demanda-t-elle à Louis.

– Débrouillez-vous toutes les deux.

Il attrapa un album de bandes dessinées qui traînait sur le buffet et disparut dans les toilettes. Juliette se tourna vers la fille :

– T'as trois minutes pour t'habiller et déguerpir, sinon c'est sur toi que je casse la bouteille.

– Mais c'est qu'elle est dangereuse ! piailla la fille en battant retraite dans la chambre.

Quand elle ressortit, elle portait des cuissardes ver-nies noires. « Les mêmes que moi », pensa Juliette.

Elle partit après avoir balancé un coup de pied dans le buffet.

Juliette alla frapper à la porte des toilettes.

– Tu peux sortir, elle est partie.

Bruit de chasse d'eau. Sortie du héros. Une bande dessinée à la main et son mégot dans l'autre.

– C'est fini ? demanda Louis.

– C'est qui, cette fille ?

– Sais pas. Je l'ai ramassée au *Bus*.

– Je croyais que tu bossais avec un copain, ce soir ?

– Tout le monde peut se tromper.

– Louis, j'en ai marre.

– De quoi ?

– De la vie qu'on mène tous les deux.

– Ça y est, ça recommence.

– Louis, s'il te plaît…

– Non, Juliette, tu ne m'auras pas.

– Même si je pars et que tu ne me revois plus ?

– Chantage, chantage.

Il était retourné dans sa chambre, s'était allongé sur le lit et avait allumé la télé. Elle attendait qu'il dise un mot, un seul. Qu'il la retienne, qu'il fasse un geste. Il ne bougeait pas et semblait captivé par la scène qui se déroulait sur son écran.

– Louis, je m'en vais et tu ne me reverras jamais.

– …

Les indiens attaquaient le convoi de pionniers qui s'était mis en rond, et il monta le son. Youou, pan-pan, pftt, pan-pan, ahhhh… Il était allongé à suivre les flèches et les balles. Elle se tenait debout contre le chambranle de la porte et l'observait. Il gardait son regard obstinément fiché sur le poste de télé. Je pourrais recevoir une flèche en plein cœur, il ne bougerait pas.

Les indiens, défaits, battaient en retraite. Les pionniers ramassaient leurs morts, et John Wayne méditait sa revanche.

Elle se dirigea vers la porte, le plus lentement qu'elle put. Il ne bougea pas.

Elle sortit.

Elle s'assit sur la première marche de l'escalier. Pleura un long moment. Pourquoi me traite-t-il comme ça ? Parce que je lui ai montré que je l'aimais ? Que j'ai écrit « perdante » sur mon tee-shirt ? Elle espérait encore que la porte s'ouvrirait, que Louis bondirait à sa recherche.

De l'étage inférieur lui parvint un bruit de sanglots. C'est l'écho ou quelqu'un d'autre ?

Elle se releva et descendit quelques marches.

C'était la fille de tout à l'heure. Juliette vint s'asseoir à côté d'elle.

– Qu'est-ce que tu fous là ?

– …

– Tu t'appelles comment ?

– Agnès…

Juliette la détailla, curieuse. Pas jolie, le nez trop fort, les jambes courtes, la peau trouée comme celle de Regina, les cheveux noirs collés sur les joues. Qu'est-ce qu'il lui avait trouvé à cette fille ? Elle ne comprenait pas.

– J'ai pas d'argent pour rentrer chez moi. Il m'avait dit que je pourrais dormir chez lui et je pensais aller directement de chez lui à mon travail. C'est un salaud, ce mec. T'es sa petite amie ?

– J'étais…

– T'as du courage… ou alors t'es maso.

Elle a raison, se dit Juliette, je suis maso. Un homme m'ouvre les bras et me fait du bien, je n'y fais pas attention. Un autre me traite n'importe comment et me tient à distance, je m'accroche à lui.

– Tiens, lui dit-elle, en lui donnant un billet de cinquante francs.

La fille se moucha et remercia.

– Quel salaud ! dit la fille en pliant le billet et en le rangeant dans son soutien-gorge.

– On ouvre la bouteille ? proposa Juliette exhibant le champagne.

La fille se mit à rire.

– C'était en quel honneur ?

– Je venais de remporter une grande victoire sur moi-même… Je venais de dire NON.

– Ah…

– Non à Edmond et maintenant non à Louis Gaillard…

– Non à Edmond et à Louis Gaillard, répéta la fille.

Elles burent à la bouteille à tour de rôle. Le champagne était un peu tiède. Les bulles leur remontaient dans le nez et elles gloussèrent.

– Je dis ça mais, moi, j'aime que les salauds, dit la fille. Il suffit qu'un mec soit gentil avec moi pour que je me taille. Qu'est-ce que tu ferais, toi, si Louis te disait qu'il t'aime, par exemple ?

Juliette pouffa.

– J'arrive pas à l'imaginer. C'est de la science-fiction…

– Moi, y a que les salauds qui m'excitent, dit la fille en avalant une goulée de champagne.

Juliette reprit la bouteille au goulot et émit un long rot.

– Eh ben, moi, j'ai décidé que ça allait changer…

Chapitre 9

Elles passèrent Noël toutes les cinq rue des Plantes. «Comme les filles du docteur March», remarqua Juliette.

Seul homme présent : Charlot. Il avait dressé l'arbre de Noël au milieu du salon. Juliette et Martine le décoraient, menaçant à chaque instant de perdre l'équilibre et d'entraîner le sapin dans leur chute. Ungrun et Regina étaient en cuisine, Bénédicte mettait la table, disposant de petites branches de houx sur la nappe blanche damassée que Charlot avait apportée. Vestige d'un mariage, je ne sais pas lequel, avait-il annoncé en tendant la nappe blanche. Le troisième ou le quatrième, peut-être.

– C'est injuste, avait dit Regina, Charlot a été marié cinq fois et moi, zéro !

– Épouse-moi, avait répliqué Charlot en lui clignant de l'œil et en lui caressant les fesses.

– Charlot ! avait protesté Juliette, tiens-toi bien.

Charlot était son copain, elle n'aimait pas que Regina soit trop familière avec lui.

– Qu'est-ce que tu es possessive, ma pauvre fille ! s'exclama plus tard Martine. Laisse-les s'amuser…

– Charlot est à moi et j'aime pas qu'on me pique mes affaires !

– Charlot est à personne. Passe-moi une boule… Jalouse !

– Ça t'arrive jamais d'être jalouse, toi ?

– J'ai pas encore connu ça. En amitié, je veux dire.

– Ben moi, si. Tout le temps.

– T'es pas jalouse de moi quand même ?

– Si. De toi et Bénédicte… Mais, c'est quand je vais pas bien, tu sais. Tu le répètes à personne ?

Juliette voulut que Martine jure et crache.

– Mais je vais pas cracher sur le parquet !

– Crachote…

– T'es dégueulasse !

– Tu veux pas jurer ?

– Si, si… Voilà.

Martine tendit la main et postillonna en l'air.

– La dinde aux marrons ? On met de la crème fraîche ? demanda Ungrun sur le seuil de la cuisine.

Martine et Juliette firent signe qu'elles n'en savaient rien. Bénédicte affirma que non.

– Elle va le porter encore longtemps, Ungrun, son appareil dentaire ? interrogea Juliette. C'est vraiment pas engageant cette barre de fer sur ses dents de devant.

– Tant que son trois quarts gauche ne sera pas parfait… Faut souffrir pour être belle.

Ungrun était triste. Son fiancé avait téléphoné quinze jours avant Noël pour lui dire qu'il ne pourrait pas venir à Paris. C'était le coup de feu au magasin. Ungrun, de son côté, était en pleine tractation avec la marque Ricils pour devenir leur mannequin vedette. La directrice de son agence lui avait demandé de rester à Paris. Cinquante millions de centimes pour incarner pendant un an sur tous les présentoirs de Monoprix et Prisunic la fille Ricils. Sportive, saine, qui éclate de rire (d'où l'appareil dentaire) et qui bat du cil velouté.

– Avec tout cet argent, spéculait-elle, je vais pouvoir rentrer en Islande plus tôt que prévu. Je tiendrai la caisse du magasin et je ferai des bébés…

Au pied de l'arbre étaient étalés les cadeaux. Des paquets de toutes les couleurs, toutes les formes, toutes les tailles. Juliette n'arrêtait pas de rôder près du sapin pour essayer d'apercevoir les siens.

– On les ouvre quand ? demanda-t-elle pour la troisième fois à Martine.

– À minuit sonnant ! Qu'est-ce que t'es chiante !

– Parce que, toi, tu t'en fiches des cadeaux, peut-être ?

C'est à peu près ça, pensa Martine. Elle vivait d'espoir depuis ce matin. Espoir que Richard revienne et frappe à la porte à minuit pile. Espoir fou, elle le savait. Un voleur, ça en a rien à foutre de Noël… Espoir déçu qui allait faire renaître la vieille douleur. Cette même douleur qu'elle jugulait depuis des semaines en la recouvrant de haine bien chaude, lave brûlante qui cautérisait et effaçait les souvenirs les meilleurs.

– Complètement. File-moi une boule rouge… T'as mis une étoile tout en haut ?

– Non, c'est trop haut, on demandera à Charlot.

Elles montèrent s'habiller.

Bénédicte était déjà dans la salle de bains. En robe noire, très simple, les cheveux brillants, la mèche blonde sur l'œil, pâle. Elle se maquillait les cils, collée contre la glace au-dessus du lavabo.

– T'es belle, fit Juliette en arrondissant la bouche d'admiration.

– Merci, dit Bénédicte, pour une plaquée, je fais de mon mieux.

– Arrête de parler comme ça, dit Martine, c'est négatif.

Bénédicte était retournée travailler au *Figaro*, encouragée par Martine qui lui répétait sans cesse la phrase du maréchal de Saxe : « Il n'y a pas de bataille perdue. Il n'y a que des batailles qu'on croit perdues. » Mais elle cherchait du travail ailleurs. Elle s'était souvenue du passage de Martine à la télé et était allée proposer ses services au patron de la rédaction d'INF 2.

L'idée de rencontrer Émile dans les couloirs du journal la paralysait. Elle hésitait même à aller faire pipi de peur de tomber sur lui. Elle passait une heure chaque matin à s'habiller et à se maquiller pour ne pas faire pitié. La fille Bousselain avait commencé au service parisien de Philippe Bouvard. C'est là qu'on range les jeunes filles de bonne famille qui s'encanaillent dans le journalisme, avait pensé Bénédicte. Elle va pouvoir se pavaner dans les soirées et les spectacles parisiens avec la carte de visite du *Figaro*. C'est pas du journalisme, c'est de la figuration, je me demande comment Émile supporte ça.

Le plus étrange chez Bénédicte, c'était la manière dont, *a posteriori*, elle faisait de son histoire avec Émile une idylle passionnée. Depuis qu'une autre le lui avait subtilisé, Émile avait revêtu le pourpoint du Prince Charmant dont elle avait toujours rêvé. Elle ne se remettait pas de sa disparition.

Un jour, elle se heurta à lui dans l'ascenseur.

– Ça va ? dit-il.

– Ça va.

– Et toi ?

– Oui. Et toi ?

Cet homme ne m'appartient plus, pensait-elle en le regardant. J'ai envie de lui arranger son col et de tirer sa cravate, mais je ne peux plus. Il est à une autre. Ces mots la torturaient et elle fixait les numéros d'étage qui s'allumaient à tour de rôle dans l'espoir que l'ascenseur soit pris d'une lévitation accélérée.

– Fait froid…, reprit-il.

– Oui.

– Va peut-être neiger…

– Oui.

Des gens montaient dans l'ascenseur et les dévisageaient. Bénédicte pouvait lire dans leur prunelle la chasse au ragot. Tiens, tiens, Bouchet serait-il revenu avec la petite Tassin ou est-ce un hasard ?

Elle se serra alors contre Émile et leva vers lui un visage plein sourire. Mais Émile s'écarta. Brusquement. Gêné. Comme si le simple contact physique avec Bénédicte lui était devenu insupportable.

Bénédicte se rejeta à l'autre bout de l'ascenseur, les yeux baissés, raide, collée contre la paroi pour laisser le plus de place possible entre Émile et elle.

Rayée de la vie d'Émile par ce petit sursaut qui en disait plus long que tous les discours de rupture.

Répudiée à jamais par une embardée.

Il est vraiment amoureux d'elle s'il ne supporte plus que je le touche…

Quand l'ascenseur était arrivé à l'étage, elle était sortie la première, sans le regarder.

Depuis, ils se fuyaient.

Elle travaillait beaucoup moins et faisait de petits sujets sur Paris que Larue lui demandait directement. Elle n'avait même pas la force de protester.

Elle gardait son énergie pour faire face aux autres. Aux regards des autres qui guettaient et goûtaient l'imperceptible crispation, la soudaine montée de larmes, la subite rougeur.

Il lui arrivait, quand elle était seule rue des Plantes, d'ouvrir le grand cahier où elle avait collé tous ses articles et de les relire comme si c'était une autre qui les avait écrits. Elle les contemplait avec émerveillement, les caressait du doigt, rêvait. En perdant Émile, elle avait perdu une partie d'elle-même. Elle regardait la signature de cette autre Bénédicte qui avait existé, mais qui n'était plus.

Elle avait essayé de se consoler.

Avec Édouard Rouillier. Mais, quand il l'avait embrassée, elle s'était mise à pleurer. Elle était rentrée chez elle, les yeux rouges et gonflés.

– C'est du rimmel bleu marine que tu te mets ? demanda Juliette, la tirant de sa rêverie.

– Oui. C'est moins dur que le noir…

– J'aime quand tu parles comme ça. Je retrouve la Bénédicte Tassin de Pithiviers qui nous épatait avec ses conseils…

– Je vous épatais, moi ?

– Juliette a raison. On était médusées par ta classe, ton élégance, ton assurance… dit Martine.

Bénédicte sourit.

– Et maintenant ?

– Maintenant toujours, affirma Martine.

Moi, elle m'épate moins, corrigea Juliette sans le dire. Depuis qu'Émile l'a quittée, elle est devenue humaine à mes yeux… Moins parfaite.

– Ouaou, t'es superbe, Ben ! cria Regina en entrant dans la salle de bains.

– C'est justement ce qu'on était en train de lui dire, Juliette et moi, fit Martine.

– Vous êtes pas encore habillées toutes les deux ?

– On y va, on y va…

Martine sortit de la salle de bains, mais Juliette s'assit en gémissant sur le bidet :

– J'ai rien à me mettre !

– T'as toujours pas de dégaine, toi, ma pauvre fille ! dit Regina.

– Je séduis très bien sans dégaine, ma vieille. J'aurais pas de mal à me trouver un mari, moi.

– Et comment va Louis, au fait ?

– C'est pas à lui que je pensais…

Je pensais à personne.

Et surtout pas à Louis.

Pas de nouvelles, bonnes nouvelles. Je ne veux plus en entendre parler.

Y a pas que Louis sur terre. Si j'enlève mes lunettes d'amoureuse et que je le regarde objectivement, je vois un homme de trente ans, sans vrai boulot, poilu, grossier, égoïste, avec une tronche de tortue.

Est-ce que c'est un Prince Charmant, ça ?

Sûrement pas.

– Ah ! si, je sais… Je vais mettre mon short en lamé doré.

– Beurk ! Quelle vulgarité ! fit Regina.

Juliette lui envoya un gant de toilette au visage et sortit.

Minuit moins le quart. L'heure des cadeaux approchait. Juliette épiait la pendule en finissant de mâcher le turron que Rosita leur avait offert pour Noël. Du turron de Barcelone bien collant sous les dents. Bien écœurant.

Pendant le dîner, tout le monde avait reçu un coup de téléphone. Sauf elle. Même les parents d'Ungrun avaient téléphoné de Reykjavick. Personne ne m'aime, pensa Juliette en défaisant d'un cran la ceinture qui tenait sa maxi noir en daim. Bénédicte avait hurlé quand Juliette était descendue vêtue de son petit short lamé. Il avait fallu qu'elle remonte se changer.

– Papa et maman auraient pu appeler, murmura-t-elle à Charlot.

– Appelle-les toi-même.

– Pas question…

– Et Louis ?

– Qu'il aille au diable !

Elle avait le cœur gros et reprit un morceau de turron.

Le téléphone sonna.

– Juliette, c'est pour toi.

– Pour moi ?

Elle se leva. Papa-maman ou Louis ? Je crois que je

préférerais papa-maman, non… Louis… non… papa-maman…

– Allô ?

– Juliette ?

La voix résonnait nasillarde et étrangère.

– Oui.

– C'est moi, Agnès. Tu te rappelles ? Joyeux Noël.

– Ah… Joyeux Noël.

– Tu me remets ? La fille dans l'escalier chez Gaillard ?

– Oui, oui.

– T'as été vachement sympa avec moi l'autre soir et je voulais dire, pour les cinquante balles, je te les rendrai…

– Oh…

– Si, si.

– C'est pas la peine…

Je n'ai plus un rond. Je ne sais pas avec quoi je vais payer le loyer, la bouffe, les livres, les fringues…

– Ben, voilà, joyeux Noël !

– Joyeux Noël ! Et à bientôt.

Elle raccrocha, triste. C'est cette fille-là, rencontrée par hasard, qui pense à me souhaiter un bon Noël. Et les autres, qu'est-ce qu'ils foutent ? Ils doivent être en train de regarder le programme à la télé en râlant, papa a trop mangé et suce une pastille Rennie, maman range les restes dans des Tupperware. Et Louis ? Au pieu avec une fille ?

Juliette n'eut pas le temps de s'apitoyer plus long-temps sur l'ingratitude de ses proches, Martine cria : «Minuit, c'est minuit. » Charlot éteignit les lumières et alluma des bougies, Bénédicte mit un disque de Noël, Regina et Ungrun s'agenouillèrent au pied du sapin.

Les papiers volèrent, les ficelles claquèrent, les cris fusèrent. Chacune ouvrait ses paquets et poussait des exclamations. Charlot prenait des photos, le chien Chocolat gambadait à travers la pièce, déchiquetant les emballages. Le cadeau que Juliette préféra fut celui de Martine : une médaille toute ronde derrière laquelle Martine avait fait graver ces mots : « quand on veut, on peut ». Juliette alla l'embrasser.

– C'est pour me donner un coup de pied au cul ? demanda-t-elle à Martine.

– C'est pour les jours où ça n'ira pas et que je serai loin.

– J'arrive pas à me faire à l'idée que, dans huit jours, t'es plus là !

– Cinq jours, ma vieille ! Je veux commencer l'année là-bas !

Juliette avait acheté pour Martine les œuvres complètes de Montaigne dans la Pléiade, et Martine sautilla de joie en reniflant le livre.

– C'est très bien, comme ça je n'oublierai pas mon français.

Elles s'étaient cotisées toutes les deux pour offrir à Bénédicte un grand flacon d'eau de toilette et un vaporisateur de sac.

Il ne restait presque plus de paquets au pied de l'arbre et Chocolat achevait de disperser les papiers qui restaient. Charlot avait enfilé ses cadeaux : un pull-over, une écharpe, des gants, une paire de chaussettes. Le tout assorti. Un cadeau des cinq filles.

– On dirait que je ne suis pas chauffé chez moi ! Vous exagérez les filles…

– Je ne sais pas, je ne suis jamais allée chez vous, minauda Regina.

– T'as pas trouvé le cadeau de Jean-Marie ? demanda Bénédicte.

– Non, fit Juliette, quel cadeau ?

– Il est passé tout à l'heure quand nous étions en haut dans la salle de bains et il a demandé à Regina qu'on te remette une enveloppe à minuit…

– Follement romantique, susurra Martine.

– Elle est où ? dit Juliette.

Regina l'avait bien placée au pied de l'arbre, mais elle n'y était plus.

– Zut alors ! dit Juliette. Aidez-moi à la chercher…

– C'est sûrement Chocolat qui l'aura envoyée dans un coin en jouant, fit Charlot.

Ils se mirent à quatre pattes, scrutant sous les meubles, fouillant dans les papiers, déballant leurs propres cadeaux au cas où elle s'y serait glissée par inadvertance.

– C'est peut-être un chèque, dit Martine.

– Ou une chaîne en or, fit Regina.

– Ou une lettre d'amour, rêva Ungrun.

Ungrun avait presque trouvé.

Quand Juliette déchira l'enveloppe que Charlot avait retrouvée dans la cuisine, à côté de l'écuelle du chien, il n'y avait rien d'autre que ces quelques mots : « Juliette, je t'aime, veux-tu m'épouser ? »

Chapitre 10

Juliette se précipita chez Louis au lendemain de Noël.

Il lui ouvrit, hirsute, mal réveillé, à peine aimable. Elle n'y fit pas attention.

– T'es seul ? lui demanda-t-elle.

– Oui.

À ce moment-là, il y eut un bruit dans la cuisine.

– Tu mens…

– Non, je te promets que je suis seul. Entre, va voir.

– Je peux m'asseoir ?

Elle se laissa tomber sur le canapé avachi et sale.

– Je me marie.

– Ah…

– Je l'ai décidé hier soir.

– Et avec qui ?

– Nizot.

– Le petit jeune homme propre du *Figaro* ? C'est bien.

– C'est tout l'effet que ça te fait ?

– Oh, tu sais… Épouse, épuise, et puis…

Il y eut, à nouveau du bruit dans la cuisine, un bruit de vaisselle brisée.

Juliette sursauta.

– Je suis sûre qu'il y a quelqu'un !

– J'te dis que non ! Va voir si tu veux. Tiens, je vais me servir un scotch pour trinquer avec la nouvelle mariée…

– Un scotch à cette heure-ci, ça va pas !

Il se versa un verre, se rassit, s'ébouriffa les cheveux et but.

– Et c'est pour quand la noce ?

– Le plus vite possible… Un mois, un mois et demi. On va se marier à Pithiviers et on fera la fête à Giraines, dans ma maison.

– Celle où je me suis cassé le cul cet été ? Si j'aurais su…

– Alors, ça t'est égal que je me marie ?

– C'est ta vie, ma puce. Tu fais ce que tu veux. Putain ! j'ai une de ces gueules de bois… J'ai encore traîné toute la nuit… J'en ai marre de traîner comme ça…

– Tu t'en fiches ? répéta Juliette, incrédule.

– Je m'en fiche. Tu me garderas comme amant, comme ça t'auras tout, un papa et un amant.

Il se frotta le visage, puis releva la tête, hébété.

– Bon… C'est tout ce que t'avais à me dire. Parce que j'ai ma nuit à finir, moi.

Juliette se leva, furieuse.

– T'es nul, mon pauvre vieux, avec tes éternelles histoires de pochetron et de cul. Je me demande vraiment ce que j'ai bien pu te trouver…

– On ne renie pas son bienfaiteur ! ricana Louis en plongeant dans son verre. Celui qui vous a envoyée au plafond !

– Parce que t'es si fier de tes prouesses sexuelles ? Pauvre mec ! T'es comme tous ces paons qui étalent leur queue, t'es ridicule !

Elle avait dû toucher juste. Un éclair noir fit flamber son œil et il répliqua :

– Le pauvre mec, il te dit de te casser… Casse-toi !

– Regarde-toi, t'es un pauvre tas avec une pauvre tronche de tortue mal réveillée !

Si elle n'arrivait pas à l'atteindre avec des mots d'amour, elle l'aurait avec des injures. Chacun son truc.

– Casse-toi ou je t'encule à sec et avec du sable !

Elle avait oublié qu'en injures, il était plus fort qu'elle.

– T'es ignoble, Louis Gaillard, ignoble... Je te déteste. Je te déteste.

Elle donnait, enfin, libre cours à sa rage. Depuis qu'elle connaissait Louis, elle avait toujours tout retenu de peur de le perdre. Fallait pas être jalouse, pas possessive, pas tendre, pas sentimentale, pas encombrante, pas curieuse... Fallait le laisser respirer et aspirer l'air entre deux tirades de Gaillard, deux scènes de Gaillard, deux étreintes de Gaillard.

– Tu sais ce que je pense, moi. Que t'es un lâche qui meurt de trouille... Meurt de trouille devant l'amour, meurt de trouille devant les gonzesses. T'aimes mieux te taper des radasses que tu ramasses la nuit et qui t'écoutent disserter, émerveillées, que d'avoir un vrai rapport avec quelqu'un. Parce que t'as peur, Louis, t'as peur. Et moi, surtout, je te fais peur...

– Je t'ai jamais rien promis. Je t'ai rien demandé. Au contraire, j'ai toujours dit la vérité. Mais c'est toujours comme ça avec la vérité, on la croit pas. C'est bizarre, ça, quand on raconte des mensonges, les gens vous croient toujours... Je t'aime, je t'aimerai toute ma vie, je n'aime que toi, il n'y a que toi qui me fasses bander... Ça, on aime. C'est beau, c'est noble, ça flatte le teint. Mais la vérité...

– C'est un alibi pour ne rien vivre, ta vérité !

– Et ton mariage, c'est un alibi pour quoi ? Pour payer ton loyer et tes collants ?

– Salaud, t'es un salaud, Louis Gaillard, un salaud !

Juliette avait hurlé ces mots prise d'une véritable crise d'hystérie. Elle transformait son impuissance en rugissements. Elle avait envie de le battre, de le gifler, de lui arracher les yeux. Elle se drapa dans son manteau et se dirigea vers la porte.

C'est à ce moment-là qu'elle entendit une voix haut perchée hurler dans la cuisine :

– Salaud, Louis Gaillard, salaud…

Elle se retourna, dévisagea Louis :

– Y a quelqu'un, je savais qu'il y avait quelqu'un.

Il haussa les épaules et secoua la tête :

– Y a personne et j'en ai marre, je vais me coucher.

Elle décida d'en avoir le cœur net. Elle ouvrit brusquement la porte de la cuisine et tomba nez à nez avec un perroquet. Un perroquet bariolé, rouge, vert, jaune, violet, qui prit peur quand il la vit et alla se poser sur la cafetière. Puis il pencha la tête, prêt à converser.

– Louis Gaillard, salaud, Louis Gaillard, salaud… répéta-t-il, perché sur la cafetière.

Juliette retourna dans la chambre de Louis.

– Qui c'est ?

– Un perroquet.

– Il te connaît ?

– Oui. Depuis longtemps. Moi, j'ai essayé de lui apprendre à parler des nuits entières, j'ai jamais réussi. Faut croire qu'il était trop jeune ou que j'étais pas assez motivé.

– Mais il vient d'où ?

– C'est un petit garçon qui me l'a apporté pour Noël. Je l'ai à peine reconnu. Il m'a dit « monsieur », je lui ai dit « vous ». Et puis, il s'est tiré comme si j'étais le diable…

– Je comprends rien, marmonna Juliette.

– J'ai été marié, Juliette. Je suis toujours marié, d'ailleurs ; j'ai deux enfants. Ils vivent avec leur mère à Poncet-sur-Loir. J'ai trois malheureux sur la conscience. Il faut qu'elle soit vraiment dans un triste état, Élisabeth, pour apprendre cette phrase au perroquet. Ce n'était pas son genre. Elle était plutôt gentille…

747

Élisabeth ! Elle vient d'où, celle-là, se dit Juliette.

– C'est un gâchis, un horrible gâchis… Tout ça parce que j'étais amoureux et que je voulais tout avoir encore une fois, l'amour et le confort. C'est toujours la même histoire. Faut choisir. Ma femme, qui me faisait bander lorsque je la retrouvais en cachette dans la grange, le soir, m'ennuyait au bout de six mois de lit commun…

Juliette regardait Louis, pétrifiée. On lui aurait annoncé qu'elle n'était pas la fille de M. et Mme Tuille, mais d'une esclave tonkinoise et d'un pacha marocain, elle n'aurait pas été plus ébahie.

Louis marié…

Louis papa…

Et pourquoi pas Pompidou travelo au Bois ou le pape avalant sa pastille de LSD pour rencontrer Dieu ?

Louis marié…

Il reculait, devenait un petit point, loin, loin. Elle ne le connaissait plus. Partagée entre le rire et les larmes.

– Tu t'es marié, toi ?

– Oui, mais j'avais une excuse. J'étais jeune et niais.

Elle posa alors mille questions. Pour rattraper l'homme qui s'effaçait.

Il raconta mille détails. L'école, le préau, la jambe raide de sa mère, les économies de son père, les cuisses roses d'Élisabeth, le voyage à Paris, le retour, les enfants, le non-désir, l'ennui, la haine, le départ.

Juliette sentait bien qu'il ne mentait pas. Il ne se donnait pas le beau rôle. Tant de sincérité la faisait osciller entre le ridicule – Louis, petit instit de province, avec bobonne et deux enfants, papa et maman qui claudique – et l'insoutenable – Louis qui a dit « oui » à monsieur le maire pour l'amour d'une autre, qui lui a fait deux enfants, qui lui a murmuré des mots d'amour, l'a prise dans ses bras, lui a souri tendrement. Toutes ces choses qu'il ne veut plus jamais faire…

– C'est pour ça, conclut-il, que j'aimerais bien que tu ne fasses pas la même erreur que moi. Se marier ne résout rien. On emporte ses problèmes devant l'autel, et un homme en noir les bénit. On repart avec. Ne te marie pas. Qu'est-ce que tu lui trouves à Nizot ?

– C'est pas n'importe qui…

– Toi non plus, Juliette, tu n'es pas n'importe qui. Tu es quelqu'un de bien…

– Mais tu m'as jamais dit ça ! hurla-t-elle. Jamais !

– Je le disais pas, je le pensais tout le temps. Pourquoi crois-tu que j'allais t'acheter des croissants le matin et que je cassais des cailloux dans ta maison ! Putain, faut tout vous décrypter…

– Ça aide quelquefois de dire… Jean-Marie, quand il parle de moi, il me donne l'impression d'être quelqu'un de fantastique, unique au monde. Avec toi, j'étais juste bonne à baiser…

– Tu aimes l'image qu'il te donne de toi. Mais, lui, est-ce que tu le vois ?

– Je comprends pas.

Juliette n'écoutait plus.

Elle repensait à Mme Gaillard et aux enfants.

À quoi elle ressemble, Mme Gaillard ?

Et les enfants ?

Est-ce qu'ils ont sa tête de tortue, ses yeux de farfadet ? Est-ce qu'ils sont couverts de poils comme lui et éparpillent leurs jouets dans toute la maison ? Est-ce qu'ils chantent « cosi cosa… » en se dandinant dans leur salopette ?

Louis mari, Louis papa… Il a déjà eu une vie avant moi et il en aura plein d'autres. Prince Charmant d'occasion.

– Juliette, réfléchis. T'es jeune. Juliette, tu m'écoutes ?

– Tu t'es marié en quelle année ?

– Il y a dix ans pile… Juliette. Oublie ça. On est pareils, toi et moi. Tu vas t'ennuyer avec ton mari. Tu reviendras me voir…

– Sûrement pas. J'ai l'intention d'être fidèle. Ça me reposera.

Il vint s'agenouiller à ses pieds, lui écarta les jambes, murmura : « cuisse, bitte », le regard lourd et chaud, presque gluant. Elle eut la tête qui tourna. Il glissa la main sous sa jupe.

– Non ! cria Juliette comme si elle appelait à l'aide. Non !

– Si.

Il la renversa sur la moquette et la déshabilla lentement. Il lui fit l'amour, les yeux grands ouverts, en la forçant à le regarder, lui donnant de grands coups dans le corps, lui assenant des arguments, ses arguments pour qu'elle ne se marie pas.

Elle gémissait. Il martelait chaque mot d'un coup de reins violent.

– Je ne veux pas d'histoire, Juliette, pas d'histoire. Les histoires tuent l'amour. Tuent l'amour…

Elle dodelinait de la tête et le suppliait de la frapper encore avec sa queue, tout au fond. Elle râlait, criait, se tordait, attendait le coup de bitte au fond de son ventre.

– À fond, à fond, hurlait-elle.

– Tu es une égoïste. Je suis un égoïste. On est seuls, Juliette, seuls. Fous-toi ça dans la tête. Seuls. Tu t'es demandé pourquoi tu voulais te marier. Pourquoi ?

À chaque mot qu'il répétait, il s'enfonçait encore plus fort en elle, et elle vociférait. Ses cris devenaient de plus en plus stridents.

Le perroquet les entendit dans la cuisine et il reprit son cri de guerre : « Gaillard salaud. Gaillard salaud. »

– Tu l'aimes pas Nizot. Tu aimes personne. Tu aimes ton plaisir. Tu aimes te faire prendre, tu aimes le jeu, tu t'aimes, toi. Toi. Toi. Fais pas n'importe quoi parce que t'es paumée. Paumée. Prends-toi en charge toute seule. Seule. Salope, seule. Prends pas le nom d'un autre. Et le blé d'un autre…

– Je t'aime, Louis, je t'aime.

– Tais-toi. Tu m'aimes pas. Pas d'histoire, Juliette. Sois courageuse, bordel de merde !

– Je t'aime, je t'aime.

Il la gifla de toutes ses forces sur la bouche pour qu'elle se taise. Elle continua à litanier «je t'aime, je t'aime», à gémir sous ses coups de queue et ses coups de poing, à se tordre sous son corps. Possédés tous les deux par un amour qui ne voulait pas dire son nom et qu'ils essayaient d'exorciser en s'y perdant. Fondus l'un dans l'autre, souffle contre souffle, léchant la sueur qui coulait sur leur corps, se lançant des insultes comme des serments d'amour éternel, grinçant des dents, grimaçant de plaisir, pouvant tout puisqu'ils étaient emmêlés, tellement heureux que chacun cherchait à dépasser l'autre dans sa furie, dans son combat acharné, pour l'entraîner encore plus fort, encore plus haut, jusqu'à l'envie ultime, l'envie que chacun lisait dans l'œil féroce de l'autre, qui les tenait haletants et furieux, qui leur faisait enfoncer les doigts dans la gorge, mordre la peau jusqu'au sang, tirer les cheveux jusqu'à l'évanouissement, l'envie insatiable et impossible des amants fous à qui l'extase refuse ce dernier passage, l'envie de mourir.

«Louis, Louis», gémissait Juliette. « Salope, salope», répétait-il en la bourrant, en l'insultant, en la serrant contre lui comme si on voulait la lui arracher. Nœud convulsif de deux corps qui s'empoignaient et se déclaraient leur amour dans tous les orifices. De longs filets de salive coulaient des lèvres de Juliette. Elle bavait sur Louis qui recueillait, ravi, sa bave et la léchait, la barbouillait, l'étreignant, l'écrasant, la pressant, la soulevant de terre, l'écartelant puis la reprenant et la baisant encore, répétant les seuls mots dont il se souvenait, les derniers mots d'homme à peu près civilisé : « Seuls, seuls, seuls, on est seuls et je te baise et je te tue. »

Juliette retroussait ses lèvres, grimaçait, répétait les mots qui le rendaient fou et la rendaient folle : « Je mouille, tu me fais mouiller, enfonce, enfonce, encore, branle-moi comme ta pute, j'suis ta pute. »

Louis râlait, Juliette reprenait le dessus et l'éperonnait avec ses mots. Affaiblissait la raison de l'homme qu'elle tenait au bout de son glaive, au bout de son verbe. « T'es bon, tu me fais jouir, baise-moi encore, j'aime ta queue, elle est bonne, elle est dure, elle me baise bien, elle me remplit bien. » Il se tordait au-dessus d'elle, et elle l'observait, triomphante, qui perdait la raison et vacillait, le regard flou, la bouche tordue, les ongles fichés dans sa peau.

Elle ajoutait des mots et des mots, agrandissait son empire, repoussait ses frontières, asseyait son pouvoir, levait des armées, prenait sa revanche sur toutes ses rivales, les écrasant, les réduisant à l'état de favorites secondaires, leur gravant au fer rouge le beau nom de cocue sur le front. Mme Gaillard, c'est moi. La vraie, l'unique. Personne ne l'a baisée comme ça. Personne…

Ils baisèrent ainsi toute la journée de Noël.

Perdus, éperdus, épuisés, le corps en haillons, la bouche et le sexe meurtris, deux sauvages emmêlés dont les âmes se cherchaient, s'affrontaient dans un corps à corps diabolique où le vainqueur inexorable donnerait la mort au vaincu.

Juliette Tuille se maria en blanc à Pithiviers le samedi 6 février 1971.

Son père la conduisit à l'autel, le menton en avant, l'œil fixe.

La réconciliation avait été froide et il avait fallu tout

l'entrain et la bonne humeur de Jean-Marie pour combler les silences de M. Tuille.

Jeannette Tuille sanglotait dans les travées.

Bénédicte était témoin.

Martine envoya un télégramme de New York : « Comprends rien. T'es folle ou quoi ? »

Épilogue

– Vous êtes fait pour être doorman comme moi pour piloter un avion ! criait la vieille femme enfoncée dans le canapé de l'entrée de l'immeuble, à Walter, le concierge.

– Vous, la vieille, vous feriez mieux d'aller prendre un bain parce que vous ne vous imaginez pas à quel point vous puez ! C'est une infection. Et dire que vous passez vos journées dans ce hall ! Je me demande pourquoi les locataires vous tolèrent…

– Vous le savez très bien, vieille taupe, je possède les trois quarts de cet immeuble !

Elle éclata de rire et agita la canne qu'elle tenait dans sa main droite en direction du bureau de Walter.

Martine traversait le hall et s'apprêtait à monter dans l'ascenseur quand elle entendit crier :

– Miss Meuraut, miss Meuraut…

Elle laissa les portes de l'ascenseur se refermer devant elle et se retourna.

– C'est de France. C'est arrivé, ce matin, dit Walter en lui tendant une lettre.

Puis, montrant du doigt la vieille :

– Il devrait y avoir une loi pour les supprimer à cet âge…

– Vous exagérez, Walter.

– Non et vous devriez dire à Mme Howell qu'elle s'occupe de sa mère…

– Je lui dirai, je lui dirai, Walter, mais je doute que cela change grand-chose…

Martine soupesa l'enveloppe blanche et lourde qui portait le timbre français. Sûrement un faire-part.

Elle habitait New York depuis plus de deux ans maintenant. Régulièrement, les faire-part lui signifiaient que la vie continuait sans elle en France.

D'abord, il y avait eu le mariage de Juliette. Elle semblait heureuse dans ses lettres. Elle parlait de Jean-Marie avec beaucoup de tendresse. Ils habitaient un petit appartement rue du Cherche-Midi. Jean-Marie mettait la dernière main à son manuscrit. Juliette travaillait à plein temps chez Farland. Un jour, dans une lettre, elle avait joint une coupure de presse sur Louis Gaillard et son café-théâtre. Louis souriait au milieu de sa troupe. Il n'avait pas changé. L'interview lui ressemblait. « C'est aussi désespérant de périr d'ennui que d'audace. Alors, autant l'audace, y a du plaisir, au moins ! » Juliette ne disait pas si elle avait revu Louis depuis son mariage.

Puis, Martine avait appris la naissance du premier enfant de Joëlle et René : Virginie. Tous les trois mois, elle avait droit à des photos de famille prises devant le pavillon que René avait acheté à crédit dans la banlieue de Pithiviers.

Un peu plus tard, un carton lui avait annoncé le mariage, dans la plus stricte intimité, de Regina Wurst et de Charles Milhal. Martine avait failli avaler son Donnut. Une bouchée du gros beignet s'était coincée dans sa gorge et elle avait dû la recracher en plein métro.

Parfois, le faire-part était bordé de noir. La sœur aînée de Bénédicte, Estelle, s'était tuée en voiture. Mathilde avait ajouté un petit mot où elle disait son chagrin et une drôle de phrase sur l'urgence de vivre.

Ce faire-part-là sentait la bonne nouvelle : pas de liséré noir.

Elle introduisit la clé dans la serrure de l'appartement 11F et entendit une voix aiguë appeler :

– Matty, Matty !

– Oui, madame Howell, j'arrive… Le métro avait du retard. Je suis désolée…

Elle avait attendu Cliff près d'une demi-heure. En vain. Il devait lui parler d'un boulot dans une agence de pub. Après deux ans de « communication design », elle avait envie de mettre en pratique ses connaissances. Et de gagner de l'argent.

– Honey et Sugar n'en peuvent plus d'attendre. Descendez-les immédiatement !

Trois fois par jour, elle promenait les deux caniches de Mme Howell. En échange de quoi, elle était logée et nourrie. Mme Howell avait mis à sa disposition un petit appartement de l'autre côté du palier.

– Voilà, j'y vais. Honey, Sugar !

Les deux caniches quittèrent leurs coussins en dentelle et se précipitèrent vers elle.

– Doucement, doucement, y en aura pour tout le monde, leur dit-elle en français en leur mettant leur laisse.

Elle attrapa le faire-part et le fourra dans sa poche. Elle le lirait dans la rue.

La vieille dame était toujours dans l'entrée. Sa robe de chambre entrouverte laissait voir des jambes blanches et fripées, des jambes à la peau si sèche qu'on les aurait crues recouvertes de gros sel. Pourquoi je regarde ça ? se dit Martine. Elle la dépassa en détournant la tête.

– Psst…

La vieille lui faisait signe du doigt.

– Vous pourriez pas m'acheter un sandwich au poulet ? J'ai faim.

Elle lui tendit un billet d'un dollar.

Martine jeta un coup d'œil dans le hall. Walter s'était

absenté. Elle regarda sa montre. Ce soir, elle avait sa réunion de femmes. Fallait qu'elle se dépêche.

– O.K., dit-elle en empochant le dollar.

Elle charrie de laisser sa mère dans cet état-là. Ferait mieux de s'occuper un peu plus d'elle et un peu moins de ses chiens.

Honey et Sugar l'entraînèrent vers le seul arbre de la rue. Il y en avait un autre un peu plus loin, à la hauteur de Madison et de la 76ᵉ, mais il faisait partie du circuit de la grande promenade, celle du matin.

Ce soir, chez Parti, il y avait séance de « consciousness raising » : éveil au féminisme. Chaque femme racontait toutes les occasions où elle s'était sentie opprimée ou exploitée. Des histoires de viol, de chantage sexuel, de patrons injustes, de pères abusifs.

Quelquefois, elles pleuraient en racontant ; d'autres, elles se tenaient raides et figées, les yeux grands ouverts comme si elles revivaient leur cauchemar. Au début, Martine avait été gênée. Toutes autour d'une table à déballer leur vie intime. Ça ressemblait à une réunion Tupperware. Elle avait été longue à se décider à parler. Quand elle s'était jetée à l'eau, c'était encore cette histoire de fermier qui était revenue. La haine du fermier. Et du pot au lait.

Elle ne pensait presque plus à Richard.

Pendant des mois, à son arrivée à New York, elle avait enrobé Richard de silence. Un chagrin bien caché qui l'immunisait contre les attaques de la ville. Elle avait tenu debout, brave, mesurant à quel point la douleur était passe-muraille. Elle s'en fichait de ne pas avoir un rond, de ne jamais sortir du campus, d'habiter une chambre sans fenêtre dans un appartement avec quatre étudiantes à qui elle n'avait rien à dire, de passer ses week-ends devant la télé à se gaver de cookies et de peanut butter. Il n'y avait que ses cours qui comptaient, la difficulté de parler anglais tout le temps, le lent apprentissage d'une culture et d'une société qui n'étaient pas les siennes. Il avait fallu qu'elle change de références, de système numérique, de shampooing, de petit déjeuner, de bonjour, bonsoir. Cohn-Bendit ou Banania, ils connaissaient pas à Pratt. Elle se retrouvait toute seule avec ses plaisanteries qui tombaient à plat ou ses longues explications qui sonnaient chinois.

La société américaine était en pleine protestation : des jeunes contre la guerre au Viêt-nam, des femmes contre les hommes, des Noirs contre les Blancs. La défonce était courante et, dans son appartement, les filles alternaient mescaline, LSD et voyages aux champignons.

Petit à petit, elle s'adaptait à sa nouvelle société, mais, pour cela, elle dut tirer un trait sur son passé. C'était le seul moyen de survivre. Sinon, elle avait l'impression d'être assise entre deux chaises, deux cultures, deux continents. Plus tard, je retrouverai mes racines françaises, plus tard.

Elle avait ainsi évacué l'homme au sourire éclair. Dans des spasmes douloureux. Ce doit être pareil quand on accouche. Des douleurs, un répit, des douleurs, un répit et… l'expulsion. Maintenant, elle avait fini de le haïr, fini de l'attendre. Fini d'attendre quelque chose de lui. Mais, pourquoi, depuis qu'il était parti, ne pouvait-elle plus dormir avec un autre homme ?

– Try a girl, avait dit une fille chez Patti.

– C'est pas mon truc, avait répliqué Martine. J'aime les hommes, moi.

– Sois bi, avait alors proposé Patti qui souffrait avec un homme et se faisait consoler par une femme.

– Non…

– Vous, les Françaises, qu'est-ce que vous êtes conservatrices ! Tu ne t'en sortiras jamais…

– Fume des joints. Ça passera, avait dit une autre.

Qu'est-ce qu'elles m'énervent à toujours vouloir trouver une solution !

Mais elle y retournait, à ces réunions de femmes.

Certaines d'entre elles avaient décidé d'arrêter de se décolorer les cheveux pour ne plus « obéir à l'idéologie dominante mâle » qui veut, c'est connu, que la femme soit blonde. Elles arboraient fièrement leur démarcation jaune-brun. Jane Fonda, aussi, était revenue brune du Viêt-nam… Vadim était loin. Barbarella brûlée au bûcher de la lutte des femmes.

La France lui manquait. Pithiviers, Paris, la rue des Plantes, Juliette, Bénédicte, ses parents. Tiens, même Joëlle et le beau René…

Elle se rappela la lettre et l'extirpa de sa poche.

C'était bien un faire-part.

Elle chercha un réverbère pour le lire et, traînant Honey et Sugar, s'appuya contre le premier qu'elle trouva.

> « Madame veuve Michel de Beaumont
> Madame veuve Albert Tassin
> Monsieur et madame Claude Bonnaire
> Monsieur et madame Gilbert Tassin
> ont l'honneur de vous faire part du mariage de leurs enfants et petits-enfants Bénédicte et Jean qui aura lieu le 1er juillet 1972 en l'église de Pithiviers. »

– Putain de merde, mais qu'est-ce qu'ils foutent devant !

– C'est peut-être les départs en week-end, hasarda Martine.

La BMW était obligée de ralentir, et le conducteur s'énervait, cherchant à passer, à se faufiler entre les voitures. L'autoroute du Sud, en ce samedi matin, était particulièrement chargée et le radio-guidage spécifiait bien que c'était ainsi jusqu'au péage.

– Eh bien ! Si ça commence à bouchonner ici, on n'est pas près d'arriver. Le mariage aura lieu sans moi…

– Ça me paraît difficile…

– Regardez donc dans ma valise derrière si j'ai bien pris mes boutons de manchette…

Martine fouilla dans les affaires de Jean Bonnaire et trouva les boutons dans un petit écrin au fond.

– Ils y sont.

– Non. Mais c'est pas vrai… Regardez-moi ce connard en Ami 6 !

Jean Bonnaire donna un brusque coup de volant et doubla sur la droite. Il se rabattit, coinçant le pauvre conducteur et l'obligeant à freiner s'il ne voulait pas se faire déporter contre le rail de sécurité.

– Un bougnoule, en plus ! Ça m'étonne pas. Il a appris à conduire avec ses troupeaux de chèvres, celui-là !

Quand il était venu la chercher à Orly, ce matin, il lui était apparu bien élevé et très séduisant. Grand, blond, mince, yeux bleus, fossettes. Pas un trait de travers. Une publicité pour Jeune Homme Charmant. Il s'était excusé d'être en retard en regardant les miettes de croissant autour des trois cafés de Martine. Martine avait répliqué que ce n'était pas grave. Le principal étant qu'ils se soient retrouvés. Il était habillé tout en gris. Prêt à se marier.

Il tira sur sa manche et fixa la route.

– Vous avez l'heure ? demanda-t-il.

– Oui. Il est midi et demi.

– Mon Dieu ! La cérémonie est à une heure ! On n'y sera jamais…

Martine aurait bien aimé arriver quelques jours plus tôt mais elle avait eu un rendez-vous important à New York dans la journée de vendredi. Elle avait pris l'avion du soir. Bigre ! Je suis presque une femme d'affaires. Enfin, j'en ai l'emploi du temps, c'est déjà un début. J'ai un boulot. Maintenant, il faut que je me débrouille pour avoir mes papiers, se dit-elle en croisant les doigts derrière son dos.

– Vous l'avez rencontrée comment, Bénédicte ? demanda-t-elle pour faire la conversation.

– Elle ne vous a pas raconté ?

– Non. Elle n'écrit pas beaucoup. Juste un petit mot pour me dire qu'elle était heureuse… Et puis, c'est allé vite votre décision de vous marier.

– Je fais tout vite. C'est ma devise.

– Vite et bien ?

Il lui jeta un petit regard amusé et répondit :

– Vous ne trouvez pas que le choix de Bénédicte est un bon choix ?

– Ce n'est pas ce que je voulais dire…

– Vous m'avez dit midi et demi ?

Martine hocha la tête. Il alluma l'auto-radio puis l'éteignit aussitôt.

– Raté ! J'ai raté le flash… Je voulais savoir si Chaban avait donné sa démission. Mais non… Il attendra le prochain Conseil des ministres.

Bénédicte lui avait écrit qu'il était avocat et qu'il travaillait dans l'équipe de Chaban-Delmas. Elle l'avait rencontré en l'interviewant. Coup de foudre. Six mois plus tard, il lui demandait de l'épouser. Une histoire comme dans les contes de fées.

– Elle a changé, votre amie, vous allez voir…

– Changé comment ?

– Elle est plus femme, plus mûre, plus belle…

– C'est votre influence ?

Il lui sourit, modeste.

– Je n'ai pas dit ça.

La voiture était presque arrêtée maintenant.

Une longue file d'automobiles à l'arrêt entre Ris-Orangis et Évry. Les voitures françaises sont minuscules, se dit Martine, on dirait des jouets pour enfants. Dans une lettre, son père lui avait écrit, un jour : « Les Américains ont peut-être de longues voitures, mais ils

762

ont la mémoire courte. » Il ne se faisait pas à l'idée que sa fille vive chez l'ennemi.

– C'est pas possible. Ce doit être un accident…, dit Jean Bonnaire.

Ils restèrent pare-chocs contre pare-chocs un long moment. Puis, sur le bas-côté, ils aperçurent deux voitures encastrées l'une dans l'autre. Des traces de pneus, de sang, du verre brisé. Un corps reposait sur une civière recouverte d'une couverture. On n'apercevait que les pieds du mort. Des pieds en basket. Puis les baskets disparurent dans l'ambulance.

Les voitures s'arrêtaient et les passagers regardaient avec avidité.

– Ouf ! dit Jean Bonnaire, c'était un accident. Si on fonce, on sera à l'heure.

Martine se changea dans les toilettes d'une station-service. En râlant. La fermeture Éclair de son tailleur avait craqué. J'ai encore grossi. C'est la faute aux ice-creams et au peanut butter. Je suis moche et grosse… C'est pas moi qu'il épouserait, Jean Bonnaire.

Ils firent les derniers kilomètres en silence et virages serrés.

Martine n'avait pas envie de parler, elle retrouvait avec émotion les grandes plaines lisses de son enfance, les clochers à chaque point cardinal, les petites routes étroites bombées comme des arcs.

Quand ils débouchèrent sur la place du Martroi, la noce attendait devant l'église.

Il faisait beau, et certains invités, assis sur les bancs, tendaient leur visage au soleil. D'autres s'étaient installés aux terrasses des cafés, les vestes tombées, les manches retroussées devant une bière ou un petit rouge.

D'autres encore arpentaient la place, nerveusement, en regardant leur montre.

Jean Bonnaire s'excusa à la cantonade, donna un rapide baiser à Bénédicte et, prenant sa mère par le bras, se mit dans le cortège derrière la mariée et son père.

Martine eut à peine le temps d'embrasser Bénédicte. Elle fut étonnée en la serrant dans ses bras de constater à quel point Bénédicte était légère. Puis, en se reculant, elle s'aperçut qu'elle avait décoloré ses cheveux. Elle était toute blonde. Elle avait à peine fini de l'étreindre qu'on l'attrapait par le bras. C'était Juliette. Ses cheveux avaient poussé et lui donnaient un air de sauvageonne. Elle reçut comme un coup d'épée l'éclat de ses yeux noirs. Elle avait oublié à quel point ils brûlaient. Ou alors s'étaient-ils aiguisés en deux ans d'absence ?

– T'es arrivée quand ? chuchota Juliette en se mettant elle aussi dans le cortège.

– Ce matin. À Orly. Jean est venu me chercher…

– Tu le trouves comment ?

– C'est encore trop tôt pour le dire… Et toi ?

– Plutôt mignon… Mais je le connais pas beaucoup. Tu sais, on se voit moins avec Bénédicte maintenant que je n'habite plus rue des Plantes.

– Elles ont gardé la maison ?

– Oui. Ungrun et Bénédicte. Avec une autre fille, copine de télé de Bénédicte, que j'aime pas beaucoup. Elle est là, tu vas la voir.

– Et Jean-Marie ?

– Il viendra à la réception. L'église, c'est pas son truc…

Une vieille tante de Bénédicte se retourna, le sourcil froncé, et elles se turent. Elles s'assirent côte à côte dans une travée. Juliette empoigna la main de Martine qu'elle serra très fort.

Mathilde regardait sa fille assise devant l'autel dans sa longue robe blanche, le voile baissé sur les yeux, les cheveux relevés en tresse. Je n'aime pas ses cheveux blonds, ses ongles rouges et sa silhouette trop mince. Elle ressemble à tout le monde à présent. Elle devait reconnaître, cependant, que Bénédicte avait rarement eu l'air aussi heureuse. Depuis que Jean l'avait demandée en mariage, elle n'avait plus de ces bouffées de mal de vivre qui se traduisaient par des larmes à tout propos. Ou peut-être était-ce la mort de sa sœur qui l'avait mûrie ?

Estelle. Il y a trois ans, c'est toi que ton père conduisait à l'autel.

Mathilde ne pouvait s'empêcher de penser à sa fille. Au lieu de la confiner dans un chagrin solitaire et muet, la mort d'Estelle lui avait donné une terrible envie de vivre. J'ai rempli mon contrat. Le petit dernier vient d'avoir son bac… Je vais aller m'installer à Paris. Seule. Faire des études.

Elle pencha la tête pour apercevoir Martine assise plus loin à côté de Juliette. Il fallait qu'elle parle à Martine.

Juliette gardait la main de Martine dans la sienne. Martine s'étonna et voulut la retirer, mais Juliette se cramponna.

– Laisse-moi. C'est bon de te tenir, murmura-t-elle.

– Surtout que je reste pas longtemps. Je repars dans une semaine…

– Comment ça ?

– J'ai trouvé un boulot dans une agence de pub ! Je commence lundi en huit ! Et puis, mon billet est un billet charter… J'ai déjà eu assez de mal comme ça à me le payer !

Juliette fit la moue.

– Il faut que je te parle absolument.

– Qu'est-ce qui se passe ? demanda Martine.

– J'te dirai…

– C'est grave ?

– Compliqué… Et puis, j'ai toujours eu plus confiance en toi qu'en moi.

Bénédicte ouvrit le bal au bras de son père.

Un parquet avait été installé sur la grande pelouse devant la maison, un orchestre engagé et, de part et d'autre de la piste de danse, étaient disposées de longues tables recouvertes de nappes blanches derrière lesquelles des garçons servaient. Les invités commençaient à se disperser dans le jardin, une assiette et un verre à la main, cherchant un petit banc ou une chaise, un coin d'ombre pour se reposer de la chaleur.

Pour le soir, M. Tassin avait prévu un dîner aux chandelles avec orchestre de chambre.

– T'es heureuse, ma fille ?

– Oh papa ! si heureuse…

Il serra Bénédicte contre lui. Il avait envie de lui poser des questions : ai-je été un bon père ? Qu'est-ce que j'ai oublié de te donner et qui t'a manqué ? Mais il n'osait pas.

– Tu sais que, s'il y a quoi que ce soit, je serai toujours là pour toi.

– Oui, mon papa. Je le sais. Tu n'as pas besoin de me faire des discours…

Il rit, embarrassé. Autant il était habile pour parler affaires, autant il se sentait maladroit en famille.

La valse finie, il alla s'incliner devant Jean qui discutait avec M. Genet, le maire de Pithiviers. Et lui remit solennellement sa fille :

– À vous de jouer, maintenant, Jean…

Jean passa son bras autour de la taille de Bénédicte, l'attira contre lui, puis reprit sa discussion sur le projet d'agrandissement de l'usine Gringoire.

Gilbert Tassin avait des larmes aux yeux et détourna

la tête pour que sa fille et son gendre ne s'en aperçoivent pas.

Puis il chercha sa femme.

L'avant-veille, ils avaient eu une ultime discussion
sur son envie de partir vivre à Paris. Elle l'avait prévenu que, cette fois, c'était sérieux. Il lui avait demandé
deux jours pour réfléchir. Une belle journée, se dit-il, je
perds ma femme et ma fille.

En un sens, il comprenait l'envie de Mathilde.
Quand il l'avait épousée, elle avait dix-huit ans. Pendant trente ans, elle s'était occupée des enfants et de
la maison. Pas un moment pour elle. Il lui faisait
confiance. Elle ne quittait pas Pithiviers pour aller faire
la fête à Paris.

Il la trouva dans les cuisines en train de donner des
ordres à la vieille Marie.

– Il y aura un apéritif, avant le dîner, et c'est à ce
moment-là, pas avant, que vous ferez débarrasser les
tables et dresserez le couvert…

Gilbert Tassin arracha Mathilde à Marie et l'entraîna
sur la piste de danse.

– Tu es fou, Gilbert, rit Mathilde. On dirait que tu as
vingt ans et que tu m'enlèves.

– C'est pas l'envie qui m'en manque, tu sais…

Mathilde leva vers lui un regard étonné et lui tapota
le col de son habit.

– J'ai réfléchi, Mathilde, à notre conversation de
l'autre soir…

– Tu crois que c'est le moment d'en parler ?

– Oui, oui… Parce que j'ai les idées claires et je ne
sais pas si je les aurai aussi claires ce soir ou demain.
Tu veux aller vivre à Paris ?

Martine fit un signe affirmatif de la tête.

– Ça ne me réjouit pas vraiment, continua Gilbert. Il
va falloir que je m'organise autrement, mais… Je me
suis rappelé la conversation qu'on avait eue tous les

deux quand j'ai décidé d'arrêter la banque et de me lancer dans les affaires…

– Oui. C'était un soir, dans ce jardin…

– Tu m'as soutenu à ce moment-là. Tu aurais pu avoir peur, mais non… Alors, aujourd'hui, c'est à mon tour de te dire : « Vis ta vie, je suis là ! »

Il trouvait son discours pas mal. Il était même assez content de lui.

– Tu es merveilleux, chéri… Tu sais, ce n'est pas contre toi que je fais ça, mais pour moi…

– Je sais, j'ai compris. Tu reviendras voir ton vieux mari pendant les week-ends ?

– Promis.

Elle se serra contre son mari et parcourut du regard le jardin, la maison éclairée, recouverte de vigne vierge, qui avait été son décor pendant si longtemps.

– Je voudrais m'inscrire en fac…

– Toi, en fac !

– Oui. En histoire de l'art.

– C'est pour me donner des complexes que tu fais ça ?

– Pour me donner des ailes plutôt !

La musique cessa. Mathilde et Gilbert s'arrêtèrent de danser. Mathilde s'appuya au bras de son mari et, regardant Bénédicte et Jean qui s'embrassaient, soupira :

– J'espère que ces deux-là réussiront leur mariage comme nous le nôtre…

– C'est pas donné à tout le monde…

Mathilde le regarda, amusée. Il avait dans l'œil une lueur espiègle de gamin qui va tirer son lance-pierre de sa poche et casser un carreau.

– … de rencontrer une femme comme toi !

Bénédicte valsait dans les bras de Jean, les yeux fermés comme si elle voulait retenir sous ses paupières ces instants de bonheur. Jamais plus, je ne serai heureuse comme ça... Ce n'est pas possible. Jamais plus...

Quand Émile l'avait quittée, elle avait cru que sa vie s'arrêtait. Au *Figaro*, le regard des autres transformait chaque heure de présence en défi. Elle s'était mise en congé maladie et en avait profité pour aller proposer ses services à la télé. À sa grande surprise, elle avait été engagée comme reporter. Elle n'en revenait pas. Sans faire de charme ! Ils avaient lu ses articles, réunis dans un grand porte-folio, et l'avait prise !

Depuis la séparation avec Émile, elle ne jouait plus de la mèche ou de la hanche comme avant. Elle était beaucoup plus réservée. Presque timide. Plus très sûre d'elle.

Elle s'était mise au travail. Elle avait appris à travailler en équipe avec un cameraman et un preneur de son, à parler face à la caméra, pendant une minute trente ou deux minutes dix.

Au début, on lui avait confié des sujets dits féminins : les collections de mode, le phénomène kitsch, la comédie musicale *Jésus-Christ Super-Star*, la mort de Coco Chanel ou celle de Fernandel. Puis elle passa au service politique. Elle suivit avec trois autres journalistes de son service Leonid Brejnev pendant son voyage en France. Elle retrouva, alors, l'excitation qu'elle avait connue en Irlande avec Émile. C'est en allant faire un portrait de l'équipe de jeunes qui entourait Chaban-Delmas qu'elle rencontra Jean Bonnaire.

Trente ans, célibataire, excellent joueur de tennis, il portait ses dossiers comme sa raquette. On le voyait souvent danser au *Jimmy's* ou chez *Castel*. Il l'avait reçue pour un entretien.

Il avait des yeux bleus perçants, un sourire éclatant, de longues jambes qu'il croisait et décroisait sans cesse, des cheveux blonds qui ondulaient. Le Petit Prince devenu grand. Quand il réfléchissait, il frappait ses dents de ses ongles et retroussait la lèvre supérieure comme s'il allait mordre…

Elle l'avait interrogé sur le rôle et le destin d'un homme politique. Il lui avait demandé son numéro de téléphone.

Une semaine plus tard, il l'avait rappelée. L'avait invitée à un dîner avec des journalistes. Un examen de passage, s'était-elle dit, paniquée.

Dans les semaines qui suivirent, ils s'étaient revus pour déjeuner. Plusieurs fois. Elle sortait de ces déjeuners sans savoir quand elle le reverrait ni s'il la rappellerait. Elle ne savait même pas où le joindre. Doit y avoir une autre femme, et il ne sait pas quoi faire. Elle avait pris la précaution de n'en parler à personne. Après l'histoire d'Émile et de Florence Bousselain, elle était devenue prudente. Puis, soudain, les invitations s'étaient accélérées. Ça y est, je suis reçue, s'était-elle dit, un soir, en dansant dans sa chambre. Peut-être même avec mention…

Il y avait eu cette réception dans les jardins du Luxembourg où il l'avait présentée à ses collègues et amis et, enfin, lors d'un cocktail au Cercle militaire, à Jacques Chaban-Delmas.

Ça avait été un grand jour pour Bénédicte. C'était comme une demande en mariage. D'ailleurs, le lendemain, Jean lui avait officiellement demandé sa main. Après un petit dîner en tête à tête où il lui avait expliqué combien tout le monde l'avait trouvée charmante la veille, « y compris le Premier ministre »…

Et, maintenant, elle était Mme Bonnaire. Mme Jean Bonnaire. Elle se blottit contre lui. Plus rien ne pouvait lui arriver.

Il lui releva le menton.

– Alors, madame Bonnaire, on est heureuse ?

Bénédicte soupira « oui ».

– Et, tu vas voir, on va faire de grandes choses

ensemble, lui dit-il. Avec toi, je vais prendre le pouvoir...

– Et moi, qu'est-ce que je ferai pendant que tu prendras le pouvoir ? demanda-t-elle dans un sourire.

– Tu seras ma dame, mon ambassadrice, ma muse... (Puis se retournant et voyant la pelouse se remplir :) Allez, ma chérie, assez danser. Nous nous devons à nos invités...

– Encore une dernière danse, implora Bénédicte.

– Tu as pensé au champagne et au whisky ? Il y en aura assez ?

– Oui, oui. Maman s'est occupée de tout. Tu m'aimes ?

– Oui.

Il regardait la foule des gens qui se pressaient près du buffet et aperçut Martine en grande discussion avec Mathilde et Rosita.

– C'est réglé avec Rosita ? demanda-t-il.

– Oui. Elle viendra travailler chez nous, rue de la Pompe. Elle laisse tomber rue des Plantes... C'est sympa, je trouve.

– C'est tout dans son intérêt... Tu as vu, ta mère a l'air en pleine discussion avec ta copine américaine... J'espère qu'elle ne va pas lui monter la tête. C'est sérieux, cette envie d'aller à Paris ?

– Tout à fait.

– Si j'étais ton père, je n'aimerais pas ça...

Martine racontait l'Amérique à Mathilde et Rosita. Mathilde écoutait, fascinée, les yeux agrandis et le cou tendu. Des réunions de femmes !

– Tu sais, j'ai lu tous les livres que tu m'avais laissés... C'est ça qui m'a décidée à aller vivre à Paris... avec la mort d'Estelle.

Martine lui pressa le coude. Elle n'était pas très forte pour les condoléances.

– On est en retard en France, dit Martine, mais il vaut

peut-être mieux parce que les féministes américaines, je les trouve un peu extrémistes en ce moment. C'est vraiment la lutte contre le mâle, le couteau entre les dents…

— Ça va venir en France aussi… On hérite de tout avec dix ans de retard, nous ! dit Mathilde.

— Remarque, si j'ai mon boulot, c'est grâce à la lutte des femmes !

— Qu'est-ce que j'entends : lutte des femmes. T'as pas changé, ma poule, l'interrompit Juliette en venant se jeter entre Mathilde et Martine. B'jour Rosita…

— Bous bous êtes mal tenues à l'église, Martine et bous !

— Oh ! Rosita chérie, c'est qu'on était si contentes de se retrouver. On pouvait pas le faire en silence…

— Mais, t'étais où, toi ? Je t'ai cherchée partout… demanda Martine.

— Oh, rien du tout. Je t'expliquerai… Alors tu t'es troubé un travail ?

— Oui. Grâce à un piquet de grève féministe. J'avais accompagné mon groupe de femmes qui manifestait contre l'inégalité des salaires dans une agence de pub à Manhattan. On s'était accrochées des pancartes autour du cou et on bloquait l'entrée de l'agence. Le patron est arrivé, il nous a invitées à discuter avec lui, dans son bureau. Il a été très gentil, a pris note de toutes nos revendications. Une fois qu'on a été parties, je suis revenue sur mes pas et je lui ai demandé pourquoi il nous avait reçues si gentiment. Tu sais ce qu'il m'a répondu ?

— Qu'il boulait se débarrasser de bous et que c'était le meilleur moyen, dit Rosita.

— Pas du tout. Les revendications féministes, je m'en fiche, m'a-t-il dit, mais le mouvement des femmes, ça m'intéresse, les femmes sont des consommatrices et je veux me tenir au courant de ce qu'elles pensent. J'ai pas hésité. Je lui ai dit que j'étais prête à collaborer avec lui, que j'avais toujours travaillé, dans une grande surface en plus ; bref, j'ai dévidé tout un baratin et il m'a engagée ! Je commence lundi prochain… Sauf que j'ai menti. Mes papiers ne sont pas en règle. J'ai un visa d'étudiant, pas de travailleur. Va falloir que je me débrouille, et vite !

Juliette applaudit. Mathilde laissa échapper un sifflement d'admiration. Puis soupira comme si les prouesses de Martine réduisaient les siennes à néant.

– Mais vous êtes un miracle, vous, dit Juliette qui avait perçu le découragement de Mathilde. Regardez ma mère à côté de vous. Elle attend que la vie passe, elle. Vous au moins…

– Ils sont là tes parents ? demanda Martine.

Juliette les désigna du menton.

M. Tuille discutait avec Jean-Marie, et Mme Tuille, coiffée d'un chapeau jaune et bleu à fleurs, se tenait un peu à l'écart.

– Bon, je vous laisse, dit Mathilde. Je me dois à mes invités comme on dit dans les manuels d'étiquette.

– Moi, je bais m'asseoir, je ne tiens plus debout, fit Rosita en suivant Mathilde.

– Depuis que papa a été élu au conseil municipal, il a gonflé comme une grenouille, marmonna Juliette en regardant son père.

– Et avec eux, comment ça va ? demanda Martine.

– Comme ci, comme ça. On a signé un traité de non-agression… Et puis, je suis mariée, je fais ce que je veux maintenant… C'est peut-être le seul intérêt du mariage.

– Tu devrais prévenir Bénédicte, dit Martine.

– Oh elle ! C'est pas pareil…

– Dis donc, Juliette, je te serais reconnaissant de ne pas me laisser seul avec tes parents, dit Jean-Marie en rejoignant Martine et Juliette.

– Personne ne t'a demandé de leur parler…

– C'est tes parents quand même… (se tournant vers Martine :) Alors l'Amérique ?

Jean-Marie n'avait pas changé. Même mèche noire, même élégance, même désinvolture. Pochette qui rappelait la cravate, chemise américaine, costume bleu pétrole. Bonne coupe. L'air frais et rose. Indifférent aux piques de Juliette.

Juliette, en revanche, avait perdu de son éclat. Elle fronçait sans arrêt les sourcils, et ça lui donnait l'air méchant. Elle n'arrêtait pas de se frotter le bout du nez.

– Ah ! c'est original : alors Martine, l'Amérique ? Tu veux pas nous laisser seules toutes les deux, ça fait deux ans qu'on s'est pas vues ! éclata Juliette.

Martine eut pitié de Jean-Marie.

– C'est difficile à résumer… Disons que ce n'est pas ce que je croyais vu d'ici, mais que c'est intéressant quand même…

– Tes parents n'ont pas été invités ? demanda Juliette.

– Non. Faut croire qu'ils ne sont pas assez présentables…

– Les invités ont été triés sur le volet… à cause des relations de Jean Bonnaire, dit Juliette.

– Oui, mais ils ont invité Rosita, dit Martine.

– Parce que Rosita, Jean Bonnaire en a besoin, répliqua Juliette.

Jean Bonnaire, qui se tenait au milieu d'un cercle de jeunes hommes, Bénédicte à son bras. Ils parlaient fort, riaient fort, avaient la calvitie et l'embonpoint de ceux qui ne sont pas loin du pouvoir.

– Faut pas l'écouter, Martine, dit Jean-Marie. Juliette voit la méchanceté partout depuis quelque temps.

– Oh, toi ! laisse-nous… Tu viens, Martine, on va s'isoler dans un coin, je veux que tu me racontes tout, tout, tout.

– Bon, je vous laisse, fit Jean-Marie en s'éloignant, les mains dans les poches.

– T'es vache avec lui ! soupira Martine.

– J'en peux plus. Ah ! le mariage, j'te jure…

Elle gonfla les joues et lâcha un énorme soupir en haussant les sourcils.

– On dirait une gitane mal lunée quand tu fais ça, plaisanta Martine en lui donnant une chiquenaude sur les joues.

Elles allèrent s'asseoir à l'intérieur. Au passage, Juliette prit une bouteille de champagne et deux coupes.

– C'est dans cette bergère que j'ai décidé de quitter Pithiviers et de conquérir Paris, fit Juliette en s'asseyant. Il y a quatre ans…

– Parce que t'avais aperçu le beau René et sa squaw… Qu'est-ce qu'elle est devenue, celle-là ?

– Mariée. Comme Joëlle. Mais sans bébé… C'est fou ! quand je regarde René aujourd'hui et que je me rappelle à quel point j'ai été dingue de lui…

– De son image, tu veux dire. Tu ne l'as jamais aimé, ce garçon. Tu n'as jamais aimé d'ailleurs. T'es amoureuse de l'amour, c'est tout.

– Dis donc, tu charries ! J'ai aimé Louis !

– Parce qu'il t'échappait. Et Pinson parce qu'il était gigolo.

– Tiens, au fait, tu l'as pas rencontré le beau Pinson ? Il est à New York, paraît-il. Mme Pinson n'en peut plus. New York, mon fils. Elle rêve en dollars maintenant. Il a dû trouver une riche Américaine…

– Et Jean-Marie ? demanda Martine. Qu'est-ce qui se passe avec lui ?

Juliette prit une gorgée de champagne, envoya valser ses chaussures puis, ramenant ses pieds sous elle, se mit à raconter.

Son mariage. Les débuts dans le petit appartement rue du Cherche-Midi, Jean-Marie qui travaillait sur son livre, elle à la fac et chez Farland. L'impression de jouer à la dînette, au petit couple heureux. Plus de problème d'argent. Jean-Marie vendait une toile de sa grand-mère et ils faisaient la fête pendant de longs mois. Il la couvrait de cadeaux. Elle montra à Martine ses bracelets en or, ses boucles d'oreilles en rubis et son pendentif en diamant.

– Tout ça, c'est lui… Dès que je disais « j'aimerais bien… », j'avais pas le temps de finir ma phrase qu'il courait m'acheter l'objet de ma convoitise. Ah ! Ça me changeait… De Louis, de Virtel…

– De Virtel ?

– Oui, enfin… de sa radinerie. Tu te rends compte qu'il ne m'a pas donné un rond sur le contrat avec Milhal ?

– Ah…

– Je m'étais réconciliée avec mes parents, j'avais de l'argent, je travaillais. Ça a été une période très heureuse. Je ne me posais pas de questions. Je vivais comme un gros chat qui ronronne…

– Quand… l'interrompit Martine.

– Une histoire de mec, bien sûr. Rencontré à la fac, pour une fois. Ça aura servi à ça au moins mes quatre ans de fac : me tirer de ma torpeur conjugale ! Max, un prof de droit international, quarante ans, beau, intelligent, marié, séducteur.

Juliette comptait sur ses doigts les qualités de Max, nostalgique.

– J'ai succombé à la suite d'un pari. Il ne voulait pas croire que Surcouf s'appelait Robert ! On a parié un dîner à *la Tour d'Argent*. Tu sais, tout là-haut… J'ai gagné. On est monté tout là-haut et, pendant un moment, on n'en est plus redescendu. Ça n'a pas duré très longtemps, mais suffisamment pour me donner envie de repiquer à mon ancienne vie. Je me suis mise à mentir à Jean-Marie qui ne s'apercevait de rien, qui me faisait confiance. Je lui en ai voulu de ne pas voir, de croire à mes histoires…

Elle avait froncé les sourcils et reprit son air de gitane méchante.

– Toi, il te faut toujours la bagarre… T'es épuisante, Juliette.

– J'ai commencé à le mépriser… Je l'ai trompé de plus en plus. Presque par provocation. Par ennui. Je faisais des frasques rien que pour qu'il me pique, et il me piquait pas…

– T'as revu Louis ?

– Bien sûr. Tu penses bien ! On s'est rencontrés, un jour, par hasard, dans la rue. Il m'a invitée à un « goûter sexuel ». Et ça a repris. Toujours les mêmes rapports. Réduits au cul. Notre vocabulaire est devenu uniquement sexuel…

– Comment il va ?

– Il vient de finir son premier film français. Le succès lui va bien. Mais c'est toujours les mêmes théories sur l'amour : « Tomber amoureux est une dépendance horrible… Je ne veux pas souffrir, donc je ne tombe pas amoureux. Je veux rester entier et, si je t'aime, tu vas me bouffer. » Je les connais par cœur. J'en ai marre. J'ai envie d'arrêter, mais l'idée de me retrouver seule avec Jean-Marie me fiche le cafard…

Martine soupira.

Pauvre Juliette ! Depuis qu'elle la connaissait, elle tournait en rond dans le même cercle vicieux : les hommes, le cul, les hommes, l'amour… Elle avait épousé Jean-Marie pour se rassurer, mais son envie de vivre avait repris le dessus. Elle avait tout envoyé promener. Je baise et je vous emmerde tous, papa, maman et Jean-Marie.

– Tu comprends… Avec Jean-Marie… Je m'ennuie… Je meurs tout doucement. Il m'aime trop, il m'étouffe. Toute sa vie passe par moi. C'est trop pour une seule femme ! Je lui dis, mais il ne veut rien savoir. Tiens, parfois, je rêve qu'il me trompe, qu'il a envie d'une autre…

– Viens avec moi à New York. J'te jure que t'as pas le temps d'avoir des états d'âme, là-bas…

– Je peux pas. Je suis mariée. J'ai un boulot ici…

– Farland, il n'a pas une succursale à New York ?

– Si, mais…

Martine regarda Juliette avec inquiétude :

– Je te logerai, moi. Et tu m'aiderais à promener les chiens !

Juliette posa sa tête sur l'épaule de Martine. Elle avait toujours eu besoin de la force de son amie. En ce moment, plus que jamais. Le mariage n'était pas une solution. Elle s'en était rendu compte. Je fais que des bêtises. J'agis au coup par coup, sans réfléchir. Je l'aimais bien Jean-Marie quand c'était un ami. Pas un mari ! Pourquoi faut-il que je mélange tout ?

– J'aime pas dormir avec Jean-Marie, chuchota-t-elle à Martine.

– Je m'en doutais, grosse nouille, tu n'aurais pas tous ces problèmes, sinon…

Vers huit heures du soir, un dîner aux chandelles et à la musique de chambre fut servi. Une soixantaine d'invités se répartirent autour de petites tables sur la pelouse. Martine, Juliette et Jean-Marie se retrouvèrent à la table des mariés. Bénédicte souriait, resplendissante, à la lueur des bougies. Jean Bonnaire porta un toast à sa nouvelle femme.

– Et, en plus, il parle bien ! dit Martine qui s'était assise à côté de Mathilde.

– Trop bien, fit Mathilde. Je trouve mon gendre trop adroit…

Vers minuit, tout le monde se sépara. Bénédicte et Jean partaient en voyage de noces en Italie. Juliette invita Martine à venir dormir à Giraines. Mais Martine voulait rester chez ses parents. Elles se donnèrent rendez-vous pour le lendemain midi au *Café du Nord*.

Martine commença sa semaine à Pithiviers entre ses parents, sa sœur, René et sa nièce Virginie. Elle était émue de dormir dans son lit de petite fille.

Ses parents ne lui parlèrent pas beaucoup, mais Martine comprit que, malgré tout, ils étaient fiers d'elle le jour où, faisant le marché avec sa mère, elle entendit les commerçants lui parler de sa vie à New York comme si elle leur avait écrit personnellement.

– C'est toi qui leur racontes tout ça ? demanda-t-elle.

Sa mère haussa les épaules et ne répondit pas. Martine n'insista pas.

À Paris, elle habita rue des Plantes. Ungrun cherchait une nouvelle locataire pour remplacer Bénédicte.

– Tu veux pas revenir ? demanda-t-elle à Martine.

– Non. Mais toi, tu ne devais pas partir en Islande retrouver ton fiancé ?

– Si. J'y passe toutes mes vacances. Mais, tu comprends, je gagne tellement d'argent ici…

Martine l'avait vue sur tous les présentoirs Ricils. Ungrun souriait fraîche et brillante, les dents bien droites, le visage bien lisse, les yeux éclatants de bonheur.

– Et lui, il t'attend ?

– Oui. C'est lui qui me pousse à rester. Il dit que ce serait dommage…

Regina passa dire bonjour à Martine. Elle revenait du Bazar de l'Hôtel-de-Ville où elle avait acheté une perceuse, et exhiba l'engin à Martine, stupéfaite. Le mariage lui avait réussi. Elle était plus rose, moins maquillée. Comme toutes les filles qui ont eu du mal à se marier, elle abusait du « on » et du « nous ». Martine alla dîner chez eux, un soir.

Charlot avait grossi. Il travaillait toujours au béton qui démoderait totalement celui de Virtel.

– Tu sais qu'il a fait fortune grâce à mon brevet, ce salaud !

– Faudrait que vous l'exportiez, votre brevet, dit Martine.

– J'aimerais bien… Je comptais sur Juliette et Farland, mais elle a mal pris mon mariage avec Regina. Bah! ça passera… On reparlera de tout ça plus tard.

Martine, un soir, prit un taxi et se fit conduire devant le café-tabac des Brusini.

Elle se revit, en long imper fendu, sur les marches à attendre et elle sourit. Fini. Elle avait presque envie d'aller frapper à la porte et de demander des nouvelles de Richard, mais elle n'osa pas.

Le lundi suivant, elle fit ses valises. Juliette la conduisit à Orly.

– T'es sûre que tu ne veux pas partir avec moi? demanda Martine alors qu'elles faisaient la queue pour enregistrer les bagages.

– Non. Je ne peux pas. Qu'est-ce que je dirais à Jean-Marie et à Farland?

– Tu leur dirais merde!

Juliette eut un petit sourire triste et ne dit rien.

De retour rue du Cherche-Midi, elle regarda la maison d'un autre œil. La table du déjeuner n'était pas débarrassée. Jean-Marie avait laissé un mot: « Je suis au cinéma. Je rentre vers cinq heures. »

Elle commença à débarrasser la table, lentement. Pensa, un instant, à aller retrouver Louis. Racla une assiette, la posa dans le lave-vaisselle. Je suis à peine capable de charger un lave-vaisselle. Je suis nulle.

Mais pourquoi?

Qu'est-ce qui s'est passé pour que j'aie une fuite et que toute mon énergie se tire?

Je ne vais pas recommencer cette vie de légume… À vingt-deux ans…

Vingt-deux ans?

Vingt-deux ans!

Elle appela Air France. Demanda à quelle heure était le prochain avion pour New York.

On lui répondit que, suite à un incident technique, les passagers du vol de treize heures avaient été débarqués et l'avion cloué au sol. Il ne partirait qu'à seize heures.

« C'est un signe », décida Juliette.

Elle réserva une place sur le vol de Martine.

Fit ses valises à la va-vite. Enfournant livres, pulls, pantalons et jupes dans un sac.

Passa vider son compte à la banque.

Revint prendre sa valise et laissa un mot à Jean-Marie sur la table de la cuisine :

« Celle qui ne veut pas mourir te salue… »

VU DE L'EXTÉRIEUR

Anita et moi avons une chose en commun : mon cousin Christian a assassiné sa meilleure amie, Diane Ducocher. C'est bien tout ce qui nous unit d'ailleurs car Anita et moi ne nous ressemblons guère.

Vous me direz que peu de gens se partagent un cadavre et que cela suffit à rapprocher deux jeunes filles habitant Paris. Oui, mais lorsque j'ai emménagé chez Anita, ni elle ni moi ne savions que nous étions liées par un corps froid. Ce n'est que plus tard, un soir où nous jouions au gin-rummy, en soliloquant pendant qu'elle remettait de l'ordre dans son jeu, que j'ai mentionné la mésaventure de mon cousin. Anita est devenue pâle, a lâché ses cartes sur la moquette et m'a contemplée un long moment sans rien dire. Depuis, il lui arrive de me regarder ainsi de son œil noir et fixe, et elle n'est pas toujours très aimable. Elle peut même se montrer dure, tyrannique, voire méprisante. Ces jours-là, je tente de me faire oublier car Anita est la seule personne, hormis ma mère et ma grand-mère, que je connaisse à Paris. Sans elle, je serais perdue. Je souffre, en effet, d'une maladie bien connue des psychiatres : je ne sais pas qui je suis. Je ne me situe pas. Enfin, je sais comment je m'appelle, où j'habite et tout ça, mais je n'ai pas une haute idée de moi. Pour parler franchement, je pense même que je suis un échec sur toute la ligne. Une bonne à rien. Ce qui ne m'empêche pas d'autres fois de m'aimer beaucoup et de me prendre pour la fille la plus intelligente, la plus bandante de l'Ouest. Mais ces accès-là sont rares, hélas… C'est assez épuisant de vivre entre deux altitudes. Ça fait le même effet que les trous d'air en avion.

Mon cousin Christian, le fils de ma tante Fernande, celui avec qui je décollais les arapèdes en plein midi sur les rochers de Carry-le-Rouet, qui m'emmenait à minuit dans les cimetières pour guetter l'âme des morts, a étranglé, un soir de pleine lune, Diane, jeune fille pâle et bien élevée qu'Anita chérissait.

Depuis des mois déjà, bien avant l'accident, Christian et Diane se livraient à des attouchements intimes sur la banquette avant de la voiture de mon cousin sans jamais parvenir à la perforation fatale. Un soir où, moite et énervé, dans une petite chambre d'hôtel avec vue sur la mer, il crut enfin pouvoir donner le coup de rein libérateur et étreignit vigoureusement le cou de sa bien-aimée, Diane rendit l'âme. Sans piper mot. Elle devint toute molle, inerte et lourde entre ses bras. Christian la secoua, la supplia de cesser ce petit jeu macabre qui pouvait le conduire tout droit au pénitencier puis, résigné et triste, il s'allongea sur le lit, lui caressa tendrement la joue et médita. Non seulement sa vie est finie, se dit-il, pensif, mais la mienne aussi. Après un dernier baiser, il se releva, plaça le corps dans une fort belle valise en cuir qu'il tenait de mon grand-père et alla la déverser dans les rochers du Finistère inférieur. Les mouettes feraient le reste.

Christian est un grand ami de la nature. Il possède une très belle collection d'herbiers. Aujourd'hui, à la centrale de Fleury, quand sonne l'heure de la promenade, il est le premier à répondre présent, arborant les magnifiques Nike aérées que je lui ai offertes pour Noël. Noires avec des bandes vertes et orange sur le côté, et des lacets jaunes qui brillent dans l'obscurité. Saviez-vous que nombre de joggeurs périssent écrasés à la tombée du jour, par manque de signalisation ?

Ça crée des liens, un cadavre mitoyen. Même si Anita et moi ne le voyons pas du même œil. Selon moi, un meurtre sans préméditation ni malveillance aucune, un meurtre par étourderie en quelque sorte, relève de la malchance, voire de la position maléfique des planètes. Cela peut arriver à tout un chacun, et bien malin qui croit pouvoir y échapper ! L'homme le plus placide empoigne un hachoir ou une clé à molette et supprime, sans intention de nuire, un collègue de bureau aux doigts jaunis par le tabac, une inconnue aguichante ou un voisin de palier qui traînait par là. Vous seriez étonnés de savoir que nous avons tous cette pulsion criminelle en nous, pulsion que nous refoulons certes, mais à laquelle certains, moins organisés, plus fragiles, succombent. Moi-même, je dois le reconnaître, suis prise d'envies violentes de découper, de trancher, de dépiauter si je côtoie trop longtemps un couteau de boucher ou un coupe-papier. Des visions de lame plantée dans le cœur ou saignant les côtes me font déglutir de manière très apéritive. Il me faut alors faire appel à mes restes d'éducation pour remettre le couteau ou le coupe-papier à sa place d'objet usuel et abandonner mes visions d'Écorché. Mon cousin Christian, ce soir-là, n'eut pas le temps de se reprendre.

Une fois la belle trépassée et éparpillée dans les rochers, Christian se présenta aux policiers à qui il raconta, par le menu, sa stupéfiante aventure. À peine s'il prit le temps de se laver les mains et de refaire son nœud de cravate ! Christian est très coquet. Ses mains douces et blanches sont toujours soignées, son menton rasé de près et ses cols de chemise immaculés. Il coiffe ses cheveux noirs de brillantine Pento (tube rouge) et entretient sa fine moustache avec un zèle d'hidalgo pointilleux. Vous avez compris : j'aime Christian, et davantage encore depuis cet incident stupide qui lui vaut de croupir en prison où il recopie des toiles de peintres impressionnistes pour le plus grand profit des propriétaires de galeries parisiennes ou japonaises. Le procès n'a pas encore eu lieu. Christian se morfond en attendant de pouvoir se justifier aux yeux de la société. D'après son avocat, il risque d'écoper de huit ans fermes, si ce n'est plus.

Pour Anita, un crime est un crime et conduit obligatoirement à la guillotine dont elle déplore la disparition. Elle ne trouve aucune circonstance atténuante dans la conduite aguichante de sa copine. Pire même, cette preuve évidente de sensualité chez son amie redouble sa haine pour mon cousin. « Cet homme est un porc, et le porc doit être enfermé. Ou débité en saucissons, boudins, jambons et fricassées. »

Anita n'apprécie guère les nuances, les langueurs de l'âme ou la lente éclosion d'une rose. Anita aime les gagnants, les hamburgers, les résumés, le noir OU le blanc, les guerres éclair, les autoroutes à six voies, les favorites, les privilèges et elle.

Infiniment.

Anita déteste : la pauvreté, l'anonymat, le don de soi, les pantalons écossais, la peau des tomates, les yeux placés trop près du nez, les feuilles de Sécurité sociale, le métro, les rots, les défécations

et Christian.

Pour moi, Diane – paix à son âme – n'était qu'une allumeuse pudibonde qui n'avait pas les moyens de ses avances et réduisit un pauvre homme à utiliser la force là où d'autres déploient caresses, arguments savants, fleurs, parfums et diamants. « On doit savoir, rétorqué-je à Anita, à quoi on s'expose chaque fois qu'on attise le noir désir de l'homme. On risque le pire. C'est ça qui est bon. » À l'idée du pire si bon, si doux, si pénétrant, mon corps se déchire, mes yeux chavirent dans leurs globes blancs. Anita me traite de dépravée et boude jusqu'à ce que je lui propose une partie de gin-rummy. Je la laisse gagner quelques tours, consciente de l'avoir commotionnée. Il m'arrive même de lui offrir une colonne blitz pour amener un sourire sur son visage congestionné de douleur contenue.

Anita et moi partageons le même appartement, un premier étage, au 12 rue du Nain-Jaune à Paris, 11e. J'ai droit à la chambre plein sud donnant sur un jardin rempli de roses pompon, de tonnelles odoriférantes et de bancs moussus tandis qu'Anita doit se contenter de la chambre plein nord dominant un carrefour, quatre feux de signalisation, un bar-tabac avec flippers et une épicerie qui, dès l'aube, enroule son rideau de fer pour recevoir ses premières livraisons. Anita dort fenêtres et volets fermés, le téléphone sous l'oreiller, pour être sûre de l'entendre. Tous les matins à 8 heures moins le quart, son amant, un industriel de haute envergure, animé d'ambitions politiques, marié et père de quatre enfants, vient lui rendre visite et se livre à ce qu'Anita appelle un « frotti-frotta sans intérêt ».

– Il est lourd, maladroit, a le cuir chevelu huileux et le coude râpeux, soupire-t-elle à 8 h 15, une fois l'affaire conclue.

Le dos voûté, les cheveux en mèches éparses sur le col jaune poussin de sa robe de chambre douillette, elle remue sa petite cuillère dans sa tasse à café et s'affale en bâillant sur son coude qui glisse sur la table. Elle ne mange pas de croissant car elle est au régime mais ramasse soigneusement les miettes des miens, du bout de ses longs doigts humides.

– Mais pourquoi le vois-tu alors ?

– Parce qu'il a le bras long et qu'un jour il divorcera pour m'épouser. Ce jour-là…

Anita se redresse et tend les manches de sa robe de chambre en duvet jaune. Sa nuque se raidit, ses yeux se plissent, sa bouche siffle :

– Ce jour-là, je serai la femme officielle du Président-Directeur Général et je ferai chier tout le monde !

En attendant, celui que nous n'appelons plus que le Président revient à la charge, tous les matins à 7 h 45 précises, juste avant d'aller à son bureau parisien gérer les intérêts de son invention : un plastique biodégradable à partir duquel sont fabriqués poubelles, emballages, gobelets, plateaux-repas, sandalettes de plage, joints de robinets, coquetiers, etc. Son brevet se décline à l'infini, assurant la fortune du Président, lui procurant des sommes d'argent rondelettes qui l'aident à financer son projet de société pour la France.

Tapie derrière la porte, écoutant le chant du sommier, il m'arrive de suivre leurs ébats. Ou plutôt le long monologue du Président. « Petite Anita, ma petite Anita, A-ni-ta. A-nie-ta. Ni-ni-ta. Ma ni-ni. Ma na-na. Ma-ni-ta. Mon amour de Nina. Ma-ni-ta chérie. Et qu'est-ce qu'elle sent là, la petite Anita ? Et là ? Et là ? Et là ? Et comme ça, elle aime la petite Anita ? » Anita ne dit mot. Le Président souffle et psalmodie. Pousse un cri. S'affale. Le sommier lâche un dernier accord, grinçant et métallique. Puis tout s'arrête et je cours me réfugier côté jardin. Je contemple la courbe d'une rose presque fanée et pense à la femme du Président : la chevauche-t-il encore ?

La première fois que j'ai vu le Président, il étreignait de ses cuisses blanches et poilues le bidet de notre salle de bains et s'ablutionnait. Il s'est excusé d'un geste vague de la main et a eu un mot d'esprit pour souligner l'incongruité de la situation :

– Il n'y a pas de grand homme pour un bidet…

Je pense toujours au bidet quand je l'entends parler de l'entreprise et du libéralisme, de la lutte pour l'environnement et la préservation des paysages, du destin de la France et des Français. La céramique blanche, le mince filet d'eau et les fesses vergeturées l'emportent sur les trémolos grandioses qu'il emploie pour parler des affaires du pays qu'il se propose de diriger comme son entreprise : efficacement et proprement.

Grâce à lui, Anita travaille dans un journal à grand tirage. Elle interroge les stars de l'écran. C'est son gagne-pain, elle n'y met aucune ambition. Tout le monde sait qu'elle est la maîtresse du Président. On ne lui fait jamais reproche de ses absences, alors que le règlement stipule que chaque congé non justifié est retenu sur la feuille de paie. Anita a raison : le Président a le bras long. Anita pourrait avoir d'autres soupirants mais elle refuse de se disperser avec des hommes plus adroits, moins pesants, aux coudes plus lisses. Elle préfère attendre d'avoir la bague au doigt. Ce jour-là, prédit-elle, ce jour-là seulement, quand je sentirai l'anneau d'or rouler sous mes doigts, quand je foulerai l'épaisse et blanche moquette de notre appartement, quand je reviendrai d'un après-midi d'emplettes suivie du chauffeur ployant sous les paquets, ce jour-là, je me choisirai un amant aux doigts habiles, aux reins légers, à la peau lisse et douce, douce, douce...

Anita aime rêver. Elle ferme les yeux et invente l'avenir en faisant une moue gourmande. Ses longs cheveux noirs ondulent sur ses épaules, sa bouche ferme, rouge sang, laisse entrevoir des dents blanches et bien alignées, sa peau mate s'irise, ses pommettes hautes donnent à son visage un air de bâtisseur d'empire, ses narines frémissent, ses oreilles délicates pointent un lobe replet sous la masse de cheveux sombres. Selon Christian, un lobe en dit souvent plus long sur la personnalité que les attitudes ou le langage choisis. Un lobe ne ment pas. Celui d'Anita, par exemple, indique un goût aigu du pouvoir, une gourmandise raffinée qui sait se retenir pour mieux se délecter, une tendance à la paresse et à l'onanisme doublée d'un don certain pour manipuler son prochain.

Anita rêve. Belle, voluptueuse, mystérieuse. Je ne peux m'empêcher d'être fascinée par sa beauté que je détaille quand elle a les yeux fermés. Quand Anita soulève ses paupières, ses yeux noirs coupent tel un diamant, brûlants ou froids, dédaigneux ou moqueurs, des yeux qui parlent de guerre et de reddition sans condition. Je redoute l'œil ouvert d'Anita et lui conseille de toujours garder les yeux fermés pendant l'amour. Il suffirait que le Président surprenne un de ses regards pour que jamais plus il ne l'escalade. Dans l'œil noir d'Anita, je lis les préparations détaillées de l'exécution de Christian. Elle rétablit la peine de mort, embauche un ex-bourreau, dresse l'échafaud, aiguise la lame, place le petit panier, convoque deux médecins légistes, verse le verre de rhum et craque l'allumette pour la dernière cigarette. Une mise en scène cruelle et raffinée où mon cousin n'en finit pas de trembler, de crier, de se tordre avant d'avoir le cou tranché. Je sais que la peine de mort n'existe plus. Mais c'est plus fort que moi. L'idée, rien que l'idée, qu'on puisse exécuter Christian me révulse. C'est comme si on m'amputait d'un membre.

C'est ce que j'explique au docteur qui me suit. Un psy très gentil. Il m'encourage à travailler sur ce sentiment que Christian et moi ne faisons qu'un. Il faut que j'acquière mon indépendance vis-à-vis de ce cousin qu'il juge encombrant. Il n'a pas tort au fond, je le sais. Moi-même, j'ai lutté de toutes mes forces contre cet amour si envahissant… Mais, voyez-vous, je suis très attachée à Christian, au-delà de tout ce que vous pouvez imaginer.

Ce matin, dans l'autobus qui me conduisait à la prison, j'ai posé mon panier à provisions sur la banquette vide, face à moi. Outre le camembert qui puait, je lui apportais de la crème pour les mains qu'il s'abîme à force de manier des solvants, du Pento rouge, un puzzle blanc, des Traou-Mad par paquets de vingt-quatre, des sachets de thé Grand Yunnan, une affiche de Mesrine pour contrarier le maton et un poster de Brigitte Bardot (jeune) pour rêver la nuit quand ses lacets jaunes ne suffisent plus.

Christian estime que Brigitte Bardot est la plus belle femme du monde. Il produit des chiffres à l'appui. Des mensurations de favorite de harem ou de princesse de sang royal, qui correspondent exactement au tour de hanches, au galbe des seins, à la finesse de la taille, au pulpeux de la bouche de l'ex-star de cinéma quand elle avait 20 ans.

Ce matin, au parloir, il soupire derrière la paroi de verre et me demande, une nouvelle fois, de lui raconter la vie au-dehors. Les costumes des hommes, la longueur des robes des femmes, les affiches de cinéma, l'état de floraison des ormes et des marronniers, les expressions à la mode, les sujets de conversation dans les transports en commun, l'odeur du parfum dont il a vu la pub à la télé. Ses genoux s'entrechoquent sous la table et il s'emporte si je ne lui donne pas assez de détails.

– Tu as des yeux pour voir, des jambes pour circuler, tu es aveugle et paralysée ! Tu mériterais d'être à ma place !

Je lui promets de m'appliquer et d'être plus précise. Il hausse les épaules, balaie l'air de la main et répond que ce n'est pas ma faute. La vie va trop vite pour les gens, dehors.

– Tu as trouvé du boulot ?

Je lui dis que non. Pas encore.

Il a fini de recopier un tableau de Renoir pour un restaurateur de Tokyo et commence un Degas, demain. Il n'aime pas Renoir mais ses copies se vendent comme des petits pains.

– Non vraiment, répète-t-il, têtu, Renoir est un peintre pour calendriers de Noël. J'ai la nausée de ces chairs roses, de ces minois charmants, de ces berceaux de verdure, de ces bras potelés, de ces enfants gonflés de lait…

– Tu parles comme un dépliant de musée !

– Est-ce que les hommes te touchent ?

– J'ai plus envie.

– Les hommes sont des brutes. Le monde est brutal. Les voitures écrasent les petits enfants.

– J'ai plus de sous. C'est une sale passe.

– Comment va la belle Anita ?

– Elle prie pour que tu aies le cou tranché et les couilles arrachées.

– Elle paie ton loyer ?

– Elle voit toujours le Président.

– Tu n'as pas de respect pour toi.

– Christian, s'il te plaît, ne recommence pas.

– Adopte un chien. On pourra comparer les mérites des boîtes et de la viande hachée, des boulettes et des croquettes, du riz Basmati et des haricots verts frais.

– Je vais trouver un travail. Un vrai travail. Je vais consulter les petites annonces des journaux.

– À quoi sers-tu ? À rien.

Dans l'autobus qui me ramène à la maison, je pleure dans mon mouchoir : il a raison. À 26 ans, je n'ai ni amant ni emploi. Je vis avec les derniers sous que m'a donnés Mamou, ma grand-mère paternelle, après qu'elle eut vidé ses PEA, ses PER, ses PEL, toutes ses petites économies mises de côté pour ses vieux jours. Je regarde les gens autour de moi : des retraités qui font bien attention à ne pas déborder sur la place d'à côté, une bande de jeunes qui revient du lycée, un walkman sur la tête, ils ne se parlent pas, ils fredonnent, enfermés dans leurs écouteurs, une mère de famille qui porte un cabas plein de poireaux. Ce doit être le légume de saison.

Autrefois, moi aussi, j'achetais des poireaux.

Pour faire plaisir à André, mon mari.

Je les fendais en quatre de la pointe du couteau, les nettoyais et les faisais cuire à la vapeur dans un grand couscoussier. À la vapeur car André craignait le cholestérol. André les arrosait de vinaigrette. « T'es la reine de la vinaigrette », il disait. « Et du clafoutis aux cerises noires », j'ajoutais très fière en levant les yeux vers lui. André est un vrai Français. Il dit qu'il n'y a que les Français pour inventer le béret, que le béret est la chose la plus intelligente du monde parce qu'il tient chaud au sommet du crâne et que 65 % de la chaleur du corps s'échappent par la tête. Il n'en porte jamais car cela ne convient pas à son costume croisé, mais regrette qu'on en fasse si peu cas de nos jours.

Les filles de mon âge, à cette heure-ci, sont occupées au bureau ou à la maison à éplucher des poireaux. Ou elles s'envoient en l'air avec l'employé du gaz. C'est très fréquent dans les grands ensembles. Je le sais parce qu'André avait un copain qui relevait les compteurs à Meudon. Il me racontait comment cela se passait, et j'imaginais le reste. Elles enlèvent leur soutien-gorge et frictionnent la marque de l'élastique. C'est pas beau quand la chair est striée, rouge et gonflée. On voit le gras et la blancheur de la peau. Faut frotter pour que ça s'efface. Et, de l'autre main, on enlève la culotte. On passe un doigt discrètement entre les jambes, on le renifle pour voir si ça sent bon ou pas, des fois qu'il y colle sa bouche. Avec un peu de chance, il y collera sa bouche, l'employé du gaz... Là où il faut pas, là où c'est pas propre, là où c'est si bon. Avec André...

Je ne veux pas y penser. Pas encore. Le temps n'est pas venu.

Le médecin m'a bien recommandé de ne pas évoquer le passé sans une prise immédiate de tranquillisants Gourex. Comme je n'aime pas les médicaments, surtout ceux qui soignent l'âme, j'hésite à repartir en arrière. Mais c'est plus fort que moi. Je repars toujours en arrière. J'essaie de comprendre ce qui s'est passé dans ma vie pour que tout éclate en mille morceaux. Le meilleur moyen de ne pas s'attarder sur soi est encore de penser aux autres. Comme une forcenée. Un seul moment d'inattention peut m'être fatal. Il faut que je sois tout le temps occupée avec la misère d'autrui, sinon la mienne me saute au visage. Et alors, j'ai le souffle coupé. Je me plie, je me tords, je me love par terre. J'ai envie de disparaître. Je suis terriblement triste d'exister.

Depuis que j'habite avec Anita, les crises se sont espacées. Mais ma mère veille au grain.

Elle dit que la Vérité est le Médicament Suprême et que, si je fuis la Vérité, Elle se vengera en me tombant dessus. Par surprise. Comme une bête féroce qui guette sa proie et s'en saisit. « C'est pour ton bien, n'arrête-t-elle pas de me répéter. IL FAUT REGARDER LES CHOSES EN FACE. » Elle cite les saints Évangiles, surtout saint Paul, son chéri, le plus violent, le plus hardi, fringant sur son cheval en route vers Damas : « On va plus vite en allant droit. » Quand j'étais petite, le soir avant de me coucher, elle me faisait répéter cette phrase jusqu'à ce que les mots n'aient plus de sens. « Il sera beaucoup pardonné à ceux qui se dénoncent très vite », affirmait-elle en hochant du menton, les dents émaillées de jambon persillé de chez Coucounnot, le charcutier de la rue principale. Dès qu'elle faisait un péché, le jambon persillé de chez Coucounnot par exemple, elle allait aussitôt se confesser à l'église. Un jour où je lui conseillais de se convertir au protestantisme pour parler directement à Dieu et éviter le détour par M. le curé, elle m'envoya une gifle à cinq doigts écartés et me condamna à un rosaire entier de pénitence à réciter à genoux dans ma chambre en face du crucifix.

Je ne suis pas très douée pour me retrouver les yeux

dans les yeux avec la Vérité. Et puis la Vérité, c'est quoi ? « C'est la Version Unique, celle qui apporte la Lumière », me répond-elle. Ça me fait peur. Elle le sait. Elle éprouve du plaisir à me faire peur. Elle me dit, par exemple, que je ne suis pas normale. Qu'elle souffre de ne pas avoir une petite fille normale. « Je ne suis pas une petite fille. Ça fait vingt-six ans que je suis sortie de ton ventre. »

Elle me dit : « Ne me parle pas comme ça. On ne dit pas ça à sa maman » et elle me raconte combien elle a souffert quand je suis sortie de son ventre. Les heures et les heures de douleur sur la table du docteur. Les jambes écartées, les chairs qui se déchirent, le sang qui coule, le masque à gaz appliqué brutalement sur le nez, les mains du médecin qui disparaissent jusqu'aux coudes dans son ventre, les forceps, la déchirure, les forceps, la déchirure, le masque à gaz. Les mots dansent dans ma tête et je n'ai plus envie de sortir du tout. Je suis dans un long tunnel doux, rouge, chaud, et une paire de tenailles m'attend tout au bout.

« Vue de l'extérieur, t'as l'air tout à fait normale, et pourtant... T'es comme ton cousin Christian », disait André en secouant la tête sans comprendre.

Moi non plus, je ne comprenais pas.

À la fin, je ne savais que me taire et me plier. Partout.

On me retrouvait par terre dans les toilettes, par terre dans le salon ou sous les coussins du canapé. André soulevait un coussin et criait à ma mère :

– Ça y est ! Je l'ai trouvée ! Vous savez où elle était ? Sous les coussins du canapé ! Faut le faire ! À son âge !

Il riait, puis son rire se figeait en une grimace de douleur.

– T'es pas normale, tu sais ça ? J'ai épousé une anormale. Et il fallait que ça tombe sur moi !

Il avait l'air si triste que je me dépliais et, mettant les

bras autour de son cou, caressant le poil ras de la nuque, je promettais de devenir normale. De faire tout ce qu'il voulait.

– Dis-moi ce qui te ferait plaisir.

– Je voudrais avoir une vie normale, avec une femme normale comme tous mes copains.

Alors je courais acheter des poireaux et les nettoyais sous le robinet en les coupant en quatre de la pointe du couteau. Puis je les pliais dans le couscoussier. Je me faisais une mise en plis. Je mettais une jolie robe pour le soir. J'allumais la télé et regardais les informations avec lui, sur le canapé, en buvant un Martini, comme lui. Je téléphonais à sa mère, à ma mère. Je leur disais que tout allait bien, que les enfants dormaient et qu'André avait eu une bonne journée. Puis je mettais la table et servais les poireaux cuits à la vapeur. Je le regardais, très fière, déguster ces poireaux à la vapeur avec ma fameuse vinaigrette dont le goût inimitable vient d'une cuillère de tamari et de quelques pincées de levure maltée. Et d'une huile d'olive à première pression à froid. Ce doit être écrit sur l'étiquette. C'est impératif. Les autres huiles sont trafiquées. Elles laissent des déchets dans l'organisme qui, peu à peu, s'encrasse ; le taux de cholestérol augmente et les chances de crise cardiaque aussi. Il me souriait, soulagé. Il levait son verre, le vidait d'un coup et disait : « Tu vois, ce n'est pas difficile d'être normale. Tu peux y arriver... T'as qu'à faire comme les autres et y aura plus d'histoires. » Ce n'est pas difficile mais ça prend du temps : il faut acheter des poireaux, les laver sous le robinet, retirer la pellicule transparente qui recouvre le pied, ôter les feuilles trop dures du bout, les éventrer, les nettoyer, les rouler dans l'étage supérieur du couscoussier et les faire cuire pendant une demi-heure environ. Ça fait de la vapeur sur les vitres et après faut nettoyer. Se baisser sous l'évier, prendre le Glassex, asperger la grande vitre, s'étirer pour attraper le Sopalin, en découper quelques feuilles, sortir l'escabeau du débarras sans rien faire tomber, nettoyer la vitre en équilibre sur l'escabeau, rajouter un peu de Glassex, reprendre quelques feuilles de Sopalin, reculer pour juger de l'effet, ranger le Glassex sous l'évier, remettre l'escabeau à sa place et se relever, essoufflée.

Mais André souriait. André sauçait son assiette avec un morceau de baguette. André se régalait. André se renversait sur sa chaise. André disait : « Et après, tu m'as préparé quoi ? »

Rien. J'avais pas pensé à la suite.

André ne pouvait pas le croire. Les poireaux vinaigrette, c'est l'entrée. Après vient le plat de résistance, puis le plateau de fromages et le dessert. André se frappait le front. Il se levait de table et allait dîner chez sa mère. Il partait en claquant la porte.

Moi, je rangeais. J'avais décidé de ne jamais pleurer.

Je me permettais tout juste de renifler en chantant une berceuse. Je rangeais tout bien proprement puis j'allais me plier quelque part. Au pied du lit ou sur le tapis blanc de la salle de bains et je m'endormais. Je m'endormais en rêvant. À un homme qui me laisserait de la place. On serait sur une île déserte tous les deux et il n'y aurait plus de ménage, plus de cuisine, plus de courses à faire, plus d'apéritif sur le canapé en regardant la télé. Du sable blanc partout et toute la place pour moi.

Avec André, le désir ne venait que lorsqu'on était dans le lit, le soir, qu'il m'embrassait, qu'il me roulait dans ses bras et posait sa bouche entre mes jambes. Je me glissais entre ses jambes, la bouche refermée sur son sexe, sexe doux que je tenais dans ma bouche, que je suçais, que je tétais. Il gémissait, il gémissait puis il s'endormait en me gardant entre ses jambes, et moi, je partais dans l'île déserte, la tête enfouie dans ses jambes, j'entendais les vagues, j'entendais glisser les petits grains de sable qui roulent sous la vague, je m'étendais sur la plage et j'attendais la vague qui allait m'emporter.

Quand je suis arrivée à la maison, au retour de la centrale, ma mère était là. J'ai changé de voix. Comme toujours avec elle.

Elle a regardé mes cheveux et n'a rien dit. Elle a attendu une minute puis a laissé tomber que c'était intéressant. Qu'elle aurait peut-être mis moins de gomina mais que tous les goûts sont dans la nature. Et puis, comme c'était vraiment trop dur pour elle de se taire, elle a conclu en disant que ce n'est pas comme ça que je retrouverais un mari. Je lui ai répliqué que ce n'était pas mon but dans la vie. Et d'ailleurs, que pouvait-on attendre de bon de l'union d'une robe et d'un pantalon ? À mon avis, rien.

Elle a pris son air pincé et a ajouté que j'étais irresponsable, à côté de la plaque.

– De la plaque dentaire ? j'ai demandé.

… que j'avais d'autres tâches autrement plus dures à accomplir que le jeu de mots ou la contrepèterie.

– Contrepèterie, contreplaqué. Qui est pétrie sans être plaquée ?

Seulement voilà… Je ne m'en rends pas compte. Je préfère rire à gorge déployée que de prendre mon destin en main.

– Comme Sissi.

Pour maman, il suffit de mettre un pantalon et une robe ensemble, de les faire passer devant M. le curé et le pli est pris. Un véritable conte de fées. Enfin, c'est ce qu'elle me répète à longueur de discours parce que, avec mon père, le pli n'a jamais été pris. Mais on n'en parle pas. Ce serait l'offenser. J'aimerais bien mais elle s'y refuse. Elle dit que ce n'est pas intéressant, qu'il n'y a que les histoires où les gens se tiennent bien qui valent le coup d'être racontées.

– D'où viens-tu ?

– De la prison. J'ai vu Christian et je lui ai apporté son petit panier de provisions.

– Comment va-t-il ?

– Pas bien.

– Quand je pense que ce garçon avait tout pour lui ! Une situation d'avenir, la beauté, le charme, toutes les femmes à ses pieds…

Je connais la suite par cœur.

Et pourquoi d'abord veut-elle que je me remarie ? Ce n'est pas la solution miracle, un mari. À 20 ans, quand j'ai épousé André, je croyais que le bruit dans ma tête allait s'apaiser. Que je mettrais les bras autour de son cou et que tout s'arrangerait. J'ai essayé mais ça n'a pas marché. Alors, aujourd'hui, je dois tenter autre chose. « On naît deux fois, me dit mon docteur, le jour de sa naissance et le jour où on devient conscient. Ça prend du temps. Il faut être patient. Ça vaut peut-être le coup d'essayer ? »

Maman, elle, a employé toute sa vie à ne pas essayer, et son destin lui est passé sous le nez. C'est pour ça qu'elle m'en veut. Je la soupçonne, la nuit, de planter en rêve des aiguilles chauffées à blanc dans une poupée à mon effigie. Mon Dieu, faites que ma fille ne réussisse pas là où j'ai échoué ! Faites qu'elle répète les mêmes erreurs que moi ! Mon Dieu, s'il vous plaît ! Et vlan ! une aiguille chauffée à blanc, et vlan ! une autre aiguille chauffée à blanc ! C'est pour ça que je change si souvent de coiffure. Pour ne pas ressembler à la poupée percée.

Maman estime que mes efforts pour changer ma vie se sont révélés catastrophiques. Là, je suis bien d'accord avec elle. Mais comment savoir que ça va être une catastrophe si on n'essaie pas d'abord ?

D'après maman, il aurait suffi que je lui demande avant. Maman sait tout. Les mamans savent toujours tout. Moi, je ne sais rien.

Le docteur m'a interdit de penser trop fort. Il préfère que je fasse des contrepèteries. Il dit que les mots sont mes amis. Je peux dire n'importe quoi. Raconter n'importe quoi. Un jour, j'y verrai clair. Quand ? je lui demande. Quand est-ce que j'irai mieux ? Ça, il ne le sait pas. Il n'est pas voyant. Lui, il lit dans l'âme ou dans le *Vidal*, pas dans les astres ou les cartes. C'est dommage. Je devrais peut-être aller voir une voyante. Ça irait plus vite et reviendrait moins cher.

Quand j'étais petite, je voulais être bergère et garder des moutons. Christian voulait être pompier. Vous imaginez un monde où tous les petits enfants grandissent et réalisent leur rêve ? Un monde peuplé uniquement de bergères et de pompiers, d'hôtesses de l'air et de cow-boys, de petits rats et de cosmonautes ? Alors il vaut mieux essayer autre chose, non ?

Maman ne rit pas quand je dis ça. « Certaines fois, je regrette que tu ne sois pas bergère et Christian pompier. Je me ferais moins de soucis. » Parce qu'avec maman, tout se ramène toujours à elle. C'est vous qui faites les expériences, qui prenez les risques, qui encaissez les coups et les échecs, qui moisissez en prison, mais c'est elle qui souffre. Qui a des palpitations et court à l'hôpital se faire faire un électrocardiogramme.

Le jour de mon mariage, sur les photos, on ne voit qu'elle. À côté d'André. Elle lui donne le bras. Le photographe de la mairie avait beau crier : « Et la mariée, où elle est la mariée ? » La mariée, c'était la petite chose en blanc, chiffonnée, engoncée, à gauche derrière ma mère. Elle reculait, elle reculait, la mariée. Elle ne savait pas où était sa place : elle faisait de la figuration.

Ce n'est pas difficile : tout ce que j'ai lui appartient. Ma vie d'abord (au bout du tunnel, juste après le

masque à gaz), mes jambes et mes dents droites (rectifiées par de nombreuses prothèses, grâce à elle), mon
orthographe infaillible et ma bonne santé. Les tares et
les défauts proviennent tous de l'héritage de mon père.

Mon père : un irresponsable, un débauché, un vaniteux. Un jour, il est parti forer un puits en mer du Nord
et on ne l'a jamais revu. J'avais 8 ans et demi. Toutes les
photos où il figurait ont été découpées laissant un grand
trou à sa place. Je ressemble à un trou. Un trou en mer
du Nord. Un trou de mémoire. Un trou du cul chapeau
pointu ! Un trou en mère, ajoute finement mon psy en
étirant son sourire façon Joconde. Quelquefois, je me
dis que Joconde était la psy de Léonard de Vinci. Et le
mystère de son sourire tient à l'épaisseur des dossiers
qu'elle avait contre lui.

– Alors j'ai décidé de venir parler à Anita. Elle peut
t'aider. Avec tous les gens qu'elle connaît.

– M'aider à quoi ?

– À trouver du travail. Il faut que tu gagnes ta vie. Ce
n'est pas avec ce que t'a donné ta grand-mère et que tu
dilapides sans compter. Et moi, je ne peux pas, tu le
sais, j'arrive à peine à joindre les deux bouts.

– …

– Ma chérie, écoute-moi. J'ai tout fait pour toi et…

– J'étouffais pour toi, j'étouffais pour toi ! T'aurais
mieux fait de respirer un bon coup !

– Doudou, ne me parle pas comme ça ! Ne me juge
pas sans arrêt !

J'ai essayé de rester calme parce que le docteur me l'a
recommandé. Mais je n'avais pas pris mes pilules
Gourex et, très vite, j'ai déraillé. Je lui ai demandé de
partir, de me laisser tranquille, que c'était MON problème, pas le sien. Qu'elle me laisse vivre MA vie sans
y mettre le bout de son nez de Messaline de la fibre
maternelle et de saboteuse de croissance. J'ai dit tout ça
entre mes dents mais je n'ai pas crié trop fort. J'avais

des gouttes de sueur qui coulaient sur mes tempes, des plaques rouges sur le cou, les joues et le front qui me démangeaient furieusement. Je l'ai regardée droit dans les yeux puis j'ai regardé la porte.

Il fallait qu'elle parte.

Et pourtant…

Quand elle n'est pas là, quand je me l'imagine à moi toute seule, je l'aime beaucoup, beaucoup.

Oh ! comme je l'aime alors…

Quand on allait, avec Christian, lors de nos vacances à Carry-le-Rouet, se réfugier sur sa serviette bariolée et qu'elle nous servait de grands verres de citronnade, tenue bien au frais dans la glacière. La seule maman du monde à me mettre de la crème écran total toutes les dix minutes pour que je ne brûle pas, la seule à me raconter les aventures de la petite souris Sourisette quand le soleil brillait trop fort et qu'on se réfugiait sous le grand parasol à trois… La seule à goûter les arapèdes gluantes qu'on rapportait dans nos seaux pleins de sable boueux et à les trouver délicieuses, à en demander encore et encore, à me guérir de mes indigestions de chocolat en posant sa main sur mon ventre et en comptant jusqu'à cinquante, la seule maman du monde, ma maman amour à moi…

J'ai tout un album comme ça, avec des clichés de « ma maman à moi ». Ils ne sont pas tous vrais, je le sais, mais ce n'est pas grave.

Elle a dû comprendre qu'il ne fallait pas insister. Ni rien ajouter à l'homélie brûlante que je venais de lui déverser sur la tête parce qu'elle a ramassé son sac à main, ses gants de peau, boutonné son manteau et pris la porte. Très dignement.

– Je n'ajouterai rien à ce que je t'ai dit. Réfléchis, Doudou.

On m'appelle Doudou.

Mon vrai nom, c'est Lucienne, à cause de mon grand-père maternel, Lucien.

Je n'aime pas du tout l'idée de porter le prénom d'un mort. C'est un terrible handicap pour débuter dans la vie. Quand maman était enceinte, je lui donnais tout le temps des coups de pied et elle ne savait plus comment se tenir pour éviter mes ruades. Elle n'était bien qu'en voiture parce qu'alors je me calmais. À condition que les feux rouges ne durent pas trop longtemps. Il n'y avait que les autoroutes qui tempéraient mes ardeurs fœtales. Christian, qui avait 5 ans alors, essayait de me calmer. Il s'approchait du ventre de maman et parlait au bébé. « Doux, doux, bébé, tu vas sortir bientôt et on jouera ensemble. Doux, doux… » Il essayait de poser des baisers sur le ventre rond qui tendait la robe en jersey imprimé mais maman s'y refusait. Il était furieux : c'est mon bébé à moi, il criait, je suis l'homme du bébé Doux-doux. Il n'avait pas tort : mon père n'était jamais là. Pas même le jour de l'accouchement. C'est ma tante Fernande, la sœur de maman, qui est allée me déclarer à la mairie. Avec Christian. Il est revenu très fier de cette démarche officielle. Maman est restée huit jours à la clinique et Christian a trouvé le temps long. Il n'avait pas le droit de monter dans la chambre de maman et devait attendre dans la salle d'attente en bas pendant que sa mère rendait visite au bébé. Il s'occupait en découpant les revues posées sur la table et me confectionna ainsi toute une garde-robe en papier pour que je ne me promène pas toute nue à ma sortie de clinique. C'est ainsi qu'il tomba amoureux de Brigitte Bardot et de ses mensurations parfaites. Ses ciseaux suivaient amoureusement les courbes du corps de l'actrice, et aucune mèche, aucune rondeur, aucun doigt de pied n'était mutilé par le tranchant des lames. Quand il comprit que la petite Doudou ne porterait pas les robes vichy ni les pantalons corsaires prélevés sur papier journal, il les colla dans un grand cahier pour plus tard. Ce fut son premier « herbier ».

Après le départ de ma mère, je suis allée dans la

cuisine. J'ai ouvert le Frigidaire et j'ai vu Anita. Elle tripotait son lobe duveteux, replet. Elle réfléchissait. Puis elle a plissé son nez si fin, si transparent, aux narines si délicatement dessinées et elle a dit :

– Ce n'est pas bête, l'idée de ta mère. Je vais te trouver un boulot, comme ça je serai sûre que tu paieras tes factures à la fin du mois.

Ce que j'aime chez Anita, vous l'avez sûrement déjà remarqué, c'est son honnêteté. Anita ne triche pas. Ne se raconte pas d'histoires. Ni ne trompe son monde. Franche, dure et droite comme un i sans pitié. Elle ne me faisait pas la charité : ça l'arrangeait.

– T'es pas idiote après tout. Tu dois pouvoir trouver un travail. Au besoin, je demanderai au Président de t'aider… J'ai dû mettre fin à son enthousiasme en lui affirmant qu'il n'était pas question que je travaille pour l'instant. J'en étais incapable. Je n'avais ni les nerfs ni le savoir-faire. Et puis j'étais sensible aux trous d'air.

– Mais qu'est-ce que tu racontes ?

Il n'en était pas question. Je l'ai répété plusieurs fois.

– Et comment vas-tu payer ton loyer ce mois-ci ? Tu comptes sur moi ?

– Je me débrouillerai, j'ai dit en faisant des plis avec l'ourlet de mon tee-shirt. Je me débrouillerai.

Il devait bien rester un peu d'argent de Mamou. Je ne tenais guère mes comptes à jour mais… Je n'étais pas capable de travailler. Pas encore, pas encore. Anita a haussé les épaules et tourné les talons. Elle était trop occupée pour insister longtemps.

– Je me débrouillerai, je me débrouillerai, ai-je fini par chantonner.

Et puis, demain, c'est dimanche. Le dimanche est un grand jour. Un jour différent des autres.

Tous les dimanches, je vais les voir. En observant scrupuleusement le même rituel. Comme lorsque j'allais à la messe quand j'étais enfant. Je me lève tôt le matin, prends une douche, me lave les cheveux, avale un bon déjeuner, mets mes plus beaux habits, un peu de parfum – quelques gouttes de Jicky, l'eau de toilette de papa – derrière l'oreille, sur la nuque et sur les poignets. Je ferme doucement la porte et descends l'escalier en sautant une marche sur deux. Je prends le train de 11 h 20 à la gare Saint-Lazare puis le car de 12 h 35 à Montreux-les-Baigneux jusqu'à Verny. Puis je marche environ deux kilomètres et demi, en empruntant le petit chemin creux qui passe derrière le village et évite la rue principale. Je renifle l'aubépine et fais un vœu. Toujours le même : qu'on me les rende ! Personne n'a le droit de me les prendre ni de m'empêcher de les voir !

Je ne rencontre jamais personne car aucune voiture ne passe par là : la voie n'est pas assez large. J'aperçois des lapins qui détalent en soulevant leur derrière blanc, des poules faisanes qui traînent de l'aile en traversant... Un jour, je vous le jure, j'ai même vu trois biches. Trois biches collées l'une contre l'autre, qui me regardaient en tremblant sur leurs pattes. Je me suis arrêtée net de renifler l'aubépine. Je n'en croyais pas mes yeux. Je n'ai pas bougé. Elles non plus. Elles avaient de jolies têtes fines, des naseaux qui palpitaient et un dos brun trempé de sueur. Elles étaient tendues et frémissaient en me jetant des regards inquiets. J'ai fermé les yeux pour formuler à nouveau mon vœu, sûre ce coup-ci d'être entendue de Dieu ou d'un autre. Ce n'est pas banal de croiser trois biches dans un petit sentier de France...

Quand j'ai rouvert les yeux, elles s'étaient enfuies.

Ce dimanche-là, je n'ai rencontré ni biche, ni lapin, ni poule faisane. Je suis arrivée devant la grille en fer forgé sans m'être arrêtée en chemin. J'arrive toujours à l'heure du déjeuner. Tout le village est à table et personne ne me voit glisser le long des murs clos jusqu'à la grille de la maison. Les gens sont bien trop occupés à manger pour remarquer une ombre qui se faufile sous les arbustes ou le long des haies. Le déjeuner du dimanche, c'est sacré. J'attends derrière la grille qu'ils aient fini. Café, pousse-café, ceinture qu'on desserre pour se renverser un peu plus dans le fauteuil en osier, bouche qui bâille, propos qu'on ressasse, petit rot et sieste en haut. Au premier étage. André dort toujours après le déjeuner. Son père aussi. Sa mère dessert la table et remplit la machine à laver la vaisselle. Personne ne peut me voir. La grille est ancienne, tapissée de lilas, de buis, de bambous. Je suis à l'abri. J'ai défriché une place pour moi et je m'y love.

J'attends.

J'attends.

Chaque dimanche, j'agrandis un peu mon trou. Je repousse les bambous et le buis contre la grille pour être sûre de ne pas être vue. J'aplatis les ronces et les herbes que je lisse comme un joli coussin. Je ne crains pas d'être aperçue ni dérangée : la véritable entrée se fait plus loin par un portail en bois, tout neuf, plus facile à manier que la vieille grille.

Je me cache et j'attends.

Je ne peux rien faire d'autre.

J'avais pensé au début à emporter un livre ou une revue. Un jour, j'ai cru bon de venir avec un vieil herbier de Christian pour reconnaître les feuilles et les fleurs, les arbres et les mousses. Mais je ne peux qu'attendre. Les yeux vrillés sur la grille. J'écoute le temps qui passe en mâchonnant des herbes, amères à la racine, sucrées et tendres au milieu puis dures et âcres.

Plus le temps passe et plus j'ai peur. J'invente des histoires terribles qui me serrent le ventre. Ils ne viendront pas. Ils sont partis ailleurs. Je ne les verrai plus. L'angoisse s'infiltre en moi et j'ai le sang qui bat sous la peau. Je mords mon poing pour ne pas pleurer et regarde si intensément les barreaux de la vieille grille qu'ils deviennent flous, presque liquides. Ils se dissolvent sous mes yeux et la maison se dilue aussi. Je tends la main pour que le mirage disparaisse, touche les barreaux un à un et retrouve le paysage que je connais : le jardin, la balançoire, la vieille maison couverte de lierre avec sa petite véranda et son perron en pierre. Je respire et j'attends. Quand j'ai les bras trop fatigués d'avoir tenu la grille, je pose les mains entre mes cuisses, baisse la tête et compte tout bas pour mesurer le temps, pour qu'il arrête de m'échapper.

Ils sortent comme des pétards de quatorze juillet.

Alice d'abord. Et puis Antoine qui lui crie de l'attendre.

Alice a la bouche bien propre, les mains essuyées alors qu'Antoine porte souvent des traces de son dessert tout autour de la bouche ou sur son tee-shirt et il s'essuie les mains en courant sur son petit pantalon blanc. Ou bleu. Ou écossais. Ils sont bien tenus. Ça, je peux le vérifier chaque fois. De temps en temps, j'arrive à deviner ce qu'ils ont eu comme dessert. Une glace à la vanille pour Alice et au chocolat pour Antoine. Ou des fraises au sucre. Alice a dû faire un petit tas de sucre dans son assiette pour y tremper les fraises, méthodiquement, tandis qu'Antoine les a saupoudrées abondamment, en versant du sucre un peu partout.

Ils courent jusqu'au fond du jardin. Tout près de la grille. C'est leur domaine. Loin des adultes. Ils s'y recroquevillent et se parlent. Ou inventent des jeux. Alice invente et Antoine obéit. Il répète, docile, tout ce que sa sœur lui demande de répéter. Certaines fois, en tendant la main, je pourrais les toucher. Remonter de la main à l'épaule comme quand ils étaient petits et que j'allais les embrasser avant de me coucher. Je les effleurais du bout des doigts pour me convaincre qu'ils existaient. Que c'était moi qui les avais faits. Moi toute seule. Dans mon ventre. Moi qui les avais fait sortir dans le monde, doucement, tendrement, sans pleurer. Comme des fleurs qui éclosent. Une fleur fille et une fleur garçon. Le choix du roi, disaient les grand-mères en se bourrant de dragées. Ça, elle l'a réussi. Pas dans le bon ordre mais tout de même. Et j'étais fière de moi. Fière du choix du roi. André aussi était content. Et le docteur répétait : si elle les met au monde aussi facilement, elle peut nous en fabriquer une douzaine. Et repeupler la France de bons petits Français.

Une fois, je me rappelle, Alice s'est adossée à la grille, presque contre moi et j'ai senti son odeur de petite fille, une odeur de sueur acidulée qui s'échappait de ses nattes. De longues nattes blondes. Il en avait fallu du temps pour les faire pousser ! Quand j'étais partie, elles lui arrivaient aux omoplates et on les tressait tous les matins, avant d'aller à l'école, en racontant des histoires ou en récitant des comptines. C'était notre moment de récréation à deux. « Pommes et poires dans l'armoire, sucre et pain dans la main, fraises et noix dans le bois, plumes et colle dans l'école et le faiseur de bêtises bien au chaud dans ma chemise… » D'autres fois, elle boudait. Elle ne voulait pas que je la coiffe. Elle trépignait, disait que je lui faisais mal. Que j'étais méchante. Alors je lui récitais le poème de Saint-John Perse, celui que m'avait appris Christian quand j'avais 12 ans, je crois. « Quand vous aurez fini de me coiffer, j'aurai fini de vous haïr. Ne tirez pas ainsi sur mes cheveux. C'est déjà bien assez qu'il faille qu'on me touche. Quand vous m'aurez coiffée, je vous aurai haïe. » Je me disais alors que tout recommençait et qu'Alice ne manquerait pas de me haïr comme j'avais haï ma propre mère. Je ne pouvais empêcher les larmes de couler et, pour les cacher, je les mélangeais aux siennes en la serrant fort contre moi jusqu'à ce que, étonnée, elle me demande pourquoi je pleurais. Et me console.

– C'est les brosses, les méchantes, maman, pas toi...

Ce jour-là, derrière la grille, j'ai tendu la main et caressé le bout de la natte blonde. J'ai pris la mèche de cheveux dans la main et j'ai touché chaque cheveu, presque un par un. Je les ai fait crisser sous mes doigts, je me suis penchée pour les respirer, j'ai enroulé la boucle blonde au bout de mes doigts. La prochaine fois, je viendrai avec des ciseaux, et je couperai une mèche des cheveux d'Alice pour la respirer dans l'autocar et dans mon lit, le soir. Mais elle s'est dégagée, est partie en gambadant vers Antoine. Alors on dirait que je suis la princesse et que tu es le prince... Alors on dirait que je suis la maîtresse et que je t'apprends les lettres... Alors on dirait que je suis la maman et que tu es le papa et qu'on a plein de petits enfants...

Ils jouent à la Belle au bois dormant. Je déteste l'histoire de cette fille aux longs cheveux blonds qui attend son prince en roupillant et ne revient à elle que pour s'abandonner illico à un inconnu dont elle ne sait rien, avec qui elle a esquissé trois pas de danse dans une clairière ! Jolie poupée qui se laisse rouler dans la farine par la méchante sorcière et qui somnole pendant que le prince fait tout le boulot, affronte les monstres, l'huile bouillante, les ronces et le dragon avant de venir la réveiller d'un baiser. Alors elle bat des cils, émerveillée, et offre sa bouche rose d'un air confus. Alice et Antoine adorent ce conte. Ils voulaient que je le leur raconte encore et encore. J'avais récrit la fin, au feutre rouge, sur le grand livre offert par la grand-mère. En barrant rageusement la version officielle pour la remplacer par la mienne. « La belle princesse se réveilla, aperçut son prince, lui donna un baiser et lui promit qu'elle l'épouserait lorsqu'elle aurait fini l'école et aurait un métier. La vie n'est pas faite pour dormir en attendant le baiser du prince Charmant, se dit-elle en comprenant son erreur. Un bon métier lui permettrait d'être indépendante, de gagner ses sous et de savoir qui elle est. De ne dépendre de personne. Il ne faut jamais dépendre de quelqu'un. On est trop malheureux. »

Ça veut dire quoi « dépendre de quelqu'un » ? demandait Alice.

Ça veut dire quoi « être malheureux » ? demandait Antoine. Aujourd'hui, ils jouent au prince et à la princesse et n'ont pas besoin de comprendre des mots compliqués. Antoine brandit son épée de preux chevalier. Il galope sur la pelouse en hennissant. Alice se lasse vite : la princesse ne fait rien que dormir, ce n'est pas rigolo. Elle préfère jouer. Ils ont chacun un cerceau en plastique qu'ils font tourner dans l'air ou autour de leur taille, des arcs en bois que leur père leur a confectionnés avec des flèches blanches et droites, la ficelle se défait et ils rentrent dans la maison pour demander de l'aide. Ils jouent. Ce sont les mêmes jeux qu'avant mais ils ont plus de vocabulaire. Antoine surtout. Il fait des phrases maintenant. Il dit : je monte pas à l'arbre car je risque de tomber. Ou : je vais pas sur les marches car je risque de tomber. Antoine aime bien les mots pour les mots. Alice aime parler pour parler.

Ils jouent jusqu'à 4 heures, 4 heures et demie. Leur grand-mère sort un transat et finit son café dans le jardin, les surveillant de loin. Feuilletant un journal. Posant ses lunettes sur la table à côté. Somnolant.

C'est ma place à moi dans le transat.

C'est moi, la maman. Pas elle.

C'est mon rôle à moi de passer les dimanches après-midi dans le jardin de ma belle-mère avec mes enfants et mon mari. Je frotte mes mains l'une contre l'autre. Je transpire. Je me replie dans le trou derrière la grille. J'ai les genoux qui cognent le nez, qui bloquent mes larmes.

Je reste cachée. Si je me fais voir, ils n'iront plus jamais jouer dans le jardin, le dimanche après-midi, et je ne pourrai plus les espionner. Je prends des photos aussi. J'en ai toute une collection. Quand je rentre à Paris, je porte l'appareil contre mon ventre et il saute à chaque pas. Avec mon imperméable par-dessus, on dirait que j'ai le ventre gros. Le choix du roi. Je suis la reine. Une reine renversée, les quatre fers en l'air, la couronne de travers parce qu'on lui a enlevé ses petits.

À 4 heures et demie, quand la digestion est finie, ils vont se baigner dans le lac ou se promener sur les rives. Comme tous les habitants du village. En été, ils montent sur les pédalos, plongent dans l'eau, achètent des beignets sucrés, des guimauves, font des pâtés, des barrages, des châteaux. En hiver, ils lancent des cailloux et comptent les ricochets. C'est l'heure où je remets mon imper, enfonce mon chapeau, longe la grille et repars par le petit chemin creux reprendre mon car au sommet de la côte. Je ne croise jamais personne. Sauf une fois…

À l'arrêt du car. Ce jour-là, Guillaume est passé en moto. Il a ralenti. J'ai cru qu'il m'avait reconnue. J'ai baissé la tête et mon chapeau a roulé par terre. Je me suis penchée pour le ramasser et, pendant que j'étais baissée, il est passé. En pétaradant sur sa belle Honda rouge. Sans s'arrêter. J'étais devenue couleur de grille et le vent soufflait dans ma tête. Chantait et hurlait : « Pommes et poires dans l'armoire, sucre et pain dans la main, fraises et noix dans le bois, plumes et colle dans l'école et le faiseur de bêtises bien au chaud dans ma chemiiiiiIIIIIse… »

Guillaume a eu le droit de revenir au village. Sans se cacher.

Pas moi.

C'est ma faute aussi. Je suis une méchante femme, je

suis une méchante mère : j'ai abandonné mes enfants et mon mari.

Ma tante Fernande, qui chantonne tout le temps et porte des boucles d'oreille en verroterie de toutes les couleurs, me le dit souvent : j'étais la petite fille la plus docile, la plus exquise qu'on puisse imaginer. Tante Fernande aime le mot « exquis ». Quand elle le prononce, on dirait qu'elle suce un bonbon qui coule dans sa gorge. Elle s'en gargarise et il devient exxxsssquiiis. Elle ajoute aussi que ce n'est pas normal qu'un enfant soit aussi facile que je l'étais. « Un enfant doit dire non, piquer des caprices, se rouler par terre, tirer la langue, dire des gros mots… Toi, jamais ! Tu étais exxxsssquiiiiseee. C'était presque louche. Tu voulais tout faire bien tout le temps. »

C'était le seul moyen de voler le regard de ma mère. Les yeux pâles de ma mère glissaient sur moi sans s'arrêter et fixaient un point au-dessus de ma tête. J'avais l'impression qu'elle guettait quelqu'un. Elle se tenait toujours très droite, le cou et le menton tendus vers un ailleurs mystérieux.

D'elle, je ne possédais que les mains qu'elle m'abandonnait le temps de traverser une rue ou d'entrer à l'école : de longues mains aux ongles émaillés de taches blanches. Je les tenais dans les miennes et la suppliais de me serrer plus fort. « Tu es folle, disait-elle, je vais te faire mal ! » « Non, plus fort, plus fort, je demandais. Ça fait rien si tu me fais mal ! » « Tu es folle ! » Elle resserrait un peu son étreinte puis, effarée, la relâchait aussitôt. Mais le plus souvent, quand je m'agrippais à ses mains, elle me repoussait comme on écarte un insecte qui volette autour de vous. Je devais me dresser sur la pointe des pieds pour entrer dans son regard. Je m'entraînais dans ma chambre à sauter très haut, les deux pieds réunis, les genoux serrés, les bras tendus vers le ciel. Devant le grand miroir posé sur la cheminée. Nous habitions chez ma grand-mère maternelle, rue Lepic, dans un vieil appartement, avec ma tante Fernande et mon cousin Christian. Quand, fière de mes progrès et sûre de pouvoir attraper son regard, je m'élançais devant elle, elle secouait la tête et coupait net mon élan : « Arrête, Doudou, arrête, tu me fatigues… » Alors je retombais comme une grosse baudruche crevée et faisais semblant de danser au milieu des guéridons, des bergères, des canapés du salon. Je faisais la folle pour oublier ce regard qui jamais ne se posait sur moi. Je dansais la polka, je sautais comme un cabri, je criais Abracadabra. Très vite, je n'ai plus sauté que dans ma chambre ou devant Christian qui m'encourageait à toucher le plafond. Mais, avec maman, je gardais les pieds serrés sur le parquet.

Un samedi matin, je me souviens, elle a reçu une lettre et l'a ouverte devant moi. Puis elle s'est assise et son regard est tombé par terre. D'un seul coup. Sa nuque s'est ployée, ses épaules se sont affaissées, son dos s'est arrondi. On aurait dit une marionnette dont on avait coupé les fils. Le rayon de soleil, qui entrait dans la salle à manger, éclairait son profil aux lèvres minces, serrées, ses pommettes anguleuses, son menton qui pointait en avant. La poussière dansait dans le rayon de soleil et semblait si vivante auprès du profil buté de maman. Elle a serré les bras contre elle et s'est laissée aller contre le dossier de la chaise. Le regard bas et lourd, posé sur la pointe de ses chaussures. J'en ai profité. J'ai grimpé sur ses genoux. J'ai ouvert ses bras et elle les a refermés sur moi. Mécaniquement. Je me suis blottie contre elle et je l'ai respirée. Elle sentait le propre, le vêtement bien repassé, l'empreinte du fer sur le coton de la blouse. Je l'ai reniflée longuement, cherchant une trace de transpiration, d'eau de Cologne ou de cuisine, je n'ai rien trouvé et suis restée là, immobile, en tenant fermement ses coudes pour qu'elle ne me lâche pas. Son étreinte était si raide que j'ai passé la paume de ma main sur ses bras afin qu'ils se détendent et deviennent un cercle rond et doux où je puisse poser ma joue. Je les ai caressés longuement, étonnée de sentir sous mes doigts les coudes pointus, la peau rêche, les muscles tendus. J'ai glissé ma main sous son chemisier blanc, je voulais toucher ses seins, vérifier si son cœur battait. Elle m'a repoussée doucement et m'a dit « vilaine, vilaine... ».

– Tu sens le savon, maman.

La radio jouait des chansons de Tino Rossi et les auditeurs devaient appeler pour dire « Stop ou encore ». J'entendais la voix haut perchée du chanteur qui articulait « Ma-ri-nel-la, reste encore dans mes bras... » et j'essayais de faire comme dans la chanson, de fondre ma tête, mes épaules, mes mains dans le corps de ma mère qui demeurait si raide que je renonçai.

– T'as du chagrin, maman ? j'ai demandé en m'asseyant toute droite sur ses genoux.

Même alors, son regard ne s'est pas posé sur moi mais sa voix s'est cassée. Tout son corps tremblait comme si elle entrouvrait une porte, une porte qui devrait toujours rester fermée.

– Ce n'est rien, Doudou, ce n'est rien. Quelquefois, tu sais, la vie est lourde à porter. Je ne comprends pas. Je ne comprends pas. Je n'étais pas faite pour cette vie-là, tu sais...

J'ai gardé mes bras autour de ses épaules, ma tête contre son cou et l'ai bercée contre moi. Ce fut un bref instant mais un instant si heureux, si rempli de promesses de bonheur que j'ai cru que, grâce à son malheur, on allait se retrouver toutes les deux. Qu'elle allait se consoler avec moi. J'allais devenir sa confidente, son amie, et je pourrais lui donner tout l'amour que j'avais pour elle. Je n'aurais plus jamais besoin de sauter en l'air ou de faire l'exquiiise pour qu'elle m'accepte à ses côtés.

– Maman, je suis là, moi, je t'aime à la folie de mon cœur, tu sais…

Elle avait dû oublier que c'était à moi qu'elle parlait parce qu'elle s'est aussitôt reprise. Elle s'est redressée. Son regard est reparti vers le haut de la fenêtre, vers le rideau en velours rouge, son corps s'est raidi dans la blouse en coton et elle m'a échappé. Elle a remis son collier de perles bien en place sur le col de son chemisier et a lissé sa jupe que j'avais dérangée.

– Ce n'est rien, Doudou, ce n'est rien. Arrête la radio, veux-tu ? Ces chansons sont si bêtes. Tu as rangé ta chambre ? Tu as fait ton lit ?

Elle s'est levée, a étiré son menton comme un long muscle. J'ai glissé le long de sa jupe et je me suis retrouvée comme avant : sous le regard, ignorée. J'ai rien dit mais j'ai donné des grands coups de pied dans la chaise où elle était assise. De toutes mes forces, j'ai frappé la chaise. Si j'avais pu arracher les rideaux en velours rouge, je l'aurais fait aussi. Mais j'étais trop petite et les rideaux trop hauts. Alors c'est la chaise qui a tout pris.

– Tu es folle, ma fille ? m'a-t-elle demandé, glaciale. Il ne manquerait plus que ça…

Maman est la première qui m'a traitée de folle. Les gens, aujourd'hui, disent tout haut que je suis cinglée. Pas normale. Les plus gentils disent « fragile ». Je préfère. Ça m'arrange. On me soigne. Le docteur me donne des pilules et hoche la tête savamment quand je parle. Il prend des notes dans un petit carnet recouvert d'une couverture en toile.

André ne disait pas « fragile » mais « zinzin ». Il le dit couramment, maintenant, paraît-il. Il ne fait plus d'efforts pour sauver les apparences. « J'ai épousé une zinzin totale. Une femme qui abandonne ses enfants, pensez donc ! »

Quand tu es venu, André…

La première fois que tu es venu sur moi.

Tu te souviens ?

C'était après une soirée avec tes copains où tu avais beaucoup bu, beaucoup mangé, beaucoup ri. Tu empilais des gros morceaux de viande sur ta fourchette à fondue et tu les engouffrais d'un seul coup Tu parlais fort et ta fourchette allait et venait au-dessus de ton assiette. J'étais assise à côté de toi et ton bras m'entourait. Je ne pouvais pas manger tellement tu me serrais. J'avais ton coude contre l'oreille et je ne bougeais pas. Je te regardais par en dessous. Je me disais que toutes les filles rêvaient d'être à ma place.

Quand tu ne mangeais pas, tu attrapais la bouteille de bière et buvais au goulot. Tu me tenais fort contre toi et j'aimais ça. Tu me flattais la tête comme une bonne petite bête et parlais à tes copains, sans me regarder. Tu me tâtais et tu disais : « Elle a de belles jambes et de longues cuisses. C'est surtout les cuisses qu'elle a de belles… » Et moi, j'étais fière. Je remettais ma vie entre tes mains. Je me disais…

La vie va être facile avec son bras autour de moi. Je vais être bien à mon aise. Bien à mon aise. Plus besoin de penser, de décider, d'agir, de sauter en l'air pour qu'on me voie. Il m'aime, il m'aime, il va m'aimer toute la vie et je n'aurai rien d'autre à faire qu'à recevoir tout cet amour et à m'en rassasier. Je voulais me blottir plus près de toi. Que tu me portes à ta bouche comme la bouteille de bière. Que tu boives au goulot de ma bouche. Que tu remplisses le grand vide que je sentais en moi. Qui me donnait le vertige. Pas penser, pas penser. Devenir collier autour de ton cou. J'aimais tout le monde quand tu me tenais contre toi. Je n'avais plus besoin de père, ni de mère, ni de baccalauréat.

J'étais légère comme une plume et je me posais sur ta bouche. J'ai encore le goût de ta bouche dans la mienne. Élastique, douce, chaude, mouillée, qui sent la bière et l'écume que tu posais sur mes lèvres quand tu m'embrassais.

À la fin de la soirée, tu t'es levé en titubant, tu as repoussé tes copains en me tenant toujours par le cou et tu as dit : il est temps…

De rentrer.

Tu es rentré en moi. D'un seul coup. J'étais encore tout habillée. Tu as poussé. C'était fait. Tu t'es endormi. À moitié sur le lit, à moitié sur la descente de lit. Les bras et le haut du corps sur le lit. Les genoux et les pieds sur la descente de lit. Tu n'avais pas pris le temps d'ôter ton pantalon et il était entortillé autour de tes mollets. Moi, je t'observais. Je m'étais déshabillée et enroulée dans les draps. J'ai regardé par la fenêtre et j'ai vu l'enseigne au néon de l'auberge. Au bout d'un moment, elle s'est éteinte et j'ai fermé les yeux. Le lendemain, tu t'es réveillé et tu as fait une horrible grimace. J'ai eu très peur. Peur que tu sois déçu, que tu me jettes. Que tu me demandes pourquoi il n'y avait pas eu de résistance à l'intérieur de moi. Pourquoi je t'avais accueillie, ouverte, d'un seul coup. Mais tu as dit :

– Ouille ouille ouille, ma tête ! Oh là là ! Qu'est-ce que je tiens ! C'était bien ?

J'ai dit oui. Très bien.

– Alors on se marie. On ne fait plus traîner. Je t'aime, tu m'aimes. On est bien tous les deux, non ?

J'ai répété oui-oui. Avec un grand sourire. J'ai bien vu que tu étais déçu, que je ne montrais pas assez de joie à ton goût. Alors je me suis mise à bondir dans la pièce, à faire le cabri, à te sauter au cou, à te lécher partout. Pour que tu sois heureux, que tu voies comme j'étais heureuse. Tu as eu l'air rassuré. Tu m'as prise dans tes bras, tu m'as allongée sur le lit, tu as ouvert mes jambes et tu m'as embrassée là où tu devinais que ça me faisait si plaisir.

Tu t'es montré si doux, si savant, si patient…

Si délicat.

Ce plaisir que tu m'offrais, c'était ton amour que tu me donnais, sans le dire. L'amour que, peut-être, tu ne connaissais pas toi-même et qui ne pouvait jaillir que comme ça, avec ta bouche, tes doigts, ta langue, avec la science de ta bouche, de tes doigts, de ta langue qui me remerciait de faire le cabri, de danser la plus belle danse du monde pour toi…

Après, l'eau est entrée dans ma tête et elle a tout emporté.

Après, je ne sais plus.

Je ne sais plus le mariage, les préparatifs, je ne sais plus le maire, je ne sais plus le prêtre, les paroles échangées devant Dieu, les invités qui me félicitaient.

De quoi, de quoi ?

Les invités dont je serrais la main en faisant un grand sourire ouvert. Un sourire de bonimenteur de supermarché qui cherche à placer sa tondeuse à gazon : « C'est gentil d'être venu, vous êtes si gentil, merci beaucoup, je suis si heureuse, c'est le plus beau jour de ma vie. » Et c'était vrai. C'était le plus beau jour de ma vie. J'étais pleine de l'amour que tu me donnais. Je n'avais plus peur de rien.

J'entendais des mots : quel beau couple ! Qu'ils sont mignons ! Ils se connaissent depuis longtemps, vous savez ! C'est le premier garçon qu'elle a fréquenté ! Elle est si jeune ! Si gaie ! Elle rit tout le temps ! Elle fera une maman charmante !

J'entendais les mots et je les mettais bout à bout. C'était nous, ces mots-là. Et j'essayais de ressembler aux mots. J'étais charmante. Et gaie. Je passais d'un invité à l'autre, je me penchais sur une épaule, je me laissais enlacer par des hommes que je connaissais à peine, qui parlaient très fort contre mon oreille en faisant des allusions aux bons moments qu'on allait se payer, aux beaux bébés qu'on allait faire, au bel homme que j'avais épousé. « Il est vigoureux, André, il est vigoureux, tu sais. C'est de famille, du reste. Moi, si j'étais plus jeune, je t'aurais bien fait ton affaire… » « Ne l'écoute pas, disait une femme qui devait être la tante d'André, ce sont tous des vantards dans la famille. J'en sais quelque chose ! » Ils éclataient de rire. Et moi aussi.

Je ne savais plus les noms, les liens de famille, je les remerciais d'être là, au début d'une vie nouvelle. « C'est si gentil d'être venu… Il ne fallait pas nous faire ce si beau cadeau… Vous nous avez tant gâtés… »

Je m'inclinais, j'embrassais, je remerciais, je m'inclinais encore.

À un moment seulement, à un moment, j'ai eu une drôle d'impression.

Je me suis arrêtée de danser, de parler aux uns et aux autres et j'ai reculé. J'ai vu ma robe blanche qui dansait…

Ma robe qui riait, disait des mots drôles, étreignait des vieilles mamies et les embrassait tendrement. Qui repoussait un invité trop pressant. Qui avalait un gros morceau de gâteau en souriant pour le photographe. Ma robe blanche que tu prenais dans tes bras, André, et que tu froissais en disant : « Attends ce soir, attends et tu vas voir ! Je vais me surpasser… »

Ça n'a pas duré longtemps.

Je suis revenue dans ma robe et j'ai fait le cabri.

Si. Si. Je me souviens d'une chose…

D'une autre chose.

Mais quelquefois je me demande si je ne l'ai pas rêvée.

Si c'est bien arrivé ce jour-là.

Je n'en suis pas sûre. Je n'ai plus voulu y penser après.

Plus jamais. JAMAIS.

Il y a des souvenirs comme ça que j'enfonce tout au fond de moi pour les perdre. Parce que je n'en suis pas fière. Qu'ils ne vont pas avec le reste, avec la belle histoire que je me raconte. Quelquefois, ça réussit très bien, ils se décomposent. Mais d'autres fois, ils resurgissent. Impératifs. Brûlants. Ils se pavanent et me forcent à les reconnaître. Ça m'est arrivé à moi, ça ? je m'interroge, incrédule. Et j'ai honte, j'ai honte. Je me cache la tête dans les mains. Je me débats comme un diable, je veux les chasser, leur cracher dessus mais ils s'incrustent, me narguent, me tourmentent tant que je ne les ai pas reconnus.

Je me souviens de Christian, le jour du mariage…

Il a fait irruption dans la fête.

Je pensais qu'il ne viendrait pas.

Il était là, appuyé contre le chambranle d'une porte. Il n'était pas habillé comme on se doit de l'être dans ce genre d'occasions. Non. Son col de chemise était ouvert et il portait un blouson en jean. Il tenait un verre de champagne dans une main et, de l'autre, il agrippait le montant de la porte.

Il était venu tout seul.

Il me regardait. Avec des poignards dans les yeux. Ses yeux noirs aux cils clairs, presque blonds, ne me quittaient pas. J'attrapais son regard en dansant, en passant de bras en bras, par-dessus les costumes gris et bleu lustré et les robes des femmes, par-dessus les bouchons de champagne qui pétaient et la mousse qui coulait le long du goulot, par-dessus la pièce montée où un copain d'André avait sculpté deux figurines à notre image. Ma figurine à moi avait de longues jambes, de longues cuisses, des seins tout ronds. Il ne voulait pas lui mettre de robe. Finalement, il en avait peint une. Violette. Pas blanche, violette. Ça m'avait contrariée et je m'étais vengée en la barbouillant de crème Chantilly. J'ai attrapé le regard au couteau de Christian et je lui ai souri de mon sourire de belle mariée dans sa belle robe blanche. Un sourire qui invitait à la paix.

Il me regardait sans bouger. Il ne répondait pas à mes sourires.

Une fille est venue s'appuyer contre lui et il l'a repoussée d'un méchant coup de coude. Il ne me lâchait pas des yeux. Quand l'orchestre a entamé la chanson d'Yves Montand et que le chanteur a lancé « Trois petites notes de musique ont plié boutique au creux du souvenir… », il s'est avancé vers moi, m'a attirée contre lui, les doigts appuyant très fort sur mon poignet et m'a invitée à valser à trois temps. Je ne savais pas quelle contenance prendre. Je me doutais bien du danger. J'ai souri encore. J'ai fait la détachée, je lui ai dit : « Alors, tu es venu finalement ? Tu n'as pas résisté. Tu ne me souhaites pas plein de bonheur ? »

Il n'a rien répondu.

Il valsait, il valsait, j'essayais de le suivre, de ne pas me prendre les pieds dans ses pieds, de me tenir comme il sied à une jeune mariée et j'entendais sa bouche dans mes cheveux qui disait : « Pourquoi tu te maries, Doudou ? Pourquoi tu te maries ? Tu le sais seulement ? Tu n'en sais rien, tu te jettes dans cette histoire comme une pierre dans la mer. Tu l'as regardé ton mari ? Il est grotesque. Si content de lui. Avec son costume gris perle et ses bretelles. Doudou, ma Doudou… » Il tournait, tournait et m'entraînait vers la cuisine du restaurant, vers la petite cour derrière où s'entassaient les bouteilles vides, les cageots, les poubelles pleines d'os de gigots, de flageolets figés en une masse molle, de croûtes de fromages, de crème pralinée, de choux éventrés, de quignons de pain, de feuilles de salade…

Pas là, j'ai dit, pas là…

J'ai glissé, il m'a rattrapée, m'a appuyée contre une poubelle, moi et ma belle robe blanche, j'ai protesté et sa bouche a continué de me parler. Il avait glissé ses deux pouces dans la ceinture de ma robe blanche et il me maintenait contre lui. J'entendais à peine la musique qui faisait tatatatatatata ta tatatatata ta tatatatata et j'ai senti sa bouche sur ma bouche. J'ai crié « non, pas maintenant. Pas aujourd'hui ». Il a dit « si, justement, aujourd'hui ». Il a mis ses mains sous mes fesses, m'a installée sur le dessus de la poubelle et a relevé la belle robe blanche sur mon ventre. J'avais mis des jarretelles pour être une vraie mariée avec des bas blancs nacrés et une petite culotte blanche cousue de festons. Il a tout déchiré et il m'a renversée, moi, la belle mariée toute propre. J'avais honte, j'avais honte. Je tremblais de tout mon corps. Je n'osais pas crier. Je ne voulais pas qu'on l'attrape. Qu'on nous surprenne.

Alors là… Si on nous avait pris !

Il est entré en moi très fort, puis très doucement et encore très fort jusqu'à ce que je ne comprenne plus si je le voulais ou pas. Jusqu'à ce que je le laisse faire, là sur la poubelle, dans ma belle robe blanche. L'orchestre jouait *Capri, c'est fini*, je me suis dit que c'était le quart d'heure des slows, que les lumières allaient se tamiser, que chaque garçon attraperait sa cavalière pour la coller contre lui et qu'André me chercherait. J'avais envie qu'André me prenne dans ses bras, qu'il me console, qu'il me protège. Qu'il me dise « ce n'est rien, ma chérie, ce n'est rien, je suis là, c'était un mauvais rêve ». Mais Christian a repris ma bouche et m'a embrassée, m'a embrassée comme s'il avait tout le temps et que je lui appartenais. Comme si, à nous deux, on n'avait qu'une seule bouche. Je me rappelle. Je ne bougeais plus. J'avais sa langue qui léchait mes lèvres puis sa langue dans ma bouche d'abord légère et pointue, puis forte et épaisse, meurtrière.

Pendant tout le temps où l'orchestre jouait, il m'embrassait. Penché sur moi, les mains plaquées sur moi. Moi appuyée contre le couvercle de la poubelle. Nos bouches emmêlées, mouillées de la même salive, nos langues comme une épée, comme un serpent, comme un ruban, ses hanches contre les miennes. Sans rien dire. Sans rien dire. J'avançais vers lui, vers sa bouche, je le cherchais. Il reculait, reculait, se refusait puis revenait et je le recevais dans ma bouche pendant que son sexe m'écorchait le sexe, me brûlait le sexe et que je sanglotais :

– C'est mon mariage, c'est le jour de mon mariage…

– Je te hais quand tu fais le cabri. Arrête de faire semblant. S'il te plaît. Arrête de faire semblant… Pourquoi tu te maries ? Pourquoi ?

Il me reprenait contre lui, défaisait le haut de ma robe tout doucement en égrenant les boutons et en caressant la peau découverte comme une pierre précieuse. Je m'avançais, je m'avançais. Je le cherchais avec ma bouche, avec mon ventre, avec mes mains. Sa bouche était dans mes yeux, me mangeait le nez, me respirait la peau. Il chuchotait « écoute, respire avec moi, écoute les battements de mon cœur comme ils battent pour toi ». Il se retirait, haletant, pris de fièvre, ses yeux se rétrécissaient, mauvais, cruels, et il enfonçait un doigt dans mon ventre. « Tiens, il disait, tiens », puis la main tout entière. Je criais : « Tu me fais mal, arrête ! » « Tu me fais mal, toi aussi, tu ne sais pas comme tu me fais mal ! » Et sa main pétaradait dans mon ventre, me déchirait le ventre.

Tout le monde est si heureux quand je fais le cabri. Quand je ris. Quand je danse. Quand je me marie. Moi aussi, je suis heureuse, Christian, laisse-moi, va-t'en. Et puis je ne sais pas faire autrement… Ou alors j'ai peur, Christian. Tu sais que j'ai peur. Il fallait que tu m'encordes à toi quand j'étais petite et que tu m'emmenais la nuit faire des expéditions dans les cimetières.

Il reprenait ma bouche et suppliait « tais-toi, tais-toi… ». Et ses genoux s'écorchaient contre la poubelle et, moi, j'étais affamée de lui, affamée de sa bouche en moi, de son sexe en moi. Je glissais, j'étais trempée et je priais que ça ne s'arrête jamais. Continue, s'il te plaît, avance, avance. Enlève-moi ma belle robe blanche, jette-la dans la poubelle par-dessus les choux éventrés et les os de gigots. Enlève mes bas blancs et ma culotte blanche, enlève tout ce blanc sur moi. Emporte-moi ! Ne me laisse pas seule avec eux. Je suis perdue si tu me laisses, tu le sais… Mais je savais qu'il repartirait.

Il repartait toujours, Christian. Il me prenait quand il avait le temps. Ou l'envie.

Continue, ne t'arrête pas, marche dans moi, je lui demandais, agrippée à lui. Plus le cabri, plus le cabri, il répétait, répétait comme un fou qui secoue sa tête dans le ciel, la bouche déformée, la tête rejetée en arrière, si laid, si laid, ses hanches collées aux miennes, son sexe étripant le mien. Plus le cabri, plus le cabri… Ma Douce que je respire, que je mange, ma Doudou à moi, rien qu'à moi… Il coulait sur moi, il coulait sur ma robe, sur mes bas si blancs, mes bas nacrés. Regarde-moi, Doudou, regarde-moi. Ose me dire que tu es heureuse d'avoir épousé ce crétin à bretelles et pantalon gris.

Non, pas regarder, pas regarder. C'était une journée si belle, si pure… Regarde-moi, Doudou, regarde-moi ou je deviens fou, ou je n'existe plus. Non, non, je disais, pas regarder, pas savoir, pas aujourd'hui. Laisse-moi retourner avec eux, Christian, s'il te plaît… Je suis toute sale maintenant. J'ai la robe en lambeaux, les cheveux tout collés. Je suis sale, sale…

Moi je t'aime comme ça, ma Doudou, quand t'es sale, quand t'es propre, quand t'es moche, quand t'es belle. Je t'aime tout le temps, ma Doudou à moi.

Christian, laisse-moi ! Laisse-moi !

Jamais, tu entends, jamais je te laisserai. Tu crois que j'ai vécu vingt ans avec toi pour t'abandonner au premier crétin venu ? Tu crois ça ? Pauvre fille ! Tu ne sais rien, tu ne comprends rien. Tu es bête mais bête… Et les connes, tu sais ce qu'on en fait, on les baise comme je te baise, au milieu des poubelles le jour de leur mariage, parce qu'elles ne savent pas ce qu'elles font et qu'elles ne disent jamais non.

J'avais mal aux bras à force de le repousser, de l'attirer, de le garder. Je ne savais plus où mettre mes forces.

Et puis un vieux de la noce est sorti pour prendre l'air dans la cour et il nous a aperçus. Christian n'a pas bougé, il est resté collé contre moi. Il regardait le vieux et il lui a demandé de partir, de se tirer. Il voyait pas qu'il dérangeait ?

J'ai juste eu le temps de me rajuster, de crier très fort :

– Mais où est passée ma boucle d'oreille ? J'ai perdu ma boucle d'oreille.

Le vieux a cligné des yeux, a titubé, a regardé ses mains, ses pieds. S'est frotté la tête comme s'il se débarbouillait. A regardé tout autour de lui, hagard, projeté dans la vision de notre couple enlacé, aveuglé, il ne pouvait plus écarquiller les yeux, il ne voyait que du blanc dans les yeux qu'il fermait, qu'il ouvrait, qu'il se frottait…

– Moi, je voulais aller aux cabinets, il a dit.

– Ma boucle d'oreille ! Ma boucle d'oreille !

Et on s'est mis tous les trois à chercher la belle boucle d'oreille en diamants que tu m'avais donnée, André, en guise de bague de fiançailles. Tu m'avais dit « l'autre, je te l'achèterai quand j'aurai des sous. Au premier enfant, peut-être… ». Et tu m'avais fait une copie de la vraie pour que ça fasse la paire. C'est la vraie que j'ai perdue dans les poubelles…

Je voulais être bénie le jour de mon mariage.

Bénie par le Dieu de maman. Être une mariée exemplaire. Une mariée qui rachète tous ses péchés d'un seul coup de robe blanche et de promesse à Dieu. La promesse d'être pure et sans tache, à la hauteur de mon fidèle compagnon. De partager ses peurs, ses échecs comme ses baisers, sa force et sa tendresse. De lui offrir mon amour, mes faiblesses, mon courage, toute ma miséricorde.

André… Je voulais grandir avec toi, devenir celle que tu voulais que je sois. Laisser l'autre derrière et ne plus jamais la retrouver. L'autre qui me faisait si peur, l'autre qui suivait Christian. Te chuchoter des mots d'amour que j'aurais faits tout neufs rien que pour toi et te dire : « Regarde, regarde comme je suis devenue forte grâce à toi, regarde comme je te soutiens, comme je te porte, regarde la force que tu m'as donnée, que j'ai puisée en toi, en cette vie avec toi. Regarde comme je suis devenue femme pour toi mais femme solide qui peut porter sa vie, son père et sa mère et leur pardonner et les aimer et les prendre sur elle avec tout le noir de leur histoire. Regarde comme tu m'as réunie avec eux, avec l'amour que j'ai pour eux mais qui jamais ne sort de ma bouche morte, regarde, regarde comme je vais t'aimer grand et fort comme une petite fourmi qui, obstinément, refait le même chemin avec tellement d'énergie, d'entêtement, de soin qu'à la fin elle creuse un puits, elle trace un canal, elle ouvre toutes les voies. Regarde cette femme nouvelle qui va porter tes enfants, tes petits enfants au regard clair comme le tien, aux cheveux blonds frisés comme les tiens, à la bouche élastique comme la tienne et qui sortiront de mon ventre. Regarde, André, regarde ton amour comme une source pure en moi… »

C'était fini, tout ça.

Par la folie d'un homme qui voulait que je sois à lui, rien qu'à lui, un homme avec qui j'avais grandi, avec qui je m'étais écorché les genoux sur les rochers, avec qui j'avais raclé la terre pour extirper les vers pour la pêche, un homme qui m'enfermait dans ses bras la nuit dans les cimetières, qui m'écartait, me forçait, m'aimait parce que j'avais si fort envie d'être aimée. Un homme qu'un jour j'avais repoussé de toutes mes forces, de toutes mes forces, parce que je savais qu'avec lui il n'y aurait jamais de vie, jamais la moindre lumière d'espoir, mais qui toujours me rattrapait... Qui disait « d'accord, d'accord, je ne te touche plus. Je ne te touche plus du tout. D'ailleurs, je n'ai plus envie... Juste un petit peu, là, entre les jambes, laisse-moi mettre ma main entre tes jambes... ». Un homme que j'avais enfoncé tout au fond de moi pour qu'il ne revienne plus et qui revenait toujours. Parce que je ne suis pas forte, André. Pas propre. Un autre est passé avant toi et il m'a marquée et, malgré tout mon amour pour toi, il revient, il revient toujours et, chaque fois, je lui ouvre les bras.

Aujourd'hui, André, j'ai la paix.

Il est en prison. Et quand je vais le voir, il y a toujours une paroi de verre entre sa main et le creux de mes jambes.

Je sais qu'il m'aime toujours. Je sais que je l'aime toujours.

Je sais aussi qu'il va falloir que je me sépare de cet amour.

Pour grandir.

Il ne me fait plus peur maintenant.

Enfin... Il me fait moins peur.

Les hommes l'ont enfermé.

Les hommes l'ont enfermé. Et je suis libre.

Je suis désolé. La manière dont elle raconte nos noces sur la poubelle est inexacte. Totalement inexacte. Et le jour où on lira cette confession, on me prendra pour un malade, un enfiévré, un obsédé sexuel. Personne ne comprendra l'amour, le désespoir qui s'est emparé de moi ce jour-là.

Personne…

Il est vrai que je ne peux guère passer pour un narrateur crédible. Mais Diane, c'est une autre histoire. J'en parlerai plus tard.

Le jour du mariage de Doudou, j'étais là. C'est exact. Je l'ai renversée sur la poubelle, c'est exact aussi, mais elle ne demandait que ça. Je l'ai compris tout de suite dès que je suis arrivé au repas de noces. C'est elle qui m'a entraîné vers les poubelles. Je n'ai fait que ce qu'elle me demandait. Je ne voulais pas assister à ce mariage.

André, je ne le supporte pas. On dirait qu'il sort d'un cadre. Avec sa belle tête de prince consort autrichien, ses cheveux frisés, blonds, son beau regard franc et clair, ses costumes rayés cintrés et la cravate assortie, ses chaussures qu'il achète sur les Champs-Élysées – chez Weston, il trouve cela très chic et souligne, comble de vulgarité, le montant de ce qu'il porte aux pieds –, il se croit irrésistible. Il est persuadé que toutes les filles sont folles de lui. Il le croyait jusqu'au jour où

Doudou l'a plongé dans un doute profond en partant avec Guillaume, un motard.

Ah ! Ah ! Ah !

Ce jour-là, j'étais à la fois triste et content. Je jubilais et j'enrageais. Je l'imaginais, André, tout seul dans son pavillon blanc à se demander comment, mais comment on pouvait abandonner un type aussi bien que lui pour un voyou de quatre sous ! Un type parfait, qui avait un métier plein d'avenir, faisait partie du Rotary, achetait ses meubles chez les brocanteurs, était classé au tennis et retournait trois fois la terre de sa pelouse avant de semer les graines pour qu'il n'y ait pas le moindre caillou qui apparaisse sur le gazon ! Il n'a pas dû comprendre, André. Ça c'est sûr.

Moi non plus d'ailleurs.

Pourquoi n'est-elle pas venue me chercher ? Je lui aurais fait faire le tour de France et de ses canaux, je lui aurais parlé des nuits et des nuits durant… Parce que Doudou, ce qu'elle aime, c'est qu'on lui raconte des histoires, qu'on lui agrandisse la tête. André, des histoires, il ne lui en racontait jamais. Le pauvre garçon, son imagination ne dépassait pas le pli de son pantalon !

Le jour du mariage, donc, je suis resté à la maison. Toute la famille a défilé derrière ma porte en disant : « Mais viens, mais viens donc ! C'est pas tous les jours que tu maries ta petite cousine. »

Ma petite cousine… mon trésor caché… si fragile, qu'on peut la casser. Quand je la portais dans mes bras, je repliais ses jambes sur ma poitrine pour qu'elle ne se blesse pas. Qu'elle ne heurte rien. Ses longues jambes si fines, si lisses, avec son duvet blond qui devenait tout blanc sur le haut des cuisses… tout blanc aussi dans le creux du dos. Elle cache deux petites fossettes au-dessus des fesses qui forment une cuvette. Si on y verse de l'eau, elles deviennent lacs. Si on y dépose deux petits coquillages nacrés, elles se transforment en cavernes de

pirates. On peut y planter le bout de sa langue aussi…
en faisant la langue toute pointue, on y écrit comme
avec un crayon. Ce fut ma première carte de géographie,
Doudou. Je lui disais : replie ton coude et dessine-moi la
Bretagne ou écarte les jambes et montre-moi le golfe de
Gascogne. Elle me laissait tout faire et je la parcourais
des doigts, enchanté.

Je me souviens, je me souviens…

Pourquoi dit-on « donner sa langue au chat » ? me
demandait-elle avant de s'endormir. Dis, Christian ?
Pourquoi ? Ses yeux papillonnaient de fatigue et elle
répétait « pourquoi ? pourquoi ? On pourrait dire donner sa langue au poisson rouge ou au lion ou au rat
musqué… ». Puis elle s'endormait, les draps entre les
jambes, et, moi, je restais là. Comme un imbécile. Je
ne savais pas lui répondre et je ressentais cette ignorance comme un manquement à mon amour. J'étais le
preux chevalier, sans cheval, sans cuirasse. Un cul-
terreux.

Dès le lendemain, j'allais à la bibliothèque du lycée
et je cherchais, je cherchais… Je trouvais *Le Bouquet
des expressions imagées* de Claude Duneton, je reco-
piais l'explication et revenais, triomphant, à la maison
avec la réponse. Je ne la lui donnais pas tout de suite.
Je la faisais attendre un peu, bien sûr. Et quand elle se
retournait, fière et sûre de m'avoir collé, et qu'elle me
lançait « alors ? La langue au chat ? », je déballais toute
ma science comme un tapis rouge à ses pieds. Je récitais Mme de Sévigné et ses belles lettres où elle écrit :
« Ne sauriez-vous deviner ? Jetez-vous votre langue
aux chiens ? » J'évoquais l'époque cruelle où on coupait les oreilles, le nez, la langue de ses ennemis et des
ignares en guise de châtiment.

– Des ignares ? demanda Doudou, effrayée, en dispa-
raissant sous son drap.

– Des ignares, parfaitement, répliquai-je, sûr de mon fait. L'ignorance est un crime.

Et j'enchaînais sur le glissement progressif du chien au chat parce que le chat fait moins peur aux enfants. Doudou m'écoutait, des lumières dans les yeux, et j'étais allumeur de réverbères, manipulateur de lanternes magiques.

Le jour de son mariage, j'aurais pu lui apprendre qu'autrefois, dans la Rome antique, les mariées portaient des voiles jaunes.

Le jour de son mariage…

Tout le monde est parti. Moi, j'ai tourné, tourné dans ma chambre et je devenais fou. Je regardais l'heure et priais pour que le marié ait le crâne éclaté au volant de sa voiture, que le prêtre et le maire se trompent et unissent deux autres nigauds, anonymes ceux-là, que la foudre tombe sur le cortège, épargnant ma petite cousine.

Soudain, j'ai poussé un grand cri : j'allais l'enlever comme Dustin Hoffman dans *Le Lauréat*. J'arriverais au volant de ma Lancia et la subtiliserais au nez et à la barbe de tous. C'est pour elle que j'avais acheté cette voiture. Pour l'épater. Alors j'ai foncé à la mairie, à l'église. Trop tard. Trop tard ! J'ai foncé jusqu'au restaurant. J'ai fait irruption dans la salle où ils avaient fini de déjeuner.

Je n'ai vu qu'elle, en robe blanche.

Vue de l'extérieur, elle ressemblait à une mariée heureuse et comblée. Elle virevoltait, elle souriait, elle se laissait embrasser par tous. Mais j'ai compris tout de suite qu'elle m'appelait au secours. Elle me tendait les bras et il n'y avait que moi pour le voir. J'ai lu dans ses yeux qu'elle me criait : « S'il te plaît, Christian, enlève-moi, sauve-moi. Qu'est-ce que je suis en train de faire ? C'est une erreur, une terrible erreur… »

Je ne l'ai pas rêvé, ce regard-là. Il m'a tout fait oublier. La rage que j'avais contre elle, contre la famille, contre le marié. Je me suis approché et je l'ai emmenée danser dans la cour. Je voulais être seul avec elle, dans la petite cour de l'auberge et lui annoncer qu'on allait partir tous les deux, que je lui achèterais des livres, que je l'emmènerais dans les musées, que j'arracherais des affiches de cinéma pour elle sur les murs de la ville. Il fallait seulement qu'elle me fasse confiance comme lorsque nous étions petits et que j'étais le chef. J'allais lui dire tout ça, tout doucement en prenant son menton dans mes mains, en mordillant son lobe d'oreille droit plus malin et plus fort que le gauche... quand elle a levé la tête vers moi, un peu étourdie il est vrai, je l'avais fait tourner et tourner et elle vacillait. Elle a relevé la tête vers moi et sa lèvre supérieure s'est mise à trembler. Un petit bout de lèvre qui tremblait comme dans le plaisir... Les yeux fermés, le bout de lèvre qui tremblait... J'ai perdu la tête.

Elle s'est laissée aller d'un seul coup. Je l'ai reçue contre moi et j'ai senti ses petits seins sur mon torse, ses petites mains sur mes hanches, sa bouche qui mordait la manche de mon blouson et je l'ai embrassée.

On était là, tous les deux, sur la poubelle.

À s'embrasser, à s'embrasser...

À rattraper tout le temps perdu. Le temps où on s'était fait la guerre.

L'orchestre, derrière nous, jouait les slows les plus idiots et nos bouches s'écrasaient de plus belle comme pour faire taire ces ritournelles qui nous emplissaient la tête. J'ai pensé un instant à André qui devait chercher sa jeune épousée partout, et cette image fugace redoubla mon ardeur. C'est moi qui la possède, jeune crétin en Weston et veston croisé, c'est moi qui la mange, qui la dévore, qui souffle le vent de la révolte dans sa toilette de mariée déjà adultère. À toi les restes !

C'est vrai que j'ai saccagé sa belle robe de mariée mais elle le demandait. Elle le demandait. Les jours précédant la noce, alors que tout le monde s'affairait aux préparatifs de la cérémonie, elle s'était enfermée dans sa chambre et avait refusé les essayages. Elle ne vous l'a pas dit, ça ?

Elle ne vous l'a pas dit !

Sa mère avait dû l'y emmener de force. Parce qu'elle est tellement menue, Doudou, qu'il fallait reprendre et reprendre la robe sur elle, la piquer d'épingles, la brider de fils pour que la toilette lui tienne au corps. Elle répétait, les poings fermés : je la veux pas cette robe, je la veux pas. Et elle s'écorchait les doigts sur les épingles, elle arrachait le faufilé, arrachait les épaulettes. Sa mère ramassait les épingles et les replaçait sans rien dire, en refermant d'un coup sec les coutures sur elle, en maintenant son corps bien droit pour que la robe la tienne comme un corset. « C'est normal, ajoutait-elle après, quand elle était revenue à la maison et qu'elle laissait reposer ses pieds en dehors de ses chaussures à lacets, c'est le bonheur qui lui fait peur. Mais elle s'y fera, elle s'y fera. Il faudra bien qu'elle s'y fasse… »

Alors il m'est venu comme une idée de la lui enlever cette robe. Oh ! je sais… C'est elle que vous allez croire. Je vais passer pour un fou, un type qui radote son amour, qui se l'est construit tout seul dans sa cervelle. Mais moi, ce jour-là, sur la poubelle, si j'avais été moins bête et moins brutal, si j'avais gardé la tête froide et les sens raisonnables, je l'aurais emmenée, Doudou, emmenée avec moi. Pour un tour de France comme je lui promettais quand on était petits. Avec des histoires à chaque escale.

J'en connais des histoires. J'ai appris le dictionnaire par cœur pour l'éblouir. Elle m'écoutait et, dès que je m'arrêtais, elle disait encore et encore, trouve-moi un autre mot et tu me racontes l'histoire du mot. Je remontais jusqu'au grec et au latin, à l'égyptien et à l'hébreu, à l'arabe et au celte. Si j'ai fait de brillantes études comme ils disent dans la famille, c'était pour allumer les petites lueurs dans ses yeux. Alors, vous voyez que ce n'est pas juste une histoire de galipettes sur la poubelle, notre amour, et à l'écouter parler, Doudou, on peut croire ça.

On peut croire ça...

Parce que, Doudou, elle ne sait pas. Elle pensait qu'en épousant André, elle n'aurait plus de tourmentes dans la tête. Qu'elle effacerait son père, l'histoire de son père parti en mer du Nord et porté disparu. Qu'elle rachèterait l'honneur de sa mère. Avec un beau mari en costume gris et la cravate assortie. Pour faire plaisir à sa mère...

Mais lui, il ne sait pas raconter les histoires. Il ne connaît pas les dieux grecs et les dieux égyptiens. Il connaît la vie de tous les jours, les histoires de collègues et de bureau. Il sait remplir les feuilles d'impôts et de Sécurité sociale mais pas le vide dans sa tête. Les premières statues égyptiennes qu'on a rapportées en Grèce faisaient le mouvement de marcher et les Grecs les attachaient la nuit pour qu'elles ne s'échappent pas.

Doudou, elle est comme ces statues. Elle fait le mouvement de marcher mais elle reste sur place, entravée par tout ce qu'elle a dans sa tête.

Il ne le savait pas, ça, André. Moi, je sais tout sur elle. Je lui ai mâché la vie, je l'ai nourrie à la becquée. Tout ce qu'elle sait vient de moi.

Elle ne vous raconte pas tout parce qu'elle ne veut pas se rappeler. Elle veut aller de l'avant maintenant. C'est trop lourd à porter ces souvenirs. Moi qui suis enfermé, je pense à elle tout le temps. En un sens, et rien que dans ce sens-là, j'aime bien la prison. Je ne vois rien d'autre que ce grand espace rempli d'elle et de mes souvenirs. Elle est là, à côté de moi, je lui parle, je la caresse, je l'allonge près de moi. Elle vient me voir à chaque parloir. Elle n'en laisse pas passer un seul. La prison nous a réunis. Elle arrive avec son panier plein de gâteries, achetées en mon honneur. J'ai honte de le dire mais je ne suis pas malheureux. J'ai le teint frais et rose et je fais de la gymnastique tous les matins dans ma cellule. Pour être en forme quand je sortirai. Mon avocat dit que ce n'est pas bon pour moi d'avoir l'air si pimpant. Ça m'est bien égal. Ce qui me tourmente pendant les parloirs, c'est quand je sens qu'elle m'échappe. Pourquoi a-t-elle un pull neuf ? Qui le lui a offert ? À qui veut-elle plaire ? D'où proviennent ces mots ou cette expression nouvelle ? Elle ne disait pas ça avant. Est-il possible qu'un autre homme…

Ça s'emmêle dans ma tête, je ne me maîtrise plus. J'ai envie de la gifler, de la cogner pour lui faire avouer, mais il y a toujours cette vitre entre nous. Je me contente de lui souffler des insultes sournoises pour qu'elle perde de sa superbe et revienne, humble et douce, vers moi.

Après le parloir, je suis furieux. Je m'en veux de l'avoir bousculée. Je crains qu'elle ne veuille plus jamais revenir. Je me raisonne : tu vois bien qu'elle t'aime puisqu'elle ne te laisse pas tomber. J'en vois des femmes qui, au bout d'un moment, espacent leurs visites puis disparaissent. Mais c'est plus fort que moi. Je n'aime pas respirer la liberté sur elle. Elle est à moi, vous comprenez, elle est à moi. Elle est ma famille, mon début, ma fin, toute ma vie. On ne se dépossède pas de sa vie. On n'y renonce pas. Ou alors il faut être fou. Ou désespéré. Je ne peux pas être désespéré : elle m'aime.

Mais je commence à sentir que vous vous lassez. Je vous ennuie. Il est absurde de raconter une passion, je le sais. Il faut être fou pour croire que cela intéresse les autres. Ou puéril. N'importe. Il fallait que je l'interrompe. Parce que, si on me vole cette histoire, en la dénaturant, qu'est-ce qu'il me reste à moi ?

… J'étais dans un si sale état, avec ma robe blanche en lambeaux, que j'ai demandé à Christian de me ramener à la maison. Je ne voulais pas réapparaître devant les invités, devant André, avec l'amour d'un autre sur le corps. Il a conduit en silence, m'a déposée rue Lepic et a ouvert la portière de sa Lancia. Je ne lui ai pas dit au revoir. Je ne l'ai pas regardé. J'ai gardé le nez collé contre la fenêtre pendant tout le trajet. J'ai couru me réfugier dans ma chambre. J'ai pris une douche, je me suis lavé les cheveux, les dents, le visage, le sexe, les cuisses. J'ai frotté, frotté. Je contemplais l'eau grise qui tournoyait dans le bac à douche, l'eau sale, sale… J'ai enfilé un jean, je me suis allongée sur le lit et j'ai attendu qu'on vienne me réveiller. J'ai fait comme la Belle au bois dormant.

Il était furieux. Il répétait « on ne se conduit pas comme ça avec ses invités. Tu aurais dû me prévenir au moins, je suis ton mari ! TON MARI ! ». Je gardais les yeux fermés et ne disais rien. Il me secouait de toutes ses forces, me forçait à ouvrir les yeux. Il avait toujours son bel habit de marié mais sa bouche se tordait de colère.

– Bordel de merde, réveille-toi, réveille-toi, je suis ton mari ! Tu me dois une explication ! On ne disparaît pas comme ça de son mariage ! De son propre mariage ! J'avais l'air fin, moi, au milieu des autres ! Tu y as pensé à ça ? Même pas !

Au bout d'un moment, j'ai grogné entre mes dents :

– J'ai trop bu, j'ai trop mangé, j'ai trop dansé, je voudrais dormir, s'il te plaît… C'est fatigant de se marier, je ne recommencerai plus.

Ça lui a coupé sa colère, net. Il n'a plus rien dit. Il a donné des coups de pied avec ses grosses pompes de marié dans mes petits escarpins blancs qui traînaient par terre et puis il a piétiné ma robe…

Il est ressorti de la chambre en disant qu'il avait besoin de prendre l'air.

Je savais qu'une réflexion de petite fille fatiguée le désarçonnerait. Qu'il se sentirait tout à coup fort et costaud devant sa petite femme, épuisée par une journée de noces et qu'il me laisserait tranquille. Je me suis retournée contre le mur et je me suis endormie pour de bon.

Le lendemain matin, il faisait encore la tête. On est partis pour notre voyage de noces.

En Martinique.

Si c'est joli, la Martinique ? Je ne pourrais pas vous le dire. On est restés enfermés dans la chambre du premier au dernier jour. Un cyclone était annoncé, et les habitants consignés chez eux n'avaient pas le droit de sortir. André fulminait en arpentant la chambre :

– On aurait pu aller n'importe où, à Montélimar ou à Romorantin ! C'était pas la peine de payer deux billets d'avion et une chambre d'hôtel à mille balles la nuit ! Tu parles d'un voyage de noces, on n'aura pas une seule photo à montrer à notre retour !

On nous servait des plateaux-repas dans la chambre, on regardait les rayures de l'écran de télévision en essayant de deviner ce que ça représentait, on lisait les prospectus sur l'île et les deux San Antonio abandonnés par de précédents occupants plus chanceux que nous : les pages étaient collées de sable et de crème solaire ! Je reniflais les livres, fermais les yeux et imaginais la mer, les vagues, les coraux, les poissons de toutes les couleurs, ma tête plongeant sous l'eau, les yeux grands ouverts. André tournait en rond et faisait crisser ses sandales : des sandales en cuir tressé, toutes neuves, découpées sur le côté, qu'il avait achetées pour aller à la plage. Ça faisait crrr crrr quand il marchait et il n'arrêtait pas de marcher.

– On joue ? j'ai demandé à André, renfrogné.

– On joue à quoi ?

– Aux cartes, aux devinettes, au papa et à la maman…

– J'ai pas envie. Ça me coupe tout d'être enfermé.

– Tu savais que ce sont les Égyptiens qui ont inventé l'air conditionné ? je lui ai demandé, sûre qu'il me répondrait non.

– Non.

– 3 000 ans avant Jésus-Christ. Ils faisaient geler l'eau dans des grands bacs de glaise peu profonds qu'ils disposaient un peu partout dans leur maison à la tombée du soir. La nuit, l'eau gelait et, dans la journée, quand il faisait chaud, la glace fondait, rafraîchissant toute la maison.

– Tu me fais le jeu des mille francs ?

Crrr crrr, grinçaient les sandales. Pause. Demi-tour contre le mur puis à nouveau crrr crrr crrr…

– Je me demande s'il y a des assurances qui remboursent en cas de cyclone ? Peut-être bien, après tout ? Il doit y avoir une clause « catastrophes naturelles » dans le catalogue. Je vérifierai en revenant.

Les sandales s'étaient tues. Il se tenait debout devant le lit où, recroquevillée, je le regardais réfléchir, les mains dans les poches de son bermuda écossais.

– Et tu sais qui a fabriqué la première sauce Ketchup ?

– Non, a-t-il dit avec l'œil qui s'ouvrait et une lueur d'intérêt. Du ketchup, un bon McDo et un Coca… Une terrasse au soleil…

– Tu donnes ta langue au chat ?

– Oui.

Il s'est jeté sur le lit, a laissé tomber ses sandales qui ont fait cric crac et a crapahuté sur les coudes jusqu'à moi.

– Les Romains en l'an 300 avant Jésus-Christ ! Il était composé de vinaigre, d'huile, de poivre et d'une pâte d'anchois séchés, et servait à relever viandes et poissons. Dans les ruines de Pompéi, on a retrouvé des petites amphores…

– Comment tu sais tout ça, mon lapin ? Hein ? T'es tombée dans une encyclopédie quand t'étais petite ?

– Non. Pas du tout. C'est Christian…

Je prononçais son nom, il ouvrait la porte de la chambre et s'installait sur le lit, à côté de nous. Il observait André qui m'embrassait à pleine bouche. « Quel balourd ! il ne sait pas te lutiner, marmonnait-il. Il te prend la bouche tout entière et tout de suite ! Et la chambre ! Tu as vu la reproduction au-dessus du lit ? Ces palmiers sur fond de coucher de soleil ! Quel manque de goût ! Il les a eus au rabais ses billets ? Ce doit être le roi du forfait et de la bonne affaire ! Doudou, ma Doudou… Que fais-tu dans les bras de cet homme-là ? Dis-le-moi. Coupe-lui la tête d'un coup de dents, ma Doudou. Comme la mante religieuse qui supprime le cerveau de son amant pour avoir plus de plaisir. Écoute, ma Doudou, écoute : le centre du désir copulatoire chez l'insecte mâle se niche dans les replis de l'abdomen, et le cerveau joue le rôle inhibiteur. Alors, vas-y, décapite-le, qu'on en finisse… »

Et pour les hommes alors, c'est pareil ? Le centre du plaisir est dans le ventre, et le cerveau bloque tout ?

Je me bouchais les oreilles et poussais la tête d'André entre mes jambes.

L'eau entrait dans ma tête et j'oubliais…

Je redevenais de la chair sans souvenirs, sans passé. De la viande crue. Unie à un autre morceau de viande crue. De la bonne viande rouge. Nous étions propres, sains, robustes, et nous nous donnions du plaisir. Un plaisir non toxique. Sans germes porteurs de doutes, de remords. C'est à ce titre-là, je crois, que j'ai épousé André. Il me nettoyait de tout ce que je trouvais sale chez moi. Et puis il était si beau. Il m'arrivait, quand il dormait, d'ouvrir les yeux et de le contempler. Je me disais : alors, tu le trouves comment ?

Parfait. Parfait. Bon, honnête, loyal, travailleur, intelligent, attentif à mon bien-être, rempli de projets d'avenir, agréé par tous. Je n'ai rien à lui reprocher. Et cette perfection me rassurait, me donnait une identité. J'étais la fille qui avait décroché la lune.

André était désinfecté mentalement et physiquement, et je me frottais à tant de propreté. Il sentait bon. Toujours. De partout. Il n'avait pas d'odeurs corporelles. Ne transpirait pas. N'avait ni pellicules ni points noirs. Le ventre était plat et ferme. Les bras musclés, les poils dorés, les hanches minces. Il se douchait matin et soir. Changeait de linge de corps chaque fois. Ses dessous de bras sentaient bon, son sexe aussi. Je n'avais aucune répulsion à le prendre dans ma bouche. Il n'avait pas de goût. Même son sperme n'était pas écœurant. Quelquefois, je frottais le nez contre les poils de son sexe, cherchant en vain une odeur et ne respirant que le savon. Il se savonnait de longues minutes sous la douche et son corps était recouvert d'une abondante mousse blanche parfumée dont l'odeur flottait longtemps autour de lui.

J'avais toujours envie de lui. Il en était gêné parfois, il me repoussait, il disait : « Attends, lapin, attends, on vient juste de le faire… » Mais j'insistais, j'insistais, je descendais sa fermeture Éclair et je le prenais dans ma bouche, lui debout, moi à genoux, le forçant, lui volant son secret de propreté. Ce n'était plus lui le plus fort, c'était moi. Moi qui lui volais sa force. Lui, il était cassé en deux, ratatiné, rabougri. Et quand il m'embrassait entre les jambes, quand il s'appliquait avec sa bouche, avec ses doigts, avec ses dents, il était à mon service. Je le possédais. Je lui avais volé sa propreté puisqu'il faisait des choses sales. Pour un temps infiniment court. Parce qu'après le plaisir il redevenait un mari parfait. Il disait : je t'aime, ma femme, mon amour de femme, mon lapin.

Et tout était à recommencer.

Mais je ne savais pas tout ça à l'époque, dans notre chambre d'hôtel aux volets cloués par peur du cyclone. Je sentais bien que j'étais insatisfaite. Je m'étonnais des violentes colères qui montaient en moi d'un coup. Je passais de la plus grande exaltation au plus grand dégoût. De tout. Je me repliais sur le lit et attendais que le dégoût passe. C'est à partir de mon voyage de noces que j'ai commencé à faire semblant, à me construire un personnage « vu de l'extérieur », le seul que pouvait comprendre André. Je me disais qu'à force de jouer à être la gentille petite épouse parfaite, je le deviendrais. Je changerais. Je me nettoierais de tout.

J'y croyais dur comme fer.

Au retour de notre voyage de noces, nous nous sommes installés dans une petite maison blanche, achetée à crédit dans un lotissement, près d'Évreux. Nous étions entourés de petits couples. Les maris partaient travailler le matin en embrassant leur femme sur le pas de la porte. Ils montaient dans leur voiture, tiraient le starter, enfonçaient la clé de contact et faisaient de grands gestes affectueux à leurs épouses, qui les regardaient partir en se tapotant les bras pour se réchauffer, soufflant, scrutant le ciel et leur envoyant de petits baisers avant de refermer la porte en sautillant dans leurs pantoufles. André travaillait dans une boîte d'informatique. Il était entendu que je resterais à la maison, que je m'occuperais du ménage, des courses et des enfants à venir. Je ne protestai même pas. J'agitais la manche de ma robe de chambre comme toutes les autres, envoyais un baiser et refermais la porte.

Anita ne lâche pas prise facilement.

Le dimanche soir, quand je suis rentrée d'avoir vu les enfants, elle m'attendait, revêtue d'un long kimono noir avec un aigle brodé dans le dos. Dans les griffes de l'aigle est marquée une devise au fil perlé jaune, une devise qu'elle a faite sienne depuis longtemps : « Quand on veut, on peut. » Quand Anita n'est pas là, il m'arrive de lui emprunter son kimono. Rien que pour la devise. Comme si les mots allaient s'animer et s'imprimer dans mon cerveau au fer rouge. Je bombe le torse, gonfle les pectoraux et arpente l'appartement en tenant de grands discours sur mon avenir. Je m'exhorte, je m'enflamme. J'ai tous les courages. J'aime ce peignoir avec l'aigle dans le dos. Et puis, en l'enfilant, je retrouve l'odeur d'Anita. L'odeur de sa crème pour le corps qui imprègne la soie noire et s'échappe en bouffées voluptueuses.

Ses cheveux sont tirés en arrière, noués en un petit chignon sur la nuque, tenu par deux baguettes chinoises. Un masque de beauté, blanc et grumeleux, lui enserre le visage ne laissant apparaître que sa bouche rouge et ses yeux noirs. Un masque terrifiant de sorcière. Elle tient une liasse de papiers à la main.

– Tu sais ce que c'est ? me demande-t-elle, écartant à peine les lèvres afin que son masque ne craquelle pas.

Je hausse les épaules et secoue la tête négativement.

– Des factures. Gaz, électricité, téléphone, plus le loyer… Comment vas-tu les payer ?

– Avec l'argent de Mamou.

– Ta mère m'a dit qu'il ne t'en restait presque plus. Elle a demandé à la banque un relevé de ton compte.

– Elle n'a pas le droit de faire ça !

Elle agite à nouveau sa liasse de factures. D'abord rapidement, puis plus lentement, et enfin me les met sous les yeux.

– Demain, je te cherche un travail. Je demande au Président de te trouver une place. N'importe où.

– Non. Je n'en suis pas capable.

– Écoute-moi bien…

Elle a rapproché son siège et me parle à voix basse comme lorsque j'expliquais à Alice qu'il fallait aller à l'école, le matin.

– … tout ton argent est parti en fumée parce que tu as pris un avocat pour récupérer tes enfants. Si tu n'as plus d'argent, comment vas-tu te battre contre André ? Quel juge prendra le risque de confier deux petits enfants à une mère sans revenu ni bulletin de salaire ?

– Je n'en suis pas capable, Anita, je n'en suis pas capable.

– Si. Et tu vas t'en rendre compte très vite. Ce n'est pas une menace, c'est un conseil d'amie.

Rien n'arrête Anita. Je devrais le savoir.

C'est une dure à vivre. C'est ce qui m'a séduite quand je l'ai rencontrée. À une réception chez le ministre des Transports. M. Jacques Lanquetot, Triquetot ou quelque chose comme ça. Je déforme toujours les noms de famille, j'arrive pas à les prendre au sérieux. En tout cas : un notable. Qui collectionne les postes haut placés : député, maire, quatre fois ministre. Une crapule estampillée Légion d'honneur, la vraie, la pièce montée.

La fête avait lieu dans un beau château, genre documentation pour touristes, au milieu de jardins à l'anglaise. J'étais arrivée là, par hasard. Avec Guillaume. On avait suivi les petites flèches en bois blanc qui indiquaient le lieu de la réception. C'est Guillaume qui avait repéré les flèches. « C'est peut-être l'occasion de bouffer à l'œil. On essaie de se faufiler ni vu ni connu. Si ça marche, tant mieux, si ça marche pas, tant pis », il avait dit.

Depuis trois mois, on sillonnait les routes de France avec sa moto. Au début, on avait mené la grande vie mais l'argent s'était vite envolé. On ne mangeait plus qu'une fois par jour. On se lavait dans les stations-service à la sauvette et on piquait des tablettes de chocolat, des paquets de chips, du jambon sous cellophane qu'on engloutissait, accroupis dans les allées, contre les présentoirs. Ça marchait. On ne se faisait pas piquer. On gardait une tenue propre pour le cas où…

On s'est arrêtés dans un petit chemin. On s'est changés derrière un bosquet. Il a mis son jean noir, sa cravate noire et sa chemise blanche, j'ai enfilé ma petite robe bleu ciel qu'il m'avait achetée à Dijon, un jour où je n'arrêtais pas de pleurer en pensant à Alice et à Antoine. Pour me consoler, il m'avait emmenée au Prisunic et couverte de cadeaux. On avait encore des sous à l'époque. J'ai coiffé le petit chapeau en paille jaune qui allait avec la robe, pris la pochette bleue. Et on est repartis.

À cent mètres de l'entrée du château, un type du service d'ordre nous a arrêtés.

– Demi-tour, j'ai soufflé dans le cou de Guillaume. On va se faire pincer.

J'avais tout le temps l'impression d'être en cavale. Une criminelle poursuivie par toutes les polices de France.

– Pas question, a dit Guillaume. T'as vu le mec. C'est une demi-portion. On ne risque rien. On n'a volé ni tué personne ! Arrête ton cinéma !

L'homme a regardé Guillaume et lui a lancé « tu fais partie des extra ? ». Guillaume a dit oui. Il nous a fait signe de passer par la gauche, par l'entrée des fournisseurs, et a demandé à Guillaume de laisser sa moto au parking.

– Génial, a lâché Guillaume, une fois qu'il se fut éloigné. On va pouvoir s'empiffrer, et légalement en plus !

– Tu ne penses qu'à bouffer. T'es un plouc. Il l'a vu tout de suite. Il t'a pris pour un larbin sans hésiter.

– Fais pas ta princesse ! Je vais faire la plonge pendant que tu te remplis le ventre !

– Chacun son rôle !

Il m'a lancé un regard furieux mais n'a rien ajouté. On n'arrêtait pas de s'engueuler.

Le château ressemblait à celui de la colonie de vacances où j'allais enfant, après que papa fut tombé en mer du Nord. J'y passais un mois chaque été. Un château transformé en centre aéré avec des flèches rouges partout pour qu'on ne se perde pas et des pancartes jaunes commençant toutes par : « Attention, il est interdit de… » Dans celui-ci, il n'y avait pas de pancartes ni d'enfants en rang deux par deux, ni de monitrices qui hurlaient des chansons cadencées pour nous faire avancer.

J'ai laissé Guillaume sous une grande tente où s'affairaient les extra. On lui a donné une veste blanche et des verres à laver. Il y en avait au moins cinquante sur une grande plaque en tôle.

Je me suis dirigée vers une vaste pelouse parsemée de tonnelles qui, chacune, abritait un buffet, des fauteuils en rotin, des petites tables basses chargées de verres et de victuailles. Et derrière les buffets : un larbin qui faisait très sérieusement son boulot de larbin. Le front ruisselant, la bouche crispée, agitée de tics, et le nœud papillon lui étranglant la glotte. Comme s'il allait lancer d'une minute à l'autre la fusée Ariane. L'assistance était choisie. Triée sur le volet. Les femmes portaient toutes le même uniforme, des robes d'été en mousseline fleurie ou de petits tailleurs jaune paille, bleu ciel ou framboise en lin. Certaines, même, avaient une grande capeline pour se protéger du soleil. C'étaient surtout des vieilles, rousses ou blondes décolorées, dont les mains avaient déjà été mangées par les ultraviolets et qui tentaient de sauver le reste. Les hommes aussi portaient l'uniforme : tous en gris, en beige ou en bleu marine. On les identifiait à des détails : une couperose, une grosse bedaine, une calvitie, un double menton, des dents jaunes, des lunettes ou la pièce montée à la boutonnière.

Il faisait très chaud et aucun souffle d'air n'agitait les pauvres arbustes chétifs qui tentaient de faire de l'ombre sur la pelouse. Les extra installaient des parasols et des chaises longues, jetaient des coussins sur l'herbe, disposaient des petites tables avec du champagne dans de grands seaux remplis de glace et suaient à grosses gouttes dans leur col blanc. L'air toujours aussi sérieux !

J'ai traîné un long moment et j'ai observé. Partagée entre le fou rire et l'envie de tuer. Ces gens se ressemblaient tellement que je ne savais plus si j'avais affaire à une assemblée de robots ou à des êtres humains. Les femmes s'allongeaient gracieusement sur la pelouse, puis repliaient les jambes sous leurs longues robes. Des groupes se formaient à l'abri des tonnelles ou des arbres. On jacassait ferme. Sur le même ton aigu et pointu. On s'échangeait des secrets, des recettes, des adresses, des potins. Ce devait être des trucs terribles parce que, à chaque information, elles prenaient des mines effarées et renversaient la tête de stupéfaction. Puis tendaient le cou à nouveau pour picorer une nouvelle inédite.

J'ai pris une pile de canapés, une coupe de champagne et me suis posée un peu à l'écart d'un groupe. Je voulais savoir de quoi ils parlaient pour se mettre dans cet état-là. J'ai saisi le nom de la fille des propriétaires des lieux et celui de son mari. Elle s'appelait Cécile, lui Régis. Elle disait : « Mon père… mon mari… mon chien… ma femme de ménage… notre appartement à Paris… nos vacances. » Il disait : « Ma banque… ma femme… mon chauffeur… mon agent de change… mon père… notre appartement à Paris… » Ils étaient si riches qu'ils possédaient même les possessifs ! On aurait pu les poser sur une étagère tellement ils étaient fins et délicats. Elle, toute blonde, menue et transparente. Un teint lisse que le malheur n'avait jamais piqué. Des yeux bleus de bébé, innocents, purs, et une petite bouche adorable qui lâchait les mots comme une ribambelle de bulles de savon. Je l'ai enviée. Qu'est-ce que je l'ai enviée ! Elle ne devait pas se poser beaucoup de questions dans la vie : elles avaient toutes été résolues d'un coup de baguette magique à sa naissance. Alors, bien sûr, il restait le problème des domestiques qui n'étaient plus comme avant, des teinturiers qui font attention ou pas aux affaires délicates, des robes qu'on porte à un dîner pour s'apercevoir, avec horreur, que la même robe est déjà assise, à table, sur le dos d'une autre.

– Je ne savais plus où me mettre, rougissait la pauvre Cécile, accablée. Imaginez mon embarras ! Ça ne devrait pas arriver des choses pareilles !

Elle posait une main de propriétaire timide sur le bras de son mari. Lui l'écoutait avec attention, brun, mince, joli garçon, un peu frêle, et hochait la tête d'un air appliqué pour souligner son adhésion totale aux propos de sa femme. Il avait le bout des oreilles un peu rouge et un lobe tout chiffonné, Tiens, tiens ! je me suis dit en examinant la chair boursouflée et mutilée.

Quand il prenait la parole, il commençait souvent ses phrases par : « Notez bien que… » en relevant son petit nez en trompette d'un air sérieux, ce qui le rendait parfaitement ridicule. Tout ne semblait être que poses chez lui. Un homme brun et fort, au visage congestionné, s'est avancé vers eux. Chemin faisant, il a ouvert sa veste, et un ventre volumineux s'en est échappé qui s'est mis à ballotter à chaque pas. Il lui ouvrait le passage, en quelque sorte. Cécile est allée à sa rencontre et s'est blottie contre lui. Il devait se teindre les cheveux car ils étaient d'une belle couleur noire, avec des reflets acajou sur le dessus et d'épaisses racines blanches sur les tempes. Il lui a tapoté l'épaule affectueusement et l'a appelée « ma fille » à plusieurs reprises d'une voix forte de propriétaire. Elle lui a lancé son plus joli regard de bébé confiant et a dit que sa fête était très réussie, qu'il avait de la chance d'avoir la météo avec lui.

– Vous avez toujours la météo avec vous ! s'est exclamé le gendre d'une voix de fausset qui, soudain, déraillait comme si la présence du beau-père l'intimidait.

– C'est vrai, a minaudé la fille à la cantonade. Si vous voulez que le soleil soit au rendez-vous, il vous suffit d'inviter papa.

– Allons, allons, cessons ces enfantillages, a grommelé le père. Régis, suivez-moi, il faut que je vous parle.

Il a mis le bras autour des épaules de son gendre et l'a entraîné à l'intérieur du château.

J'ai pensé à mon père et à la tempête qui l'avait englouti. Ça m'a rendue triste et sentimentale. J'ai eu envie de pleurer. Il m'avait abandonnée, quand même. C'était pas juste. Vous savez ce que c'est un père qui disparaît sans laisser de note ou d'adresse pour le courrier ? Sûrement pas, parce que sinon vous seriez déjà en train de pleurer à gros bouillons. Je les hais, je les hais, tous ces gens qui ont la vie si facile. Pourquoi le malheur doit-il toujours être livré, en concentré, aux mêmes infortunés ? On devrait pouvoir le diluer pour qu'il y en ait un peu pour tout le monde.

Je me suis resservie de champagne plusieurs fois et j'ai même fini par tendre mon verre vide aux garçons qui passaient entre les groupes, une bouteille à la main. Je n'ai pas vu Guillaume. Il avait dû rester sous la tente à faire la plonge.

J'ai eu très envie de partir et, en même temps, très envie de dormir. Alors je suis restée là, prostrée sur la pelouse, à suivre de loin les conversations. Des filles de mon âge évoquaient leurs stages, leurs études, les soirées où elles avaient été invitées. Avec les mêmes intonations que leurs aînées. Les mêmes manières affectées. Elles faisaient des projets de vacances, de sorties en bateau, de voyages aux États-Unis. J'ai compris, soudain, que je n'avais guère d'avenir sur la moto de Guillaume. Cette idée, qui me donnait le cafard depuis quelque temps, s'est matérialisée brusquement, en quelques secondes, dans la lumière dorée de la fin août. Je tournais en rond avec Guillaume. Il fallait que je le quitte. Mais pour aller où ? Toute seule, sans argent ni diplômes. Sans relations ni possessifs rassurants. Ma situation m'est apparue, soudain, désespérée. J'ai regardé le château et je me suis dit : pourquoi ne pas aller à l'intérieur me reposer ? Dormir. Oublier. Chasser le cafard noir et rampant. Je trouverai bien une chambre vide parmi toutes ces fenêtres, ces dizaines de fenêtres à petits carreaux, aux lourds rideaux. Dormir dans un vrai lit avec des draps frais, des oreillers mous. Je me suis levée.

C'est en traversant la pelouse que j'ai vu Anita pour la première fois.

Elle portait un chapeau rouge tout petit avec une voilette rose fuchsia. Un tailleur rouge, des escarpins et une pochette roses. Je me souviens, je me suis dit : qu'elle est belle ! Et hardie. On ne s'habille ainsi que lorsqu'on est sûre de soi. Elle parlait avec Cécile qu'elle tenait par le bras, et le contraste était saisissant. Aussi brune que Cécile était blonde. Aussi piquante et mystérieuse que l'autre paraissait anodine et légère. Je l'ai regardée passer sans cesser de la détailler, mais elle ne m'a pas remarquée, habituée sans doute aux hommages muets rendus à sa beauté.

Et puis je me suis faufilée dans le château. Il faisait frais à l'intérieur. J'ai glissé le long d'un corridor dallé de pierres. Il ne ressemblait plus du tout au château du centre aéré. Aucun écriteau indiquant les toilettes ou le réfectoire, aucune rangée de portemanteaux ou de lavabos, aucun cri d'enfants et de monitrices les rabrouant… mais des tapis épais sur les dalles en pierre, des guéridons chargés de fleurs, des commodes élégantes encombrées de cadres argentés et de bibelots, des vestes de chasse suspendues à des patères, des bottes boueuses, des cannes à pommeau, des portraits d'ancêtres sur les murs. Au bout de la galerie de portraits, un tableau représentait Jacques Lanquetot, Triquetot ou quelque chose comme ça, en habit de soirée, au côté de sa femme en robe du soir. Leurs noms étaient inscrits sur une petite plaque en laiton, juste en dessous. Leurs visages tournés vers le peintre irradiaient une sérénité condescendante. Avec, dans le regard, dans la moue, dans le port de tête, l'assurance des gens qui n'ont jamais manqué ni d'argent ni de respect. Qui sont assis sur des siècles d'histoire de famille. Tout petits au berceau, ils savent qui ils sont, d'où ils viennent et ce qu'ils feront. Bientôt, il y aura le portrait de leur fille et de leur gendre à côté du leur. Puis ceux de leurs petits-enfants et ainsi de suite…

J'ai gravi le grand escalier de pierre si large qu'on aurait pu y faire passer une calèche. Peut-être que, jadis, les propriétaires allaient se coucher en carrosse. On ne sait jamais quelles lubies traversent la tête des riches ! J'ai croisé des gens qui redescendaient. Ils m'ont fait un petit signe de tête. Ils m'avaient prise pour une invitée ! J'ai esquissé deux ou trois pas de danse dans l'escalier. Après tout, je ne suis pas si différente de ces gens-là s'ils me prennent pour l'une des leurs ? Je ne les enviais plus, ne les méprisais plus, je faisais partie du club. Je me suis approchée d'un grand miroir posé dans le couloir du premier étage et me suis observée attentivement. D'habitude, j'évite mon reflet dans les glaces. Ce jour-là, je me suis trouvée à mon goût avec mes cheveux blonds en épis, mes longues jambes, ma robe bleue et son décolleté carré, mon petit sac et mon chapeau de paille jaune. J'aurais pu faire partie de la galerie de tableaux, avec un peu de chance et des ancêtres plus chics. Le soir, quand on dormait à la belle étoile avec Guillaume, je sortais ma robe et mon chapeau de mon sac en toile pour qu'ils ne s'abîment pas. Surtout le chapeau. On n'arrêtait pas de s'engueuler à cause du chapeau.

— Tu fais chier, disait Guillaume, on dirait une rombière avec tes précautions à la noix !

— C'est tout ce qu'il me reste de dignité ! je lui répondais en défroissant la robe et en décabossant mon bibi jaune.

— T'aurais dû y penser avant à ta dignité ! Quand tu es venue me chercher, ça ne t'a pas beaucoup gênée.

— Crois bien que je le regrette tous les jours et, si c'était à refaire, je te laisserais moisir dans ta médiocrité !

Il se mordait les ongles mais ne répondait pas. J'avais toujours le dernier mot avec lui. On se disputait fréquemment. On se réconciliait de moins en moins souvent. On s'endormait dos contre dos sans se parler, chacun ligoté dans son sac de couchage et son malheur. J'imaginais mille issues de secours. Je n'avais pas le courage de le quitter et de continuer la route, seule. Pas le courage non plus de revenir chez André. Pour lui dire quoi ? Salut ! Je viens chercher les enfants, je ne peux pas vivre sans eux. Mais je ne veux plus vivre avec toi. Il me claquerait la porte au nez en me traitant de traînée, de dévergondée.

J'étais là à me mirer dans la glace, à imaginer... Un invité allait m'enlever sur son cheval blanc, un invité riche et puissant, il terrasserait André qui me rendrait sur-le-champ mes petits enfants... quand j'ai entendu des bruits sourds qui venaient d'une chambre. Des bruits rauques comme si quelqu'un peinait à la tâche.

Le bruit que faisait grand-père quand il sciait une longue planche et que ça lui demandait un effort.

Grand-père, le père de mon père, le mari de Mamou. Il s'était installé, pour occuper sa retraite, un grand atelier d'ébéniste et confectionnait des meubles de bois blanc, des bancs, des chaises, des bibliothèques, des jouets pour moi. Quand j'étais petite, je passais des heures dans son atelier à jouer avec les copeaux et les tombées de bois. Ça sentait bon, et je me faisais des maisons avec les chutes de planches, des vêtements de poupées avec les copeaux que je collais les uns aux autres ; grand-père m'avait fabriqué un Pinocchio en bois. Il lui avait peint le bout du nez en rouge, le chapeau en vert et la culotte en vert aussi. Et après, il avait sculpté une Pinocchia pour que Pinocchio ne soit pas seul. Pinocchia avait un joli foulard cramoisi, ce qui était bien pratique parce que je pouvais m'en servir aussi comme chaperon rouge. J'aimais par-dessus tout rester dans l'atelier à respirer l'odeur du bois et à écouter grand-père qui soufflait, courbé sur son établi, avec le transistor couvert de scotch pas loin de lui, ses bouts de chaussures recouverts d'une rondelle en plastique pour ne pas les user.

C'était le même bruit qui sortait de la chambre : des ahanements rauques et réguliers, entrecoupés de respirations saccadées. J'ai avancé dans le long couloir qui desservait les chambres. Je suis arrivée sur la pointe des pieds devant la porte de la chambre d'où provenait le bruit. C'était une grande porte en hêtre cérusé, à deux battants. J'ai poussé légèrement l'un des battants ; il a tourné sur ses gonds et s'est ouvert sans grincer. Je me suis avancée encore, tapie dans l'ombre de la chambre. Le bruit était plus fort et j'ai distingué une autre voix qui gémissait. J'ai aperçu une masse énorme devant moi, au milieu de la pièce, pas loin d'un lit à baldaquin. J'avais du mal à distinguer : la chambre était plongée dans l'obscurité. On avait dû fermer les volets à cause de la grande chaleur pour que la fraîcheur des murs protège de la canicule. Mamou fermait les fenêtres aussi. Elle disait que ça ne servait à rien de fermer les volets si on laissait les fenêtres ouvertes. Alors je suis restée là. À écouter. À essayer de discerner ce qui se passait dans le noir.

La masse était prise de convulsions. Elle sautait, se tortillait, se déformait pour s'unir à nouveau en un bloc compact. C'était un drôle de spectacle comme un énorme bossu qui se serait agité dans le noir. Un homme poussait des cris mais je ne comprenais pas très bien pourquoi. Il portait un poids au-dessus de lui. Je vous donne tous les détails de la scène comme je l'ai vue pour que vous me croyiez, que vous n'imaginiez pas que je vous raconte des mensonges. Au bout d'un moment, je m'étais agenouillée contre le chambranle pour ne pas me faire remarquer, au bout d'un moment, donc, j'ai distingué ce qu'il se passait réellement. Je n'ai même pas pu crier tellement j'étais horrifiée. J'ai voulu le faire, je me rappelle, j'ai ouvert la bouche toute grande mais aucun son n'est sorti. C'était si étrange, ce que je voyais, que non seulement je ne pouvais pas crier mais, en plus, je ne pouvais pas bouger. Je restais là à regarder, à regarder ces deux hommes l'un sur l'autre, qui se chevauchaient. Le plus âgé était debout, penché sur le dos du plus jeune, et lui donnait de grands coups de reins en le tenant à deux mains à la hauteur des hanches et en poussant les cris rauques que j'avais entendus dans l'escalier. L'autre, le plus jeune, appuyé au montant du lit, exhibait son derrière, son derrière tout blanc dans l'obscurité, et recevait les coups de reins du vieux en gémissant doucement. Ils avaient tous les deux leur pantalon en accordéon sur les pieds et ils se tordaient en haletant, en s'agitant, enchaînés l'un à l'autre.

… « La bête à deux dos », disait grand-père en riant,

en mettant Pinocchio sur le ventre de Pinocchia. « La bête à un dos », ajoutait-il en retournant Pinocchia le dos contre le ventre de Pinocchio. « Chut, chut ! disait Mamou, pas devant la petite, enfin ! »

Les deux hommes, devant moi, faisaient la bête à un dos...

– Tiens ! Tiens ! Prends ça ! Et ça ! Je te baise ! Je te baise ! criait le plus âgé en renversant la tête en arrière, la bouche tordue, les épaules lourdes et trapues, les hanches blanches et molles.

Je me souviens de ces hanches qui tressautaient en donnant des coups de reins. Des hanches flasques comme celles du Président sur le bidet.

Au bout d'un moment, je les ai reconnus. Ce n'était pas difficile bien que je ne connaisse personne de la fête mais ces deux-là étaient aisés à identifier : Jacques Lanquetot-Machin et son gendre, le jeune homme aux possessifs.

Ils ne m'ont pas vue, ils ont continué à faire la bête à un dos.

J'étais si étourdie en sortant de la chambre que je suis restée adossée au mur, dans le couloir, pour reprendre ma respiration. Je secouais la tête pour chasser l'horrible vision mais toujours elle revenait. J'ai fait quelques pas en tremblant sur mes jambes. C'est à ce moment-là qu'Anita est arrivée avec Cécile. Elles étaient sur la dernière marche de l'escalier quand je les ai aperçues. Anita tenait Cécile par l'épaule et lui conseillait de s'allonger un peu avant le repas du soir. Cécile acquiesçait et se tamponnait les tempes avec un mouchoir blanc. « Il fait si chaud, si chaud, j'ai la tête qui tourne », disait-elle. Elles se dirigeaient vers la chambre.

Je les ai regardées venir, effarée. Je me suis redressée aussitôt et j'ai barré l'entrée de la pièce.

– Qui est cette fille ? Que fait-elle là ? a demandé Cécile en m'apercevant.

– Vous ne pouvez pas entrer ! Vous ne pouvez pas entrer ! J'ai essayé de parler fort pour alerter les deux hommes. Je priais qu'ils aient le temps de se déprendre et de se rhabiller. Mais c'était compter sans la rapidité d'Anita. Elle m'a écartée violemment et a ouvert à deux battants la porte en bois. Puis elle s'est avancée, suivie de Cécile. Je n'ai pas pu m'empêcher de les suivre. Peut-être avais-je rêvé ? Le visage de Cécile est devenu blanc. Elle est restée là, la bouche grande ouverte, à contempler ce que moi-même, quelques minutes auparavant, j'avais pu constater. Anita a voulu aussitôt l'emmener au-dehors et refermer la porte mais elle l'en a empêchée et, avançant d'un pas hésitant dans la chambre, elle a eu un geste étonnant : elle est allée toucher son père qui se rhabillait en hâte, toucher son mari qui, la tête enfouie dans ses bras, appuyé au montant du lit, n'osait pas la regarder. Elle les a touchés longuement l'un et l'autre comme on tâte une étoffe et elle est sortie.

Elle s'est dirigée vers l'escalier et, retroussant sa jupe de tailleur, est restée un moment ainsi, en équilibre sur la plus haute marche. Elle semblait réfléchir. Elle ne pleurait pas. Ne criait pas. Son corps se balançait, tendu vers le vide, puis elle s'est jetée en avant et a dévalé l'escalier à toutes jambes. Je suis restée interdite, ne sachant que faire. Encore sous le choc. Les bras ballants, le cœur battant à toute allure. Puis, soudain, tout s'est mis en mouvement. Anita a fait voler ses escarpins et s'est élancée à sa poursuite. Je l'ai suivie.

La jeune femme a traversé le vestibule du château, un salon, un autre petit salon et est sortie par une porte à l'arrière de la maison. Elle s'est élancée à travers une grande prairie qui, en son extrémité, bordait la route nationale. Anita lui a crié de s'arrêter mais elle courait, courait sans se retourner.

– Elle va droit à la rivière ! a hoqueté Anita. J'en peux

plus ! Allez-y ! Je vous rejoins ! Mais qu'est-ce que vous attendez ? Allez-y !

Je portais ce jour-là des petites ballerines plates et confortables et j'ai pu courir sans être gênée. Je me souviens avoir senti mon chapeau s'envoler, avoir hésité à le ramasser mais, pressée par les ordres d'Anita, j'ai continué de courir, courir.

Je l'ai rattrapée sur la route nationale où elle titubait en faisant de grands signes de détresse aux voitures qui passaient sans s'arrêter. Je l'ai prise à la taille et l'ai immobilisée. Elle s'est débattue, m'a donné des coups de poing dans le visage, dans le ventre, des coups de pied dans les jambes. Elle faisait preuve d'une force incroyable. Elle ne pleurait toujours pas. Son visage était blanc, crispé, et il en émanait une force étrange qui m'inspira le respect. Malgré moi, j'ai relâché mon étreinte. Elle s'est dégagée brusquement et est repartie en criant, la tête tournée vers moi :

– Laissez-moi, laissez-moi. Vous voyez bien que je veux partir d'ici. Je veux partir ! Vous n'avez pas le droit de m'en empêcher ! Je veux partir !

Elle a continué à héler les voitures. Elle leur tendait les bras, se plaçait au milieu de la route, menaçait de se jeter sur le capot. Mais aucune voiture ne s'arrêtait devant cette femme désespérée, hurlante, et si certains ralentissaient et baissaient leur vitre, c'était juste pour la dévisager et repartir aussitôt.

J'ai entendu les pas d'Anita et elle s'est mise à crier elle aussi :

– Mais rattrapez-la ! Vous voyez bien qu'elle va faire une bêtise !

Je ne savais plus qui écouter. La silhouette de Cécile s'éloignait sur la route. J'avais envie qu'elle s'échappe, qu'elle parte loin de ce château, de son père, de son mari. Vas-y, j'ai pensé, vas-y…

Anita m'a dépassée comme une furie, l'a plaquée

contre elle, et Cécile s'est écroulée dans ses bras. On l'a ramenée au château, en la soutenant. « Dans les écuries, on ne sera pas dérangées », m'a indiqué Anita qui semblait connaître parfaitement les lieux. Nous l'avons traînée à l'intérieur d'un box vide. L'avons allongée sur la paille. J'ai défait les petits boutons de sa veste de tailleur. Elle geignait comme si elle avait mal physiquement. Je l'ai prise contre moi et l'ai bercée. Je lui parlais le plus doucement possible, en battant l'air autour d'elle pour qu'elle reprenne ses esprits.

– Vous n'avez rien vu, ce n'est rien, ce n'est rien, vous y penserez plus tard mais pas maintenant, pas maintenant, respirez, respirez. Ce n'était rien, rien qu'un cauchemar parce qu'il fait chaud et que la chaleur fait danser de drôles d'images sous vos yeux, des images de cauchemar qu'on chasse comme des mouches…

Elle lâchait des mots incohérents. « Partir, s'il vous plaît, partir, pourquoi, pourquoi, partir, partir… » Et je reprenais ma litanie sur le ton très doux qu'on prend pour endormir les enfants, pour les assurer que le monstre n'est pas caché dans les rideaux, ni sous le lit, que le dragon ne va pas leur sauter à la gorge ni les éventrer d'un grand coup de corne. Je la tenais dans mes bras et c'était comme si je consolais Alice ou Antoine et chassais leurs cauchemars, les cauchemars de la nuit. Je berçais une belle dame blonde et je me disais que, là-bas, dans la petite maison blanche, ma petite fille et mon petit garçon faisaient des mauvais rêves et n'avaient plus leur maman pour les consoler.

Anita essayait de reprendre son souffle, appuyée à la porte du box. Elle se tenait sur un pied et se massait l'autre en faisant des grimaces. Elle n'avait plus ni chapeau ni voilette, ses cheveux noirs pendaient en mèches désordonnées et elle paraissait hors d'elle.

– Les imbéciles ! Les imbéciles ! Quel besoin de faire ça un jour comme aujourd'hui ! Des bêtes…

Puis, voyant que je la regardais, elle s'est radoucie.

– Merci. Vous avez été formidable. Qui êtes-vous ?

Je lui ai dit mon nom.

– Vous êtes une amie de qui ?

– De personne.

– Ah…

Son regard s'est fait lourd.

– Je suis entrée par l'entrée de service.

– Tiens donc… Une passagère clandestine en quelque sorte…

Puis elle s'est reprise.

– Il ne faut pas que ça se sache. Vous avez compris ? C'est très important. Ce serait un scandale abominable.

Elle a répété deux ou trois fois « abominable ». Elle m'avait pris le poignet et plongeait son regard noir dans mes yeux.

– Vous avez compris ?

J'ai hoché la tête.

– Vous habitez où ?

– Je fais la route.

Ses yeux noirs se sont rétrécis et elle a réfléchi à toute allure. Sans me quitter des yeux. Elle me jaugeait, s'interrogeait pour savoir si elle pouvait me faire confiance.

– Rassurez-vous, je ne dirai rien.

– Je n'en suis pas sûre. C'est bien ça qui m'embête.

– Vous pouvez me faire confiance. J'ai d'autres soucis en tête.

Mais j'ai bien compris qu'elle se méfiait de moi. Son regard s'est posé sur ma robe de Prisunic, mes cheveux hirsutes, mes ballerines de quatre sous et je me suis sentie de pacotille. J'ai voulu la rassurer à nouveau mais elle m'a interrompue :

– Vous avez besoin d'argent ?

– Non, merci.

– Je peux vous dépanner. J'ai un appartement à Paris.

Le temps que vous décidiez ce que vous allez faire. Vous ne ressemblez pas à une fille qui fait la route. Et puis, a-t-elle ajouté comme si elle regrettait tant de bienveillance, comme ça je vous aurai à l'œil.

Ce soir-là quand Guillaume est venu me chercher, je lui ai déclaré que c'était fini. Il a regardé ses mains, ses doigts. Les a touchés, palpés, frottés puis a relevé la tête et m'a dit que c'était sûrement mieux ainsi.

Voilà, c'est comme ça que j'ai rencontré Anita.

Elle a tenu parole, m'a hébergée chez elle à Paris, m'a donné la plus belle chambre et s'est montrée pleine d'attentions envers moi jusqu'à ce que je lui raconte l'histoire de mon cousin assassin.

On n'a plus jamais reparlé des Lanquetot, Triquetot ou quelque chose comme ça.

Un jour, André m'a invitée à un voyage en amoureux.

Nous n'étions plus repartis en vacances, tous les deux seuls, depuis notre voyage de noces. Alice et Antoine étaient nés. À un an d'intervalle. Nous passions nos week-ends et nos vacances dans le lotissement ou chez les parents d'André, qui possédaient une maison à Verny, sur la côte normande. Nous habitions toujours le même pavillon. Le matin, je lui disais au revoir, en robe de chambre, sur le pas de la porte puis je retournais à l'intérieur m'occuper du ménage et des enfants.

Je lavais, je repassais, je branchais l'aspirateur, j'essorais la serpillière, je cirais les meubles, je nettoyais les vitres, je chargeais la machine à laver, je la déchargeais, j'épluchais les légumes, je les faisais cuire, je faisais déjeuner les enfants, je leur racontais Babar et la vieille dame, la vieille dame et Babar, je les déshabillais pour la sieste, les rhabillais après la sieste, j'écoutais la radio en rangeant les jouets, en marquant les vêtements, en préparant le repas du soir, en recousant les boutons des chemises d'André, je cirais ses chaussures, inspectais ses lacets, refaisais le pli de ses pantalons, prenais Alice sur mes genoux, Antoine contre moi et racontais Babar et la vieille dame, la vieille dame et Babar, le costume vert de Babar, l'automobile de la vieille dame, l'automobile de la vieille dame, le costume vert de Babar.

Le soir, André rentrait vers 6 heures et demie. Les enfants avaient pris leur bain et jouaient en pyjama en guettant le retour de leur père par la fenêtre du salon. Ils étaient encore petits et n'allaient pas à l'école. Ce n'étaient pas des enfants difficiles. Ils ne sifflaient pas les berlingots de Javel ni ne dévoraient les Spontex. Je n'avais pas à me plaindre d'eux comme d'autres mères du lotissement que je retrouvais à la camionnette du boulanger ou du boucher et qui commençaient toutes leurs phrases par : « Vous savez ce qu'il m'a encore fait ? Vous ne devinerez jamais… »

Je n'étais ni heureuse ni malheureuse.

Je n'étais pas, c'est tout.

Toutes mes journées se ressemblaient et je distinguais les saisons, le temps qui passait à des détails anodins et ménagers : la chaudière qu'on allumait ou qu'on éteignait, les pyjamas chauds que je ressortais ou que je rangeais, les fraises ou les poireaux que j'achetais. J'avais 24 ans et, quand je nettoyais le cadre de notre photo de mariage qui trônait sur le buffet du salon, je disais bonjour à la jolie dame en robe blanche.

André avait trouvé l'idée du voyage dans un de ces prospectus qui encombrent les boîtes aux lettres. Il y a le plombier 24 heures sur 24, l'agence qui veut racheter le pavillon, le journal gratuit de la commune avec les petites annonces des cœurs à prendre, les publicités du grand soldeur d'à côté… Tous ces imprimés bariolés, frappés de points d'exclamation jaunes, verts, orange, qui font déborder les boîtes aux lettres, me mettaient en colère. À l'époque, j'essayais encore d'être une excellente ménagère. Je râlais en chœur avec la voisine qui avait acheté une très jolie boîte comme la nôtre, à Mammouth, et qui ne supportait plus de la voir se remplir jusqu'à la gueule de papiers qu'elle allait aussitôt jeter à la poubelle. « Comme si je n'avais que ça à faire », maugréait-elle en vidant sa jolie boîte aux lettres dans sa grosse poubelle grise qui portait le numéro 14.

Nous, on avait le 12.

Je me sentais très solidaire d'elle. Nous menions la même vie. Avions presque le même âge, des enfants petits, la même robe de chambre (en promotion chez Mammouth), la même manière, mécanique et appliquée, d'en agiter la manche tous les matins à la même heure, sur le pas de la porte.

Au début, on ne se parlait pas et puis, un jour, nous nous sommes retrouvées à la même caisse, avec nos chariots en bosses de chameau et les petits accrochés aux caddies. La caissière attendait que le responsable du rayon papeterie lui indique le prix d'un article. Les enfants ont commencé à jouer d'un chariot à l'autre et nous avons fini par nous sourire et nous dire bonjour. Ma voisine s'est présentée comme une écologiste pointilleuse. Elle ne jurait que par les produits propres, les lessives sans phosphates et les emballages biodégradables. Son caddy était irréprochable. À partir de ce jour-là, nous sommes devenues copines et je l'ai imitée dans sa croisade. Elle luttait contre la pollution domestique, l'abattage des arbres, les trous dans l'ozone, pour le recyclage des déchets, le respect de la nature, l'essence propre et tout et tout. J'acquiesçais, admirative. Elle se livrait à de grandes tirades près de la boîte aux lettres. Nous délirions, toutes les deux, avachies dans nos robes de chambre, très concernées par notre cause. Je compatissais. Surtout qu'elle avait quatre enfants échelonnés de 5 à 1 an et je me demandais comment elle s'en sortait. Elle était un peu bizarre, remarquez. Bizarre mais cultivée. Elle connaissait des tas de chiffres par cœur. C'est elle qui m'a appris que les Français produisent quatre cents kilos de déchets ménagers par an et par personne ! Ou qu'il existe des savants en gants blancs qui étudient nos poubelles et qui s'appellent des « rudologues ». Tous les jours, elle me livrait une information nouvelle. Elle comptait les gaz toxiques dans l'atmosphère, les strates de la nappe phréatique et même les heures que les maris consacrent à aider leur femme quotidiennement ! Elle apprenait tout ça à la télévision. Ça devait lui monter à la tête et elle mélangeait un peu tout. Par exemple, un matin, elle me lâcha tout à trac qu'elle n'aurait plus jamais d'enfant. Elle avait trouvé un moyen radical : dès que son mari l'approchait, elle enflait et était couverte de boutons rouges.

– Je crois que je fais une allergie à ses cochonneries. Il était temps ! Du coup, ajouta-t-elle, ceinture !

Je trouvai ça original comme moyen de contraception et j'en parlai à André le soir même.

– Qu'as-tu besoin de discuter avec cette cinglée ? me répondit-il.

Ce n'était pas le propos.

– C'est ma voisine, la seule adulte avec laquelle je puisse échanger trois phrases sensées par jour…

– T'appelles ça des phrases sensées ? Une toquée !

Un soir, je compris qu'elle ne s'en sortait pas du tout : son mari vint me trouver pour que je la surveille pendant qu'il allait à la pharmacie. Elle avait avalé un tube de tranquillisants et était dans un sale état.

Mais bon…

Ce jour-là donc, André avait trouvé un prospectus qui proposait pour « notre prix de 179 F : un voyage confortable en autocar de LUXE, un déjeuner (choucroute ROYALE, fromage, dessert), un circuit en car à travers la ville de Reims et visite de la très CÉLÈBRE cathédrale Notre-Dame, visite des caves d'une GRANDE maison de vins de CHAMPAGNE, dégustation, PLUS en cadeau promotion : une ménagère en acier inoxydable de 16 pièces se composant de 4 couteaux, 4 fourchettes, 4 cuillères à soupe, 4 cuillères à café, avec son emballage cadeau et enfin 1 PINS de notre Société ». Il m'a montré les illustrations au dos du dépliant : une très jolie prise de vue de la cathédrale Notre-Dame de Reims, un gros plan d'un tonneau de champagne et une photo d'une propriété de vins de champagne.

– Ça te plairait ? Ça te plairait ? me pressait-il comme s'il fallait prendre la décision dans les deux minutes qui suivaient.

J'ai fait exprès de ne pas répondre.

– Si ça te plaît, je détache le coupon-réponse et je l'envoie aussitôt. On pourrait partir tous les deux. Une journée sans les enfants. On demanderait à ma mère de venir les garder. Ça te changerait les idées. Hein, mon lapin ?

« Quel cornichon, ce lapin ! », disait Brigitte Bardot dans l'un de ses films. Je ne me souvenais pas du titre et ça m'a occupée un moment. Puis j'ai pensé à autre chose. Je perds la mémoire, je me suis dit en haussant les épaules et en me grattant le nez avec mon éplucheur. Pour ce qu'elle me sert ma mémoire en ce moment…

Il est venu se placer derrière moi contre l'évier, il m'a attrapé les seins, a enfoncé son genou entre mes cuisses. Moi, pendant ce temps, je lavais les pommes de terre parce que, lui, les pommes de terre, il les aime cuites au four et en chemise.

– Je prendrai une journée off au boulot. Dis, mon lapin. Tous les deux, tout seuls, toute une journée…

– Dans un car du troisième âge, tu parles ! Ce sont des voyages organisés pour les vieux, ça ! Y a que des vieux pour rêver d'un voyage en car à Reims et boire du mousseux !

– Mais tu vois tout en noir, lapin ! Ce serait une occasion de se changer un peu les idées. On se mettrait au fond du car et on s'embrasserait…

– Avec tous les vieux qui nous reluqueront ! Merci bien !

Heureusement que j'avais mis un tablier parce que je n'arrêtais pas de faire gicler l'eau partout.

– Moi, je dis ça pour te faire plaisir. Si tu veux pas, on n'y va pas, lapin.

– Moi, je voudrais aller à la mer.

C'était devenu une idée fixe, la mer.

Quand j'étais là à laver le sol de la cuisine, à remuer les meubles pour enlever la poussière, à éplucher les patates ou à faire les lits, je pensais à la mer. Me remplir la tête d'eau, d'algues vertes, d'algues rouges, d'algues jaunes, d'arapèdes. Respirer l'air iodé, tremper le bout des pieds dans l'écume et sautiller en disant : « Ouille ! Ouille ! Ouille ! Qu'elle est froide ! » Ne plus penser à rien d'autre. Les vagues où je plongerais, la tête la première, et qui me rouleraient, me rouleraient comme un joli cadavre frais. On peut s'enfuir dans la mer.

– Je veux aller à la mer ! Je veux aller à la mer ! Je veux aller à la mer ! j'ai répété de plus en plus fort.

André s'est gratté la nuque et a décidé de laisser tomber le voyage en car.

– Je veux aller à la mer !

– J'suis pas sourd ! J'ai compris ! Il faut que je réfléchisse, c'est tout. Que je fasse mes comptes. Là, on avait une occasion toute prête. Rien à organiser…

– Je veux aller à la mer !

– D'accord, lapin. Tu iras à la mer. C'est promis.

– Quand ?

– Dès que j'aurai trouvé quelque chose… Qu'est-ce qu'on mange ce soir ?

– Je veux aller à la mer. J'en ai marre d'être enfermée ici. Je ne le supporte plus.

C'était la première fois que je disais ça.

J'aurais pas dû.

Je me suis mise à pleurer sur mes pommes de terre. Je ne pouvais plus m'arrêter. André m'a prise dans ses bras, m'a bercée contre lui en disant «là, là, lapin, là, là» mais c'était plus fort que moi. Ce n'étaient pas des larmes de chagrin mais de l'eau de fatigue, toute la fatigue, la lassitude, la routine, l'ennui de tous les jours qui me sortaient par les yeux en litres d'eau tiède et salée. J'écarquillais les yeux, et les larmes coulaient, coulaient et je les touchais, étonnée, sur mes doigts, mes joues, mon cou, mes bras, mon devant de tablier ; je grimaçais devant toute cette eau qui débordait de moi. Je fermais les yeux et les larmes continuaient de couler. André me regardait, consterné. Il ne comprenait pas plus que moi. Il ne savait pas quoi dire. Il ne savait que me serrer contre lui et répéter «je t'aime, lapin, je t'aime» mais ça n'arrêtait pas l'eau. C'était comme une digue qui s'était rompue et je ne pouvais rien faire d'autre que de laisser couler toute cette eau en silences les yeux grands ouverts, les bras le long du corps et mon corps dans les bras d'André.

On est allés au McDonald's tous les quatre, ce soir-là. Ce devait être le début du printemps parce que, chez McDo, ils distribuaient des lunettes de soleil gratuitement.

Un jour, je suis allé lui rendre visite à ma petite cousine. Dans sa maison blanche.

J'en crevais de ne plus la voir. Il l'avait emmenée loin de moi. En province. J'avais trouvé du travail à Paris. Au musée de l'Homme. J'évitais les repas de famille, les réunions, les baptêmes, les fêtes de Noël. Je tremblais à l'idée de le voir la toucher, lui poser la main sur l'épaule, l'attirer d'un geste de propriétaire. J'entendais parler d'elle. Avec des mots que je ne pouvais écouter. Des mots qui ne disaient rien. Surtout ma tante… Elle en avait plein la bouche de son gendre. Quand elle parlait, on aurait dit un guide pour touristes girafant dans Paris. Des rengaines qui chantaient la belle petite maison, le bon métier, la naissance de deux beaux petits enfants.

– Mais elle, je lui demandais, mais elle ? Comment est-elle ? Elle a grossi, elle a maigri ? Elle met toujours la main devant la bouche quand elle rit ? Elle passe toujours la langue sur les lèvres quand elle s'applique ? Elle se tient droite ou voûtée ?

Elle me répondait qu'avec tout ce qu'André faisait pour elle, elle ne pouvait qu'être heureuse. Si seulement elle avait eu un mari aussi attentionné, aussi solide, aussi fidèle. Je n'osais pas lui téléphoner. J'avais peur de recevoir sa voix en pleine tête. J'ai essayé une fois mais j'ai raccroché aussitôt. Juste le temps de l'entendre dire « allô… » d'une petite voix soumise. J'ai pensé à lui écrire. Je ne savais pas quoi. Une carte postale, peut-être ? Je voulais savoir si elle avait changé. Si elle était devenue comme l'autre, son mari. Si elle l'imitait comme elle m'avait imité, moi, avant.

Elle portait des shorts sur la plage et refusait le petit haut que sa mère lui avait cousu. Regarde, je suis comme toi. Je suis plate. Plate comme un garçon. Je cours comme toi, je saute par-dessus les haies comme toi, je rejette ma tête en arrière comme toi, je plonge comme toi, je nage comme toi. Regarde-moi, Christian, regarde comme je nage bien le crawl. Et comme je mets la tête sous l'eau et j'ouvre les yeux. Tu es fier de moi, Christian ? Dis-moi que tu es fier de moi ? Invente-moi une histoire.

J'inventais tout pour elle. Les fantômes dans les cime-tières, les bandits dans les arbres, les vipères dans le lit, les bouteilles de lavande en boucles d'oreille, le sucre en poudre le long de sa colonne que je léchais à petits coups de langue en lui racontant que j'étais un tamanoir.

Tamanoir. Elle adorait ce mot. Tamanoir. Tamanoir, elle riait en le répétant, pendant que, concentré sur la peau dorée de son dos, sur le duvet blanchi par le soleil, je léchais le sucre sur la peau salée. Tamanoir. J'ai pro-noncé ce mot tout bas. Plusieurs fois. En tapant avec mon Bic sur le bord de ma tasse à café. Tamanoir. Il sonnait comme une chanson qui vous heurte la tête et la remplit de souvenirs d'autrefois. Tamanoir. J'avais sa main dans la mienne et on sautait de rocher en rocher… de tombe en tombe… de flaque en flaque… On s'élan-çait, on volait un instant et on retombait en se faisant très peur. Tamanoir. Elle s'allongeait sur une dalle du cimetière et je me laissais tomber à son côté en repous-sant les fleurs en plastique et la photo du mort qui nous avait à l'œil. Tamanoir. Je l'embrassais, elle gardait les dents serrées. Il faut ouvrir la bouche, Doudou, quand on embrasse un garçon. Comme ça ? elle demandait en décrochant ses mâchoires comme chez le dentiste. Tamanoir. Dis-moi que tu es à moi, rien qu'à moi, dis-le… Je suis à toi, rien qu'à toi. Tamanoir…

Alors j'ai pris la voiture et je suis allé la voir. Sans prévenir. Je me suis garé pas loin de chez elle et j'ai attendu. J'ai regardé toutes les maisons autour de la sienne, toutes semblables. Mon trésor caché dans une maison de treize à la douzaine. Introuvable. Enfoui.

Elle est sortie. Elle portait un tablier bleu foncé très long et des ballerines. Elle tenait un bébé dans les bras et une petite fille courait autour d'elle. Un chien s'est mis à aboyer d'une maison voisine et elle a crié :

– C'est moi, Pluton, c'est moi. Ils t'ont encore abandonné, mon Pluton ?

Le chien s'est tu. Elle brassait l'air de ses mains et faisait mine d'attraper la petite fille qui ramassait des fleurs dans l'herbe.

– Pour maman, chantonnait la petite fille en arrachant des brins d'herbe et des pâquerettes. Pour maman…

Elle s'est approchée de la boîte aux lettres. J'ai regardé ses jambes, ses bras, ses épaules, son profil buté. Blonde et pâle avec des taches de rousseur sur le haut des bras, sur les pommettes. Fragile et menue. Son dos se pliait en avant, courbé par le poids du bébé et elle s'appliquait avec sa petite clé d'une main et le bébé dans les bras. Elle tirait la langue. Elle parlait au bébé. Je n'entendais pas ce qu'elle lui disait mais l'enfant laissait aller sa tête contre son épaule et tétait le nœud du tablier. Frottait son nez, attrapait une mèche de cheveux blonds dans ses petits doigts. Elle lui caressait la tête avec le dos des enveloppes et cherchait des yeux la petite fille qui gambadait sur la pelouse, des fleurs plein les mains.

Je ne pouvais pas croire qu'elle était devenue une maman. Ma petite statue égyptienne qui marchait avec les jambes serrées…

Elle avait son regard de petite fille quand elle sautait

pour attraper l'amour de sa mère : les yeux tendus vers le ciel, scrutant les nuages à la manière d'une pythie angoissée, attendant son salut ou sa perte, n'importe quoi, mais une réponse à ses questions. Elle pliait les jambes comme pour donner un grand coup de jarret. Ma Doudou, il faut beaucoup se plier pour enfin s'échapper… Quand elle baissait les yeux sur ses enfants, elle changeait, ses traits se détendaient et elle souriait.

Et puis une voisine est arrivée. Elles se sont mises à parler toutes les deux. D'autres enfants sont sortis, et la pelouse a été remplie de cris et de galipettes. Doudou surveillait sa petite fille, l'œil en coin, tendait la main mécaniquement, disait « Alice, Alice, viens ici, chérie » et continuait de parler. Elle se tenait maintenant déhanchée, changeant de jambe d'appui pour alléger le poids de l'enfant qui lui pesait sur la hanche. Elle était devenue une petite ménagère.

Je ne suis pas allé la voir, ce jour-là. Je suis rentré à l'hôtel. Me suis allongé sur le lit et suis resté là pendant de longues heures à penser à elle. Doudou… ma Doudou… La même peau pâle et duveteuse. Les mêmes épaules fragiles, le même creux à la naissance du cou. Les mêmes petits seins qui pointent sous le tablier bleu marine.

Doudou qui danse d'un pied sur l'autre avec son bébé. Doudou qui s'endort le soir et qu'il vient déranger avec ses envies d'homme.

J'avais pris un bouquin, le matin, en partant, sur le haut de la pile de livres que j'achetais chaque semaine au petit libraire de mon quartier, et je l'ai ouvert. C'était l'ouvrage d'un auteur américain, une femme qui avait été une féministe célèbre et qui se repentait d'avoir été trop radicale. Je l'ai ouvert au hasard, je suis tombé sur un passage où l'écrivain raconte que la première fois que Ghandi est allé dans un bordel, il était resté là, sans rien faire, à regarder la prostituée qui s'énervait sur le lit. Les bras ballants, n'osant pas avancer, poser les bras sur cette femme inconnue, la bouche sur un corps inconnu. Il était reparti, humilié. « Et à travers moi, c'est toute la race masculine qui était humiliée. »

Toutes les femmes étaient des inconnues pour moi depuis qu'elle s'était mariée. Celles que je sortais le soir, que j'embrassais longuement dans la voiture en cherchant son goût à elle. Des femmes qui riaient pour me faire plaisir si je tentais un bon mot. Puis s'approchaient et murmuraient « on monte chez toi ? ». J'étais humilié d'avoir à partager mon intimité avec elles.

Humilié et furieux. Mais je m'exhortais à la patience : je voulais guérir de Doudou. Je dormais avec elles, je les embrassais. En vain : elle revenait toujours, ma petite statue égyptienne.

Le lendemain, je suis retourné dans le lotissement. J'ai garé ma voiture devant sa pelouse et j'ai sonné. Elle a crié de l'intérieur « j'arrive, j'arrive » et est venue ouvrir. Habillée comme la veille dans son grand tablier bleu. On s'est regardés. Je lui ai souri. Sa bouche s'est tordue d'étonnement et elle s'est jetée à mon cou.

Christian, Christian, elle disait, Christian…

… et elle me serrait, elle se serrait contre moi, tendait son corps contre le mien, se hissait sur la pointe des pieds pour que tout son corps, absolument tout son corps, coïncide avec le mien, couvrait mon visage de baisers, le prenait entre ses mains et le baisait, le baisait avec des larmes dans les yeux. C'est le bonheur, elle a dit, en essuyant ses larmes et en redescendant sur ses talons. C'est le bonheur… Viens, entre.

Attends un peu, je lui ai dit, serre-moi encore dans tes bras, redis mon nom encore, encore… Doudou, ma Doudou. Je savais qu'une fois ses bras défaits de moi, la vie reprendrait son cours, les enfants leur place, le téléphone sonnerait, la voisine frapperait à la porte. Je voulais rester encore un peu enfermé avec elle. Elle contre moi. Un seul corps avec une seule tête, une seule bouche, un seul souffle, et mon sexe d'homme encastré dans le sien. Je pouvais toucher son dos, ses cheveux, le bout de sa petite oreille, renifler son odeur, caresser le tablier bleu. Je soupirais de joie en l'effleurant du bout des doigts. Je faisais l'inventaire. Elle était toujours aussi légère, aussi sucrée, aussi fragile.

La petite fille a déboulé, et Doudou nous a présentés : Alice, voici Christian, Christian, voici Alice. Et puis Antoine, le bébé. Les deux enfants se sont cachés derrière leur mère. Le petit ne marchait pas encore. Il rampait sur le sol, s'agrippait au tablier bleu pour tenter de se relever. Je les ai regardés, heureux : ils ne ressemblaient pas à leur père.

– Il a voulu que leurs prénoms commencent par un A, comme lui, elle a dit au bout d'un instant. Pour les initiales. Une drôle d'idée…

Elle m'a fait entrer dans le salon et s'est assise sur le bras d'un fauteuil. Elle avait l'air en visite chez elle. Elle tripotait sa frange, joignait les mains entre les genoux, baissait la tête, la relevait et me regardait.

– C'est un peu en désordre mais je n'ai pas eu le temps de ranger. Comment tu me trouves ?

– Tu n'as pas changé.

Ses yeux se sont allumés de l'intérieur. Elle a eu un drôle de sourire, un sourire rien que pour elle comme si elle se félicitait. Elle a baissé la tête à nouveau et a murmuré « merci, merci » en s'essuyant les mains sur son tablier.

– On ne sait jamais. J'aurais pu devenir une matrone bedonnante…

– Une grosse marna avec des seins qui tombent et des mains qui bombent, rougies par l'eau de vaisselle.

– Et du crin de jument, des sabots de fermière et une taille comme une jarre de lait tourné… Alors, c'est promis, je suis jolie ? Jolie-jolie ou jolie ?

J'ai fait semblant de réfléchir, j'ai pris l'air perplexe,

j'ai penché la tête de droite, de gauche. Je l'ai étudiée. Elle se tenait immobile sur l'accoudoir du fauteuil et son sourire tremblait. Elle avait peur que je change d'avis. Je faisais durer son attente. Je reprenais possession d'elle. Elle attendait, elle attendait, elle se pliait pour deviner la réponse dans mes yeux. Je fermais les paupières à demi et la forçais à se plier encore plus, encore plus, ma Doudou, allez, allez, encore un effort, tu me fais tellement souffrir, tellement souffrir, tu crois que je vais te pardonner comme ça ? Sa bouche mollissait, le sourire disparaissait, je lisais la vieille supplication dans ses yeux…

Je n'ai pas résisté plus longtemps, je l'ai reprise contre moi.

– Jolie, jolie, jolie…

Le téléphone a sonné. Elle est allée décrocher dans l'entrée. J'ai entendu : Ah ! c'est toi… Une petite voix lasse et peureuse.

C'est le mari qui avait dû dresser le décor : des murs en torchis blanc faussement campagnards, un paravent chinois, des sofas en velours vert bouteille, des rideaux assortis avec de gros glands jaune bouton. Cet homme assortissait tout à tout. Quel ennui ! Et, sur les étagères, des horreurs dorées en porcelaine, des bergères qui mignardisent sur des tasses ébréchées, une paire de candélabres en argent qui ne devaient jamais servir, posés là rien que pour la décoration, des aiguières en verre filé rouge, des photos à l'étroit dans des cadres argentés. Le mauvais goût et l'arrogance s'étalaient partout. Sur les murs, des croûtes avec des couchers de soleil, des bords de mer, des baigneuses grasses et molles bourrées de plis qui débordent du ventre, des taches jaunes qui se prennent pour le soleil et un bleu anémique qui figure le ciel. Il doit fréquenter les salles de vente, le mari. Pour faire des affaires, bien sûr. Le bibelot, il s'en fiche.

C'est l'investissement qui compte. On a dû le repérer et on lui refile des horreurs à des prix exorbitants.

– C'est André. Il vient déjeuner. Je n'ai rien préparé.

Elle a passé une main dans ses cheveux en soupirant. Les enfants étaient toujours en pyjama.

– Tu veux boire quelque chose ? Je ne sais pas ce que j'ai dans le Frigidaire. Normalement, c'est mon jour de courses mais comme j'étais en retard…

Elle avait l'air fatigué soudain. Absente même. Je l'ai bien regardée, du bas du tablier au nœud derrière le cou, une dernière fois. J'ai fermé les yeux pour que cette image s'imprime en moi et je me suis levé. Je lui ai expliqué qu'il fallait que je parte. J'avais à faire dans le coin. Elle écoutait mais n'entendait pas. Je me suis levé. Elle m'a raccompagné à la porte et, là, elle allait se jeter contre moi une dernière fois quand la voisine est apparue dans l'allée dallée.

La même petite maison blanche, des tricycles, une balançoire jaune et vert, un seau, des pelles, un tas de sable. Des cartes postales de conformisme banlieusard qui se répétaient à l'infini.

Elle a reculé et m'a embrassé sur la joue.

– Bonjour ! a dit la voisine en me regardant avec insistance.

C'était une grosse vache avec un air d'institutrice, un tablier à fleurs, des lunettes qui tenaient à l'aide d'un morceau de sparadrap et un trousseau de clés à la main qu'elle secouait comme un arrosoir.

– Je vais voir s'il y a du courrier. J'attends un paquet de La Redoute.

– Bonjour ! a répondu Doudou en me tenant le bras comme pour me garder à distance.

– Beau temps, hein ?

– Oui. On a de la chance cette semaine. J'espère que ça va durer. Que dit la météo ?

Je me suis bouché les oreilles pour ne pas entendre

leur conversation. Je l'ai regardée une dernière fois, ai serré son bras jusqu'à ce qu'il blanchisse, l'ai attirée contre moi, de force, et, là, sous les yeux de la voisine, j'ai respiré, une dernière fois, son odeur légère et sucrée, un peu acide parce qu'elle transpirait, lui ai léché le bas de la nuque et suis parti.

Sans me retourner.

C'est elle qui m'a rappelé.

J'allais monter dans la voiture quand j'ai entendu mon nom.

Elle a couru vers moi, s'est plaquée contre moi, sans m'enlacer, juste ses jambes, ses hanches, son ventre, sa poitrine contre moi et, dans un souffle, pour que la voisine ne l'entende pas, elle m'a chuchoté : ne reviens pas, s'il te plaît, ne reviens plus jamais, jamais…

Finalement, je l'ai eu mon séjour à la mer.

L'été suivant, André a loué une maison, dans une petite station balnéaire en Normandie. La maison de la mère d'un collègue qui nous la cédait pour l'été, à un prix raisonnable. Idéal, se félicita André. Mon collègue et sa femme seront là… Tu ne seras pas seule s'il y a un pépin… Ce n'est pas trop loin ; le vendredi soir, pfft, je file et je reste avec vous jusqu'au dimanche soir. Heureuse, lapin ? Le 2 juillet, cet été-là, Lapin était heureuse.

Lapin allait voir la mer…

… regarder les vagues, deviner, les yeux fermés, les grosses et les moins grosses, faire couler du sable entre ses doigts de pieds, respirer, respirer en suivant le ressac, rouvrir les yeux, étudier les nuages, inventer des histoires d'après la forme des nuages, plonger dans l'eau et nager, nager jusqu'à en perdre le souffle, jusqu'à en perdre de vue la côte, jusqu'à ne plus revenir.

Lapin préparait les valises en chantant, gambadait d'une chambre à l'autre, racontait aux enfants tout ce qu'ils allaient faire à la mer, inventait des dragons marins, des sirènes apprivoisées, des châteaux enfouis, achetait des maillots de bains à volants pour Alice, des bermudas pour Antoine, des crèmes solaires, des bouées en forme de canards, un parasol, des serviettes. La vie était belle et iodée. Lapin confectionnait un grand calendrier où les enfants barraient les jours jusqu'au départ. La nuit précédant le départ, Lapin ne dormit pas : le bonheur était trop proche.

Lapin déchanta vite.

La maison était petite, étroite et haute. Lapin passait son temps à monter et à descendre les escaliers. Les portes et les fenêtres fermaient mal. Le vent soufflait par les interstices. Les enfants toussaient, reniflaient. Lapin les mouchait et les poursuivait, une cuillère de sirop poisseux à la main. La mer était à deux kilomètres. André gardant la voiture pendant la semaine, Lapin devait s'y rendre à pied. Elle partait avec le petit dans la poussette et la grande qui râlait parce qu'elle devait marcher, les canards en caoutchouc enfilés sur les bras comme des bracelets, les crèmes solaires pour ne pas brûler, les serviettes-éponges, les jus d'orange, les bouteilles d'eau, les couches, le parasol, le pique-nique, les vêtements de rechange, les ballons, les seaux, les pelles, les biscuits au chocolat pour le goûter.

Une caravane s'ébranlait vers la plage, conduite par Lapin. Deux kilomètres de marche à pied avec le petit qui pleurait parce qu'il avait vu un gros chien derrière un portail et la grande qui escaladait toutes les grilles en sautant d'un parapet à l'autre. L'arrêt obligatoire à la boulangerie, une glace à la vanille pour Alice, une glace au chocolat pour Antoine. Le porte-monnaie qui se renversait dans la rue avec tout l'argent de la semaine. André exigeait des comptes au centime près, « ce n'est pas le centime qui compte, c'est pour te discipliner, que tu saches ce que tu fais avec l'argent… ».

Quand Lapin arrivait enfin à la plage, les bras irrités par le frottement des bouées, la nuque cassée de s'être penchée sur Antoine, la voix brisée d'avoir crié à Alice « attention… atten… », il lui fallait chercher un emplacement sûr pour garer la poussette, boucler le gros antivol, ranger la clé, prendre Antoine dans ses bras et, chargée des seaux, des pelles, des couches et des gâteaux, partir à la recherche d'une place où les enfants pourraient faire des châteaux de sable et se baigner. Un endroit tout près de l'eau mais pas trop, sinon la marée montante risquait de tout emporter. Un vrai problème de maths avec quatre inconnus : Alice, Antoine, la mer et Lapin.

Alice voulait nager, Antoine faire des pâtés. Lapin allait dans l'eau avec Alice, un œil sur Antoine. Le vent se levait d'un coup et balayait le parasol qui roulait sur la plage. Le jambon, les œufs durs, la baguette mollissaient en plein soleil. Lapin décidait que ce n'était pas grave et se penchait sur Alice qui apprenait à flotter dans son canard. Un autre coup de vent emportait une serviette qui allait se rabattre sur une voisine. L'agressée hurlait. Lapin décidait que ce n'était pas grave et, les mâchoires crispées, surveillait Alice qui flottait, heureuse, et tentait de prendre le large. Un enfant s'approchait alors d'Antoine et lui lançait du sable en plein visage. Antoine se frottait les yeux, hurlait « maman, maman ». Lapin lâchait le canard. Alice râlait. Lapin la chapitrait, la ramenait vers le bord et sortait de l'eau en courant. Alice buvait la tasse et criait « maman, maman, je me noie ! » et Lapin ne savait plus où donner de la tête.

Lapin giflait Alice, giflait Antoine, redressait le parasol, allait s'excuser auprès de la dame qui la toisait, mettait le jambon, les œufs durs et le pain à l'abri, renversait le jus d'orange mal fermé, pestait et se laissait tomber sur la serviette... trempée de jus d'orange. Se relevait d'un bond pour déverser sa colère en frappant à l'aveuglette sur les enfants qui la dévisageaient, terrorisés, recroquevillés sur un tout petit bout d'éponge. Alors, devant leur regard apeuré et soumis, elle leur demandait pardon d'avoir été si méchante.

Les vacances de Lapin au bord de la mer...

La mer...

... Je ne nageais jamais. Dès que je faisais mine de m'éloigner de quelques brasses, les enfants pleuraient, et les autres mères venaient les consoler. Je rappliquais aussitôt, sous leurs regards réprobateurs, et les couvrais de baisers furieux pour apaiser le grondement des matrones indignées.

André arrivait le vendredi soir et disait : « Comme tu es bien, ici, ma chérie ! Comme les enfants ont bonne mine ! J'ai eu une semaine épuisante et j'ai bien besoin de me reposer. » Il posait son sac, m'embrassait et partait voir son collègue, jouer aux boules ou au tennis. Je restais dans la petite maison louée pour l'été qui ressemblait étrangement à la petite maison où je vivais toute l'année. Je faisais la lessive, repassais, branchais l'aspirateur, tordais la serpillière, préparais le pique-nique de midi, le dîner du soir, donnais leur bain aux enfants, soignais les bobos, mouchais les nez, montais, descendais, montais, descendais...

Ce n'était même pas le malheur.

C'était normal.

La vie normale de femme mariée en vacances avec ses enfants au bord de la mer.

J'apercevais de temps en temps la femme du collègue d'André sur la plage : elle semblait aussi fatiguée et énervée que moi. Je préférais encore rester dans mon coin. Je me consolais en me disant qu'après, lorsque les vacances seraient finies, ce serait bien. À raconter. Je pourrais dire aux dames du lotissement : « Cet été, avec mon mari, nous avons loué une petite maison au bord de la mer. Le climat est excellent pour les enfants. Ils avaient des mines magnifiques. Et l'air est si pur... » Cela me donnerait une contenance. De l'importance. Tout le monde ne part pas en vacances au bord de la mer.

André prenait des photos des enfants aux bonnes joues rouges, des photos de la plage, du coucher de soleil, des photos de Lapin sur sa serviette, un sourire épanoui sur les lèvres.

Moi, je voudrais partir, je me suis dis, un jour, en regardant la mer. Alice et Antoine jouaient au bord de l'eau.

Je vais partir, je vais partir, je vais partir.

Et si je partais ?

C'est la première fois que je disais ces mots-là. Tout haut. La plage s'était vidée. Le vent soufflait et le sable tourbillonnait. De gros nuages couvraient l'horizon. Les enfants jouaient au cheval blanc et au cheval noir en caracolant, recouverts de longues serviettes-éponges.

– Regarde, maman, regarde, je suis le cheval noir.

– Regarde, maman, regarde, je suis le cheval blanc.

Je leur ai fait un petit signe de la main. Ils s'ébrouaient, heureux. Couraient au bord des vagues. Antoine en titubant, Alice sûre d'elle.

J'ai eu si peur d'avoir prononcé ces mots-là que je me suis relevée brusquement, j'ai couru vers eux et les ai serrés très fort dans mes bras.

Je ne pouvais pas partir.

Pas sans mes enfants.

Alors j'ai pleuré, et Alice a dit : maman tu pleures comme la mer… tu pleures salé.

J'ai souri à travers mes larmes.

– Allez, on s'en va, j'ai dit à Antoine. Mets tes chaussures.

– Les chevals, ça met pas de chaussures, écoute, maman…

– C'est vrai, j'avais oublié. Excuse-moi.

Il a éclaté de rire. « Oh ! maman… »

Il était heureux.

André, aussi.

Il allumait un feu tous les soirs quand il était là. C'est romantique, une cheminée, hein, lapin ? Ce qu'il y a de bien, en Normandie, c'est qu'on peut faire du feu dans la cheminée, le soir. Tu ne trouveras pas ça dans le Midi. Sans compter que le prix des locations, là-bas ! Bon, y a pas le pastis du soir sous les canisses, d'accord ! Mais le climat est tonique, bien meilleur pour les enfants. Il pré-parait son feu, mettait autant de brindilles à l'intérieur du foyer qu'à l'extérieur, répandait des bouts de bois tout autour de la cheminée, disposait trois ou quatre allume-feu sous les fagots et hop ! Quelle belle flambée, Lapin !

Je venais de coucher les enfants, de finir la vaisselle, de ranger le linge et me traînais jusqu'au canapé devant la cheminée. Me coulais dans le canapé, relevais les genoux et regardais le feu. Fermais les yeux, les rou-vrais, remarquais toutes les brindilles qui jonchaient le sol, les feuilles de journaux chiffonnées, les bouts d'écorce pas balayés.

J'éclatais en sanglots.

– Mais qu'est-ce que t'as, lapin ?

– T'as vu ce que t'as fait, t'as vu ?

– Mais quoi encore ?

– C'est moi qui vais devoir balayer…

– Mais laisse, on le fera demain !

– JE le ferai demain. Tu ne fais jamais rien, ici ! Jamais rien !

– Enfin t'exagères ! Je t'ai fait un beau feu.

– N'importe qui peut faire un feu en en mettant par-tout et en y collant trois allume-feu chimiques !

Le feu n'était qu'un prétexte à vider ma bile de ména-gère. Gare à lui s'il avait laissé un verre sur la table ou si un robinet coulait, mal fermé ! J'épiais le moindre de ses gestes, prête à lui tomber dessus pour assouvir la haine qui montait, montait toute la journée où je faisais le lapin, docile et mécanique. Je me relevais, les reins cassés, prenais la balayette et balayais, balayais en pleurant. Comment pouvait-il me faire ça ? Submergée de désespoir, je montais dans la chambre et me jetais en larmes sur le lit. M'y glissais tout habillée pour me relever aussitôt. La pilule !

À quoi servait cette pilule ? À rien, puisqu'il ne m'approchait presque plus. Je me gavais d'hormones pour empêcher l'impensable : un autre enfant. Qui me lie encore plus à lui. À cette mort lente et douce dans un confort aseptisé. Une vie d'otage. Ma vie contre le bonheur innocent des enfants. Mon geste tous les soirs me paraissait absurde. Mais pourquoi j'avale cette pilule ? Pourquoi ? Pour que, mécaniquement et accomplissant toujours les mêmes gestes, murmurant les mêmes mots, il roule sur moi et me pénètre. Une fois tous les deux ou trois mois. Sans appétit. Un soulagement de besoins naturels qu'il déguisait en une parodie de désir. Arrête de faire semblant parce que, si c'était aussi bon que tu le soupires, c'est tous les soirs que tu roulerais contre moi, j'avais envie de lui glisser à l'oreille. Je le laissais faire.

Ah si ! Il m'embrassait.

En société.

Pour montrer à tout le monde qu'on était heureux, que ça allait bien, que les fins de mois n'étaient pas difficiles. L'étalage du bonheur fait partie du standing du couple. Le couple, au bout d'un moment, c'est montrer aux autres que tout va bien. Une carte d'identité du bonheur à exhiber pour faire râler tous ceux qui ne baisent plus, qui s'engueulent, qui ne payent plus les traites. C'est comme la belle voiture ou la raquette de tennis toute neuve, les enfants bien tenus ou les photos où tout le monde sourit. Je le hais, je le hais, je me disais quand il m'embrassait devant le boucher, chez des amis ou que je le rejoignais au tennis, avec ses copains. J'avais beau me dégager, rester raide contre lui, il me forçait la bouche, forçait mon corps à pivoter contre lui et à l'étreindre devant tout le monde.

– Et pourquoi ne fais-tu jamais ça quand on est seuls tous les deux dans le noir ? je lui demandais ensuite dans la voiture quand il attachait sa ceinture.

– T'exagères… répondait-il en haussant les épaules. Tu dramatises toujours.

– J'EXAGÈRE PAS, je hurlais. Tu veux savoir la dernière fois qu'on a baisé ?

Je le marquais sur mon agenda. Chaque fois. Au Bic rouge. Avec des signes cabalistiques pour mesurer la dégradation du désir : vite fait (VF), BC (baiser chatte), BB (baiser bite). BC et BB étant pratiquement en voie de disparition. Ou n'apparaissant qu'après des soirées passées en couples lorsque le désarroi des autres agissait comme un stimulant érotique.

Il remontait la fenêtre, gêné.

– Doudou, arrête. Tu es folle. Ça se soigne !

Il voulait à tout prix me mettre dans la tête que c'était moi, la malade. Moi qui voulais tout, tout le temps, toujours. Insatiable. Une femelle agrippée à ses basques qui lui suçait le sang. Mais j'avais la preuve sur mon agenda. J'avais la preuve ! Je voulais garder des arguments, des chiffres, établir des statistiques pour lui damer le pion. Nous baisons quatre à cinq fois par an. Est-ce normal, docteur ? Absolument pas, chère madame. La vie, c'est le désir. Merci, docteur.

Je suis morte bien que vivante.

Je devenais folle.

Et je ne pouvais rien faire. Si… Le quitter. Et partir avec les enfants. Mais où ? Avec quel argent ?

Et puis…

… la joie des enfants quand il les prenait dans ses bras, leurs rires quand il jouait à les envoyer en l'air, tout là-haut, leur manière de blottir leurs têtes contre sa jambe de pantalon quand il était assis dans le grand sofa et regardait la télévision.

Et les forces me manquaient. Je ne pourrai jamais. Il faudrait qu'une autre volonté plus forte que la mienne vienne me tirer de là.

Un jour viendra où je serai assez forte.

Un jour viendra où j'aurai une bonne raison de partir.

C'est ce jour-là que j'attendais avec impatience.

Ce jour qui ne venait pas.

J'apprenais à courber la tête, à attendre, butée contre l'évier. Sans y croire vraiment. Il n'y a ni espoir ni solution, et le jour où j'aurai compris cela, je trouverai un sens à ma vie et ma vie tiendra debout toute seule.

IL N'Y A PAS DE SOLUTION.

À part la solution divine. Ou le don de soi. L'oubli de soi. Oublier qu'on a une tête, un cul, une bouche, et offrir sa tête, son cul, sa bouche à l'autre.

Ou à l'Autre.

C'est peut-être ça la solution. Alors autant commencer tout de suite.

Je choisissais l'abnégation. Et l'abnégation me calmait. Comme un puissant sédatif. Pour un temps. Puis j'apercevais les brindilles autour de la cheminée, ou il me forçait la bouche devant tout le monde, et la rage ressortait en purulents hoquets. De la haine bien solide, bien chaude que je lui crachais au visage.

Ça me prenait le soir, généralement. Dans la journée, j'étais trop occupée. Mais la nuit, je vitupérais. Je l'insultais, j'ânonnais mon désespoir. Il me regardait ; il était évident qu'il ne comprenait pas.

– Mais vue de l'extérieur, tu as l'air si heureuse. Tu as tout pour être heureuse.

Je hurlais de plus belle : un mari, ça ne voit pas de l'extérieur. Un mari rentre dans la tête de sa femme, de son amour, et essaie de comprendre. Essaie de lui aérer la tête parce que toute la journée, sa femme, son amour, s'abrutit dans des besognes imbéciles. Il lui raconte des histoires, il lui apprend comment la terre tourne et le rôle des étoiles, du soleil et de la lune, quel était le dernier amour de Wellington, qu'a dit Lafayette en posant le pied en Amérique ou André Chénier en montant sur l'échafaud. Tiens, par exemple, je lui hurlais dans l'oreille alors qu'il cherchait le sommeil, tu sais, toi, ce qu'il a fait André Chénier en montant sur l'échafaud ? Non, bien sûr, tu ne sais rien. Eh bien, il lisait un livre tranquillement dans son coin, attendant qu'on lui fasse signe et, quand le bourreau l'a appelé, il a fait une marque à la page à laquelle il s'était arrêté et il est monté se faire trancher le cou ! Ça, c'est une belle histoire, une histoire qui met des rallonges dans la tête, qui donne des ailes, du courage, de la tenue morale et la force de partir en caravane à la plage ! C'est pas difficile : raconte-moi une histoire comme ça chaque soir et j'accepterai le repassage, les étages à monter, la serpillière à passer. J'accepterai tout si tu m'ouvres la tête et y verses une merveilleuse histoire à se sacrifier debout.

– Mais où je les trouve ces histoires ? grognait-il, à moitié endormi.

– Tu les cherches, tu les cherches par amour pour moi. Tu perds du temps pour moi. Tu lis des journaux, tu achètes des livres, tu compulses des encyclopédies.

– Quels journaux ? Quels livres ? Aide-moi. Je t'aime, Doudou, mais tu es trop compliquée. J'y arriverai jamais. Oh ! je t'aime, si tu savais comme je t'aime, comme j'ai besoin de toi !

Il m'entourait la taille de ses bras et je baissais la tête. Je savais qu'il m'aimait, qu'il n'en regardait pas d'autre que moi, que son beau corps blond et lisse n'était que pour moi. Je le savais et j'avais honte. Je le prenais dans mes bras et le berçais. Il se serrait contre moi et murmurait des mots de réconfort : « On y arrivera, lapin, tu verras, tu es juste énervée parce que les enfants sont petits et qu'il y a trop de travail. Mais tu verras, on y arrivera. Je vais tout faire pour qu'on y arrive. »

Au petit matin, épuisée, je m'endormais.

Fatiguée. Si fatiguée. D'avoir répété les mêmes choses. Je me réveillais. Honteuse de ma scène de la nuit. Mais pourquoi je me mets dans cet état-là ? Pourquoi ? Je ne suis pas normale. C'est la seule explication.

J'ai de la chance qu'il me garde. D'autres moins bons se seraient débarrassés de moi. Il me donne sa paye. Il ne me bat pas, il ne boit pas, il ne me trompe pas. Il est gentil avec les enfants. Mais de quoi je me plains ? J'ai la même vie que toutes les autres femmes, et elles avancent, elles. Elles tiennent le coup. Je ne suis pas normale. C'est ça. Un gène dans la famille. Mon mariage est maudit. Le jour même de mon mariage est maudit. J'ai apporté le malheur. C'est ma faute, c'est ma faute.

Je préparais le petit déjeuner, le lui montais dans la chambre en lui demandant « pardon, pardon ». Pardon d'avoir été une mégère. Pardon de t'avoir empêché de dormir. Pardon de te demander la lune et les étoiles, Lafayette et André Chénier. Pardon…

– Ce n'est rien, il disait en me frictionnant la tête. Tu es comme ça, c'est tout. Mais je ne veux pas que tu sois malheureuse, tu sais. Ça me fait mal de te voir dans cet état.

Et Lapin se remettait au travail. Traquait la tache et la poussière, le gras et les faux plis. Comme pour rattraper le temps perdu. Heureuse de n'avoir pas été virée. Heureuse du bonheur des pleutres qui croient que l'orage est passé parce qu'ils ont courbé l'échine. Lapin vaquait à ses besognes. Reprenait le chemin de la plage.

Chantait avec la radio. Supportait, stoïque, le frottement des bouées et le poids de la glacière.

Lapin faisait du zèle. Lui téléphonait trois fois par jour au bureau pour lui dire qu'elle l'aimait, qu'elle était désolée, qu'elle ne recommencerait plus.

Quand je l'ai rencontrée, la petite Doudou, je l'ai tout de suite trouvée à mon goût. Pas qu'elle soit spécialement gironde mais elle avait quelque chose d'attachant. On avait envie de la protéger, quoi ! Je la voyais tous les jours dans la grand-rue avec ses enfants. C'était pas triste ! On aurait dit qu'elle allait à l'abattoir, pas à la plage. Elle avait des bouées autour des bras, une serviette autour du cou, des pelles dans les poches, une glacière accrochée au guidon de la poussette. C'était l'enfer. Ça, c'est sûr.

Cet été-là, je venais de toucher ma moto neuve et je passais mes journées à monter et à descendre la rue principale, celle qui mène à la plage. Y a pas grand-chose à faire dans ce patelin. Y a la mer. Tous les gars du coin viennent là pour la plage. Et les estivantes. Des mères de famille désœuvrées qu'on peut lever, facile. Et qui ont de l'expérience, en plus. Avec ça, pas regardantes sur leur vertu, vu que le husband ça fait longtemps qu'il met plus les mains dans le cambouis. Ça, c'est ce que disent les copains parce que, moi, les mères de famille, c'était pas mon truc du tout. Faire la risette aux gnards pour se farcir la mère, merci beaucoup ! Y a plus facile et moins encombrant.

Elle, je la croisais souvent. Au début, je la matais comme on mate une fille. Bien roulée, bien que plus près du cure-dents que de la pub Veedol, de longues cannes, un petit cul, des lunettes noires et des cheveux blonds en broussaille. Et puis, je me suis vite attaché. Pas qu'elle soit sexy, non mais… touchante. J'avais envie de l'aider, de lui porter la moitié de son barda, de la faire rire en lui racontant une connerie. J'osais pas. Je ne savais pas comment l'aborder. C'est la petite qui a fait le boulot.

Un jour que j'étais à la boulangerie, que j'achetais un chausson aux pommes, je les ai vus, à travers la vitre, qui s'arrêtaient devant la machine à glaces italiennes. Elle a sorti son porte-monnaie en se contorsionnant et elle leur a payé une glace aux gamins. Moi, j'avais garé la moto juste sur le trottoir, devant, et la petite, elle a essayé de grimper dessus. J'ai eu peur que la bécane tombe et je suis sorti avec mon chausson dans la gueule.

C'est comme ça qu'on a fait connaissance.

Je lui ai dit un truc du genre : je suis content de vous rencontrer, je vous vois souvent dans la rue avec vos deux gamins quand vous allez à la plage et vous avez pas l'air de vous marrer tous les jours. Et comme je ne savais plus comment finir, comme elle répondait pas et qu'elle me regardait froidement derrière ses lunettes noires, j'ai ajouté, comme ça :

– Le hasard fait bien les choses…

– Ben alors… C'est pas le hasard qui t'a fait, toi !

Bing ! J'ai pris ça dans la tronche.

Elle a empoigné la poussette, la petite et son barda et elle a continué à descendre la rue. Elle avait une petite jupe qui lui moulait le cul et j'ai plus vu que ça. Il fallait que je me la fasse, cette gonzesse. Elle m'excitait. J'avais mes chances. Surtout que le mari, je m'étais renseigné, on le voyait pas souvent. Il faisait comme les autres, il arrivait le vendredi et il se tirait aussi sec au tennis ou au jeu de boules avec ses copains. Pour repartir le dimanche au moment du film.

D'habitude, les gonzesses, je leur parle pas beaucoup.

Je les embarque sur ma bécane et ça suffit comme présentations. Sur ma bécane, j'ai la stéréo. Je la mets à
tue-tête et on trace. Au bout d'un moment, elles se
collent contre moi et l'affaire est faite. J'ai plus qu'à
m'arrêter dans un petit chemin et j'y mets les mains.
Après, on se revoit, on se revoit plus, c'est une question
de bol. J'aime pas trop l'attachement. Parler et tout ça,
ce n'est pas mon truc. Les filles, dès qu'on les revoit
une ou deux fois, elles se mettent à jacter. Au bout de
trois semaines, elles sont intimes, elles ont des droits sur
vous et sur la bécane. Elles font des réflexions. Et quand
est-ce qu'on se revoit ? Et si on s'installait ensemble ?
Tout ça parce qu'on les a pelotées dans un chemin
creux. Les filles, ça mélange tout. Le cul et l'amour. Le
cul, c'est le cul, et l'amour, c'est une autre affaire. Alors
je l'ai suivie. Avec la musique à tout berzingue. Je me
souviens, c'était une chanson de Lou Reed, *Walk on the
wild side*. Ça faisait un de ces boucans dans la rue ! Les
mêmes, sur le trottoir, me fusillaient du regard. Elle, elle
m'ignorait. Je faisais du surplace parce qu'elle avançait
pas vite mais je patientais. Elle m'ignorait toujours. La
petite fille avait le cou dévissé à force de me regarder. Et
puis elle a dit qu'elle voulait monter derrière moi. Que
c'était pas juste, que son frère il était toujours dans la
poussette et elle, à pinces. Elle la disputait sa gamine,
lui disait d'avancer, de ne pas me regarder. Mais elle
continuait à râler. Moi je lui faisais des petits clins d'œil
pour l'encourager, des petits sourires engageants. Je me
disais que c'était pas si con de passer par la gosse. Ce
jour-là, je l'ai suivie jusqu'à la plage et j'ai fait demi-
tour. Y avait rien à faire.

C'est devenu une habitude. Je l'attendais à la boulangerie et je lui disais un mot. J'évitais les banalités parce
qu'elle m'aurait ramassé. Je disais des trucs pour la faire
baver. Genre : y a une fête à la Trinité-sur-Seine, vous
voulez que je vous y emmène avec vos petits ?

– On verra ça… À Pâques !

À la fin, c'était devenu un jeu entre nous.

C'est comme ça qu'un jour j'ai fini par lui donner rendez-vous. Derrière la petite chapelle, à 9 heures du soir. Je lui ai pas demandé comment elle ferait avec les enfants. Elle avait qu'à se débrouiller.

J'étais fier de moi. J'avais réussi à la faire plier, elle, la rameneuse avec ses grands airs et son petit cul. J'étais fort quand même. Je me suis fait quatre fois l'aller-retour dans la rue principale avant de me calmer.

À 9 heures pile, j'y étais. Avec ma bécane. Des fois qu'elle ait envie de se promener. J'ai pas mis la radio pour ne pas me faire repérer. J'ai allumé une dope, je me suis assis par terre et j'ai attendu. À 10 heures moins le quart, elle était toujours pas là. Elle m'avait bien eu. Et moi, comme un débile, j'avais pas marché, j'avais couru. Elle était forte, cette gonzesse. J'avais encore plus envie d'elle. Je suis parti faire un tour avec la radio à plein tube. Je roulais et je pensais à son cul, à ses cuisses, je la voyais marcher devant moi avec ses fesses qui se balançaient à gauche, à droite. J'imaginais l'intérieur de ses fesses, je m'imaginais les écartant doucement et ça me rendait fou. J'arrivais pas à penser à autre chose. Alors je suis revenu au village, j'ai garé la moto à l'entrée et j'ai marché jusqu'à chez elle. On était en semaine, j'étais peinard, le mari était pas là.

Y avait de la lumière au premier étage. J'ai poussé la grille sans faire de bruit. J'ai poussé la porte d'entrée, elle était pas fermée. J'ai commencé à monter l'escalier tout doucement. Jusqu'au premier. Les dernières marches ont grincé. Ça a fait un boucan d'enfer dans la petite maison. Mais elle ne s'est pas levée, n'a pas bougé, n'a pas demandé : qu'est-ce que c'est ? Y a quelqu'un ?

J'ai attendu un moment. Je suis allé vers la chambre où y avait de la lumière. Je ne savais plus quoi faire.

J'étais drôlement embêté. Normalement, elle aurait dû réagir. Je sais pas, moi… Vous rentrez chez quelqu'un en pleine nuit, vous faites grincer les marches, la personne réagit. Se lève, s'affole. Là, rien. Silence total. L'angoisse, le silence ! Peut-être qu'elle est pas là, je me suis dit, qu'elle s'est tirée avec ses gosses, que c'est un piège. Qu'elle a prévenu le mari et qu'il va se pointer avec un flingue… J'en menais pas large. J'étais là sur le palier comme un con. À ne pas savoir s'il fallait avancer ou reculer. Merde ! Elle faisait vraiment chier cette gonzesse ! Bien fait pour moi. Y en a des faciles à droite, à gauche, t'as qu'à te baisser pour les ramasser et tu te branches sur la plus compliquée qui t'envoie des vannes chaque fois que tu lui parles et qui te pose un lapin au premier rendez-vous. Non mais, quel con ! Je me suis raclé la gorge une fois, deux fois. Rien. Aucune réaction. J'ai toussé. Toujours rien. Alors, là, je me suis pas dégonflé, j'ai marché vers la porte de la chambre et je l'ai poussée…

Elle était au pieu, en train de lire. En tee-shirt blanc, une jambe par-dessus les couvertures, le cul à l'air. Elle m'a regardé, pas surprise du tout. Elle a lâché son livre, a mis un marque-page…

– T'en as mis du temps. La prochaine fois, faut que je t'envoie un plan peut-être ?

Elle a éteint et je me suis dit que cette fille était vraiment cinglée.

Je me le suis pas dit longtemps parce qu'ensuite j'ai plongé dans le lit et, là, je l'ai pas regretté. OUAOU ! Soit elle avait de la science, soit elle était en manque mais, cette nuit-là, je m'en souviendrai longtemps. En plus, il fallait pas faire de bruit à cause des enfants qui dormaient au-dessus et c'était encore plus excitant. C'est pas difficile : j'avais jamais rencontré une fille comme ça ! Et je suis pas près d'en rencontrer une autre. Parce qu'elle a pris une sacrée avance ! Et puis devait y avoir un truc chimique entre nous parce que, dès qu'on se touchait, ça faisait des étincelles. C'était même insupportable. J'avais la bouche en feu, la queue en feu, j'avais envie de la bouffer, de l'enfiler par tous les pores de la peau. Même ses oreilles me rendaient fou. J'y enfonçais ma langue, je la tournais, la retournais, la fourrais partout dans tous les plis, bouffais la cire et toutes les saloperies avec et elle enfonçait l'oreiller dans sa bouche pour ne pas hurler ! Cette nuit-là, je lui ai fait promettre de plus se laver pour la laver avec ma langue. Partout, je l'astiquais. C'était de la folie, je vous dis. J'étais cassé. On se disait pas un mot, en plus ! Sauf, à un moment, un moment de répit, elle a pris mes mains, les a regardées et m'a dit :

– Elles sont énormes tes mains.

J'ai rien répondu. Je le sais depuis longtemps. Énormes et pleines de poils. Des vrais battoirs. J'en suis pas fier et ça m'emmerdait qu'elle l'ait remarqué.

– Tu savais qu'Arthur Rimbaud avait des mains énormes ? Non, j'en savais rien et je m'en tapais. Je l'ai reprise avec mes grosses mains sur ses hanches et je l'ai déchirée d'un seul coup, d'un seul. Ça lui apprendra à vouloir me vexer. Au petit matin, elle m'a fait signe de partir. Il fallait pas que les enfants me voient. Ni les voisins d'ailleurs.

– Sors par-derrière, par la cuisine…

Elle m'a pas embrassé. Rien du tout. Elle s'est même pas levée.

Je suis sorti et je me suis mis à gambader de joie. Ça, j'étais heureux, pour sûr. Ça faisait une paye que j'avais pas été si heureux. Je courais tout seul dans le petit bois derrière, je bondissais par-dessus les herbes et les troncs, je claquais des talons en l'air, je criais YOUOU ! YOUOU ! J'avais envie de parler aux oiseaux, aux mouettes, aux arbres. Il fallait que ça sorte, je ne pouvais pas garder une si grande joie rien que pour moi ! Je

894

regardais ma queue dans mon pantalon pour vérifier que je l'avais pas laissée là-bas, fichée dans son petit cul à elle !

Il a dû me pousser des muscles, cette nuit-là, parce que le lendemain je marchais plus pareil. J'étais le plus costaud des hommes et j'enfonçais les talons dans la terre. J'avais pris dix centimètres au moins. Ça m'a fait marrer, ça.

Le lendemain, quand je l'ai revue avec ses mômes dans la rue, elle m'a ignoré. Que dalle ! Pas un regard, pas un sourire. Droite comme un fil à plomb, les lunettes noires sur le nez et son barda autour du cou. Comme si je n'existais pas. Alors là… K. O. debout, j'étais. Je m'attendais à tout sauf à ça. C'est tout juste si je m'étais pas pointé avec un bouquet de fleurs tellement j'étais content de la nuit qu'on avait passée ! Quel con ! Mais quel con ! J'ai regardé son petit cul qui se balançait en descendant la rue vers la plage et je l'aurais massacré. J'étais mal. Mais alors vraiment mal.

J'ai vite compris : j'étais un mec pour la nuit. Elle avait sa réputation, ses enfants, le mari et moi, là-dedans, je gênais. Je me suis rattrapé le soir même. J'ai attendu que tout le monde soit couché, qu'il y ait de la lumière au premier, j'ai poussé la porte, ouverte, et je suis monté. Elle m'attendait. Comme la veille. En bouquinant. Elle a pas eu l'air surprise. Elle s'est pas excusée. Elle a marqué la page, éteint la lumière. Ça m'a rendu fou et je lui ai filé une raclée. Elle a pas bronché. Après, elle a dit :

– Ça y est ? T'es calmé ? Si tu recommences, je te revois plus. Et tu t'abstiens de venir le vendredi, samedi, dimanche, because mon mari, d'accord ?

J'ai pas répondu. Je savais pas quoi dire. Je devais avoir l'air d'un abruti. Elle m'a même pas demandé mon nom. Vous vous rendez compte, elle m'a même pas demandé mon nom !

– Je m'appelle Guillaume et je vis à Verny, pas loin d'ici…

– Tiens, c'est là où habite ma belle-mère.

– Elle s'appelle comment ta belle-mère ?

– Ça te regarde pas.

On était toujours dans le noir. J'apercevais son tee-shirt blanc. Je voyais pas sa tête. Je me suis déloqué et je me suis glissé sous les couvertures. Et ça a recommencé comme la veille. C'était infernal ! On faisait pas des figures de patinage artistique, non ! Mais, dès qu'on se touchait, c'était parti, on pouvait plus s'arrêter. Je lui posais la main sur les fesses, elle gémissait, se tortillait et se retournait en ouvrant les jambes.

C'est devenu une habitude : on se retrouvait les soirs où son mari était pas là. Et ça valsait. Toutes les nuits pareil. Dans la journée, c'était pas la peine que j'essaie de l'approcher. D'ailleurs, moi, dans la journée, je roupillais.

Une nuit où on avait fini par s'endormir, collés l'un contre l'autre, un enfant a pleuré. Tout doucement, il geignait : maman, maman. Elle a sauté comme un ressort. Elle cherchait son peignoir et elle disait : j'arrive mon chéri, j'arrive. D'une voix si douce, si douce, que je l'ai regardée, stupéfait. J'arrive, mon bébé, mon amour, n'aie pas peur, maman est là. Elle chantonnait en cherchant son peignoir qui avait glissé sous le lit, perdu dans les plis du couvre-lit. Mais où il est, bordel ! râlait-elle et elle enchaînait dans un même souffle, toute douce, maman arrive, mon amour, mon caramel, mon bibichoco, mon titi, mon bébé amour, mon bébé adoré, n'aie pas peur, je suis là, tu sais que je suis là et que je suis plus forte que toutes les vieilles sorcières…

Elle est sortie en nouant son peignoir. Je me suis redressé dans le lit et je me suis dit : mais c'est qui, cette gonzesse ? Elle est montée au second, je l'ai entendue qui s'agitait, qui descendait, remontait, et elle est pas revenue dans le lit. Au bout d'un moment, je me suis levé, je suis monté au second moi aussi. Sans faire de bruit, sur la pointe des pieds. Je suis allé dans la chambre des enfants et je l'ai aperçue. Elle dormait par terre, dans son grand peignoir blanc, et sa main tenait la main du petit garçon. Le biberon avait roulé, pas loin d'elle ; je l'ai ramassé, l'ai reposé dans le lit du petit et je suis ressorti.

C'est à cause d'elle que je me suis mis à voir les filles différemment. Mais je n'en ai jamais rencontré une comme elle. Jamais plus ! En un sens, c'est heureux parce que je pense qu'avec elle j'aurais fini marteau ou derrière les barreaux.

À la fin de l'été, nous sommes rentrés dans la petite maison blanche du lotissement. Vus de l'extérieur, nous devions représenter la famille modèle française, heureuse et reposée, au retour des vacances : beau papa bronzé, jolie maman hâlée, beaux sourires bien blancs pendant que papa cherche les clés du pavillon dans la poche de son bermuda et que les deux enfants, brandissant le filet à papillons, le filet à crevettes et la poupée Barbie, se ruent sur le tas de sable et la balançoire.

Un cliché du bonheur.

André a fait le tour du jardin en fronçant le nez et en arrachant les mauvaises herbes. J'ai retrouvé ma cuisine, mon panier à linge et l'aspirateur.

Ce jour-là, ce jour précis de retour de vacances, je me suis assise sur le panier à linge, vide, et je me suis mise à parler tout haut. Je me souviens très bien. J'avais posé toutes les valises autour du panier. Je me tenais, le dos voûté, les pieds légèrement en dedans, prête à me pencher pour passer l'aspirateur ou ramasser le linge sale, et j'ai dit tout haut :

– Je passerai pas l'année. Je vais pas y arriver… Je vais pas y arriver.

André est entré. Il tenait un paquet de mauvaises herbes à la main et il grimaçait.

– Je vais avoir un de ces boulots dans le jardin ! T'as pas idée !

Alice a fait irruption : elle voulait un cartable rouge comme celui de la petite voisine pour sa rentrée en classe.

– Rouge comme celui de Géraldine, maman… Viens voir !

Alice entrait à l'école. Sa première rentrée scolaire. Elle m'a dit au revoir sur le seuil de la classe avec un grand sourire en agitant très fière son cartable rouge grenat, vide. Je suis allée pleurer dans un café. Ma fille me quittait mais la serpillière et l'aspirateur me collaient à la peau. Ma fille allait faire des études, des études supérieures qui lui donneraient un métier, un avenir. Moi, je n'avais pas de métier et plus d'avenir. L'avenir, c'est un luxe. J'ai 25 ans et plus d'avenir, je pleurnichais.

Je la conduisais au car le matin et allais la chercher à l'arrêt du car l'après-midi. J'étais seule à la maison avec Antoine qui se prenait pour le prince Philippe de la Belle au bois dormant et me faisait allonger par terre, les yeux fermés. Je n'avais le droit de me redresser qu'après qu'il m'avait donné un baiser. Je passais de plus en plus de temps couchée par terre à attendre le baiser du prince Philippe.

Je n'avais personne à qui parler dans le lotissement. Les femmes n'arrêtaient pas de courir. Des poules aux têtes coupées qui s'affairaient pour que leurs poulets aient la tête bien remplie. On se croisait au supermarché, à l'arrêt du car, à la camionnette du boulanger. On échangeait des bouts de phrases mais pas davantage. On était toujours interrompues. Alors on se contentait de banalités parce que les banalités, quand on vous coupe, c'est pas grave.

Après sa tentative de suicide, ma voisine était sous tranquillisants. C'est la première fois que j'ai entendu parler des pilules Gourex, d'ailleurs. Je ne la reconnaissais plus : on aurait dit un robot. Un robot charmant et bien élevé. Elle ne s'emportait plus jamais contre les pollueurs de boîtes aux lettres. Elle vidait sa boîte pleine dans la poubelle numéro 14, sans protester, et s'en retournait chez elle en marchant avec application sur les graviers de l'allée, pas à côté sur le gazon. J'étais impressionnée.

Elle n'avait pas dégonflé pour autant.

Le soir, elle courait avec ses enfants sur la pelouse. Vêtue du même pyjama qu'eux. Elle agitait ses bras sur le côté, elle soufflait, elle se laissait tomber sur le derrière en riant. Une grosse méduse en pyjama blanc parsemé de petits cœurs rouges. Un soir, elle s'est mise à faire le chien, à aboyer et à lever la patte. Les enfants hurlaient de rire. Son mari était en survêtement en train de laver sa voiture quand il l'a aperçue, il a posé son tuyau, s'est gratté la gorge en disant : Chantal, s'il te plaît, Chantal... André et moi, nous faisions semblant de ne pas regarder mais nous ne perdions pas une miette du spectacle. Il a dû aller chercher la laisse : elle refusait de se redresser et urinait partout.

Ces pilules Gourex, il faut s'en méfier...

André rentrait le soir. Il disait : « Bonsoir, lapin, ça va ? J'ai eu une journée épuisante. Qu'est-ce qu'il y a à manger ? » Il embrassait les enfants, allumait la télé ou, quand il faisait beau, il partait dans le jardin. Je me retrouvais face à l'évier, le blanc de l'évier, et toute cette faïence me donnait le cafard. Ma vie était devenue comme l'évier : blanche et vide.

Heureusement que je ne voyais personne, parce que j'avais honte. Mais je n'avais plus la force de lutter. Lire, par exemple, me demandait trop d'efforts. Je préférais regarder la télé. J'avais placé le poste dans la cuisine pour le regarder pendant que j'épluchais les légumes. Il était devenu gras et gris. Je l'ouvrais et je n'étais plus seule. Au début, en tous les cas, parce que, très vite, je n'entendais plus rien. J'étais seule à nouveau. Pourtant, toutes les dames et tous les messieurs sur l'écran s'agitaient avec une force et une conviction que je leur enviais. Tous bien coiffés, souriants, enchantés d'être là, devant moi. Le même sourire, les mêmes gestes, les mêmes poses, la même conviction pour parler des derniers sondages, des carottes râpées, du bruit dans la ville, des volcans en éruption, du dernier disque de Machin et de la catastrophe de Là-Bas. Vingt morts, deux cents morts, deux mille morts, deux cent mille morts. J'épluchais mes springfield potatoes et, pour moi, c'était du pareil au même. Un mort, quand je le connais, ça me fait de la peine, mais deux cents morts que je ne connais pas, ça m'est égal. Mais alors complètement égal ! Ou alors, il faut me raconter l'histoire de chaque mort, avec gros plans et photos de famille, et me donner des nouvelles de sa famille tous les soirs. Il paraît que ce n'est pas possible. Pourquoi pas ? On se choisirait chacun UN mort dans le tas et on suivrait le chagrin de ses proches, jour après jour. On enverrait des vêtements, des jouets aux orphelins, des bonbons à la grand-mère, du parfum à la veuve. Et quand elle irait mieux, des capotes. Pour éviter une autre catastrophe. Pour qu'on n'ait pas à se coltiner toujours les malheurs de la même famille ! Qu'on puisse passer à une autre ! Parce que, quand même, faut pas exagérer... Et puis ce serait un moyen de voyager, de se renseigner sur les manières de vivre dans d'autres pays. Par exemple, moi, j'éviterais de prendre un mort de la gare Saint-Lazare. Je choisirais plutôt une victime d'éboulement colombienne ou pakistanaise. Il y a souvent des catastrophes dans ces pays-là. On n'a que l'embarras du choix.

André me donnait des coups de pied dans les mollets quand j'expliquais ma théorie de la compassion sélective. Un soir qu'on était invités chez son patron, M. Froment, j'ai voulu briller en exposant mes idées. Personne n'a ri. André a demandé qu'on m'excuse : je n'étais pas humanitaire pour deux sous.

Je raffolais aussi des flashes spéciaux. Lorsqu'une voix angoissée, en plein après-midi, lâche dans le micro « nous interrompons nos programmes car nous venons d'apprendre que… ». Et alors suit, d'ordinaire, une grosse catastrophe. Ou une mort inattendue. Ou un spectaculaire revirement de situation. « Saddam Hussein vient d'épouser la princesse Diana en grand secret : la princesse est enceinte. La reine Élisabeth, victime d'un infarctus, n'a fait aucune déclaration. La reine mère est à son chevet… » La vie devient haletante, imprévue. Elle entraîne tout sur son passage, et moi avec. Je participe, je participe. Parce que Saddam Hussein, je le connais, et la princesse Diana, aussi. Je prends un exemple pour me faire bien comprendre : vous êtes en train de repasser le caleçon de votre mari. Le petit caleçon à fleurs si coquet pour sa grosse queue qui roupille, qui ne vous effleure plus depuis des mois et qui ne fait que salir, salir, sans rien produire : ni bébé ni plaisir. Mais vous êtes quand même obligée de laver et de repasser ce réceptacle d'impuissance, de forfanterie et de duplicité ! Vous êtes là, à remâcher des rêveries haineuses, lorsque vous entendez à la radio : « DERNIÈRE MINUTE : le président de la République vient de mourir, écrasé par un bulldozer alors qu'il traversait la rue pour regagner sa berline présidentielle. » Alors là ! Un régal. Un long frisson vous parcourt la colonne que vous teniez courbée sur la planche à repasser. Vous vous redressez, électrisée par l'importance de l'événement. Même le caleçon veule et irritant prend une autre allure. Il devient le caleçon que je repassais quand le président de la République française a péri, écrasé sous un bulldozer ! Ce n'est plus n'importe quel caleçon et, moi, je suis proche de la présidente puisqu'elle a du malheur comme moi.

Les potins du lotissement pouvaient aussi bien faire l'affaire. J'en étais très friande. Bien qu'ils n'aient pas la même fonction d'élévation sociale. C'est plutôt le nivellement par le bas. Mais bon… Qui couche avec qui ? Qui est fâché avec qui ? Qui vend la maison parce qu'ils divorcent ? Qui a reçu les huissiers ? Qui a acheté un nouveau canapé ? Qui a une maladie incurable ? Ce qu'il y a de bien, avec le bonheur ou le malheur des autres, c'est qu'il paraît bien plus réel que le sien propre et, du coup, pendant quelques jours, on oublie sa misère. Pour les potins du lotissement, il fallait sortir, se renseigner, errer dans les allées. C'était plus difficile que pour les célébrités. Les célébrités, il suffit d'acheter les journaux ou d'allumer la radio.

Avec André, ce n'était pas brillant. Il ne me parlait presque plus et me regardait en se demandant comment m'enfiler la camisole de force sans que je proteste. Un soir, j'ai proposé d'aller au cinéma, tous les deux.

– Et qui va garder les enfants ?

Toujours il mettait les enfants en avant pour éviter le tête-à-tête avec moi. J'ai insisté. Il a fini par dire oui.

On est sortis. On est montés dans la voiture. Il a allumé le contact. M'a demandé « t'as mis ta ceinture ? ». On s'est garés dans le parking, face aux cinémas. J'ai respiré un grand coup et j'ai essayé de faire marcher le vieux charme : la main dans la main, la nuque inclinée vers lui en une posture soumise, le bras enlacé à son bras dans la file d'attente. Il fallait que ça marche. Il fallait que ça marche. Je lui ai serré le bras encore plus fort. Il a fait une grimace.

– Ça va ? Tu es sûre que ça va ?

J'ai fait signe que oui. C'était vrai : tout allait bien. Je n'étais plus seule : il me tenait la main dans la queue du cinéma. Comme un amoureux. Notre bonheur devait faire des envieux. Je voyais des gens qui nous regardaient. Ça marchait, ça marchait. Je l'ai embrassé sur la joue d'abord, un petit baiser timide de réconciliation. Il s'est laissé faire, méfiant, toujours un peu raide. Alors j'ai posé ma bouche dans son cou et y ai déposé un autre baiser plus long, plus appuyé. Il s'est détendu et m'a passé un bras autour des épaules. On s'est serrés l'un contre l'autre. Ça va aller, je lui ai dit la joue dans son gilet, ça va aller, ce doit être juste un peu de dépression. Je vais me soigner, je te promets, et on recommencera comme avant. Il a soupiré. Soulagé. Je me suis blottie contre lui, sincère, amoureuse, décidée à ce que tout aille bien. Demain, je me reprends en main, j'arrête de faire le légume devant la télé ou la princesse abrutie qui attend son baiser.

Dans la salle, à peine assis, il a guetté la jeune fille avec son panier de friandises. A remué la monnaie dans la poche de son pantalon. Réfléchi au parfum qu'il allait prendre : vanille, chocolat ou praliné ? M'a demandé mon avis. Il hésitait toujours entre les trois. Je lui ai conseillé un Kim Cône : il aurait les trois parfums pour le prix d'un. Non. Il fallait qu'il fasse un choix. Comme la jeune fille tardait à venir, il s'est impatienté. S'est retourné vers le fond de la salle. L'a appelée. S'est levé. Est revenu avec deux Eskimaux : un à la vanille pour lui, un au chocolat pour moi. A mangé les deux. S'est lissé le ventre et a déclaré qu'il en prendrait bien un troisième mais que ce n'était pas raisonnable. J'ai ri. L'ai traité de goulu-cochon. Lui ai offert mon emballage à lécher. Puis le noir s'est fait. Il a regardé les publicités et, à peine le film commencé, il s'est endormi. En sortant, on n'a pas pu parler du film. Il fallait que je discute avec moi-même, que je fasse le pour et le contre, le malin et la maligne. Je n'avais pas assez de ressources dans ma tête. Je m'arrêtais vite.

J'ai pleuré dans la voiture du retour.

– Ça sert à quoi qu'on aille au cinéma ensemble ?

Il m'a dit d'attacher ma ceinture.

– Ça sert à quoi ? On ne peut pas parler du film !

– Mais, lapin, j'ai eu une journée épuisante !

– Ça sert à rien, j'ai répété en pleurant de plus belle. Ça sert à rien d'être à deux. On est encore plus seuls à deux.

– Sois raisonnable. Je fais un effort pour te faire plaisir, je vais au cinéma et tu me fais une scène ! T'es jamais contente, lapin ! Jamais !

– Et arrête de m'appeler lapin ! Merde ! Je ne suis pas un lapin, je suis une femme ! Tu veux que je te prouve que je suis une femme ?

J'ai commencé à me déshabiller dans la voiture. À enlever mon pull, mon soutien-gorge, à dégrafer mon jean. Il s'est garé.

– Écoute, lap... Je sais... Mais j'avais sommeil, je te dis ! Ne te déshabille pas. S'il te plaît... On va encore se faire remarquer !

– Justement, je veux qu'on me remarque ! Qu'on regarde ma tronche, mes seins, mon cul, j'en peux plus de cette vie de suppositoire conjugal. Qui veut baiser mon cul, messieurs-dames, qui veut baiser mon cul ?

J'ai baissé la vitre et j'ai hurlé dans la nuit, dans cette banlieue si soucieuse du qu'en-dira-t-on. J'imaginais les gens frileux tassés derrière leurs rideaux, se poussant du coude en montrant la voiture.

– C'est gratuit, messieurs-dames. Une promotion spéciale pour ce soir ! Un cul tout neuf qui ne sert que deux fois l'an ! Approchez-vous, messieurs-dames !

André était écroulé sur le volant, impassible, impuissant.

– Mais que faut-il que je fasse ? Dis-le-moi. Que faut-il que je fasse ? Putain de merde ! Arrête ou je te fracasse la tête !

– Vas-y, vas-y. Déchaîne-toi pour une fois ! Frappe-moi ! Allez, allez ! Du courage ! Un peu de violence, de passion, de désir... Ah ! Ah ! Tu te dégonfles ! T'as la trouille ! Ce n'est pas bien de battre sa femme ! Mais ce n'est pas mieux de la laisser mourir à petit feu !

Il est retombé sur le volant en se frappant la tête.

– Comment on en est arrivés là ? Mais comment ? Je ne comprends plus rien. Je t'aime, moi.

– Mais je m'en fiche que tu m'aimes, si tu me regardes pas ! Si tu me fais pas une place spéciale dans ta vie ! Si tu me rends pas UNIQUE ! Tu sais même pas à qui tu dis « je t'aime » ! Tu le dis par automatisme, c'est tout ! Mais tu ne fais pas l'effort de regarder le film pour qu'on puisse en parler après ! Même pas cet effort-là ! Alors, comment veux-tu que je te croie ? Tu m'aimes comme tu regardes la télé ! Distraitement ! Je m'en fous que tu m'aimes, je m'en fous !

J'éructais, j'éructais jusqu'à ce que, épuisée, je retombe sur mon siège et reste ainsi, pliée. Ça ne servait à rien de toute façon, il ne comprenait pas. J'avais beau lui détailler encore et encore le mode d'emploi, c'était au-dessus de ses moyens.

Alors, un jour, m'est venu le désir. Le désir ardent de ne plus vivre. Je me suis dit : j'arrête de faire semblant, je fais la grève de la vie. Pour voir… Rien que pour voir.

J'ai pris l'habitude de me plier et de me poser n'importe où.

Pour qu'André me cherche, qu'il me trouve ou me trouve pas et que j'écoute passer les heures de la journée, les yeux grands ouverts, en essayant de retenir chaque seconde, chaque minute, chaque heure, et de la rendre spéciale. De vivre intensément rien du tout plutôt que de vivre distraitement n'importe quoi.

J'ai mis Antoine à la garderie de l'école. J'ai pu ainsi rester pliée toute la journée. André s'est aperçu très vite que quelque chose ne tournait plus rond. La table n'était plus débarrassée, la vaisselle collait, les lits bâillaient, le Frigidaire ronflait, vide, le linge sale s'entassait dans le panier à linge, la poussière floconnait sous les meubles.

Au début, il n'a pas voulu y croire. Il posait son doigt sur la table de la cuisine, et son doigt restait collé. Ou il allait rechercher un vieux caleçon dans le sac à linge parce qu'il n'en avait plus de propre. Il ouvrait le Frigidaire et poussait un juron. Il me regardait par en dessous, de brefs coups d'œil qui établissaient un diagnostic : zinzin, zinzin incurable. Les enfants sont partis vivre chez sa mère.

« Maman est malade, maman a besoin de repos, expliquait Alice à ses poupées. Corinne Ruchon, sa maman aussi elle est malade : elle fait pipi sur le gazon. Moi, quand je serai grande, j'aurai pas d'enfants. »

Je n'ai pas voulu les regarder partir.

Je n'avais pas la force de les retenir.

C'était mieux comme ça.

Je n'ai pas grand-chose à dire sur la conduite de ma femme.

Je n'aime pas parler de choses personnelles. Mais il y a un problème fondamental dans cette histoire, un problème de morale que personne n'a soulevé jusque-là, et je trouve cela un peu facile.

Que penseriez-vous d'un capitaine de bateau qui abandonne son poste en pleine tempête ? Ou, pour être plus moderne : imaginez une entreprise moyenne, qui marche bien, bon chiffre d'affaires, marchés à l'étranger, bonne clientèle en France, expansion assurée. À la tête de cette entreprise : un patron. Un beau jour, le patron, qui fait vivre non seulement des dizaines d'employés mais aussi leurs femmes et leurs enfants, eh bien ! ce patron, sans aucune raison, décide de fermer l'usine et d'aller voir ailleurs. Parce qu'il s'ennuie, qu'il a fait le tour de son affaire. Il met au chômage tous ses employés et s'en va. En sifflotant. Pendant, disons, un an.

Ses employés ne trouvent pas à se recaser, certains dépriment, d'autres divorcent. Leurs femmes sont obligées de faire des petits boulots pour joindre les deux bouts, elles négligent leurs enfants... Lesquels enfants travaillent moins bien à l'école, deviennent dyslexiques ou délinquants, traînent dans les rues, prennent de la drogue... Et puis, un jour, le patron revient et dit : « Voilà ce que je vais faire : je vais recommencer mais sans vous. Je viens prendre les machines et je m'installe ailleurs où l'herbe est plus verte, le soleil plus chaud, le ciel plus bleu. Je n'aime pas le climat ici, ni la couleur des pierres, ni le bruit que fait le vent dans les arbres. À chacun sa vie, bonne chance et salut ! »

Que penseriez-vous d'un tel homme ? Que c'est un irresponsable. Un sale égoïste. Un inconscient.

Eh bien ! Doudou, c'est pareil. Elle avait deux beaux enfants, une jolie petite maison, un mari qui l'aimait et qui travaillait dur pour elle, aucun souci d'argent. On était heureux même s'il est vrai qu'il y avait des hauts et des bas, des jours avec et des jours sans... Mais n'est-ce pas le lot de tout le monde dans la vie ? Et puis, un jour, elle a eu envie d'aller voir ailleurs. Sans véritable raison. Elle a pris la fuite avec un petit voyou dont je ne voudrais même pas comme coursier. Je le connais de vue, Guillaume, il habite le village où ma mère et mon père ont leur maison de vacances. Les enfants me l'ont montré du doigt, un jour. Ils ont crié : « Papa, papa, c'est Guillaume, le copain de maman ! » Je n'ai pas cherché à savoir comment ils étaient au courant. Moins on parle, mieux c'est.

Doudou voulait tout : un mari qui la rassure, un amant qui la couvre d'attentions, un complice qui la fasse rire. Quel homme peut remplir tous ces rôles ? Aucun. Ou alors, c'est un travail à plein temps et cela exclut toute activité professionnelle.

Moi, j'étais simplement un mari. Un mari qui travaille dur pour qu'elle ait une vie confortable. Car elle aime le confort, Doudou. Il ne faut pas s'y tromper. Elle n'avait aucun souci avec moi. Au début, je l'ai rassurée, je crois. Elle avait l'air heureuse, en tous les cas, et puis je l'ai très vite ennuyée. À la fin, je peux le dire sans dramatiser, elle me haïssait. Je ne savais jamais comment elle allait m'accueillir le soir quand je rentrais du bureau. J'avais envie de me détendre. Alors je préférais m'occuper de mon jardin ou regarder la télé. J'évitais de me retrouver seul avec elle. Je ne savais plus comment la prendre. Quoi que je fasse, ce n'était jamais ce qu'il fallait. Le moindre détail mettait le feu aux poudres.

Un jour, je lui ai offert l'intégrale de Jacques Brel. J'aime beaucoup Jacques Brel. Elle m'a envoyé le coffret à la tête en me disant que ce n'était pas un cadeau pour elle, mais pour moi. Je n'avais qu'à le garder !

Quand elle est partie, les premiers jours, j'ai été soulagé. Oui, soulagé. J'allais enfin pouvoir vivre comme je l'entendais sans être jugé à chaque instant. Je finissais par perdre confiance en moi et, au travail, certains collègues me faisaient des réflexions.

Les premiers temps, cela a été très dur pour les enfants. Ils faisaient des cauchemars toutes les nuits et réclamaient leur mère. Ils en parlent moins maintenant. Je leur ai dit qu'elle était malade et qu'on la soignait dans une clinique. Ils ne me posent plus de questions.

Un jour, je suis allé la voir à Paris. Elle habitait chez son amie Anita. Une jeune fille très, très bien, entre nous. Beaucoup de classe, des relations, un métier intéressant, la tête sur les épaules. Je ne la connais pas, mais la mère de Doudou m'en a parlé. En bien. C'était au début de son séjour parisien. J'ai sonné, elle m'a ouvert. Toute menue, blonde et blanche, avec les épaules un peu en dedans. Elle ne sait pas se tenir droite. Qu'est-ce que j'ai lutté contre ça ! Je lui faisais la guerre. Dans son intérêt à elle. Une si jolie fille, bossue ! Question de discipline, encore une fois ! Elle s'était coupé les cheveux tout court et elle portait une grande jupe bleue et un petit tee-shirt blanc à pois bleus qui lui arrivait au-dessus du nombril. Elle se mordait la bouche et me regardait par en dessous. Je me suis senti très fort face à elle.

– Je ne vais pas te manger, je lui ai dit quand elle a ouvert la porte.

J'étais vraiment ému : je la détaillais et tous les souvenirs heureux me revenaient d'un seul coup dans la tête. J'avais beau me contrôler, garder les bras le long du corps, prendre l'air de celui qui passait par là, je n'ai pas tenu le coup. Je lui ai dit que j'oubliais tout, que je lui pardonnais, qu'elle rentre à la maison et qu'on n'en parle plus.

Elle a mordu l'intérieur de ses joues et a dit tout bas :

– Non, André, plus jamais. Je préfère me débrouiller toute seule même si je dois en baver. Ce n'est pas ta faute, tu sais... Mais je crois que j'ai failli devenir folle !

– Moi qui ai tout fait pour toi...

Elle a eu un petit sourire bizarre et elle a ajouté un truc que je n'ai toujours pas compris.

– Tu parles comme maman !

On n'avait plus rien à se dire.

Je suis reparti.

Heureusement, ma mère est là. Elle m'a beaucoup aidé au début et elle continue. Elle venait tous les matins à 8 h 30 s'occuper de la maison. Moi, je déposais Alice et Antoine à l'école à 9 heures moins le quart puis je partais au bureau. Aujourd'hui, j'ai engagé une femme de ménage, Mme Pétion, qui s'occupe de tout et qui est parfaite. La vie continue. C'est sûr que ce n'est pas l'idéal. Ce n'est certainement pas ce dont je rêvais quand je me suis marié. Mais vous connaissez des situations idéales, vous ?

Anita a tenu parole : elle m'a trouvé un travail.

Un travail de larbine, peut-être, mais un travail. Vu l'absence de mes diplômes et la nonchalance du marché du travail, je ne peux que me réjouir de ma bonne fortune. J'ai été engagée comme vendeuse dans une bijouterie de luxe, place Vendôme. Je ne peux pas vous dire le nom. Ces gens-là n'aiment pas la publicité. Leur clientèle est une affaire de famille, de tradition, de murmure bouche contre oreille avec bruit de papier de soie froissé en arrière-plan. Ils ne font pas dans la pacotille mais dans le placement sûr. En fait, c'est le Président qui m'a obtenu cette place. Le directeur est un de ses anciens camarades de promotion. C'est l'avantage des grandes écoles : c'est difficile d'y entrer mais, après, ça fonctionne comme une rente. Les anciens se tiennent les coudes pour l'éternité. Le cartilage ainsi soudé, ils ne sont plus jamais seuls dans la vie : non seulement ils ont un beau diplôme mais plein de copains. Il n'y a que le corbillard qui interrompt le trafic d'influences. Et encore ! Si la veuve est maligne, elle reprend le carnet d'adresses et entretient le souvenir au téléphone. C'est comme si j'avais gardé tous mes copains de colonies de vacances, tous ceux qui faisaient partie des « Poissons-lunes » – c'était le nom de mon groupe – et que, chaque fois que j'ai un problème, j'appelle un Poisson-lune et qu'il accoure avec sa trousse de secours. On n'était pas organisés, en colonie. Ou peut-être avait-on compris qu'on n'était pas assez importants de toute façon pour jouer les caïds plus tard…

J'ai appris tout ça avec Anita. Elle vit dans un monde où le plus sûr moyen de réussir est un carnet d'adresses bien rempli. Avec de beaux noms. Parce que, si vous recopiez l'annuaire, vous n'irez pas loin. Les numéros de son carnet à elle, AUCUN n'est dans l'annuaire. Que du confidentiel, du privé, du secret ! Des lignes directes qui lui épargnent même la perfidie mielleuse de la secrétaire ! Son carnet est le résultat d'années de dîners en ville, de sourires onctueux, de courbettes et de couchettes !

Sans piston, je n'aurais jamais été engagée. C'est sûr. Je ne connais rien aux pierres précieuses ni aux montages de bagues. Je fais de mon mieux, j'observe et j'apprends. J'apprends surtout à être hautaine et détachée. Il paraît que la hauteur signe une grande maison. J'ouvre la porte aux clients, je les prie de bien vouloir entrer avec un large sourire – mais attention, pas servile, le sourire –, je les débarrasse de leur imperméable ou de leur parapluie, les conduis jusqu'à une petite table recouverte de feutrine verte où un vendeur expert leur étale sous le nez les plus beaux joyaux de notre collection. Pas plus de trois pièces à la fois, car il faut garder l'œil ouvert et la mémoire alerte à cause des voleurs ! Je leur glisse un fauteuil sous les fesses, leur propose un thé, un café ou un soda, puis repars en marchant très dignement, sans me tortiller, comme me l'a conseillé Mme Irène, notre vendeuse chef.

– N'oubliez pas que, lorsque vous travaillez chez nous, vous n'avez ni fesses, ni seins, ni sexe. Vous devez être l'emblème de notre nom.

Une enseigne, quoi !

Je suis habillée très sobrement : une jupe noire, une blouse blanche boutonnée sous le cou, des escarpins vernis noirs. J'aplatis mes cheveux avec de la gomina le matin après ma douche. Quand je surprends mon reflet dans les vitrines, je lui dis : « Bonjour, madame ! »

De haut.

Je commence le matin à 10 heures pour finir le soir à 7 heures, avec une interruption d'une heure pour déjeuner. Avec deux autres vendeuses, nous allons manger un croque-monsieur au café du coin. J'ai ainsi appris qu'elles étaient toutes entrées par relation. J'ai été soulagée. Le salaire est confortable et, lorsque je serai vendeuse chevronnée, je serai intéressée aux ventes.

– Et alors, là ! MIAM MIAM, m'explique Agnès, la bouche pleine, comme si elle mâchait déjà les futures pépites.

Inutile de vous dire que je me bourre de petites pilules Gourex tellement j'ai le trac, tous les matins. Un trac fou ! La clientèle n'est pas facile : des hommes pressés et arrogants, des femmes avides et amidonnées qui me tendent leur manteau sans même me regarder !

C'est mon premier travail. Je suis prête à l'humilité mais je ne sais pas si je tiendrai longtemps. On s'abrutit vite à se plier en deux de la sorte. Je n'ai qu'à écouter mes collègues : elles n'ont plus de colère contre ces belles dames si méprisantes.

Une fois de plus, j'ai remercié Anita, en me demandant vraiment pourquoi elle se donne autant de mal pour moi. Tant de sollicitude, c'est louche. Même si elle est interrompue par des moments de sourde animosité où je sens qu'elle me tordrait volontiers le cou. J'ai écrit aussi une très belle lettre de remerciements au Président. Il m'a fallu beaucoup raturer : je ne voulais me montrer ni trop déférente ni trop lapidaire, y mettre de l'âme et de la chaleur humaine mais, chaque fois que j'approchais le mot juste, vlan ! le bidet s'interposait et ma phrase se débinait. Jeudi dernier, c'était jour de parloir.

Je suis allée voir Christian avec un panier rempli à ras bord. Je lui avais découpé la dictée de la super-finale des championnats d'orthographe de Pivot car il est friand des subtilités de la langue française. « Satyres gracieux : le satyre, lorsqu'il ne s'agit pas d'un demi-dieu en mythologie ou d'un exhibitionniste, désigne un papillon de jour aux grandes ailes colorées de brun, roux, jaune ou gris. » Ou « Gypaètes : vient du grec *gups*, vautour et de *oetos*, aigle. Le gypaète est surnommé le vautour des agneaux. Il s'agit d'un oiseau rapace diurne au bec crochu, à la queue et aux ailes très larges ».

— J'ai trouvé un boulot, je lui ai annoncé d'entrée.

— Un boulot comme quoi ?

— Je suis vendeuse de diamants, saphirs et autres bagatelles qu'on enfile à son doigt, qu'on pince à son oreille ou qu'on étale sur le cou.

J'étais heureuse et gaie et me régalais de mots comme autant de bonbons acidulés.

— Vendeuse ! Ton manque d'ambition m'étonnera toujours. Est-ce que les hommes te touchent ?

— Non. Et toi ?

Il a haussé les épaules.

Nous avons devisé de la sorte jusqu'à la fin de son temps de parloir. Quand la sonnerie a retenti, je me suis levée.

— Comment trouves-tu ma nouvelle tenue ?

J'avais mis, pour lui rendre visite, ma tenue de travail.

Il m'a demandé de me rasseoir et de l'écouter attentivement.

— Doudou... Si un homme te touche, je le tue. À ma première permission, je l'occis. Compris ?

J'ai dit oui pour couper court à la discussion. Il dit ça depuis qu'il est tout petit. C'est une manie. Rien ne pouvait diminuer ma joie. J'étais la plus forte de l'Ouest, la reine des grandes prairies, j'aguichais les cow-boys d'un coup de pétard valseur et le shérif en personne se languissait à mes genoux : j'avais du travail et j'allais pouvoir reprendre mes enfants. Louer un appartement, jouer au crocodile qui se noie dans le couloir, manger tous les soirs des épinards et frire des cervelles à la poêle. Alice, Antoine et moi, nous apprécions les cervelles. Nous les mangions en cachette : André était contre. Avec les doigts, en tirant sur les petites veines rouges et en les faisant péter. Clic, clac, merci Kodak ; flic, flac merci Kojack, on chantonnait. J'allais pouvoir reprendre mes séances de magie, de bisous, de tohu-bohu d'amour, de roudoudou, de scoubidou, de mouchi-moucha, de couci-couça, de comment ça va, madame la sorcière ? Je me sens un peu crapoteuse ce matin ! Et vous, monsieur le crocodile ? Caïman patraque, monsieur la matraque ! Pommes et poires dans l'armoire, fraises et noix dans le bois, plumes et colle dans l'école… J'ai décidé d'aller rendre visite à mon avocat, maître Goupillon, pour l'informer de ma nouvelle situation. En réalité, il s'appelle Gopillon mais Goupillon lui sied mieux. Sa tête, ronde et chauve, est emmanchée sur un long cou maigre et, quand il transpire, ses tempes gouttent et on dirait un goupillon. Il fait de grands gestes en parlant, des effets de manches, de front, de mâchoires, de moues têtues et volontaires, de trois quarts face butée suivi d'un enchaîné profil gauche, profil droit virevolté. Je le trouve très convaincant. Surtout à la télévision où il affiche toujours l'air d'un honnête homme outragé. Je me dis qu'un homme aussi indigné ne peut qu'avoir raison. Tout ça, c'est du bidon, je le sais bien, mais quand même… il m'impressionne. Je l'envie de savoir si bien mentir. Il faut de l'entraînement pour déguiser ainsi son âme. C'est du grand art de vivre, tout ce mensonge-là hérissé en honnêteté. C'est bien ça qui m'a manqué : un peu d'hypocrisie, de duplicité, de menterie, et je coulais une existence tranquille. Je flouais mon monde. Je prenais un amant, deux amants, trois amants et vivais en croquant les économies de mon mari et des petites pilules pour m'élever l'humeur.

Maître Goupillon est un proche du Président. Il s'occupe de ses affaires depuis toujours. Anita lui a demandé de prendre mon dossier en main et il a accepté. Il ne se montre pas très empressé mais je le comprends : je ne fais pas le poids à côté de ses autres clients. Parfois, je me demande si je ne devrais pas choisir un avocat moins illustre mais plus disponible. J'ai dû attendre une heure dans son antichambre. J'étais venue sans rendez-vous. Sa secrétaire passait et repassait en me disant qu'il serait à moi dans un instant. Je comptais les raies du parquet et imaginais des histoires de Gros Malabar et de Kid le chien, je fricotais des menus dans ma tête. On se régalera de cervelles frites et d'épinards. Mais pas tous les soirs. Mais alors que mangeront-ils les soirs sans épinards ? Mon Dieu, j'ai oublié ! Faites que je me souvienne, mon Dieu ! mon Dieu ! Du jambon et de la purée. Ouf !

Enfin, il me reçoit. Son bureau est vaste, les plafonds sont hauts et ornés de frises, les murs couverts de miroirs. Je lui apprends la bonne nouvelle, il ouvre largement les bras pour me féliciter, je pense un moment à m'y précipiter mais reste sur la réserve. Bien m'en a pris : il se regardait dans la glace et essayait un nouveau geste pour ses prochaines plaidoiries.

– Ainsi vous avez une feuille de salaire et un emploi sûr ? me demande-t-il en rejetant la tête sur le côté.

– Oui. C'est le Président qui…

– Très bien. Nous allons donc pouvoir attaquer, et l'issue de l'affaire ne fait aucun doute, clame-t-il déplaçant son bras droit dans l'air comme s'il nageait la brasse indienne. Je prends l'engagement solennel que vous retrouverez vos enfants. Le tour nouveau et satisfaisant de notre affaire – bras gauche tendu puis déplacé lentement sur le côté et rabattu en coque sur l'oreille gauche – me permet aujourd'hui de vous en assurer – petit geste du menton autoritaire, toujours vers la glace –, l'affaire est gagnée – réunion des deux bras le long du corps, geste sec pour les nouer enfin dans le dos et jet de front en avant.

– Mais l'avocat de mon mari dit exactement la même chose… L'affaire est gagnée… pour eux !

– C'était avant que vous ne produisiez un bulletin de paie, avant que je ne pèse de tout mon nom et de tout le poids du Président dans la balance. Nous n'avons pas encore commencé la guerre, nous ! Nous allons procéder à notre tour à la confection de lettres de témoins et nous nous battrons avec des noms autrement plus brillants et illustres que les leurs ! Pour le moment, nous avons fait joujou avec cet avocat de province, ce besogneux d'un barreau obscur… Nous avions peu de cartouches mais je vous le répète, madame – profil droit dans la glace et remise en place de la mèche –, la victoire est proche ! Il n'y a plus qu'à vous dénicher un petit deux-pièces de la Ville de Paris, un coup de piston fera l'affaire et voilà… Des questions, peut-être ?

Je réfléchis un instant.

– Vous croyez que, vraiment, je vais pouvoir reprendre mes enfants ?

– Le droit français est ainsi fait qu'on déchoit rarement la mère de ses droits maternels à moins de conduites ignominieuses. Nous n'en sommes pas là, j'espère, me sourit-il, douceâtre. Et puis, je vous le répète, nous allons vous confectionner des témoignages de personnes tout à fait respectables. N'ayez aucun souci, chère madame…

Le téléphone sonna. Il décrocha, pria son interlocuteur de patienter un instant, me raccompagna à la porte et me salua. Je le remerciai. Traversai le hall, ouvris la porte quand, soudain, je me ravisai : j'avais laissé ma lettre d'engagement sur son bureau !

Je revins sur mes pas.

La secrétaire n'était pas à son bureau. Je frappai à la

porte de maître Goupillon et, n'obtenant pas de réponse, j'entrai.

– Je viens chercher ma...

Il me regarda, décontenancé, brisé dans son élan, la bouche muette, le menton tendu vers un bras dressé. Puis se laissa tomber dans son fauteuil, jura et marmonna :

– Je ne serai jamais prêt à temps !

La secrétaire posa la caméra avec laquelle elle était en train de filmer les effets de maître Goupillon. Fouilla un instant sur le bureau, trouva mon papier et me le tendit.

– La prochaine fois, mademoiselle, frappez avant d'entrer, me dit-elle.

Quand nous étions enfants, Christian et moi, nous passions toutes nos vacances à Carry-le-Rouet, chez ma tante Fernande qui possédait un petit cabanon planté au sommet d'une calanque, au bord de la mer.

Quand nous étions enfants, dès qu'un garçon s'approchait de moi, Christian le menaçait jusqu'à ce qu'il recule et ne revienne jamais. À notre première surprise-partie, je n'ai dansé qu'avec lui. À la deuxième aussi. À la troisième, trouvant le rituel monotone, je ne suis plus allée danser. Christian acheta mes premiers Tampax et me lut le mode d'emploi. Je découpai le décolleté de Brigitte Bardot dans *Paris-Match* pour lui montrer ce qu'était une VRAIE paire de seins.

Nous avons fait l'amour ensemble, pour la première fois, sur une tombe du cimetière où il m'emmenait la nuit. J'avais 14 ans. À 17 ans, je me suis retrouvée enceinte. J'ai décidé d'avorter. Je n'ai rien dit à Christian. J'ai demandé à Mamou de m'accompagner. Je ne me souviens pas de l'hôpital. Je me souviens seulement que, après l'intervention, une infirmière m'a apporté des œufs au plat. Je regardais les jaunes d'œufs et je voyais deux fœtus enroulés dans le blanc du ventre de leur maman. Je n'ai pas pu manger. Mamou m'a raccompagnée chez moi. Je me suis couchée dans ma chambre et j'ai dormi jusqu'au lendemain matin. C'est Christian qui m'a réveillée.

Je me souviens de ce matin-là parce qu'après ça n'a plus jamais été pareil entre nous. Après ce matin-là, il fut un ennemi qui faisait la paix un soir pour repartir, sans rien dire, le lendemain. Un ennemi qui me fuyait et revenait m'étreindre pour me fuir encore. Il habitait toujours avec nous mais il allait et venait, m'évitait, sortait le soir pour ne revenir que deux ou trois jours plus tard. Normal, disait ma mère en faisant la lecture à ma grand-mère près de la cheminée, c'est de son âge, il a 22 ans après tout. Il serait temps qu'il mène sa vie.

J'appris à l'attendre, à souhaiter sa présence plus que tout, à employer ses mots, à répéter ses idées, à écouter ses disques… et je restais confinée dans ma chambre quand j'entendais sa voix dans le salon. Pétrifiée par un désir trop fort qui me laissait, respirant à peine, les tempes bourdonnantes, le front moite, les joues rouges sur le pas de ma porte. Si j'y vais et qu'il ne me regarde pas ? Si j'y vais et qu'il est avec une autre fille ? Ou pire encore : si j'y vais, qu'il se montre doux, tendre, prévenant puis qu'il se lève tout à coup et s'en aille ?

La souffrance était là, tout près, dans un de ses regards, et je n'osais pas l'affronter. Quelquefois, je l'entendais rentrer au petit matin, je me levais en faisant semblant d'aller faire pipi, me heurtais à lui dans le couloir. Il demandait « ça va ? », je répondais « oui », la tête basse, prête à me laisser saisir mais il continuait son chemin vers sa chambre à lui. Je l'entendais s'enfermer à double tour et j'avais des sanglots dans la poitrine.

Mais je ne pleurais pas. Il ne fallait pas que je pleure.

Ce matin-là, quand je me suis réveillée, j'ai senti une

présence près de mon lit. La matinée devait être avancée. Ils m'avaient donné un somnifère à l'hôpital. J'avais la bouche pâteuse et le corps lourd comme une éponge. J'ai ouvert les yeux à demi et…

Il s'est penché vers moi, m'a caressé le bras puis s'est redressé. Il était debout. Ses cheveux noirs, plaqués en arrière, tombaient sur ses épaules, ses joues creuses et blanches étaient rasées de près. Ses yeux noirs, ses cils presque blonds, sa fine moustache, ses jambes moulées dans un jean noir étroit, ses bottes noires… Je l'ai regardé comme pour la première fois.

Je lui ai souri faiblement. Un sourire de politesse, automatique. Puis le souvenir de la veille m'est revenu d'un seul coup et j'ai geint.

– Qu'est-ce que tu as ?

– Mal au ventre.

– Laisse-moi venir dans le lit avec toi, je vais te guérir, il a dit en appuyant un genou sur le couvre-lit.

– Non. Pas envie.

– On est seuls.

– Pas envie.

– Si.

– Laisse-moi tranquille !

J'ai donné un violent coup de pied dans son genou. Il a perdu l'équilibre, s'est redressé et m'a regardée, étonné.

– Qu'est-ce que tu as ? Ma Doudou…

J'ai enfoncé la tête sous les couvertures. Je ne veux plus être sa Doudou. Plus qu'il s'approche, qu'il me touche. Je ne lui ai jamais donné l'autorisation de me toucher. C'est lui qui m'a allongée sur la dalle de la tombe, la première fois, et m'a prise. Ses doigts froids entre mes jambes, sur la pierre froide. La lumière pâle de la lune dans le cimetière, l'ombre des pierres tombales dans les allées, les chats qui déguerpissent, le bruit de nos pas sur le gravier et puis une large tombe en granit… Rose. Sans fleurs en plastique ni couronnes. Il a dit « rose, c'est joli pour une première fois ». J'ai pas compris. On s'est allongés pour regarder les étoiles. Pour écouter le vent. On avait emporté des couvertures avec nous comme chaque fois. Mais cette fois-là, il les a étalées l'une sur l'autre comme s'il faisait un lit et m'a fait signe de m'y glisser. Je lui obéissais toujours. Il le savait. Je regardais ses yeux pour savoir ce qu'il avait dans la tête. Ses yeux étaient doux et souriaient avec bienveillance mais sa bouche restait pincée. Cela donnait un air menaçant à son visage. J'ai pressenti un danger. J'ai reculé. Il m'a prise par le poignet m'a poussée vers les couvertures. « Allonge-toi. » Je me suis enroulée dans la couverture du dessus. Il me l'a arrachée. Est venu sur moi et a écarté mes jambes avec son genou. « Tu n'as pas froid ? » il a demandé. Je portais une jupe à damiers noirs et blancs et un sweat-shirt noir, un blouson en jean avec un petit nounours accroché à la poche. J'ai fait non de la tête et j'ai serré le nounours dans ma main. « T'en fais pas, ça va aller très bien… » il a ajouté. Je ne savais pas ce qu'il avait en tête. Je n'osais rien demander, je le sentais tendu. Pas tendre ni prévenant comme les autres fois. Mais préoccupé, autoritaire, brutal. Son regard ne se posait pas sur moi, il regardait plus loin. Vers je ne sais quoi… Je voulais bien qu'il m'embrasse sur la bouche, qu'il me serre en dansant, qu'il me caresse le dos en y inscrivant son nom avec son doigt mais je ne voulais pas qu'il me touche les seins ou entre les jambes. Parce qu'on était cousins. Il le faisait quand même. Je protestais. Il le faisait. C'était toujours pareil.

Il a mis sa main entre mes jambes, m'a caressée lentement. Je secouais la tête en disant « c'est pas bien, c'est pas bien » et, lui, il répétait « t'en fais pas, ça va aller très bien… ». Je lui ai dit encore « t'as pas le droit, je suis trop petite » et il a dit encore « t'en fais pas, ça va aller très bien… ».

Faut vous dire que je n'avais pas beaucoup d'expérience. Maman ne me parlait jamais de rien. Je n'avais pas de copains ou de copines parce que Christian les faisait tous reculer. Personne n'osait être mon ami. On était dans le même lycée. Il me surveillait et, si je devenais trop intime avec une fille ou un garçon, il s'interposait entre nous, se moquait de la fille, du garçon, me pressait de questions sur le chemin du retour. Qu'est-ce qu'elle t'apporte que je ne te donne pas ? Qu'est-ce qu'il a que je n'ai pas ? Tu le trouves drôle ? T'as entendu ce qu'il a dit ? Quel crétin ! Tu veux que je me coupe les cheveux comme lui ? Tu veux que je t'apprenne à te maquiller comme elle ? Il te touche ? Elle a essayé de t'embrasser ? Tu aimes les filles ? Je secouais la tête et disais « non, non, non ». J'avais très peu de moments libres. Il envahissait même mes nuits. Il me lisait des livres assis sur mon lit ou il disait à maman qu'il me faisait répéter mes leçons. Il fermait la porte et lançait : « Je vais m'occuper de toi. » Ça me faisait frissonner quand il disait ça. Je savais ce qu'il allait faire. Je savais. Je ne voulais pas. Je soufflais. Je râlais. Mais je ne bougeais pas. Je restais assise sur le bord du lit et il tournait autour de moi en me regardant « Je vais m'occuper de toi. Personne ne sait s'occuper de toi comme moi. » Il se rapprochait, me déshabillait lentement, lentement, je disais « non, non », il disait « mais je ne fais rien de mal, je te regarde et je te touche un peu, un tout petit peu… Tu n'aimes pas ? ».

Oh si… j'aimais.

J'aimais beaucoup mais j'avais honte…

Le bout de ses doigts si doux sur mon cou et ses doigts qui descendaient en explorant chaque parcelle de peau. J'aimais mais je ne voulais pas. J'avais tout le temps l'impression que le plaisir m'était arraché. « Et là, tu aimes ? » il demandait, sa bouche contre mon sein, contre le bout du sein. Le bout de mon sein, tout entier dans sa bouche et sa langue qui tournait autour, qui léchait le bout de mon sein qui devenait tout dur. Je m'agrippais au bord du lit et renversais la tête en arrière. J'étais terrifiée par le plaisir parce que ce plaisir ne devait pas venir de lui. Ce n'était pas bien. « Et là ? Et là ? On a tout notre temps, tu sais, elles dorment… » Il continuait en promenant sa langue, ses lèvres, ses dents, ses doigts, pieuvre à mille bouches qui m'aspirait, me caressait, me suçait comme un bonbon. Et moi, je ne disais plus rien. J'étais assise sur le lit, entièrement nue, et je respirais au rythme de ses doigts sur mon corps. Je gémissais. J'avais beau serrer les dents, je gémissais. Il triomphait, relevait la tête et ajoutait doucement : « Tu vois que je ne te fais pas mal, Doudou. Je ne te fais rien, je n'entre pas dans toi. Je ne te force pas avec mes doigts. Tu ne me touches pas. Il n'y a rien de sale entre nous. C'est un jeu, tu sais. Un jeu auquel jouent tous les petits enfants mais, toi, tu ne le sais pas… » Je n'écoutais plus ce qu'il disait. J'entendais juste sa voix basse qui chuchotait et ses doigts qui s'attardaient sur mon ventre, qui glissaient, remontaient, je poussais un petit cri et il demandait, attentif, « là encore… là ? c'est bon, là, Doudou ? » et il revenait à l'endroit précis où j'avais laissé échapper un cri. Il s'y attardait. Il commentait : « C'est bon là, Doudou, c'est bon… Je sens ton sang battre l'orage sous mes doigts. Ma petite fille véné-neuse, tu m'as empoisonné avec ton sang, il faut que je te mange… » Je me balançais sur le bord du lit. Je me laissais aller au plaisir. Je n'osais pas ouvrir les yeux parce que, si je les ouvrais, j'attrapais son regard noir, ce regard sans cils qui me gênait, qui me donnait envie de tout arrêter. Tandis que les yeux fermés… Je ne savais pas que c'était lui… Ce pouvait être n'importe qui. Je ne retenais que le plaisir, le plaisir d'être caressée longtemps, sur le bord du lit, d'obéir à la voix, les yeux fermés, de me ployer, de me plier, de me tourner, d'écarter les jambes sur un ordre ou de me rouler en œuf sur le dessus-de-lit pour qu'il caresse mes fesses. Longuement. Ce n'est qu'après, quand il demandait : « C'était bon, ma Doudou, mon amour ? » que je le haïssais. Je repoussais sa tête, sa bouche, ses doigts. Laisse-moi tranquille, je lui disais. Va-t'en. Tu me dégoûtes. C'est dégoûtant ce que tu fais de moi. Je mettais mon pyjama et j'évitais son regard de quémandeur triomphant. « Mais c'était bon ? C'était mieux qu'hier ? » « Arrête, tu n'as pas le droit, tu ne dois plus, je te déteste de me faire ça. » « Alors pourquoi te laisses-tu faire ? » « Je ne me laisse pas faire, c'est toi qui me forces. » Il souriait de son sourire énigmatique, sentait ses doigts, me les mettait sous le nez, et je me jetais sur lui en le griffant. Laisse-moi, laisse-moi…

Il quittait la chambre en glissant et en souriant. J'étais furieuse contre moi. Je ne me souvenais plus du plaisir, je ne me souvenais que de son abus de moi. Je ne voulais pas. Il ne faut plus, il ne faut plus, je le déteste, je me répétais. Jusqu'au soir suivant où il glissait sa longue jambe noire dans l'entrebâillement de ma chambre et claironnait :

– Révision, révision des leçons… Sortez les cahiers !

Je n'osais en parler à personne. J'avais honte. Le plaisir faisait de moi sa complice. Je me regardais dans la glace, je collais mon visage contre le miroir et je répétais « tu es sale, tu es sale, tu es sale. C'est le vice qui remonte dans tes veines, tu as du sang sale sous la peau. Tu es sale, tu es sale, tu es sale… ».

Ce soir-là, sur la tombe, je me suis laissé faire. J'ai fermé les yeux et me suis laissé caresser. Jusqu'à ce que je sente son poing entre mes jambes. Son poing qui roulait contre mon sexe, le meurtrissait. J'ai crié :

– Arrête ! Tu me fais mal !

– Laisse-moi faire, il a grogné.

– Pas ça, pas ça, j'ai dit quand j'ai senti son sexe dur contre ma jambe.

Il se frottait contre ma jambe et continuait de me meurtrir le sexe avec son poing. Comme s'il voulait m'habituer à la douleur, à la douleur qui allait venir. J'ai eu envie de pleurer mais je me suis mordu les lèvres. C'est ma faute, je me suis dit. À force de me laisser faire, de prendre le plaisir, les yeux fermés, sans protester, voilà ce qui arrive. J'aurais dû dire non depuis longtemps, dès la première fois. Il a enlevé son poing, j'avais le sexe en feu et il est entré dans moi. Ça m'a fait mal mais pas tant que ça. J'ai crié, j'ai voulu me dégager. Il m'a maintenue de son bras en travers de la poitrine et ses hanches ont commencé à bouger et je sentais le feu qui allait et venait dans moi. « C'est moi le premier, je suis ton premier homme, je t'ai forcée comme on force une bête même pas une amante puisque tu dis que tu ne m'aimes pas. Alors je te prends, je te saigne, je te marque, si je pouvais te marquer au visage, je le ferais, je ne veux pas qu'un autre fasse ça à ma place, tu m'entends ? Tant pis si ça fait mal, tant pis… » Il me tenait avec son bras et son front heurtait la pierre tombale à chaque coup de reins. Frappait de plus en plus fort comme s'il voulait s'éclater la tête sur la pierre et j'ai eu peur. J'ai glissé ma main sous son front et j'ai dit « là… là… ». Et son corps s'est cassé, il s'est arrêté, s'est appuyé sur son coude et m'a regardée :

– Alors tu m'aimes, il a dit, tu m'aimes ?

– Je ne veux pas que tu te fasses mal, c'est tout… Laisse-moi maintenant !

Je me suis dégagée. Il est tombé sur le côté. On a repris chacun une couverture et on a regardé les étoiles sans plus rien dire.

Voilà, je me suis dit, j'ai fait l'amour. À 14 ans à peine. Sans le vouloir. Sans le décider. Encore un truc qui m'échappe. J'étais en colère.

Il s'est relevé, a allumé une cigarette, et je l'ai observé, de dos, ses cheveux noirs ondulés sur les épaules, ses mains fines, longues qui tenaient la cigarette. Tranquille. Alors que je sentais encore son poing, son sexe entre mes jambes. Si j'avais un couteau, je le lui planterais dans le dos, je me suis dit. Ni vu ni connu ! Bon débarras !

Il s'est retourné. J'ai vite fermé les yeux : je ne voulais pas lui parler.

– Ne t'en fais pas, il m'a dit, je ne suis pas allé jusqu'au bout !

– …

– Je veux dire : je n'ai pas joui. Tu ne risques rien !

– Manquerait plus que ça !

C'est cette colère-là, la colère de n'avoir jamais rien décidé, de m'être laissé prendre, ouvrir, engrosser qui est remontée en moi, ce matin où je gisais dans mon lit, le ventre vidé d'un bébé que je ne voulais pas. Lui n'a pas le ventre qui saigne, les cuisses poisseuses et une couche-culotte entre les jambes. Lui est debout devant moi, mince, intact, propre, rasé de frais. En excellente santé. Ce jour-là, je me suis dit, lui, c'est un homme, moi, je suis une femme et c'est comme ça. Lui, il a la force de me faire plier. Et je l'ai détesté d'être si propre, si frais, si sain alors que je sentais le sang qui continuait à couler.

– J'ai avorté, si tu veux tout savoir. Hier.

Il m'a regardée. Sans rien dire. Il a passé les pouces dans la ceinture de son jean noir et s'est balancé d'avant en arrière sur les talons de ses bottes.

– Tu as fait ça ?

Il souriait. Il n'y croyait pas.

– Demande à Mamou. Elle était avec moi. À l'Hôtel-Dieu. 11 h 30. Tu veux des détails ?

Il a encaissé le coup. Toujours debout contre le lit. Il s'est mordu les lèvres, a plaqué son menton contre sa poitrine, ses mains raidies dans son jean. Il ne disait rien et ce silence m'était encore plus insupportable que s'il avait pleuré ou juré.

– T'es le diable ! je lui ai crié.

– C'est toi, le diable. Tu fais sauter un enfant comme on fait sauter un bouton de chemise…

Il a dit ça d'un ton las, neutre.

– Je n'en voulais pas de cet enfant, je n'en voulais pas !

– Moi, je l'aurais gardé, je l'aurais élevé…

– Je n'en voulais pas !

– Arrête de dire ça, Doudou. Il était à moi aussi cet enfant. Tu n'avais pas le droit…

– Je ne voulais pas d'enfant de toi ! Et j'en voudrai jamais !

– Qu'est-ce que je t'ai fait, Doudou ?

– Je te déteste ! Je ne veux plus jamais te voir. Je ne veux plus que tu entres dans ma chambre. Je veux qu'on me laisse tranquille ! Je vous déteste tous, dans cette maison, je déteste cette maison ! Je veux partir ! Partir !

Il a gratté le parquet avec la pointe de ses bottes, les lèvres toujours serrées, le menton toujours posé sur sa poitrine, les mains toujours coincées dans son jean. Et puis il a dit : « Bon… » et il est sorti.

Je suis restée toute la journée dans ma chambre.

Mamou est passée me voir. Avec une tarte aux pommes chaudes nouée dans un torchon. Elle s'est assise à la tête de mon lit et a posé la tarte sur mes genoux. A défait chaque coin du torchon. « Avec un peu de caramel, comme tu les aimes », elle a ajouté en respirant la tarte. Je l'ai enlacée et l'ai serrée contre moi. Elle était chaude, douce, ronde. Elle passait ses doigts dans mes cheveux en murmurant « tu es comme une reine dans un banaston », une berceuse qu'elle me chantait quand j'étais petite. Et puis elle m'a dit :

– Ça te dirait un chocolat chaud avec la tarte ?

J'ai fait oui de la tête.

– Je m'en occupe.

Quand elle est revenue avec le plateau, j'ai eu envie de lui raconter mon histoire avec Christian. J'étouffais de garder ce secret pour moi.

– Pourquoi tu ne me demandes rien, Mamou ?

Elle a mis ses mains sur mes épaules et a enfoncé ses doigts dans ma peau, à travers mon tee-shirt, comme pour marquer l'importance de ce qu'elle allait dire :

– Parce que c'est à toi de me parler. Et tu le feras le jour où tu en auras envie…

Je me suis laissée aller contre elle et j'ai soupiré :

– Ou alors tu sais déjà tout…

Je ne savais pas tout.

Je me doutais bien qu'entre Doudou et Christian il se passait des choses que la morale réprouve, comme dirait ma belle-fille, la mère de Doudou. Il fallait être aveugle pour ne pas le voir. Mais comment voulez-vous qu'il en fût autrement ? Ces deux-là étaient toujours fourrés ensemble. La petite blondinette et le grand brun. Sauvage, lui. Pas causant. Et s'il ne lui avait pas mangé l'air au-dessus de la tête, elle aurait été différente, Doudou : plus ouverte, plus gaie, plus à l'aise dans la vie. Mais dès qu'elle bougeait d'un millimètre, il fronçait son sourcil noir ! Déjà, quand elle était dans le ventre de sa mère, il la haranguait. Il disait : « C'est moi l'homme de la famille, mon vieux ! Et moi, je veux toute la place ! Toute la place ! » Il avait 5 ans ! Il croyait que ça allait être un garçon !

Ma belle-fille a accouché, seule. Mon fils n'est arrivé que deux jours plus tard à la clinique, sans fleurs ni cadeaux, et quand il a su que c'était une petite fille, il a ri et a dit :

– Comme ça, ça fera la paire !

Ma belle-fille était offusquée. « La paire de quoi ? » elle m'a demandé après qu'il fut reparti sans avoir pris l'enfant dans ses bras.

– Je ne sais pas, moi. La paire... Deux femmes : vous et l'enfant...

– Il ne m'a même pas demandé son nom.

Je dois reconnaître que, ce jour-là, j'ai eu pitié d'elle.

Je n'ai jamais compris leur union. C'était le mariage de la carpe et du lapin. Nos familles se connaissaient. Mon fils cherchait un travail, la famille de ma bru un homme pour reprendre l'entreprise familiale. L'affaire fut conclue. Personne ne parla de sentiment. Elle a été malheureuse toute sa vie. Et lui, à mon avis, il a pris la poudre d'escampette parce qu'il ne la supportait plus. Ni la vie qu'il menait. Je ne crois pas une seconde à sa noyade en mer. Que serait-il allé faire sur une plate-forme pétrolière ? Je vous le demande ! Il avait la mer en horreur et le travail encore plus.

À mon avis, il a fugué. Comme des milliers de Français tous les ans. Il a manigancé sa disparition avec l'aide d'un complice mais il court encore le monde. Un jour, peut-être, il va revenir… Quand il sera vieux et qu'il éprouvera soudain cette tendresse indulgente pour sa jeunesse qu'ont tous les vieillards. Quel gâchis il aura fait ! Je crois que je lui donnerais deux claques s'il réapparaissait.

Je sais que ce sont des choses qui ne se disent pas mais je n'ai jamais eu la moindre sympathie pour mon fils. Il était enfant unique, pourtant. C'est étrange de mettre au monde un enfant avec qui on n'a aucune affinité. Dès le premier coup d'œil, j'ai compris qu'il serait toujours un étranger pour moi. Une énigme. Je le berçais contre moi, il se raidissait et pleurait. Je reprenais le pari de Pascal : à force de reproduire humblement les gestes d'amour envers le petit Paul, l'amour viendrait un jour. C'était le seul garçon de la famille et il était adulé par ses tantes, ses grand-mères, ses oncles et ses cousines. Il savait si bien jouer de son charme ! Très vite, il n'alla plus à l'école. Il signait lui-même ses carnets scolaires, dispa-raissait, chapardait et s'en sortait toujours avec un sou-rire angélique. Un jour où je l'avais surpris en train de prendre de l'argent dans mon porte-monnaie, je lui ai donné une gifle. Il devait avoir 6, 7 ans. Il m'a regardée et m'a lancé froidement : « Ta gueule ! » Ce jour-là, j'ai renoncé. Nous cohabitions. Je le nourrissais, l'habillais, veillais à ce qu'il ne manque de rien mais plus jamais je n'ai eu de mouvement de tendresse envers lui. Je n'éprouvais même pas de peine, mais un étrange soulagement de ne plus avoir à jouer la comédie. À cette époque, on n'allait pas consulter des psychologues pour un oui, pour un non. Je le regrette maintenant. J'aurais bien aimé comprendre. C'est sûrement ma faute parce qu'un enfant, quand il vient au monde, il est innocent. C'est pour cela que je pousse Doudou à consulter son médecin régulièrement et que je paie ses consultations. Elle semble faire des progrès. Elle change. Elle prend de l'assurance.

Plus tard, Paul a pris l'habitude de faire de longues fugues. J'ai pris l'habitude de ne pas m'en inquiéter. Son père, non plus. Il faut reconnaître que son père ne s'en est jamais occupé. Je crois qu'il lui en voulait de ne pas ressembler au fils qu'il aurait aimé avoir. Il le lui a dit un jour, à table : « Il a dû y avoir erreur à la clinique… » Sans acrimonie ni violence. Je n'étais pas loin de penser la même chose. Rien ne l'intéressait, hormis les femmes et les voitures. Il répétait sans arrêt qu'il mourrait à 33 ans, au volant d'une Porsche ! Intéressant comme destin…

La petite Doudou n'arrêtait pas de me poser des questions sur son père. Je lui ravaudais le portrait pour qu'elle n'ait pas une mauvaise image de lui. C'est important pour une petite fille d'être fière de son papa. J'inventais un roman. Elle m'écoutait avec de grands yeux pendant que Christian ricanait. Même du père, il était jaloux ! C'est compréhensible, remarquez, lui ne savait même pas qui était le sien.

Quand Doudou a rencontré André, elle m'en a parlé tout de suite. Il m'impressionne, Mamou, disait-elle. Il a tout bon partout. Il était moniteur dans la colonie de vacances où elle allait chaque été. Je poussais sa mère à l'y inscrire tous les ans. Je pensais que c'était bien pour elle de sortir des griffes de sa famille pendant un mois, l'été. La dernière année, l'année de ses 17 ans, elle est partie avec son groupe des Poissons-lunes à la montagne. André y était professeur de tennis. Il avait fini son école de commerce et gagnait un peu d'argent avant d'entrer dans la vie active. Elle en est tombée amoureuse. Ils se sont revus à Paris. Elle me l'a présenté. Il était vraiment très beau, André. Beau, bien élevé, charmant mais, comment vous dire… Il ne m'est jamais apparu comme quelqu'un de réel. Pour moi, il ressemblait à un cliché plutôt qu'à un être humain : il était trop parfait. Il aurait pu incarner le type du mari idéal ou du citoyen qui a réussi si, dans les mairies, il y avait eu des statues pour les représenter. Un beau buste. Il n'avait aucune imagination. On ne le sentait capable d'aucune foucade, d'aucun coup de folie, d'aucune ignominie. Il avait dû avaler et digérer les dix commandements dans le ventre de sa mère. Il y avait les choses qu'on fait et celles qu'on ne fait pas. Et le sang qui coulait dans ses veines semblait le porter tout droit à une vie tranquille, réussie, ordonnée, mais, en aucun cas, être un fluide capable de bouillonner ou de l'entraîner à un geste hors norme.

Quand il l'a demandée en mariage, Doudou est venue me voir. Elle est entrée dans le salon où je faisais une réussite que j'étais sur le point de gagner. Une réussite très difficile que je ne gagne qu'une fois sur quinze ou vingt. Je ne l'ai pas entendue entrer et j'ai sursauté quand elle m'a embrassée.

– Mamou, je veux te dire un secret…

Elle s'est agenouillée à mes pieds et a entouré mes jambes de ses bras. Comme lorsqu'elle était petite.

– Est-il si important que ça ? lui ai-je demandé en lui caressant les cheveux, les yeux sur mes cartes.

– Oui. Mamou, je ne sais pas ce que je dois faire. Voilà… André m'a demandé de l'épouser et j'ai dit « oui » tout de suite. Sans réfléchir.

– Est-ce que tu l'aimes ?

– Mamou, je ne sais pas ce que c'est qu'aimer.

J'ai ri et je lui ai dit que moi non plus, mais qu'on pouvait essayer de cerner le problème toutes les deux. J'ai repoussé mes cartes et ai baissé les yeux vers elle. Elle jouait avec la boucle de mes chaussures et je lui ai fait remarquer qu'elle allait filer mon collant.

– Il est beau, il est fort, il met de l'ordre dans ma tête, il s'occupe de moi et il me respecte. Il ne m'oblige pas à faire des choses que je n'aime pas, il ne me juge pas tout le temps.

– Et puis ta maman va être si contente… Et puis tu habiteras dans une jolie maison. Et puis tu auras de jolis enfants… Et une vie très confortable.

– Ne plaisante pas, Mamou, c'est important pour moi.

– Je ne plaisante pas, ma chérie, ce ne sont que de bonnes raisons tout ce que j'énumère.

– Oui, Mamou, mais je me demande si ce n'est pas une bêtise.

– Je ne comprends plus. Arrête de jouer avec mes chaussures et viens t'asseoir à côté de moi.

– Mamou, je veux rester à tes pieds. Je veux que tu me parles comme à une petite fille.

– Mais, chérie, tu n'es plus une petite fille.

– Si, encore un peu. Mamou, j'ai peur. Il y a Christian et si tu savais comme je l'aime.

– Là, regarde, maintenant tu sais ce que c'est que l'amour ! Il ne t'a pas fallu longtemps. Il a suffi que tu prononces le nom de Christian.

– Mamou, je ne te parle plus si tu te moques de moi !

Elle avait enfoncé la boucle de ma chaussure dans ma chair et la tournait et retournait, me causant une douleur lancinante. Je n'osais pas bouger car j'avais senti au ton de sa voix que, si je l'interrompais encore, elle se fermerait et ne parlerait plus. Je restai donc stoïque et me concentrai sur ses propos.

– S'il n'y avait pas toute cette intensité de malheur entre nous, ce malheur qui jaillit chaque fois que nous nous rapprochons comme si on était maudits, Mamou. C'était lui le père de l'enfant, tu le savais, hein, tu le savais ? Quand il me touche, j'ai l'impression que c'est interdit, tout le temps et, quand il ne me touche pas, il me manque à en mourir. Je l'attends et je le redoute à la fois. Il me fait peur. Il m'aime trop. Je l'ai croisé l'autre jour à la maison et il a ricané. Il m'a regardée et il a lâché : « Pauvre conne, pauvre petite conne qui a tout gâché. Et dire que j'ai été amoureux d'une ravissante idiote ! » Je ne lui dirai jamais combien je l'aime. Jamais ! Il serait capable d'éclater de rire ! Et pourtant, Mamou, tout ce que je suis, c'est lui. Tout ce que je sais, c'est lui. On est pareils. Il commence une phrase, je peux la finir. Il ferme les yeux, je sais ce qu'il a dans la tête. Avec André, c'est si différent. C'est comme si j'ouvrais la porte sur un monde rempli de soleil et de lumière, un monde inconnu mais si simple, où je pourrais avoir ma place à moi. Mais un monde séparé de moi. Tu comprends, Mamou ? Je n'ai rien à faire dans ce monde mais peut-être aussi que j'y ai tout à faire…

– Alors il faut y aller, Doudou, il faut y aller. Si tu penses ça, et tu penses bien, il faut dire oui. Même si c'est une erreur. Tu apprendras beaucoup de cette erreur. C'est ça être vivant, ma chérie.

Je me suis baissée vers elle et l'ai forcée à se relever. Elle est venue s'enrouler contre moi, sa tête sur ma poitrine, ses pieds sur le canapé. Elle est restée un long moment sans rien dire puis a relevé la tête et j'ai vu son visage couvert de larmes qui coulaient en silence.

– Qu'est-ce qu'il y a encore, ma Doudou ?

– Mais Christian, il ne va pas supporter que je me marie.

– Que tu l'abandonnes…

– Je ne l'abandonnerai jamais, Mamou, s'écria-t-elle, s'arrêtant net de pleurer et s'écartant de moi. Comment peux-tu imaginer ça une seconde ? L'abandonner, lui ! Mais Mamou, il est là, là, là…

Et elle se frappait le cœur, la tête, le ventre. Se frappait de toutes ses forces avec le plat de la main. Se donnait de grandes claques sans même sembler éprouver de douleur. Elle avait des plaques rouges sur le visage, le cou, les bras, et se mit à se frotter vigoureusement tout en continuant de parler.

– Il est imprimé en moi. Il ne se passe pas un jour sans que je pense à lui. Pas un seul jour ! Quand je me réveille, ma première pensée est pour lui. Quand je m'habille… Quand j'ouvre un livre… Quand je me regarde, toute nue, dans la glace… Il prend toute la place et ce n'est pas André qui l'effacera. Justement, Mamou, André ne l'effacera jamais. Tu comprends ? Je ne prends pas ce risque-là avec André. Et si, un jour, il y a un grand feu et que, dans ce feu, de tous les gens que j'aime, je ne peux sauver qu'une personne, ce sera Christian et sans hésitation !

Elle s'est redressée, son visage s'est illuminé et un grand sourire a apaisé sa face rouge et chiffonnée.

– Et puis, Mamou, peut-être que lui aussi ça le fera entrer dans une vie normale si je m'en vais la première de la maison… Peut-être que, lui aussi, il pourra trouver sa place et une autre forme de bonheur… Peut-être qu'on deviendra grands tous les deux et qu'on pourra se voir sans se torturer… Dis, Mamou ? Dis ?

Je n'ai rien répondu. Je ne savais pas quoi dire.

Je ne crois pas beaucoup au couple. Tout ce travail, toute la vie, pour ressembler à Philémon et Baucis, soi-disant ! C'est un mensonge. On ferait mieux de dire qu'on s'enferme chacun chez soi et qu'on apprend à se supporter, ce serait plus honnête.

Je l'ai prise dans mes bras et l'ai bercée doucement en lui disant que je l'aimais, que je serais toujours là pour elle, même si elle devait me laisser périr dans le feu !

– C'est de l'amour, ça aussi, Doudou. Et celui-là, tu l'auras toujours sous la main. Jusqu'à ce que la mort me fauche d'un grand coup !

– Touche du bois, Mamou, touche du bois !

Nous nous sommes jetées toutes les deux sur le petit guéridon en marqueterie et l'avons empoigné fermement.

– Il n'y a pas qu'une sorte d'amour, ma chérie. Celui que tu éprouves pour Christian est très fort parce que c'est le premier et que, de celui-là, on ne guérit jamais. Mais il y a de la place pour d'autres dans ton cœur. D'autres façons d'aimer moins turbulentes peut-être, mais aussi fortes où tu trouveras ta place. Épouse André. Essaie de grandir avec lui et tu verras, tu verras... Tu regarderas Christian d'un autre œil. Tu dis qu'André te respecte, qu'il te laisse respirer, qu'avec lui tu deviendras une autre, toute seule, et tu seras fière de cette nouvelle Doudou-là...

– Tu crois ? a-t-elle demandé d'une toute petite voix.

– J'en suis sûre. La vie ne s'arrête pas à 20 ans...

Le jour du mariage, je me suis reproché toute la journée de n'avoir pas été plus perspicace. J'avais tenu des propos pleins de bon sens, certes, mais le bon sens n'avait rien à faire dans cette histoire et il était évident que son union avec André était une erreur. Il suffisait de l'observer pour comprendre qu'elle se forçait, qu'elle jouait un rôle.

Je me suis souvent demandé si Doudou n'avait pas épousé André comme un cadeau qu'elle offrait à sa mère. Elle lui donnait l'homme – le mari ? – que sa mère n'avait jamais eu.

Une ravissante poupée en robe blanche, voilà ce que j'ai vu le jour du mariage. Elle souriait mais ses yeux étaient si vides, si morts que je n'ai pas eu le cœur à la féliciter comme le veut la coutume. Je me suis approchée d'elle et l'ai prise dans mes bras. Sans rien dire. Elle m'a enlacée. Elle ne voulait plus se défaire de moi puis, soudain, elle s'est redressée et s'est tournée avec un sourire mécanique vers l'invité suivant qui lui avouait son émotion devant un si beau couple, une si belle cérémonie...

La mère de Doudou rayonnait.

André rayonnait.

Je me suis demandée combien de temps il garderait ce sourire heureux et confiant...

Et puis est arrivé le soir où je suis partie.

À cause d'un flash à la radio. Un de ces bulletins d'informations qui provoque la stupeur et vous offre comme une friandise le malheur du monde. Mais cette fois-ci, il ne s'agissait pas d'une princesse ou d'une catastrophe aérienne. Cette fois-ci, le bulletin m'était adressé à moi, à personne d'autre.

J'étais un légume, à l'époque. Je mangeais et je dormais. Je dormais dans la chambre des enfants, serrée contre leurs peluches, parce que je ne supportais plus d'effleurer le corps d'André. Je ne supportais plus la petite maison blanche, les murs en torchis, les reproductions sur les murs, les figurines dans les vitrines, l'allée en graviers blancs, le bac à sable vide, la boîte aux lettres verte. J'enviais presque le sort de ma voisine, abrutie de pilules : elle, au moins, ne pensait plus. Moi, je pensais tout le temps. À la même chose. IL FAUT QUE JE PARTE, IL FAUT QUE JE PARTE, IL FAUT QUE JE PARTE ! Qu'est-ce que je suis pour lui ? Un meuble. Pas plus. Un meuble dont il n'ouvre même pas les tiroirs pour voir ce qu'il y a dedans. Je fais partie de la décoration. Je vais vieillir en me patinant.

Et puis j'avais le dégoût de moi. J'avais honte de l'attention que je réclamais. Honte de ne pas me soumettre à mon sort. Honte d'avoir laissé partir mes deux bébés. Mauvaise femme, mauvaise mère, je me répétais sans arrêt. Mauvaise femme, mauvaise mère…

Je ne sortais plus. À l'heure du déjeuner, de temps en temps, quand j'étais sûre de ne rencontrer personne du lotissement, j'allais au Mammouth faire des provisions de bonbons, de gâteaux, de sucreries avec l'argent que je volais dans les poches d'André. J'enfilais tous les matins le même jean, le même sweat-shirt. Dans la journée, je passais le temps sur le canapé, face à la télévision. Et je mangeais, je mangeais. Des Carambars, des chapelets de Choco B. N., des cakes entiers sans respecter le prédécoupage des tranches, d'épaisses tartines beurrées avec des barres de chocolat noir, du nougat glacé, des crèmes caramel en petits pots, des tubes de lait concentré. Des journées entières à engloutir des sucreries et à regarder les tronches béates à la télévision, ces tronches d'ameublement, elles aussi.

Dès que j'entendais le bruit de la voiture d'André dans l'allée, le soir, je filais dans la chambre des enfants et m'enfermais à clé. J'allumais la radio Mickey d'Alice et la collais contre mon oreille. Je connaissais les pubs par cœur. Même mes rêves étaient interrompus par des écrans de pub.

Un soir où j'étais ainsi enfermée dans la chambre, la radio contre l'oreille, le corps replié sur le lit… Un soir où je l'avais entendu rentrer, se changer, puis repartir… Il allait dîner chez sa mère maintenant… Un soir, où je me disais que c'était encore un jour de passé et que peut-être, le lendemain, j'aurais le courage de partir…

De partir pour aller où ? Mais de partir…

Un soir donc, j'écoutais le journal de 7 heures. Je suçais la totoche bleue d'Alice en tripotant le cordon. D'abord les titres, ensuite le développement de chaque nouvelle. Et dans les titres, une affaire croustillante : un crime. Un crime passionnel. « Pourquoi le beau Christian a-t-il tué la belle Diane ? La petite ville de

Concarneau est encore sous le choc», annonçait le journaliste.

Un jeune homme parfait, si bien élevé, disait le journaliste, qui avait étranglé une jeune fille parfaite, si bien élevée, et s'était tout de suite constitué prisonnier. Un drame de la passion entre deux jeunes gens qui avaient tout pour être heureux.

Et puis il y a eu une pause de publicité, les courses, la météo…

J'ai cherché d'autres stations qui répéteraient ce que ma tête ne voulait pas entendre. J'ai appris que le meurtrier travaillait au musée de l'Homme, qu'il conduisait une Lancia rouge, qu'il était célibataire. Que la victime était issue d'une excellente famille, qu'elle habitait Paris, qu'elle était âgée de 25 ans. Je me suis dit que cette fille devait être une mijaurée, qui avait poussé Christian à bout. Il n'avait pas l'habitude qu'on lui résiste. C'était sa faute à elle. Il le prouverait facilement. Je me suis dit aussi : il est libre maintenant. Je n'ai plus qu'à aller le retrouver. On est à égalité. On a essayé tous les deux de vivre l'un sans l'autre mais ça n'a pas marché.

J'ai décidé de partir aussitôt. J'ai pris l'argent qui restait dans le porte-monnaie, un sac avec quelques affaires, le Babar d'Antoine, la petite souris grise d'Alice. Je suis sortie par-derrière pour que personne ne me voie. Par la porte de la cuisine. J'ai croisé la voisine qui portait un sac-poubelle d'un air malicieux.

– Ça va ?

– Très bien, me dit-elle. J'ai trouvé la solution : je vais mettre le feu au garage.

– …

– Comme ça, je pourrai partir, il ne me rattrapera pas avec sa voiture. Le problème, c'est la voiture. La voiture salit tout, pourrit tout.

Elle semblait très satisfaite. Je l'ai regardée en secouant

la tête, ne sachant que dire, mais elle m'a plantée là et est allée déposer son sac-poubelle à l'autre bout de l'allée.

J'ai rejoint la grand-route et j'ai fait de l'auto-stop.

C'est en attendant qu'une voiture s'arrête que j'ai pensé à Guillaume. Il n'habitait pas loin. Il me recueillerait le temps que je décide ce que j'allais faire. Mes beaux-parents n'avaient pas encore ouvert la maison pour l'été. Je ne risquais pas de les rencontrer. Personne n'irait me chercher chez Guillaume. Il ne demanderait rien. Il m'écouterait si j'avais envie de parler, sinon il se tairait et je pourrais mettre de l'ordre dans ma tête.

Quand le camionneur s'est arrêté, je lui ai demandé s'il allait à Verny. Il a dit que oui. Il écoutait la radio à tue-tête. Sur le tableau de bord étaient scotchées les photos de sa femme, de ses enfants et de son chien. Un setter irlandais avec la gueule ouverte et la langue pendante. Quand il a vu que je regardais les photos, il m'a dit que le chien avait trop grandi pour continuer à faire la route avec lui. Qu'un setter irlandais, il faut que ça coure, que ça se dépense, surtout le sien qui était bien nourri. Alors il l'avait laissé à la maison. Les enfants étaient contents mais lui se sentait bien seul.

– Vous avez vu son regard ? On dirait qu'il parle...

Il était là en train de me parler de son chien, de ses enfants, de sa femme qu'il allait retrouver après une semaine passée sur les routes quand il y a eu le flash d'informations de 10 heures et qu'une fois encore j'ai entendu l'annonce du crime passionnel du beau Christian.

– On vit dans un drôle de monde, a dit le chauffeur.

Et on n'a plus parlé jusqu'à l'entrée de Verny où il m'a laissée.

Il valait mieux que je me fasse enfermer parce que ma vie, de toute façon, n'avait plus de sens.

Je ne pensais qu'à Doudou. Je passais par des moments d'exaltation où je lui parlais tout haut comme si elle était là, à côté de moi, à d'autres où je demeurais abattu, muet, à remuer nos souvenirs d'enfance. Je divaguais. La seule occupation qui m'empêchait de sombrer totalement dans la folie, c'était mon travail au musée de l'Homme. Je voyageais alors dans un autre monde où les femmes n'étaient pas des femmes mais des statues aux jambes serrées qui ne s'ouvraient jamais, des femmes immobiles qui ne partaient pas en épouser un autre. Mais chaque fois que ma tête était libre, la même question revenait, lancinante : comment fait-elle pour vivre sans moi ? Parce que, moi, je n'arrive pas à vivre sans elle.

J'avais décidé de ne plus aller la voir après ma visite dans son pavillon. J'avais compris, ce jour-là, que la seule petite chance qu'elle avait d'être heureuse était que j'arrête de l'importuner. Que je la laisse bien vivante, avec ses deux enfants cramponnés à son tablier bleu.

Cet enfant qu'elle avait sacrifié sans rien me demander nous avait séparés à jamais. Jamais plus, après, elle ne me laissa porter les mains sur elle. Le souvenir de l'enfant revenait toujours et elle se détournait,

943

dégoûtée. Je sentais son corps se raidir sous mes doigts, ses dents se serrer sous ma bouche. «On est complices d'un crime. Tu crois qu'il revient nous observer dans le noir ? Tu crois qu'il va nous jeter un sort ? »

Et pourtant, c'est elle qui avait pris la décision.

Moi, je voulais un enfant d'elle. Une petite fille blonde. Elle le savait.

– Tu n'auras jamais de petite fille blonde, tu es noir. Tout noir. Tu es le diable.

Je la bâillonnais et reprenais mon rêve. Je le garderais, le chérirais, le porterais dans mes bras par-dessus les rochers et les fleuves, je lui ferais escalader les montagnes et cueillir la plus haute edelweiss, tu verras, Doudou, comme il sera heureux, notre enfant. Il connaîtra les chamois, les dauphins et les aigles, les hêtres chauves, les cèdres mauves et les ancolies. Je lui apprendrai à se méfier des poissons-lunes surtout quand ils sont en groupe.

Elle répondait qu'il serait dégénéré. On ne fait pas d'enfant avec son cousin germain, ça porte malheur dans le sang. C'était son expression. Et puis elle disait qu'elle était trop jeune. Elle voulait connaître d'autres vies, d'autres hommes. Je me révoltais. Elle pouvait jouer avec un autre, faire la coquette, essayer des robes devant lui, les faire tourner pour montrer ses longues cuisses, mais aucun homme ne saurait l'aimer comme moi et elle se lasserait vite. Quand elle a rencontré André, qu'elle a commencé à sortir avec lui, à faire la sérieuse, j'ai cru que ça ne durerait pas longtemps. Et puis elle l'a épousé.

Je suis allé voir la grand-mère, après. Elle savait mon malheur. Elle m'a écouté. Et m'a fait la leçon. «Oh ! Christian, m'a-t-elle dit, regarde l'air noir que tu prends, regarde tes sourcils qui font comme du charbon sur ta figure, cesse d'afficher cette expression de loup battu et ouvre ton cœur. La vie et l'amour te le rendront au centuple. Aie confiance. Il ne faut jamais croire que c'est fini. Jamais. La vie vous surprend sans cesse si on lui fait confiance. Tu es en train de t'empêcher de vivre et c'est le plus grand crime que tu puisses commettre envers toi. Et la plus belle preuve d'amour à lui donner à elle, c'est de la laisser libre de grandir, de vivre sans toi, même si ce doit être avec un autre. »

J'avais promis à Mamou de lui obéir.

La seule fois où j'ai trahi ma promesse, c'est quand je suis allé voir Doudou dans son pavillon blanc. Mais la petite voix de la grand-mère avait fait son chemin et je suis reparti sans rien dire, sans mettre le feu aux meubles d'antiquaire, aux murs blancs de faux torchis, sans égorger ce mari si loin d'elle, qui l'envoyait faire ses courses à Mammouth et lui ceignait les reins d'un tablier bleu.

Après, je suis allé dans la vie comme un vagabond de luxe. Je travaillais, je donnais des conférences sur les sculptures incas et les dieux aztèques, les premiers pas de l'homme et l'évolution de l'espèce. Je voyais d'autres femmes comme un malade prend les médicaments que son médecin lui ordonne, mais je devais y mettre si peu de goût, si peu de flamme que ces histoires ne duraient pas longtemps et je revenais à mon fantôme préféré. Je fermais les yeux sous la grande verrière de mon bureau et je l'imaginais. Quand le téléphone sonnait, je décrochais, tremblant. Et si c'était elle ? Diane m'a réveillé de mon long sommeil. Je ne me souviens pas du jour où je l'ai rencontrée. Je me souviens juste qu'un jour je me suis retourné et elle était là. Elle prétendait qu'on se connaissait déjà. Qu'elle m'avait souvent parlé et que je lui avais répondu. Elle faisait remonter notre rencontre au 3 janvier. On était le 6 février quand je l'ai vue.

Le 6 février, je l'ai vue pour la première fois.

Elle lui ressemblait tant. Si fragile, si frêle. Un petit oiseau blond que j'enserrais dans mes bras et qui s'essoufflait parce que je la serrais trop fort. Qui fermait les yeux et disait « encore, encore des histoires de cow-boys et d'Incas ». Elle faisait l'école du Louvre, lisait des bandes dessinées, était incollable sur Tintin. Elle portait des tennis blancs et des jeans trop courts. Quand elle s'écorchait le doigt, elle pleurait jusqu'à ce que je lui mette un pansement et ne le quittait plus pendant une semaine. Elle le montrait fièrement à tout le monde en racontant que c'était un crabe vivant, sorti d'une boîte de conserve, qui lui avait dévoré la phalange.

Je l'emmenais au bord de la mer. Nous allions nous promener sur les rochers, nous restions de longues heures à observer les vagues, à attendre les grosses qui éclaboussent et à encourager les petites qui se fraient un chemin dans le ressac. Nous ramassions des coquillages rayés que l'on rangeait dans une grande valise, dans le coffre. C'était sa boîte aux trésors. Elle s'amusait à se coucher dedans et à s'y endormir. « Si je meurs, je veux qu'on m'enterre dans cette valise, disait-elle, avec tous mes coquillages. » Le soir, on guettait le rayon vert. Elle y croyait dur comme fer.

Je lui demandais si elle ne s'ennuyait pas, si elle n'aurait pas préféré aller boire des Coca dans des cafes ou faire partie d'une bande de copains. Elle disait non, gravement, et repartait en sautant dans les flaques d'eau de mer, en agitant ses bras comme des ailes. Quand nous rentrions à Paris, dans la voiture, elle posait sa tête sur mon épaule et ne parlait pas. J'osais à peine la toucher. J'avais peur du premier baiser.

Au cinéma, j'évitais de lui prendre la main ou d'effleurer son coude. Elle n'aimait que les films tristes où elle était sûre de pleurer. « Je me vide de mes larmes et après je n'ai plus que du bonheur », disait-elle, enchantée.

C'est moi qui étais enchanté. Je n'osais pas bousculer le monde enfantin, délicat, qu'elle avait créé autour de nous. Elle me retrouvait à la sortie du musée et nous allions manger des macarons au chocolat chez Carette. Elle en commandait deux tout de suite et les dégustait en les trempant dans une grande tasse de chocolat. Ça lui faisait des moustaches.

– Comme toi, elle disait en riant.

Comme toi, je fais tout comme toi... Je fais tout comme toi..., répétait l'écho.

Quelquefois, je me pinçais. Je me disais «je rêve, elle me manque tant que je la vois partout». J'étendais la main par-dessus la table, les tasses de chocolat et je touchais les moustaches de Diane. Ou la nuque blanche penchée sur les boîtes de coquillages rayés. Ou je la laissais passer devant moi et la regardais marcher.

Comme elle.

Un jour, elle m'a passé les bras autour du cou et a posé sa bouche sur la mienne. Tout doucement. Comme si elle savait que cet acte si innocent pouvait tout détruire. On était à Cabourg, cette fois-ci, on avait marché longuement sur la plage de sable et, quand le soleil s'est posé à l'horizon, elle m'a juré qu'elle avait vu le rayon vert et que c'était un signe de bon augure. J'ai protesté que je n'avais rien vu, qu'elle avait triché et qu'elle avait certainement une idée en tête.

– Une idée délicieuse, m'a-t-elle précisé en prenant un air mystérieux dont je ne me suis pas méfié.

Puis elle m'a attiré vers elle et m'a embrassé. Sa bouche avait un goût salé et je lui ai rendu son baiser, étonné de me laisser aller aussi simplement, naturellement.

C'est ça, c'était naturel...

J'ai pensé à Mamou, à ce qu'elle m'avait dit sur la vie qui reviendrait si je lui faisais confiance, à l'amour qui renaîtrait, j'ai pensé à tout ça et je lui ai rendu son baiser. Elle l'a reçu comme une hostie. Son visage avait perdu son éclat enfantin et irradiait une douceur recueillie qui me remplit de bonheur. Je l'ai étreinte et j'ai murmuré

« merci, merci… Oh ! merci ». J'étais guéri. Je posais le pied dans un autre monde. C'est peut-être ça l'amour, cette communion intense mais si douce, si tendre. Mamou avait raison : il y a mille façons d'aimer. Quel fou j'avais été !

J'étais si heureux, si heureux, que je me suis mis à courir sur la plage. Je courais, je courais, et elle n'était plus qu'un petit point là-bas au loin. Un cheval galopait derrière moi et je me suis promis qu'il ne me doublerait pas. J'ai gagné pendant quelques secondes puis j'ai dû renoncer et j'ai fini, épuisé sur le sable, étalé de tout mon long. Bats, vieux cœur, je disais, bats, un nouveau sang entre dans tes veines et chasse le poison du passé, chasse la malédiction, bats encore plus vite, fais éclater tes mille et un vaisseaux pour que je lui donne toute la place à ma nouvelle fiancée qui me pose un baiser sur les lèvres sans que je défaille ni grimace. Ma fiancée toute neuve qui écaille ma peau de serpent avec ses ongles de coquillages…

Ce jour-là, sur la plage, après que le cheval m'eut dépassé… après que Diane m'eut rattrapé… j'étais si heureux, si sûr de moi, si sûr d'avoir tué le fantôme que je lui ai proposé de continuer le week-end, de ne pas rentrer à Paris, de suivre la mer et d'aller jusqu'en Bretagne.

– Au hasard Balthazar, elle a dit.

Et puis, elle a joué, elle coinçait un coquillage entre chaque doigt de pied et essayait d'avancer sans qu'aucun ne tombe. Je lui ai promis que, si elle arrivait jusqu'au rocher sans en perdre un seul, je lui offrirais une baleine glacée.

– Une baleine en Eskimau avec un bâton et de la glace ?

– Oui.

– Et qui aura le goût de banane ?

– Oui.

– Maman dit que ça n'existe pas dans les supermarchés.

– Parce que ta maman n'a jamais bien cherché. Parce que c'est un article invisible pour ceux qui courent avec leurs caddies et leurs listes de commissions. Il faut rester longtemps en arrêt devant le rayon des glaces pour que la baleine-Eskimau apparaisse. C'est comme le rayon vert.

On a roulé toute la nuit, en s'arrêtant pour s'embrasser chaque fois qu'on apercevait la lune derrière les nuages. La lune pleine et ronde qui nous souriait. J'avais besoin de vérifier que le charme noir était parti. Que je pouvais toucher une autre fille sans être malheureux.

Au petit matin, on a échoué dans un hôtel de Concarneau. On a pris une chambre pour se reposer. Une seule chambre pour deux. Un seul lit pour deux. On s'est endormis.

Quand on s'est réveillés, dans la petite chambre baignée d'une lumière jaune et douce, elle est venue se blottir contre moi. Ses jambes emmêlées aux miennes, sa bouche sur ma poitrine, sa petite main qui jouait avec les poils de mon torse. Doucement, doucement, je lui disais, faisant la jeune fille effarouchée, doucement… J'avais trop peur que le charme de la veille n'agisse plus, que le fantôme réapparaisse et exige réparation. Je tremblais presque et dus me maîtriser pour qu'elle ne le sente pas. Elle a mis ses bras autour de mon cou, m'a souri comme une enfant qui se réveille, m'a baisé le front, le nez, la bouche, légèrement. Je me raidissais mais me laissais embrasser, la laissais me picorer de baisers. Doucement, doucement, je priais, qu'elle n'aille pas trop vite. Que je sente le sang nouveau battre pour elle. Qu'il chasse les mauvaises pensées. Qu'il chasse les vieux souvenirs.

Je suis si fragile, si fragile.

Oh ! Diane… Aie pitié de moi.

Laisse-moi encore un peu de temps.

Laisse-moi inventer d'autres histoires de baleine glacée.

Son tee-shirt avait glissé de son épaule et j'apercevais sa peau nue, blanche. Elle a posé un doigt sur ma moustache, l'a dessinée, appliquée comme une écolière, tirant la langue…

Comme Doudou.

J'ai fermé les yeux très vite pour ne pas voir ce petit bout de langue, elle a posé ses lèvres sur mes paupières et a ri. Bougon, grognon, ronchon, chonchon, le petit garçon se réveille. Bougon, grognon, ronchon, chonchon, le petit garçon a mal aux dents. Elle chantait sa comptine d'une voix douce.

Comme Doudou.

Comme Doudou.

Attends, attends, ai-je encore dit, sentant mon corps qui, des pieds à la tête, durcissait, repoussait le malheur de toutes ses forces, attends, je t'en supplie, je suis trop faible, j'ai la tête qui tourne, on n'aurait pas dû, j'ai conduit trop vite mais j'ai cru, j'ai cru…

– Et si on allait prendre un chocolat sur le port ? j'ai proposé à bout de souffle.

– Maintenant ?

– Oui… On n'a pas mangé hier soir.

– Rien que des baisers, rien que des baisers…

On a bu un grand chocolat chaud dans des tasses vert foncé, mangé trois croissants chacun. Je fermais les yeux et respirais l'air frais. Elle m'a imité en disant « je vole, je vole, je suis à côté de toi et on s'envole dans le ciel… ».

On a repris la voiture, longé la côte. Il faisait doux, elle avait ouvert la fenêtre et laissait dépasser ses pieds. On a pris un petit chemin de terre qui nous a conduits au bord d'une falaise à l'apomb de la mer. J'ai coupé le moteur et, bien au chaud dans la voiture, on a regardé le ciel, les nuages. C'était un jour de grande marée et on pouvait entendre la mer furieuse qui s'engouffrait en claquant dans les rochers. Elle s'est renversée contre moi, la tête sur mon épaule et a agité ses pieds.

– On dirait des marionnettes… On est en haut de la côte ? elle a dit.

– Oui, et tout en bas, il y a la mer et les coquillages rayés.

Peut-être ira-t-on en ramasser tout à l'heure pour compléter la collection…

– On les mettra dans la grande valise et, quand elle sera pleine, on se mariera. Tu préfères qu'on habite chez moi ou chez toi ?

J'ai rien pu lui répondre. Sa demande était trop brutale. J'ai fermé les yeux pour qu'elle ne voie pas la panique dans mon regard. Elle a dû s'en apercevoir car elle s'est redressée.

– Ouvre les yeux, Christian, s'il te plaît. Je me sens si seule tout à coup. Où es-tu ? Ouvre les yeux, s'il te plaît…

J'ai ouvert les yeux et je l'ai regardée. Elle a certainement compris car je l'ai vue devenir blanche et elle a reculé comme si j'allais la gifler.

– Il y a une autre femme ? C'est ça ?

– Oui, mais pas comme tu crois, pas comme tu crois… Laisse-moi le temps, Diane. Je t'en supplie. Un jour, je te raconterai mais ne me bouscule pas.

– Il y a une autre femme ! C'est qui ? Dis-le-moi que je la tue ! Je l'allongerai sur un grill et je mangerai ses petits os… Je l'ai regardée, attendri. J'ai même eu un petit sourire moqueur, tellement sa candeur et sa violence m'amusaient. S'il avait suffi de manger Doudou pour que son fantôme s'évanouisse, je l'aurais dévorée depuis longtemps.

– Et maintenant tu te moques de moi ! T'es méchant, Christian !

– Je me moque pas de toi mais tu m'amuses. Tu es

si jeune, Diane, si jeune. La vie n'est pas aussi simple que tu le crois.

– La vie est simple quand on veut la simplifier !

C'était la première fois qu'on se disputait et j'aimais cela. Elle devenait réelle soudain. Elle n'était plus le petit lutin aérien qui parle de baleines Esquimaux mais une femme en colère qui revendique. J'ai tendu la main pour effleurer sa joue. Elle s'est renfoncée dans son coin. Je me suis penché pour l'embrasser. Elle m'a évité d'un coup d'épaule, a ouvert la portière et s'est enfuie. J'ai vu sa petite silhouette s'éloigner. Elle courait, les mains dans les poches de son imperméable blanc. Elle courait d'une drôle de façon : ses tennis blancs faisaient des crochets sur le côté.

Caprice d'enfant, ai-je pensé en allumant une cigarette. Elle va revenir. Je ne vais pas céder. Elle doit comprendre qu'on n'entre pas dans la vie des gens en donnant un grand coup de pied dans la porte. Elle se conduit comme une petite fille gâtée à qui on n'a jamais rien refusé.

Je n'étais pas fâché d'être seul un moment. Depuis vingt-quatre heures, on ne se quittait plus. J'ai allumé une deuxième cigarette et j'ai observé le ciel qui se couvrait, moutonnait de noir à l'horizon. Elle allait revenir, trempée, en marchant à cloche-pied. Elle se sera éraflée les jambes dans les rochers et elle me demandera de la soigner. J'aime quand je la soigne, quand je pose le Tricostéril autour de son doigt ou sur sa cheville. C'est une manière d'apprivoiser mon amour pour elle. L'amour commence toujours par des jeux d'enfants. C'est pour cela que je ne suis pas à l'aise avec les dames de mon âge. Elles ne veulent pas jouer. J'ai pris une troisième cigarette et j'ai commencé à m'inquiéter. Quand j'aurai fini celle-là, je pars à sa recherche.

Il ne m'a pas fallu longtemps pour la retrouver.

Elle était étendue de tout son long dans les rochers. La tête fracassée. J'ai glissé mon bras autour d'elle pour la relever. J'ai pris son pouls : il ne battait plus. J'ai fermé ses yeux et l'ai gardée un moment dans mes bras, face à la mer qui rugissait et éclatait en vagues énormes, terrifiantes.

Que s'était-il passé ?

Je ne l'ai jamais su. Je suis remonté à la voiture, j'ai pris la grande valise pleine de coquillages. Je suis redescendu dans la crique. J'ai placé le corps dans la valise en le pliant en deux. J'ai pris sa main et y ai déposé un petit baiser. C'est à ce moment-là que j'ai su que je pleurais. C'est le sel tiède de mes larmes que j'embrassais. J'ai jeté la valise à la mer. Je suis retourné à l'hôtel pour me nettoyer et régler la note. Puis je suis allé me constituer prisonnier. J'étais soulagé. Ils allaient m'enfermer. Je n'aurais plus besoin de prétendre que tout allait bien, que j'étais un homme normal. On allait s'occuper de moi.

Guillaume, j'ai fini par le trouver.

Le lendemain matin. À la scierie où il travaillait.

J'avais oublié que je ne connaissais ni son adresse ni son nom de famille et j'ai passé la nuit, après que le camionneur m'eut déposée, dans un café de routiers. J'étais la seule femme dans l'établissement et je n'en menais pas large. Je tirais sur mon pull pour cacher mes seins, mes fesses, mes jambes. Les hommes me regardaient et se demandaient ce que je faisais là, échouée à une table, en pleine nuit. Il y eut des réflexions grasses, des regards lourds. Un type s'est levé et est venu s'asseoir à côté de moi, collant son nez sous le mien. Mais le patron s'est interposé, goguenard, et ils ont fini par me laisser tranquille.

Soudain, je me suis demandée pourquoi j'étais partie. Comme ça. Sur un coup de tête. Qu'est-ce que j'allais faire maintenant ? Je mourais d'envie de rentrer chez moi mais j'avais peur de faire de l'auto-stop à nouveau. En pleine nuit. Tout m'effrayait. J'ai jeté un regard par la fenêtre et j'ai aperçu la nuit noire, trouée par les phares des voitures et des camions. L'exaltation du départ était tombée et je commençais à comprendre que j'avais pris une décision qui, si je m'y tenais, était irréversible. Je n'étais peut-être pas faite pour être en cavale. J'avais toujours vécu si protégée. Je ne connaissais rien à la vie.

Il était urgent que je retrouve Guillaume.

Il avait mentionné, un soir, qu'il travaillait dans une scierie. Il n'y en avait qu'une à Verny. Le lendemain, à midi, j'ai attendu qu'il sorte, qu'il quitte le groupe des autres employés, qu'il rejoigne sa moto et je suis venue me placer derrière lui. Il était penché, occupé à défaire l'antivol, je me suis plaquée contre lui. C'est moi, je lui ai dit. Il est resté un instant avec la chaîne dans la main et, sans se retourner, m'a dit :

– Monte.

Quand on s'est arrêtés, je lui ai expliqué que j'étais partie de chez moi et qu'il était arrivé quelque chose de terrible à mon cousin. Il avait entendu parler du crime, lui aussi.

– C'est pas un crime, je lui ai dit. C'est un accident.

– C'est un crime, il l'a tuée.

– Non ! C'est pas un crime. Je t'interdis de dire ça !

– Je l'ai entendu à la radio, ce matin. Ça s'est passé à Concarneau, il l'a étranglée de ses propres mains et après il l'a jetée dans les rochers.

On a acheté tous les journaux du jour mais on n'a rien appris d'autre. C'était chaque fois le même refrain : un homme si bien, âgé de 31 ans, conservateur au musée de l'Homme. Une jeune fille si bien, étudiante, 25 ans à peine. Et une photo où je ne reconnaissais pas Christian. Sombre, menaçant, la bouche mince comme du papier à cigarettes et la moustache ridicule. « Mais c'est pas lui ! je disais ; c'est pas lui ! » Aucune photo de la fille. La famille avait refusé que son portrait paraisse dans la presse.

Guillaume m'a installée chez lui et est reparti travailler. Je me suis laissée tomber sur son lit. Il était fait. Les draps sentaient bon le propre. C'était une chambre vaste, claire, sans rideaux ni tapis. Peu de meubles : une grosse armoire normande, une table et deux chaises. Sur les murs étaient agrafés des posters de moto, des photos de footballeurs, de chanteurs. J'ai reconnu Johnny, Prince, mais pas les autres. Dans un coin, sur une gazinière, une casserole de lait toute cabossée dont les bords étaient roussis. Sur la table, un bol et un morceau de baguette. Je me suis levée et j'ai pris le pain. Je n'avais rien mangé depuis la veille. Je me suis enroulée dans le dessus-de-lit et me suis endormie.

Quand il m'a réveillée, je ne savais plus où j'étais. Je l'ai regardé, étonnée. Il a souri et a dit : viens, on va manger un morceau dehors.

C'était un habitué du café. Il a tapé sur l'épaule d'un type au flipper, et la patronne lui a lancé : une ou deux omelettes ?

On s'est assis en attendant les omelettes. Il m'a demandé ce que je comptais faire. Je ne savais pas. Pour la première fois, je me retrouvais toute seule. Et cette idée commençait à me plaire. J'observais les allées et venues des clients du café. Une fille est entrée et s'est installée pas loin de nous. Elle semblait avoir mon âge. Elle a lancé un clin d'œil à Guillaume qui lui a souri. Elle a commandé une omelette. Ce devait être le plat du jour. Puis elle a mis son walkman, a sorti un magazine et s'est beurré une tartine. Au bout d'un moment, une autre fille est entrée. Elle est venue s'asseoir à côté d'elle et l'a embrassée. Elle tenait un grand sac d'où elle a sorti des sweat-shirts. Elle lui en a offert un. La fille au walk-man a poussé un cri de joie et l'a enfilé sur-le-champ. Elles se sont mises à rire : les écouteurs étaient restés coincés dans l'encolure.

– Et tes enfants ? a demandé Guillaume.

– Ils sont chez leur grand-mère. Ça vaut mieux pour l'instant… Je ne suis pas capable de m'en occuper. Après, quand ça ira mieux, j'irai les rechercher mais je ne veux pas retourner chez André. Jamais…

La patronne a apporté les omelettes, le pain, une carafe d'eau. On a mangé en silence. Je regardais toujours les deux filles qui discutaient, qui riaient, qui se faisaient des confidences en se penchant par-dessus la table.

Alors Guillaume a dit que le mieux, c'était qu'on parte. Qu'on prenne la route. Le temps que je sache ce que je voulais faire. Il irait voir son patron, il inventerait une histoire et il lui demanderait un congé. Il n'en prenait jamais. Il avait des semaines de vacances à rattraper. Il avait mis un peu d'argent de côté et puis, a-t-il ajouté, on trouvera bien des petits boulots à faire en route. Mais avant, il a dit, il faut que tu appelles ton mari, sinon il va lancer les polices de France à tes trousses.

– Ça, je ne peux pas. Je ne peux pas.

– Si. Il le faut. Si on ne veut pas être emmerdés.

On a discuté pendant trois quarts d'heure au moins. Finalement, j'ai accepté. Je suis allée à la cabine téléphonique du café, au sous-sol, près des cabinets, j'ai mis des pièces. Je tremblais si fort que les pièces tombaient par terre. C'est Guillaume qui a dû les introduire dans la fente. Guillaume qui a fait le numéro que je lui murmurais à voix basse. Il m'a tendu le récepteur, a mis son dos contre le mien. Mes genoux tremblaient, mes mains étaient humides et j'avais juste assez de force pour tenir le combiné contre mon oreille. J'ai entendu « allô ! allô ! », une voix impatiente… J'ai laissé tomber le combiné. Il se balançait contre le mur blanc carrelé et j'entendais la voix d'André qui s'énervait et répétait « allô ! allô ! Eh bien parlez ! ».

J'ai secoué la tête. Guillaume a raccroché.

– Je peux pas.

On est remontés. Il marchait devant moi. Une main dans la poche de son blouson, l'autre qui pendait. Forte, épaisse. J'ai glissé ma main dans la sienne.

– Je vais lui écrire, j'ai dit, ce sera plus facile.

Il a demandé à la patronne une feuille blanche et un Bic.

J'ai écrit que je partais de mon plein gré parce que je ne supportais plus la vie conjugale. Ce n'était pas sa faute, il fallait que je mette de l'ordre dans ma tête et, ça, il ne pouvait pas le comprendre. Je n'étais pas faite pour son ordre à lui. J'ai essayé d'être le plus douce possible.

En fait, je n'aurais jamais dû écrire cette lettre. Elle lui a servi pour obtenir la garde des enfants et me faire passer pour une mauvaise mère aux yeux de la justice. Je n'avais de comptes à rendre à personne si ce n'est à Alice et à Antoine, mais ils étaient trop petits pour comprendre. Ça ne servait à rien que je les bouleverse avec mes idées noires. Qu'est-ce que je leur aurais dit en plus ? Que je ne voulais plus être un meuble ? Que je voulais remplir mes tiroirs ?

Guillaume est allé acheter une enveloppe et un timbre. On a posté la lettre. Il m'a ramenée chez lui, m'a installée sur son grand lit, m'a déshabillée et, une fois nue contre lui, quand il a posé ses mains énormes sur moi, ça a recommencé comme avant.

À un moment, il s'est arrêté et m'a demandé :

– C'est pour ça que t'es revenue ? Pour que je te saute ?

J'ai dit non. J'avais même oublié que c'était si bon.

– Mais alors pourquoi ? Pourquoi moi ?

– Parce que tu es la seule personne qui ne me demande rien et qui me donne tout.

Il m'a regardée. Il ne comprenait pas. Il a secoué la tête en silence et m'a embrassée.

– Et puis, tu sais quoi, j'ai ajouté, tu es mon premier homme de femme libre…

C'était un peu solennel comme déclaration mais elle m'était venue comme ça…

Il a ri. Il a dit qu'il ne comprenait pas quand je parlais mais qu'il était heureux, heureux que je sois revenue.

Au début, je ne comprenais pas tout ce qu'elle disait. Je crois bien qu'elle non plus. Elle me disait des trucs imbitables mais lumineux. C'était beau les mots qui sortaient de sa bouche. Elle était comme une fille qui a les mains dans le moteur et qui essaie de le faire démarrer. Ça fait des étincelles, des ratés, ça s'allume et ça s'éteint. Elle tâtonnait, quoi.

Le lendemain, quand je lui demandais de me répéter ce qu'elle m'avait expliqué la veille, elle ne savait plus. Elle avait oublié. Ça vient comme ça et ça repart, elle disait. Ça vient de je ne sais où... Il faut que je me vide la tête. Après, je ferai le tri.

Tout de suite, je me suis dit qu'il fallait qu'on parte. Qu'elle ne resterait pas longtemps à m'attendre dans ma piaule. J'ai pas hésité une seconde. Je savais que mon patron m'avait à la bonne, on venait de finir un gros chantier, j'avais du retard de vacances. J'en prenais jamais de vacances. Pour aller où ? Les vacances, ça se prend à deux. Je me faisais des virées par-ci, par-là, mais rien de sérieux. J'allais sur les plages, les circuits. Parfois, je poussais jusqu'à chez ma mère, à Mantes. Mais c'était rare parce que, arrivé là-bas, je savais pas quoi lui dire et je repartais sans la voir. C'était plus pour essayer la moto. J'avais des sous de côté. Pas beaucoup mais de quoi voir venir.

Elle était mignonne à mater, Doudou. C'était comme

si elle se laissait aller, qu'elle respirait. En tout cas au début. Elle était heureuse, je crois. Elle oubliait tout. Même son cousin, elle n'en parlait plus de la même manière. La seule à qui elle en causait, c'était sa grand-mère, Mamou. La seule qui était au courant de tout. Les trois mois que ça a duré notre histoire, elle lui a téléphoné. Elle prenait des nouvelles du cousin. De toute façon, y avait pas grand-chose à faire pour le cousin. Il était bouclé.

Elle achetait des livres, plein de livres, et elle me faisait la lecture. Y en avait des rigolos. Je me souviens pas des noms mais y en avait où je me marrais bien, où je comprenais tout.

– Peut-être que je ne suis pas si bête que ça finalement, elle disait, très contente d'elle. Peut-être qu'à force de chercher je vais trouver.

Les jours où elle était bien lunée, j'étais le plus heureux des hommes. J'avais l'impression d'assister à une naissance et je me disais qu'avec un peu de chance j'allais apprendre plein de choses, moi aussi. Parce que, quand elle était gentille, elle faisait attention à moi. Vraiment attention. Ces jours-là, je n'étais pas qu'une bécane pour elle. Elle me disait des trucs du genre : les garçons gardent des secrets dans leurs poches. Vide tes poches ! Je ne savais pas quoi répondre mais, petit à petit, ça faisait du chemin dans ma tête. Je m'apercevais que je changeais avec elle. Elle me faisait parler de mon paternel, de ma mère, de l'école où j'étais allé, des filles que j'avais fréquentées, pourquoi je m'attachais pas et tout. Des tas de trucs auxquels j'avais jamais pensé. Elle me demandait aussi si j'avais un projet dans la vie. Là, je décrochais.

– Faut avoir un projet, elle disait. Comme ça tu avances vers quelque chose. Moi, c'est ça que je cherche. Un projet à moi toute seule.

D'autres fois, elle était franchement de mauvais poil. Un jour, à Dijon, on était rentrés dans un magasin à dix balles et elle s'était mis en tête d'acheter des fringues pour ses gosses. Des petits blousons en jean, des robes d'été, des tee-shirts. Elle s'en était mis plein les bras et puis, au milieu de l'allée, elle a tout lâché d'un coup. Ça sert à rien que j'achète, elle disait, je sais pas quelle taille ils feront quand je les reverrai. Elle s'est mise à chialer. Dis-moi que je ne suis pas une mauvaise mère, dis-moi que je ne suis pas une mauvaise mère, elle répétait. Il a raison, André, je les ai abandonnés. Elle chialait, chialait. Moi je ne savais pas quoi faire. J'y connais rien aux mômes, au couple et à tous ces boniments. J'étais carrément inutile dans cette affaire. Je la regardais, immobile, sans la toucher parce que, si je l'avais touchée, elle m'aurait rembarré. Alors je lui disais : viens, on va prendre la bécane et on va tracer. On mettra la musique à fond et ça te fera oublier.

C'est comme ça qu'on s'est mis à sillonner toute la France. Au début, on dormait dans de vraies chambres. Et là c'était toujours vachement fort. Il suffisait qu'elle s'asseye sur le lit, qu'elle voûte un peu son dos, qu'elle tende son cou pour que ça démarre. On s'en est payé du plaisir ! Quelquefois, alors qu'on était tout nus, tout prêts d'éclater, elle me disait : viens, on se rhabille, on va faire un tour, on attend encore un peu… et on partait à pied n'importe où, à se toucher la main, à s'embrasser sous les réverbères, à se cogner les hanches… avant de revenir sur le lit.

Sauf qu'à la fin, elle faisait plus rien. Elle se laissait faire. Elle ouvrait les jambes et elle se laissait faire. Mais moi, ça m'était égal, j'aurais pu passer des heures à la manger. Elle battait de la tête, elle poussait des petits cris et m'appelait au secours comme si elle se noyait. Après, quand c'était fini, elle s'accrochait à mon cou et s'endormait. C'était beau, ça.

Au bout de deux ou trois jours, les journaux ont plus parlé du cousin. Elle a écrit à Mamou pour qu'elle fasse suivre le courrier en prison. Elle écrivait de longues lettres pour le cousin. Pendant ce temps, je lavais des voitures, je balayais des entrepôts, je déchargeais des camions, je faisais des petits boulots pour gagner des sous. Parce que les sous, c'est vite devenu un problème. C'était pas évident de se faire embaucher au coup par coup. Les gens se méfiaient. Ils regardaient la moto de travers, me demandaient d'où je venais, si j'avais des références, un domicile, pourquoi je tenais pas en place. Je leur répondais qu'avec ma copine, on faisait la route. Alors ils disaient non, ils disaient oui et ils me filaient des clopinettes. De toute façon, j'avais pas le choix.

Elle gardait la bécane pendant que je bossais. Elle lisait, assise par terre en mangeant des bananes. Elle avait l'air heureuse. Surtout quand elle avait souligné des passages qu'elle me lisait ensuite. Elle soupirait qu'elle avait du retard, qu'elle arriverait jamais à tout lire et que c'était vraiment pas futé d'avoir commencé si tard. Elle engueulait sa mère qui l'avait bassinée avec la Bible mais pas avec les bons livres. C'est trop injuste, elle disait, trop injuste. J'ai trop de retard, j'y arriverai jamais ! Je vais rester bête toute ma vie. C'était sa grande frousse.

Comme j'étais fatigué d'avoir bossé toute la journée, je l'écoutais moins bien et ça la mettait en rogne. C'était du boulot, cette gonzesse, ça je peux vous le dire, c'était du boulot ! Y avait des moments où elle me prenait la tête et où je regrettais le bon temps d'avant, quand les filles me foutaient la paix.

C'est un truc que j'ai appris avec elle : qu'on ne peut pas être formidable tout le temps et que, si elle était comme ça, avec des hauts et des bas, c'est parce qu'elle s'y retrouvait plus, elle, dans son fourbi intérieur. Y avait trop de choses qui remontaient à la surface et contre lesquelles elle luttait. Elle perdait pied, quoi, elle y voyait plus clair. Elle mélangeait tout. Et moi, je lui servais à rien. J'avais pas assez d'outils pour l'aider.

C'est comme ça qu'on s'est quittés. Un beau jour, j'avais fait la plonge toute la journée chez des rupins, elle s'est cassée avec une rupine. Sans expliquer. Elle pouvait pas. Je lui en ai pas voulu, je savais qu'un jour elle partirait, que c'était pas une gonzesse pour moi, mais peut-être que je m'étais mis à y croire. Un tout petit peu. On avait pris des habitudes de couple, on se disputait, on faisait la paix…

J'en ai pris plein la tronche. Ça, c'est sûr. J'ai mis du temps à m'en remettre. Je suis rentré à Verny, j'ai repris mon boulot à la scierie. On m'a rien demandé. Pendant quelques jours, j'ai pas pu parler. Pas un mot ! J'étais un zombie. J'entendais plus rien, je voyais plus rien. Complètement à côté de mes pompes. Et puis, y a eu l'accident et ça m'a réveillé. Je me suis dit que je pouvais pas continuer comme ça, il fallait que je réagisse. J'ai changé, je crois. Je fais attention aux gens. Je me dis qu'ils ont peut-être une histoire aussi compliquée que la sienne et qu'ils s'y retrouvent plus.

L'autre jour, je suis allé voir ma mère. On n'a pas vraiment parlé parce que je crois qu'elle était trop étonnée de me voir, mais on s'est donné des nouvelles des uns et des autres. Quand je suis parti, je lui ai dit que je reviendrais et, là, elle a eu des larmes dans les yeux. Je l'ai prise dans mes bras mais, avec le casque, c'était pas confortable.

En attendant, je reste à Verny. Je bosse. Je fais des tours avec ma moto mais plus comme avant. J'embarque plus personne à l'arrière et j'ai pas touché une fille depuis. Ça m'intéresse plus. Mais on peut pas dire que je suis malheureux, ça non. Ça fait mal de temps en temps. Quand je passe devant une librairie, par exemple. Là, elle me revient en bouffées et je déguste. Putain ! Le blé que j'ai claqué pour ses foutus livres !

J'attends, quoi, j'attends. C'est comme si j'étais en pleine crise de croissance et que tout poussait dans ma tête. Peut-être qu'un jour, quand je pourrai la voir sans être tout retourné, j'irai lui faire un signe. Pour lui dire qu'il y a un truc dont elle peut être fière. Qu'elle est pas que du malheur.

Elle me fait sourire, Doudou.

C'est rafraîchissant de l'entendre parler de sa nouvelle occupation. Elle découvre le monde, Paris et les modes, le comportement des uns et des autres. Elle observe, elle écoute. Elle apprendra vite. Elle n'est pas bête bien qu'elle soit persuadée du contraire. Elle commence à vivre à son compte parce que, jusque-là, sa vie lui avait été confisquée par d'autres.

Je ne sais pas pourquoi je l'ai invitée à venir s'installer chez moi.

Je crois que… Je ne sais pas vraiment. Peut-être à cause de Diane.

Diane, je l'ai rencontrée quand j'avais 12 ans, à l'école. Mes parents m'avaient inscrite dans ce collège privé pour que je me fasse des relations, que je sorte de mon milieu. Ils se sont saignés aux quatre veines pour moi. Ils voulaient que j'aie ce qu'il y a de mieux au monde. Mon prénom, par exemple. Ils le trouvaient exotique, chic. « A-ni-ta… Rien que de le prononcer, je voyage dans ma tête », assurait papa en imitant les ailes de l'avion avec ses bras. J'étais fille unique. Ils occupaient une loge de concierge dans le 16e arrondissement. Une seule pièce qui servait de salle à manger, salon et chambre pour eux et qui donnait sur la rue. Il fallait mettre la télé très fort pour ne pas entendre les poids lourds qui redémarraient au feu vert. Moi, je dormais dans un petit lit dans la cuisine. Elle donnait aussi sur la rue. Aujourd'hui encore, sans le bruit des moteurs qui vibrent, tournent et repartent, je ne peux pas dormir. Je préférais encore la cuisine parce que, dans l'autre pièce, celle où les gens entraient comme dans un moulin, ça sentait si fort le propre que c'en était écœurant. Il n'y a presque plus de concierges aujourd'hui et c'est très bien. Je ne souhaite à personne d'être fille de concierges. On était dérangés tout le temps. À l'heure des repas, le week-end, la nuit même, on frappait à la porte. Des gens pressés, toujours, qui ne disaient même pas bonjour. Je ne supportais plus d'être surprise la bouche pleine par des inconnus qui attendaient le renseignement en se dandinant d'impatience. Mes parents ne se plaignaient pas. Pas devant moi, en tous les cas.

Pour arrondir les fins de mois, ma mère prenait des travaux de couture, repassait, faisait des ménages. Papa conduisait le premier étage porte gauche à Roissy, réparait les toilettes du deuxième porte droite, posait les tringles à rideaux du troisième porte face. Il prenait soin de l'immeuble comme s'il lui avait appartenu. Il ne plaisantait pas avec le règlement, surveillait les pelouses, les garages, les parterres de fleurs, poursuivait les chiens qui s'y aventuraient, interdisait les vélos dans l'entrée, renvoyait les colporteurs. Pour un salaire de misère. C'est une compagnie d'assurances qui possédait l'immeuble. « Ne vous plaignez pas, disait le gérant, vous êtes logés et dans un beau quartier ! Et puis, il y a les étrennes, hein ? »

Le pire, pour moi, c'était Noël. Les gens qui glissaient leur petite enveloppe avec un billet de rien du tout à l'intérieur, et mon père qui remerciait en la triturant pour deviner le nombre de billets. Maman baissait les yeux sur un ourlet à faufiler quand les locataires tendaient leurs étrennes avec une petite formule bricolée du bout des lèvres. Elle ne disait jamais merci, elle se contentait de baisser les yeux modestement mais je voyais bien le doigt qui s'arrêtait un instant avant de pousser l'aiguille. Elle était belle, maman. Elle était fière, malgré elle, et ça se voyait. Ça énervait les locataires. Ils devaient dire qu'elle se donnait des airs. Elle était comme ça, naturellement. Pas arrogante pour deux sous.

À moi, ils m'offraient des boîtes de chocolat. Ceux qu'ils avaient reçus et ne gardaient pas. Ils avaient dû les ouvrir, les tripoter et les mettre de côté pour la petite des concierges. Il n'y avait plus de cellophane autour de la boîte et, souvent, ils oubliaient, à l'intérieur, la carte qui leur était destinée. Il fallait que je prenne un chocolat, que je le cale dans ma joue en remerciant. Dès qu'ils avaient filé, j'allais le recracher dans les toilettes.

Mes parents étaient émus : les locataires avaient pensé à moi. Ils disaient qu'ils n'étaient pas si mauvais après tout, qu'ils n'avaient pas les manières du cœur, voilà tout. Ils racontaient des mensonges pour que je sois dupe.

Mon père était un grand brun, bien sec. Bel homme. Son rêve à lui, c'était d'être officier dans la marine. À cause de l'uniforme et de l'autorité. Mais il avait vite renoncé. Il mettait de la musique militaire, pas trop fort à cause des locataires, il me prenait sur ses genoux et me disait que le rêve, il sauterait une génération, il serait pour moi. Je serais femme d'officier, comme ça, de temps en temps, il enfilerait le bel uniforme du gendre. Le dimanche, ils m'emmenaient dans les musées ou au concert. Ma mère se tenait bien droite et écoutait, les yeux clos, les mains posées bien à plat sur son sac pour qu'on ne le lui vole pas. Mon père luttait un instant puis s'assoupissait. Moi, je regardais la salle, la manière dont les gens utilisaient leurs petites jumelles, j'écoutais ce qu'ils disaient du chef d'orchestre ou du premier violon.

J'ai très vite compris comment marchait la vie. Je

ne me suis jamais bercée d'illusions. Les gens, je les connaissais par cœur. Il me suffisait de les écouter, d'observer leur moue faussement amicale quand ils avaient besoin d'aide ou leur voix féroce quand ils exigeaient leur dû, le doigt pointé sur le vomi du chien dans l'entrée ou le courrier mal distribué. Je remarquais tout et, maintenant encore, d'infimes indices me sautent aux yeux. C'est tenace les souvenirs d'enfance. C'est ça qui vous forme, vous donne le goût ou le dégoût de la vie. Je n'y peux rien. Un parfum lourd que je renifle, une intonation qui déraille vers l'aigu, la manière dont le rouge visqueux et épais est posé sur une bouche, une main chargée de bagues, l'inflexion brusque d'un sourcil, le port de tête légèrement en retrait pour que le regard tombe de haut… et je reconnais l'ennemi. J'ai envie de lui sauter à la gorge.

Petite, je ne pouvais rien dire. D'abord parce que je n'identifiais pas très bien ma colère, ensuite parce que j'aimais mes parents et ne voulais pas les voir avec les yeux des autres. Mais je me jurais de m'en sortir, d'utiliser tous les moyens pour ne plus jamais retomber dans l'univers de la loge. La vie, c'était pas fait pour les bons et les gentils. Eux, ils se faisaient toujours avoir.

Diane fut mon premier moyen. Je choisis d'être amie avec elle comme on décide d'entrer dans une grande école. Quand j'arrivais le matin devant le portail du collège, je la voyais descendre de la voiture noire de son père. Toute fragile avec son cartable qui devait peser autant qu'elle ! Le chauffeur lui ouvrait la portière et elle avançait ses jambes si fines, si fines avec des socquettes blanches d'excellente qualité et des chaussures anglaises à barrettes. Puis, elle remerciait le chauffeur et s'avançait vers le portail. Impeccable dans son manteau bleu marine, son petit col de velours bleu roi, ses cheveux blonds attachés en une tresse unique. Le chauffeur remettait sa casquette et remontait dans la voiture noire. Elle avait un an d'avance, savait ses leçons par cœur, ses cahiers étaient toujours très bien tenus et elle était première partout. Dans la cour de récréation, tout le monde la bousculait en l'appelant «Votre Majesté». Un jour où elle avait été agressée plus violemment que d'habitude, j'ai menacé la grande qui la terrorisait. On est devenues amies. Elle m'a invitée à la campagne chez elle. Je ne savais pas quoi mettre dans ma valise, quelles tenues emporter. J'ai failli ne pas y aller. Maman pliait mes affaires soigneusement, écartait un chandail douteux, un chemisier auquel il manquait un bouton, inspectait mes collants de laine de ses doigts fins et longs. Elle devait se poser la même question que moi : «Comment s'habillent ces gens ? Que font-ils en week-end ?» Je leur avais souvent parlé de Diane. De la voiture noire avec chauffeur, de ses chaussures à barrettes, de ses cardigans avec des broderies. Les parents de Diane étaient très riches. Dans leur grande maison de Normandie, il y avait des écuries, des domestiques, des gardiens pour entretenir la maison, un jardin potager pour que les enfants, Diane et son frère Édouard, soient en contact avec la nature. Les parents de maman, aussi, avaient un potager à Saumur mais c'était pour manger et vendre les asperges, les fraises, les tomates qu'ils ne consommaient pas.

Diane avait reçu un poney pour ses 8 ans. Elle l'avait appelé Cendrier. D'après elle, il ressemblait au mari de Cendrillon.

– Regarde comme il est mignon avec sa mèche dans les yeux, ses longues jambes blanches et sa crinière blonde… Je ne voyais pas le rapport avec Cendrillon mais j'ai très vite compris que Diane aimait inventer des histoires. Elle ne vivait pas dans la réalité car elle ne connaissait pas le désir. Ses envies, à peine formulées, étaient comblées. Tout était si facile autour d'elle qu'elle en perdait le poids des choses. Elle flottait. Elle

s'était attachée à Cendrier parce que le poney lui résis-
tait. Elle avait dû l'apprivoiser, le nourrir, s'occuper de
sa litière. Elle allait arracher des carottes et m'assurait
que, si elles n'étaient pas cueillies de sa main, il ne les
mangeait pas. Je n'y croyais pas une seconde mais cela
lui faisait plaisir. Elle devait se dire qu'elle était importante pour quelqu'un.

Le premier week-end où je suis allée chez elle, comme
j'avais honte du contenu de ma valise, j'ai demandé
qu'on s'arrête sur une aire de parking pour changer mes
chaussures qui me serraient les pieds et j'ai oublié ma
valise dans les toilettes. Une fois arrivée au Bois-
Normand – c'était le nom de la propriété –, j'ai poussé
un grand cri en découvrant que ma valise était restée là-
bas, sur l'autoroute. J'ai pleuré à chaudes larmes. La
mère de Diane m'a consolée en me promettant de tout
remplacer le lendemain, à Elbeuf. Elle m'a proposé ça
comme si elle allait m'offrir un illustré. Le lendemain,
j'ai été habillée des pieds à la tête. Diane gambadait
dans le magasin. Elle me disait : regarde, nous sommes
jumelles, nous sommes habillées pareil.

Avec ces nouveaux vêtements, j'ai gagné ma première assurance. Je ne pouvais plus les quitter. Je voulais même dormir avec ! Diane n'ayant pas d'amis, ses
parents étaient enchantés de me voir si proche d'elle et
ils prirent l'habitude de m'emmener partout avec eux.
J'en ai fait des voyages ! En Suisse, en Angleterre, en
Italie. Parfois pour un week-end seulement. Ils me présentaient comme la meilleure amie de leur fille. « Ces
deux-là s'aiment comme des sœurs », disait la mère de
Diane, en nous balayant du regard. Mes parents ont dû
me faire établir un passeport. Ils n'étaient pas peu fiers,
ce jour-là. Papa l'a laissé en évidence sur la table de la
loge. Mais personne ne lui a posé de question. Les
parents de Diane payaient tout. Ça embarrassait maman,

mais papa l'interrompait en bougonnant : laisse, laisse, si ça leur fait plaisir…

Pour eux, j'étais une commodité. Je tenais compagnie à Diane. Quand ils me demandaient des nouvelles de mes parents, c'était par pure politesse. Ils n'attendaient pas la réponse. Ils n'ont jamais su ce qu'ils faisaient et, s'ils me l'avaient demandé, je ne sais pas ce que j'aurais répondu. À l'école, je prétendais que papa était ingénieur et maman oisive. Ingénieur, c'est assez vague pour être mis à toutes les sauces. Une fois, la mère de Diane a appelé maman. Je m'étais ouvert le genou en tombant sur une vieille armature rouillée dans le fond du jardin et elle voulait savoir si j'étais vaccinée contre le tétanos. Quand elle a raccroché, elle m'a juste fait un commentaire :

– Elle a une voix charmante, ta mère.

Elle s'est retournée vers le médecin et lui a dit que tout était en ordre.

Diane avait un frère, Édouard. De deux ans son aîné. Avant de le connaître, quand Diane m'en parlait, je m'étais raconté toute une histoire dans la tête. Une histoire de conte de fées : il sera mon prince Charmant et je l'épouserai. Je me glisserai dans la voiture noire avec chauffeur et ne serai plus jamais pauvre. Quand je l'ai rencontré, j'ai été déçue. Il avait un visage de bébé, tout rouge, un nez tout rond, des boutons dans le cou et une mèche de rouquin qui lui tombait dans les yeux. Tout maigre aussi. À 15 ans, il avait encore une voix fluette de garçonnet. Il éclatait de rire brusquement et, saisi d'un doute, s'arrêtait net, rougissait et bégayait des excuses. Quelquefois, à force d'entendre parler de la fortune de la famille, des relations des parents, de voir la bonne virevolter autour des chaises en passant les plats, de détailler les multiples toilettes de la mère de Diane, je lui laissais prendre ma main, sous les coussins du canapé. Ma main dans sa main moite. Il s'approchait, me caressait les cheveux et je fermais les yeux. J'avais des petits frissons qui me couraient sous la peau. Il y a des filles qui se pâment devant un beau garçon ou une belle intelligence, moi non. Je tremble devant un compte en banque bien rempli ou une réussite établie. C'est avec Édouard que j'ai compris ça. Cela m'a fait gagner du temps. J'ai toujours évité les pauvres ou les hommes peu influents. Lors de la première boum donnée pour Diane, Édouard m'a embrassée. Il s'est collé de tout son long contre moi et a gobé ma bouche d'un seul coup. En me pelotant sous ma robe. Quand il dansait, il soufflait, tapait du pied. On aurait dit un chaudronnier qui martelait sa marmite. Ce soir-là, il m'est apparu bien falot. Je me suis dit que je pouvais peut-être trouver mieux. Les garçons m'entouraient, m'invitaient à danser. J'étais devenue jolie. Comme maman. J'ai décidé de viser plus haut.

Pendant longtemps, Diane n'a été qu'un moyen pour moi. Je menais la grande vie grâce à elle. Je l'aimais bien mais refusais de me laisser attendrir. Si je l'avais écoutée, nous ne serions jamais parties en voyage avec ses parents. Nous serions restées chez elle, avec les bonnes. Il n'y aurait jamais eu de goûters d'enfants puis de boums. Jamais de vacances aux sports d'hiver. Elle aimait rester seule avec moi et inventer des jeux. « Je déteste tous ces gens, disait-elle, je veux qu'on me laisse tranquille. » Je faisais la moue et suppliais : « Pour moi, s'il te plaît, pour me faire plaisir… » Elle acceptait mais restait toujours en retrait.

Je l'avais emmenée dans la loge. Après que papa et maman eurent insisté pour la connaître. Je prenais un grand risque et redoutais le pire. Pas tellement de sa part à elle mais de la mienne. Je m'imaginais maladroite, mal à l'aise et ne voulais pas que mes parents devinent ma honte. Elle se montra si naturelle, si affectueuse que toutes mes craintes tombèrent d'un seul coup. On mangea le gâteau au chocolat de maman, papa fit jouer sa musique militaire et la porte qui s'ouvrait sans cesse lui parut un accessoire de théâtre. Et lui ? Et elle ? Qui est-ce ? demandait-elle chaque fois. Papa déclinait les noms, prénoms, occupations et travers du figurant qui avait fait irruption. Il devenait drôle et transformait les humiliations quotidiennes en péripéties rocambolesques. Diane écoutait, ravie. « C'est tellement vivant chez toi. »

Elle revint souvent et je me détendis. Plus le temps passait, plus je vivais écartelée entre deux mondes. Et puis un soir, nous devions avoir 14, 15 ans, nous étions allées avec des garçons au cinéma. Des garçons rencontrés chez Diane. Tout naturellement, ils m'ont raccompagnée. Arrivés en bas de l'immeuble, l'un d'eux a proposé qu'on monte chez moi regarder une émission, à la télévision, qu'il ne voulait pas manquer. J'ai eu une peur panique et suis restée muette. Incapable d'inventer une excuse. Diane m'a sauvée.

— Le père d'Anita est très malade. C'est impossible. Allons chez moi si vous voulez.

— Mais on va rater le début ! insistait-il.

— Je suis désolée, j'ai dit. Je n'amène personne à la maison. Ce jour-là, quelque chose s'est ouvert en moi. J'ai eu un immense élan vers Diane. J'ai compris que l'amour, c'était de pouvoir montrer ses faiblesses à l'autre et qu'il n'en profite pas pour vous écraser. J'ai aussi éprouvé de la honte. Honte de l'avoir utilisée, de l'avoir mise d'emblée dans le même clan que les locataires parce qu'elle avait de l'argent.

Je n'ai pas pu rentrer à la loge tout de suite. Je suis montée là-haut, dans le couloir des chambres de bonnes, et j'ai pleuré. Je ne savais pas très bien pourquoi. Je crois que j'ai pleuré parce que je me suis sentie perdue. Ou menacée. Ou bouleversée.

On n'en a jamais parlé avec Diane, mais c'est à partir de ce jour-là que je l'ai aimée. Et je me suis mise à l'aimer à la folie.

C'était comme une deuxième rencontre. J'étais émerveillée. Je lui faisais des cadeaux, la serrais dans mes bras brusquement, sans raison aucune, lui téléphonais cinq fois par jour. Je ne pouvais plus me passer d'elle. Ce fut la seule avec qui je me suis laissée aller. Pour elle, je pouvais faire une exception : elle ne me ferait pas de mal.

Nous ne parlions jamais des garçons. Ils ne l'intéressaient pas. Elle les trouvait épais, lourds. Elle disait qu'un jour, elle LE rencontrerait, elle saurait au premier coup d'œil que c'était LUI et elle l'épouserait.

– Ça ne se passe jamais comme ça ! je répondais. On fait connaissance d'abord et, après, on décide de se marier.

– À quoi ça sert de faire connaissance ? Moi, j'ai su tout de suite que je t'aimais et pour la vie. Pas toi ? Le premier homme que j'embrasserai, je lui donnerai tout. Tout de suite. Je n'ai pas envie d'essayer avec d'autres.

Quand elle a connu Christian, à une conférence au musée de l'Homme, elle m'a téléphoné aussitôt : je l'ai rencontré, je l'ai rencontré ! Aujourd'hui ! C'est lui, j'en suis sûre !

Elle pouvait se montrer très tenace quand elle voulait. C'est la seule fois où je l'ai vue aussi déterminée. Christian ne se laissait pas approcher facilement.

– Il n'est pas comme les autres. Il ne se jette pas sur moi. Il me regarde, la tête penchée et ses yeux changent presque de couleur. Ils deviennent clairs et je vois mon reflet dedans. Il n'ose pas me toucher. Il a peur, peut-être. Tu crois que je devrais faire le premier pas ?

Quel homme étrange !

Quel homme étrange, je me suis répété quand elle me l'a présenté devant deux macarons au chocolat, chez Carette. Il la contemplait, sans rien dire, avec une douce bienveillance, un détachement affectueux, étrange. Elle avait des grâces de ballerine et il la regardait évoluer du fond de la salle. Sait-il qu'elle est immensément riche ? Que son père est un homme puissant ? Qu'elle n'a aucune expérience des garçons ?

Au bout d'un moment, n'ayant plus rien à dire et comme ils ne faisaient aucun effort pour relancer une conversation moribonde, je me suis levée, les ai salués et laissés en tête à tête. Je ne l'ai plus revu avant de l'apercevoir à la une des journaux. Leur histoire s'étalait sur plusieurs colonnes. Les parents de Diane firent tout pour qu'on en parle le moins possible mais je n'ai jamais oublié le malaise ressenti ce jour-là, place du Trocadéro.

À partir du moment où Diane connut Christian, je la vis moins. Elle me téléphonait souvent mais n'avait plus de temps pour moi. Et puis j'avais rencontré le Président, sur un bateau, par l'intermédiaire des parents de Diane qui nous avait emmenées à Saint-Tropez. J'ai compris qu'il était l'homme qu'il me fallait pour atteindre le sommet que je m'étais assigné, enfant. Il était marié mais sa femme semblait être une boîte postale, poste restante, à qui il assurait une vie confortable en échange d'une complète liberté. Elle élevait ses trois enfants dans un grand appartement à Neuilly et il possédait le sien, rue Chanaleilles à Paris.

Je n'eus aucun mal à me l'attacher. Ce fut son entourage qui me posa des problèmes. Le monde du Président était un monde nouveau où je dus apprendre les règles du jeu sans avoir l'air d'une débutante. Ses «hommes» me virent arriver avec méfiance. Il m'a fallu évincer une à une les autres favorites, apprendre à garder un secret qui me brûlait la langue, être aimable avec un conseiller qui, derrière mon dos, me conspuait, déférente envers ses vieux amis qui, tous, attendaient de lui un poste ou des avantages s'il arrivait à s'imposer comme député ou comme ministre. Un jour, j'ai voulu savoir s'il tenait vraiment à moi et je l'ai emmené dans la loge. Il a été parfait. Un peu étonné, sans doute, mais il n'en a rien laissé paraître.

En sortant, il a pris ma main, l'a posée sur son bras et m'a dit en souriant :

– Je vais m'occuper de tes parents.

Il les a relogés dans un deux-pièces tout neuf dans l'un des immeubles du front de Seine à Levallois et a obtenu pour mon père une place de gardien au musée de la Marine.

Le jour où j'ai rencontré Doudou, lorsque je l'ai vue, assise dans la paille de l'écurie, tenant Cécile dans ses bras, lui parlant doucement, l'aidant à respirer, je me suis arrêtée sur le seuil de l'écurie et je l'ai observée un long moment. Interdite. Diane me revenait par l'inter-médiaire de cette jeune inconnue en robe bleu ciel. Ce jour-là, j'ai demandé à Doudou de me suivre. Je lui ai offert la plus belle chambre de l'appartement, lui ai trouvé un avocat, acheté des robes, des livres. Doudou ne posait pas de questions : elle recevait avec la grâce d'une enfant.

J'ai appris, plus tard, que Christian était son cousin. Un soir, elle m'a parlé de son mari, de son enfance, de son cousin. Quand elle l'a évoqué, j'ai ressenti le même malaise qu'à la terrasse de chez Carette. Il m'est revenu à la bouche un goût de macaron au chocolat. J'ai cru que j'allais la jeter à la rue. Elle était sa complice : elle l'aimait encore. Elle adoucissait ses jours en prison !

Je me suis mise à la torturer. Je me disais : à travers elle, c'est lui qui paie. Il va voir ce que je vais en faire de sa jolie cousine. Et en même temps, j'étais touchée par la grâce de Doudou, ses efforts pour s'en sortir. J'oscillais sans arrêt entre le désir de la faire souffrir et celui de la protéger, de l'aider. J'avais des regards ter-ribles où elle devait lire ma haine. Et puis d'un geste, d'un mot, elle devenait Diane et j'oubliais tout. C'était un perpétuel va-et-vient entre l'amour de l'une et la haine de l'autre.

Le jour où la mère de Doudou est venue me parler, j'ai pensé à maman, à tout l'amour qu'elle m'avait donné et dont je tirais ma force. Cet amour que j'avais reçu en cadeau et que je trouvais si normal. J'ai décidé d'aider Doudou. L'abandonner, c'était la remettre aux mains de cette femme qui se régalait de constater que sa fille était aussi malheureuse qu'elle. Quand je l'ai vue avec son manteau boutonné sous le cou, ses gants serrés sur la fermeture de son sac et ses lèvres grasses d'un rouge épais, cela a été plus fort que moi, je me suis interposée.

Je n'étais plus seule. J'avais un projet, comme dit Doudou.

Alors aujourd'hui, quand elle me raconte la vie, la comédie de la vie, j'ai envie de rire et de lui dire : vas-y, ma Doudou, tu vas gagner. Tu vas tous les avoir ! Mais je me retiens. Je ne veux pas souffrir comme j'ai souffert quand Diane est morte. Plus jamais ça !

Dimanche, je suis allée à Verny.

La météo avait annoncé du beau temps et André aurait sûrement emmené les enfants chez ses parents. Dès que le préposé à la météo annonçait, tout fiérot, « et pour ce week-end, soleil sur la Normandie », on n'y coupait pas, on allait à Verny. Chez la belle-mère et le beau-père.

Lui, j'ai rien à en dire : il ne parlait pas. Bonjour, bonsoir, comment ça va ? Un sourire sur des dents ivoire, un baiser qui venait s'écraser n'importe où et il remettait ses lunettes qui pendaient à un cordon noir en caoutchouc. Il lisait son journal, faisait des mots croisés et jubilait quand il avait trouvé une définition particulièrement tordue. Il pouvait rester trois heures à chercher un mot. Il affectionnait particulièrement les grilles de Scipion, dans l'*Observateur*. Ma belle-mère disait que ce journal était un torchon, un torchon de gauche. Elle essayait bien de le rouler en boule pour allumer le feu mais son mari entrait dans de si violentes colères qu'elle renonçait la plupart du temps. Elle dissimulait le magazine sous la table enjuponnée du salon pour que personne d'autre ne le lise.

À table, il nous rapportait ses trouvailles en mâchonnant sa joie et sa soupe. « En trois lettres », annonçait-il en se tapotant le ventre : « descend en amazone et remonte en bateau ».

Quand il se tapotait le ventre, c'était pas la peine de chercher. Les cuillerées de soupe montaient et descen-

978

daien, se vidaient dans les bouches, repartaient se remplir, et le beau-père nous observait avec une lueur impertinente dans l'œil. On faisait semblant de se concentrer pour ne pas le décevoir. On secouait la tête dans tous les sens. On disait n'importe quoi, la bouche pleine. Il faisait « non, non » en claquant sa langue contre son palais. Ses petits yeux marron se plissaient, intenses, affûtés. Il tirait son mouchoir, se mouchait. C'était son heure de gloire. Il se renversait sur sa chaise, se balançait, nous narguait. Ma belle-mère était prise de petits tressautements nerveux du menton, elle écrasait les miettes sur la nappe, recueillait la goutte de vin qui glissait le long de la bouteille ou rectifiait l'alignement de la salière et du poivrier.

– Éon, laissait-il tomber, satisfait de son effet.

Personne ne comprenait. Il attendait encore un peu, la chaise grinçait, ma belle-mère se trouvait d'autres miettes à tripoter, puis il expliquait : le chevalier d'Éon, agent secret sous Louis XV, qui se déguisait en femme pour remplir ses missions, donc descendait de cheval en amazone... et Noé. On secouait la tête, toujours aussi abrutis. André haussait les épaules.

– C'est introuvable, ton truc ! Comment veux-tu ?

– Noé... Éon à l'envers. Descend en amazone, Éon ; remonte en bateau, Noé !

– Ah ! soupirait-on, essayant de comprendre.

– Bon, continuait-il, débonnaire, je vous en sers une autre, une facile cette fois. Livre favori de Victor Hugo pour les Belges, en douze lettres ?

– Celle-là, je vais trouver, déclarait André en se prenant la tête dans les mains. Victor Hugo... Victor Hugo, voyons... Il s'agitait, faisait tomber sa serviette, la ramassait. Mange, mange, lui soufflait sa mère, furieuse de constater que les mots croisés l'emportaient sur sa bonne soupe aux légumes. Tentait *Les Misérables*. Gîtait sur sa chaise.

– Attention, tu vas la casser, protestait la belle-mère. Qu'est-ce que vous avez tous les deux à vous balancer ! On est à table !

Il aurait aimé briller face aux enfants qui bâillaient d'admiration devant l'étendue du savoir et la mise en scène du grand-père.

– Ne dis rien, je l'ai, je l'ai…

– Nonante-trois, lâchait le beau-père avec un grand éclat de rire.

Alice riait très fort pour être à l'unisson, le regard vide, étonné, se demandant pourquoi elle riait ainsi. Antoine profitait du brouhaha pour tirer sa voiture de sa poche et la poser sur la nappe, André bougonnait que ce n'était pas du jeu et je m'esclaffais. La belle-mère tapait sur les doigts d'Antoine en lui disant « on ne joue pas à table ». Je l'encourageais, le beau-père. Je préférais ses définitions alambiquées aux récriminations perpétuelles de la belle-mère qui traînait la jambe, l'humeur et ses préjugés.

– Henri, ta soupe va être froide, sifflait-elle en tripotant la salière.

– Allez, un petit dernier pour la route, je suppliais.

– Bon… mais le dernier parce que sinon je peux vous en raconter toute la soirée… En neuf lettres : un noctambule particulièrement assoiffé…

La belle-mère changeait les assiettes en les empilant bien fort pour me faire comprendre que j'aurais pu me lever, que ce n'était pas à elle, avec ses douleurs à la hanche, de faire le service, en plus du repas, des courses, du ménage et des lits. André se soulevait de dix centimètres sur sa chaise et disait « laisse, maman, laisse, je vais le faire » en me jetant un regard lourd de reproches. Il prenait toujours le parti de sa mère.

– Casanova ? je tentais.

– Non, non, disait Henri en faisant claquer sa langue.

– Don Juan ?

– Tu n'y es pas du tout…

– Je donne ma langue au chat.

– Nosfératu.

J'applaudissais. Il se rengorgeait, pas peu fier. Sa femme lui enlevait son assiette de soupe encore pleine. Il protestait qu'on ne lui laissait jamais le temps de manger.

– Elle est froide, ta soupe !

– J'aime la soupe froide ! J'aime le café froid ! Fiche-moi la paix, Georgette !

À peine sorti de table, il s'installait devant la cheminée, prenait son journal, ses lunettes, son crayon, sa gomme, son dictionnaire et repartait à l'assaut de l'énigme suivante. Avec ma belle-mère, c'était la guerre. On n'a même pas eu besoin d'ouvrir les hostilités, ce fut la haine instantanée. Et pour cause : j'épousais André, son fils unique, qu'elle avait bichonné pendant des lustres pour qu'il épouse une bardée de diplômes, de pépites ou d'armoiries. Et vlan ! pas de chance : il m'avait choisie, moi. Ignare, pauvre et prolétaire. Paresseuse avec ça, gâtée, pourrie, mauvaise mentalité, mauvaise cuisinière, famille douteuse (mon père trou en mer), sournoise, fuyante, moderne, quoi !

En plus, je ne l'appelais pas, ma belle-mère. Je ne pouvais pas dire « mère », ni « maman », ni « mamie », ni « madame ». Encore moins Georgette. Alors je ne disais rien. D'ailleurs, je n'avais rien à lui dire. Avec le recul, je trouve que j'étais encore bien soumise, bien respectueuse envers elle. Aujourd'hui, je lui balancerais mon kilo de compliments avec revers de sournoiseries et autres gâteries. Je n'osais pas. Comme elle se voulait très bien élevée, elle m'agressait en sourdine. L'air de rien. Un large sourire sur sa face empâtée de poudre de riz et une petite réplique bien vacharde qui suivait. « Bonjour, mes enfants… Mais, André, ton pantalon est taché ! On t'a laissé sortir comme ça ? »

On, c'était moi.

Aujourd'hui, je ris. Mais, à l'époque, les retours en voiture s'effectuaient dans le plus grand silence, les mâchoires crispées, le regard posé droit sur la route et les nerfs tendus à en péter. Le premier qui ouvrait les hostilités déclenchait un feu nourri de récriminations. Le tout à mi-voix pour ne pas réveiller les enfants à l'arrière.

Et maintenant, je les espionne, cachée derrière la grille.

Avec un grand sac en papier, rempli de marionnettes. Vous savez, ces petits personnages en tissu qu'on enfile sur le bout des doigts? On y jouait souvent avec les enfants. J'inventais des histoires. Il y avait Bozzo le diable, Georges le brave, Pinocchia, la fiancée de Georges, Petit Chat, Grande Sœur, obsédée par les régimes et qui veut toujours être plus mince, Gradouille, son frère, avec un gros ventre tout rond qui se moque d'elle, la traite de maigre, de sac à os, la fée Saperlipopette et Moussu, le jardinier qui tond le gazon avec ses dents de devant parce que les tondeuses polluent. J'avais couru de nombreux magasins avant de retrouver les mêmes marionnettes que celles que nous avions avant.

Dans la maison blanche.

J'étais impatiente à l'idée de leur faire la surprise.

Je me suis faufilée dans mon trou de verdure, ai arraché des branchages, les ai dépouillés de leurs feuilles, les ai taillés en autant de baguettes que de marionnettes. J'ai passé le bras par la grille et disposé les marionnettes sur leurs petits bâtons fichés dans le sol. Juste derrière la grille. De leur côté à eux. Pour qu'ils les voient et s'en emparent. Et puis j'ai attendu qu'ils aient terminé de déjeuner. Je levai la tête vers le ciel. Il était gris et menaçant. J'avais peur qu'il se mette à pleuvoir, que leur père et leur grand-mère leur inter-

disent de sortir. Je me suis repliée dans mon imperméable et j'ai fait une prière pour qu'il ne pleuve pas
tout de suite. Il m'arrive de faire des prières. En cas de
grande nécessité. Ce n'est pas que j'y crois beaucoup
mais je suis prête à tout alors. J'implorerais les roseaux,
les chênes, les rhododendrons, les vagues ou le frais
zéphyr tout aussi bien. Je tirerais même la queue du
diable puisqu'il a son mot à dire, lui aussi. Mais Dieu,
c'est plus facile. Il regroupe tout. Il me fait un prix de
gros. Ce jour-là, je lui ai dit : s'il ne pleut pas, s'ils
sortent et découvrent les marionnettes, je Vous promets
de repartir sans rien dire, sans me montrer. Je Vous le
promets.

J'ai attendu. Je pensais très fort à mes petits. Pourquoi les ai-je abandonnés ? Pourquoi ne m'ont-ils pas
manqué au début ? J'étais heureuse et légère sur la
bécane de Guillaume qui m'emmenait loin d'eux. Que
vont-ils dire quand je les reverrai ? Que devrai-je leur
expliquer ? Me pardonneront-ils ? Pourquoi ai-je fait
des bébés ? Je me sentais si seule avec André, je me
disais qu'à trois, puis à quatre, on formerait un bloc.
Qu'avec eux, je pourrais parler, raconter toutes les histoires qui se bousculaient dans ma tête.

Et puis, je croyais que, grâce à eux, la vie deviendrait
simple.

Une grosse goutte s'est écrasée sur mon tennis blanc
et j'ai vite replié l'autre jambe pour qu'une seconde
goutte ne tombe pas sur l'autre pied. S'il Vous plaît, je
Vous en supplie, arrêtez les gouttes de pluie. Je veux
savoir s'ils m'ont oubliée ou pas. Les marionnettes me
le diront. S'il Vous plaît… Je veux toujours avoir des
preuves d'amour, Vous le savez bien.

J'étais si embarrassée avec mes bébés quand ils
étaient petits.

Quand Alice se réveillait et pleurait, je quittais la
chambre, la main sur les oreilles. Impuissante. Je

descendais jusqu'à la cave pour ne plus l'entendre. Ne pleure pas, ne pleure pas. Je ne sais pas comment faire. Aide-moi. Je revenais dans la chambre, prenais Alice dans mes bras. Je suis ta maman, je lui disais, mais je suis une maman débutante, apprends-moi. Je lui parlais tout bas. Je lui disais mon désarroi et mon grand amour pour elle, si maladroit. Elle semblait m'écouter. Elle tournait la tête vers moi. Alors je m'enhardissais. Je ne suis pas une très bonne maman, mais je t'aime très fort. Seulement, je ne sais pas comment te le faire comprendre. Je la changeais, je lui donnais un biberon, elle se calmait et, pendant un moment, c'était elle et moi contre le monde entier. Elle buvait et je la regardais. Elle mettait sa tête contre ma poitrine et frottait son nez sur mon sein à travers le tee-shirt. Mon bébé, je murmurais, mon bébé que j'aime à la folie, plus que tout au monde, mon bébé si beau, si doux, si fort, apprends-moi. On dit que les petits bébés viennent sur terre pour sauver leur maman. Envoie-moi l'échelle de secours.

Alice est devenue grande tout de suite. Elle n'a pas eu le choix. Je n'étais pas prête, c'est tout. Il faut du temps avant de devenir maman. J'ai grandi avec elle et, quand Antoine est arrivé, j'étais déjà plus trapue comme maman. Il faudra peut-être que je parle à Alice en premier. Elle penchera la tête de côté avec son air grave et m'écoutera. Antoine, il sait déjà. Il me regardera quelques secondes et viendra se jeter dans mes bras.

Un an qu'ils ne m'ont pas vue...

Ma mère leur rend visite dans la maison blanche du lotissement. Elle ne sait pas quoi dire. Elle leur parle du petit Jésus qui va tout arranger, un jour. De leur maman qui guérira. Ils ne viennent pas vers moi, m'explique-t-elle. Que veux-tu que je fasse ?

Et mon théâtre ? Il est toujours dans la chambre d'Alice ? Est-ce qu'ils jouent avec ? Je ne sais pas, elle répond, je ne sais pas, ils ne me montrent pas leur chambre ni leurs jouets. Ils restent collés contre André.

J'avais confectionné un théâtre en carton, avec les emballages pris chez Mammouth. Je l'avais peint en rouge et en jaune, entouré de papier crépon et je faisais les marionnettes. Antoine voulait toujours faire des baisers à Bozzo. «Comment il fait, Bozzo, demandait-il, comment il fait?» J'imitais le rire sardonique de Bozzo le diable qui jaillit de sa boîte, et il écoutait, ravi.

Et puis ils sont sortis dans le jardin. Je les ai entendus qui couraient, qui criaient. Grand-mère, il pleut pas, il pleut pas, on peut rester dehors?

Alice avait une robe-tablier rose avec un chemisier en vichy rose. Ses cheveux étaient relevés en une queue de cheval retenue par un nœud vert. Antoine perdait son bermuda en courant. Un bermuda trop long qui lui tombait sur les chevilles. On avait oublié de lui mettre une ceinture. À tous les coups, c'est ça, je me suis dit. Il courait en tenant son pantalon d'une main et son épée de l'autre. Ils ont joué à la marchande un bon moment. Alice faisait la marchande et Antoine achetait. Elle le reprenait. On ne dit pas patate mais pomme de terre, patate, c'est un gros mot…

Un gros mot? répétait-il, émerveillé. Patate, patate, patate. Grosse patate, patate dans le nez, patate dans le pied, patate dans le trou du cul. Monsieur Trou du cul. Je vais te dire un secret, Alice, viens…

Et il s'est arrêté net. Il avait aperçu les marionnettes. Alice criait derrière. Un million de pommes de terre, monsieur, vous voulez un million de pommes de terre? C'est pas cher. Comme il ne répondait pas, elle s'est approchée et, à son tour, a découvert les marionnettes. Plantées dans la terre au bout de leur bâton. À travers la grille, je les observais. Ils ne bougeaient pas. Ils détaillaient les marionnettes en silence. Tournaient la tête à droite, à gauche, pour tenter de savoir qui les avait apportées.

– T'as vu, a dit Antoine le premier, c'est Bozzo le diable.

Il a tiré son épée et a tranché le bâton qui tenait Bozzo. Bozzo est tombé, le nez dans la terre.

– Et Pinocchia, a dit Alice.

– Et Petit Chat et Gradouille et la Grande Sœur et Moussu.

– Et la fée Saperlipopette.

Ils se souvenaient de tous les noms. Ils n'avaient pas oublié. Ils se sont approchés tout près de la grille, tout près de moi, se sont penchés et ont pris les marionnettes dans leurs mains.

– Maman va revenir, a dit Alice, très docte. Ils sont venus nous dire qu'elle allait revenir.

– Maman va revenir, a répété Antoine.

– C'est un secret. Il faut le dire à personne. C'est magique.

– C'est magique. Où elle est maman ? a demandé Antoine en se penchant sur Bozzo, décapité.

– Il te le dira pas, a répondu Alice. C'est un secret.

Je n'osais plus respirer de l'autre côté de la grille. Je suis là, tout près de vous. Vous n'entendez pas mon cœur qui fait toc-toc si fort que j'ai les oreilles qui bourdonnent ?

– Moi, je suis grand, a dit Antoine à Bozzo, j'ai 3 ans. Je suis grand et fort. Comme papa.

– Chut ! a dit Alice. Faut pas le dire à papa ni à grand-mère. Ça sera une surprise quand maman reviendra. Tu promets que c'est un secret ?

– Hé ! la Grande Sœur, tu es mince ou maigre ? demandait Antoine.

– Je suis mince, disait Alice.

– Non, tu es maigre, disait Antoine.

– Non, je suis mince !

– Tu es maigre, maigre !

Et il lui a coupé la tête avec son épée. Maigre, maigre, il répétait et puis il a éclaté en sanglots et il a réclamé :

– Maman, maman, où elle est ma maman ? Je veux ma maman. Alice, elle est où maman ?

– Elle va revenir, a dit Alice. Tu vois, elle va revenir.

Mais Antoine pleurait et la traitait de menteuse.

– Je veux ma maman, moi, il a dit en laissant couler ses larmes.

J'ai pleuré avec lui, pleuré de grosses larmes. J'avais envie de me lever, de les prendre dans mes bras mais je savais qu'il ne fallait pas. Si je me levais, je ne les reverrais plus derrière la grille. Leur père l'apprendrait et leur interdirait de sortir dans le jardin. Il les mettrait sous clé. Ou il partirait avec eux dans un endroit secret. On lit des histoires comme ça dans les journaux. Maître Goupillon m'avait bien recommandé de me tenir à ma place, de ne rien faire pour empêcher le bon déroulement de l'affaire. Le processus est en marche, c'est une question de jours maintenant, me répétait-il chaque fois que je lui téléphonais, mais je vous en supplie, continuez à faire preuve de sagesse, c'est le meilleur moyen de récupérer vos enfants. La moindre maladresse de votre part et l'affaire pourrait traîner durant des mois.

Je n'ai pas bougé. J'ai pleuré avec Antoine. Le ciel est devenu tout noir et j'ai entendu un roulement de tonnerre au loin.

– C'est Bozzo qui gronde, a dit Antoine, inquiet.

Alice a levé la tête vers le ciel.

Une grosse goutte est tombée, puis une autre et une autre et l'orage a éclaté d'un coup. Alice a pris Antoine dans ses bras et l'a serré contre elle. Antoine pleurait encore quand j'ai entendu la voix de la grand-mère qui les appelait : « Les enfants, il pleut, rentrez, rentrez… »

Alice a essuyé les larmes d'Antoine avec un bout de sa robe-tablier. Antoine avait le hoquet, il s'est frotté contre sa sœur et, petit à petit, s'est calmé. Elle a pris la main de son frère et l'a ramené vers la maison. J'apercevais la mère d'André qui s'agitait sur le perron et s'époumonait : « Rentrez les enfants, rentrez, vous allez attraper du mal ! » André, derrière elle, rangeait les fauteuils et la table en rotin ; il faisait de grands gestes en direction des enfants. C'est mon mari, je me suis dit, c'est l'homme avec qui j'ai dormi pendant cinq ans. Il était toujours très beau, mince, et portait ce pantalon de gabardine beige que je lui avais acheté en soldes et un polo blanc. Qui lui lavait et lui repassait son linge, maintenant ?

Je suis restée là. Le nez dans les genoux. Ils ne m'ont pas oubliée. Ils savent que je vais revenir les chercher. Mais à peine ce bonheur prenait-il possession de moi qu'une autre question lancinante revenait : mais quand ? Quand ? La justice est si lente.

J'ai passé la main à travers la grille, j'ai ramassé les marionnettes que j'ai enfouies dans ma poche d'imperméable. Je ne voulais pas qu'André ou sa mère les voie et comprenne. J'ai pris la grand-rue mais n'ai rencontré personne. Les portes et les fenêtres claquaient dans les maisons, le vent soufflait, des rideaux sortaient des fenêtres et dessinaient d'étranges montgolfières. J'ai couru jusqu'à l'étang et me suis laissée tomber sur le sol. La bouche dans la terre, les marionnettes chiffonnées à la main, je me vidais de toutes mes larmes. On n'abandonne pas quand on aime. On s'en va un moment pour respirer, pour faire le point, pour grandir. Papa non plus ne m'a pas abandonnée. Il est tombé dans un trou en mer du Nord. Sinon, il serait venu me chercher, depuis longtemps.

Je me suis abritée sous un arbre et j'ai regardé les gros grêlons trouer la surface de l'étang. Ils ne m'avaient pas oubliée. Ils ne m'avaient pas oubliée. Je me suis essuyé la bouche et le visage avec le revers de mes manches d'imperméable. J'ai voulu remettre les marionnettes dans leur sac quand je me suis aperçue que je l'avais laissé là-bas, près de la grille.

Il fallait que je retourne le chercher. Sinon, je serais découverte.

Il pleuvait toujours et le jardin était vide. J'ai repris le sac qui portait, en gros, les lettres « Jeux d'enfant », le nom du magasin et l'adresse. L'anse du sac me sciait le poignet. Je l'ai repoussée. J'ai aperçu l'heure. 18 h 30. J'avais raté le car. Je ne connaissais pas l'heure du prochain passage. Tous les dimanches, j'arrivais et je repartais à la même heure. 12 h 54 et 17 h 18…

Je me suis laissée tomber sur le banc, dans l'abri du car, et me suis endormie, épuisée. J'ai pensé à faire du stop et puis j'ai sombré.

C'est Guillaume qui m'a réveillée. Il me secouait.

– Qu'est-ce que tu fous là ?

Je ne l'ai pas reconnu tout de suite. Je ne savais plus où j'étais.

Il s'était abrité sous l'arrêt du car. Il n'y voyait plus rien en moto. Il était tout mouillé. Des gouttes de pluie tombaient de son nez, de ses cheveux. Il avait le nez rouge. Il a répété :

– Mais qu'est-ce que tu fous là ? T'as pas fait une bêtise au moins ?

J'ai haussé les épaules et j'ai dit non.

– C'est bien, il a dit. C'est bien.

– J'en peux plus d'attendre, Guillaume. J'en peux plus. Je vais devenir folle.

– Mais non. Tu vas voir. Tu vas tenir le coup. Pour tes mômes. Ils vont bien, tu sais. Ils vont bien. Il s'occupe bien d'eux.

– Je sais. Mais c'est pas juste.

– T'as pris un avocat à ce qu'il paraît…

– Maître Gopillon. Je travaille maintenant. Je gagne de l'argent.

Il a dit :

– Ah ! c'est bien…

– Je l'appelle Goupillon, parce qu'il ressemble à une grande perche avec une bouille toute chauve et rose.

– Goupillon, c'est drôle. Maître Goupillon, à Paris. Ça fait pas sérieux.

On s'est assis tous les deux sur le banc, à l'abri de l'arrêt des cars. Il tenait son casque entre ses grosses mains et a allumé une cigarette.

– J'ai raté le car avec tout ça.

– Je vais te conduire à la gare. Dès qu'il pleuvra plus. Il doit y avoir des trains pour Paris ce soir.

J'avais dormi avec mon sac plein de marionnettes enroulé autour de mon poignet. Je l'ai posé par terre. Il avait déteint sur mon imper blanc. Guillaume fumait et se taisait.

Au bout d'un long moment, j'ai demandé :

– Tu m'en veux ?

– De quoi ?

– De t'avoir abandonné.

Il a ri, a tourné sa tête vers moi, a écrasé sa cigarette par terre.

– Tu vois des abandons partout. C'est une manie chez toi.

– Ben si… Je t'ai laissé, sans rien dire, sans rien expliquer.

– C'est qu'y avait rien à dire.

– …

– On a fait un bout de chemin ensemble et pis t'es partie.

– Oui, mais c'était pas bien.

– Et tu m'aurais dit quoi ? Hein ? Ç'aurait été encore pire si t'avais expliqué. Y avait rien à expliquer. T'en avais plus rien à cirer et t'es partie. C'est tout. Ça arrive tous les jours et personne n'en meurt.

On est restés un long moment comme ça. À attendre que la pluie cesse. Il enfonçait ses mains dans les poches de son blouson, se redressait, étirait les jambes, les ramassait, sortait une main pour tripoter son nez, la remettait dans sa poche. Se levait pour observer le ciel, revenait s'asseoir, tapait ses bottes l'une contre l'autre, soupirait que ça allait bien finir par s'arrêter ce temps de merde. Je le regardais par en dessous, je me disais : cet homme a été mon amant, on a passé des nuits et des nuits empalés l'un dans l'autre et on reste là... à un mètre de distance, à guetter le ciel, la pluie comme si on ne se connaissait pas et qu'on attendait simplement le car. Je remâchais mes pensées en écoutant la pluie sur le toit en Plexiglas gondolé de l'abri. Un toit jaune, dégueulasse, tapissé de feuilles pourries que j'apercevais en relevant la tête. C'était qui, Guillaume, pour moi ? Un homme dont j'avais deviné qu'il pourrait me donner du plaisir. Rien que du plaisir. Des kilos de plaisir. La première fois que je l'ai vu à la boulangerie, qu'il a parlé à Alice, j'ai su tout de suite qu'il avait envie de poser ses grosses pattes sur moi. Une intime conviction. J'ai su aussi, tout de suite, que j'avais envie qu'il pose ses grosses pattes sur moi. J'aurais pu me plaquer contre lui et l'emmener.

Je l'ai fait attendre. Pour bien être sûre. Ça me faisait bicher qu'il ait tant envie de moi. Ça me donnait de l'importance au milieu de ma caravane, avec mes bouées en bracelets, la poussette, les Choco B. N., la glacière et tout le tintouin. Il y avait un homme qui enlevait tout le barda et visait mon ventre, ma peau, ma bouche, mon cul. Un homme qui me regardait, moi, lapin. Je tortillais du derrière pour qu'il bave encore plus. Je tenais ma revanche sur André qui dormait au lit, au cinéma, devant la télé, qui s'assoupissait à table, et sur tous les autres hommes qui ne me voyaient pas. C'était de l'amour, je me suis demandée ? Oh ! non ! J'étais toujours la plus forte avec lui. Je ne tremblais pas. Et quand on aime, on tremble. On se dit sans arrêt que, si on se retourne, il ne sera plus là. On ravale ses mots, de peur de lui déplaire. On donne tout. On se laisse voler.

Guillaume, c'était une affaire entre moi et moi. Je prenais son amour pour faire la paix en moi. J'en avais besoin pour réunir la Doudou qui se déteste et celle qui s'aime. Pour combler les trous d'air. Mais lui, il ne comptait pas. Grâce à ses mains, à ses baisers, à l'amour qu'on faisait, j'étais une grande et belle Doudou. Une Doudou réunie. Puissante, sûre d'elle. Et je régnais, tranquille et sûre. D'ailleurs, à la fin, je ne faisais même plus d'efforts, je m'allongeais sur le lit et je recevais tout le plaisir. Comme un dû. Et quand les deux Doudou s'étaient pourléchées de plaisir et qu'elles s'endormaient repues, à peine heureuses, parce que rien n'était gagné et que, demain, il faudrait recommencer, il n'était même plus question qu'il me touche. Du balai ! Du balai !

Lui, il avait tout donné : son temps, ses vacances, ses économies, ses mains, sa bouche, son sexe. Et moi, je prenais tout. Sans rien filer en échange. Quand j'ai recommencé à me détester, à penser aux enfants que j'avais abandonnés, je suis partie. Il ne servait plus à rien. Fin du film. Je me suis trouvé un autre scénario avec Anita. Une autre aventure. Je l'ai renvoyé à son établi.

Le vent soufflait et je voyais les arbres au bord de la route qui ployaient, se redressaient, ployaient encore. Il faisait nuit maintenant et ces arbres noirs, tout tordus, me donnaient le cafard. Guillaume tripotait son casque avec ses mains et j'ai remarqué qu'il lui manquait un doigt. L'index de la main droite. J'ai pris sa main dans la mienne. Il l'a retirée tout de suite mais je l'ai reprise de force.

– C'est à la scierie ? je lui ai dit.

– Un accident. Ça arrive tout le temps. Ça m'a fait quinze jours d'arrêt.

Il a grimacé un petit sourire comme s'il s'excusait. Il n'avait jamais été très bon avec les mots.

– J'ai pas été gentille avec toi…

– Arrête, tu vas pas remettre ça !

J'aurais aimé lui dire que j'avais honte de l'avoir utilisé. Mais je ne savais pas comment m'y prendre. J'ai embrassé sa main mutilée. Je l'ai mise sur la mienne et j'ai glissé mon index sous le doigt manquant. Il a ri. Un rire profond qui sortait du ventre. Un bon gros rire d'homme. On a joué un moment comme ça et puis… Je ne sais pas… Il a dit un truc du genre : tu es toujours aussi mimi, en tout cas.

J'ai fait l'étonnée. Il a répété. Et comme je faisais semblant de ne pas le croire, il a tout lâché d'un seul coup. Qu'il était fou de moi, que je le faisais bander comme personne, que j'étais belle, belle, que pas une autre, pas une autre… Je l'écoutais, je m'enflais d'importance. J'ai dit : encore, encore des mots d'amour. J'ai embrassé ses mains, son cou, son blouson, sa bouche, son visage pour le forcer à les répéter. Il a laissé tomber sa tête contre ma tête et le vieux désir nous a repris là, à l'arrêt des cars, sur le petit banc où se posent les gens du coin qui vont à la ville faire des courses ou prendre le train pour Paris. La pluie tombait sur le toit gondolé, pourri, le vent sifflait, les éclairs faisaient éclater des jours en pleine nuit, le tonnerre claquait et il y avait nous, tous les deux, enfermés dans le désir fou qui revenait. Un homme qui se laisse voler sa force, ses économies de force. Une femme qui réclame sa fête. J'ai mordu sa bouche, il a lâché son casque et m'a prise dans ses bras. Je me suis chevillée à lui, les jambes autour de ses jambes, les bras emmêlés à ses bras, ma bouche dans sa bouche, et on s'est tordus comme les arbres noirs. Et lui se levait, me faisait tourner, me portait dans ses bras et m'embrassait partout en me traitant de folle, de braque, de barjo totale qu'il aimait plus que tout. Il avait été si malheureux, si fort, à se taper la tête contre les murs de son studio, à jouer avec la meule de si près, de si près qu'il y avait laissé un doigt dans cette histoire, et quand le sang coulait, il le regardait en se disant qu'il faudrait qu'il se coupe la main et le bras, et la poitrine et le cœur pour oublier.

Je me fortifiais de tous ces mots, je lui léchais le visage, je passais et repassais ma langue sur ses yeux, sur ses cheveux, et il me faisait tourner et tourner. Il m'a appuyée contre le mur de l'abri, a soulevé mon imper, fait glisser mon jean, laissé tomber son pantalon et m'a prise comme ça dans l'orage de ses mots qui résonnaient à mes oreilles et emportaient tout, les enfants, les marionnettes, Bozzo, Gradouille, Saperlipopette.

C'était comme avant. Comme avant.

À un moment, j'ai prononcé une phrase que je n'aurais jamais dû dire parce qu'elle nous emportait trop loin, qu'elle donnait de l'espoir, de l'avenir et qu'il ne fallait pas, mais je l'ai dite quand même, rien que pour faire écho à ses mots à lui, rien que pour qu'il répète, répète à l'infini ses mots d'amour… Je savais que c'était mal, que ces mots-là, ces mots qui donnent de l'espoir, il vaut mieux ne jamais les prononcer quand on sait que c'est du chiqué, que l'orage va finir et qu'on va repartir chacun de son côté. Mais c'était plus fort que moi et je lui ai murmuré tout doucement à l'oreille alors qu'il me prenait en me tapant contre le mur de l'abri :

– Tu sais, aucun homme ne m'a touchée depuis toi. Aucun homme…

Ça l'a rendu fou. Il m'a soulevée encore plus haut, à bout de bras et a poussé un grand cri. L'orage a redoublé, il se rapprochait de l'abri, tourbillonnait en rafales furieuses, on entendait la grêle sur le toit, la foudre claquer dans les champs aux alentours et j'ai répété jusqu'à m'en saouler les mots qui lui donneraient de l'espoir après, lui feraient perdre un autre doigt, puis un autre, puis un autre.

– Aucun homme, aucun homme depuis toi…

Et c'est moi qui ai poussé un grand cri et suis retombée contre lui, la bouche dans ses cheveux mouillés, les jambes accrochées à ses hanches, les ongles dans le cuir de son blouson. On est restés un bon moment, debout, immobiles, appuyés contre la paroi, et puis l'orage s'est éloigné, on s'est laissés tomber par terre et on est demeurés là, collés l'un contre l'autre, sans parler, abandonnés déjà, chacun à son histoire.

Au petit matin, il m'a conduite à la gare. J'ai acheté mon billet. On ressemblait à deux vagabonds trempés. Heureusement, il n'y avait personne sur le quai. C'était le premier train pour Paris. Je suis montée dans la voiture de tête. Me suis appuyée contre la glace et, quand le train a démarré, je lui ai envoyé un baiser. Il m'a fait un signe de la main et s'est retourné. Je suis allée m'asseoir dans le compartiment. J'ai fermé les yeux et j'ai senti une grande force monter en moi. Pas à cause de Guillaume, non. Mais parce que j'avais attrapé un bout de moi. Compris un peu de mon histoire. Je n'étais plus tout à fait un petit poisson-lune qui allait dans la vie en flottant, en gobant les algues et les alevins. Je m'étais collé quelques arêtes, un début de colonne vertébrale. Un petit bout de moi que j'avais reconnu et accepté. Même s'il n'y avait pas de quoi faire la fière. L'orage de ce dimanche ne s'était pas contenté de raviner les monts et les rues de Verny : il avait fait un trou dans ma vie. Après, je n'ai plus été la même.

Et puis, j'ai touché, dans le sac trempé, Gradouille et Bozzo, et j'ai éclaté de rire dans le compartiment. Je me suis levée, me suis étirée, j'ai tendu les bras, les mains, tout le corps vers le plafond et j'ai poussé un grand cri tandis que le train démarrait. J'ai crié, crié, crié… et plus le train prenait de la vitesse, plus je hurlais en tournant dans le compartiment, en faisant la toupie, les bras écartés, la bouche ouverte, en mettant toutes mes forces dans ce cri, tout l'air de ma bouche, de mes poumons, de mon ventre, en criant jusqu'à m'étrangler, jusqu'à ce que je devienne rouge, aphone, et retombe à bout de souffle sur la banquette…

Mamou disait toujours : quand ça ne va pas fort dans ta tête, tourne-toi vers les autres, tu en trouveras toujours de plus malheureux que toi. Et puis, en les observant, tu apprendras, beaucoup. C'est la seule chose qu'il faut retenir de la religion : l'amour des autres.

Les autres, si on les regarde attentivement, on en apprend de belles. Les filles, à la boutique, par exemple, étaient une mine d'informations pour moi. Au début, elles m'épataient. Elles avaient l'air si fortes, si organisées. Presque impitoyables avec leurs ongles vernis, leurs bouches rouges, leurs chemisiers blancs impeccables, leurs jupes noires, leurs collants bien tirés. Elles m'avaient à la bonne. J'étais la petite dernière. Elles m'envoyaient chercher des sandwichs quand elles avaient faim au milieu de l'après-midi ou des journaux quand le client tardait, et me racontaient leurs histoires de fiancés. On allait déjeuner en grappes. Trois par trois. Pour qu'il en reste toujours deux à la boutique. Mes préférées étaient Agnès et Claudine. Deux goulues, avec des cannes toutes maigres, une grande bouche, les cheveux courts, la frange au ras des yeux, des breloques partout et des reparties de mitraillettes. J'avais du mal à les suivre, au début. Les détails ne leur faisaient pas peur et elles pouffaient de rire à l'unisson, en se poussant du coude, en mordant dans leur jambon-beurre. Chacune poursuivait son histoire, l'une interrompant l'autre, l'autre mettant tout sur le tapis pour chouraver l'attention. Elles avaient trois sujets de conversation : les fringues, les rides et les hommes. Tant qu'on se cantonnait dans les deux premiers, les dialogues restaient corrects. Mais dès qu'on abordait le masculin… Un vrai bric-à-brac de récriminations ! Rien ne leur échappait : la qualité de l'élastique des chaussettes, l'état du col de chemise, les doigts dans le nez, l'épaisseur du porte-billets, le montant de l'addition, le pingre trahi par son diesel, l'odeur de l'aisselle, le tonus du slip et la durée chrono du coït final. Le dégoûtant les enchantait. Déclenchait des fous rires qui coinçaient le jambon dans la glotte et nécessitait le verre d'eau d'urgence. Le rimmel coulait et elles s'essuyaient avec leurs serviettes en papier en déformant leur bouche. Quand un homme leur plaisait, elles prenaient un air mystérieux, presque mystique, comme si elles avaient couché avec le Petit Jésus en Personne. Mais quand il trébuchait, il rejoignait la catégorie des « mecs » sur lesquels elles tapaient à bras raccourcis. L'amour, pour elles, n'étant que du plaisir, du plaisir et du plaisir, la personnalité de celui qui dispensait le plaisir ne leur importait guère. Pourvu qu'il les comble de fierté, de cadeaux et de caresses délicieuses. Une vaste entreprise masturbatoire ! De vrais cœurs d'artichaut avec ça. Toujours prêtes à recevoir le prince Charmant. Celui qui pousserait la porte de la boutique pour acheter l'émeraude et les emporterait, la bague au doigt, le nez en trompette. J'écoutais. Je m'instruisais. Je me disais que j'avais pris la vie bien au sérieux jusque-là. Elles avaient beau n'avoir que quelques années de plus que moi, elles possédaient une sacrée avance.

Elles parlaient sans arrêt de lutter contre l'âge. Elles n'étaient pas vieilles pourtant et avaient la peau plutôt lisse. Elles s'acharnaient à prouver le contraire, sortaient des miroirs de poche de leurs sacs et se scrutaient la face, tirant la peau à gauche, à droite, retroussant les lèvres, plissant les yeux, soulevant une paupière pour prouver aux autres à quel point une rectification de l'ensemble était urgente. Il leur arrivait de s'enfermer aux toilettes pour comparer cellulites et boules de graisse et décider ensemble du diagnostic. Elles recopiaient des adresses dans les journaux et prenaient rendez-vous pour des gommages, des toilettages, des massages, des drainages, des coutures au fil d'or, des dermabrasions ou des injections de collagène. On se serait cru dans un atelier de mécaniciens. Et dans le même temps où elles dépensaient tant d'efforts, tant d'argent pour être belles, désirées, elles massacraient le pauvre bougre qui, deux semaines avant, faisait office de jeune premier. Celles qui étaient mariées soupiraient que les hommes, c'étaient des pas-grand-chose et que, plus le siècle avançait, plus ils devenaient des riens-du-tout.

Il n'y avait que les vieux ou les morts qui trouvaient grâce à leurs yeux. Ou les idéalisés. Mais ceux-là, je me demandais s'ils existaient. À les entendre, l'homme idéal devait leur dire « je t'aime » tous les jours ET n'être pas trop envahissant, les faire rire ET donner le biberon, épargner ET les couvrir de cadeaux, se faire chouchouter ET être attentif aux moindres de leurs désirs, faire du jogging ET lire un livre par jour, être actif ET rêveur, brun ET maigre, en jean ET tiré à quatre épingles, et avoir de l'ambition pour deux. Pour le trouver, elles faisaient appel aux pendules, aux dompteuses de Lion en Mars, aux fouineuses de boules de cristal, qu'elles allaient sans cesse interroger sur leur avenir. Tout un trafic d'adresses, de confidences, d'espoirs qu'elles se refilaient les unes aux autres.

– C'est pour avril-mai, disait Agnès, la plus vorace de prédictions ; en avril-mai, j'ai un superbe carré de Jupiter et de Vénus en maison 4.

– Ah ! soupirait une autre, tu es sûre ?

Et déjà, elle l'enviait, la soupesait, se demandait de quel droit le carré était pour Agnès et pas pour elle. Mme Irène ne participait jamais à ces déballements de confidences. Elle circulait, délicate, raffinée, décorée de bijoux fantaisie, de cashmeres roses, rouille, bleus, entre les tables et la porte d'entrée. On ne savait rien de sa vie. Elle ne portait pas d'alliance, ne recevait jamais de communication privée et affichait toujours un sourire imperturbable. Quand ça caquetait un peu trop fort entre deux filles, elle haussait le sourcil, et les coupables se séparaient en étouffant un rire derrière la main.

Et puis, il y avait Raymond, le comptable. Le Raymond comme l'appelaient les filles. La trentaine, divorcé, sans enfants. Il était important, Raymond. Il avait un bureau rien que pour lui et ne cavalait pas comme nous toute la journée, sur nos talons pointus, le sourire hautement aimable aux lèvres. Il m'envoyait remplir le parcmètre de sa voiture. Toutes les deux heures, je prenais des pièces dans la coupe pleine posée sur son bureau et partais nourrir l'horodateur. En échange, il m'offrait un rouleau de printemps à l'heure du déjeuner. De temps en temps. Il ne fréquentait pas le même établissement que les filles. À la pause, les filles tournaient à droite sur le trottoir vers le café qui faisait l'angle, lui virait à gauche et allait se poser toujours à la même table d'un restaurant chinois.

– La bouffe chinoise, ça nourrit et ça n'engraisse pas, affirmait-il en ouvrant sa veste pour que j'admire le plat de son ventre.

Lui aussi se faisait du souci pour son apparence. C'était un beau garçon, avec le menton un peu mou, de beaux yeux bleus cachés sous d'épaisses paupières et une gourmette en or au poignet. Il m'avait à la bonne. Il disait que j'étais moins chipie que les autres.

– Parce que tu es encore toute neuve, toi. Pas encore pourrie par la vie de Paris.

Neuve, neuve, je n'en étais pas sûre.

Un jour, avant d'aller déjeuner, il m'a emmenée faire des emplettes à la parfumerie de la rue Saint-Honoré. Il a expliqué à la vendeuse que, depuis quelque temps, des points noirs envahissaient les ailes de son nez. Elle lui a recommandé un masque désincrustant et une crème de soins. Il a sorti son portefeuille et a acheté les deux, sans broncher.

– C'est pour toi ? je lui ai demandé. C'est vraiment pour toi ?

– C'est depuis que je vis seul, m'a-t-il expliqué en essayant d'attraper son soja du bout de ses baguettes. Ça me remonte le moral de m'occuper de moi. C'est vrai qu'au début ça m'a fait un peu drôle mais, finalement, je trouve ça très agréable. Et puis, j'obtiens des résultats…

Je lui parlais d'André. Il l'avait catalogué tout de suite dans les « machos compassés ». Des enfants. De la vie à deux. Je n'évoquais jamais Christian : il n'aurait pas pu le classer. La virilité, Raymond n'y croyait plus. L'homme était à la baisse, d'après lui. Alors il faisait de l'introspection, le Raymond. À la recherche de son identité, il se repliait sur son petit nombril. Le soignait. Le bichonnait, l'exhortait à remonter la pente, à faire comme si… Un mauvais moment à passer, lui murmurait-il tendrement, en s'enduisant de crèmes, de gels, de fluides, de baumes et d'autobronzants.

– Mais alors, je lui demandais, tu es comme les filles ?

Il riait et disait que je mélangeais tout.

– J'aime les femmes, je les adore même, mais elles sont trop compliquées pour moi. Tu veux que je te dise : je n'y comprends plus rien. T'écoutes leurs conversations aux filles de la boutique ? C'est effarant ! Effarant ! J'ai le sang qui se glace et j'ai envie de me réfugier dans mon caisson. Un jour, il m'a convoquée dans son bureau. A fermé la porte à double tour et m'a montré un gros sac en plastique rempli d'after-shave, de déodorants, de gels après rasage. Il ouvrait les bouchons, me faisait respirer les senteurs de santal, de jasmin, de citronnelle. S'en vaporisait dans le cou, laissait reposer et me demandait de le humer.

– Tu aimes ? Tu aimes ? me pressait-il, inquiet.

– Oui. Pourquoi ?

– La petite Agnès… Je l'emmène au cinéma ce soir.

– T'as besoin de tout ça pour l'emmener au cinéma ?

– Hé oui ! Les hommes sont fragiles. Tu le savais pas ?

Les hommes ne pèsent pas lourd face à mon désir d'enfants. Retrouver les câlins d'Antoine le matin quand il se faufilait dans le grand lit, Alice qui soupirait qu'elle voulait bien mourir, un jour, mais avec moi, en me donnant la main. « Je ne veux pas grandir, maman, parce que, si je grandis, je vieillirais et je mourirais et je ne veux pas te laisser toute seule. Quand est-ce que je mourirais, maman ? » Je tournais et retournais la réponse dans ma tête et, un jour, il me vint une idée lumineuse et simple : « On meurt, quand on a fini de vivre. Et tu as encore plein de choses à faire avant d'avoir fini de vivre. » Ça l'avait rassurée. Elle ne m'avait plus jamais parlé de la mort.

Je ne voulais surtout pas tomber amoureuse parce qu'alors, je le sais, je mélange tout. Je suis victime des clichés. Comme les filles du magasin. C'est à force de regarder les pubs à la télé. On rêve toutes du même : grand, brun, baraqué, qui se rase au bord de la route ou conduit en éclaboussant tout le monde ! Ou celui qui embrasse comme s'il se posait en avion : une grande ombre, deux bras musclés, deux yeux noirs et vlan ! le baiser qui écrase tout sur son passage !

Je n'allais plus voir Christian en prison toutes les

semaines comme avant. Je n'avais plus le temps. Le psy aussi, j'avais arrêté de lui raconter ma vie. Faut être oisif pour aller confier ses petites tracasseries à heures fixes à un inconnu ! J'apprenais la vie, la rigolote, avec tout ce qui me tombait sous la main. J'avais viré toutes mes pilules Gourex dans les toilettes. Un grand ménage, sans arrière-pensée. Pour Christian, j'avais du remords. Je me faisais la leçon. Je me promettais de remplir mon petit panier et de prendre l'autobus jusqu'à la centrale.

Chaque lundi, je remettais à la semaine suivante.

Alors quand j'y allais, il se montrait très agressif envers moi. Une fois surtout… Je me rappelle. J'arrive en retard au parloir et il me le fait remarquer tout de suite. Il ne me laisse pas le temps de m'expliquer et enchaîne aussitôt :

– Je n'ai plus de Pento rouge, plus de thé. Ni de livres. Et mes Nike font pitié !

– Je t'en apporterai la prochaine fois. Promis.

– Tu m'oublies. Tu me laisses croupir en prison.

– Je ne fais plus le cabri. Tu devrais être content.

– Est-ce que les hommes te touchent ?

Je ne réponds pas. Je pense à Guillaume sous l'abri.

– Est-ce que les hommes te touchent ?

Puis, méfiant et tendu vers moi :

– Un homme t'a touchée… Je le sens. C'est pour ça que tu ne viens plus. Tu es amoureuse ?

– Je ne suis pas amoureuse.

– Un homme t'a touchée, réponds !

– Ça te regarde pas.

– Je le tuerai quand je sortirai de prison, tu le sais ! Je le tuerai !

– Tu dis des bêtises.

– Tu crois peut-être que je ne sortirai pas d'ici ? Qu'ils me garderont bouclé jusqu'à la fin de mes jours ? Hein ? C'est ce que tu crois ? Que tu vas être à l'abri et, moi, enfermé à vie ? Mais je sortirai, je m'évaderai s'il le faut ! Qu'est-ce qu'il t'a fait ?

Je tends la main vers lui pour l'apaiser mais il se précipite contre la vitre qui nous sépare et la martèle.

– Laissez-moi sortir, je veux sortir d'ici ! LAISSEZ-MOI SORTIR D'ICI !

Il hurle, tout droit contre la vitre.

– LAISSEZ-MOI SORTIR D'ICI !

Je le regarde et me recroqueville sur ma chaise. C'est ton problème, je pense, ton problème. C'est toi qui t'es enfermé là-dedans. C'est pas moi qui l'ai balancée dans la valise, la petite mijaurée ! Pas moi qui allais gambader avec elle sur les rochers, pas moi qui l'ai déshabillée pour mieux lui serrer le kiki ! Laisse-moi vivre, respirer… Chacun son malheur ! Je repousse ma chaise, tourne la tête vers le maton qui arpente le couloir, derrière. J'ai peur qu'il fasse voler le verre en éclats.

– Tu m'appartiens, tu m'appartiens ! Personne ne peut rien contre ça ! Je veux savoir qui c'est !

Un gardien est arrivé et, avec l'aide d'un autre, ils l'ont emmené.

Je l'ai vu partir, soulagée.

Pas pour longtemps. C'est ce jour-là, je me rappelle, qu'au retour de la prison, j'ai trouvé une lettre de maître Goupillon. Il écrivait qu'il n'arrivait pas à me joindre, qu'il fallait que je me mette en rapport avec lui de toute urgence. Je n'ai pas osé l'appeler tout de suite. J'avais trop peur d'entendre une mauvaise nouvelle.

C'était, en effet, pas bon du tout : ma mère avait écrit une lettre en faveur d'André. Et elle n'avait pas économisé les mots. Elle avouait que, en son âme et conscience, elle ne pouvait affirmer que j'étais capable d'élever deux enfants, seule, sans le secours d'une belle âme pour me servir de tuteur. J'étais trop fragile, trop en colère contre l'autorité. André, lui, était sérieux, ponctuel, courageux, tenace, honnête et droit. L'avocat d'André jubilait. Il avait prévenu aussitôt son confrère parisien.

– Ça ne va pas nous aider, c'est sûr, s'énervait maître Goupillon. Qu'est-ce qui lui a pris à votre mère ? Je ne savais pas que vous aviez de si mauvais rapports avec elle. J'ai raccroché, le bec dans l'eau, et j'ai appelé ma mère aussitôt.

Elle ne pouvait pas me parler, elle était occupée à soigner ma grand-mère, toujours souffreteuse, recluse dans sa chambre en tête à tête avec son vieux crucifix piqué de buis mité. Toujours à râler qu'on faisait trop de bruit, à raboter l'argent pour les courses, à cadenasser le téléphone, pas seulement par amour des sous, non, mais pour qu'on comprenne bien qu'on vivait chez elle, de ses rentes, qu'elle nous faisait la charité et que la charité, c'est comme tout, faut pas en abuser. Maman suait sang et eau pour la contenter, la baignait, la séchait avec du talc, lui coupait les ongles des pieds, lui arrangeait ses fanfreluches autour du cou, lui lustrait les ongles, lui lisait *L'Imitation de Jésus-Christ* jusqu'à le savoir par cœur, que les feuilles tombent en miettes sur ses genoux, et elle râlait, la grand-mère. Jamais un merci, un sourire, une petite caresse sur la joue de ma mère qui trottait pour la satisfaire. Que des plaintes, des soupirs, des considérations sur la déchéance de l'homme et l'immoralité du progrès. Elle mettait tout dans le même sac et le sac aux poubelles. Elle empestait la vie autour d'elle. Ma tante Fernande avait préféré s'exiler à Marseille. Elle avait pris un emploi de secrétaire dans une affaire de cartons. Ce n'était pas le Pérou mais, au moins, elle avait la paix.

– C'est pas grave, j'ai crié à ma mère qui chuchotait au téléphone de peur d'irriter la grand-mère. J'arrive.

Il fallait que je m'agite pour éliminer la rage. J'ai dévalé l'escalier, couru jusqu'à l'arrêt d'autobus, sauté les trois marches d'accès, bondi jusqu'au premier siège libre et, après, j'arrêtais pas de gigoter, de croiser et décroiser les jambes, de me ronger les ongles, d'arracher les petites peaux autour et de piaffer parce que le bus n'avançait pas. Une véritable machine à vapeur, j'étais. Je la connaissais par cœur ma colère. C'était toujours la même. Inépuisable, au goût infect. J'avais beau la vidanger après chaque collision avec ma mère, elle ne s'épuisait pas. Au contraire. J'en avais jamais fini avec elle. Elle bouillonnait bien épaisse, bien noire, bien grasse, et venait crever à la surface en insultes, injures et anathèmes variés. C'est moi qui m'épuisais ! Qui voulais comprendre pourquoi elle me haïssait si fort ! Je savais bien qu'elle n'était pas enchantée d'avoir une fille comme moi. Qu'elle aurait bien aimé m'aimer mais que je ne faisais pas l'affaire.

Je ne la remboursais pas de tous ses sacrifices. C'était ça le problème entre nous. Pour elle, un enfant, c'était comme un viager. J'étais là pour lui cirer les pompes. La faire si belle en son miroir. Elle avait cru toucher au but avec André. Et je lui avais piétiné son rêve. Je l'avais forcée à divorcer ! Elle ne me le pardonnait pas.

En plus, elle jouait sur du velours. Une maman, on l'aime toujours, c'est obligatoire, même si on prétend le contraire. Pourquoi se serait-elle abaissée à me prendre dans ses bras quand j'étais petite, puisque, de toute façon, je l'aimais plus que tout au monde ? Et quand je l'insultais, elle ne pleurait pas, elle ne tremblait pas. Elle se rassasiait de ma douleur que je lui offrais sur un plateau comme une imbécile. Quand je lui crachais ma haine avec de gros mots, elle était contente : je l'aimais, elle était importante pour moi et, en plus, elle avait le pouvoir délicieux de me faire souffrir en sauvant les apparences. Vue de l'extérieur, elle était parfaite. Elle pourrait même expliquer, plus tard, qu'elle avait écrit cette lettre pour le bien de mes enfants. Quand je suis arrivée rue Lepic, la porte de l'appartement était entrebâillée. Je l'ai poussée, résolue à livrer bataille avec ma génitrice, à l'ensevelir sous du fumier, à lui faire avaler son stylo et son bloc de correspondance. Et puis, sur le pas de la porte du salon, j'ai été prise de nausée : l'odeur de mon enfance m'a sauté à la gorge. L'odeur aigrelette, écœurante, poussiéreuse et feutrée des fauteuils au velours râpé, jamais changé, du parquet trop ciré, des tapis de famille, des fleurs séchées dans des pots de chambre en faïence, l'odeur de renfermé parce qu'on n'ouvrait jamais les fenêtres pour ne pas enrhumer l'aïeule cathareuse. On regardait le soleil en soulevant les rideaux mais on ne tentait pas le moindre entrebâillement de peur d'entendre la voix perçante de la grand-mère qui nous accusait de conspirer contre sa santé. J'ai failli en perdre l'équilibre. La tête me tournait. Tous les souvenirs remontaient et me suffoquaient. Depuis combien de temps n'étais-je plus revenue dans ce salon ? Cinq ans, six ans ? J'avais oublié les fantômes en culottes courtes tapis derrière les buffets, les rideaux, les glaces à trumeaux. Je me vidais, étourdie par l'odeur qui pénétrait en moi, me ramollissait, me rendait toute sentimentale.

C'est à ce moment-là que je l'ai aperçue dans le couloir. Dans la lumière blafarde du néon, elle avançait, courbée, avec un regard infiniment triste. Des mèches de cheveux grises pendaient de son chignon et elle reniflait sans pouvoir s'essuyer le nez. Elle, d'ordinaire si droite et si fière, ressemblait à une pauvre paysanne qui charrie son fagot sur le dos. Elle portait le bassin de ma grand-mère et avançait doucement pour qu'il ne se renverse pas sur le parquet. Je l'ai bien regardée cette vieille femme usée qui, ne se sachant pas observée, laissait aller toute sa détresse. Elle n'avait pas plus de 57 ans et, depuis des années, vivait dans la soumission et l'humiliation. Je ne connaissais que l'ennemie en elle, pas l'autre : celle qui avait les yeux humides et les bras tremblants en portant le vase d'excréments.

Ma colère est tombée d'un coup. J'ai attendu qu'elle ait atteint les toilettes. Je l'ai écoutée vider le bassin, se moucher, ouvrir le robinet du lavabo et je suis ressortie par la porte toujours entrouverte.

Ma fille est une nouvelle croix que le Ciel me demande de porter. Il m'est beaucoup demandé car j'ai beaucoup reçu, enfant.

Je suis née d'une bonne famille aisée, une famille du Nord, de Calais, où mon père possédait une usine de dentelles. Les affaires prospéraient. Les gens riches étaient raffinés, à l'époque. Ils mettaient un point d'honneur à soigner leur toilette. Ce n'est pas comme aujourd'hui où les femmes sortent en cheveux, fument dans la rue, où le jean s'affiche en toute occasion. Ils s'habillaient pour chaque heure du jour, ils ne regardaient pas à la dépense. Ma mère et ses amies se mettaient des voilettes, des gazes, des filets dans les cheveux, des médaillons autour du cou retenus par des rubans de panne noire. Le moindre paletot était orné de ruflette, de broderies, de perles, de guipure, et nous avions des gouvernantes, des belles voitures, une villa au bord de la mer, des draps fins et doux, des robes de petites princesses. On buvait du chocolat chaud, on mangeait des croissants frais au petit déjeuner, et la nappe, je me souviens de la nappe, toute ciselée de dessins, de ramages d'oiseaux dont les plumes formaient des cercles infinis que je suivais avec ma fourchette.

On a été les premiers à posséder un poste T. S. F., un tourne-disque, une voiture, un réfrigérateur. J'étais une petite fille gaie et légère, je sautais dans des bouillons de jupons blancs, dans des robes nouvelles chaque jour. Mes poupées avaient mille habits et des chapeaux comme ceux de ma mère. Nous étions élevées par des gouvernantes et nous apercevions nos parents à l'heure des repas. Nous n'avions pas le droit de parler à table. On ne s'en plaignait pas. Je ne me souviens pas de ma mère se baissant pour me consoler. Quand ils recevaient des invités à la maison, ma sœur et moi nous venions dire bonsoir dans de belles robes et nous étions très fières de leur faire honneur.

Je me souviens en particulier de ma première robe longue : en crêpe de Chine vert avec un mantelet doublé de velours vert. Je l'avais reçue pour mes 18 ans, mon premier bal. C'est mon père qui m'a accompagnée. J'étais rayonnante à son bras, dans cette belle robe longue. « Et maintenant, ma fille, m'a-t-il dit en pénétrant dans le grand salon où avait lieu la réception, tu entres dans ta vie d'adulte. Sois-en digne ! » Je me suis redressée imperceptiblement et j'ai serré son bras à travers mon long gant de velours vert. Je me souviens encore du goût de la glace au champagne que j'ai dégustée ce soir-là, du froid du sorbet contre mes dents, de mes pas dans ses pas quand nous dansions *Le Beau Danube bleu* et de la tête qui me tournait, me tournait. À un moment, nous venions de terminer une valse, j'ai posé ma joue sur son épaule et je lui ai dit, tout bas :

– Merci, papa, de tout ce que tu as fait pour moi…

– Allons, allons, m'a-t-il dit, tu es grande maintenant.

Peu de temps après ce premier bal, les affaires de mon père se sont mises à aller moins bien. Il dut licencier des ouvriers. Il s'était pourtant reconverti dans la lingerie fine et avait pu, pour un temps, sauver son entreprise, mais ce ne fut pas suffisant. L'atmosphère avait changé, imperceptiblement, à la maison. On ne parlait de rien mais on sentait bien que le malheur se rapprochait, qu'on ne serait pas épargnés par l'évolution des affaires, comme disait mon père. Il s'assombrissait, il se plaignait de ce que les gens ne connaissaient plus le beau, la qualité et ne pensaient qu'à économiser, qu'à acheter étranger. Il maudissait la mode qui changeait, qui débarrassait le corps des femmes de tout ce qui l'avait enrichi, lui. Il refusait qu'on copie les modèles dans les journaux.

Un jour où toute la famille était en villégiature à La Baule, il a refusé d'aller à la messe avec nous. Il avait un rendez-vous avec un client et M. le curé lui pardonnerait. Ma mère a pris un air offensé mais il est passé outre. J'ai eu le pressentiment d'un malheur. Je m'étais réveillée, le matin, avec la certitude qu'il n'allait pas bien et qu'il ne fallait pas le laisser seul. J'en voulais à ma mère de ne se rendre compte de rien. Il ne mangeait plus à table et lisait son journal, la partie économique, sans parler. On devait tous faire silence quand il écoutait les cours de la Bourse, au moment du café. Mon père n'était pas un homme volubile et affectueux. Le seul geste de tendresse qui me reste de lui est quand il me frottait la tête en m'appelant sa « petite grande ». Parce que j'étais l'aînée. D'une famille de quatre enfants. Ce jour-là, quand toute la famille est partie à l'office, j'ai prétexté un mal de ventre, un de ces malaises féminins, et je suis restée à la maison. Pour surveiller mon père.

Il a mis son plus beau costume et je me suis dit, un instant, qu'il allait rejoindre la famille sur le banc de l'église. Nous avions en effet un rang qui nous était réservé, mon père donnant beaucoup pour la paroisse. L'office ne commençait jamais avant qu'il n'arrive, et il arrivait toujours le dernier. Sa femme et ses enfants trottinaient devant et il fermait la marche. On allait toujours à l'église à pied. Qu'il fasse beau ou qu'il pleuve, nous cheminions ainsi, en silence, à travers les rues de La Baule. Il disait qu'il fallait faire un effort pour rencontrer Dieu.

Mais ce jour-là, il n'a pas pris le chemin de l'église. Je l'ai suivi de loin sans qu'il m'aperçoive. Il a pris le chemin de la plage. Dans son beau costume avec ses belles chaussures fines. Il est arrivé sur la plage. C'était un dimanche pluvieux et il n'y avait personne. Je me suis cachée derrière une cabine et je l'ai observé. Il s'est déshabillé soigneusement, en rangeant ses affaires en un tas bien net et, quand il fut nu comme un ver, il s'est approché de l'eau. Et là, sous mes yeux, il a avancé, avancé, sans se retourner, sans jeter un regard derrière lui et il a disparu.

Je l'ai attendu un long moment, assise à côté de ses vêtements. Je ne comprenais pas. Il n'est pas revenu. Je suis rentrée à la maison en pleurant. J'ai déposé ses vêtements sur les genoux de ma mère et je lui ai annoncé que notre père s'était noyé. Elle est devenue blanche, est tombée à genoux, a croisé les mains et s'est mise à prier. Cet accident fut un premier déclic : je me suis dit que rien ne nous appartenait sur cette terre. Que le bonheur est passager. Rien n'existe, tout est entre les mains de Dieu qui décide du destin des hommes. Mon père, cet homme riche, puissant, habile, avait été vaincu par une force plus grande que lui.

Le scandale a éclaté plus tard. Chez le notaire. Au moment de la lecture du testament. Il nous laissait la plus grande partie de sa fortune à l'exception d'une somme importante destinée à une femme de Calais dont il avait eu un enfant. C'est parce que cet enfant avait exigé de le rencontrer et de se faire reconnaître qu'il avait préféré disparaître en mer. Il ne pouvait supporter la révélation d'une telle infamie. Ce fut un choc terrible pour moi d'apprendre que mon père avait péché. Qu'il avait eu un enfant d'une femme alors qu'il était marié. Et puis, j'ai réfléchi, je me suis dit qu'il avait dû être très malheureux avec nous pour aller chercher du réconfort ailleurs. C'était notre faute. Nous étions trop occupés à jouir de la vie facile qu'il nous donnait pour deviner sa détresse, son isolement. Et moi, sa fille préférée, je ne l'avais pas réconforté. J'ai éprouvé une véritable répulsion pour ma conduite et je me suis sentie plus proche de lui que je ne l'avais jamais été de son vivant. Ma mère, une fois de plus, a été très digne. Elle a croisé les mains et a prié. On n'en a plus jamais reparlé. On ne parlait jamais de choses privées à la maison et on ne devait pas non plus montrer de trop grandes émotions. On ne pleurait pas, on ne riait pas, on se tenait convenablement. Mais je crois que cette deuxième épreuve a été encore plus dure pour elle. Je l'entendais, le soir, pleurer dans sa chambre et je restais là, derrière la porte, à l'écouter sans oser aller la consoler. Elle n'a plus jamais quitté le deuil et s'est déchargée sur moi de toutes les tâches de la maison. J'ai renoncé aux bals et aux belles robes. Qui m'y aurait conduite, de toute façon ? Est-ce parce que j'avais été trop coquette et trop gâtée que le Seigneur m'envoyait ce nouveau malheur ? J'ai senti tout à coup combien ma vie était bête et futile. J'ai donné mes robes, mes bijoux, mes romans de quatre sous, mes disques, mon électrophone. Je me suis consacrée à mes frères, à ma sœur, à ma mère, à la maison. Mais cela ne me suffisait pas. Je me sentais à l'étroit. Nous avions encore une vie confortable et ma contribution, si elle était importante, ne me demandait pas de grands sacrifices. Je crois que j'avais envie de sauver le monde entier. J'étais encore jeune et naïve.

Un jour, j'ai annoncé à ma mère que je désirais entrer dans les ordres. Elle a été catégorique : je devais me marier afin qu'un homme reprenne les affaires de mon père et fasse vivre la famille. Mon sacrifice était là, pas ailleurs. Il y avait un jeune homme auquel mon père m'avait destinée. Il comptait m'en parler et l'aurait fait sans aucun doute si Dieu ne l'avait pas repris. Quand elle eut fini de parler, je m'inclinai.

J'épousai le père de Doudou. Il avait fait une école de commerce, était de notre monde et, bien que je le connaisse peu, paraissait être un homme de caractère, capable de diriger une entreprise. Il s'habillait avec soin et allait tous les dimanches à l'église. Il me fit une cour discrète et je lui en sus gré. Je me mariai, à 25 ans, les larmes aux yeux, en pensant à mon père qui aurait dû me conduire à l'autel. Nous nous sommes installés dans la grande maison familiale pour que je continue à veiller sur le confort de tous. Mon mari n'y vit aucun inconvénient. Mes frères et ma sœur non plus. Il était drôle, bon vivant, et ne tenta jamais de diriger les uns ou les autres. Je n'avais pas de sentiment particulier pour lui et il ne s'en montrait pas offensé. Nous avions admis tacitement que notre mariage était de convenance. Il se révéla très vite pusillanime et vain mais eut deux ou trois bonnes idées qui donnèrent un nouveau souffle à l'affaire familiale. Il sut flairer la mode des collants pour femmes et des soutiens-gorge fantaisie, des body et autres modèles de charme.

Je n'éprouvais aucun désir d'intimité avec lui et, très vite, nous avons fait chambre à part. Quand il comprit que ses ardeurs ne m'intéressaient guère, il montra un visage jovial et m'informa qu'il irait prendre son plaisir ailleurs, sans toutefois, précisa-t-il, renoncer à frapper à ma porte les soirs de grande nécessité. Il se moquait de tout, ne respectait rien et déclarait souvent que l'humain est dégoûtant, que Dieu est une invention de l'homme pour se hausser sur les orteils et oublier la boue dans laquelle il baigne.

Il ne disait pas « boue », d'ailleurs. Il pouvait être très grossier, très cru.

Il allait souvent à Paris et menait grande vie. Il collectionnait les eaux de toilette, les cravates et les gilets et transforma une pièce de la maison en dressing, uniquement destiné à ses effets. Il changeait souvent de voiture et les seules conversations qu'il avait à table concernaient les prouesses de la mécanique. Ma petite sœur Fernande, de deux ans ma cadette, l'appréciait beaucoup et l'accompagnait souvent dans ses tournées. Ma mère ne disait rien. Elle vivait la plupart du temps cloîtrée dans sa chambre, indifférente à tout. J'essayai de l'alerter sur l'inconvenance de la situation : une jeune fille et son beau-frère partant ainsi en goguette ! Mais elle n'entendait pas. « Tu es le chef de famille, à présent, me disait-elle, je m'en remets à toi. » Je ne me sentais pas de taille à affronter mon mari et ma sœur réunis.

J'enviais quelquefois la bonne humeur de Fernande, ses éclats de rire, son intérêt pour les toilettes et les hommes, les nouvelles danses et les magazines. Elle connaissait la vie des vedettes et tapissait sa chambre de photos de personnalités connues. Elle me prenait dans ses bras et me faisait ses confidences. À Paris, grâce à mon mari, elle avait découvert les boîtes de nuit, l'alcool et les fêtes. Elle rapportait des disques et apprenait à danser à toute la famille. Faisait tourner un houla-hoop autour de sa taille. Je l'écoutais, étonnée et réticente. Émue aussi de la voir ramener la bonne humeur dans la maison. Le jour où elle m'apprit qu'elle était enceinte d'un homme rencontré à Paris, je fus effarée. Qu'allait-on faire de cet enfant ? L'élever, me dit-elle. Ton mari s'en chargera, c'est tout. Un de plus, un de moins, on a les moyens, non ?

Elle accoucha d'un garçon, Christian, et revint vivre à la maison quelque temps. C'était une charge de plus pour moi. Surtout qu'à peine l'enfant sorti des langes, elle reprit ses voyages avec mon mari. Ma mère accueillit cette nouvelle épreuve avec la même indifférence qu'elle employait à vivre. Nous devînmes la risée de la ville, et les mauvaises langues fourchettaient à notre endroit. Mes deux frères cadets préférèrent partir à Paris faire leurs études. La maison me parut vide et triste. Je me réfugiais de plus en plus dans la prière et remerciais le Ciel de tenir mon mari éloigné de moi. Un soir, cependant, il frappa à ma porte. Je lui ouvris sans méfiance. Il empestait l'alcool et délirait. Il semblait très en colère contre Fernande et parlait de son inconduite. Comme je lui demandais calmement de reprendre ses esprits et de m'expliquer les faits, il éclata de rire et me regarda avec une mauvaise lueur dans les yeux. Pauvre bigote, me dit-il, tu es de la même chair qu'elle et si différente ! Que connais-tu de la vie, toi qui es confite dans les bondieuseries toute la journée ? Je tentai de le reconduire fermement à la porte mais la rage le prit et il me renversa sur le lit. J'y ai droit après tout, j'y ai droit ! répétait-il en m'arrachant ma chemise de nuit et ma robe de chambre.

C'est cette nuit-là que Doudou fut conçue.

Il ne revint plus jamais dans ma chambre et j'avais décidé d'oublier cette nuit quand je me retrouvai grosse de lui. J'étais dégoûtée. Tout le monde me félicitait. Cet enfant rachetait le scandale de l'autre, le bâtard. Mais je le portais avec le sentiment du péché dans mon ventre. Chaque fois que Doudou remuait, j'étais prise de nausées. Je fis tout pour cacher cette grossesse. J'accouchai, seule, dans les plus grandes douleurs. Je rêvais toujours d'un ordre supérieur qui me débarrasserait de mon état de femme et me permettrait de me consacrer uniquement aux autres. J'essayai cependant de donner de l'amour à mon enfant mais je dois reconnaître qu'il m'en coûtait beaucoup : elle était le portrait vivant de son père. Elle avait les mêmes manières que lui, les mêmes expressions, la même façon de lever les yeux au ciel ou de se pencher soudainement en écartant les jambes et en croisant les mains entre les genoux. Chaque fois que je la regardais, je le voyais, lui, et cela m'était insupportable. Je n'avais pas voulu de ce mariage, pas voulu de cet enfant, pas voulu de cette vie de femme mariée que je trouvais inutile et stérile, comparée à toute la souffrance du monde. Je rêvais d'être missionnaire. Partir au loin et tout oublier !

Le petit Christian, je dois le reconnaître, fut remarquable. Il veillait sur sa cousine avec la fièvre et l'attention d'une nourrice et, la nuit, quand elle pleurait, c'est lui qu'elle appelait. Il avait la chambre à côté de la sienne et il se levait dès le premier pleur. Combien de fois l'ai-je trouvé avec sa petite cousine dans les bras en train de la promener pour qu'elle se rendorme ? Il lui racontait des histoires, la berçait. Elle n'obéissait qu'à lui et me repoussait quand je m'approchais. Je pris l'habitude de le laisser faire. Ils avaient l'air si heureux ainsi.

Finalement, à cause de l'inconduite et de l'irresponsabilité de mon mari, l'entreprise familiale dut déposer son bilan. Ma mère pleura encore et pria encore plus. Je me sentis coupable de n'avoir pas été à la hauteur de ma mission. Nous avons vendu tous nos biens, la maison de La Baule, la maison de Calais, les meubles, les tableaux, les lingots, les pièces d'or. Ma mère, sur les conseils du notaire, acheta un appartement à Paris, rue Lepic. Je vivais là avec ma mère, ma fille, Christian et Fernande.

Les visites de mon mari se faisaient de plus en plus rares. Il arrivait, se changeait, prenait du linge propre et repartait. Peu de temps après notre installation, il décida de partir sur un chantier en mer du Nord. C'est le patron de son entreprise qui m'écrivit pour m'informer de sa mort accidentelle. Le lendemain, ma sœur Fernande me fit l'aveu de son inconduite : Christian était le fils de mon mari. Il avait été très amoureux d'elle mais ce n'était pas réciproque. Elle l'aimait bien pour s'amuser, pour battre des records de vitesse en voiture, pour faire les fous dans les cabarets. Elle m'avoua même qu'il était un bon amant et qu'il avait été son premier homme.

C'est à cause de son inexpérience qu'elle était tombée enceinte : elle ne connaissait rien aux méthodes de contraception. Je rougis et elle me demanda pardon. Je la rassurai : je n'étais pas jalouse. Je ne l'avais jamais aimé. Elle parut soulagée. Quand il avait appris qu'elle était enceinte de lui, il lui avait proposé de divorcer et de l'épouser. Puis de partir à l'étranger, tout recommencer. Elle avait refusé. Ils avaient continué à sortir ensemble mais ce n'était plus comme avant. Elle avait envie de rencontrer d'autres hommes. Il lui faisait des scènes sans arrêt. Elle rompait, il partait se consoler avec d'autres mais revenait toujours la solliciter. Cela dura longtemps. C'est pendant une de ses brouilles qu'il avait forcé ma porte. Après la naissance de ma fille, il cessa d'importuner Fernande. Il était tombé amoureux d'une femme à Paris. Une femme riche, sentimentale, qui l'entretint pendant de longues années. Il menait une double vie. Fernande savait mais ne disait rien.

— Il aurait fallu tout dire et je n'osais pas, m'expliqua-t-elle, gênée.

Un jour cependant, cette femme finit par se lasser et, après une violente dispute, elle lui lança d'aller au diable, qu'il était un bon à rien.

— Voilà, tu sais tout, soupira Fernande.

J'avais vécu près de quinze ans avec un homme dont je ne savais rien et qui disparaissait dans le plus grand mystère. J'eus le sentiment atroce que l'histoire se répétait et j'imitai la conduite de ma mère : je m'inclinai devant ce que je reconnaissais être la volonté de Dieu. Ma vie ne m'appartenait pas. Quelqu'un d'autre avait décidé qu'il en serait ainsi.

Fernande trouva un emploi à Marseille et refit sa vie. Je gardai Christian qui refusait de quitter Paris, son école, la maison. Les deux enfants étaient inséparables et cela me faisait souci quelquefois. Je pensais au lien étrange qui les unissait. Ils n'en ont jamais rien su. Au mois d'août, nous allions dans le Midi retrouver Fernande. Elle avait acheté une petite maison de pêcheur à Carry-le-Rouet. Je n'arrivais pas à en vouloir à ma petite sœur. Sa joie de vivre était la même et je l'enviais. Même si elle continuait à vivre dans le péché et avait de nombreuses liaisons. Elle refusait de se marier, était ronde, dorée, gourmande. Portait des robes vichy serrées à la taille et des ballerines. Se dessinait un œil de biche, le nez collé contre la glace. Se crêpait les cheveux et les ramassait en un chignon haut et pouffant. Quand j'étais avec elle, je devenais une autre. Il m'arrivait de rire de n'importe quoi. De me maquiller. De mettre un de ses maillots deux-pièces que je trouvais indécents. D'écouter le transistor et de danser avec elle.

– Heureusement que je ne vis pas avec toi, je lui disais quelquefois, je ne me reconnaîtrais plus !

Elle riait, elle riait et répondait que c'était la meilleure chose qui puisse m'arriver.

– Mais viens… Je te trouverai du travail. On est bien ici, au soleil toute l'année.

Il fallait que je reste à Paris pour maman. Elle était si faible, si capricieuse, si malade qu'elle ne supportait que moi.

Et puis, je me sentais à l'abri à Paris.

Doudou aussi était heureuse avec Fernande. Je n'éprouvais, encore une fois, aucune jalousie. Je faisais tout ce qu'il fallait pour elle. Je l'ai élevée comme j'avais été élevée. Mon rôle m'avait été donné par Dieu : m'occuper de ces deux enfants, aimer ma sœur, prendre soin de ma mère et de mes frères qui réussissaient et avaient fait leur chemin dans la vie. Je craignais simplement que ma fille n'ait hérité du caractère de son père. Qu'elle soit légère, égoïste et superficielle comme lui. J'essayais de la maintenir dans le droit chemin avec des images pieuses et les belles histoires des Évangiles. Je lui apprenais le devoir, le don à autrui, l'honnêteté, le respect de Dieu. Elle me posait des questions au sujet de son père, mais je répugnais à lui en parler. C'était au-dessus de mes forces. Elle voyait beaucoup sa grand-mère paternelle, et je pense qu'avec elle elle devait assouvir sa curiosité.

Les parents de mon mari sont des originaux : son père, après une carrière réussie dans une compagnie d'assurances, s'est reconverti dans l'ébénisterie ! Sa mère ne va à l'église qu'à Noël ou à Pâques. Elle vote à gauche et milite pour le droit des femmes. Son mari ne s'y est jamais opposé. Quand elle a voulu s'installer à Paris, pour être plus proche des événements, disait-elle, il acquiesça. Pourvu qu'il ait son atelier. Ils s'installèrent à Asnières. Mais je ne les vis pas plus pour autant. Je ne m'entendais guère avec mes beaux-parents mais ne pouvais empêcher Doudou de leur rendre visite. C'est sa grand-mère qui lui a donné le goût des livres et je devais quelquefois censurer certains ouvrages qu'elle lui prêtait. J'intercalais alors une feuille blanche sur les pages défendues et faisais promettre à Doudou de ne pas la soulever.

Je n'ai jamais eu de conversation intime avec ma fille. Quel conseil aurais-je pu lui donner ? J'ai fait confiance à Christian pour qu'il lui apprenne à se méfier des hommes et la tienne éloignée d'eux. Elle ne sortait jamais sans lui, puis elle a cessé de sortir le soir. Il ne la quittait pas d'une semelle et je m'en remettais à lui. C'était un garçon brillant, Christian. Un peu sournois, peut-être, mais il avait du cœur. Il n'a jamais fait de reproches à sa mère, lui. Il ne la jugeait pas.

Quand Doudou a épousé André, j'ai été soulagée. Je me suis tout de suite sentie en confiance avec lui. J'ai bien remarqué qu'il y avait des problèmes dans le couple mais j'ai prié, prié Dieu pour que mes deux enfants les surmontent. Dieu ne m'a pas écoutée. C'est une nouvelle épreuve qu'Il m'envoie. Le bonheur n'est pas sur cette terre. C'est cela qu'Il m'enseigne depuis que j'ai vu mon père disparaître dans la mer. C'est cela que je dois comprendre et accepter dans l'humilité de mon cœur. Apprendre à renoncer aux satisfactions de ce monde. Mais je suis comme les autres humains, attachée à cette idée de bonheur sur terre et, quand je vois les jeunes aujourd'hui, je ne peux que les plaindre. Ils ont chassé le spirituel de leur vie. Ils ne savent pas ce qui les attend. Je sens bien que ma fille veut se prouver qu'à elle toute seule elle peut y arriver. Quel orgueil !

Ma petite fille doit plier. Elle doit revenir dans son foyer. Il n'y a pas d'autre solution pour elle et je ferai tout ce qui est en mon pouvoir pour l'y contraindre. C'est encore un bébé et elle doit m'obéir. Car enfin, personne ne l'a obligée à se marier ! Elle l'a choisi et voulu, André ! Ce serait trop facile qu'elle se désengage ainsi.

Que j'étais heureuse le jour du mariage !

Elle me poursuit de sa haine. Comme son père qui me reprochait de ne pas être vivante. Elle voudrait que je sois différente mais on ne se change pas. Je viens d'une autre époque, où nous avions d'autres valeurs. Je prie tous les soirs pour qu'elle retourne dans le droit chemin auprès d'André, d'Alice et d'Antoine.

Peut-être que Dieu, cette fois-ci, m'écoutera…

C'est dur de vivre seul avec deux enfants. Mon copain Gérard dit que d'un enfant il faut s'en occuper dix minutes tous les quarts d'heure. Il n'a pas tort. Je ne l'ai pas admis sur le moment mais j'ai été vite dépassé par la répétition infernale des mêmes rituels : le réveil, le petit déjeuner, les habiller tous les deux, l'école, le déjeuner, l'école, les jeux, le bain à donner, le dîner à préparer, les histoires à lire avant de les coucher. Toujours les mêmes histoires ! Je les connaissais par cœur et je finissais par parler comme Zygomar ou Pipiolit. Et pas question de sauter une ligne ou d'accélérer, sinon ils boudaient. Je courais de la maison à l'école, de l'école au bureau, du bureau à l'école. Je n'avais plus le temps de prospecter de nouveaux clients. Ou je le faisais par téléphone, et les contrats ne se concluaient pas.

Ils réclamaient souvent leur mère. Cela devenait une rengaine. « Et maman ? Où elle est ? Quand elle va revenir, dis ? » Je ne racontais pas les histoires comme elle, je n'achetais pas les bons tee-shirts, ni les vignettes autocollantes qu'il fallait. Je ne faisais pas passer le train dans la purée et n'avais pas le tour de main pour faire des pâtés mouillés, mais pas trop. Ce fut une erreur de leur avoir dit que leur maman était à l'hôpital. Ils me demandaient sans arrêt si elle avait mal et où. Et la nuit, cela nourrissait leurs cauchemars. Mais c'était trop tard, je ne pouvais pas revenir sur mon mensonge.

Mme Pétion était partie. Un beau matin. Elle avait trouvé une autre place où elle avait moins de travail, des horaires plus réguliers. Elle m'a mis devant le fait accompli. J'ai passé plusieurs annonces pour la remplacer mais les filles qui se présentaient ne m'inspiraient pas confiance. J'ai demandé à ma mère de revenir m'aider. En attendant de trouver une autre solution. Je n'avais plus la tête à mon travail et mon chiffre d'affaires baissait, baissait… Jusqu'au départ de Doudou, j'étais toujours en tête dans le classement mensuel au bureau. Maintenant, je rétrogradais sérieusement.

Je me souviens d'un samedi en particulier. Je voulais regarder un match, le soir, à la télé. Il commençait à 8 h 45. Juste le temps de faire un petit plat surgelé et hop ! le plateau devant la télé. C'était une de ces rencontres historiques où Nantes jouait la finale de la Coupe de France. J'avais décidé de les étourdir d'activités toute la journée pour qu'ils tombent de sommeil à 8 heures et soient au lit à 8 heures et demie. Je les ai emmenés chez le photographe. Nous n'avions aucune photo de nous trois. Rien que de vieilles photos du temps de Doudou. Je les ai habillés très élégamment, les ai coiffés, leur ai dit de se tenir tranquilles, le temps que je m'habille moi-même. Je leur parlais tout haut en me rasant et en choisissant mon costume.

– Vous allez voir… On va aller chez le photographe et on va revenir avec une belle photo de nous trois. Je la ferai encadrer et on la mettra sur le buffet du salon.

– On pourrait aller chercher maman pour la photo, a proposé Alice.

Comme je ne répondais pas, elle a enchaîné :

– Maman, elle m'aurait pas habillée comme ça. Et puis elle m'aurait fait une vraie coiffure. Et puis, elle aurait mis mes belles chaussures…

– On s'en fiche des chaussures, lui ai-je répondu en choisissant ma cravate, une cravate rayée vert et bleu

marine qui irait très bien avec mon costume vert bouteille. On ne verra pas nos pieds.

– Quand même, a dit Alice, maman, elle aurait pas
fait comme ça…

Antoine ne disait rien. C'est toujours Alice qui récri-
minait. Enfin, on est partis chez le photographe. Je
n'étais pas peu fier dans la rue, en tenant mes deux bam-
bins par la main. On devait déjà faire un beau cliché
parce que les gens nous regardaient, attendris.

Le photographe est un copain. Il avait préparé une
belle banquette rouge et nous a disposés artistiquement :
moi au milieu, le bras sur l'épaule de chaque enfant.
Puis il a reculé pour juger de l'effet et m'a fait signe que
c'était parfait. Sauf que les enfants ne souriaient pas.

– Souriez, les enfants, souriez !

– C'est pas amusant, a dit Alice.

– C'est pas amusant, a dit Antoine.

– Souriez, merde !

– Attends, m'a dit mon copain. On va demander à
Jennifer de leur faire les marionnettes !

– On va avoir Bozzo et Gradouille ? a dit Antoine.

– Qui c'est ça ?

Je commençais à avoir des crampes dans les bras et
plus envie de sourire du tout.

– Tais-toi, a dit Alice à son frère en lui balançant un
coup de pied dans les mollets.

Antoine a hurlé. S'est jeté sur elle. Lui a tiré les cheveux. La barrette d'Alice est tombée et elle a éclaté en
sanglots.

– Maintenant, je suis plus coiffée du tout !

– Je peux descendre du banc ? a demandé Antoine.

J'ai dit non et j'ai pris Alice dans mes bras. Elle était
rouge, avait des plaques sur le visage et se frottait le nez
contre mon beau costume. Je l'ai écartée un peu, elle
s'est remise à pleurer et Antoine est descendu du banc
pour aller jouer par terre avec un câble électrique.

Quand Jennifer est arrivée, je leur ai demandé de reprendre la pose. Antoine avait sa cravate de travers et il fallait le recoiffer. Je n'avais pas de brosse et mon copain non plus. J'ai aplati ses cheveux avec ma main, l'ai pris sur mes genoux et Alice a coincé sa tête dans mon épaule. Résultat : un cliché foutu ! Pas encadrable du tout. Antoine baisse la tête et regarde le câble. Alice a le visage enfoui contre moi. Et j'ai l'air d'un équilibriste de cirque harassé !

Qu'est-ce qu'on faisait le week-end quand Doudou était là ? Je travaillais souvent le samedi. Et le dimanche ? On allait chez mes parents ou je bricolais à la maison. Je restais dans mon coin et me reposais. Mais elle, comment s'y prenait-elle pour les occuper et qu'ils ne râlent pas ? Je ne pouvais pas répondre, alors j'ai pensé à autre chose.

– Si on allait essayer la voiture sur l'autoroute ? j'ai proposé aux enfants.

Je venais de m'acheter ma première grosse cylindrée. À crédit. J'achetais tout à crédit depuis quelque temps. Elle sortait du rodage et j'avais envie de la pousser un peu. Ils n'ont même pas répondu. J'ai pris l'autoroute et on a roulé en silence. Au bout d'un moment, ils ont eu mal au cœur. Je me suis arrêté sur une aire de repos et, là, j'ai été sauvé : il y avait des jeux pour les enfants ! Des toboggans, des tourniquets, des cochons roses et des petits chevaux. Ils ont joué pendant un long moment et je regardais passer les voitures. Puis ils ont eu soif. Je n'avais pas pensé au jus d'orange. On est allés jusqu'à la première station-service où j'ai fait provision d'Orangina et de Nuts. Comme ça, me suis-je dit, ils n'auront pas faim, ce soir ! J'avais aussi acheté des petites voitures pour Antoine et un baby-bulles pour Alice. Le baby-bulles s'est renversé dans la voiture. Elle en a fait un drame. J'ai dû nettoyer mon cuir tout neuf et suis allé demander à la voisine comment on remplissait un baby-bulles. Ébahie, elle m'a répondu :

– Ben… avec du Paic Citron. Ou n'importe quel autre liquide vaisselle qui fait des bulles !

Elle m'a souri bêtement. Je l'ai regardée. Elle avait le gros ventre sous son tablier et se tenait les reins à deux mains. Je suis rentré, j'ai rempli le baby-bulles. Ils ont eu faim. J'ai sorti des tranches de jambon et fait de la purée en flocons. Ils n'en ont pas voulu, elle était trop liquide.

Mon match ? J'ai regardé la seconde mi-temps avec Antoine sur mes genoux pendant qu'Alice crayonnait par terre. C'est épuisant de s'occuper de deux enfants tout seul. Ou alors, il ne faut faire que ça…

C'est alors que la vie de prison m'a sauté à la gorge.

Tant que Doudou venait avec son panier à provisions, je ne voyais rien. Je vivais ailleurs : avec elle. Pendant le bref temps de parloir qui m'était accordé, je reprenais pied dans la vie. Je me promenais avec Doudou à mon bras. J'étais Christian, le Grand Manitou. Je n'étais pas comme ces silhouettes penchées autour de moi, toutes grises, toutes pareilles, avec la même peau moite, les mêmes yeux vides, qui regardent à l'intérieur, murés dans une mélancolie aux pieds lourds, ne sachant que hocher la tête et attendre leur gamelle. L'odeur du Pento rouge arrivait même à dissiper celle d'ammoniaque et d'eau de Javel qui s'infiltrait partout et me piquait les yeux. J'avais mes Nike aux pieds et je m'échappais de ces longs couloirs qui arrêtaient le temps, le transformaient en une masse inerte qui figeait tout, nous rendait tous pareils.

Elle me protégeait. Construisait un mur autour de moi qui me rendait les autres invisibles. Je les côtoyais sans les regarder. Ils savaient ce que j'avais fait et branlaient du chef en me regardant. Au début, parce qu'après ils ne me voyaient plus. Je me rendais à peine compte que j'étais enfermé. Il fallait que les mots sortent de ma bouche pour que la réalité prenne forme et que j'entende les bruits métalliques de la prison que je parvenais à oublier le reste du temps. Rien ne se répercutait en moi, si ce n'est mes souvenirs d'avant, et je perdais presque l'odorat, l'ouïe et le toucher. Ne m'étonnais pas de sentir la couverture rugueuse sous mes doigts, le mur humide sous ma main, d'entendre le bruit des verrous qu'on referme, un, deux, trois, puis ceux de la cellule voisine, un, deux, trois et encore ceux de la suivante. Ou la voix du maton qui se voulait spirituel : « Faites de beaux rêves, ne rêvez pas de moi. »

Je n'entendais pas.

Et puis est arrivé ce jour où j'ai compris qu'elle m'échappait. Que je devenais pâle. Comme les autres, en somme. Transparent, avec une mine de formulaire administratif. Alors, oui, je me suis retrouvé en prison.

Avec les autres.

Enfermé.

Au début, je n'y ai pas cru. Je me suis dit que je m'étais trompé. Qu'elle venait moins souvent parce qu'elle travaillait. Et puis, ce jour-là, j'ai compris. Elle m'avait quitté. Un autre avait pris ma place. Elle n'aurait pas l'air si fière sinon… Elle n'avait plus besoin de moi. Elle venait me voir par pitié. Elle jetait des regards en arrière, vers le couloir où le maton faisait les cent pas. J'ai cru devenir fou. Ils m'ont emmené à l'infirmerie. J'étais saisi de tremblements. J'avais la fièvre.

Le corps d'un autre sur son corps…

Le mari, je l'avais neutralisé en la renversant dans l'arrière-cour, le jour de son mariage. Mais l'autre… Il m'échappait, celui-là. Je devenais fou à les imaginer dehors tous les deux. Libres comme l'air. C'est lui qui lui avait demandé de changer le maquillage de ses yeux, qui lui avait appris à se tenir droite ? À ne plus passer sa langue sur ses lèvres à tout moment ? Lui qui lui avait offert ce nouveau parfum qui flottait sur elle, qui lui avait donné cette assurance tranquille, un rien effrontée, qui la faisait ressembler à un titi parisien ?

Je ne comptais plus pour personne si je ne comptais plus pour elle. Je restais immobile, dans mon lit d'infirmerie, tendu, muet, voulant laisser échapper un long cri impossible à délivrer puisqu'il ne l'atteindrait pas.

C'est à elle que je voulais parler. Elle que je voulais prendre dans mes bras. Pour la renifler. Pour vérifier. Pour la récupérer.

Quand je suis sorti de l'infirmerie, on m'a dit que j'avais les cheveux blancs. Je n'ai même pas voulu vérifier en me regardant dans une glace. Qui cela intéresserait-il maintenant ?

J'ai mis de côté les pilules qu'on nous donne le soir pour dormir et, un jour, je les ai écrasées et les ai avalées avec un grand verre d'eau. J'avais dépassé la dose. J'ai tout vomi. Après, ils m'ont placé dans une cellule spéciale où j'étais surveillé jour et nuit. Ils n'aiment pas les suicides en prison. Ça entre dans les statistiques et ça fait mauvais effet.

Je perdais tout petit à petit : je flottais dans mes vêtements, mes gencives saignaient, mes ongles se cassaient, mes yeux me démangeaient. C'était comme si mon corps m'échappait. Qu'il ne voulait plus vivre avec ma tête. Ma tête devenue vide, qui ne donnait plus d'ordre pour tenir debout. D'ailleurs, quand je me levais, je tombais aussitôt. On me renvoyait à l'infirmerie.

– Allons, allons, faut pas vous laisser aller, disait l'infirmier. Vous avez si bien tenu le coup jusqu'à maintenant. C'est idiot !

Qu'aurais-je pu lui répondre ? Je n'avais même plus la force de parler.

Je refusais tous les parloirs. Ma mère, ma tante, mon avocat, je ne voulais plus les voir. J'ai renoncé à lutter et j'ai accepté l'enclos. Les quatre murs autour de moi et ma tête qui se vide. J'écoutais les bruits du soir, la toux des uns, les cris des autres, les gamelles qu'on frappe contre les barreaux, la télé qui résonne chez le voisin et je me disais : Tiens ! mon oreille marche encore. Je ne m'alimentais plus. Je ne demandais plus à aller à la douche. Je refusais la promenade. Je constatais avec un étonnement détaché la vitesse à laquelle mon corps se détériorait. Il partait à vau-l'eau mon corps. Il refusait de me tenir compagnie dans mon chagrin. Je le tâtais et ricanais tout seul. Je lui disais qu'il avait raison de se tirer. Je refusais qu'on me soigne. À quoi bon me maintenir en vie ? À quoi bon cette comédie ? À la fin, il a fallu m'hospitaliser pour de bon. On m'a transféré ailleurs, en ambulance. Dans un hôpital psychiatrique, je crois. On m'a mis dans un lit chaud et douillet. L'infirmière me prenait le pouls, me nourrissait à la cuillère, me disait : là, là, c'est bien, encore une cuillerée. Je me laissais faire. J'ouvrais la bouche mécaniquement et elle la remplissait. Elle m'essuyait la bouche, me disait : vous voyez, vous voyez… Et je lui souriais, béat.

J'étais devenu si faible, si faible. J'étais bien comme ça. J'étais bien.

Le Président venait d'acheter une nouvelle maison à la campagne, non loin d'Alençon. Une maison pour lui et moi, où sa femme ne viendrait pas.

C'était une nouvelle étape dans notre relation et je constatais, ravie, que j'agrandissais mon territoire. Sans jamais rien lui demander, j'arrivais à mes fins. Je me rendais indispensable. Cette maison lui servirait à nouer des contacts secrets, à recevoir discrètement des personnes qu'il ne souhaitait pas rencontrer officiellement, à préparer la mise en place de sa prochaine campagne comme député local. La date des élections législatives approchait et il cherchait des alliances sur le terrain. À moi de jouer assez finement pour évincer sa femme et m'imposer avant le premier tour ! Il n'était pas question qu'elle empoche sans rien faire le fruit de tous mes efforts !

Pour le moment, je considérais mon parcours comme un sans-faute. Le Président pouvait me croire désintéressée et sincèrement amoureuse de lui. J'avais toujours refusé qu'il m'entretienne : l'appartement de Paris était mon domaine. Mais il était petit, modeste, et ne convenait pas à un personnage de son importance. La maison de campagne devenait ainsi son officine secrète et, moi, son égérie. Je savais parfaitement ce qu'il attendait de moi en public : que je sois belle, un rien provocante, drôle et attentive aux autres. Preuve éclatante de sa virilité et de son entrain.

Grâce à mes relations professionnelles, je pouvais en outre lui amener des gens du spectacle qui sèmeraient un peu de paillettes sur l'austérité de ces réunions qui manquaient souvent de légèreté et de gaieté. Il me donna le nom des invités qu'il avait conviés pour ce week-end : deux journalistes politiques, un de la télévision, l'autre de la presse écrite, un jeune député local qu'il savait sensible à ses arguments et deux barbons, fins tacticiens et vieux routiers, qui encourageaient les efforts du Président depuis qu'il s'était mis en tête de se présenter. J'ajoutai à cette liste, contre l'avis de ses conseillers qui la trouvaient « un brin vulgaire », le nom de Carole Robin, une ravissante actrice à la langue bien pendue qui venait de connaître un gros succès au cinéma et collectionnait les couvertures de magazine.

Et celui de Doudou.

J'invitai aussi maître Gopillon. Pour rendre service à Doudou dont l'affaire n'avançait guère. Je glissai à l'oreille du Président d'avoir un geste envers elle afin d'impressionner Gopillon et de le rendre plus énergique dans sa défense du dossier. Robert, le chauffeur, et sa femme Germaine se chargeraient du service. Afin que tout soit parfait.

Nous avons quitté Paris, Doudou et moi, le vendredi, en fin d'après-midi. Doudou avait demandé et obtenu de ne pas travailler le lendemain, et je suis passée la prendre avec la voiture. Pendant que Robert et sa femme se chargeaient d'ouvrir la maison, de préparer les chambres et un petit dîner pour nous tous, nous nous sommes installées près d'un bon feu de bois et avons ouvert une bouteille de champagne.

– Je rêve, dit Doudou, je rêve… Il faut que je me pince !

– Pourquoi ? ai-je demandé, engourdie par la chaleur des flammes et le Bollinger rosé.

– D'être ici, avec toi, à boire du champagne. Et tous ces gens qui arrivent demain...

– Ce sont des gens comme les autres.

– Pour toi, peut-être. Moi, je me fais l'effet de Bécassine invitée au château !

Elle avait les joues rosies par le feu et les yeux qui brillaient. Les jambes par-dessus l'accoudoir du fauteuil, elle balançait un pied tout en vidant sa coupe comme un enfant boirait de la limonade.

– Tu m'intimides, tu sais, et même, parfois, tu me fais peur ! Mais il y a autre chose qui m'intrigue... Tu ne vas pas te fâcher ? Promis ?

J'ai fait non de la tête.

– Pourquoi fais-tu tout ça pour moi ?

J'ai marqué une pause.

– C'est mon histoire à moi.

– Je veux savoir.

– Ça ne te regarde pas.

– Je te sers à quelque chose ? a-t-elle demandé, en renversant sa coupe contre son nez pour laper la dernière goutte.

J'ai éclaté de rire un peu durement et elle s'est rembrunie.

– Tu vois, tu te fâches.

– Non, mais ta question est ridicule. Tu ne me sers à rien. Je t'aime bien, c'est tout. Je n'ai pas envie de vivre seule et tu vis avec moi.

– Je suis ta dame de compagnie...

– Voilà, c'est ça.

– Je n'en crois pas un mot.

– Eh bien, tu devras t'en contenter.

– C'est la règle du jeu ?

Je n'ai pas répondu. Elle n'a pas insisté.

À la fin de la matinée, le lendemain, les invités sont arrivés. Les journalistes et leurs femmes d'abord. Dans des voitures flambant neuves, prêtées pour l'occasion.

Les deux barbons ensuite, accompagnés de leurs épouses outragées à l'idée d'avoir à être polies avec moi. Plus je me montrais aimable avec elles, plus elles se mordaient les lèvres et leurs bajoues tressautaient ! Elles m'ont dit bonjour d'une main molle et ont évité, pendant tout le week-end, de s'adresser à moi directement. Puis ce fut le tour de la starlette, perchée sur des talons aiguilles et moulée dans un caleçon en caout-chouc noir. Une belle brune aux sourcils charbonneux, à la moue rouge prolongée d'une longue cigarette.

– Vous n'allez pas pouvoir vous promener en forêt dans cette tenue, lui ai-je fait remarquer.

– J'ai horreur de la nature ! Moi, je viens pour prendre l'air. De loin !

Je l'ai aidée à décharger ses nombreuses valises. Elle m'a laissée faire sans rien dire, s'exclamant devant le vert des arbres, le vert du gazon, le rose des roses et le bleu du ciel. Elle tenait dans ses bras un petit yorkshire femelle, prénommée Cerise, couverte de petits nœuds de toutes les couleurs. Cerise semblait détester la nature autant que sa maîtresse. Cette chienne avait quatre pattes comme tous ses semblables mais ne les utilisait jamais. Carole Robin la mettait à terre pour un petit pipi et la reprenait aussitôt en repoussant les gravillons du bout de ses talons aiguilles. À table, elle la posait sur ses genoux comme un sac à main et, entre deux bouffées de cigarette, la nourrissait de petites mouillettes beurrées trempées dans chaque plat.

Le jeune député jaillit d'une Renault 25, avec des lunettes Dior, un costume Dior et ses affaires de tennis. Il passa la main dans une mèche de cheveux, d'un geste fort séduisant, et demanda s'il y avait un tennis dans la propriété.

– Pas encore, mais il y a un court municipal si vous voulez.

Il a fait la grimace et a remis sa raquette dans le coffre.

– Ce n'est pas grave, a-t-il ajouté, j'irai courir.

Et il a sorti un sac en tissu éponge qui contenait son « équipement » pour courir.

– Le Président est arrivé ?

– Pas encore, mais nous l'attendons d'un instant à l'autre.

– Et qui sont les autres invités ?

Je lui ai donné les noms. Il a marqué un temps d'arrêt quand j'ai prononcé ceux des deux barbons. Le Président prenait du poids à ses yeux si les deux ancêtres se dérangeaient pour lui.

Maître Gopillon vint seul. Son téléphone portable à la main. Il ne s'en sépara pas un instant et s'excusait quand la sonnerie retentissait. Il partait alors dans la pièce voisine et on l'entendait discuter d'une voix animée et autoritaire.

– Il demande à sa femme de l'appeler régulièrement. C'est pour ça qu'elle ne vient jamais en week-end avec lui, me dit un des journalistes avec un grand sourire malicieux.

Enfin ce fut le tour du Président. Il amenait deux invités surprises : Jacques Lanquetot et sa fille. Je l'ai pris à l'écart et lui ai demandé la raison de cette invitation de dernière minute.

– Il est dans la panade et a besoin des conseils des deux anciens. Les dossiers volent dans chaque camp ! Je veux qu'il soit très bien traité. Occupe-toi surtout de sa fille.

– Qu'est-ce qu'elle a, Cécile ?

– Elle va très mal, paraît-il, et il ne la lâche plus. Peur du scandale…

Je ne l'avais pas revue depuis la réception au château. Elle était méconnaissable. Pâle, hagarde, la démarche peu assurée. Elle se frottait continuellement les mains et les bras comme si elle avait froid.

– Somnifères ? ai-je demandé au Président.

– Non. Pire : drogues et drogues dures. Regarde ses bras, elle ne sait plus où se piquer. Lanquetot ne vit plus. Ce serait très mauvais pour lui, en ce moment surtout !

Le week-end fut un succès.

Doudou s'immobilisa sur le seuil du salon quand elle aperçut Cécile mais ne dit rien. Cécile ne la reconnut pas. Elle garda ses lunettes noires tout le temps et répondait mécaniquement quand je m'adressais à elle. J'étais la seule d'ailleurs à lui parler. Sa présence dérangeait les autres convives qui la dévisageaient à la dérobée. La femme d'un des deux barbons lui demanda pourtant, à un moment, si elle avait des enfants, et Cécile éclata d'un rire strident qui dégénéra en fou rire nerveux.

– Mais enfin, qu'ai-je dit de si drôle ? s'interrogea la grosse dame, étonnée.

– Rien du tout, madame, répondit Jacques Lanquetot. C'est une vieille plaisanterie de famille.

Puis se tournant vers sa fille, sur un ton très dur il ajouta :

– Tu te calmes, Cécile, tu te calmes.

Rien de cela n'échappa au jeune député qui se rapprocha de Cécile et tenta de lui parler.

Le Président put s'entretenir à bâtons rompus avec chacun et obtint des journalistes ce qu'il voulait : un entretien dans le journal de 20 heures et une grande interview en première page, en échange de révélations sur son programme et ses alliances. Les journalistes se frottaient les mains. Le Président aussi.

Lorsque la conversation devenait trop politique, la starlette posait une question insolente qui relançait l'animation.

– J'aimerais bien savoir pourquoi, jusqu'à maintenant, les députés ne payaient pas d'impôts ? Ce ne sont pas des citoyens français, peut-être ?

Le Président a éclaté de rire et tout le monde l'a imité. Il semblait très amusé par le bavardage de l'actrice et j'ai demandé discrètement à Germaine de changer la distribution des chambres et de mettre la ravissante propriétaire de Cerise à côté du Président, au cas où…

Doudou écoutait, observait, l'air réservé. Le jeune député lui fit bien quelques avances, il lui proposa de venir courir avec lui, mais son esprit semblait ailleurs. Je lui lançais des clins d'œil complices auxquels elle répondait par de petits sourires. Le Président se montra très affectueux avec elle. Au moment de passer à table, il la prit par l'épaule et déclara que, s'il ne m'avait pas rencontrée… Un ange grivois plana au-dessus de l'assistance. Doudou piqua un fard. Le Président la serra contre lui puis la relâcha, en m'adressant le plus charmant de ses sourires. Son geste eut le résultat escompté. Je surpris le regard étonné de maître Gopillon qui se pencha aussitôt vers Doudou et entreprit de lui faire la conversation. Je l'avais placé à côté d'elle à table, pas très loin de moi, afin de suivre leur conversation. Il lui assura que, malgré le dossier que son mari avait constitué contre elle, il la défendrait bec et ongles.

– Qu'y a-t-il dans ce dossier ? ai-je demandé en faisant l'étonnée.

– Tout ce qu'on peut imaginer de vilenies sur son compte, a soupiré Gopillon, parlant à voix basse comme s'il me révélait un secret d'État. Il paraîtrait qu'elle n'entretenait pas la maison ni le jardin, que le bac à sable des enfants était rempli de crottes de chats et qu'elle les laissait jouer dedans !

– Mais c'est faux ! a protesté Doudou.

– Il a de l'imagination, votre mari ! a repris Gopillon en se tournant vers elle. Et le goût des détails salaces ! Outre la lettre de votre mère, il y en a une de votre voisine rapportant que les enfants restaient en pyjama jusqu'à midi, que l'aînée manquait souvent l'école et qu'elle vous a vue la gifler à plusieurs reprises !

– Elle ment ! a crié Doudou. Elle ment ! Comment peut-elle dire une chose pareille ?

– Vous savez…

Il eut un geste évasif et tripota son téléphone, surpris qu'il ne sonne plus.

– Cela va faire mauvais effet auprès du juge. Avez-vous constitué le dossier que je vous ai demandé ?

– Les lettres ? Non. Je ne sais pas à qui les demander.

Doudou semblait désespérée. Je la devinais au bord des larmes.

– À tout le monde. Les témoignages ne sont jamais vérifiés. Faites-vous faire une lettre par les invités du Président, disant que vous êtes exquise, ce que vous êtes d'ailleurs, et très préoccupée par le sort de vos enfants. C'est la signature au bas de la lettre qui compte. Évitez l'actrice, c'est tout ! Mais sinon, vous avez de quoi vous défendre dans cette assemblée…

Son regard a fait le tour de l'assistance. J'ai surpris l'étonnement dans les yeux de Doudou. J'ai remarqué qu'elle touchait à peine aux plats délicieux et que ses assiettes repartaient presque pleines.

– Je ne pourrai jamais faire ça.

– Allons, allons ! Rien que le nom du Président par exemple. Ou celui de M. Lanquetot sont des gages de moralité.

J'ai pris la liberté d'intervenir et j'ai proposé mon aide à maître Gopillon. Je rédigerais moi-même les lettres que je taperais à la machine et les ferais signer par les invités, avant leur départ.

On parla littérature, tennis, cinéma et télévision. On joua aux Ambassadeurs, et Carole Robin eut un franc succès en mimant *Le Pont de la rivière Kwaï*. À quatre pattes dans le salon, son petit derrière frôlant l'excellence offert à tous les regards, elle imitait le pont de son dos rond et Cerise jappait « Kwaï, Kwaï ».

Ce sont les apartés qui comptent dans ce genre de réunions. Les débuts d'alliance glissés entre deux portes, les rapprochements, les promesses, les invitations qui suivraient. Les plus puissants, malgré les apparences, étaient les deux barbons qui, le regard filtrant et roué, se laissaient courtiser en faisant grincer leurs mâchoires de vieux crocodiles.

Doudou a tenu bon tout le week-end. Le dimanche soir, quand nous nous sommes retrouvées seules pour fermer la maison, elle a poussé un grand soupir de soulagement.

– T'avais raison, quelle comédie ! J'ai pris dix ans d'un coup. Je ne savais pas le Président aussi puissant.

– Le pouvoir est une baguette magique. Je trouve ça aussi érotique que le plus bel homme du monde !

Elle a fait la moue. Je l'ai poussée du coude.

– Reviens sur terre et réfléchis. Ce prieuré est classé. Normalement, je ne devrais pas pouvoir changer une pierre ou modifier une parcelle de terrain. Dans quelques jours, je vais avoir l'autorisation d'abattre ce mur, d'acheter le terrain du voisin qui s'y refusait jusque-là, d'y construire une piscine et une serre, et, en échange, je ferai classer les arbres du village pour me donner bonne conscience et mettre les écolos dans la poche du Président. Étonnant, non ?

– En effet, mais moi, pour tout l'or du monde, je ne pourrais pas coucher avec lui !

– Je ne te le demande pas d'ailleurs !

Le Président était reparti, satisfait. Carole Robin aussi. Elle avait un nouvel amant qui pourrait lui servir un jour, pensait-elle. Elle ne savait pas, la pauvre, le peu d'intérêt qu'il portait à ces proies faciles. Il avait passé une partie de la nuit avec elle puis était revenu dans mon lit. Je ne lui fis aucune réflexion et mis son absence sur le compte de la fatigue. Il m'en fut extrêmement reconnaissant et nous n'en avons plus parlé.

C'est parce que j'avais su le tenir à distance dans les débuts de notre relation qu'il tenait tant à moi. Il croyait m'avoir conquise alors que je n'avais fait que surmonter le dégoût physique qu'il m'inspirait. Cela avait pris du temps. Je ne l'importunais pas avec mes caprices ou mes crises de jalousie. J'étais devenue en l'espace de deux ans la femme idéale qui comprend tout et lui prête main-forte. Grâce à lui, je connaissais le tout-Paris. Grâce à moi, il pouvait utiliser, sans en avoir l'air, mon carnet d'adresses. Nous étions complices. La seule différence entre lui et moi, c'est que je n'étais jamais dupe de rien. Lui était dupe de moi.

J'étais dans le bureau de M. Froment quand l'avocat m'a téléphoné.

– Il faut que je vous parle de toute urgence, m'a-t-il dit. Rappellez-moi au palais, j'y suis jusqu'à la fin de la matinée.

M. Froment m'avait convoqué pour m'entretenir de ma courbe de ventes qui dégringolait. Il me faisait la morale pour que je me reprenne et redevienne le meilleur de ses vendeurs.

– Vous avez des pépins ? Rien qui puisse gêner nos plans, j'espère ? Je compte sur vous. Je n'ai vraiment pas besoin d'états d'âme en ce moment. Il faut se battre ! Aller de l'avant ! Je suis clair ?

Je l'ai rassuré et lui ai demandé la permission de me retirer. J'ai rappelé l'avocat. Je m'attendais au pire en composant le numéro et je n'ai pas été déçu.

– Rien que des poids lourds ! s'est-il exclamé. Je ne sais pas comment elle s'y est prise. Dites, elle a de l'entregent, votre femme ! On ne va plus pouvoir la manipuler comme ça ! C'était facile jusqu'à maintenant mais, là, on s'attaque à du gros poisson !

Je suis resté silencieux. Doudou, jusqu'alors, n'avait opposé aucune résistance. Il était illégal, je le savais, de l'empêcher de rencontrer les enfants mais elle n'avait pas bronché. Il avait suffi que je la menace pour qu'elle se résigne et attende. Je pensais qu'elle se découragerait et reviendrait à la maison. Je connaissais son peu de goût pour la bagarre. Son inaptitude à s'organiser. À manier des documents légaux. Anita avait dû prendre les choses en main.

– Son avocat réclame le droit de visite pour le week-end en quinze. Il a introduit une requête auprès du juge d'instance et le oui a été immédiat. Il va falloir lui présenter les enfants. Ensuite, avec le dossier qu'elle a, inutile de vous dire qu'on ne pèsera pas lourd.

– Mais j'ai quand même en ma possession cette fameuse lettre où elle dit qu'elle part avec son amant et le témoignage de sa mère !

– Oui, mais elle a joint une note d'un psychologue qui parle de dépression nerveuse et met son abandon du domicile conjugal sur le compte de la déprime. C'est facilement plaidable, ça. D'autant plus que l'amant en question a fait une lettre où il raconte que, pendant toute son escapade, elle ne pensait qu'à ses enfants et leur achetait des petits paletots ! Il donne des détails : le nom du magasin, de la ville ! Tout juste s'il n'a pas joint le ticket de caisse ! Le juge va sangloter ! Pour peu qu'on tombe sur une femme…

– Alors, que me conseillez-vous ?

– De transiger. Vous allez y laisser votre santé, votre situation et, surtout, beaucoup plus grave, l'équilibre de vos enfants ! Pensez à eux. Ne vous battez pas pour des prunes. Avant, c'était facile d'agir sans les traumatiser. Maintenant, il va falloir, si vous voulez gagner, les mêler à la bagarre. Et ils sont encore petits…

– Je réfléchis et je vous rappelle.

– Oui, mais… Préparez-vous à les présenter parce que sinon vous êtes hors la loi ! Et là…

Son ton est devenu sibyllin. J'ai senti qu'il me lâchait. J'ai dû interrompre la conversation : on frappait à la porte. C'était M. Froment.

– Vous êtes parti si précipitamment de mon bureau. Ça va ?

Je lui ai fait signe que oui. Il m'a dévisagé, inquiet, a été sur le point d'ajouter quelque chose puis a refermé la porte. Je suis resté un long moment à détailler la porte fermée. Ça allait trop vite. J'avais besoin de prendre l'air. J'ai pris mon imperméable et suis sorti. J'ai dit en passant à la secrétaire que j'allais voir un client. J'ai respiré un grand coup dans la rue et ai défait ma cravate. Je l'ai pliée et l'ai rangée dans la poche de ma veste. JE NE VEUX PAS QU'UN AUTRE HOMME S'APPROCHE DE MES ENFANTS. JE NE VEUX PAS. ILS SONT À MOI. C'EST MOI, LE PÈRE !

Je me suis aperçu que je parlais tout haut, que les gens se retournaient. Ils doivent me prendre pour un fou. Ou un chômeur qui déraille. Je ne suis pas fou. Je ne suis pas chômeur. Je suis un père à qui on va ôter ses enfants et qui n'a rien fait pour ça. Je suis innocent et c'est moi qui suis puni. J'ai marché au hasard dans les rues de la ville. Cela faisait longtemps que je n'avais pas flâné ainsi. Froment avait raison. Je ne pouvais plus continuer comme ça. Un pied au bureau, la tête ailleurs. Je faisais du mauvais travail, partout.

Après un moment, j'ai réussi à mettre les faits bout à bout. J'avais perdu. Il fallait me rendre à l'évidence. Si je persistais à me battre, je perdrais plus encore : mon travail, ma dignité d'homme… Par les temps qui courent, retrouver un job comme le mien, cela n'allait pas être évident. Je n'entendais parler que de chômage, de retraite anticipée, de licenciements. Les gens dans les bureaux n'osaient plus lâcher leur fauteuil, même pour aller faire pipi. J'étais en sursis. Le discours de Froment, ce matin, était un premier avertissement. Et puis j'avais toutes les traites à payer… La bagnole, la maison, la chaîne stéréo.

Je me suis laissé tomber sur un banc, juste en face d'une boulangerie et j'ai pleuré. Comme je n'avais jamais pleuré de ma vie. Antoine et Alice... Je ne les verrai plus. Comment en étais-je arrivé là ? Je ne comprenais pas. J'ai regardé les gens qui entraient dans la boulangerie, qui attendaient leur tour derrière la vitrine éclairée. Des femmes avec leurs gamins ou des vieux avec un cabas. Aucun homme de mon âge.

Des femmes avec leurs gamins. C'est l'ordre de la vie.

Les hommes travaillent, vont au bureau, et les femmes font la queue à la boulangerie avec les enfants. Doudou était sortie de la file d'attente et elle emportait les enfants. Je n'avais plus la force de me battre. Me battre pour quoi ? Puisque de toute façon la mère avait tous les droits même celui de partir. C'était la première fois que je me retrouvais face à une injustice et, malgré la rage que je sentais en moi, je compris que je renonçais.

Il y avait un truc qui m'échappait dans cette histoire mais je ne savais pas quoi. Doudou ne pouvait pas avoir TOUS les torts. Ce n'était pas réaliste de penser ça. Alors, qu'est-ce que j'avais fait de travers ?

Qu'est-ce que j'avais fait de travers ?

J'ai repris mon travail à la bijouterie mais j'avais la tête ailleurs. Comment allais-je m'habiller pour voir les enfants ? Je ne veux pas qu'ils soient déçus. Ils ont dû m'embellir dans leur tête et quand ils vont me voir…

Un soir, à la télé, j'avais écouté le témoignage d'un homme de 40 ans qui racontait qu'il avait attendu sa mère toute son enfance. Elle l'avait abandonné alors qu'il avait 3 mois et il avait été élevé par sa tante. On lui avait demandé comment il se la représentait cette mère idéale. Il avait répondu : aussi belle que Marylin Monroe !

À un moment, Raymond m'a appelée dans son bureau.

Je l'ai écouté sans rien entendre.

– Alors, qu'est-ce que je fais ? Tu m'écoutes ou pas ?

Il me houspillait, se trémoussait sur sa chaise à en faire péter les barreaux. C'était un vrai spectacle de l'observer, le Raymond, tout frétillant, anxieux, démonté en mille pièces qui ne s'emboîtaient plus. Il était ficelé d'amour et ne savait plus comment garder sa dignité dans tous ces nœuds-là. Il voulait bien perdre la face mais en beauté !

– Si, si…

– Alors ?

– Je vais revoir mes enfants, je lui ai dit.

– Ah ?

Il n'a même pas fait semblant de se réjouir. Il était là, tout ramassé sur son problème d'amour. Je lui montre ou pas qu'elle me fend le cœur, que je trottine baveux derrière elle. Il n'avait plus besoin de moi pour aller nourrir l'horodateur. Il devait même le remplir demi-heure par demi-heure, rien que pour avoir l'honneur de passer sous son nez. Elle l'avait tout requinqué, Agnès, avec son nez en l'air et sa petite frimousse de donneuse de plaisir. Il jouait avec les pièces de parking dans la coupelle et avait la chair molle, flasque, tressautante, d'un poisson ferré qu'on tient au bout de sa ligne et qui gigote encore avant de se rendre. Il me dégoûtait tout à coup. Il en devenait presque veule et répugnant de bassesse. Je ne sais pas pourquoi, je me suis mise à lui en vouloir de brader ainsi toute sa dignité. Je ne comprenais pas qu'il puisse s'agenouiller aussi rapidement, se prosterner, se ratatiner. J'aurais aimé qu'il résiste. Pour être honnête, je crois que je l'ai haï quelques secondes et je lui ai parlé durement, pour lui faire mal, pour qu'il réagisse.

– Vous êtes foutu. Ça suinte par tous les pores de votre peau que vous en pincez pour elle.

– Ah ?

Il s'est rétracté sur sa chaise et n'a plus bougé. Même ses doigts ont été saisis de paralysie et se sont crispés sur les pièces.

– C'est pas bon ?

– Avec une fille comme Agnès, c'est même très mauvais.

– Tu sais ça, toi ?

– C'est vieux comme le monde. À la maternelle déjà, les filles, elles aiment celui qui les regarde pas et qui leur tire les cheveux.

– Alors, qu'est-ce que je fais ?

– Vous la tenez à distance, vous l'ignorez dans la journée et la récupérez le soir, toute pantelante. Vous faites le supérieur, l'expert-comptable, vous vous grandissez de deux ou trois diplômes, parlez d'une envolée hiérarchique avec pépites à la clé. Vous bombez le torse, faites Tarzan. Mais pas cette mine de nigaud amoureux !

En fait, c'est en crachant ma bile que j'ai compris : j'étais en colère contre moi, contre tous les hommes du monde, contre toutes les filles du monde. Contre tout l'amour du monde où chacun se fait avoir en beauté. Le vrai amour, on le trouve chez les saints, les carmélites, chez des gens qui donnent sans compter. Mais sinon, ce n'est que du troc, du taux d'intérêt. Aime-moi ET je t'aimerai, dis-moi que je suis belle, intelligente et forte ET je te rendrai la pareille, dessine-moi un mouton ET je te ferai un baiser. C'est tout ça qui me sautait aux yeux sur la chaise cannelée en face de Raymond et de ses balbutiements. Je l'aimais bien, le Raymond. J'avais envie qu'il s'en sorte. Il soufflait. Il me fixait, les yeux exorbités. Soulevait ses lourdes paupières, ce qui plissait son front comme un vieux gant. Et moi, je m'emballais, je m'emballais. Plus j'ajoutais des mots, plus je m'éclaircissais les idées.

– Ça m'intéresse pas les rapports de force, grogna-t-il.

– Avec une fille comme Agnès, vous ne tiendrez pas longtemps.

– Qu'est-ce que t'y connais, toi, d'abord ?

– Bien plus que vous, en tous les cas. Je l'ai écoutée parler pendant des heures, Agnès. Et je ne me suis pas ennuyée. Elle n'aime que les vaches, les gros costauds qui lui en font baver, alors vous, avec votre cœur en pendentif, vous allez valser vite fait !

Je le dérangeais en disant ça. Il l'avait déjà repeinte en madone d'appartement, Agnès. Il se dandinait sur sa chaise et rongeait son pouce.

– Tu la connais mal. Je sais pas pourquoi je te demande conseil d'ailleurs…

– Vous avez raison, je ne suis pas une experte, je flaire, je flaire, c'est tout. Je ne veux surtout pas vous désillusionner. Allez, bonne chance !

Il boudait maintenant. Je lui avais détruit son rêve.

Ce soir-là, dans l'autobus du retour, je me suis demandé ce qui m'avait pris de déblatérer ainsi. Je ne me reconnaissais plus. Je changeais si vite que j'allais me mettre à me vouvoyer si ça continuait. Parce qu'ils en ont de l'amour, les gens. Tout au fond d'eux. Bien enfoui comme le lingot dans les draps. Mais ils n'osent pas le produire de peur de se faire détrousser. Ils le flattent, ils le caressent mais, au moment de le sortir, ils ont la trouille. Agnès, elle se défend comme elle peut. Elle joue les dures, les cuirs. Mais peut-être qu'au fond elle ne rêve que de se blottir contre le Raymond et de lui filer son lingot.

Qu'est-ce que je connaissais de l'amour, moi ?

Ce petit discours m'a menée tout droit à Christian.

J'ai ruminé longuement avant de lui écrire la lettre.

J'y pensais tous les jours mais c'était dur de mettre des mots sur ce qui était en train de se passer en moi. J'avais l'impression physique que je muais. Comme une chenille qui devient papillon, diraient ces vieux crétins de poètes.

Un soir, je me suis même couchée en riant. En riant de me voir si neuve dans le miroir.

Mais quand je me suis mise devant la feuille de papier, les mots sont venus tout seuls. Et j'ai écrit, j'ai écrit comme si je faisais un bilan.

« Christian,

J'ai mis du temps à t'envoyer cette lettre. Je me suis dit que ce n'était pas le moment de te parler de mes états d'âme surtout qu'ils sont plutôt toniques et gais. C'est vrai que j'ai pris la fuite. J'ai été lâche mais c'était malgré moi. Je n'étais plus à l'aise dans notre histoire. Il y avait un truc qui sonnait faux. Je n'étais pas à ma place. Ce n'était plus moi. J'avais l'impression qu'on répétait toujours le même échec. Ne plus te voir était une manière inconsciente de marquer une pause. De dire "attention ! il y a quelque chose qui ne va plus !". Je ne savais pas quoi exactement mais je sentais qu'il fallait que je me détache de toi. On s'est trop aimés tous les deux. Et, en même temps, que c'est dur de démêler l'amour de l'amour ! L'amour que je te porte et qui fait que je t'aime et t'aimerai toujours et… l'autre.

Je t'aime gratos. C'est comme ça mais ça n'a rien à voir avec…

Je ne sais pas comment appeler l'autre, l'autre amour qu'on a connu il y a très longtemps et qui n'est plus le même. Le fait qu'on ne se voie plus du tout depuis deux mois m'a fait du bien dans la tête. J'ai dissipé un malentendu que j'entretenais depuis des années : l'idée qu'on était toujours ensemble. Que ça allait de soi. Que, quoi qu'il m'arrive, tu serais là pour me protéger parce que tu n'aimais que moi. Tu ne peux pas savoir à quel point je me suis raccrochée à toi. Tu étais là et tu m'aimais et rien de mal ne pouvait m'arriver.

Un amour pas remis sur le métier.

Il fallait mettre de la distance entre nous. D'abord j'ai eu très mal. J'étais K. O. Je ne comprenais pas. J'ai fait le dos rond et j'ai attendu. C'était une étape à passer. Pour grandir. Pour me défaire d'un vieux truc qui me collait à la peau et me ramenait à un passé embelli, nostalgique. Comme si je redevenais adolescente tout d'un coup.

J'ai courbé la tête. Le cœur gros, mais bon… Et puis, tout doucement, les jours passant, la douleur a disparu et je me suis sentie très bien. Toute neuve. Comme si je reprenais mon indépendance. Comme si j'avais grandi d'un seul coup. J'ai la sensation physique d'être devenue une autre et j'aime bien cette Doudou-là.

Je t'aime toujours immensément. Je n'ai pas envie de le renier. De prétendre le contraire. "Je t'aime à toutes les sauces" serait l'expression exacte. Je t'aime à l'infini : je t'aime tout temps mais ça ne m'empêche pas de vivre.

À mon compte. C'est compliqué peut-être mais ça a le mérite d'exister, et drôlement même ! La vie est redevenue belle et compacte. J'y ai repris ma place. À moi toute seule. Je travaille, je gamberge. Je vais revoir les enfants et je suis émerveillée. Ils me font aller de l'avant. Je les remplis, ils me remplissent. C'est la vieille histoire des vases communicants.

Voilà, mon amour chéri, le fond de mon âme aujourd'hui. T'en fais ce que tu veux. Tu bâilles, tu ricanes, tu mouilles un œil, tu rigoles, tu persifles, tu mets tout ça sous la pile ou au-dessus… mais c'est là. Et je ne te baratine pas. Foi d'Al Capone et de la Sainte Vierge réunis. Je t'embrasse très fort et espère te voir très, très bientôt, Doudou. »

J'étais très fière de moi en relisant cette lettre.

Pour une fois, je prenais l'initiative.

Pour une fois, la force venait de moi.

Je n'étais plus un petit wagonnet qu'on pousse, qu'on tire, qu'on entrepose sur une voie de garage.

J'ai posté la lettre et j'ai prié le Ciel très fort qu'il la lise et qu'il comprenne. J'avais peur, tout au fond de moi, qu'il ne ressente qu'un immense abandon.

Quand ils m'ont écrit de l'hôpital psychiatrique pour me dire que mon fils était interné, je peux dire que ç'a été un choc. La dernière fois que j'étais montée à Paris pour un parloir, je l'avais trouvé plutôt en forme. Ce devait être il y a trois, quatre mois. Je n'allais pas souvent le voir parce que je travaille et que ce n'est pas facile de m'absenter. Mais il avait l'air bien. Il parlait de sa défense, du procès qu'il attendait avec impatience, de ce qu'il allait faire à la sortie de prison. « Je vais m'en sortir, Tatie, je vais m'en sortir… » il disait.

Il ne m'a jamais appelée maman. C'est bizarre, ça. Même tout petit. Je lui disais « mais je suis ta maman », et il disait « tu es ma tatie. Comme Doudou, tu es sa tatie ». Je n'ai jamais compris. Comment un gamin qui ne dit ni papa ni maman peut-il être normal ?

C'est ma faute aussi. Je l'ai eu trop jeune. Je l'ai posé et je suis repartie vivre ma vie. J'étais insouciante à l'époque. Et puis ma sœur s'occupait de tout. Elle le faisait si bien que je ne me tourmentais pas. Je ne réfléchissais pas trop. Je m'en remettais à elle.

Moi, si j'avais pu choisir, je n'aurais pas eu d'enfant. Parce que mon enfance, comment vous dire, je n'en garde pas de bons souvenirs. Oh ! bien sûr, je n'ai manqué de rien. Je veux dire, rien de matériel. Mais, pour l'affection, ils étaient plutôt économes mes parents. Moi, c'était ma nounou que j'aimais, celle qui m'a élevée jusqu'à mes 13 ans. Après, elle a pris sa retraite, elle avait la jambe gauche qui enflait, qui tirait et elle soufflait en lui faisant monter les escaliers. On en a eu une autre avec ma sœur mais, celle-là, je ne l'aimais pas beaucoup. Toujours à me faire la leçon, à me dénoncer et puis elle parlait en tordant le nez. Mes parents, je leur disais papa, maman, en société. Parce qu'il fallait bien les appeler…

Notre père, il s'est intéressé à nous quand on a commencé à devenir de petites bonnes femmes. Pas avant. Il n'en avait que pour ses fils. Mais alors là, quand il nous a poussé des galbes, il s'est mis à nous regarder. De très près. Il nous lorgnait même par le trou de la serrure quand on prenait notre bain. Je le sais parce que je l'ai surpris plusieurs fois dans le couloir du premier, derrière la porte de la salle de bains, en train de reluquer ma sœur. Oh ! Il ne faisait rien de mal, je vous rassure. Je ne me souviens pas d'un seul geste déplacé. N'empêche qu'il nous espionnait. Un jour, notre mère l'a surpris et il a fait semblant de réparer la poignée qui était branlante. Je ne sais pas ce qu'elle en a pensé. En tous les cas, elle ne nous en a jamais parlé. De toute façon, à la maison, on ne parlait de rien.

Quand Paul, le mari de ma sœur, s'est installé, ç'a été comme un grand coup de vent frais. C'était le contraire de mon père, Paul. Il avait toujours besoin de toucher, d'embrasser, de câliner, de rire, de faire la fête et il annonçait la couleur, en plus. Il ne s'en cachait pas. On peut le traiter de tout mais pas de menteur ! Ça, on peut dire qu'il est tombé dans la mauvaise famille, question joie de vivre ! Lui et moi, ça a fait clic tout de suite. J'ai vite compris que, ma sœur, il l'avait épousée pour la situation mais que moins il la voyait, mieux il se portait. J'avais de la peine pour elle. Je crois bien qu'elle en a été amoureuse, au début. Quoi qu'elle en dise. D'abord parce qu'il était beau et que, ma sœur, elle a un petit côté, oh ! pas énorme, mais quand même… elle a un petit côté vaniteux. Elle aime bien les belles robes, les belles maisons, les beaux meubles, les beaux mâles. C'est pour ça qu'elle est si coiffée de son gendre. Et Paul, il était beau. Ça oui ! Et aristo avec ça ! « Même en slip, c'est un prince ! » disait sa maîtresse parisienne qui l'a quand même entretenu un bon moment. Ensuite, elle avait un petit côté midinette, ma sœur. Avec lui, elle a dû se laisser aller à rêver au prince Charmant mais ça n'a pas duré longtemps parce qu'il n'encourageait pas la rêverie. Il se moquait de tout. Alors, elle s'est réfugiée dans la religion. Et ça le mettait hors de lui, cette bigoterie !

On est vite devenus complices tous les deux. Complices puis amants. C'était du pareil au même. Il était élégant, il sentait bon le linge frais, il me faisait rire et surtout, surtout, il m'emmenait loin de la famille. Ce n'était que du plaisir, la vie avec lui. Mais je n'étais pas amoureuse, ah ça, non ! D'ailleurs, je ne me souviens pas avoir été amoureuse. L'amour, je m'en méfie comme de la peste. Les petites aventures, les baisers, les mots doux, les frissons qui courent sur l'échine, d'accord, mais le grand tremblement avec vœux éternels de fidélité, je n'y crois pas une seconde. L'amour, ça se déguste comme une bonne bouillabaisse mais il faut pas que ça attaque la tête ! Ça doit rester strictement dans le ventre. Là, ça fait du bien, ça réchauffe, ça ventcoulise, ça requinque. Mais la tête, il faut se la garder bien droite sur les épaules et ne pas la poser sur le billot d'un autre ! Quand je vois là où ça l'a mené, mon fils, l'amour ! Moi, je crois à la terre, au soleil, aux maisons.

Je n'ai jamais eu plus de peine que lorsqu'on a vendu nos maisons de Calais et de La Baule. J'ai pleuré à m'en creuser des ravines. Mais pour un homme, jamais ! Ma maison à Carry, quand je l'ai achetée, c'était une ruine. Personne n'en voulait. Une pauvre chose qui avait la scoliose, qui dégringolait de partout. Plus rien qui marchait, que des sols branlants, des murs qui se fissuraient, un toit qui prenait l'eau, des tuiles toutes ébréchées. Je l'ai aimée tout de suite, celle-là. Je l'ai reprise en main. Je l'ai bichonnée. Et que je te mastique les fentes, que je te fais du plâtre, que je te bouche les trous à grands coups de truelle, que je te redresse la cheminée, que je te décape les poutres, que je te mitonne des ouvertures. J'ai pas fait la mijaurée avec elle. Je grimpais sur les gouttières, je les rafistolais avec du fil de fer – je n'avais pas beaucoup de sous – je montais les échafaudages, je mangeais du plâtre, je me cassais les reins à porter des dalles de pierre, des bricoles de récupération que je piquais à droite, à gauche, mais je ne rouspétais jamais. C'était la joie même. Du solide, du palpable, du visible à l'œil nu. Pas comme les mots d'amour qu'on ne sait même pas pourquoi on les dit et qu'on se retrouve encore plus bête après ! Je vibrais avec ma maison, je m'escagassais la santé, j'étais une héroïne. Et pas une de ces lymphatiques qui s'écroulent dans les bras d'un homme ! D'ailleurs, il n'y avait pas un homme qui me rendait aussi fière, aussi pleine d'émotions que ma maison. Et le soir, quand j'étais toute vermoulue, quand la fatigue me coupait les reins, je reculais de quelques pas et je la regardais qui reprenait tournure, qui se redressait avec ses volets verts, ses tuiles rouges, et j'avais de l'amour pour elle…

Tiens ! Quand j'ai appris pour Christian, la première fois, la fois du crime, c'est dans ma maison que je suis allée me réfugier. C'était comme si je rentrais dans un ventre. Je me suis enroulée dans l'entrée, là où le carrelage est toujours frais parce que la source coule en dessous et je me suis couchée. J'ai attendu que le mal passe, qu'il se perde dans les murs, dans le toit, qu'il se faufile entre deux huisseries mal ajustées. Et la maison a pris le mal.

Je leur aurais dit aux enfants qu'ils étaient frère et sœur. Mais ma sœur ne voulait pas. Elle avait peur du scandale. Elle disait qu'on en avait eu assez dans la famille. Qu'est-ce que ça apporterait de plus de remuer toute cette boue ? Je ne sais pas, moi. J'aime pas les secrets. Ça ronge tout, le secret. C'est comme la rouille. On croit qu'on est gagnant à les cacher sous le tapis mais, quand on le retrousse, le tapis, il y a de la vermine en dessous. Mais elle a insisté pour que ça reste entre nous et je lui ai obéi.

C'est quelqu'un de bien, ma sœur. Elle serait venue vivre avec moi à Marseille, elle se serait vite épanouie. Un soir qu'on était sur la terrasse à se boire un petit Martini bien frais avec des olives noires de mon jardin, le seul olivier qui donnait encore parce que je l'avais greffé, encouragé, que je lui avais parlé, collée contre l'écorce avec les bras autour, un soir, j'ai bien cru qu'elle disait oui. Elle avait la peau dorée ce soir-là et les cheveux défaits sur les épaules. Elle était toute répandue contre le mur. Elle allait dire oui, et puis elle a pensé à notre mère et s'est reprise. Moi je n'en voulais pas à Marseille. Je savais qu'à elle seule, toute impotente et ramassée dans son fauteuil, elle nous saccagerait la vie. Alors elle est repartie. Avec Christian et Doudou.

Ce n'est pas un mauvais petit, mon fils. Au contraire. Ma sœur me le disait toujours. Et ma sœur, elle reconnaît le bon grain de l'ivraie. Je devrais parler au passé parce que, maintenant, il n'est plus grand-chose.

Je suis montée tout de suite à Paris pour le voir après que j'ai reçu la lettre de l'hôpital. Et là, je l'ai plus reconnu. Ils m'ont laissée seule avec lui, dans sa cellule. D'abord, quand je suis rentrée, il me tournait le dos. Il était appuyé contre la fenêtre, la fenêtre avec des barreaux, et il regardait le ciel. Il avait les cheveux tout blancs, tout blancs. Il paraît qu'ils ont blanchi d'un coup. En une nuit. Et puis il se tenait comme un petit vieux J'ai dit tout doucement : Christian… Christian. Il n'a pas bougé. J'ai repris : c'est Tatie, mon chéri, c'est Tatie. Il s'est retourné et ça a été horrible, vous savez. Il n'avait plus rien dans son regard. Vous imaginez des yeux sans rien dedans… Que du vide, du vide. De la mort qui attend, tapie, prête à sauter et à l'emporter.

Je ne sais même pas s'il m'a reconnue.

Il m'a regardée un long moment. Je lui ai souri. Je lui avais apporté de belles tomates de mon jardin. Celles qu'il aime, les olivettes qu'on met dans la salade et qui craquent sous les dents. Je les lui ai tendues, bien à plat, toutes luisantes et rouges, dans ma main. Il n'a pas bougé. Il n'a rien dit. Il s'est retourné et il a regardé le ciel à nouveau, le bras appuyé au montant de la fenêtre. Comme un petit vieux qui attend. Je suis restée comme ça. Debout dans la cellule. Je ne savais pas quoi dire. Je n'osais même pas m'approcher. Il m'impressionnait. Et puis il y avait toutes ces années où je ne m'étais pas occupée de lui, où je l'avais laissé grandir sans même lui parler comme je le faisais pour l'olivier qui se mourait, ces années qui me remontaient à la gorge et empêchaient la voix de sortir. J'ai eu honte, vous savez, j'ai eu honte. Et je me suis dit qu'il ne faut jamais laisser passer une seconde, une minute d'amour parce que cette seconde, cette minute, elle ne se représentera plus jamais. Et vous, quand vous êtes jeune, quand vous avez la peau dorée à craquer, que la musique fait onduler vos hanches et frissonner les hommes, vous prenez tout cet amour comme un dû et vous remettez à plus tard. Sauf qu'elle ne se représente plus cette seconde d'amour. Et qu'il faut lui sauter dessus quand elle passe. Sinon, des années après, vous êtes dépouillés. Et vous vous plaignez. Mais il ne faut pas se plaindre, il faut se frapper la poitrine et se contrire de l'avoir laissé passer, ce minuscule instant d'amour.

1056

C'est la honte qui m'a clouée sur place avec mes olivettes qui ne voulaient rien dire puisqu'elles arrivaient bien trop tard.

À la fin, ils sont venus me chercher. J'ai murmuré :

– Christian, je m'en vais.

Il n'a pas bougé.

Le médecin m'a expliqué qu'il restait comme ça toute la journée. Il n'est pas violent, non, il ne bouge pas, c'est tout. On le couche, on lui fait faire pipi, il ne sait plus faire pipi tout seul. On le fait manger. On le rase. Lui, il ne fait rien qu'à rester silencieux tout le temps et à regarder dehors.

– Qu'est-ce qu'on va faire, docteur ? je lui ai demandé.

– Je crains qu'il n'y ait rien à faire, madame.

– Mais il ne va pas finir sa vie comme ça ! Je peux le prendre, moi. Je m'en occuperai, je le rafistolerai. Je le mettrai au soleil sur ma terrasse et je lui ferai de la bonne soupe. Il reprendra goût à la vie, vous verrez.

– Vous oubliez qu'il a commis un meurtre, madame. Il doit rester en prison.

Il avait une voix froide, unie et un visage où pas un muscle ne bougeait. Il m'a fait signer des papiers, des tas de papiers parce que Christian changeait d'administration. J'ai signé automatiquement.

– Mais après, je lui ai dit, après…

– Ce sont les experts qui décideront.

– Marquez sur vos papiers que je veux le reprendre.

Il a marqué d'une petite écriture fine et étroite, en haut d'un énorme dossier. Et il a souligné deux fois. Il n'y avait pas le nom de Christian sur le dossier, il y avait un numéro. Après, il m'a donné une lettre qui était arrivée pour lui. Je l'ai mise dans mon sac, à côté des tomates.

Je l'ai lue dans ma maison, la lettre de Doudou.

Elle était belle, sa lettre.

Au moins, Doudou va bien, je me suis dit, assise sur

la terrasse en regardant le soleil qui se couchait dans la mer. Au moins, Doudou va bien…

Alors j'ai repensé au secret et je me suis mordu les lèvres pour ne pas pleurer. Ce sont de sales bêtes, les secrets, croyez-moi. Ce sont de sales bêtes. Elles vous font croire qu'il y va de votre vie de les tenir cachées sous le tapis et, pendant ce temps-là, elles mangent tout et elles engraissent. Faut pas les laisser vivre. Faut les traquer, les écraser du pied.

C'est comme ça qu'on arrête le mal.

Pas autrement.

Pas autrement.

Le samedi que j'attendais et redoutais tant est enfin arrivé. Les avocats avaient tout arrangé entre eux. Je n'avais pas osé appeler André. C'est lui qui m'a téléphoné, trois jours avant.

Il a dit : Bonjour, c'est André, ça va ?

J'ai dit : Ça va et toi ?

Puis il y a eu un petit silence et enfin il a demandé :

– Comment vois-tu ça ?

J'ai mis du temps à comprendre ce qu'il entendait par là. J'ai répondu que je ne savais pas. J'ai même dit en riant nerveusement que je ne voyais rien du tout.

– Je suis trop émue, André.

Il s'est gratté la gorge et puis il a repris avec la même voix, calme, posée :

– Bon alors… Voilà ce à quoi j'ai pensé. Tu vas venir à la maison. C'est mieux si tu les retrouves dans leur cadre. Je t'accueillerai et je partirai sous un prétexte quelconque. Tu feras ce que tu veux. Tu peux rester ou aller te promener avec eux. Le soir, on dînera tous les quatre. C'est important. Qu'ils voient qu'on n'est pas fâchés. Tu dormiras à la maison. Je te laisserai la chambre et j'irai dans le salon. Le dimanche, on improvisera…

Sa voix s'est cassée et il a ajouté :

– J'ai pas été plus loin que le dimanche matin.

J'ai frissonné. J'avais les mains nouées sur le récep-

1059

teur. Je lui ai dit dans un souffle mais je lui ai dit quand même :

– André… Je suis prête à tout pour les enfants, mais il faut que ce soit bien clair entre nous : je ne reviens pas.

Il a laissé passer un moment et il a dit :

– C'est clair.

Il s'est gratté la gorge à nouveau.

– Il faut leur annoncer graduellement les choses. Tu le feras sûrement mieux que moi.

– Merci.

– Je leur ai dit que tu avais été malade, que tu étais soignée à l'hôpital. C'est important que tu dises la même chose.

J'ai eu un petit rire nerveux. J'ai raccroché.

Anita m'avait prêté sa voiture et j'ai retrouvé sans peine le chemin du lotissement, à trois kilomètres de la ville. J'aurais pu conduire les yeux fermés. Je me suis garée le long du trottoir. J'ai éteint le moteur. J'ai respiré profondément et je suis sortie. J'ai pris l'allée de graviers, je suis passée devant la boîte aux lettres numéro 12.

Ils devaient me guetter derrière la fenêtre car je les ai reçus de plein fouet. Tous les deux. Deux petits paquets jetés à cent à l'heure dans mes jambes et qui criaient « maman, maman ». Je me retenais pour ne pas pleurer, pour que le premier visage qu'ils voient de leur mère ne soit pas inondé de larmes. J'ai serré les mâchoires très fort, me suis accroupie et les ai pris contre moi. Mes bébés, mes bébés, je répétais. Maman, maman, ils me disaient en me serrant à m'étouffer. Ma petite maman d'amour que j'aime plus que tout au monde, m'a dit Alice. Maman, ma maman que j'aime plus que tout au monde dans mon cœur, a dit Antoine.

Ils me serraient si fort que je suis tombée en arrière sur les graviers et ça les a fait beaucoup rire.

– T'as vu comme je suis fort, m'a soufflé Antoine. Je suis grand maintenant.

– Et moi, à l'école, je sais écrire mon nom en lettres attachées ! a clamé Alice. Mais Céline, c'est plus ma copine.

Ils se sont mis à parler tous les deux ensemble de leurs copains, de la maîtresse, de l'épée du prince Philippe, du nouveau vélo d'Alice. Je les écoutais, assise dans le gravier. Émerveillée. C'est comme si je les avais quittés la veille.

À un moment, seulement, Alice a laissé échapper dans un soupir :

– C'est pas rigolo de pas voir sa maman…

– C'est pas rigolo de pas voir ses enfants, je lui ai répondu.

Elle a soupiré et m'a dit :

– T'es plus malade ?

– Non.

– Parce que, si t'es malade, moi je peux te soigner. Je te mettrai un pansement et tu seras plus malade.

– Quand papa, il a eu mal au genou, c'est Alice qui l'a guéri. Elle lui mettait de la glace dessus.

– Ah ? Et comment il est tombé malade, papa ?

– En grimpant à l'échelle, a dit Antoine. Moi, quand je tombe, je pleure plus, même. Je suis plus un bébé. Tu veux que je te montre ?

Il a fait une galipette dans l'herbe et il est retombé à plat sur le dos. Il a hurlé. Je l'ai pris dans mes bras. Il pesait si lourd maintenant ! On est rentrés à la maison. André faisait du café dans la cuisine. Rien n'avait changé. La maison était propre. Tout brillait. La mère d'André avait dû passer par là.

– Salut, il m'a dit. Tu veux un café ?

J'ai dit « oui » et je suis allée l'embrasser. J'étais très émue. Je l'ai pris dans mes bras. Au début, il était tout raide et gardait ses mains le long du corps et puis, au bout d'un moment, il s'est laissé aller et m'a serrée contre lui. Les enfants nous regardaient et pouffaient.

– Oh ! les amoureux ! Oh ! les amoureux, ils se sont mis à chantonner.

André s'est tout de suite repris et m'a demandé à nouveau si je voulais un café. J'ai dis « oui » une seconde fois. Il m'a fait signe de m'asseoir à la table de la cuisine, a sorti une tasse, le sucrier, une petite cuillère.

– Tu n'en prends pas ? j'ai demandé en voyant qu'il ne sortait qu'une tasse.

– Si.

Puis il a regardé la table et a souri.

– C'est l'émotion, il a dit, ça va passer. Je ne voyais pas du tout les choses comme ça !

– Pipiolit ! a crié Alice. C'est ce que dit Pipiolit au pôle Nord !

On est restés un long moment comme ça, dans la cuisine, à tourner nos cuillères dans les tasses et à essayer de boire un café trop brûlant qui nous faisait grimacer dès qu'on le portait aux lèvres. Les enfants étaient allés me chercher leurs jouets et les avaient répandus sur le sol de la cuisine. Puis ils étaient repartis en chercher d'autres. André s'est levé, a porté sa tasse dans l'évier, l'a lavée, posée sur l'égouttoir. S'est essuyé les mains. A remonté son pantalon. Serré son nœud de cravate.

– Il faut que j'aille au bureau. J'ai pas beaucoup travaillé ces derniers temps, j'ai du retard. On se retrouve ici, ce soir ?

– Oui. J'irai faire les courses.

– C'est pas la peine. Le frigo est plein.

Il a dit au revoir aux enfants et il est sorti.

J'ai passé un long moment dans la chambre des enfants. Alice m'a présenté Madeleine et Sophie, ses nouvelles poupées, et tous leurs habits. Antoine, ses voitures et ses avions. Ils venaient à tour de rôle s'asseoir contre moi, frottaient leur tête sur moi et réclamaient : un câlin, maman, un câlin…

Après ils ont eu faim et on est allés chez McDonald's manger des frites et boire du Coca avec plein de pailles. Je ne pouvais pas manger. Je les tâtais. Je les prenais contre moi. Je mangeais leur cou, leurs cheveux, leurs bras. J'avais envie de mordre leurs cuisses et leur petit derrière. Ils se laissaient faire en riant, disaient que ça faisait des guili. On a joué au jeu du serpent avec l'emballage des pailles : vous prenez le papier de la paille, vous le tortillonnez, ensuite vous versez une goutte de Coca sur la queue du tortillon qui figure un serpent et le serpent se redresse, se tord, va pour mordre…

Antoine l'a massacré à coups de verre, de poing, d'assiette et a triomphé en disant :

– J'ai tué le serpent, je suis grand, moi !

– Moi, mon serpent, je le tue pas. Je le laisse vivre parce que c'est utile dans la nature, a dit Alice. C'est méchant les serpents, maman ?

– Ça dépend lesquels. Et même les plus méchants, si tu les laisses tranquilles, ils ne te feront rien. Faut pas les attaquer, c'est tout.

Après le McDonald's, on est allés au square, faire du toboggan, du tourniquet et de l'escalade sur les constructions en bois. Je les regardais monter et descendre, virevolter et crier.

– Regarde-moi, maman, regarde-moi !

J'étais redevenue une maman.

Le soir, on a dîné à la maison. André avait acheté un poulet. Il y avait de la ratatouille, des pâtes, du fromage et des glaces. André a ouvert une bouteille de vin. On a bu un peu tous les deux. C'est ce moment-là que j'ai choisi pour annoncer aux enfants qu'ils allaient venir vivre avec moi, à Paris. Qu'on allait quitter la petite maison blanche du lotissement. Mais qu'ils verraient leur papa quand ils voudraient. Chaque fois qu'ils en auraient envie.

– Je vous aime comme avant, a dit André. Ça ne va rien changer. Je vous appellerai tous les jours…

– Et tu nous enverras des fax, a dit Alice. Le papa de Céline, quand il voyage, il lui envoie des dessins par fax et elle les colorie à l'école !

– Parce que papa, c'est normal, il faut qu'il gagne des sous, a dit Antoine.

Et voilà, je me suis dit. Et voilà…

Bien sûr, il y aurait des questions après. Et la lassitude de ne plus voir leur père tous les soirs, de ne plus courir dans l'allée en entendant le bruit du moteur qui s'arrête. Je le savais.

Ils avaient sommeil. Ils se frottaient les yeux. On en a pris chacun un dans les bras et on les a couchés. Ils se sont endormis, sans rien dire, chacun dans son lit.

Quand on est redescendus, André et moi, dans la cuisine… Quand on est redescendus…

On a tout rangé en silence. On a mis la vaisselle dans le lave-vaisselle. J'ai passé l'éponge sur la table. Il a sorti la poubelle. J'ai donné un coup de balai. Il a rebouché la bouteille de vin. Rangé les serviettes des enfants dans le tiroir. On cherchait tous les deux à quoi s'occuper encore. On tournait dans la cuisine, on se heurtait, on s'excusait… Et puis on s'est assis. De part et d'autre de la table. On ne savait pas quoi se dire.

– Tu vas les prendre quand ? a demandé André.

– À la fin du mois. Quand l'école sera finie…

– Tu as un logement à Paris ?

– Oui. Au début, ce sera un peu camping mais…

– Je te verserai une pension.

Je l'ai remercié. Je savais que je pouvais compter sur lui.

– J'aimerais les voir souvent… Je veux dire, je ne

voudrais pas d'un droit de visite strict avec horaires et tout.

J'ai hoché la tête. J'étais d'accord.

– Tu veux un café ?

J'ai dit non. Il a paru soudain embarrassé. J'ai compris qu'il avait quelque chose à me dire mais ne savait pas comment s'y prendre. J'ai entendu le bruit d'une voiture qui roulait, une porte de garage qu'on ouvrait, des portières qui claquaient… Les voisins rentrent, je me suis dit.

– Comment elle va, la Méduse ?

– Je ne veux pas qu'un autre les approche… Je ne le supporterai pas, il a lâché soudain sans me regarder.

On pouvait maintenant sentir la tension entre nous. Toute la tension de la journée qui se condensait dans ces quelques mots jetés brusquement dans la banalité de cette fin de soirée. La voisine criait, appelait ses enfants, le mari fermait le garage…

Je n'ai pas répondu.

Il évitait toujours de me regarder.

– Tu as quelqu'un dans ta vie ?

– Non. Pas pour le moment.

Il s'est redressé et cette fois-ci m'a fixée droit dans les yeux.

– Je ne supporterai pas que mes enfants te voient avec un autre, qu'un autre leur donne des ordres, s'occupe d'eux… Je ne le supporterai pas.

– André, je ne vais pas vivre comme une nonne le reste de mes jours.

– Si tu ne veux pas que ce soit la guerre… il a dit d'une voix sourde, pleine de menaces.

– André, s'il te plaît, on ne va pas se disputer pour quelque chose qui n'existe pas.

– Mais ça risque d'exister, hein ?

Il était debout maintenant et me toisait. Il croyait m'impressionner, me faire peur. Je n'avais plus peur. J'ai levé la tête vers lui.

– J'ai envie de vivre seule.

– T'as changé. T'es différente…

– Si tu m'avais enlevé les enfants, je crois que je serais devenue folle.

– Et moi alors ? il a hurlé. Comment je vais vivre maintenant ?

– Moi, je ne t'empêcherai pas de les voir. C'était cruel, ça. Vraiment cruel.

Je n'ai pas crié. J'avais décidé de rester calme.

– Mais tu vas te débrouiller comment ? Tu ne le sais même pas, je parie !

– Je vais m'organiser… J'ai un salaire.

– Mais comment tu vas faire, toute seule ?

– Comme des millions de femmes. Je ne suis pas la première.

– Ça ne va pas être facile.

– Peut-être.

– Tu préfères ça à vivre avec moi ?

– Oui.

– Tu ne m'aimes plus du tout alors ?

– Je ne veux plus vivre avec toi.

– C'est pas comme ça que je voyais la vie… Pas comme ça du tout.

– Moi, je ne la voyais pas du tout, la vie avant. J'avais 20 ans quand on s'est marié ! Est-ce qu'on sait ce qu'on fait à 20 ans ?

– Mais tu répétais tout le temps que tu m'aimais ! Comment veux-tu que je m'y retrouve, moi !

– Je sais. Je n'étais pas finie. C'était le brouillard dans ma tête et je me suis raccrochée à toi.

– C'est ça ! Et quand tu n'as plus besoin de moi, tu me jettes !

– Je ne te jette pas, André. Je te quitte. Je ne te jetterai jamais. On s'est trompé. On n'aurait jamais dû se marier ou faire des enfants ensemble. Mais on l'a fait.

Ce n'est pas une raison pour continuer cette erreur plus longtemps.

– Et elle est comment la vie que tu veux mener ? Hein ? Qu'est-ce qu'elle a de si formidable ? Je t'offrais tout : une belle maison, un mari solide, fidèle, parce que moi je ne t'ai jamais trompée, jamais ! Tu ne peux pas en dire autant ! Pas de soucis ! Rien ! Alors, tu veux quoi ? Je vais te le dire, tu ne sais même pas ce que tu veux !

– Si je sais : je veux vivre autrement. Il s'est passé tant de choses, André, pendant cette année… Tant de choses… Je ne suis plus la même du tout et, toi, tu voudrais que je revienne, que je reprenne ma place derrière l'évier et que tout redevienne comme avant. C'est impossible, André. Impossible. Je ne sais pas ce qui m'attend, mais je préfère ça à ma petite vie d'autrefois avec, comme seul horizon, tes promotions et une nouvelle voiture ou une nouvelle maison. Ce n'est pas ta faute. Trouve-toi une fille gentille qui a les mêmes buts que toi et…

– Ça t'arrangerait, hein ? Tu te sentirais libre ?

– Je me sens déjà libre.

Il est allé vers le Frigidaire. S'est ouvert une bière et l'a bue appuyé contre le plan de travail. Il jouait avec la capsule et la faisait tourner entre ses doigts. La capsule est tombée, il s'est penché pour la ramasser et, en se relevant, s'est cogné la tête contre le coin du plan de travail.

– Et merde ! Et merde ! il a crié. Tu me fais chier, Doudou, tu me fais chier !

On n'avait plus rien à se dire. J'étais fatiguée. Je lui ai demandé si je pouvais aller dormir dans sa chambre comme il en était convenu. Il a fait signe que oui. Il est allé au salon sans rien dire. A allumé la télévision.

Je suis montée. Je me suis déshabillée et me suis couchée tout de suite. Je tombais de fatigue.

Dans la nuit, j'ai senti deux petits pieds contre ma jambe…

Puis deux autres…

Alice et Antoine étaient venus me rejoindre. On s'est serrés tous les trois les uns contre les autres. Sans rien dire et on s'est endormis dans le grand lit autrefois conjugal.

Le dimanche a été moins gai.

Nous sommes allés voir un match de foot dans le quartier. Il a fallu affronter les voisins, les regards curieux et alléchés. J'ai revu la Méduse. Elle était enceinte à nouveau. Je lui ai dit bonjour sans même lui en vouloir. André était nerveux. Il a égaré ses clés de voiture, marchait dans les flaques, se cognait partout. Il applaudissait à tout rompre dès qu'une équipe marquait un point. Il a plu. On est rentrés à la maison. Je suis montée avec les enfants dans leur chambre. On a joué aux marionnettes et Alice m'a dit qu'elle savait que j'allais revenir bientôt : les marionnettes l'avaient prévenue.

André regardait la télé dans le salon.

Je leur ai donné leur bain, les ai fait dîner. Les ai couchés.

André était toujours dans le salon.

Je les ai embrassés très fort et leur ai promis de venir les chercher dans vingt dodos. Ils m'ont fait promettre vingt fois de revenir. J'ai promis vingt fois. Je suis restée dans leur chambre jusqu'à ce qu'ils s'endorment. Je suis allée dire au revoir à André. Il n'a pas baissé le son de la télé. J'ai pris mon sac. J'ai fermé la porte et suis remontée dans la voiture.

Vingt dodos après, je suis revenue les chercher. Leurs affaires étaient prêtes. Les vélos, les draps, les couvertures, les manteaux d'hiver, les bottes en caoutchouc, l'épée du prince Philippe, les avions, les chars, les poupées et leur garde-robe. Tout se trouvait dans l'entrée, prêt à être enlevé. André était là. Avec sa mère. Elle m'a tendu la main sans desserrer les lèvres, puis est montée dans la chambre des enfants finir de ranger.

– Pourquoi lui as-tu dit de venir ? j'ai demandé à André.

– Je ne supportais pas l'idée de me retrouver tout seul, après. Je vais vendre la maison, me louer un appartement en ville. Il n'y a que des couples et des enfants, par ici…

Alice et Antoine étaient accrochés à moi et répétaient : on part en voyage, on part en voyage !

– Tu as des lits pour les enfants ? s'est inquiété André.

– Mais oui…

On a chargé la voiture. Ma belle-mère était toujours au premier étage.

– Je me demande ce qu'elle peut bien ranger, je n'ai pas pu m'empêcher de dire.

André a haussé les épaules. Puis l'a appelée.

– Non, non, ce n'est pas la peine, je lui ai dit. Je ne tiens pas spécialement à lui dire au revoir et elle non plus, je crois.

– Si. Écoute. Il y a quelque chose que je voudrais avant de partir. J'y tiens beaucoup.

J'ai eu peur, soudain. Il paraissait tendu, mal à l'aise. Comme s'il me préparait un mauvais coup. Son regard glissait sur le côté, et il se touchait les cheveux pour se donner une contenance. J'ai redouté une reculade de dernière minute. Le jugement définitif n'était pas encore prononcé et il pouvait encore demander un répit.

– Je voudrais que maman nous filme avec la caméra. Tous les quatre. Et que ce soit gai ! Tous les quatre ensemble… S'il te plaît !

Je l'ai regardé, ébahie.

– Mais qu'est-ce que tu en feras ?

– C'est pour montrer aux gens comme on était

heureux ensemble. Pour que les enfants aient un souvenir plus tard…

– Un film !

– S'il te plaît. Ça ne te coûte rien et, pour moi…

J'ai rappelé les enfants qui étaient déjà installés dans la voiture. La mère d'André est descendue du premier étage. Elle devait être au courant car elle a pris la caméra sans rien dire. On s'est assis tous les quatre sur le canapé vert bouteille du salon et André nous a demandé de rire, de chahuter, de l'embrasser, de le prendre dans ses bras, tous ensemble. Cela a beaucoup amusé les enfants : ils se renversèrent sur leur père, l'embrassèrent, m'embrassèrent. Alice a pris mon visage et celui de son père et les a collés joue contre joue jusqu'à ce que je dépose un baiser sur la joue d'André. Alors celui-ci a passé son bras autour de mes épaules et a souri devant l'objectif de la caméra, devant le visage glacé et fermé de sa mère qui filmait, bien droite, sans bouger les pieds. Souris, m'a-t-il dit à l'oreille, je veux un beau souvenir. Alice a éclaté de rire, a mis une main sur chacune de nos têtes et nous a ébouriffé les cheveux. André a protesté, elle a continué de plus belle. Puis a tiré sur sa cravate. Antoine a dégainé son épée et nous a menacés. André m'a serrée plus fort pour me défendre du péril de l'épée et je me suis laissée aller contre lui. On s'est embrassés encore une fois devant la caméra qui tournait, qui tournait… et sa mère qui nous filmait, raide comme une statue, la bouche pincée.

– Tu es sûre qu'elle nous filme, j'ai chuchoté à André, prise d'un fou rire. À mon avis, elle doit cadrer nos pieds et nos chaussettes.

– Je t'aime, m'a dit André. Je vous aime tous les trois.

– Nous aussi on t'aime, ont crié les enfants.

Nous étions un couple heureux, sans histoires, qui s'aimait mais se séparait.

– Il n'y a plus de film, a dit ma belle-mère. C'est fini.

C'était fini.

Elle a posé la caméra. Nous a accompagnés à la voiture. A embrassé les enfants. A fait un effort pour me serrer la main. André m'a embrassée. Il m'a retenue un moment dans ses bras comme s'il allait me parler. J'attendais, ramassée contre lui. Nous n'avions jamais été aussi proches l'un de l'autre. Puis il m'a relâchée.

– Appelle-moi dès que vous êtes arrivés. Je vais me faire du souci. Et attention sur la route ! Sois prudente !

Il nous a dit au revoir longuement. Tout seul, planté là dans l'allée à agiter les manches de sa veste verte. Les enfants lui ont fait des signes de la main jusqu'à ce qu'ils ne le voient plus. J'ai agité la main aussi. Et puis j'ai mis mon clignotant et j'ai tourné. Le lotissement est devenu tout petit dans le rétroviseur. Plus il devenait petit, plus je me sentais forte et solide. J'ai empoigné le volant et j'ai poussé un grand cri de joie. Alice et Antoine ont échangé un regard inquiet dans le rétroviseur.

– C'est parce que je suis heureuse, je leur ai dit, je suis si heureuse. Il faut que ça sorte, tout ce bonheur…

Un jour, quand j'ai eu 17 bougies, maman m'a donné un gros dossier tout ficelé d'élastiques. Elle m'a dit : « Lis-le, on en parlera toutes les deux quand je reviendrai du cinéma. » Elle partait à la cinémathèque voir une rétrospective des films de Woody Allen, un vieux metteur en scène dont elle se vaporisait quand elle était jeune.

J'exagère, maman n'est pas auguste. On a fêté ses 39 ans, il y a deux semaines. Je lui pique ses vestes, elle me pique mes chausses. Elle dit que la mode n'a pas changé en vingt ans, qu'on a juste inventé de nouvelles matières, de nouveaux termes, c'est tout. Mais que sa génération à elle avait fait tout le boulot. On oublie toujours que sa maman a été jeune, qu'elle a été amoureuse, qu'elle a eu une vie avant nous. Pour Antoine et moi, maman, c'est maman. Ce n'est pas Doudou.

J'ai ouvert l'énorme dossier et une quantité d'enveloppes jaunes s'en est échappée. Sur chaque enveloppe était marqué un nom : Doudou, Christian, Anita, Mamou, Maman, Fernande, Guillaume, André. André, c'est mon père. J'ai failli ouvrir celle-là en premier mais elle m'avait bien recommandé de suivre l'ordre des enveloppes. Trois fois, elle a dû me le dire en pointant son doigt sur moi. Une manie qu'elle a.

J'ai tout lu. D'un coup. J'avais les mains qui tremblaient et les feuillets éparpillés sur mes genoux. J'ai pleuré beaucoup. J'ai ri aussi. Quand elle raconte ses vacances avec Antoine et moi à la mer… Quel astrolabe !

J'ai pas vraiment été choquée, non… parce que, avec maman, on parle beaucoup. Et de tout. Elle dit que l'amour, elle ne sait pas vraiment ce que c'est, qu'il y a des gens qui y croient, d'autres pas. Et qu'elle, après vingt ans d'essais, elle n'a pas encore réussi une transformation. Que papa est un type bien, un peu amidonné mais correct.

Qu'il n'était pas fait pour elle.

Les autres, non plus, d'ailleurs, elle ajoute en riant. Il y en a eu des passagers dans la vie de maman, je le sais, mais pas un qui ait posé sa malle à la maison. Elle les éjectait avant. Je crois qu'elle tenait trop à son indépendance. Elle peut être maniaque, parfois. Maniaque et ritournelle !

Elle répète sans arrêt, par exemple, que, pour s'en sortir, il ne faut dépendre de personne. C'est une rengaine chez elle ! Et pour ne pas être dépendante, elle ajoute : il faut avoir confiance en soi, il faut s'aimer.

– Mais comment on fait pour s'aimer ? je lui demandais toujours, énervée.

– D'abord, tu prends tout l'amour qu'on te donne et, ensuite, avec cet amour-là, tu te construis brique par brique. Comme une maison. C'est l'amour qui fait tenir debout.

Quand on était petits et qu'on faisait des bêtises, Antoine et moi, je me souviens, elle nous expliquait : « Je t'aime toujours mais je n'aime pas ce que tu viens de faire. » Pour que la bêtise n'efface pas tout l'amour qu'elle avait pour nous. Que le monde ne devienne pas tout à coup guerrier et froid et qu'on se sente abandonnés. Un enfant, on y entre comme dans un moulin, elle serinait encore. Moi, je n'ai jamais voulu entrer chez vous, j'ai toujours frappé d'abord. Correct, mère, correct. Pas de reprenette à faire. J'ai compris pourquoi elle tenait tant à son idée de confiance en soi et d'amour en lisant les grosses enveloppes jaunes. Elle n'en avait pas reçu beaucoup, elle, d'amour. Ou alors du tout tordu comme celui de Christian.

Complètement fil de fer, le cousin ! Et envahissant avec ça, un vrai lierre !

Quand je suis arrivée à la scène d'amour sur la poubelle, le jour de son mariage, j'ai sauté des pages. C'était du malheur qui me tombait en paquet sur la tête. Je me suis dit que j'étais périmée d'avance, moi, avec une histoire comme ça en préambule !

Pauvre papa ! Il éclipsait loin derrière. Pour papa, la vie est toute simple : sa maison, son boulot, sa voiture, sa femme. Il n'est pas bête, attention ! Mais il n'est pas fil de fer, c'est tout.

Tandis que maman…

Son histoire avec Christian. J'étais vraiment basse, après l'avoir lue. C'est ce que j'ai eu le plus de mal à avaler.

Je crois qu'il s'est laissé mourir en prison. Il n'a pas insisté beaucoup pour durer. J'étais toute petite mais, un jour, j'ai vu maman pleurer, assise sur un tabouret dans la cuisine. Elle venait d'apprendre que Christian était mort. Elle m'a dit que c'était un cousin, que c'était son frère, bref qu'elle m'expliquerait plus tard quand je serais grande. Elle m'a dit aussi qu'elle était en berne et que, si elle piétinait pendant quelque temps, il ne faudrait pas lui en vouloir. Mamou, aussi, est morte. J'aurais bien aimé la connaître davantage. Maman nous en parle souvent, et c'est comme si elle était toujours là avec nous. Elle s'est fait renverser par une voiture. Un chauffard. C'était avant la Loi des Lois. Avant qu'on bride les moteurs à cinquante à l'heure. Il n'y avait que ça pour arrêter le massacre sur les routes. Moi, j'ai voté pour. C'était la première fois que je déposais le bulletin, j'avais 16 ans et j'ai fait la fière. Antoine n'avait pas encore l'âge de voter et il voulait s'assurer que mon vote serait le bon. Parce qu'il y mettait sa colère lui aussi. Fernande, elle, est descendue dans la rue pour bouillonner contre les chauffards. Tatie, elle m'emporte. Elle râle tout le temps contre les constructions dans le Midi, la pollution de la blue water et la disparition des poissons, mais c'est une solide. Elle nous a appris à faire notre pain, à sculpter du bois, elle a planté des arbres pour nous : on a chacun notre figuier à Carry. Le mien n'a pas donné de figues pendant cinq ans alors que celui d'Antoine croulait sous les fruits. Je donnais des coups de pied, en cachette, dans le figuier, quand Tatie avait le dos tourné. Elle prétend qu'il faut leur parler aux arbres ! Les coups de pied, c'est une manière de parler aussi.

Maman, elle nous a jamais interdit les colères. Bien au contraire. Elle disait que ça formait le caractère, même si elle ne voulait pas y assister. On allait dans les toilettes piquer nos cramoisies et, quand on en avait fini, on ressortait. On faisait la paix, elle nous embrassait et on n'en parlait plus.

Le père de maman, il n'est jamais revenu. Ça, c'est un vrai mystère. Je suis sûre que ça la virevolte, maman, cette histoire. Elle n'en parle jamais. C'est comme un trésor de guerre qu'elle garde tout au fond de son cœur. Mais je surprends quelquefois son regard vague, un regard de petite fille en manque qui scrute le ciel. Ils m'étripent ces regards, j'ai envie de la rouler dans mes bras mais c'est son regret à elle et j'y peux rien. C'est un sacré trou dans sa vie et il n'y a que cet homme-là, ce disparu, qui peut le combler. Tout le reste est saccharine à côté.

La Méduse, je m'en souviens bien. Sa fin a été tragique. On l'a lue dans le journal. Une nuit, elle a pris la voiture de son mari et a fait le tour des fermes en abattant tous les veaux. Parce que les veaux émettent du méthane en rotant : 80 millions de tonnes de méthane par an ! Et elle ne supportait plus cette pollution supplémentaire. C'est un fermier qui l'a surprise alors qu'elle mettait en joue son dernier veau. Elle a retourné l'arme contre elle.

Guillaume, c'est mon préféré dans l'histoire. Le seul qui aime vraiment maman, si vous ouvrez bien vos mirettes. Au début, il venait nous voir. Puis il s'est marié, et sa femme a pris maman dans le nez. Alors il nous envoie des cartes postales pour Noël, pleines de paillettes dorées. Je sais qu'il dîne avec maman de temps en temps. En cachette.

Anita est toujours la meilleure amie de maman. Elle est basse, celle-là, extrêmement basse. Elle a fini par épouser son Président mais il n'est jamais devenu Président. À peine député. Et encore… Il a vite été coulé par un scandale financier. Aujourd'hui, elle se mange l'humeur dans son immense appartement, avenue Montaigne, avec son old gringo, aigri et ronchon, prostate sur un tas d'or. Elle ne le supporte plus. Elle vient à la maison et gémit du nez. Puis repart faire des shopinettes. Elle se console en dépensant. Elle le reconnaît, d'ailleurs ! Elle ne peut même pas s'escasser, elle perdrait trop d'argent d'un coup ! Moi, je ne la trouve pas bioutifulle du tout. Elle porte toujours ses cheveux noirs répandus sur les épaules. Elle date ! Maman m'assure que c'était une étoile quand elle l'a connue. J'ai du mal à la croire. Il paraît que, la première fois qu'elle nous a vus, elle a demandé à maman comment il fallait nous parler.

– Ben… comme à des êtres humains, a répondu maman en riant.

– Tu veux dire qu'ils comprennent si je leur parle normalement !

Quelle crétinabulle, celle-là ! Mais maman l'aime bien. Elle dit qu'elle fait partie de son histoire. Maintenant, je comprends mieux. Je n'ai plus le même point de vue sur elle.

Mon autre grand-mère, la mère de maman, elle nous gelait l'orteil. Il faut reconnaître qu'on n'avait pas le temps de s'habituer : à peine on arrivait chez elle qu'on repartait. On râlait, Antoine et moi, parce qu'il fallait se rembobiner les manteaux et les bonnets. À la fin, on ne voulait plus se déshabiller. Basse, l'aïeule, basse ! Toujours à lui faire des reproches à maman ! À parler du passé. Maman endurait un moment, puis frappait des mains en disant : c'est l'heure, les enfants... et on levait le camp. Elle est morte, il y a deux ans, d'une attaque cérébrale. En ouvrant la fenêtre. Elle a dû tirer trop fort et paf ! un vaisseau a pété dans le cerveau. Elle a été effacée aussitôt. Maman n'a pas eu l'air trop triste. Elle m'a expliqué qu'elle ne voulait pas faire semblant, qu'il y avait un grave contentieux entre elles deux, et c'est là qu'elle m'a parlé pour la première fois des enveloppes jaunes. Elle m'a promis de me les donner à lire quand le moment serait venu.

Quand elle a eu sa période noire, au moment de son divorce, elle s'est mise à écrire, à écrire, et elle a demandé à tous les gens autour d'elle, qui participaient à son histoire, d'écrire aussi. Comme quand on joue au cadavre exquis, elle m'a dit. Je ne connaissais pas cette estourbe-là et elle m'a expliqué. Chacun écrit un mot ou un bout de phrase sur un papier, plie le papier et le fait passer au suivant qui gribouille à son tour. Maman, elle, elle écrivait un bout de son histoire et, après, elle faisait passer et quelqu'un d'autre prenait la relève. À mon avis, il y en a qui ont triché et qui ont lu ce qui était caché.

Maman n'a pas triché. Elle a attendu que tout le monde y soit allé de sa petite lambinette et, un jour, elle m'a raconté, quand elle s'est sentie assez costaud, elle a ouvert les enveloppes et a tout lu sans crier pause. Ça lui a fichu un coup sur la girafe, je crois. Mais après, elle s'est sentie légère comme un duvet crevé. Elle était encore plus convaincue qu'il faut tout se dire, rien se cacher, et qu'il n'y a pas pire rongeur que le secret.

– Pas de terribles secrets entre nous, elle nous a fait jurer, que des petits secrets légers, des barbes à papa qu'on garde pour soi pour mieux se pourlécher les babines.

Maman adore les mots. Antoine aussi. Il en invente sans arrêt de nouveaux. On a tout un vocabulaire à nous trois. On appelle ça le vocabalai.

Elle a voulu que je lise à mon tour pour que je comprenne que la vie n'a pas toujours l'air de ce qu'elle est. Qu'il faut être indulgent avec les gens, ne pas les juger quand on ne sait pas ce qu'ils ont enduré.

Papa s'est remarié. Cinq ans après son divorce. Elle s'appelle Annie, sa femme. « C'est un brave bout, dit Antoine, qui lutte pour faire un plus un. » Elle travaille aux impôts et ne contrarie jamais papa. Nous non plus, d'ailleurs. Elle n'a jamais essayé de jouer à la maman. Elle est très contrite car ils n'arrivent pas à avoir de petits bouts. Elle a tout essayé : de l'embryon congelé, conservé trois semaines, à la stimulation électronique avec lâcher d'œufs dans l'utérus. Rien n'y fait. Elle est au courant de toutes les nouvelles techniques et feuillette les revues médicales comme d'autres les magazines ! Papa, lui, je crois qu'il s'en tapisse. Il ne palpite qu'à son boulot. Grâce à lui, Antoine et moi, on a toujours le dernier ordinateur qui vient de sortir et on se régale. Il s'occupe aussi de jeux vidéo, de programmes sophistiqués, de connexions inter-machines. Moi je n'y comprends rien, mais Antoine bidouille comme un fou. Maman dit que ça rend autiste tous ces circuits imprimés. Maman peut être très péremptoire, et c'est pour ça qu'elle n'a jamais réussi à vivre avec quelqu'un. Avec nous, ça va, parce qu'elle tend l'oreille. Elle est vraiment attentionnée. Mais les pauvres hommes qui ont tenté l'aventure, elle leur a gâté la promenade ! Ils ont vite redescendu la falaise. Papa, ça le console : il n'est pas le seul à avoir échoué avec elle.

– Votre mère, il nous dit toujours, c'est une énigme pour moi.

– Forcément, j'ergote, elle va à mille à l'heure et, toi, tu méticulises.

– La vitesse n'est pas une qualité, il répond, vexé.

– Mais toi, tu ne l'as jamais regardée. Tu ne savais même pas à qui tu parlais. Il n'y a pas pire que le missionnaire hébété !

Après je m'arrête. Quand je m'emporte, je lui bloque ses effets. Il est lent, papa, très lent. Je préfère ne pas trop parler de maman avec lui parce qu'on n'est jamais d'accord. Et puis, je l'aime bien. Il ne nous a jamais laissés tomber. J'en vois tant de coppertines autour de moi dont les parents ont lâché les cordes. Je me dis que j'ai de la chance.

Au début, quand on est arrivés à Paris, il nous a beaucoup aidés. Maman avait un boulot de vendeuse et du mal à suivre. Ce n'est que bien plus tard qu'elle a trouvé cet emploi comme rédactrice de dictionnaire chez Larousse. Elle se mandarine. Comme nous avec les ordinateurs. Pour la faire enrager, je lui dis que c'est le gouffre des générations. Elle patauge dans l'encre et, nous, on a les doigts propres. Elle hausse les épaules et soupire : « Pauvre crétinabulle ! »

Elle n'en pense pas une mouillette, je vous rassure. Elle se ferait hacher le menuet pour nous.

Quand elle est rentrée du cinéma, elle avait l'air bien embarrassé, emmitouflée dans son écharpe. Elle a frappé à la porte de ma chambre et a murmuré :

– Alors, ma limace chérie…

Je l'ai regardée, j'ai mis l'index sur ma tempe, puis j'ai frappé mon cœur.

– Barjo, la compagnie !

Elle a eu l'air inquiet. Je l'ai prise dans mes bras et on a roulé sur mon lit.

– T'es sûre, elle m'a demandé, tu ne m'en veux pas ? Parce que je vous ai aimés tout le temps, tout le temps. Tu le sais, ça ?

– Bien sûr, grosse Panzani, je lui ai dit. Je le sais, et depuis le début, que tu nous aimes. T'avais pas besoin de me filer ta littérature pour me convaincre !

Tu te rappelles ? je lui ai dit pour lui soigner l'inquiétude… Tu te rappelles… au début, quand on dormait tous les trois dans la même chambre, le même lit, et que papa venait nous voir. Il faisait le tour des lieux et déclarait notre installation « précaire ». Il détaillait chaque couteau, chaque fourchette, chaque petite cuillère, comme si tu allais nous empoisonner.

Tu te rappelles le grand brun que tu as baloudé devant nous parce qu'il avait osé me donner un ordre ? Et la maîtresse à qui tu as tenu tête tout un trimestre parce qu'elle voulait me faire écrire de la main droite ?

Tu te rappelles ?

Elle se souvient de tout. Elle tient un gros cahier où elle note tous les détails. On l'appelle la Bible. Quand on a un doute, on le consulte. Parce que la mémoire, j'ai remarqué, elle enregistre différemment selon les gens. Finalement, je lui ai posé la question à cent mille francs.

– Pourquoi tu m'as fait lire tout ça aujourd'hui ?

– Pour que tu comprennes un peu la vie. Que tu ne te maries pas avec le premier garçon venu. T'es grande maintenant, ma limaçonne. Ça prend du temps de savoir qui on est. Mais c'est aussi intéressant que de tomber amoureuse. Ça commence par de toutes petites choses comme de savoir rester seule le soir, de poser une étagère sans demander à personne de t'aider, de faire une recette de cuisine avec patience, de payer un loyer, des assurances et toutes les notes.

J'ai soupiré.

– C'est de la sueur, c'est sûr !

Elle a ri.

– Et c'est jamais gagné, elle a ajouté, il m'arrive encore de rêver à l'homme qui me prendra dans ses bras et me protégera. Mais j'ai maintenant une petite voix intérieure qui crie « stop ! » et qui remet les choses à leur place.

– Ah ! Ah ! T'es pas sortie du puits !

– Non mais je sais une chose aujourd'hui : je voudrais être son amie avant de tomber amoureuse.

– Ça, c'est garanti. Je vais pas attendre 39 bougies pour le comprendre.

Après, on n'a plus rien dit.

On s'est recueillies dans les bras l'une de l'autre. On a fait pommes et poires dans l'armoire. J'avais encore de nombreuses questions à lui poser mais je ne voulais pas gâcher ce moment-là. Comme dit Tatie, dans son enveloppe, quand l'amour passe, pour une seconde, pour une minute, il faut lui serrer la cravate et en profiter.

C'est ce qu'on a fait ce jour-là.

Moi d'abord
Seuil, 1979
et « Points », nº P455

La Barbare
Seuil, 1981
et « Points », nº P115

Scarlett, si possible
Seuil, 1985
et « Points », nº P378

Les hommes cruels
ne courent pas les rues
Seuil, 1990
« Points », nº P364
et Point Deux, 2011

Vu de l'extérieur
Seuil, 1993
et « Points », nº P53

Une si belle image
Jackie Kennedy (1929-1994)
Seuil, 1994
et « Points », nº P156

Encore une danse
Fayard, 1998
et « Le Livre de poche », nº 14671

J'étais là avant
Albin Michel, 1999
et « Le Livre de poche », nº 15022

Et monter lentement
dans un immense amour
Albin Michel, 2001
et « Le Livre de poche », nº 15424

Un homme à distance
Albin Michel, 2002
et « Le Livre de poche », n° 30010

Embrassez-moi
Albin Michel, 2003
et « Le Livre de poche », n° 30408

Les Yeux jaunes des crocodiles
Albin Michel, 2006
et « Le Livre de poche », n° 30814

La Valse lente des tortues
Albin Michel, 2008
et « Le Livre de poche », n° 31453

Les écureuils de Central Park sont tristes le lundi
Albin Michel, 2010
et « Le Livre de poche », n° 32281

Crocos, tortues, écureuils
Albin Michel, 2010

RÉALISATION : IGS-CP À L'ISLE-D'ESPAGNAC
IMPRESSION : NORMANDIE ROTO S.A.S. A LONRAI
DÉPÔT LÉGAL : OCTOBRE 2011. N° 105921 (113249)
Imprimé en France